Portugal

D0774746

Darwin Porter
Danforth Prince

First
Editions

Frommer's Portugal

Titre de l'édition originale en langue anglaise : *Frommer's Portugal*, 16th Edition

IDG Books Worldwide, Inc.
919 E. Hillsdale Blvd., Suite 400
Foster City, CA 94404 - USA

POUR LA VERSION FRANÇAISE

Traduction : Anne Girardeau, Marianne Guénot, Dominique Lablanche
et Audrey Stavrévitch
Direction éditoriale : Emmanuelle Héaume
Édition : Caroline Boissy
Correction : Hélène Teillon et Michèle Pierret
Avec la collaboration de : Marine Barbier et Anneck Chamming's
Aménagements maquette et mise en page : Alain Béthune

Édition française publiée en accord avec IDG Books Worldwide, Inc. par :
Éditions Générales First
33, avenue de la République, 75011 Paris - France
Tél. 01 40 21 46 46 - Fax. 01 40 21 46 20 - Minitel : AC3*FIRST
E-mail : **firstinfo@efirst.com** - Web : **www.efirst.com**

Sommaire

Liste des cartes   **6**

1   Les coups de cœur Frommer's   **7**

1. Les meilleures expériences de voyage 7
2. Les souvenirs de voyage les plus originaux 9
3. Les villes et les villages à ne pas manquer 10
4. Les plus belles plages 11
5. Les lieux les plus romantiques 12
6. Les plus beaux palais et châteaux 12
7. Les musées les plus intéressants 13
8. Les plus belles églises et abbayes 14
9. Le hit-parade des hôtels 15
10. Les *pousadas* les plus typiques 16
11. Les meilleurs restaurants 17
12. Les meilleurs vins 18
13. Le meilleur du shopping 19

2   En savoir plus sur le Portugal   **20**

1. Le Portugal d'aujourd'hui 20
2. Les régions en bref 21
3. Panorama historique 23
   Chronologie 25
4. L'architecture manuéline 28
   La Joséphine Baker portugaise 29
5. La gastronomie portugaise : fruits de mer à gogo 30

3   Préparer son voyage   **34**

1. Quand partir ? 34
   Moyennes des températures 34
   Calendrier des manifestations portugaises 35
2. Où se renseigner et se documenter ? 37
   Et sur le Web ? 38
3. Comment s'y rendre ? 40
   Avis aux fumeurs 40
   Les agences de voyage sur le Web ... 41
   Les cartes d'abonnement 44
4. Formalités 46
5. Santé, assurances et sécurité 46
   Conseil de voyage 48
6. Pour ceux qui ont des besoins particuliers 48
7. Argent 49
   En cas de vol 50
8. Se déplacer au Portugal 53
9. Se loger 55
10. Pour des vacances actives 57
    Itinéraires conseillés 58
11. Questions pratiques 59

4   Découvrir Lisbonne   **62**

Le marquis de Pombal, véritable fondateur du Portugal 64
1. Informations pratiques 65
   Comment trouver une adresse ? 67
   Les quartiers en bref 68
2. Se déplacer 69
Lisbonne pratique 71
3. Se loger 72
   Se loger en famille 75
4. Se restaurer 82
   Se restaurer en famille 85

5   Explorer Lisbonne   95

Propositions d'itinéraires 95
Vue imprenable 96
1. Les principales curiosités :
   l'Alfama, Belém et les musées 96
   *Les coups de cœur de Frommer's
   à Lisbonne* 98
   Un autre regard sur Lisbonne 103
2. Autres curiosités 105
3. Pour les enfants 109
4. Promenades dans la ville 110
   Promenade n° 1 - L'Alfama 110

*Promenade n° 2 - Baixa,
le Centre et le Chiado* 111
5. Visites organisées 114
6. Activités de plein air
   et de loisir 115
7. Les sports populaires 116
   Le saviez-vous ? 117
8. Faire des achats à Lisbonne 118
9. Vie nocturne 125
   Fado : la nostalgie en musique 127

6   Estoril, Cascais et Sintra   133

Explorer la région en voiture 134
1. Estoril : lieu de villégiature
   des familles royales 135
2. Cascais 142
3. Guincho 149

Un verre à la santé de Colares 151
4. Queluz 152
5. Sintra : Le « merveilleux Éden »
   de Byron 154
6. Ericeira 163

7   Au sud du Tage   166

Explorer la région en voiture 168
1. Azeitão 168
2. Sesimbra 170
   Les plages préférées des Portugais 173

3. Portinho da Arrábida 174
4. Setúbal 175
5. Palmela 179

8   L'Estrémadure   181

Explorer la région en voiture 181
1. Óbidos 182
   Les plages d'Estrémadure 185
2. Alcobaça 189
   *Hors des sentiers battus :
   la nature à l'état brut* 190

3. Nazaré 192
4. Batalha 196
5. Fátima 197

9   L'Algarve   202

Explorer la région en voiture 204
1. Sagres : « le bout du monde » 206
2. Lagos 208
3. Portimão 214
   *Monchique : une escapade
   au frais dans les montagnes* 224

4. Silves 226
5. Albufeira 227
6. Quarteira 235
7. Almancil 240
8. Faro 243
9. Vila Real de Santo António 250

10   L'Alentejo et le Ribatejo   254

Explorer la région en voiture 256
1. Tomar 257
2. Estremoz 260
   En dehors des sentiers battus 261
3. Elvas 264

La tauromachie dans le Ribatejo 265
4. Évora 267
   À la recherche des tapis d'Arraiolos 269
5. Beja 273
6. Vila Nova de Milfontes 276

11   Coimbra et les Beiras   278

Explorer la région en voiture 278
1. Leiria 280
2. Figueira da Foz 283
3. Coimbra 285
   Les Roméo et Juliette du Portugal 288
4. Buçaco 295

Parc national de la Serra da Estrela 296
5. Luso 297
6. Cúria 299
7. Aveiro 300
8. Caramulo 305
9. Viseu 306

12   Porto et ses environs   310

Explorer la région en voiture 311
1. Porto 311
   Porto pratique 314
   Le vin de Porto 318
   Promenade au cœur de Porto 319

Le saviez-vous ? 328
2. Espinho 330
3. Vila do Conde 333
4. Ofir et Fão 335

13   Les régions du Minho et du Trás-os-Montes   337

Explorer la région en voiture 338
1. Guimarães 340
2. Braga 344
3. Barcelos 347
4. Esposende 349

5. Viana do Castelo 351
   Un village hors des sentiers battus 355
6. Vila Real 356
7. Bragança 359

14   Madère   362

1. Informations pratiques 364
   *Les coups de cœur de Frommer's
   à Madère* 365
2. Se déplacer 368
   Madère pratique 368
3. Se loger 369
   Se loger en famille 373
4. Se restaurer 376

Se restaurer en famille 377
5. Découvrir Madère 379
6. Sports et activités de plein air ... 382
7. Shopping à Funchal 384
8. Vie nocturne 385
9. Découvrir l'île 385
10. L'île de Porto Santo 389

Guide Frommer's des bonnes adresses du Web   395

Index   405

Liste des cartes

Lignes de chemin de fer 45
Lisbonne 63
Se loger à Lisbonne 73
Musées et monuments de Belém 101
Le Bairro Alto 107
Promenade – Baixa,
   le Centre et le Chiado 113
Estoril et ses environs 137
Sintra 155
Le sud du Tage 167
L'Estrémadure 183

L'Algarve 203
Portimão 217
L'Alentejo et le Ribatejo 255
Coimbra et les Beiras 279
Coimbra 287
Porto 313
Promenade dans Porto 321
La région de Porto 331
La région du Minho 339
Madère 363
Funchal 367

Note au lecteur

Nous avons, au cours de nos voyages, découvert toutes sortes de lieux merveilleux - hôtels, restaurants, magasins, galeries d'art, boîtes de nuit... Nul doute qu'à votre tour vous en dénicherez d'autres. N'hésitez pas à nous communiquer vos découvertes pour que nous puissions en faire profiter les utilisateurs des éditions à venir. De même, si vous êtes déçu par l'une des adresses recommandées, merci de nous le dire.

Nous nous efforçons par un travail systématique de vérification et d'actualisation de vous communiquer les informations les plus fiables possible. Cependant, des changements peuvent advenir entre le moment où nous publions ce guide et votre voyage. Nous vous invitons donc à nous en faire part le cas échéant.

Merci de nous écrire à :

Guides de voyages Frommer's
Éditions First
33, avenue de la République
75011 Paris - France
firstinfo@efirst.com

SYMBOLES ET ABRÉVIATIONS

✪	**Nos favoris**	M.	Métro
CB	Carte bancaire	TÉL.	Téléphone
CLIM.	Climatisation	TV	Télévision

Les coups de cœur Frommer's

1

Il y a cinq ou six siècles, les Portugais furent parmi les premiers à partir à la découverte du monde. En revanche, jusqu'à une date récente, leur pays n'a guère suscité la curiosité des visiteurs. Hormis la région de Lisbonne, l'Algarve et l'île de Madère, le Portugal est longtemps resté à l'écart des grandes destinations touristiques.

De nos jours, on commence à prendre conscience de l'injustice de ce traitement. Le pays possède en effet de nombreux atouts : des plages de sable, des trésors artistiques, une cuisine savoureuse, un style d'architecture – le manuélin – unique en son genre, un bel artisanat, un climat doux, des hôtels à prix abordables, et une population chaleureuse et courtoise. À la fin des années 70, 2 millions de visiteurs seulement se rendaient au Portugal ; ils étaient 20 millions au milieu des années 90, un afflux auquel a répondu l'explosion de la construction d'infrastructures hôtelières et balnéaires.

Le Portugal est un pays à la physionomie très variée. Du sud au nord, vous verrez des amandiers dans l'Algarve, des forêts de chênes-lièges et des champs de blé dans l'Alentejo, de grandes fermes dédiées à l'élevage du bétail dans le Ribatejo, des ruelles tortueuses dans l'Alfama de Lisbonne, des charrettes tirées par des bœufs à travers les plaines du Minho, des vignes, enfin, dans le Douro. Azalées, rhododendrons et cannas fleurissent dans tout le pays ; les petits cafés vous accueillent au son du *fado* ; les ailes des moulins vibrent sous la brise de l'Atlantique ; les bateaux de pêche à la sardine dansent dans les baies, et les maisons blanchies à la chaux étincellent sous le soleil. La mer n'est jamais loin.

Nos propositions ne sont qu'un avant-goût des découvertes que vous pourrez faire vous-même, tels les marins d'autrefois.

1. Les meilleures expériences de voyage

• **Faire de la randonnée dans l'Algarve.** La beauté du pays porte aux activités de plein air. Dans la région méridionale de l'Algarve, riche en lagunes et en reliefs rocheux, on peut marcher sur des kilomètres sans quitter la mer des yeux. La région de Sagres est particulièrement séduisante. Elle fascine le voyageur depuis l'époque où elle était considérée comme le « bout du monde ». Mais d'autres sites valent le détour, notamment les sentiers environnant les villages de Silves et Monchique où les vallées ravinées n'ont guère changé d'aspect depuis l'époque musulmane.

- **Dormir dans les** *pousadas.* Après la Seconde Guerre mondiale, le gouvernement portugais s'avisa que le patrimoine architectural du pays avait besoin d'un sérieux rafraîchissement. Il transforma des dizaines de monastères et de palais en hôtels, en respectant leur caractère. Les visiteurs d'aujourd'hui pourront apprécier les beautés architecturales du Portugal en descendant dans l'une de ces *pousadas* (appartenant à une chaîne administrée par l'État). Toutes les chambres n'offriront peut-être pas le luxe escompté, et le personnel n'y est pas toujours des plus empressés. Il n'en reste pas moins qu'y loger est l'occasion unique de s'immerger dans le lointain passé du Portugal.

- **Se pâmer en écoutant du** *fado.* Après le football, le *fado* (mot qui signifie « destin ») est le divertissement national. Hommage lyrique aux cœurs brisés, les formes les plus anciennes du *fado* remontent aux troubadours. Ses strophes de quatre vers non rimés, chantées par des vedettes de légende telle Amália Rodrigues, parlent directement à l'inconscient collectif de la nation portugaise. Écoutez dans les clubs la complainte des *fadistas,* fermez les yeux et laissez-vous gagner par leur dignité mélancolique...

- **Découvrir une plage déserte.** Le charme et l'élégance des plages d'Estoril, Cascais, Setúbal et Sesimbra sont réputés depuis longtemps. Plus récemment, l'Algarve et ses 200 km de plages de sable doré, d'eau turquoise et de criques rocheuses a séduit une clientèle nord-européenne. Et si vous recherchez la solitude, vous la trouverez sûrement le long d'une route côtière déserte du nord du pays.

- **Pêcher dans les eaux poissonneuses de la côte.** La position du Portugal sur l'Atlantique, sa côte non polluée et ses rivières aux eaux abondantes favorisent les concentrations de poisson. Vous ne serez pas le premier à lancer vos lignes ou vos filets. Depuis toujours, le Portugal se nourrit de la pêche. C'est un des pays européens les plus marqués par les traditions maritimes. La douceur du climat permet de pêcher toute l'année plus de 200 espèces, dont certaines bien particulières (tel le sabre d'argent de 1,80 m de long). Les rivières et lacs du pays hébergent la perche noire, le saumon et trois espèces de truite. Les eaux froides de l'Atlantique abondent en bars, requins, chiens de mer, raies et espadons.

- **Marcher jusqu'au bout du monde.** Pour les hommes du Moyen Âge, la pointe sud-ouest du Portugal représentait la limite extrême de la sécurité et du pouvoir humains. Au-delà s'étendaient le sombre et terrifiant océan, peuplé de démons prêts à dévorer les corps et les âmes des marins assez téméraires pour s'y aventurer. Le rattachement de Sagres et de sa péninsule à la nation portugaise se fit au prix de sanglants combats contre les Maures, et il fallait cheminer des semaines à travers des déserts pierreux avant de l'atteindre. Vous vivrez une expérience solitaire et grandiose en cheminant jusqu'à cet avant-poste, afin de rendre hommage aux navigateurs qui se sont embarqués de Sagres pour la gloire ou la mort. Cinq siècles plus tard, l'excitation qui entourait ces longs périples est toujours perceptible dans ce coin de côte désolé. Voir chapitre 9.

- **Se délasser dans une station thermale.** Les stations portugaises paraissent plutôt sous-équipées face au luxe des stations allemandes ou françaises. Néanmoins, le centre et le nord du pays offrent une demi-douzaine de sources d'eau sulfureuse dont les vertus thérapeutiques sont reconnues et appréciées depuis l'époque romaine. Luso, Monte Real et Curia sont les plus réputées, suivies de près par Caldas do Gerês, Vimeiro et São Pedro do Sul. Ne comptez pas trouver des cours d'aérobic. En revanche, vous communierez avec la nature, vous éliminerez les toxines de la vie urbaine, et vous irez vous coucher de bonne heure pour un sommeil réparateur.

- **Faire le tour des caves à porto avec dégustation à la clé.** En face de la ville de Porto, sur l'autre rive du Douro, Vila Nova de Gaia est le centre du négoce du porto depuis le XVIIe siècle. Le vin est transporté des vignobles riverains du Douro dans des entrepôts où il est élevé, mis en bouteille et expédié dans le monde entier. Plus de 25 sociétés, comme la très célèbre Sandeman, sont présentes dans cette ville. Chacune propose des visites guidées gratuites de ses locaux, se terminant immanquablement par la dégustation d'un ou deux vins de la maison. L'office du tourisme de Porto vous fournira une carte de la vallée du Douro afin de visiter les vignobles. Voir chapitre 12.
- **Jouer au golf au bord de la mer.** Les négociants britanniques qui achetaient les excellents vins du Portugal importèrent ce sport vers 1890. Jusque dans les années 60, il resta un passe-temps de riches. Un regain d'intérêt venu de l'étranger, un prix raisonnable de la terre allié à une topographie pleine de ces surprises qu'apprécient les golfeurs ont conduit à la création d'au moins trente grands terrains qui font du Portugal une destination de choix pour la pratique de ce sport. Les terrains se concentrent à proximité d'Estoril et dans l'Algarve. Climat de rêve, fairways verdoyants, ciel et mer d'azur, enchantent la clientèle qui ne résiste pas au plaisir de déguster tranquillement un vin portugais sur une terrasse, après la partie.

2. Les souvenirs de voyage les plus originaux

- **Une randonnée équestre le long de la côte.** L'océan Atlantique, qui fait vivre de nombreux Portugais, est en outre bordé de plages qui se prêtent magnifiquement à la randonnée (pour plus de détails, voir chapitre 3, rubrique « Pour des vacances actives »). Mais les plages ne sont pas le seul attrait du littoral. Oliveraies, vignes, forêts de pins et lagunes permettent de varier les plaisirs de la promenade. Découvrir ce beau pays sur le dos d'un de ces excellents chevaux de selle que sont les lusitaniens est une expérience agréable et originale – surtout si l'animal est paisible et bien dressé.
- **La découverte de l'architecture manuéline.** Le *manuelino*, comme on l'appelle en portugais, marque un changement radical par rapport au style gothique tardif encore en vogue sous le règne de Dom Manuel. Il associe des motifs chrétiens à des coquillages, des cordes et d'étranges formes aquatiques. Il est généralement couronné de symboles héraldiques ou religieux. Le monastère des Hiéronymites (Mosteiro dos Jerónimos) à Belém, datant du XVIe siècle, en constitue le meilleur exemple, avec les mystérieuses visions astrologiques de la célèbre fenêtre du couvent du Christ – l'ancien bastion des Templiers – à Tomar.
- **Une visite au continent perdu de l'Atlantide.** Les îles des Açores sont une des destinations les plus insolites en Europe. Selon certains spécialistes de la mythologie, ces îles perdues au milieu de l'Atlantique seraient les seuls vestiges de l'Atlantide. Pendant des centaines d'années, elles furent considérées comme le bout du monde, la limite extrême de la sphère d'influence européenne, au-delà de laquelle les navires se perdaient. Encore aujourd'hui, elles forment un archipel verdoyant mais solitaire, à la croisée des vents et des ouragans, où les citadins perdent leurs repères dans ce contact brumeux avec la mer. Si la place manque dans ce guide pour décrire comme elles le méritent ces îles fascinantes, sachez que vous pouvez vous renseigner auprès de n'importe quel office du tourisme portugais.
- **Un détour par l'île de Berlenga.** À 11 km de la côte, Berlenga est une île granitique qui a toujours été la première ligne de défense contre les envahisseurs venus de la mer. En 1666, 28 Portugais tentèrent de résister à 1 500 Espagnols qui bombardaient le site depuis 15 navires. Une forteresse médiévale, détruite au cours de la

bataille et reconstruite plusieurs décennies plus tard, abrite aujourd'hui une auberge. L'île ainsi que l'archipel rocheux et désert qui l'entoure étaient prédestinés à devenir une réserve naturelle dont la flore et faune, aussi bien aquatiques que terrestres, sont protégées. Une liaison est assurée avec le continent depuis la péninsule de Peniche, à 90 km au nord de Lisbonne. Voir chapitre 8.

- **Une escapade « au-delà des monts ».** Le district le plus septentrional de Trás-os-Montes (Au-delà-des-monts) est une terre sauvage et accidentée où les étrangers s'aventurent rarement. La population se concentre dans des vallées profondes, et habite des maisons traditionnelles construites en argile schisteuse ou en granit. Le même dialecte galicien est parlé de part et d'autre de la frontière. La majeure partie du plateau est aride et rocheuse, mais les rivières et les torrents alimentent un système d'irrigation, et des sources thermales sont en activité depuis l'époque romaine au moins. Le paysage est parsemé de ruines de forts pré-romains, de dolmens et de cromlechs érigés par des peuples celtes préhistoriques, et de vieilles églises à l'abandon. Ces sites sont accessibles en voiture. Voir chapitre 13.

3. Les villes et les villages à ne pas manquer

- **Sintra.** Depuis l'époque musulmane, rois et aristocrates portugais succombent au charme irrésistible de cette ville et dépensent sans compter dans la construction de villas et de jardins. Nulle part au Portugal on n'en trouvera de si beaux et en si grand nombre. Au moins cinq palais et monastères de premier ordre se dissimulent dans l'abondante végétation. Voir chapitre 6.

- **Óbidos.** Ce bourg du Portugal central a su conserver intacte son architecture du XIIIe siècle, grâce au soin et à l'attachement de ses 5 000 habitants. Pendant 600 ans, les reines le reçurent en gage d'amour de la part de leur royal époux. Un charme romantique reste attaché aux pierres d'Óbidos. Voir chapitre 8.

- **Nazaré.** Ce pittoresque port de pêche de la côte d'Estrémadure produit un merveilleux artisanat. La ville est fortement imprégnée de culture traditionnelle, à la grande différence de ses voisines. Voir chapitre 8.

- **Fátima.** En 1913, la Vierge apparut à trois enfants de Fátima qui gardaient les moutons, leur demandant de divulguer un message de paix. D'abord négligée, leur histoire fut finalement reconnue par une hiérarchie catholique. Par la suite, 70 000 personnes rassemblées sur le site prétendirent avoir vu la même apparition. De nos jours, Fátima est le plus fréquenté des lieux de pèlerinage de la péninsule Ibérique. Des dizaines d'églises et de monuments accueillent cette ferveur. Voir chapitre 8.

- **Évora.** Un ancien temple romain bien conservé se dresse en face des monastères, qui se multiplièrent à l'époque où les rois y établirent leur capitale, au XIIe siècle. Tous ces édifices voisinent avec des vestiges de l'occupation maure et forment l'un des ensembles architecturaux les plus séduisants d'Europe et les mieux préservés du pays. Voir chapitre 10.

- **Tomar.** À partir du XIIe siècle, les Templiers et plus tard les Chevaliers du Christ (deux ordres semi-monastiques et guerriers) établirent leur quartier général portugais à Tomar. Au fil des siècles, la ville profita largement de leur générosité, au point qu'elle est devenue le plus beau centre d'architecture médiévale portugaise. Voir chapitre 10.

- **Coimbra.** Cette ville peut s'enorgueillir de posséder une université prestigieuse dont l'origine remonte au Moyen Âge, un beau centre historique et une tradition de chant troubadour parmi les plus vivantes de la péninsule Ibérique. Voir chapitre 11.

- **Porto.** Deuxième ville du Portugal, Porto est étroitement associée au commerce du vin du même nom. La métropole industrielle du nord du pays attire moins le tourisme que Lisbonne, plus axée sur les loisirs. On remarquera quelques demeures majestueuses de la fin du XIXᵉ siècle. Ce sont celles que firent construire, de retour au pays, quelques riches entrepreneurs qui avaient fait fortune au Brésil. Voir chapitre 12.
- **Guimarães.** Lieu de naissance du premier roi du pays, Alphonso Henriques, Guimarães est le berceau du Portugal. La ville regorge de curiosités et son centre médiéval est l'un des plus authentiques. Là également est né Gil Vicente (1470-1536), auteur dramatique surnommé le « Shakespeare du Portugal ». Voir chapitre 12.
- **Viana do Castelo.** Ville du nord attachée à ses traditions folkloriques, Viana do Castelo est célèbre pour sa poterie, ses costumes régionaux féminins, sa collection de beaux et imposants édifices publics... et pour l'abondance de ses pluies. Elle a connu son apogée au XVIᵉ siècle lorsque ses marins allaient pêcher la morue jusqu'à Terre-Neuve. C'est grâce aux richesses rapportées par cette activité que la ville a pu se doter de ces beaux monuments manuélins. Voir chapitre 13.

4. Les plus belles plages

- **Costa do Sol.** Parfois désigné sous le nom de côte d'Estoril, ce bord de mer s'étend à 30 kilomètres à l'ouest de Lisbonne. Les deux grandes stations sont Estoril et Cascais. Ancien lieu de villégiature hivernale des gens fortunés, notamment des rois en exil, la région attire maintenant une foule de touristes venus principalement d'Europe du Nord. Voir chapitre 6.
- **Algarve.** La frange méridionale du Portugal est devenue un haut lieu du tourisme grâce à ses belles plages de sable propre, qui se comptent par centaines. Sur des kilomètres de côte sauvage, les vagues s'écrasent sur des falaises dorées. Criques et grottes, certaines accessibles par bateau, ajoutent à l'attrait de la région. La plus belle crique est celle de Lagos, ancienne ville maure dotée d'un port en eau profonde s'ouvrant sur une large baie. De là, en allant vers le sud, on accède à Praia do Camilo et à Albufeira, deux plages qui s'étendent au pied d'imposantes formations rocheuses. Voir chapitre 9.
- **Alentejo.** La province la plus étendue et la moins peuplée du Portugal est couverte de plantations d'oliviers et de chênes-lièges. Mais les voyageurs avertis savent qu'on y trouve des plages magnifiques et moins fréquentées qu'ailleurs : même en juillet et août, elles paraissent désertes. Elles s'étirent de l'extrémité sud de la province, à Odeceize, jusqu'à la pointe de la Tróia Peninsula, au nord. Parmi les plus belles, on retiendra Praia Grande et Praia do Carvalhal à Almograve. Voir chapitre 10.
- **Les Beiras.** Dans le Portugal central, au nord de Lisbonne, l'Atlantique baigne quelques-unes des plus belles plages de sable d'Europe. Tel un collier de perles, elles s'échelonnent de Praia de Leirosa, au sud, à Praia de Espinho, au nord. Les grandes stations sont Figueira da Foz et Buarcos. Les plages entre Praia de Mira et Costa Nova sont plus isolées. Voir chapitre 11.
- **Costa Verde.** En se rapprochant de la Galice espagnole, au nord, la mer devient plus froide, et même en été, la côte est très venteuse. Certains jours, la vue sur le littoral est des plus spectaculaires. Nous avons aimé la large plage de sable de Ponte de Lima, mais il y en a tant d'autres ! Les destinations les plus prisées sont les stations d'Espinho, au sud de Porto, et les plages célèbres de Póvoa de Varzim et d'Ofir, remarquablement équipées en hôtels, restaurants et infrastructures de sports nautiques. Voir chapitre 12.

5. Les lieux les plus romantiques

Si le Portugal vous inspire des élans romantiques et l'envie de vous retirer dans un nid d'amour en compagnie de l'élu(e), voici cinq sites parmi les plus appropriés.

- **Guincho.** Sur la côte d'Estoril, à 9 km au nord-ouest de Cascais, Guincho est la pointe la plus occidentale de l'Europe continentale. Le site est spectaculaire à souhait, avec ses vagues qui se brisent sur trois côtés d'une forteresse du XVIIᵉ siècle, restaurée et transformée en un hôtel de luxe particulièrement pittoresque. Vos ébats amoureux y seront rythmés par le fracas des vagues et vous pourrez enlacer l'élu(e) sur le balcon face à la mer. Des plages s'étendent de chaque côté de l'hôtel. Voir chapitre 6.

- **Sintra.** Depuis l'occupation maure, Sintra est considérée comme l'un des plus beaux sites du Portugal. Les Maures, les premiers, construisirent deux forteresses. Par la suite, les monarques catholiques, les magnats de l'industrie et les membres de l'élite portugaise lui ont tous prodigué leurs faveurs. Voir chapitre 6.

- **Serra da Arrábida.** Cette chaîne en forme de baleine ne dépasse jamais 150 m d'altitude. Ses masses de fleurs sauvages sont réputées dans toute la péninsule Ibérique pour leur variété et leurs couleurs. La serra s'étend entre Sesimbra et Setúbal, de l'autre côté de l'estuaire du Tage par rapport à Lisbonne. En venant de la capitale, vous traverserez quelques sites fort plaisants : des plages – certaines désertes, d'autres pleines de monde –, un monastère capucin du Moyen Âge (le Convento Novo), et Sesimbra. Cette dernière, témoin d'une époque révolue, offre, en plus de sa grand-place somnolente et de ses forts en ruine, des bars et des restaurants. Voir chapitre 7.

- **Óbidos.** Des années après que Dom Alphonso Henriques eut arraché le village aux Maures, le roi Denis l'offrit à sa bien-aimée, Isabelle. (Le village est resté la propriété personnelle des reines du Portugal jusqu'en 1834.) Aujourd'hui, avec ses remparts, ses rues pavées et ses façades du XIVᵉ siècle, Óbidos est l'endroit le plus romantique du pays. Voir chapitre 8.

- **Buçaco.** Cette forêt occupe une place à part dans l'inconscient collectif national, du fait, en particulier, de son association au destin tragique de la famille royale. Au XVIIᵉ siècle, des moines bénédictins et capucins enrichirent la forêt d'espèces exotiques. En 1907, la famille royale y fit construire un palais, dont elle ne profita qu'un été, avant qu'assassinats et révolutions ne viennent bouleverser son sort. Le palais a été transformé en hôtel, pour des séjours d'un parfait romantisme. Voir chapitre 11.

6. Les plus beaux palais et châteaux

Construits pour la défense ou pour le faste, les châteaux portugais n'ont rien à envier aux plus romantiques d'Europe. En voici cinq, parmi les plus intéressants.

- **Castelo São Jorge**, dans l'Alfama, à Lisbonne. Dès avant l'époque romaine, et sans cesse depuis, cette colline a été fortifiée pour défendre les villages riverains du Tage. Aujourd'hui, l'imposant château couronne un vieux quartier très populeux, l'Alfama. L'ensemble, avec ses épaisses murailles, ses créneaux médiévaux, son iconographie catholique et féodale et ses jardins verdoyants baigne dans la nostalgie. Les vues sur la grande ville portuaire sont superbes. Voir chapitre 5.

- **Palácio Nacional de Queluz**, près de Lisbonne. Conçu au XVIIIᵉ siècle pour servir de cadre aux réceptions et concerts royaux, il s'inspire du modèle de Versailles, mais en plus intime. Le bâtiment symétrique est entouré de jardins, de fontaines, et de statues de héros mythiques et de vierges. L'intérieur est resplendissant d'or, de cristal et de fresques, mais la salle qui fait l'orgueil des Portugais est celle des *azulejos*, ces carreaux bleu et blanc peints à la main. Ceux-ci reproduisent des scènes de la vie quotidienne dans les colonies de Macao et du Brésil. Voir chapitre 6.

- **Palácio Nacional de Pena**, Sintra. Seul un courtisan cosmopolite du XIXᵉ siècle pouvait imaginer un mélange aussi coûteux et éclectique de styles architecturaux… et se l'offrir. Entouré d'un parc de 200 hectares entièrement ceint de murs, il fut commandé par l'époux allemand de la reine du Portugal. Ces pastiches de styles évoquent les châteaux de Louis II de Bavière. Garni d'un lourd mobilier et d'un décor foisonnant, il symbolise la monarchie portugaise à son stade de décadence esthétique le plus avancé. Voir chapitre 6.

- **Castelo dos Mouros**, Sintra. Au XIXᵉ siècle, les monarques voulurent faire de ce château en ruine de la période musulmane un ornement central de leurs immenses jardins. Se dressant à proximité du palais de Pena (voir ci-dessus), cette forteresse trapue, aux murs épais, fut commencée vers 750 par les Maures, et conquise par les Portugais en 1147 avec l'aide de croisés scandinaves. Du château d'origine, seules subsistent les murailles aux arêtes vives, quatre tours érodées et une chapelle romane en ruine. Voir chapitre 6.

- **Palace Hotel do Buçaco**, dans la forêt de Buçaco. De tous les édifices de cette liste, le palais de Buçaco est le symbole national le plus important. Achevé en 1907, c'est le seul également qui ait été transformé en hôtel, offrant la possibilité aux visiteurs de dormir entre les murs d'un ancien palais royal imprégné de la *saudade* portugaise (qu'on peut traduire par « regret nostalgique »). Fait de marbre, de bronze, de vitraux et de bois exotiques, s'inspirant des grands monuments de l'empire, il représente de façon poignante le dernier geste d'éclat d'une royauté crépusculaire. Voir chapitre 11.

7. Les musées les plus intéressants

- **Museu da Fundação Calouste Gulbenkian**, Lisbonne. Magnat arménien du pétrole, Calouste Gulbenkian (1869-1955) constitua une merveilleuse collection d'art européen et asiatique (sculptures, peintures, pièces de monnaie, tapis et meubles) exposée dans un bâtiment moderne entouré de verdure. De loin le musée le plus célèbre du pays, il appartient à une fondation privée. Voir chapitre 5.

- **Musée national d'Art ancien (Museu Nacional de Arte Antiga)**, Lisbonne. Dans les années 1830, une grosse partie des fabuleuses richesses des monastères portugais fut sécularisée. Leurs trésors, notamment la plus belle collection de primitifs portugais du pays, ainsi que de la vaisselle d'or et d'argent fabriquée à partir de métal indien, sont exposés dans le palais des comtes d'Alvor datant du XVIIᵉ siècle. Voir chapitre 5.

- **Musée de la Marine (Museu de Marinha)**, Lisbonne. Le plus important musée de la Marine au monde – hommage conséquent rendu à l'époque des explorations – se trouve dans l'aile ouest de l'ancien couvent des Jerónimos. Des milliers de pièces sont exposées, entre autres des galions royaux ruisselant d'or, de dragons et de serpents de mer. Voir chapitre 5.

- **Musée national des Carrosses (Museu Nacional dos Coches)**, Lisbonne. Créé en 1904 par la reine Amélie, ce musée se trouve dans l'enceinte de l'école d'équitation du Palácio do Belém (la résidence officielle du président portugais). Il renferme des dizaines de voitures d'apparat, certaines décorées de scènes illustrant les découvertes maritimes du Portugal. Voir chapitre 5.

- **Museu Machado de Castro**, Coimbra. Dans l'ancienne ville de Coimbra, berceau de l'Université portugaise, ce musée, installé dans l'ancien palais des archevêques datant de 1592, possède la plus riche collection au monde de sculptures de Machado de Castro, maître du XVIIIe siècle. Il abrite également un important ensemble de sculptures religieuses allant de 1300 à 1790. Voir chapitre 11.

8. Les plus belles églises et abbayes

- **Monastère des Hiéronymites (Mosteiro dos Jerónimos)**, Belém. Plus que tout autre édifice religieux du Portugal, ce complexe illustre le flot de richesses qui se déversa à Lisbonne à l'époque des grandes découvertes. Commencée en 1502 à Belém – le port jouxtant Lisbonne – l'église est le monument manuélin le plus important au monde. Richement décorée et d'une originalité totale en Europe, elle possède entre autres traits marquants des colonnes dont les formes s'inspirent du gréement des caravelles portugaises chargées des trésors du Brésil et de l'Inde. Voir chapitre 5.

- **Convento de Mafra (Palácio Nacional de Mafra)**. À l'origine, le couvent ne devait abriter qu'une douzaine de moines, mais, après la naissance d'un héritier, le roi n'eut qu'une idée : embellir son architecture et augmenter sa taille. La construction commença en 1717, et le financement fut assuré par l'or des colonies brésiliennes. Quelque 50 000 ouvriers travaillèrent pendant plus de 13 ans à sa réalisation. Les bâtiments seuls occupent une surface de 40 000 mètres carrés ; on dénombre plus de 4 500 fenêtres et portes. Le complexe comprend un palais et de quoi loger 300 moines. Il est entouré d'un parc dont le mur d'enceinte mesure près de 20 kilomètres. Voir chapitre 6.

- **Monastère de Sainte-Marie (Mosteiro de Santa Maria)**, Alcobaça. Très étroitement associé aux guerres portugaises contre les Maures, ce monastère fut offert en 1153 aux cisterciens par le premier roi portugais (Alphonso Henriques). S'associant à un grandiose projet de mise en valeur des terres, les moines défrichèrent la forêt, mirent les terres en culture, creusèrent des canaux d'irrigation, et édifièrent une très haute église (achevée en 1253), d'un grand raffinement dans la simplicité et la pureté des lignes ; les historiens la considèrent comme unique en Europe. Voir chapitre 8.

- **Monastère de Santa Maria da Vitória (Mosteiro de Santa Maria da Vitória)**, Batalha. En 1385, les Portugais, conduits par un jeune homme qui venait d'être couronné roi, livrèrent contre les Castillans une bataille décisive dans l'histoire de la péninsule, assurant l'indépendance du Portugal pour deux siècles. Elle fut célébrée par la construction du monastère dominicain de Batalha, où triomphent les styles gothique flamboyant et manuélin. Voir chapitre 8.

- **Convento da Ordem de Cristo**, Tomar. Construit en 1160 sur la frontière la plus âprement disputée entre musulmans et chrétiens, ce couvent fut d'abord une forteresse monastique. Les programmes de construction et d'embellissement qui s'y succédèrent sur un demi-millénaire en ont fait un véritable musée des styles architecturaux. Certaines des fenêtres intérieures, au décor sculpté de motifs marins (cordes, corail, mâts de frégate, algues...) ou végétaux, comptent parmi les plus beaux exemples de décor manuélin au monde. Voir chapitre 10.

9. Le hit-parade des hôtels

- **Four Seasons Hotel The Ritz** (Lisbonne ; ∅ 21/383-20-20). Construit dans les années 50, le Ritz est l'un des hôtels légendaires du Portugal, avec un livre d'or signé par toutes les célébrités internationales. Partout dans l'hôtel, on a le sentiment qu'une grande réception se prépare. Voir chapitre 4.

- **York House** (Lisbonne ; ∅ 21/396-24-35). Cet ancien monastère du XVIIᵉ siècle, devenu propriété privée, est le lieu où poser ses valises à Lisbonne. Il est couvert de plantes grimpantes et regorge d'antiquités, de lits à colonnes et de tapis orientaux. Décor et mobilier conservent tout son cachet à l'édifice. Ne boudez pas votre plaisir : le prix est tout à fait abordable. Voir chapitre 4.

- **Hotel Albatroz** (Cascais ; ∅ 21/483-28-21). Environnée d'un jardin dominant l'Atlantique, cette auberge a d'abord été la résidence d'été des ducs de Loulé. Depuis sa transformation en hôtel, son élégance aristocratique attire une clientèle venue de l'Europe entière. Le service, comme il se doit, est impeccable. Voir chapitre 6.

- **Palácio Hotel** (Estoril ; ∅ 21/464-80-00). Le Palácio a connu son heure de gloire dans les années 50 et 60, lorsque les monarques destitués venaient, avec une suite nombreuse, se réfugier entre ses murs somptueux. Il en est résulté cette curieuse survivance d'un monde disparu. Les anciens du personnel du « Palace » vous gratifieront d'un traitement royal dont ils ont le secret. Voir chapitre 6.

- **Hotel Palácio de Seteais** (Sintra ; ∅ 21/923-32-00). Ce fleuron de l'élégance hôtelière porte un nom des plus ironiques. Ici fut signé, en 1807, le traité mettant fin à la campagne de Napoléon au Portugal, en des termes si humiliants pour les Portugais qu'ils surnommèrent l'édifice le « Palais des Sept Soupirs ». Les seuls soupirs que vous êtes susceptibles de pousser de nos jours sont de plaisir, devant le cadre, le magnifique jardin et les traces d'un mode de vie disparu. Voir chapitre 6.

- **Hotel de Lagos** (Lagos ; ∅ 282/76-99-67). Ce château du XXᵉ siècle s'étend sur 1,5 hectare au sommet d'une colline dominant la plus grande ville de l'Algarve. Certains le comparent aux élégantes haciendas d'Amérique latine, et tout le monde s'accorde pour le trouver luxueux. Voir chapitre 9.

- **Le Méridien Dona Filipa** (Vale de Lobo, Almancil ; ∅ 289/39-41-41). Cet hôtel confortable, moderne, bien agencé et raffiné domine la mer, mais le plus étonnant est sans doute son parc de 180 hectares comprenant un superbe terrain de golf. Ne vous laissez pas influencer par la sévérité de l'aspect extérieur. L'intérieur est richement décoré d'objets chinois et portugais, anciens pour beaucoup. Voir chapitre 9.

- **Palace Hotel do Buçaco** (Buçaco ; ∅ 231/93-01-01). Ce palace, construit de 1888 à 1907 pour servir de refuge, au cœur de la forêt de Buçaco, à la famille royale, fut le témoin d'une tragédie un an après son achèvement. Le roi Charles et le prince héritier furent assassinés, laissant la reine Marie-Amélie et son second fils seuls avec leur chagrin dans le palais tapissé d'*azulejos*. En 1910, le dynamique chef cuisinier suisse persuada l'administration de lui confier la charge de le transformer en hôtel de luxe. Les souvenirs doux-amers de son passé royal ne semblent pas avoir encore totalement reflué dans l'épaisseur des murs. Voir chapitre 11.

- **Infante de Sagres** (Porto ; ∅ 22/200-81-01). Un magnat du textile fit construire cet hôtel en 1951 dans le style d'un manoir portugais. Le raffinement des détails donne l'impression qu'il est beaucoup plus ancien. C'est l'établissement le plus nostalgique, le plus cossu et le plus abondamment décoré de Porto. Les directeurs ont commencé leur carrière dans l'hôtel comme chasseurs, et le personnel est manifestement fier d'y travailler. Voir chapitre 12.

- **Reid's Palace** (Funchal, Madeire ; ∅ 291/71-71-71). Pendant plus d'un siècle, le Reid's a satisfait les fantasmes coloniaux des impérialistes anglais en voyage. On y sert le thé à 16 h tapantes. Les antiquités anglaises sont dûment astiquées chaque semaine et un carillon annonce que le dîner est servi. Bâti en 1891 sur un promontoire rocheux, et agrandi en 1968, il donne sur un jardin en terrasses descendant jusqu'à la mer. Sa clientèle, où a figuré Winston Churchill, est tout ce qu'il y a de plus convenable.Voir chapitre 14.

10. Les *pousadas* les plus typiques

Les *pousadas* sont des hébergements appartenant à l'État, installés pour la plupart dans des monuments historiques – monastères ou palais. Typiques de l'esthétique portugaise, ils permettent de mieux appréhender la richesse du passé du pays. En voici cinq parmi les plus intéressants.

- **Pousada de São Filipe** (Setúbal ; ∅ 265/52-38-44). Au XVIe siècle, cette *pousada* fit partie d'une chaîne de forteresses défensives entourant Lisbonne. Aujourd'hui, elle reste imprégnée de l'histoire portugaise, avec sa décoration d'*azulejos* (carreaux de céramique émaillée) anciens et le point de vue qu'elle offre sur la ville. Les chambres sont simples, monastiques au goût de certains, mais confortables. Voir chapitre 7.

- **Pousada do Castelo** (Óbidos ; ∅ 262/95-91-05). Cette *pousada* occupe une aile du château qui protégeait la ville médiévale d'Óbidos, aujourd'hui l'une des mieux conservées du Portugal. En 1285, le roi Denis en fit don – avec le village attenant – à sa femme bien-aimée, la reine Isabelle. À l'intérieur, l'esthétique médiévale se combine agréablement avec les commodités modernes et un confort de bon aloi. Voir chapitre 8.

- **Pousada de Santa Luzia** (Elvas ; ∅ 268/62-21-94). Ouverte en pleine guerre, en 1942, à deux pas de la frontière stratégique entre le Portugal neutre et l'Espagne fasciste, cette *pousada* de style vaguement mauresque comprend deux étages bas. Elle fut rénovée en 1992 et offre des chambres confortables et pittoresques. Voir chapitre 10.

- **Pousada da Rainha Santa Isabel** (Estremoz ; ∅ 268/33-20-75). Logée dans une structure du Moyen Âge destinée à protéger le Portugal d'une invasion venue d'Espagne, la *pousada* Santa Isabel est la plus luxueuse du Portugal. Des reproductions d'antiquités du XVIIe siècle, environ 4 000 mètres carrés de marbre étincelant et des tapisseries très finement ouvragées composent un des décors anciens les plus remarquables de la région. Vasco de Gama y fut reçu par Dom Manuel avant son départ pour les Indes. Voir chapitre 10.

- **Pousada dos Lóios** (Évora ; ∅ 266/70-40-51). Cette *pousada* était à l'origine un monastère, reconstruit en 1485 à côté du temple romain de la ville. La pureté de son style et l'absence de toute intrusion du monde moderne en font l'une des expériences esthétiques les plus saisissantes du Portugal. À l'intérieur, rien ne rappelle son austérité première ; tout respire le luxe et le confort. Voir chapitre 10.

11. Les meilleurs restaurants

- **Gambrinus** (Lisbonne ; ∅ 21/342-14-66). Ce n'est pas le plus sélect de sa catégorie, mais c'est l'un des restaurants de fruits de mer les plus branchés et les mieux tenus de Lisbonne. Le bar offre une variété étonnante de coquillages. On dégustera les produits les plus exotiques de l'Atlantique arrosés d'un verre de porto blanc sec. Voir chapitre 4.

- **Tágide** (Lisbonne ; ∅ 21/342-07-20). Ambiance vieux Portugal, avec des accents français dans la cuisine et le décor. Le cadre, un vénérable manoir donnant sur le Tage, est des plus élégants. La cuisine décline les plats régionaux portugais sous les formes les plus raffinées. Les autres plats – français pour l'essentiel – ne sont pas moins succulents, surtout accompagnés d'une bonne bouteille sélectionnée parmi les 200 vins français et portugais proposés. Voir chapitre 4.

- **Casa da Comida** (Lisbonne ; ∅ 21/388-53-76). C'est sans doute par un soir de brouillard que l'on appréciera le mieux l'endroit, dans la chaleur de ses feux ronflants. Son nom prosaïque ne doit pas vous induire en erreur. Certains visiteurs préfèrent sa cuisine franco-portugaise à toute autre de la ville. Les portions sont généreuses et l'ambiance gaie et conviviale. Voir chapitre 4.

- **Conventual** (Lisbonne ; ∅ 21/390-91-96). La façade de ce restaurant, qui borde une place médiévale, est aussi sévère que celle d'un couvent – ce qu'il fut autrefois, au demeurant. À l'intérieur, vous trouverez, peut-être, une partie du Conseil des ministres attablé, et à coup sûr, une collection de peintures sur panneaux provenant d'anciennes églises, ainsi qu'une cuisine riche mais raffinée s'appuyant sur les traditions bourgeoises du vieux Portugal. Voir chapitre 4.

- **Cozinha Velha** (Queluz ; ∅ 21/435-02-32). Au XVIIIe siècle, c'est ici que l'on préparait la nourriture servie aux banquets royaux (d'où son nom de « vieille cuisine »). Aujourd'hui, les cuisines hautes de plafond sont au service d'un restaurant original dont les recettes sont directement issues du temps de la monarchie. Au nombre des plats portugais figure le *cataplana*, un délicieux ragoût de poisson associant palourdes, crevettes et lotte. Tout aussi singulier est le *bacalhau espiritual* (genre de soufflé à la morue), qui nécessite trois quarts d'heure de préparation et, pour cette raison, doit être commandé au moment de la réservation. Le restaurant est célèbre pour ses desserts qui s'inspirent de vieilles recettes monastiques. Voir chapitre 6.

- **Restaurante Porto de Santa Maria** (Praia do Guincho ; ∅ 21/487-02-40 ou 21/487-10-36). Le décor beige et blanc d'une grande discrétion met en valeur l'aquarium et la vue splendide sur la mer. La carte énumère tous les fruits de mer qui se puissent manger. Ils sont combinés en plateaux d'une fraîcheur absolue, dans une salle à manger à la réputation justifiée. Voir chapitre 6.

- **Four Seasons** (dans le Palácio Hotel, Estoril ; ∅ 21/464-80-00). Ce restaurant tranquille décoré avec art est un haut lieu d'Estoril depuis l'époque où il était fréquenté par les monarques destitués et leur entourage. Grande classe, service à l'ancienne, cuisine internationale impeccable et prix vertigineux sont ses traits caractéristiques. Voir chapitre 6.

- **Hotel La Réserve** (Santa Bárbara de Nexe, près de Faro ; ∅ 289/99-94-74). La meilleure table de l'Algarve, qui fourmille pourtant de restaurants. Dans un cadre élégant sans être guindé, vous dégusterez une cuisine internationale : le chef connaît parfaitement les habitudes culinaires de ses clients, originaires de toute l'Europe. Voir chapitre 9.

• **Casa Velha** (Quinta do Lago, près d'Almancil ; ∅ 289/39-49-83). Sur une colline rocheuse dominant la station balnéaire moderne de Quinta do Lago, ce restaurant est logé dans une ancienne ferme vieille d'un siècle. Les cuisines ont été modernisées pour être à même de satisfaire les gourmets, avec des recettes raffinées d'origine française et portugaise. Voir chapitre 9.

12. Les meilleurs vins

De nos jours, la renommée des vins de Porto a fait le tour du monde. En de nombreuses régions du centre et du nord du Portugal, des vignobles soigneusement entretenus s'étagent en terrasses au dessin capricieux le long de coteaux verdoyants.

• **Porto.** Connu pendant très longtemps comme le « vin des Anglais », le porto fut d'abord la boisson préférée lorsqu'il s'agissait de porter un toast. Dans les clubs britanniques, les portos millésimés – qui ne représentaient que 1 % de la production – étaient servis dans des carafes en cristal. Plus tard, lorsque les ouvriers se mirent à boire des portos de qualité inférieure, ils y ajoutèrent un zeste de citron. Aujourd'hui, les Français consomment trois fois plus de porto que les Anglais.

Ce vin se fabrique à partir d'une quarantaine de variétés de raisin, cultivées sur de riches sols volcaniques. Le porto peut être soit millésimé, soit obtenu par assemblage, et sa robe varie du blanc au fauve et au rouge. Les rouges se boivent plutôt à la fin d'un repas avec du fromage ou des fruits frais ou secs. Il est possible de visiter une « cave » de porto par curiosité, mais il serait dommage de se priver d'une dégustation. Les entrepôts les plus intéressants se trouvent à Vila Nova de Gaia, un faubourg de Porto situé en face du centre commerçant de la ville, sur l'autre rive du Douro.

• **Vinhos Verdes** (prononcez « vin-yoch ver-dech »). En fait, la couleur de ces « vins verts » tire plutôt sur le jaune citron. Beaucoup proviennent de la région du Minho au nord-ouest du pays, qui, à l'instar de la Galice au nord de l'Espagne, est très arrosée. Mûrissant sous un climat humide, les raisins se récoltent jeunes. Ces vins sont boudés par les connaisseurs, qui les trouvent trop légers. Avec leur goût fruité, ils évoquent la fraîcheur des brises estivales. On les sert couramment avec du poisson, mais les Portugais les consomment aussi simplement pour étancher leur soif. Les meilleurs proviennent de Monção, juste au sud du fleuve Minho. Ceux d'Amarante ont également bonne réputation.

• **Dão.** Le Dão provient de la région montagneuse du nord du pays, juste au sud du Douro. « Nos vignes ont des raisins plus tendres », affirme un dicton populaire dans les vallées de Mondego et Dão, chacune arrosée par une rivière. Les étés sont torrides et les hivers humides et froids, parfois même glacials. Les vins sont souvent rouges, comme les *vinhos maduros*, élevés en fûts de chêne pendant deux ans avant d'être mis en bouteilles. Ils ont une texture veloutée et se marient bien aux rôtis. Au restaurant, vous aurez le choix entre le *branco* (blanc) et le *Dão tinto* (rouge). Les meilleures bouteilles de Dão rouge portent la mention « Reserva » sur l'étiquette. Le Porta dos Cavaleiros et le Terras Altas sont également des vins intéressants.

• **Madère.** Cultivées sur des sols volcaniques, les vignes de l'île de Madeira (Madère) remontent à l'arrivée des Portugais en 1419. L'histoire de ce vin ressemble à celle du porto, en ce qu'il fut très prisé de l'aristocratie anglaise. George Washington fut l'un des premiers à l'apprécier, mais le madère que l'on buvait alors était bien différent de celui d'aujourd'hui. Les produits modernes sont plus secs et plus légers que les liquides épais et sirupeux qu'affectionnaient nos ancêtres.

Différentes variétés de madère sont obtenues après alcoolisation et mélange. Les Malmsey, Malvasia et Boal sont des vins sucrés et épais, servis au dessert ou à la fin d'un repas. Le Verdelho, moins sucré, se prend souvent entre les repas, à la manière dont les Espagnols boivent le xérès. Sec et léger, le Sercial est un vin d'apéritif généralement servi avec des amandes grillées et salées. Aucun de ces vins n'accompagne ordinairement un plat de consistance.

13. Le meilleur du shopping

Parmi tous les objets d'art et d'artisanat produits au Portugal, les plus séduisants sont les suivants :

- **Tapis d'Arraiolos.** Les traditions maures, qui prévalaient autrefois dans la ville d'Arraiolos où les tapis sont encore fabriqués, sont à l'origine de leur technique complexe. Les équipes de brodeurs et de tisserands travaillent de la pure laine vierge, en combinant le petit point et le point croisé *ponto* largo, plus espacé. Les décors de guirlandes de fruits et de fleurs (librement inspirés des tapis français d'Aubusson), associés à des animaux gambadant dans des jardins idéalisés (un thème d'origine turque et persane) sont des plus charmants. Le prix des tapis dépend de la complexité du décor et de la taille de la pièce. Si votre périple ne passe pas par Arraiolos, vous trouverez des tapis en vente à Lisbonne.

- **Céramiques et carreaux.** Très tôt, dans l'art de construire, le manque de bois a été compensé par le perfectionnement des techniques de la maçonnerie, du stuc et de la céramique. Elles ont donné leur caractère à de solides édifices. Après l'expulsion des Maures, leur esthétique a survécu dans les décors peints sur des carreaux ou de la vaisselle en céramique. Par la suite, les styles venus de Hollande, d'Angleterre et de Chine se sont intégrés à la tradition. Les carreaux bleu et blanc, chacun avec un décor particulier, sont les plus remarquables. Ils ornent des milliers de murs intérieurs et extérieurs, dans tout le pays. Les assiettes et pichets à eau et à vin ornés de paysages sylvestres peuplés de créatures mythiques sont tout aussi plaisants. Des spécimens récents et – dans une moindre mesure – anciens de ces productions sont en vente dans tout le pays.

- **Orfèvrerie.** Au Portugal, tout objet vendu comme étant en or doit contenir au moins 19,2 carats. Cette pureté permet à des milliers d'orfèvres de façonner la matière en délicat filigrane, afin d'obtenir des détails stupéfiants de précision. Que vous choisissiez une simple broche ou la reproduction en or ou argent filigrané d'une caravelle du XVIIIe siècle toutes voiles dehors, le Portugal produit une orfèvrerie digne de la dot d'une infante, à des prix très raisonnables. On trouve des bijouteries partout.

- **Objets d'artisanat.** Pendant des siècles, vêtements tricotés à la main, bois sculpté, linge brodé, dentelles, tapis, ont été conçus et fabriqués dans les ateliers et les foyers portugais. Si certains objets sont un peu maladroits, les meilleurs sont de vrais objets d'art. Du nord au sud, une multitude de boutiques proposent les productions de l'artisanat régional.

- **Cuir.** La péninsule Ibérique a toujours été un pays d'élevage de bétail et de tauromachie. L'industrie du cuir portugaise est réputée dans le monde entier. Elle produit vestes, chaussures et divers articles de maroquinerie à des prix bien inférieurs à ceux pratiqués ailleurs en Europe. Les plus belles boutiques se trouvent à Lisbonne.

2 En savoir plus sur le Portugal

Jadis situé « au bord du monde », le Portugal est depuis toujours une nation de marins, malgré les croyances en de gigantesques monstres marins à deux têtes et à langue fourchue.

Le Portugal lança ses légendaires caravelles sur les mers. Vasco de Gama partit à la découverte des Indes, Magellan fit le tour de la terre, Diaz franchit le cap de Bonne-Espérance. Les navigateurs portugais finirent par explorer les deux tiers du globe, ouvrant au commerce et à la colonisation des régions alors inconnues et repoussant à tout jamais l'horizon intellectuel de la civilisation occidentale.

En dépit de ce passé glorieux, le Portugal souffre toujours d'une réputation injustifiée : ce serait un simple prolongement de l'Espagne, en plus pauvre. Avant son intégration politique et économique à l'Europe en 1986, d'aucuns le surnommaient même le « dernier pays étranger de l'Europe ».

1. Le Portugal d'aujourd'hui

À l'aube du nouveau millénaire, la question se pose fréquemment de l'après-Expo 1998. L'Exposition universelle rassembla en effet à Lisbonne les représentants de quelque 130 pays. Pour beaucoup, c'était une première visite. On apprécia le Portugal, on voulut en savoir davantage, on y est revenu pour le voir de plus près.

Le Portugal d'aujourd'hui est en pleine mutation. Avec son adhésion à la Zone euro et, plus symboliquement, son nouveau pont géant enjambant le Tage à Lisbonne, ce pays présente tous les signes d'un grand renouveau.

Le Portugal a surmonté depuis longtemps les excès de la dictature (1928-1974) et les soubresauts de la révolution des Œillets (1974). Après une période d'instabilité, le pays a décollé. Depuis 1988, son taux de croissance annuel avoisine les 3 %, et son taux de chômage était de 4,1 % à la fin de l'année 1999, performances enviées par plusieurs autres pays de l'Union européenne.

Dans le cadre de la relance de l'économie, les privatisations touchent de nombreux secteurs : énergie, transports, banques et institutions financières, agroalimentaire, presse...

L'adhésion du Portugal à la Communauté économique européenne en 1986 marqua le début de très grandes transformations dans le pays. Aujourd'hui les pays membres de l'Union européenne et d'autres investisseurs étrangers continuent d'injecter des ressources financières dans l'économie portugaise afin de développer l'industrie et d'améliorer l'infrastructure. Les progrès sont visibles : transports et télécommunications largement modernisés, nouvelles routes, enseignement et soins médicaux de meilleure qualité, installations portuaires et aéroportuaires rénovées de fond en comble… La formation continue a été considérablement développée, notamment pour faire face aux besoins de l'industrie informatique. Si des complexes hôteliers poussent aux quatre coins du pays, le patrimoine national continue d'être mis en valeur par le biais de la rénovation d'anciens palais afin de les transformer en hôtels, tout en préservant leur cachet.

Il règne au Portugal un grand sentiment d'optimisme. Le revenu disponible des Portugais a augmenté et la population nourrit de grands espoirs pour le nouveau millénaire. Lisbonne est désormais aussi animée en soirée que Madrid. Les jeunes Portugais sont beaucoup plus tournés vers l'Europe que ne l'étaient leurs parents. Les préceptes de l'Église catholique influencent moins leur vie quotidienne et ils cherchent d'autres horizons que leur village. La jeune génération connaît aussi bien la musique électronique de Londres ou de Los Angeles que le *fado* et elle se captive davantage pour les films espagnols ou français que pour la poésie lyrique portugaise. Quoi qu'il en soit, le Portugal avance avec détermination en ce début de XXIe siècle, avec toute la fierté d'un peuple au riche passé culturel et historique.

2. Les régions en bref

Les côtes portugaises s'étendent sur quelque 800 km. Au sud et à l'ouest, le pays est bordé par l'Atlantique, au nord et à l'est par l'Espagne. Le Portugal continental a une superficie de 88 000 km² ; les îles atlantiques (Madère et les Açores comprises) de 3 000 km². Les Açores sont situées à 1 000 km à l'ouest de Lisbonne (Lisboa), la capitale du pays. La population du Portugal s'élève à 10,3 millions d'habitants. Quatre principaux fleuves traversent le pays – le Minho au nord, qui sépare le pays de l'Espagne ; le Douro, également au nord, qui traverse la région du même nom, connue pour ses vignobles et sa production de porto ; le Tage, qui se jette dans l'Atlantique à Lisbonne ; et le Guadiana, au sud-est. Une partie du Guadiana forme la frontière est avec l'Espagne.

LISBONNE ET LA COSTA DO SOL

La capitale du Portugal est située sur une colline qui domine l'un des plus beaux ports d'Europe, à l'estuaire du Tage. À quelques kilomètres de la ville, les plages de la Costa do Sol attirent les habitants de la capitale. Elles étaient parmi les plus fréquentées et les plus courues du pays, avant le développement du tourisme en Algarve. Aujourd'hui, les stations balnéaires les plus connues, Estoril et Cascais, accueillent les gens fortunés qui y passent l'hiver.

L'ESTRÉMADURE

Cette région, dont le nom signifie l'« extrémité », recouvre des paysages fort différents de ceux, très rudes, de l'Estrémadure espagnole. Au début du développement de la nation portugaise, les habitants établis dans le Nord recouraient à ce terme pour nommer les terres du Sud occupées par les Maures et que les Portugais convoitaient.

Ces territoires comprenaient seulement Nazare, Obidos et Fatima, tandis qu'aujourd'hui le mot désigne aussi la région qui entoure Lisbonne. La mer n'est jamais loin, où que vous soyez en Estrémadure, et les eaux côtières regorgent de poissons.

L'Algarve

À l'extrême pointe sud-ouest de l'Europe, l'Algarve s'enorgueillit d'une côte d'environ 150 km offrant les plus belles plages d'Europe. La région est empreinte de souvenirs de la lointaine occupation mauresque, du temps où l'on appelait cette terre « AlGharb ». Région de nature aride, c'est aujourd'hui le jardin du Portugal grâce à de nombreuses installations d'irrigation mises en place à grande échelle. En dehors des zones marquées par le développement fulgurant et anarchique du tourisme balnéaire depuis la fin des années 60, le pays ressemble encore beaucoup à la côte sauvage du Maroc.

L'Alentejo et le Ribatejo

Situées à l'est et au sud-est de Lisbonne, ces régions forment le cœur agricole du Portugal. Sous-peuplées mais fertiles, ces étendues de champs et de prairies accueillent des élevages de chevaux et de taureaux, et composent l'un des paysages les plus somptueux de la péninsule Ibérique. Leurs cités médiévales, comme Evora, Tomar, Beja, Elvas et Estremoz, recèlent des exemples fameux d'architecture romane et manuéline.

Coimbra et les Beiras

Nichées entre le Douro et le Tage, les Beiras furent annexées au royaume du Portugal au Moyen Âge, bien avant Lisbonne et les territoires plus au sud. Pour cette raison, elles forment l'une des régions les plus traditionnelles du pays. La ville universitaire et médiévale de Coimbra en constitue le site le plus remarquable ; quelques stations thermales (principalement Luso et Curia) et les forêts légendaires de Buçaco attirent aussi de nombreux visiteurs. La région est divisée en trois : la côte de Beira (Beira Litoral), le Bas-Beira (Beira Baixa), et le Haut-Beira (Beira Alta). Les points culminants du Portugal – la Serra de Estrêla – s'y trouvent, ainsi que le Mondela, l'unique fleuve navigable prenant sa source au Portugal.

Porto et le Douro

Deuxième ville du pays, Porto a prospéré comme centre marchand depuis que des commerçants anglais l'utilisèrent comme base d'exportation du porto, la boisson favorite de Londres, pendant la Régence. Le fleuve qui la parcourt, le Douro, traverse quelques-uns des plus riches vignobles au monde, avant de se jeter dans l'Atlantique au port de Porto. La ville abrite de nombreuses maisons de marchands datant du XIXe siècle. Ceux-ci firent fortune grâce au vin ou aux investissements réalisés dans des colonies comme le Brésil. Autrefois assoupi, l'ancien village de pêcheurs de Povoa de Varzim est devenu le lieu de villégiature le plus célèbre de la région.

Le Minho

C'est l'une des régions les plus septentrionales du Portugal, une terre isolée dont la population, concentrée à Viana do Castelo, à Guimaraes et à Braga, descend plus ou moins directement des Celtes. Le Minho est un territoire à lui tout seul ; le dialecte local ressemble ainsi plus à celui de la Galice (au nord-ouest de l'Espagne) qu'au portugais. Méfiante envers les étrangers et fière de son identité, cette province joua un rôle important dans le développement du Portugal médiéval. Elle fut en effet le berceau de nombreux rois qui conquirent au sud des territoires jusqu'alors aux mains des Maures. Même la petite cité de Barcelos a grandement contribué à forger l'identité nationale portugaise en donnant naissance à de nombreuses traditions et légendes et en popularisant le symbole du coq victorieux et chantant, qui a longtemps représenté la ténacité portugaise.

LE TRAS-OS-MONTES

Située à l'extrême nord-est du pays, sauvage et très rocailleuse, cette région est l'une des moins visitées du Portugal. Son nom signifie littéralement « au-delà des montagnes ». Contrée à l'identité régionale très forte, elle possède néanmoins de forts liens avec son voisin, le Minho. L'architecture utilise principalement le granit local. Le territoire s'étend de Lamego et du haut Douro jusqu'à la frontière espagnole. Vila Real en est la principale ville.

MADÈRE

Proche de la côte africaine, à 850 km au sud-ouest du Portugal, Madère est le point culminant et très érodé d'une masse volcanique. La bourgeoisie anglaise à la recherche de lieux agréables l'hiver en découvrit la première les charmes. Aujourd'hui, c'est l'une des îles les plus célèbres du monde, connue pour la beauté luxuriante de ses jardins. Longue de seulement 56 km et large de 20 km tout au plus, l'île, avec 255 000 habitants, est assez densément peuplée. C'est une région autonome du Portugal.

LES AÇORES

Ce chapelet d'îles est l'un des plus isolés de l'Atlantique. Il constitue une région autonome habitée par quelque 240 000 personnes qui vivent parmi des paysages rocheux, recouverts de mousse et très escarpés plongeant dans la mer. L'archipel couvre plus de 800 km qui s'étendent de l'extrême sud-est de Santa Maria jusqu'à la limite nord-ouest de Corvo. La plus grande île est Sao Miguel, située presque au milieu de l'Atlantique, à 1 200 km à l'ouest du Portugal et à 3 300 km à l'est de New York. Aujourd'hui, les Açores sont mondialement connues parmi les amateurs de yacht comme le point d'arrivée de courses de bateaux.

3. Panorama historique

LA PRÉHISTOIRE

D'environ 8000 à 7000 av. J.-C., des tribus occupèrent la vallée du Tage jusqu'à l'Estrémadure et l'Alentejo. Des poteries et divers vestiges attestent de leur présence. Des peuples néolithiques construisirent des forts en haut des collines que les Celtes trouvèrent quand ils arrivèrent entre 700 et 600 av. J.-C. Des fouilles ont permis de révéler d'importantes installations au nord du Portugal à partir de cette époque.
On pense que les Phéniciens, qui furent parmi les premiers commerçants, établirent à Lisbonne un premier comptoir commercial aux alentours de 900 av. J.-C. Les Carthaginois recrutèrent des Celtes pour combattre la puissance grandissante de l'Empire romain.

L'ÉPOQUE ROMAINE

À partir de 210 av. J.-C., les Romains colonisèrent la majeure partie de l'Ibérie. Ils se heurtèrent à une grande résistance des peuples celtes ibères de l'intérieur. L'image du chef lusitanien Viriathe est très présente dans l'histoire du Portugal. Ce combattant de la liberté, mort vers 139 av. J.-C., s'est distingué en résistant à l'avancée des Romains, mais à l'époque de Jules César, le Portugal avait été conquis. Olisipo (Lisbonne) faisait donc partie des colonies romaines.

Les chrétiens arrivèrent au Portugal vers la fin du Ier siècle. Dès le IIIe siècle, des évêchés avaient été établis à Lisbonne, Braga et ailleurs. Après le déclin de l'Empire romain, des envahisseurs entrés en Espagne en 409 arrivèrent au Portugal. Les Wisigoths finirent par les en chasser et dominèrent la péninsule pendant quelque deux siècles.

INVASION DES MAURES ET RECONQUÊTE

En 711, des guerriers maures débarquèrent en Ibérie et avancèrent rapidement jusqu'au Portugal. Ils s'installèrent en plusieurs lieux dans le Sud. La reconquête chrétienne aurait commencé dès 718.

Au XIe siècle, Ferdinand le Grand, roi de León et de Castille, reprit aux Maures une grande partie du nord du Portugal. Avant de mourir en 1065, il entama la réorganisation de ses territoires occidentaux en une entité, le Portucale.

Le portugais est une langue latine principalement dérivée d'un dialecte parlé à l'époque où le Portugal était une province du royaume espagnol de León et de Castille. La langue portugaise a évolué indépendamment des autres langues latines.

NAISSANCE DU PORTUGAL

Ferdinand céda le Portugal à sa fille naturelle, Thérèse. Pendant ce temps-là, les Maures colonisaient toujours la région au sud du Tage.

Thérèse se maria à Henri de Bourgogne auquel elle apporta le Portugal en dot. À la mort du roi, Henri commença à convoiter l'Espagne mais il mourut avant d'avoir mené à bien ses projets expansionnistes.

Thérèse devint donc régente du Portugal et veilla à sauvegarder son autonomie, tout en maintenant de bonnes relations avec le royaume de Castille et de León.

Le fils de Thérèse et d'Henri, Alphonso Henriques, remporta en 1139 une bataille décisive contre les Maures. Fort de cette victoire, il se proclama premier roi du Portugal (1140) et négocia un accord d'indépendance avec Alphonse VII de León en 1143. Le Vatican reconnut officiellement la nation portugaise en 1178. Ses ennemis en Espagne étant provisoirement réduits au silence, Alphonso se tourna vers les territoires maures du sud du Portugal. Appuyés par les croisés du nord, les Portugais conquièrent Santarém et Lisbonne en 1147. Alphonse mourut en 1185. Sanche Ier, son fils et héritier, poursuivit l'œuvre de son père, consolidant les bases de la nouvelle nation.

Des générations successives de rois se mesurèrent aux Maures jusqu'à ce qu'Alphonse III, qui régna de 1248 à 1279, parvienne à leur arracher l'Algarve. La capitale du pays fut transférée de Coimbra à Lisbonne. Après avoir conquis son indépendance au XIe siècle, le Portugal étendait désormais ses frontières vers le sud jusqu'à la mer.

Les Maures laissèrent une empreinte indélébile au Portugal. La langue des Mozarabes, que parlaient les chrétiens pendant la domination maure, s'intégra au dialecte portugais. Le portugais oral et écrit d'aujourd'hui s'est développé ultérieurement à Lisbonne et Coimbra.

La Castille ne reconnut pas les frontières du Portugal avant le règne de Denis Ier (1279-1325). Ce dernier fonda l'université de Lisbonne vers 1290 ; elle fut transférée plus tard à Coimbra. Denis se maria à Isabelle, princesse d'Aragon qui fut ultérieurement canonisée. Isabelle s'intéressait particulièrement au sort des indigents. La légende raconte que son mari la surprit en train de sortir du palais en cachette avec du pain pour leur donner à manger. Il lui demanda ce qu'elle dissimulait. Quand elle lui montra le pain, il s'était miraculeusement transformé en roses.

Aujourd'hui, on se souvient de leur fils, Alphonse IV, car c'est lui qui ordonna le meurtre de la maîtresse de son fils Pierre (Voir « Les Roméo et Juliette du Portugal », chapitre 11). Au cours du règne de Pierre (1357-1367), l'influence des Cortes (assem-

Chronologie

210 av. J.-C. Les Romains envahissent la péninsule et rencontrent une féroce résistance de la part des tribus celtes ibères.

60 av. J.-C. Pendant le règne de Jules César, le Portugal est intégré dans l'Empire romain.

409 Des envahisseurs arrivent de l'autre côté des Pyrénées, bientôt chassés par les Wisigoths qui installent un empire qui durera deux siècles.

711 Les Maures arrivés en Ibérie conquièrent le Portugal en sept ans.

1065 Ferdinand, roi de León et de Castille, commence à réorganiser ses territoires de l'ouest en ce qui est aujourd'hui le Portugal.

1143 Alphonse Henriques est proclamé premier roi du Portugal ; il commence à chasser les Maures de l'Algarve.

1249 Alphonse III achève la *Reconquista* de l'Algarve tandis que les chrétiens expulsent les Maures.

1279-1325 Règne de Denis Ier. La Castille reconnaît les frontières du Portugal.

1385 Bataille d'Aljubarrota ; Jean d'Aviz vainc les Castillans et fonde la dynastie d'Aviz pour gouverner le Portugal.

1415 Henri le Navigateur crée une école de navigation à Sagres. L'archipel de Madère est découvert en 1419 et celui des Açores en 1427.

1488 Bartolomeu Diaz franchit le cap de Bonne-Espérance.

1498 Vasco de Gama contourne la côte ouest des Indes, ouvrant ainsi le commerce entre l'Orient et l'Occident.

1500 Le Brésil est « découvert », grand moment du règne de Manuel le Grand (1495-1521). L'âge d'or du Portugal commence.

1521 Le Portugal devient le premier grand empire maritime au monde, dominant l'accès à l'océan Indien.

1521-1557 Règne de Jean III, arrivée des jésuites et instauration de l'Inquisition.

1578 Le fils de Jean, Sebastien Ier, disparaît dans une bataille au Maroc, laissant le Portugal sans héritier.

1581-1640 Philippe II d'Espagne impose la domination des Habsbourg au Portugal.

1640 Suite à un soulèvement nationaliste, Jean IV rend son indépendance au Portugal et installe la dynastie de Bragance.

1755 Un terrible tremblement de terre détruit Lisbonne et une partie de l'Alentejo et de l'Algarve.

1822 Le Portugal proclame l'indépendance du Brésil.

1908 Charles Ier et son fils le prince héritier sont assassinés à Lisbonne.

1910 La monarchie abdique et la république portugaise est proclamée.

1916 Le Portugal entre en guerre aux côtés des Alliés.

1926 Coup d'État militaire du général Gomes da Costa, la république s'effondre.

1928 Le général Carmona évince Gomes da Costa et établit une dictature militaire ; son ministre des Finances, António de Oliveira Salazar, obtient très vite les pleins pouvoirs.

1933-1968 C'est l'*Estado Novo* (« État nouveau »), nom de la dictature consacrée par la Constitution de 1933. Salazar tient le gouvernement d'une main de fer. Le Portugal est officiellement neutre dans la Seconde Guerre mondiale, mais Salazar accorde aux Alliés des bases dans les Açores.

1955 Le Portugal devient membre de l'Organisation des Nations unies.

1968 Salazar, malade, est remplacé par Marcelo Caetano qui poursuit la même politique.

1974 En avril, la révolution des Œillets renverse la dictature. Le Portugal liquide son empire colonial dès l'année suivante.

1976-1983 Le Portugal connaît une profonde instabilité. Seize gouvernements provisoires se succèdent.

1986 Le Portugal adhère à la Communauté économique européenne. Le socialiste Mário Soáres est élu président de la République.

1989 Début de la privatisation des entreprises nationales.

1991 M. Soáres est réélu.

1992 Le Portugal assure la présidence de l'Union européenne.

1995 Le Portugal est désigné capitale culturelle de l'Europe.

1998 Des millions de visiteurs affluent à Lisbonne pour l'EXPO 1998 qui célèbre l'héritage des océans.

1999 Le Portugal entre dans la Zone euro.

blée de représentants du clergé, de la noblesse et du peuple) commença à croître. Dans sa majorité, le clergé assoiffé de pouvoir combattit les réformes du souverain qui cherchait à rapprocher plus étroitement le peuple de la couronne. Au cours du règne de Ferdinand Iᵉʳ (1367-1373), fils de Pierre, l'armée castillane envahit le Portugal et assiégea Lisbonne. La dynastie était menacée de disparition.

En 1383, refusant de se soumettre à la domination espagnole, les Portugais choisirent pour régent le fils naturel de Pierre. C'est ainsi que fut instaurée la dynastie d'Aviz. Jean Iᵉʳ (1383-1433) consolida l'indépendance du Portugal en mettant en déroute l'armée castillane à Aljubarrota en 1385. Avec Philippa de Lancastre, petite-fille d'Édouard III d'Angleterre, il eut un fils, le prince Henri le Navigateur. Il allait être à l'origine des grandes découvertes qui firent du Portugal une grande puissance.

HENRI ÉDIFIE UN EMPIRE MARITIME

Henri cherchait à tout prix à enrichir les connaissances géographiques de son époque, et il convoitait les richesses légendaires de l'Orient. Ces ambitions le conduisirent naturellement à affronter l'Océan.

Henri fonda une communauté de chercheurs à Sagres, sur la côte sud du Portugal, afin d'élaborer des techniques de navigation et de cartographie. Le navire des explorateurs, la caravelle, légère et maniable, sera mise en chantier à l'arsenal de Sagres. C'est à Henri qu'on doit la découverte de l'archipel de Madère, de celui des Açores, du Cap-Vert, du Sénégal et de la Sierra Leone. C'est aussi lui qui établit les grands principes qui permirent de poursuivre l'exploration jusqu'à la fin du siècle. En 1482, des vaisseaux portugais explorèrent l'embouchure du fleuve Congo et en 1488, Bartolomeu Diaz contourna le cap de Bonne-Espérance. En 1498, Vasco de Gama arriva à Calicut (comptoir de Kozhikode) sur la côte ouest des Indes, ouvrant la voie du commerce des épices, de la porcelaine, de la soie, de l'ivoire et des esclaves. Le traité de Tordesillas, partageant les terres non encore revendiquées entre le Portugal et l'Espagne, négocié par Jean II en 1494, mettait le Brésil – dont les côtes ne seront abordées qu'en 1500 – dans l'escarcelle portugaise.

Utilisant les richesses de l'empire tout entier, Manuel Iᵉʳ (roi de 1495 à 1521) fit bâtir les somptueux monuments dont le style porte désormais son nom (voir p. 28). Son règne fut celui de l'âge d'or du Portugal. Dès 1521, le pays exploitait les ressources naturelles du Brésil et il avait mis fin au monopole de Venise dans le commerce des épices. Premier grand empire maritime mondial, le Portugal dominait l'accès à l'océan Indien. Le règne de Jean III (1521-1557) marqua l'arrivée des jésuites et la création de l'Inquisition. Son fils Sébastien fut tué au cours d'une bataille au Maroc en 1578, laissant le Portugal sans héritier. Philippe II d'Espagne se fit proclamer roi du Portugal par les Cortes, inaugurant 60 années de domination espagnole. En Orient, les commerçants hollandais et anglais mirent à mal la puissance portugaise.

LA DYNASTIE DE BRAGANCE

Le soulèvement nationaliste de 1640 amena un descendant de Jean Iᵉʳ sur le trône, Jean IV : c'est le début de la dynastie de Bragance qui se perpétua jusqu'au XXᵉ siècle et fut malmenée par de nombreuses révolutions et intrigues. Jean IV conclut une alliance avec l'Angleterre en mariant sa fille à Charles II. En guise de dot, il lui fit cadeau de Bombay et de Tanger. En 1668, par le traité de Lisbonne, l'Espagne reconnut l'indépendance du Portugal.

En 1755, le jour de la Toussaint, un terrible tremblement de terre détruisit Lisbonne. En six minutes, il y eut 15 000 morts, parmi lesquels des milliers de fidèles qui assistaient à la messe du matin. Puis, sous l'impulsion du marquis de Pombal, conseiller du roi Joseph (de 1750 à 1777), la capitale fut reconstruite, plus belle encore, et plus sûre. Pombal était l'un des chefs de file de l'absolutisme et il se fit de puissants ennemis dans toute l'Europe quand il expulsa les jésuites du Portugal en 1759. Il engagea des réformes juridiques et fiscales d'envergure, mit un terme au pouvoir de l'Inquisition et réorganisa l'économie, le système scolaire et universitaire, ainsi que l'armée. Après le décès du roi Joseph, il fut exilé de la Cour.

En 1807, le Portugal fut envahi par les troupes de Napoléon ; la famille royale s'exila au Brésil. Deux autres tentatives françaises furent, comme la première, mises en échec par les Anglais, qui en profitèrent pour imposer leur tutelle au Portugal. La bourgeoisie libérale portugaise, l'acceptant de plus en plus mal, s'employa à renverser le régime : c'est la révolution de Porto en 1820. Les Cortes furent convoquées, une Constitution rédigée et le fils de Marie Iʳᵉ, Jean VI (roi de 1816 à 1826), accepta de devenir monarque constitutionnel en 1821. Proclamant l'indépendance du Brésil en 1822, son fils Pierre devint le champion du libéralisme au Portugal.

DE LA RÉPUBLIQUE À LA DICTATURE

De 1853 à 1908, des mouvements républicains remirent fortement en question l'existence de la monarchie. En 1908, Charles Iᵉʳ (roi de 1889 à 1908) et le prince héritier furent assassinés sur la praça do Comércio, à Lisbonne. Manuel II, second fils et successeur de Charles, fut renversé le 5 octobre 1910 lors d'un soulèvement qui mit fin à la monarchie et proclama la république.

La nouvelle république se caractérisa surtout par son instabilité, les insurrections succédant aux coups de force. Le Portugal tenta de demeurer neutre lors de la Première Guerre mondiale mais n'y parvint pas. Influencé par sa vieille alliée, l'Angleterre, il réquisitionna des navires allemands dans le port de Lisbonne. L'Allemagne déclara alors la guerre au Portugal qui s'engagea dans le conflit aux côtés des Alliés en 1916.

Les fondements fragiles de la république s'effondrèrent en 1926 lors du coup d'État militaire mené par le général Gomes da Costa, à l'issue duquel une dictature s'installa au pouvoir. En 1928, le général António de Carmona évinça Gomes da Costa et demeura président jusqu'à sa mort, en 1951. Mais il se contenta de jouer un rôle d'homme de paille. Le véritable homme fort du régime fut son ministre des Finances, António de Oliveira Salazar, qui sortit dans un premier temps le pays du marasme économique. Premier ministre – remplissant les fonctions de chef de l'État – en 1932, il révisa la Constitution portugaise en 1933, fondant l'*Estado Novo* (« État nouveau »), régime aux idéaux fascistes. Salazar va désormais mener le pays d'une poigne de fer, brisant toute opposition et utilisant l'Église catholique pour légitimer son pouvoir, après avoir signé un concordat avec le Vatican en 1940. À l'extérieur, il mène une politique impérialiste dans les colonies, et appuie le soulèvement mené par le général Francisco Franco, vainqueur à l'issue de la guerre civile espagnole, en 1939.

Lors de la Seconde Guerre mondiale, Salazar affirma la neutralité de son pays, tout en laissant le Royaume-Uni et les États-Unis installer des bases dans les Açores en 1943. En 1955, le Portugal devint membre des Nations unies, avant de connaître un isolement croissant sur la scène internationale. À partir de 1961, des guerres de libération éclatèrent dans les colonies africaines. Salazar, malade, est remplacé en 1968 par Marcelo Caetano. Celui-ci maintint la dictature jusqu'en 1974. Ce fut la plus longue d'Europe occidentale au XXᵉ siècle.

LE PORTUGAL MODERNE AUX PRISES AVEC LA DÉMOCRATIE

La chute du régime fut provoquée par le mécontentement grandissant dans le pays, du fait des guerres coloniales menées en Guinée-Bissau, au Mozambique et en Angola, qui

Impressions

Nous nous voyons de moins en moins comme la lanterne rouge de l'Europe. Nous ne sommes plus les derniers. Nous ne nous considérons pas comme un acteur de premier plan, mais nous faisons partie de la troupe et pouvons sans doute fournir les décors dont ont besoin les acteurs.

Thomas Pereira, *The New York Times*, 1998

engloutissaient alors 60 % du budget national. La dictature fut renversée le 25 avril 1974 lors d'un coup d'État militaire surnommé la « révolution des Œillets », car les soldats brandissaient des œillets rouges et non pas leur fusil. Fin 1975, la décolonisation était terminée : tous les territoires portugais en Afrique, l'Angola, le Cap-Vert, la Guinée-Bissau, le Mozambique et São Tomé et Principe accédèrent à l'indépendance, ainsi que Timor-Oriental au sud de l'Asie (l'Indonésie occupa et annexa aussitôt ce territoire). En 1976, les Açores et Madère obtinrent une autonomie partielle.

Sur le plan intérieur, les libertés politiques furent restaurées, et des élections au suffrage universel organisées. Le Portugal connut alors une période de forte instabilité, marquée par l'échec de 16 gouvernements provisoires entre 1976 et 1983. Dans le sillage de la révolution, les modérés élirent président le général Ramalho Eanes, qui fut réélu en 1980. Eanes désigna Mário Soáres, un socialiste, Premier ministre à trois reprises. Lors des élections de 1985, le vote de gauche se divisa en trois camps et les socialistes perdirent leur position dominante au profit du Parti social démocrate. Son leader, Aníbal Cavaco Silva, fut élu Premier ministre. En janvier 1986, Eanes fut contraint de renoncer à la présidence. Mario Soáres, qui le remplaça, fut le premier civil président depuis 60 ans. Un autre événement majeur marqua l'année 1986 : l'adhésion du Portugal à la Communauté européenne.

Bien que secoué par de nombreux scandales politiques, le président Soáres remporta une victoire écrasante lors des élections de janvier 1991. Il dut toutefois se retirer lors des élections de 1995, conformément à la Constitution. L'ancien maire socialiste de Lisbonne, Jorge Sampaio, le remplaça.

Depuis son entrée dans la Communauté économique européenne, le Portugal s'est considérablement modernisé, et a connu une forte croissance économique. C'est donc très logiquement qu'en 1999, le pays devint membre de la Zone euro. Le succès de l'EXPO 1998 et l'attribution, la même année, du prix Nobel de littérature à un écrivain portugais, José Saramago, l'avaient déjà assuré de la reconnaissance internationale.

4. L'architecture manuéline, unique au Portugal

Le style **manuélin** ou *manuelino* est spécifique au Portugal. Dominant l'architecture de 1490 à 1520, c'est l'une des formes artistiques les plus représentatives de ce pays. Il porte le nom de Manuel Iᵉʳ, roi de 1495 à 1521. Lorsque ce dernier imposa ce style, il apparut comme résolument moderne. Mais plus qu'un nouveau style architectural, c'est un mode de décoration original, essentiellement appliqué aux portails, porches, rosaces, balustrades, linteaux... Ce style marqua une transition de l'ère gothique à la Renaissance.

Le style manuélin, appelé également *gothique atlantique*, célèbre certes la mer et la vie des marins. Mais il est extraordinairement varié dans ses représentations : coquillages, cordages, coraux, ou autres formes marines originales se mêlent à l'iconographie chré-

La Joséphine Baker portugaise

On l'appelait la « bombe brésilienne ». Dans les années 40, elle fut qualifiée d'« exportation la plus célèbre du Brésil ». Toutefois, la grande Carmen Miranda, étoile des célèbres comédies musicales tournées à Hollywood dans les années 40 et 50, était en fait portugaise. Elle était née Maria de Carmo Miranda da Cunha en 1909 dans la petite bourgade de Marco de Cavavezes, au nord du Portugal.

Vêtue de costumes aux couleurs voyantes, coiffée de corbeilles de fruits, elle se trémoussait de façon provocante sur des airs kitsch comme *Tico Tico* dans des films de la 20th Century-Fox tels que *Down Argentine Way* et *The Gang's All Here*. Si elle apparut avec plusieurs autres stars, ses fans se souviennent surtout d'elle en compagnie de Cesar Romero et d'Alice Faye. Aujourd'hui, toute une génération de jeunes est en train de découvrir la « bombe latine » avec la reprise de ses vieux tubes sur les chaînes de télévision.

En 1911, elle déménagea avec sa famille à Rio de Janeiro où elle apprit à confectionner des chapeaux extravagants pour de riches clientes. L'une d'elles lui proposa de chanter à l'occasion d'une réception. Avec ses sambas et tangos, son succès fut immédiat. À dix-neuf ans, elle enregistrait son premier disque. *Tai* battit des records de ventes (de l'époque) avec 35 000 exemplaires vendus. Sa carrière était lancée et déboucha sur 140 disques et six films produits au Brésil.

Elle fut rapidement courtisée par Hollywood où sa carrière atteint des sommets. En 1943, avec Barbara Stanwyck et Bing Crosby, c'était l'une des artistes les mieux payées des États-Unis. Son numéro attisa les fantasmes des travestis du monde entier. Avec ses robes de couleurs vives, ses bananes stylisées, ses turbans, ses chaussures outrageusement compensées, ses boucles d'oreilles pendantes et ses pas de danse vibrants, Carmen Miranda fut considérée comme l'ambassadrice du monde lusophone.

Si elle fit un tabac auprès du public américain, elle ne fit pas l'unanimité dans le monde latin. Beaucoup de Latino-Américains réprouvaient le stéréotype qu'elle projetait : une caricature de la Brésilienne clownesque, enjouée et… un peu trop sensuelle.

Mais bientôt, son étoile déclina. Après l'échec de son mariage, suivi d'une profonde dépression, elle fit quelques apparitions grotesques dans les années 50. Elle passa à la télévision avec Milton Berle, lui aussi vêtu en Carmen Miranda. Le 5 août 1955, elle s'effondra sur le plateau du *Jimmy Durante Show*. Une crise cardiaque l'emporta peu après.

Aujourd'hui, des dizaines d'années après sa mort, des foules de fans exaltés entretiennent sa mémoire. Un ouvrage biographique, fruit de vingt années de recherches, lui est consacré : *Carmen Miranda*, de Cássio Emmanuel Barsante. Sa vie fut également le sujet d'un film, *Bananas Is My Business*.

Convoitée, adulée ou ridiculisée, Carmen Miranda est, qu'on le veuille ou non, une légende du monde lusophone.

tienne, à des motifs végétaux – de l'épi de maïs à la tige de cardon –, ainsi qu'à des ornements héraldiques ou encore d'inspiration mauresque.

Le premier édifice de style manuélin au Portugal fut l'église de Jésus de Setúbal, au sud de Lisbonne. Elle est dotée en son intérieur de grands piliers torsadés qui soutiennent une flamboyante voûte à nervures torses. De nombreux monuments, notamment le mosteiro dos Jerónimos à Belém près de Lisbonne, sont de parfaits exemples de ce style. Les Açores et Madère en comptent bien d'autres. Le style manuélin cohabite parfois avec les célèbres *azulejos* : c'est le cas au palais national de Sintra.

Le *manuelino* eut également une influence sur la peinture ; les œuvres de ce style se caractérisent par des couleurs éclatantes et brillantes. Grão Vasco (ou Vasco Fernandes) est le plus célèbre peintre manuélin. Parmi ses plus grands chefs-d'œuvre figurent plusieurs panneaux aujourd'hui exposés au musée Grão Vasco ; ils devaient à l'origine être installés dans la cathédrale de Viseu. On citera parmi les plus célèbres le *Calvaire* et *Saint Pierre sur son trône*, qui remontent à 1530.

5. La gastronomie portugaise : fruits de mer à gogo

Dans son *Invitation to Portugal*, Mary Jean Kempner saisit l'essence de la cuisine portugaise : « La meilleure cuisine portugaise est provinciale, locale, excentrique et fière ; c'est un reflet du patriotisme de ce peuple complexe. Elle ne prend pas partie, ne se donne aucun air, ne fait aucune concession ni courbette à Brillat-Savarin et elle est habituellement vraiment délicieuse. »

RESTAURATION, COUTUMES

La cuisine portugaise s'élabore principalement à base d'huile d'olive et d'ail, en quantité généreuse. Quand le serveur prend votre commande, vous pouvez demander qu'on vous apporte vos plats *sem alho* (sans ail).

Dans la plupart des établissements, il est de rigueur de commander une soupe (invariablement un grand bol rempli à ras bord) qu'on fait suivre d'un plat de poisson ou de viande, très souvent accompagné de pommes de terre ou de riz. Dans de nombreux restaurants, le chef propose un ou plusieurs *pratos do dia*, plats du jour. Préparés le jour même, ils sont souvent meilleur marché que les autres plats au menu.

Si le service est normalement inclus dans l'addition, il est d'usage de laisser entre 5 % et 10 % de pourboire, plutôt 10 % dans les restaurants de première catégorie ou de luxe. Les additions sont en outre augmentées de 17,5 % d'IVA (la TVA locale).

GASTRONOMIE

Les *couverts* sont de petits hors-d'œuvre – pain et beurre, fromage, pâté, olives... – qu'on apporte souvent quand vous vous installez à table. Ils sont offerts dans de nombreux restaurants ; dans d'autres, vous paierez un supplément. Le mieux est de vous renseigner auprès du serveur, qui vous indiquera le cas échéant le coût supplémentaire par personne.

Les *acepipes variados*, hors-d'œuvre variés, constituent une autre façon d'entamer votre repas. Ils peuvent être composés de toute une variété de produits, de l'espadon aux incontournables olives et morceaux de thon. Parmi les **soupes**, le *caldo verde*, bouillon vert, est la plus célèbre. Composée de choux, de saucisses, de pommes de terre et d'huile d'olive, elle est couramment servie dans le Nord. Autre soupe omniprésente, la *sopa alentejana*, mijotée avec de l'ail et du pain, entre autres ingrédients : les cuisiniers portugais utilisent le moindre morceau de poisson, de viande ou de légumes. La *sopa* *de mariscos* se prépare en faisant bouillir divers coquillages et crustacés, puis en parfumant bien le bouillon et en le corsant avec du vin blanc.

Vous trouverez pratiquement toujours au menu du *bacalhau*, de la morue salée, *o fiel amigo* (l'ami fidèle) des Portugais. En traversant les villages de pêcheurs du Nord, vous en verrez des quantités en train de sécher au soleil. Le *bacalhau* a sauvé des milliers de Portugais de la famine. Il peut être accommodé de nombreuses façons : il existerait une recette pour chaque jour de l'année. Les plus courantes sont le *bacalhau cozido* (bouilli avec des carottes, du choux et des épinards, puis cuit au four), le *bacalhau à Gomes de Sá* (cuit avec des olives noires, des pommes de terre et des oignons, puis passé au four et servi avec un œuf dur en tranches) et le *bacalhau no churrasco* (cuit au feu de bois). Hormis la morue, le plat national traditionnel est la **caldeirada**, la version portugaise de la bouillabaisse. Préparé à la maison, c'est un ragoût qui contient des morceaux des poissons et des crustacés du jour.

La **sardine** portugaise, que de nombreux gastronomes trouvent parfaitement distinguée, est également largement consommée. Pêchée au large des côtes atlantiques de la péninsule Ibérique et de la France, ces sardines de 15 à 20 cm de long proviennent généralement de Setúbal, port spécialisé dans la pêche à la sardine. En passant dans les ruelles de l'Alfama où dans la grand-rue des villages portugais, vous verrez parfois des femmes agenouillées devant un gril à leur porte, en train de préparer les *sardinhas assadas* (sardines grillées).

Les **crustacés** font partie des mets les plus sophistiqués de la table portugaise. Toutefois, la pénurie et la demande des marchés étrangers ont fait considérablement grimper les prix. Le prix des homards et des crabes change quotidiennement, en fonction du marché. Sur les menus, vous verrez *Preco V.*, c'est-à-dire « prix du marché ». Renseignez-vous avant de passer commande, sous peine de voir le plaisir de la délectation quelque peu terni par le montant de l'addition...

Bon nombre de ces habitants des fonds marins, comme les énormes crabes, sont cuits puis exposés dans la vitrine des restaurants. Si vous décidez de faire une folie, exigez qu'on vous serve uniquement des crustacés du jour. On vous trompera peut-être, car les experts eux-mêmes n'y voient parfois que du feu, mais vous aurez au moins demandé.

Quand il est frais, le *santola* (crabe) est un mets délicat. On le sert souvent farci (*santola recheada*), mais il risque d'être assez relevé. Les *amêijoas*, petites palourdes, sont délicieuses. La *lagosta* (langouste) est meilleure au naturel.

Parmi les nombreuses variétés de **poissons** savoureux et bon marché, on compte le *salmonette* (rouget barbet) de Setúbal, le *robalo* (bar), le *lenguado* (sole) et le *pescada* (colin) au goût parfumé. Les *eiros* (anguilles), le *polvo* (poulpe) et les *lampreas* (lamproies, poisson de saison du Minho, au nord) sont moins prisés mais fort appréciés de nombreux gastronomes avertis.

La ***piri-piri*** est une sauce à base de piment rouge d'Angola. À moins d'avoir le palais entraîné, prenez autre chose...

Les habitants de Porto ont la réputation d'être des mangeurs de **tripes**. Il est vrai que la *dobrada*, les tripes aux haricots, est une spécialité locale traditionnelle des ouvriers. Le *cozido á portuguesa* est un autre plat très populaire. Ce ragoût est souvent composé de bœuf, de porc, de légumes frais et de saucisses. Les tavernes à bière proposent traditionnellement le *bife na frigideira*, un bœuf sauce moutarde servi fumant dans un caquelon en céramique brune avec un œuf au plat dessus. Les fines tranches d'*iscas* (foies de veau) sont généralement bien préparées, sautées avec des oignons.

La **viande** portugaise, notamment le bœuf et le veau, est moins satisfaisante. C'est le *porco* (porc), tendre et juteux, qui est le meilleur. Le *porco alentejano* est particulièrement bon : du porc à la poêle accompagné d'une succulente sauce aux petites palourdes souvent mitonné avec des oignons, des herbes et des tomates. Toujours originaire de l'Alentejo, le *cabrito* (chevreau rôti) parfumé aux herbes et à l'ail est aussi un mets délicat. La qualité du poulet est irrégulière et c'est sans doute doré à la broche (*frango no espeto*) qu'il est le meilleur En saison, il faut essayer le gibier, notamment la *perdiz* (perdrix) et la *codorniz estufada* (caille à l'étouffée).

Les principales variétés de **fromage** (*queijo*) sont à base de lait de brebis ou de chèvre. Le *queijo da serra* (fromage de montagne) est le plus courant. Parmi les autres fromages appréciés figurent le *queijo do Alentejo* et le *queijo de Azeitao*. Le *queijo Flamengo* ressemble au gouda.

Enfermés dans leurs couvents et monastères isolés, les religieuses et moines ont élaboré des desserts originaux, dont bon nombre des recettes se sont transmises au fil des ans. On trouve ces **desserts** dans les pâtisseries. À Lisbonne, Porto et d'autres villes, vous pouvez les déguster au *salão de chá* (salon de thé).

L'*arroz doce*, riz au lait parfumé à la cannelle, est le plus typique. Le flan, ou crème caramel, figure au menu de tous les restaurants, qui ont malheureusement tendance à ignorer les autres desserts, hormis les fruits de saison. Si vous êtes au Portugal en été, demandez une pêche d'Alcobaça. Toutes les autres vous sembleront fades une fois que vous aurez goûté à celle-ci. Dans un restaurant de première catégorie, le serveur la pèlera devant vous. Sintra est connue pour ses fraises, Setúbal pour ses oranges, l'Algarve pour ses amandes et ses figues, Elvas pour ses prunes, les Açores pour ses ananas et Madère pour ses fruits de la passion (d'aucuns prétendent que consommés en trop grande quantité, ceux-ci rendent fou).

On ne cuisine pas beaucoup les œufs au Portugal, sauf en omelette et dans la préparation des desserts. Si les jaunes d'œuf cuits dans du sucre ne vous disent rien, essayez des recettes plus originales. La plus célèbre est les *ovos moles* (œufs mollets vendus dans des boîtes de couleurs vives) originaires de l'Aveiro. Les *ovos de fio* (œufs en cocotte) viennent de la capitale du même district.

Vins

Au Portugal, la découverte des vins régionaux fait partie des plaisirs de la table (voir chapitre 1, « Les meilleurs vins »). À l'exception du porto et du madère, ils demeurent peu connus dans le monde.

En vin de table, Frommer's vous conseille les vins originaires de la région montagneuse du **Dão**. Les vins rouges sont rouge rubis et leur goût est velouté. Les vins blancs sont légers et suffisamment délicats pour accompagner des crustacés. Dans les dunes sableuses de la région de **Colares**, près de Sintra, on trouve un vin corsé fabriqué à partir des cépages du vignoble de Ramisco. Selon un écrivain portugais, le vin de Colares a « un teint féminin mais une énergie virile ».

Les *vinhos verdes* (vins verts) comptent de nombreux partisans. Ces vins légers, peu alcoolisés, proviennent de la région du **Minho** au nord-ouest du Portugal. Ils sont pétillants, car fabriqués à partir d'un raisin qui n'a pas complètement mûri. Près d'Estoril, le district de **Carcavelos** produit un vin particulier qu'on sert en apéritif ou avec le dessert. Le district de **Bucelas**, près de Lisbonne, produit notamment un vin issu du vignoble d'Arinto. Son vin blanc, au petit goût acidulé, est le plus connu.

Le **porto** provient des pentes arides du Douro. L'appellation « porto » est réservée aux seuls vins de cette région. Le nom de « porto » vient de celui de la métropole du nord du Portugal, par laquelle transitait le vin. De robes et de goûts divers, il se boit dans un verre en forme de tulipe. Le porto sec pâle est un apéritif idéal. Le porto rubis ou *tawny* (fauve) est doux ou demi-sec ; il se boit en digestif. Les plus prisés sont les millésimés (vintage) et les LBV (*Late Bottled Vintage*). Cette dernière appellation désigne un porto décanté entre 4 et 6 ans avant la mise en bouteille, de qualité inférieure à celle du millésimé. Sur 10 ans, seules trois années peuvent être millésimées.

On mélange différents crus et années en fonction du type de porto à obtenir. Le porto vieilli en fût est blanc, *tawny* (fauve) ou rubis. Jeune, il est d'un rouge profond et avec les années, il prend une teinte paille.

Comme on l'a dit, le porto « a perpétué et glorifié la renommée de Porto ». Les Anglais furent les premiers séduits au XVIIᵉ siècle. Mais depuis un certain temps, les Français en importent davantage qu'eux.

Le **madère**, dont la grande époque est pourtant révolue, rencontre toujours beaucoup de succès. Les vignobles dont il est issu poussent sur des sols volcaniques, et on lui ajoute de l'eau-de-vie.

Le **Sercial** (sec, vin d'apéritif), le **Malmsey** (servi au dessert) et le **Boal** (capiteux, servi dans de nombreuses occasions, du banquet suivant une partie de chasse au dîner en tête-à-tête) sont les plus réputés.

Bière

La bière (*cerveja*) fait de nouveaux adeptes chaque année. La Sagres, ainsi appelée en l'honneur de la ville d'Henri le Navigateur, dans l'Algarve, est l'une des meilleures bières portugaises.

3 Préparer son voyage

Organiser son voyage n'est pas une mince affaire ! Ce chapitre est destiné à vous aider à le préparer : lisez-le avant de partir, vous économiserez du temps, de l'argent et de l'énergie. Vous y trouverez une multitude de conseils, d'adresses et de renseignements pratiques : météo et dates des manifestations portugaises, documents nécessaires, moyens de transport, argent, activités, logement... Autant de renseignements essentiels pour un séjour réussi.

1. Quand partir ?

Le temps

Au Portugal, la haute saison est l'été. Cependant, pour qui peut planifier son voyage à d'autres périodes, le printemps et l'automne restent les saisons les plus agréables. Les Portugais considèrent, à juste titre, que leur climat océanique est l'un des plus agréables d'Europe. En effet, la température varie faiblement, et la moyenne se situe autour de 14 °C en hiver et de 25 °C en été. Les pluies sont relativement abondantes, surtout entre novembre et janvier. Grâce au Gulf Stream, la région du **Minho**, au nord du Portugal, jouit d'hivers très doux mais copieusement arrosés. Quant aux autres régions, elles bénéficient d'hivers pluvieux et cléments. La région de l'**Algarve** – sorte de Côte d'Azur recherchée par les amateurs de soleil – et surtout **Madère**, ont des hivers tempérés qui font office de haute saison. En revanche, l'été y est plutôt long, chaud et sec. La **Serra de Estrêla**, au nord du Portugal, attire de nombreux skieurs grâce à sa neige abondante. La température moyenne à **Lisbonne** et à Estoril oscille entre 7 °C et 18 °C en hiver, et entre 15 °C et 27 °C en été.

Moyennes des températures						
	Janv.	Févr.	Mars	Avr.	Mai	Juin
Temp. (°C)	13,8	15	17,2	19,4	21,6	25
	Juill.	Août	Sept.	Oct.	Nov.	Déc.
Temp. (°C)	27,2	27,7	26,1	22,2	17,2	14,4

Les jours fériés

Au Portugal, les jours fériés sont les suivants : le 1er janvier (Nouvel An et jour de la Fraternité universelle), Mardi gras (début mars, date variable), le Vendredi saint (mars ou avril, date variable), le 25 avril (jour de la Liberté, anniversaire de la révolution), le 1er mai (fête du Travail), Corpus Christi en juin (date variable), le 10 juin (fête nationale), le 15 août (l'Assomption), le 5 octobre (proclamation de la République), le 1er novembre (la Toussaint), le 1er décembre (restauration de l'Indépendance), le 8 décembre (fête de l'Immaculée Conception), le 25 décembre (Noël). Enfin, le 13 juin (fête de la Saint-Antoine) est un jour férié à Lisbonne, et le 24 juin (fête de la Saint-Jean-Baptiste) est un jour férié à Porto. Ces jours-là, la plupart des bureaux et des magasins (dont ceux d'alimentation) sont fermés.

Calendrier des manifestations portugaises

Nous vous conseillons de vérifier les dates de ces événements auprès de l'office de tourisme du Portugal de votre pays (pour les coordonnées voir ci-dessous) car elles varient considérablement d'une année sur l'autre. Le point culminant des festivités à Lisbonne a lieu en juin (voir « Festas dos Santos Populares », plus loin).

Janvier

Festa de São Gonçalo e São Cristovao, Vila Nova de Gaia, à Porto. Ce festival religieux, qui s'apparente à des rites de fertilité, est l'un des plus fréquentés du pays. Une image de São Gonçalo parade à travers les étroites rues de la ville pendant que les fêtards battent le tambour. Des bateliers du Douro font aussi descendre le long du fleuve une statue de São Cristovao à la tête énorme. À cette occasion, on boit beaucoup de porto et on mange des gâteaux cuits dans des moules en forme de phallus. Téléphonez au ✆ 22/205-27-40 pour de plus amples informations. Au début du mois.

Mars

Le Carnaval (Mardi gras). Il se déroule dans tout le pays, mais tout spécialement à Nazaré, Ovar, Loulé et Funchal (à Madère). Chaque ville le célèbre à sa manière. Les participants sont masqués et les bateaux ornés de fleurs. Le vin coule à flots et on ripaille gaiement. Le Carnaval est le dernier festival avant le Carême. Au début du mois.

Avril

Pâques. Les festivités les plus célèbres ont lieu à Povoa de Varzim, Ovar, mais surtout à Braga. Dans cette ville, la Semaine sainte voit défiler des participants masqués et habillés de couleurs vives, et parader des bateaux ornés de bijoux. Feux de Bengale, danses folkloriques et marches aux flambeaux complètent le tableau.

Mai

Festas das Cruzes, à Barcelos (près de Braga). Depuis 1504, procession du « miracle de la Croix » sur un tapis fait de dizaines de milliers de pétales de fleurs. Les femmes sont parées de lourdes chaînes en or et vêtues de costumes régionaux. De gigantesques feux d'artifice tirés depuis le fleuve signalent la fin du festival. Appelez au ✆ 253/81-18-82. Début du mois.

✪ **Premier pèlerinage de l'année à Fátima.** Des gens du monde entier affluent à Fátima pour commémorer la première apparition de la Vierge à de jeunes bergers, en 1917. Ce pèlerinage fut autorisé la première fois en 1930 par l'évêque de Leiria. Le dernier pèlerinage de l'année a lieu en octobre (voir plus bas). Réservez votre chambre plusieurs mois à l'avance ou dormez dans une ville proche. Pour plus d'informations, appelez l'office de tourisme de Fátima au ℘ **249/53-11-39**. Le 13 mai.

Juin

Feira Nacional da Agricultura (aussi connue sous le nom de Feira do Ribatejo), à Santarém. Cette fête, qui a lieu dans une ville située au nord de Lisbonne sur les rives du Tage, est la plus importante fête agricole du Portugal. Les meilleurs chevaux et le plus beau bétail du pays y sont exposés, tandis que se déroulent des concours de chevaux et des corridas. Nombreux stands de spécialités régionales. Appelez au ℘ **243/33-33-18** pour de plus amples informations. Du 5 au 13 juin.

Fête de la Saint-Jean, à Porto. Des veillées au cours desquelles se mêlent feux de joie, chants et danses, ainsi que des défilés des habitants en costume traditionnel jalonnent ce festival coloré, qui honore saint Jean (são João). Renseignez-vous au ℘ **22/323-303**. Les 23 et 24 juin.

✪ **Festas dos Santos Populares, à Lisbonne.** Les festivités commencent le 13 et le 14 juin dans l'Alfama en l'honneur de saint Antoine. Des groupes de chanteurs et de musiciens dansant, buvant du vin et mangeant des sardines grillées défilent le long de l'avenue de la Liberté (avenida de Liberdade) et rendent hommage au saint patron de la ville : ce sont les *marchas*. Les 23 et 24 juin, à l'occasion de la Saint-Jean-Baptiste, des feux de joie illuminent la nuit et les participants sont invités à sauter par-dessus. La dernière nuit de fête célèbre saint Pierre, le 29 juin. Pour un programme détaillé des manifestations officielles, appelez l'office de tourisme de Lisbonne (℘ **21/346-63-07**), sinon flânez dans la ville pour découvrir le côté « off » de cette manifestation. À partir du 13 juin.

Festas do São Pedro, à Mintijo. Ce festival, qui a lieu non loin de Lisbonne, honore saint Pierre depuis le Moyen Âge. Les bateaux sont baptisés et une procession colorée se déroule. Les éleveurs de taureaux, qui amènent leurs bêtes en ville, les lâchent le dernier jour dans la rue, donnant lieu à des courses-poursuites malheureusement souvent entachées par des accidents, quelquefois mortels. Des corridas ont lieu, au cours desquelles l'on déguste des sardines grillées. La nuit du 29, les participants observent un rite païen qui consiste à mettre une yole en feu et à l'offrir en sacrifice au Tage. Pour des informations supplémentaires, appelez le ℘ **21/346-63-07**. Les 28 et 29 juin.

Juillet

Colete Encarnado (le « Gilet rouge »), à Vila Franca de Xira. Au nord de Lisbonne, au bord du Tage. Comme la plupart des *feria* – par exemple celle de Pampelune, en Espagne -, ce festival comprend des courses de taureaux dans les rues ainsi que des corridas spectaculaires dans les arènes de la ville, considérées comme les plus belles du Portugal. Des danses de fandango et des compétitions dans l'esprit du rodéo opposent les *campinos* – cow-boys – du Ribatejo entre eux. Renseignez-vous au ℘ **252/64-27-00**. Le premier ou le deuxième dimanche de juillet.

Le festival de musique classique d'Estoril. Dans cette station balnéaire proche de Lisbonne, deux salles de concert furent construites à l'occasion du 500e anniversaire du premier voyage de Christophe Colomb en Amérique. Contactez l'Associaçao International de Musica da Costa de Estoril, Casa dos Arcos, Estrada Marginal, P-2775 Parede, Portugal, ou appelez le ℘ **21/466-38-13**. Environ de mi-juillet à la première semaine d'août.

Août

Fête de Notre-Dame-de-Monte, à Madère. La veille et le jour de l'Assomption (le 14 et le 15 juin), le plus important festival religieux de l'île commence par de ferventes démonstrations de la part des pèlerins et se termine en grande fête. Danses et chants jusqu'à l'aube, nourritures et boissons à profusion. Appelez le ∅ **291/22-90-57** pour de plus amples informations.

✪ **Festas da Senhora da Agonia, à Viana do Castelo.** Cette manifestation, la plus spectaculaire du nord du Portugal, à l'embouchure du Lima, au nord de Porto, honore « Notre-Dame de la Souffrance ». Une réplique de la statue de la Vierge est portée à travers la ville jonchée de fleurs. L'évêque mène la procession des pêcheurs vers la mer et bénit leurs bateaux. Des parades de bateaux marquent les festivités, qui durent 3 jours et 3 nuits. Appelez l'office du tourisme au ∅ **258/82-26-20** pour connaître les dates exactes. Réservez votre chambre longtemps à l'avance ou dormez dans une ville voisine. Fin août.

Septembre

Romaria da Nossa Senhora de Nazaré, à Nazaré, le plus célèbre village de pêcheurs du Portugal. Le festival est constitué de danses folkloriques, de chants et de corridas. La principale attraction reste la procession de Nossa Senhora de Nazaré jusque dans le fleuve. Appelez le ∅ **262/56-11-94**. Début septembre.

Festival de danse et de musique folkloriques, en Algarve. Au début du mois, la plupart des grandes villes de l'Algarve – comme Faros, Lagos, Silves et Albufeira – organisent un week-end de fêtes, lequel finit en un gigantesque festin à Praia da Rocha le dimanche soir, au milieu des feux d'artifice, des danses et des chants. Appelez à Faro le ∅ **289/80-36-04**. Début du mois de septembre.

Octobre

Dernier pèlerinage de l'année à Fátima. Des milliers de pèlerins du monde entier se réunissent à Fátima pour célébrer la dernière apparition de la Vierge, qui aurait eu lieu le 12 octobre 1917. Pour plus de renseignements, appelez au ∅ **249/53-11-39**.

2. Où se renseigner et se documenter ?

Le site Internet de l'Office du tourisme du Portugal (l'ICEP- Investimentos, Comércio e Turismo de Portugal) est en portugais. N'hésitez pas à aller consulter le « guide Frommer's des bonnes adresses du Web » à la fin de l'ouvrage pour trouver des informations sur le Web.

En France

INFORMATIONS OFFICIELLES

Consulat général du Portugal. 6, rue Georges-Berger 75017 Paris. ∅ **01 56 33 81 00** Fax 01 47 66 93 35.

Ambassade du Portugal. 3, rue de Noisiel 75116 Paris. ∅ **01 47 27 35 29** Fax 01 47 55 00 40. www.embaixada-portugal-fr.org

CENTRES D'INFORMATION

ICEP (Office du tourisme du Portugal). 135, bd Haussmann 75008 Paris. ∅ **01 56 88 30 80** Fax 01 56 88 30 89. Minitel 3615 PORTUGAL. www.portugalinsite.pt (uniquement en anglais et en portugais).

Centre culturel Calouste-Gulbenkian. 51, av. d'Iéna 75116 Paris. ∅ **01 53 23 93 93** Fax 01 53 23 93 99. www.gulbenkian-paris.org

Institut Camões. 26, rue Raffet 75016 Paris. ∅ **01 53 92 01 00** Fax 01 45 24 64 78. www.instituto-camoes.pt (uniquement en portugais).

Et sur le Web ?

Pour trouver d'autres informations sur le Portugal, reportez-vous au guide Frommer's des bonnes adresses du Web à la fin de l'ouvrage.

LIBRAIRIES

Librairies spécialisées

Librairie portugaise Michel Chandeigne. 10, rue Tournefort 75005 Paris. ∅ **01 43 36 34 37** Fax 01 43 36 78 47.

Librairie Portugal. 146, rue Chevaleret 75013 Paris. ∅ **01 45 85 07 82** Fax 01 45 85 36 62.

L'Harmattan. 16, rue des Écoles 75005 Paris. ∅ **01 40 46 79 11** Fax 01 43 29 86 20. www.editions-harmattan.fr

Librairies de voyage

L'Astrolabe. 46, rue de Provence 75009 Paris. ∅ **01 42 85 42 95** Fax 01 42 82 11 62.

IGN. 107, rue La Boétie 75008 Paris. ∅ **01 43 98 80 00** Fax 01 43 98 85 11. Minitel 3615 IGN. www.ign.fr

Itinéraires. 60, rue Saint-Honoré 75001 Paris. ∅ **01 42 36 12 63**. Fax 01 42 33 92 00. Minitel 3615 ITINERAIRES. www.itineraires.com

Ulysse. 26, rue Saint-Louis-en-l'Île 75004 Paris. ∅ **01 43 25 17 35** Fax 01 43 29 52 10. www.ulysse.fr

Librairie de Voyageurs du monde. 55, rue Sainte-Anne 75002 Paris. ∅ **01 42 86 17 38** Fax 01 42 86 17 89. Minitel 3615 VDM. www.vdm.com

En Belgique

INFORMATIONS OFFICIELLES

Ambassade du Portugal. 55, avenue de la Toison-d'Or, 1060 Bruxelles. ∅ **(02) 533 07 00** Fax (02) 539 07 73.

CENTRE D'INFORMATION

ICEP (Office du tourisme du Portugal). 5, rue Joseph-II, 1000 Bruxelles. ∅ **(02) 230 52 50** Fax (02) 231 04 47.

LIBRAIRIES

La Route de Jade. 116, rue de Stassart, 1050 Bruxelles. ∅ **(02) 512 96 54** Fax (02) 513 99 56. www.laroutedejade.com

Peuples et Continents. 11, rue Raenstein, 1000 Bruxelles. ∅ **(02) 511 27 75** Fax (02) 514 57 20.

Anticyclone des Açores. 34b, rue Fossé-aux-Loups, 1000 Bruxelles. ∅ **(02) 217 52 46** Fax (02) 223 77 50. www.anticyclonedesacores.com

En Suisse

INFORMATIONS OFFICIELLES

Consulat du Portugal. 220, route de Ferney, 1218 Le Grand-Saconnex, Genève. ∅ **(022) 791 05 11**.

CENTRE D'INFORMATION

ICEP (Office du tourisme du Portugal). Badenerstrasse 15, 8004 Zurich. ∅ **(01) 241 00 01** Fax (01) 241 00 12.

LIBRAIRIES

Librairie du Voyageur Artou. 8, rue de Rive, 1204 Genève. ⌀ **(022) 810 23 33** Fax (022) 810 23 34.

Travel Bookshop. Rindermarkte, 20, 8000 Zurich. ⌀ et fax **(01) 252 38 83**. www.travel-bookshop.ch

Au Canada

INFORMATIONS OFFICIELLES

Ambassade du Portugal. 645 Island Park Dve, Ottawa, Ontario K1Y OB8. ⌀ **613 729 0883** Fax 613 729 4236.

CENTRE D'INFORMATION

Office de tourisme du Portugal. 600 Bloor St. W., Suite 1005 – Toronto, Ontario M4W 3B8. ⌀ **416/921 7376** Fax 416/921 1353.

LIBRAIRIES

Librairie Bidonville. 3428, rue Saint-Denis, Montréal. ⌀ **(514) 844 0892**.

Librairie Raffin. 6722, rue Saint-Hubert, Montréal. ⌀ **(514) 274 2870** Fax (514) 274 4335.

Librairie Ulysse. 4176, rue Saint-Denis, Montréal. ⌀ **(514) 843 9447** Fax (514) 843 9448.

Au Portugal

INFORMATIONS OFFICIELLES

Ambassade de France. Rua Santos-o-Velho, 5, 1249 079 Lisbonne. ⌀ **21/393-91-00** Fax 21/393-91-50. www.ambafrance-pt.org

Consulat de France. Calçada Marquès de Abrantes, 123, Lisbonne. ⌀ **21/393-92-92** Fax 21/393-92-22. www.consulfrance-lisbonne.org

Ambassade de Belgique. Praça Marquês de Pombal, 14, Lisbonne. ⌀ **21/317-05-10** Fax 21/356-15-56.

Ambassade de Suisse. Rua Castilho, 20, Lisbonne ⌀ **21/319-18-90** Fax 21/314-21-70.

Ambassade du Canada. Edificicio MCB, Avenida da Liberdade, 144, Lisbonne. ⌀ **21/316-46-00** Fax 21/316-46-92.

CENTRE D'INFORMATION

ICEP (Office du tourisme du Portugal). Avenida 5 de Outubro 101, Lisbonne. ⌀ **21/346-63-07** Fax 21/355-68-96. www.portugalinsite.pt (en portugais).

L'ICEP possède des bureaux un peu partout au Portugal ; n'hésitez pas à les appeler pour connaître le plus proche du lieu où vous vous trouvez.

LIBRAIRIES

Les librairies citées ici possèdent des espaces de livres en français. Vous trouverez dans les chapitres consacrés aux grandes villes du Portugal d'autres adresses de librairies.

Livraria Bertrand. Rua Garret, 73, Lisbonne. ⌀ **21/346-86-46**.

Livraria Francesca (Librairie Française). Avenida Marquès de Tomar, 38, Lisbonne. ⌀ et fax **21/795-68-66**.

Livraria Portugal. Rua do Carmo, 70. ⌀ **21/347-49-82** Fax 21/347-02-64.

3. Comment s'y rendre ?

En avion

Si vous décidez de vous envoler vers le Portugal, vous bénéficierez de l'importante concurrence entre les organismes de voyages et entre les compagnies aériennes. Cependant, les prix dépendent des caractéristiques du billet.

La réservation et le prix du billet d'avion pour Lisbonne se font sur plusieurs critères : le choix du vol (charter ou régulier, direct ou avec correspondance), la compagnie, le montant des taxes, la possibilité de modification des dates, la période de validité des billets, les conditions d'annulation, l'aéroport, les horaires de départ et d'arrivée ou encore votre âge.

Les **organismes de voyages** prennent des frais d'agence, mais il est souvent profitable de passer par eux. Chaque agence a le pouvoir de comparer les prix des différentes compagnies aériennes et propose régulièrement des promotions. Renseignez-vous surtout sur les tarifs réduits, les promotions et les forfaits du moment. Vous pouvez aussi joindre directement les compagnies aériennes qui peuvent avoir des invendus ou des promotions de dernier instant.

Arrivez relativement à l'avance à l'aéroport car certaines compagnies pratiquent la surréservation, vendant plus de places que l'avion n'en contient pour s'assurer qu'il parte plein. Les victimes de ces pratiques seront, bien entendu, indemnisées. Le plus souvent, vous devrez confirmer votre réservation 72 h avant votre départ, par téléphone ou par fax.

COMMENT OBTENIR LES MEILLEURS PRIX ?

Il existe plusieurs classes de billets. Les personnes qui voyagent en classe affaires ou qui doivent pouvoir acheter leur billet à la dernière minute, modifier leur itinéraire sur-le-champ ou rentrer chez eux avant le week-end, paient le tarif maximal. Ceux, en revanche, qui ont la possibilité de réserver leur billet longtemps à l'avance ou qui sont prêts à rester sur place le samedi soir ou à voyager le mardi, le mercredi ou le jeudi après 19 h, ne paient qu'un pourcentage du tarif maximal.

Les **compagnies aériennes** offrent périodiquement des réductions sur les itinéraires les plus populaires. Consultez leur guide Web ou téléphonez directement à la compagnie afin de vous renseigner. Il va de soi que les billets soldés sont extrêmement rares en juillet. Si vous pouvez vous le permettre, demandez si vous payeriez moins cher en restant sur place un jour de plus ou en voyageant en milieu de semaine.

Vous constaterez néanmoins que la plupart des billets les moins chers ne sont pas remboursables, doivent être achetés de 1 à 3 semaines à l'avance et exigent de l'acheteur de rester sur place un certain nombre de jours. En cas de modification, ils sont sujets à des taxes supplémentaires.

Certaines agences de voyages sont spécialisées dans la vente de billets d'avion à prix réduit. Elles achètent un grand nombre de billets puis les revendent au public à des prix inférieurs à ceux proposés en solde par les compagnies aériennes. Avant de leur régler quoi que ce soit, demandez un numéro de référence et confirmez votre place

Avis aux fumeurs

Attention, la majorité des compagnies aériennes interdisent de fumer pendant toute la durée du vol.

Les agences de voyage sur le Web

Les services voyages sur Internet sont en progression constante. Pour de plus amples informations, reportez-vous au « guide Frommer's des bonnes adresses du Web » à la fin de l'ouvrage.

---

directement auprès de la compagnie aérienne. Si celle-ci est incapable de confirmer votre réservation, changez d'agence. Sachez également qu'en règle générale, les billets à prix réduit ne sont pas remboursables et imposent de lourdes pénalités en cas d'annulation (allant souvent jusqu'à 50 % ou 75 % du prix du billet).

La plupart des organismes spécialisés dans les **vols charters** vendent leurs places par l'intermédiaire des agences de voyages. Avant d'acheter un billet sur un vol de ce type, lisez bien les conditions stipulées sur le billet (achat de « package » imposé, paiement anticipé, disponibilité en cas de modification de la date de départ, paiement de taxes supplémentaires, lourdes pénalités en cas d'annulation...) ; si le charter ne se remplit pas, il risque d'être annulé quelques jours avant le départ. Les charters d'été ont plus de succès que les autres ; par conséquent, à cette époque de l'année, les annulations de vols sont très rares. Cependant, si vous choisissez ce type de billet, n'oubliez pas de prendre une assurance bagages et une couverture en cas d'annulation.

La plupart des voyagistes cités dans ce guide possèdent plusieurs agences. Nous n'indiquons que l'une d'entre elles. N'hésitez pas à téléphoner au numéro indiqué pour connaître les coordonnées de l'agence la plus proche de chez vous.

DE FRANCE

En dehors de toute promotion, vous pouvez trouver un billet aller-retour Paris/Lisbonne aux environs de 1 700 FF (prix minimum à titre indicatif). La durée du vol est de 2 h 30.

Les compagnies aériennes

TAP Air Portugal. 4-14, rue Ferrus 75005 Paris. ⌀ **0 802 319 320** Fax 01 43 13 89 59. www.tap-air-portugal.pt

Portugalia. 66, av. des Champs-Élysées 75008 Paris. ⌀ **08 03 08 38 18** Fax 01 53 77 13 65. www.pga.pt (au départ de province uniquement).

Air France. 119, avenue des Champs-Élysées 75008 Paris. ⌀ **0 802 802 802**, de 6 h 30 à 22 h. Minitel 3615/3616 AF. www.airfrance.fr

Les voyagistes

Nouvelles Frontières. 87, bd de Grenelle 75015 Paris. ⌀ **0 825 000 825**. Minitel 3615 NF. www.nouvelles-frontieres.fr

Any Way. 76 *bis*, rue Vieille-du-Temple 75003 Paris. ⌀ **0 803 008 008** Fax 01 49 96 96 99. Minitel 3615 ANYWAY. www.anyway.fr

Go Voyages. 6, rue Troyon 75017 Paris. ⌀ **01 44 09 06 22**. Minitel 3615 GO. www.govoyages.com

Havas Voyages. 17, rue du Colisée 75008 Paris. ⌀ **01 53 93 62 72** Fax 01 45 63 67 71. www.havasvoyages.fr

Pour les étudiants

Jeunes sans frontières-Wasteels. 8, bd de l'Hôpital 75005 Paris. ⌀ **08 03 88 70 02**. Minitel 3615 Wasteels. www.voyage-wasteels.fr

OTU Voyage. 39, avenue Georges-Bernanos 75005 Paris. ∅ **01 40 29 12 12** Fax 01 40 29 12 25. www.otu.fr

USIT Connect. 14, rue Vivienne 75002 Paris. ∅ **01 44 55 32 60** Fax 01 44 55 32 61. www.usitconnect.fr

DE BELGIQUE

Les compagnies aériennes

En dehors de toute promotion, vous pouvez trouver un billet aller-retour Bruxelles/Lisbonne aux environs de 10 000 FB (prix minimum à titre indicatif). La durée du vol est d'environ 2 h 50.

Air France. Aéroport national de Bruxelles 1930 Zaventem. ∅ **(02) 723 60 32**. Centrale de réservation ∅ **070 22 24 66**. www.airfrance.be

Sabena. Hôtel Carrefour de l'Europe, Marché aux Herbes 110, Grasmarkt – 1000 Bruxelles. ∅ **(02) 723 23 23**.

Les voyagistes

Connections. 19, rue du Midi 1000 Bruxelles. ∅ **(02) 550 01 00**. www.connections.be

Joker. 37, bd Lemonnier 1000 Bruxelles. ∅ **(02) 502 19 37** Fax (02) 502 29 23. www.joker.be

Nouvelles Frontières. 2, bd Lemonnier 1000 Bruxelles. ∅ **(02) 547 44 44** Fax (02) 547 44 96. www.nouvelles-frontieres.be

Pour les étudiants

Services voyages ULB. Campus ULB, 22, avenue Paul-Héger 1000 Bruxelles. ∅ **(02) 650 37 72** Fax (02) 649 40 64.

Connections. 19, rue du Midi 1000 Bruxelles. ∅ **(02) 550 01 00** Fax (02) 514 15 15. www.connections.be

Wasteels. 22, rue Archimède 1000 Bruxelles. ∅ **(02) 230 15 95**. Mél : s.a.voyages.wasteels.ad@be

DE SUISSE

En dehors de toute promotion, vous pouvez trouver un billet aller-retour Genève/Lisbonne aux environs de 600 FS (prix minimum à titre indicatif). La durée du vol est d'environ 1 h 30.

Les compagnies aériennes

Swissair. 15, rue de Lausanne 1201 Genève. Centrale de réservation ∅ **(022) 848 800 700**. www.swissair.com

Tap Air Portugal. Swissair représente aujourd'hui Tap Air Portugal en Suisse (voir ci-dessus).

Air France. 2, rue du Mont-Blanc 1201 Genève. Renseignements et réservations : ∅ **(022) 827 87 87**. www.airfrance.fr

Les voyagistes

Artou. 8, rue de Rive, 1204 Genève. ∅ **(022) 818 02 00**.

Jerrycan. 11, rue Sautter 1205 Genève. ∅ **(022) 346 92 82**. www.jerrycantravel.ch

Kuoni. 8, rue Chantepoulet 1201 Genève. ∅ **(022) 738 48 44** Fax (022) 738 48 96. www.kuoni.ch

Nouvelles Frontières. 10, rue Chantepoulet 1201 Genève. ∅ **(022) 906 80 80** Fax (022) 906 80 90. www.nouvelles-frontieres.ch

Pour les étudiants

SSR. 3, rue Vignier 1205 Genève. ∅ **(022) 329 97 33** Fax (022) 329 50 62. www.ssr.ch

Du Canada

En dehors de toute promotion, vous pouvez trouver un billet aller-retour Montréal/Lisbonne aux environs de 800 $C (prix minimum à titre indicatif). La durée du vol est d'environ 6 h.

Les compagnies aériennes

Air Canada. Manu Life Building 979-2, Maison-Neuve Ouest, Montréal, Québec, H3A1M4. ∅ **(514) 393 3333** Fax (514) 393 67 68. www.aircanada.ca

La compagnie ne propose plus de vols directs pour Lisbonne, mais des vols quotidiens relient Montréal et Toronto à Paris, d'où vous pouvez prendre un autre avion pour Lisbonne.

Air Transat. 300, Léo Parizeau, suite 400, CP 2100, place du Parc, Montréal, Québec H2W 2P6. ∅ **(877) 872 67 28**. www.airtransat.ca

Les voyagistes

Funtastic Tours. 8060, rue Saint-Hubert, Montréal, Québec H2R 2P3. ∅ **(514) 270 31 86** Fax (514) 270 81 87.

Nouvelles Frontières. Comptoir Service d'Accueil, 1180, rue Drummond, Montréal. ∅ **(514) 871 30 60** Fax (514) 871 30 70. www.nf-tmr.com

Vacances Tourbec. 3419, rue Saint-Denis, H2X-3L2, Montréal, Québec. ∅ **(514) 288 44 55** Fax (514) 288 16 11.

Pour les étudiants

Campus Voyages. 1613, rue Saint-Denis, Montréal, Québec H2X 3K. ∅ **(514) 843 85 11**. www.voyagescampus.com

Vacances Tourbec. 3419, rue Saint-Denis, Montréal, Québec H2X3L2. ∅ **(514) 288 44 55** Fax (514) 288 16 11.

En train

De France

Des milliers de voyageurs traversent chaque année la France et l'Espagne en train pour rejoindre la gare de Santa Apolonia à Lisbonne. De Paris, le moyen le plus pratique pour rejoindre le Portugal est le Talgo, train de nuit express entre Paris et Madrid. Il part dans la soirée de la gare d'Austerlitz et arrive le lendemain matin à Madrid (gare Chamartin), d'où vous prenez le Lisboa express. Pour plus d'informations, contactez **Caminhos de Ferro Portugueses**, Calçada do Duque 20, 1200 Lisbonne (∅ **21/888-40-25**). Comptez 20 heures de trajet de Paris jusqu'à Lisbonne : prenez donc une couchette ! Il existe également une liaison Paris-Porto. Contactez la SNCF au ∅ **08 36 35 35 35** (minitel 3615 SNCF. www.sncf.fr).

De Belgique

Le trajet jusqu'à Lisbonne est très compliqué et nécessite plusieurs changements (Bruxelles-Paris ; Paris-Madrid ; Madrid-Lisbonne). Le trajet est donc long et cher, c'est pourquoi nous vous le déconseillons. Si toutefois vous êtes intéressé, contactez la SNCB au ∅ **02 525 94 94** ou 0 900 10 366. www.sncb.be

De Suisse

Le trajet Genève-Lisbonne est relativement long, peu confortable et nécessite plusieurs changements. Nous vous conseillons plutôt un autre moyen de transport. Contactez le CCS (Chemins de fer suisses) au ∅ **900 300 300**. (www.cff.ch).

Les cartes d'abonnement

Pour les Français, les Belges et les Suisses

Euro Domino Quel que soit votre âge, si vous êtes ressortissant français, belge ou suisse, vous pouvez circuler librement, pour de courts séjours, dans 28 pays en Europe (dont le Portugal) et en Afrique du Nord (à l'exception de votre pays de résidence). Muni d'une pièce d'identité, vous pourrez acheter des coupons de 3, 4, 5, 6, 7 ou 8 jours. Le prix du coupon varie selon la classe et le pays choisi.

Carte Inter Rail Pour ceux qui voyagent plus longtemps, la carte Inter Rail est plus appropriée. Elle vous permet de circuler librement dans 29 pays en Europe et en Afrique du Nord (à l'exception de votre pays de résidence) pour une durée de 22 jours ou de 1 mois.

Pour les Canadiens

Eurailpass La formule Eurailpass permet d'effectuer un nombre illimité de voyages en première classe dans tous les pays d'Europe occidentale (sauf les îles Britanniques) ainsi qu'en Hongrie. Les avantages sont nombreux : aucun billet à acheter, il suffit de montrer sa carte au contrôleur. Mais il est nécessaire de réserver sa place sur certains trains. Pour les trains-couchettes, il faut payer un supplément. De toute évidence, la carte est plus rentable pour qui la prend pour une période de 2 ou 3 mois. Pour profiter pleinement d'une carte valable 15 jours ou 1 mois, il faut passer beaucoup de temps dans le train.

Les titulaires de l'Eurailpass bénéficient de réductions considérables dans certains autobus, autocars et ferries.

Où acheter l'Eurailpass ? Ils sont vendus par les agences de voyage ou aux guichets des gares de chemin de fer de grandes villes comme Montréal. Quoi que l'on vous dise, les Eurailpass sont aussi vendus en Europe (dans les grandes gares), mais ils coûtent plus cher. Rail Europe (✆ **800/4-EURAIL**) peut également vous fournir des informations sur les versions rail/auto de l'abonnement.

En bus

Il n'existe pas, en fait, de moyen pratique pour se rendre au Portugal en bus à part, peut-être, de France. Préférez l'avion, la voiture ou le train. Cependant, la compagnie **Eurolines** possède des bureaux dans toute l'Europe. Contactez-les pour connaître les tarifs, qui dépendent de plusieurs facteurs (âge, saison, lieu de départ, etc.). Sachez aussi que de France, de Suisse ou de Belgique, le trajet dure entre 20 h et 24 h environ.

En France. 28, av. du Général-de-Gaulle 93541 Bagnolet. Renseignements et réservations : ✆ **08 36 69 52 52** Fax 01 49 72 51 61. www.eurolines.fr

En Belgique. Gare du Nord, rue du Progrès 1000 Bruxelles. Renseignements et réservations ✆ **(02) 274 13 50.** www.eurolines.be

En Suisse. Hauptstr. 66 41 12 Baettwill, Basle. ✆ **(061) 735 97 97.** www.eurolines.fr

En voyage organisé

Ce choix comporte de nombreux avantages. En effet, tout est pris en charge pour vous, depuis le transport jusqu'aux hôtels en passant par les excursions. Se reporter aux adresses de voyagistes du paragraphe « Comment s'y rendre ? » de ce chapitre.

Lignes de chemin de fer

0   50 Km

Vers Tuy et Vigo
Caminha
Valença do Minho
Viana do Castelo
Chaves
Bragança
Barcelos
Braga
❷
Guimarães
Baulhe
❸
Póvoa de Varzim
Vila Real
Mirandela
❶
Porto
Armarante
Espinho
❹
Regua
Pocinho
❺
Sernada
Aveiro
Viseu
Guarda
Vila Formoso
Nelas
Vers Salamanque et Paris
Cantanhede
Sta. Comba Dão
Pampilhosa
Figueira da Foz
Coimbra
Covilhã
Fundão
Pombal
Tomar
Fátima
Castelo Branco
Batalha
Leiria
Alcobaça
Abrantes
Caldas da Rainha
Óbidos
Santarém
Castelo de Vide
Vers Madrid
Setil
Mafra
Portalegre
Queluz
Mora
Elvas
Sintra
Estremoz
Cascais
Arraiolos
Badajoz
Estoril
Palmela
★ LISBONNE
Casa Branca
Évora
Setúbal
Alcárcer do Sal
Reguengos
Moura
Sines
Beja

Océan Atlantique

ESPAGNE

Silves
Lagos
Tunes
Sagres
Tavira
Vers Huelva et Séville
Albufeira
Faro
Vila Real de Santo António

Ligne Tãmega	❶
Ligne Corgo	❷
Ligne Tua	❸
Ligne Douro	❹
Ligne Vouga	❺

3-0537

4. Formalités

Entrée sur le territoire

Pas de formalité particulière pour les ressortissants des pays de l'**Union européenne** : la carte d'identité en cours de validité suffit ; à défaut, le passeport (périmé depuis moins de cinq ans) convient. Pour les citoyens **suisses** et **canadiens**, un passeport en cours de validité est demandé. Dans tous les cas, un visa est nécessaire pour un séjour de plus de trois mois ou si vous comptez travailler. Attention à bien garder votre passeport dans un endroit sûr, comme une ceinture spécialement conçue à cet effet. En cas de perte ou de vol, contactez votre consulat.

Douanes

Ce que vous pouvez apporter au Portugal Toute personne âgée de 17 ans et plus se rendant au Portugal peut apporter avec elle 200 cigarettes, 50 cigares ou 250 grammes de tabac, 2 litres de vin, 1 litre de spiritueux de plus de 22 % d'alcool ou 2 litres de moins de 22 %, 50 cl de parfum, 10 pellicules photo, 2 appareils photo, 1 ordinateur portable ou non (usage personnel), et enfin le matériel sportif destiné à sa propre utilisation. On peut apporter des devises étrangères pour un montant illimité.

Ce que vous pouvez rapporter dans votre pays Aucune limite n'est imposée aux ressortissants des pays de l'**Union européenne** dans la mesure où il s'agit d'achats personnels (cela incluant les cadeaux) dont les taxes ont déjà été acquittées. Vous avez donc le droit de rapporter personnellement : 800 cigarettes, 200 cigares, 1 kilo de tabac, 10 litres de spiritueux, 90 litres de vin (n'incluant pas plus de 60 litres de vin pétillant), et 110 litres de bière. Pour plus d'informations, contactez les Renseignements douaniers en France, 84, rue d'Hauteville 75498 Paris Cedex 10 (T 01 53 24 68 24, fax 01 53 24 68 30. www.finances.gouv.fr). Les **ressortissants de pays non européens** peuvent importer 200 cigarettes (ou 100 cigarillos, 50 cigares ou 250 grammes de tabac), 1 litre d'alcool de 22° (ou 2 litres de bière ou de vin). Pour les Canadiens, demandez la brochure *I Declare*, éditée par *Revenue Canada*, 2265 St. Laurent Bd Ottawa K1G 4KE (T 613/993-0534). Vous pouvez envoyer des cadeaux par la poste pourvu qu'ils ne dépassent pas une valeur de 60 $C, et qu'ils ne contiennent ni tabac ni alcool (écrivez au dos du paquet « cadeau d'une valeur inférieure à 60 $C »). Tout objet de valeur doit être déclaré à l'aide du formulaire Y-38 avant de quitter le Canada, lequel formulaire doit comporter le numéro de série de l'objet. Attention : cette franchise de 500 $C peut être utilisée seulement une fois dans l'année, et pour un séjour dont la durée dépasse 7 jours.

5. Santé, assurances et sécurité

Santé

Il n'y a pas de vaccination obligatoire pour entrer dans le pays ; cependant, mieux vaut être protégé contre la polio, le tétanos et la typhoïde lorsque vous voyagez. En cas d'hospitalisation, les ressortissants de l'Union européenne sont pris en charge gratuitement s'ils sont en mesure de fournir le formulaire E111.

Il n'y a pas de problème particulier de santé publique et l'eau du robinet est potable. Vous devriez éviter ainsi tout désagrément, même si le changement de régime alimentaire peut vous exposer parfois à la fameuse « turista ». Emportez donc, par précaution, des antidiarrhéiques.

Veillez à bien prendre avec vous tous les documents relatifs à votre **assurance maladie**. N'oubliez pas également d'emporter vos ordonnances si vous êtes sujet à un traitement particulier (épilepsie, tension artérielle...). Si par hasard vous vous trouvez à court, vous ne rencontrerez pas de problème pour obtenir vos médicaments.

Pour les problèmes de santé sans gravité, allez à la pharmacie la plus proche ; pour les problèmes de santé plus sérieux, votre ambassade, votre consulat ou même le directeur de votre hôtel pourront vous recommander un médecin francophone ou anglophone. Il est conseillé à ceux qui souffrent de maladies chroniques de parler de leur projet de vacances avec leur médecin, de même qu'il est recommandé aux personnes épileptiques, diabétiques ou connaissant un problème cardiovasculaire de porter un document, badge ou bracelet qui permettrait à toute personne soignante d'identifier ses conditions de santé.

Assurances

Si le fait de tomber malade en voyage vous préoccupe, vous pouvez souscrire à une assurance médicale spéciale. Toutefois, dans la majorité des cas, les polices d'assurance maladie prévoient ce genre de problème.

Il est recommandé de souscrire à une **assurance voyage** qui organise le rapatriement et couvre les frais liés aux accidents. Avant de contracter un contrat d'assurance de voyage, assurez-vous qu'il possède bien une clause de garantie minimale et une permanence d'assistance téléphonique. Il existe trois types d'assurances de voyage : celle qui traite des annulations de billets, l'assurance médicale et celle qui prévoit la perte des bagages. La première solution est utile si vous avez effectué une avance importante sur les frais de voyage. Les deux autres types d'assurance, en revanche, ne servent pas à grand-chose pour la plupart des voyageurs.

Quoi que vous fassiez, **vérifiez les polices d'assurances en cours** avant d'acheter la moindre couverture supplémentaire. Presque toujours, l'assurance santé que vous détenez déjà vous couvre à l'étranger. La plupart des polices d'assurance prennent en charge, au moins dans une certaine mesure, l'hospitalisation dans un pays étranger. Toutefois, il faut souvent payer les soins sur place avant de se faire rembourser.

En ce qui concerne le vol, vous êtes probablement couvert par votre assurance habitation. Si la compagnie aérienne est responsable de la perte de vos bagages, elle est censée vous rembourser une certaine somme. Par prudence, mettez les objets de valeur dans vos bagages à main.

La différence entre l'**assistance de voyage** et l'**assurance de voyage** est assez floue. En général, la première offre une aide immédiate, sur place, et un service téléphonique 24 h/24 (notamment pour les questions d'ordre médical). La seconde vous rembourse suite à des difficultés rencontrées pendant le voyage (soins, déplacements...). Choisissez la couverture en fonction de la protection dont vous bénéficiez déjà, par le biais de votre assurance maladie, par exemple. Certains fournisseurs de cartes de crédit offrent une assurance en cas d'accident, à condition que vous ayez utilisé ce moyen de paiement pour acheter le billet d'avion, de train ou de car. Lisez attentivement les contrats avant de payer une couverture d'assurance supplémentaire. Si vous avez des questions, n'hésitez pas à appeler votre assureur ou votre fournisseur de carte de crédit.

Conseil de voyage

N'oubliez pas de faire un jeu de photocopies de tous vos documents de voyage, et de le conserver ailleurs que dans votre portefeuille ou votre sac. Laissez-en également un à une personne de confiance au cas où vous auriez besoin qu'on vous l'envoie par télécopie.

Certaines cartes de crédit (American Express, Visa et Mastercards Gold ou Platinum, par exemple) offrent une assurance automatique en cas de décès ou de démembrement lors d'un accident d'avion.

Si vous décidez que vous avez effectivement besoin de compléter votre assurance, n'achetez pas au-delà de vos besoins. L'assurance qui vous protège lors de l'annulation d'un voyage coûte entre 6 % et 8 % de la valeur totale des vacances.

À l'attention des ressortissants canadiens Vérifiez les dispositions de votre assurance maladie auprès des régies régionales de la santé ou appelez **Health Canada** (✆ **613/957-2991**) pour connaître l'étendue de votre couverture et savoir quels documents, factures et reçus il faut rapporter au Canada afin d'être remboursé si vous êtes malade au Portugal.

Sécurité

Le Portugal demeure l'un des pays les plus sûrs d'Europe, même si la délinquance a augmenté dans les années 1990, alimentée par le flot de sans-abri et d'immigrants venant des ex-colonies portugaises. Lisbonne et l'Algarve, très fréquentées par les touristes, sont les lieux les plus sensibles. Le principal risque que vous courez est de vous faire voler votre portefeuille. Observez donc les règles de sécurité de base, y compris à votre hôtel, en ne laissant aucun objet de valeur en évidence.

6. Pour ceux qui ont des besoins particuliers

Familles

Le Portugal est une destination très agréable pour les familles. En général, les familles avec des enfants en bas âge bénéficient de certaines réductions, voire de la gratuité dans les établissements bon marché. Un enfant de moins de huit ans bénéficie d'une réduction de 50 % dans les hôtels s'il partage la chambre de ses parents.

Pour vous loger, des appartements ou des pensions sont loués par des propriétaires conviviaux, et conviendront parfaitement à vos enfants. Si vous avez besoin d'un berceau, faites-le savoir dès la réservation. Attention toutefois si votre bébé mange tôt le soir : les restaurants n'ouvrent que vers 19 h. Le Portugal propose un bon nombre d'attractions pour les enfants, nous les mentionnerons tout au long du guide. Vous trouverez aussi une liste d'hôtels et de restaurants particulièrement adaptés aux besoins des familles au chapitre 4.

Voyageurs handicapés

Peu de facilités existent pour les handicapés au Portugal malgré la législation en vigueur concernant les rampes d'accès et les équipements. L'aéroport et les grandes gares ferroviaires ont des toilettes équipées pour les fauteuils roulants.

La société de transport public de Lisbonne **Carris** propose un minibus aux handicapés moteurs (le « Dial-ride ») entre 7 h et 24 h. Appelez au ℘ 758 56 76 pour réserver (2 jours à l'avance). La course reviendra au prix de celle d'un taxi. Certains stationnements de voiture sont réservés aux personnes qui ont du mal à se déplacer. Vous pouvez aussi contacter l'**ICEP** qui vous renseignera sur les logements accessibles aux personnes handicapées (se reporter au paragraphe « Où se renseigner et se documenter ? » plus haut). Si vous parlez portugais ou si quelqu'un peut vous le traduire, le *Guia de Turismo para Pessoas com Deficiencias* est édité par le Secretariado Nacional de Rehabilitaçao (Avenida Conde de Valbom 63, Lisbonne, ℘ 21/793-65-17 Fax 21/796-51-82). Vous y trouverez des informations sur les logements, transports, restaurants et sites touristiques aménagés.

Vous pouvez contacter, en France, le **CNRH** (Comité national pour la réadaptation des handicapés), 236 bis, rue de Tolbiac, 75013 Paris (℘ **01 53 80 66 66**, www.handitel.org), pour des informations sur des voyages pour handicapés.

Homosexuels

Depuis quelques années, le mouvement homosexuel se développe rapidement. Le **Festival du film homosexuel**, lors de la Festa de Santo Antonio, et la **Gay Pride** organisée par ILGA-Portugal (association homosexuelle) ont lieu tous les ans depuis 1997. **ILGA-Portugal**, Apartado 21281, 1131 Lisboa Codex, Portugal, mél : ilga-Portugal@ilga.org, est l'association reconnue officiellement comme représentante de la communauté homosexuelle. Le **Centro Comunitário Gay e Lésbico de Lisboa**, rua de São Lazaro 88, Lisbonne, propose aux homosexuels une aide psychologique et médicale. Beaucoup de restaurants, boîtes de nuit, bars et même des plages sont autant de lieux de rencontres dans le pays. Vous trouverez dans les kiosques le bimensuel *Trivia*, consacré aux homosexuels et le magazine *Lilas* destiné aux lesbiennes. Malgré cette intégration récente de la communauté gay, sachez que beaucoup de Portugais, très catholiques, acceptent mal l'homosexualité.

Seniors

De nombreuses compagnies aériennes proposent des réductions de 10 % à 15 % aux seniors, mais n'hésitez pas à comparer avec des vols en promotion qui peuvent être meilleur marché. Certains musées offrent aussi des réductions aux seniors. La Compagnie portugaise nationale des chemins de fer applique une réduction de 50 % pour les 65 ans et plus, tout au long de l'année. Ayez donc toujours sur vous une carte d'identité.

Étudiants

N'oubliez de vous munir de votre carte internationale d'étudiant ainsi que d'une pièce d'identité mentionnant votre date de naissance. Vous bénéficierez ainsi de réductions pour les billets de train, les entrées dans les musées, etc.

7. Argent

Il n'y a pas de restrictions pour importer des devises étrangères, mais il vaut mieux déclarer le montant importé. Vous pourrez ainsi remporter un montant équivalent ou inférieur.

Monnaie

L'unité monétaire au Portugal est l'**escudo** (au pluriel : escudos) – noté ESC dans ce guide – qui se divise en 100 **centavos**. Un conto correspond à 1 000 escudos. Avant de partir, vérifiez le taux de change dans un journal ou dans une banque. Vous trouverez des billets de 500, 1 000, 2 000, 5 000 et 10 000 ESC, et des pièces de 1, 2.50, 5, 10, 20, 50, 100 et 200 ESC.

L'EURO

La nouvelle monnaie européenne est devenue la monnaie officielle du Portugal et de dix autres pays le 1er janvier 1999, mais elle n'existe pas encore sous forme numéraire. Les paiements en euros ne peuvent donc se faire que par chèque, carte de crédit ou par transaction bancaire. Le 1er janvier 2002, billets de banque et pièces en euros seront mis en circulation. Pendant une période de transition de 6 mois, l'escudo sera, lui, retiré de la circulation. À partir du 1er juillet 2002, seul l'euro sera accepté. Le symbole de l'euro est € ; son abréviation EUR.

Chèques de voyage

Ils deviennent un peu anachroniques aujourd'hui où les distributeurs automatiques de billets tiennent à votre disposition du liquide 24 h/24. Cependant, la plupart des banques prélèvent un pourcentage à chaque fois que vous utilisez votre carte. Si vous retirez de l'argent chaque jour, la solution des chèques de voyage est peut-être la mieux adaptée. Sachez que Top Tours ne prélèvent pas de commissions sur les chèques American Express.

Attention, conservez bien les numéros des chèques séparément, au cas où ils seraient volés ou égarés ; en produisant ces numéros, vos chèques seront remplacés rapidement.

Cartes de crédit et distributeurs

La plupart des distributeurs automatiques de billet acceptent les cartes de crédit internationales. Avant de partir, demandez à votre banque une liste des distributeurs automatiques du pays, et vérifiez bien votre limite journalière de retrait. Les distributeurs Multibanco acceptent les cartes Amex, Visa et Master Card.

Si vous détenez une American Express, vous pouvez l'utiliser dans presque n'importe quel distributeur. Il vaut mieux cependant avoir une autre solution pour retirer de l'argent, en cas de problème. Si vous voulez obtenir du liquide en échange d'un débit sur votre compte American Express, vous pouvez vous rendre chez leur représentant, Top Tours (voir « American Express » dans « Questions pratiques » plus loin dans ce chapitre). Apportez votre carte American Express, une photo d'identité ou votre passeport, et votre chéquier personnel.

En cas de vol

Pour signaler une carte de crédit perdue ou volée, vous pouvez appeler les numéros suivants au Portugal :

American Express ✆ **21/315 5371**

Visa ✆ **0501 1107**

MasterCard ✆ **05 01 112 72**

Change

Au moment où nous écrivons ces lignes, les taux de change sont les suivants :			
Euro	1 euro	=	200,482 ESC
France	1 FF	=	30,5633 ESC
Belgique	1 FB	=	4,9698 ESC
Suisse	1 FS	=	131,84 ESC
Canada	1 $C	=	151,226 ESC

Ces taux varient quotidiennement et risquent de ne plus correspondre à ceux en vigueur lors de votre voyage. Vérifiez le taux de change avant de partir et n'utilisez ce tableau que pour des indications approximatives.

Pour vous aider, voici quelques exemples de conversion.

Escudos	Euros	Francs français	Francs belges	Francs suisses	Dollars canadiens
50	0,25	1,6	10	0,4	0,3
100	0,5	3,3	20,1	0,8	0,7
300	1,5	9,8	60,4	2,3	2
500	2,5	16,4	100,5	3,8	3,3
700	3,5	23	140,8	5,3	4,6
1 000	5	32,7	201	7,6	6,6
1 500	7,5	49	302	11,4	9,9
2 000	10	65,5	402,5	15,2	13,2
3 000	15	98	604	23	19,8
4 000	20	131	805	30,5	26,4
5 000	25	163,6	1006	38	33
7 500	37,5	245,5	1509	57	49,5
10 000	50	327	2012	76	66
15 000	75	491	3018	144	99
20 000	100	655	4024	152	132

Combien ça coûte à Lisbonne	Euros	Francs français	Francs belges	Francs suisses	Dollars canadiens
Taxi de l'aéroport jusqu'au centre-ville	13-20	85-128	528-792	20-30	17-26
Un ticket de métro	0,52	3,45	21,2	0,8	0,7
Un appel local	0,12	0,76	4,71	0,18	0,15
Chambre double au Four Seasons Hotel The Ritz à Lisbonne (prix très élevé)	164-392	1 074-2 576	6 601-15 840	250-597	216-518
Chambre double au Janelas Verdes Inn (prix moyen)	191-235	1 254-1 542	7 710-9 480	290-357	252-310
Chambre double au Residência Nazareth (petit prix)	52	344	2 112	80	69
Un déjeuner sans le vin, au Bachus (prix moyen)	28	183	1 122	42	37
Un déjeuner sans le vin, au O Funil (prix moyen)	15	97	600	23	20
Un dîner sans le vin, au Tágide (prix élevé)	45	295	1 815	68	59
Un dîner sans le vin, au Chester (prix moyen)	30	200	1 226	46	40
Un dîner sans le vin, au Sancho (petit prix)	14	94	575	22	19
Une bière	3,5	21,5	132	5	4,5
Un Coca-Cola	1,5	8,5	52	2	1,6
Un café	0,65	4	26	1	0,85
Une pellicule couleur 100 ASA, 24 poses	2,6	17,2	106	4	3,5
Entrée au Museu Nacional dos Coches	3	19	118	4,5	4
Un ticket de cinéma	5	35	212	8	7
Un billet de théâtre	13	86	528	20	17

Vous trouverez, à Lisbonne, certaines banques françaises dont la liste suit :

- **Banque nationale de Paris.** Avenida Liberdade 16. ✆ **21/343 08 04.**
- **Crédit lyonnais.** Rua da Conceiçao 92. ✆ **21/347 58 00.**
- **Société générale.** Avenida Engenheiro Duarte Pacheco. ✆ **21/383 34 73.**

8. Se déplacer au Portugal

En voiture

La majorité des sites incontournables du Portugal se situent loin des gares ou des stations de bus : la voiture est donc nécessaire si vous souhaitez explorer un tant soit peu le pays et quitter les sentiers battus. Les rares autoroutes sont souvent surchargées, mais les trésors cachés et les villages inexplorés se trouvent tous au détour de routes accessibles en voiture.

LOCATION DE VOITURE

Nous vous conseillons de choisir une formule à la semaine offrant un kilométrage illimité compris dans le prix global de la location. Les principales agences de location sont bien représentées au Portugal, dans les aéroports ou dans les grandes agglomérations. Pour obtenir des renseignements au Portugal, vous pouvez vous adresser à l'**Associaçao dos Industriais de Aluguer de Automoveis Sem Condutor**, Rua Antonio Cândido 8, 1050 Lisbonne, ✆ 21/356 38 36.

Deux des plus grandes agences de location de véhicules au Portugal sont Avis et Hertz. Vous trouverez une agence **Avis** à l'aéroport ou dans le centre-ville de Lisbonne, ainsi que dans 17 autres localités à travers tout le pays. L'agence principale se situe av. Praia de Vitoria 12-C, Lisbonne (✆ **21 754 78 39**). La société **Hertz**, dont l'agence principale se situe av. 5 de Outubro 10, Lisbonne (✆ **21 849 27 22**) compte plus d'une vingtaine de points de location au Portugal.

• **Le point sur l'assurance auto** Avant de louer une voiture, vérifiez la couverture que vous procure **votre propre assurance**. D'autre part, si vous payez la location avec votre **carte de crédit**, sachez que beaucoup de compagnies vous assurent dans une certaine mesure, pendant votre voyage. Reportez-vous au paragraphe « Santé, assurances et sécurité ».

• **Formules tout compris** De nombreuses formules existent, comprenant l'avion, l'hôtel et la location de voiture. Elles sont parfois plus avantageuses que si vous réserviez un vol et que vous louiez une voiture séparément. À vérifier au cas par cas !

PERMIS DE CONDUIRE

Pour louer une voiture, vous devez avoir plus de 21 ans, une carte d'identité à jour et un permis de conduire obtenu depuis plus d'un an. L'agence de location de voiture vous fournira, en même temps que votre contrat de location, la Carte Verte ou **Carte Verde**, certificat d'assurance international indispensable pour rouler en règle.

ESSENCE

Vous trouvez désormais au Portugal des stations essence à peu près partout, mais soyez prudent lorsque vous vous écartez des axes principaux : réapprovisionnez-vous dès que vous le pouvez. L'État contrôlant les prix, ils sont partout les mêmes. Les cartes de crédit internationales sont généralement acceptées dans les stations-service, au moins sur les routes principales.

CODE DE LA ROUTE

La vitesse est limitée à 60 km/h (voire 50 km/h) dans les agglomérations, à 90 km/h sur les axes principaux (70 km/h si l'on remorque une caravane), et enfin à 120 km/h sur les autoroutes et voies express. Rappelons, à toutes fins utiles, que le port de la ceinture en voiture et du casque en moto est obligatoire. Le taux d'alcool toléré est de 0,05 g par litre de sang.

CARTES ROUTIÈRES

Les **cartes Michelin** sont les plus précises et les mieux faites, notamment la n° 440, qui indique les routes les plus belles, les lieux à visiter et les parcs nationaux. Veillez à bien acheter la version la plus récente, car le réseau routier évolue vite au Portugal.

PANNES

SOS dépannage (24 h/24). Appelez le ∅ 21/942 50 95 pour les pannes et incidents survenus dans le sud du Portugal et le ∅ 22 830 11 27 pour les accidents survenus dans le nord.

AUTO-STOP

L'auto-stop n'est pas un moyen de transport réellement utilisé au Portugal. Soyez donc prudent, surtout si vous êtes seul et si vous êtes une femme. De manière générale, nous vous déconseillons ce moyen de transport.

En avion

Le Portugal étant un petit pays, les trajets en avion sont particulièrement courts et faciles, même si le moyen de transport le plus utilisé reste le train. **TAP Air Portugal** dessert quatre fois par jour Faro, la région de l'Algarve, et Porto, la principale ville du Nord ainsi que Funchal, la capitale de Madère. Enfin, un service réduit dessert les Açores. Contactez TAP Air Portugal, à Lisbonne, Praça Marquês de Pombal (∅ 21 841 69 90 ou 21 317 91 00) ; à Faro, Rua D. Francisco Gomes 8 (∅ 289 80 02 00) ; et à Porto, Praça Mouzinho de Albuquerque 105 (∅ 22 608 02 39).

En train

Même si le système ferroviaire reste relativement peu développé au Portugal, comparé à d'autres pays européens, la capitale est reliée à plus de 20 autres villes principales. Des trains express desservent Lisbonne, Coimbra et Porto. Une ligne quitte Lisbonne et longe la Costa do Sol jusqu'à Queluz et Sintra.

La **gare Santa Apolonia** à Lisbonne dessert les lignes internationales, ainsi que les directions du Nord et de l'Est. La **gare Rossio** dessert Sintra et les lignes de l'Ouest, tandis que la **gare Cais do Sodre** relie la capitale à la Costa do Sol (Estoril et Cascais). D'autre part, la **gare Sul e Sueste** dessert l'Alentejo et l'Algarve. Pendant l'été, entre Lisbonne et l'Algarve, des trains express partent du lundi au samedi depuis la **gare Barreiro**. Enfin, le réseau ferroviaire relie Lisbonne aux plus grandes capitales européennes. La réservation est obligatoire sur les trains les plus rapides ; elle est recommandée sur les autres si vous voulez être sûr d'avoir une place. Pour plus d'informations, appelez le ∅ 21/888-40-25 à Lisbonne.

En bus

C'est bien sûr le moyen le plus économique de voyager au Portugal. Un réseau de bus géré par la compagnie nationale privée **Rodoviária** (∅ 21/354-57-75) relie Lisbonne à toutes les villes principales. Les bus express reliant les principales villes sont appelés expressos. D'autre part, il existe une myriade de bus locaux et régionaux.

En taxi

Qu'ils soient beiges ou noir et vert, les taxis ne sont pas difficiles à trouver au Portugal et ils ne sont pas très chers. N'oubliez pas qu'un supplément vous sera demandé si vous avez des bagages, si c'est une réservation ou s'il est tard (après deux heures du matin). Toutefois, si vous pensez que le prix de la course est anormalement élevé (ce qui arrive souvent, hélas), n'hésitez pas à relever le numéro de la voiture et à faire mine de prévenir la police, cela dissuadera sans doute le chauffeur de vous faire payer beaucoup plus cher que le prix normal.

9. Se loger

Les prix sont affichés, en général, dans le hall principal de l'hôtel et dans votre chambre. Ils comprennent le service (13,1 %) et la TVA (17,5 %) et sont contrôlés par un organisme officiel. En cas de disparité entre le prix affiché et celui que vous payez, n'hésitez pas à le signaler dans le livre de l'hôtel, régulièrement consulté par ledit organisme. Les hôtels situés sur la côte, surtout ceux de l'Algarve, accordent une réduction de 15 % en basse saison (de novembre à février, parfois même de mi-octobre jusqu'à mars).

LES PRIX DANS CE GUIDE

Le service et la TVA sont toujours compris dans les prix mentionnés par ce guide, sauf indication contraire. Le petit déjeuner est généralement « continental » et nous vous précisons s'il n'est pas compris dans le prix de la chambre. Nous vous indiquons aussi le prix du parking à la journée.

RÉSERVATIONS

Elles sont indispensables si vous voyagez en période estivale. Et même en basse saison, il est quand même plus agréable de savoir où l'on va passer la nuit ! La plupart du temps, il faut verser des arrhes – correspondant à une nuit – pour réserver. Si vous annulez une semaine à l'avance, vous devriez être intégralement remboursés mais, attention, ce n'est pas toujours le cas dans les hôtels bon marché. Si vous choisissez une chaîne, telle que Sheraton ou Méridien, vous pouvez aisément réserver depuis votre pays.

Pousadas

Pendant votre voyage, arrangez-vous pour dormir, au moins une fois, dans des *pousadas*, auberges gérées par l'État. Elles vous accueillent dans des lieux à chaque fois très particuliers, qui vont du château sur la côte atlantique au chalet perdu dans la montagne, et situés au cœur de paysages le plus souvent magnifiques. Le gouvernement portugais a en effet installé ces auberges dans des bâtiments chargés d'histoire, couvents, palais ou châteaux. En règle générale, ces auberges sont situées dans des endroits un peu retirés, là où vous auriez du mal à trouver à vous loger autrement. Les prix ne sont pas à proprement parler bon marché, mais ils sont tout à fait corrects compte tenu de la qualité du service fourni. Attention, il n'est pas possible de rester plus de cinq jours, la liste d'attente étant longue. Pour les couples en lune de miel, les *pousadas* offrent des prestations spéciales. Voir nos recommandations au paragraphe « Les *pousadas* les plus typiques » du chapitre 1.

Vous pouvez réserver par l'intermédiaire de votre agence de voyage ou, par vous-même, à **Enatur-Pousadas du Portugal**, av. Sta. Joana Princesa 10, 1700 Lisbonne (✆ **21/844-20-01**).

TOURISME EN ESPACE RURAL

Dormir dans une vaste propriété agricole, une maison de campagne ou un manoir est une perspective, selon nous, encore plus séduisante que celle des *pousadas*. Nous recommandons vivement ces lieux offrant beaucoup de confort et un cadre historique charmant.

Ces établissements sont répartis en trois catégories. Le **Turismo de Habitaçao** regroupe des demeures souvent détenues par une aristocratie portugaise désargentée mais fière de son rang. La plupart de ces manoirs et de ces fermes sont appelés *quintas*. Ils sont tous privés. Le **turismo rural** correspond à des maisons rustiques et des fermes rénovées dans un style cossu. Enfin, l'**agroturismo** propose des séjours au cœur d'une exploitation agricole. Notez que le petit déjeuner est toujours inclus dans les tarifs de ce type d'établissements.

AUTRES POSSIBILITÉS

Les *estalagems* sont des auberges non gérées par l'État. Certaines d'entre elles offrent des prestations tout à fait exceptionnelles et beaucoup sont décorées dans le style traditionnel portugais, appelé *tipico*. Quant à la *residência*, c'est une sorte de pension de famille mais seul le petit déjeuner y est servi. La *pensão* est, elle, une pension de famille vraiment bon marché. Attention, donc, la *pensão* « de luxe » n'est pas luxueuse mais simplement de meilleur standing ! C'est en général l'équivalent d'un hôtel 2 étoiles, une véritable aubaine pour les petits budgets, notamment parce qu'on y mange copieusement une bonne cuisine locale. Il existe des pensions de première et de deuxième catégorie. Les *solares*, anciennes demeures aristocratiques rachetées et restaurées, sont des nouvelles venues dans le paysage de l'hôtellerie portugaise. Elles datent de l'époque des Grandes Découvertes, lorsque les navigateurs revenaient cousus d'or, après avoir parcouru le monde, et faisaient construire des palais somptueux. Elles se situent surtout le long de la Costa Verde, entre Ponte de Lima et Viana do Castelo.

Les offices de tourisme locaux possèdent eux aussi des informations (photographies, plans...). Reportez-vous aux « Informations pratiques » de chaque chapitre. Nous vous indiquons aussi quelques adresses d'agences au Portugal proposant ces différents logements. N'hésitez pas également à demander conseil à votre agence de voyage.

Turismo de Habitaçao. Av. Antonio Augusto de Aguiar 1099 Lisbonne (∅ 21/286-79-58) ou Praça da Republica 4990 Ponte de Lima (T 258/74-28-27).

Solares de Portugal. Praça de Republica 4990 Ponte de Lima. ∅ **258/74-16-72** Fax 258/74-14-44.

Privetur. Largos das Pereiras 4990 Ponte de Lima. ∅ et fax **258/74-14-93**.

Cette association peut vous aider à organiser votre séjour si vous voulez loger dans des demeures privées.

Delegaçao de Turismo de Ponte de Lima. Praça da Republica 4990 Ponte de Lima. ∅ **258/74-28-27**.

CAMPING ET CARAVANING

Vous trouverez facilement des campings dans tout le pays, mais ils se situent le plus souvent près des plages ou dans des zones boisées. Certains d'entre eux possèdent des piscines ou des restaurants. Pour obtenir la liste des campings, contactez la **Federaçao Portuguesa de Campismo e Caravanismo**, av. 5 de Outubro 15, 1000 Lisbonne (∅ 21/812-68-90).

AUBERGES DE JEUNESSE

Si vous voulez loger dans une AJ, vous devez posséder une carte internationale FUAJ (Fédération unie des auberges de jeunesse). Vous trouverez cette carte dans toutes les auberges de jeunesse ainsi qu'un guide contenant les adresses des AJ dans le monde. En France, pour tout renseignement, jetez un coup d'œil sur le site internet de la FUAJ : www.fuaj.org ; en Belgique, connectez-vous sur www.planet.be/asbl/aubjeun et en Suisse, vous trouverez des informations sur la SH (Schweiser Jugendherbergen) sur le site www.youthhostel.ch.

10. Pour des vacances actives

CORRIDAS

La description des événements marquants au Portugal serait incomplète si l'on ne faisait pas mention de cette pratique, appelée au Portugal la *tourada*. Contrairement aux corridas en Espagne ou dans certains endroits d'Amérique du Sud, ici le taureau n'est pas tué mais relâché pour vivre au milieu des pâturages. Les toreros (*cavaleiros*) portent une tenue du XVIIIe siècle (veste en soie, tricorne et culotte bouffante). Des corridas se tiennent régulièrement dans le quartier de campo Pequeno à Lisbonne, dans la ville ouvrière de Santarém, à travers les plaines du sud, ou encore aux Açores.

PÊCHE

Le nord du Portugal, copieusement arrosé, recèle des cours d'eau parmi les plus poissonneux de la péninsule Ibérique. Les plus notables sont le Rio Minho et la Ria Vouga, mais aussi la Ria Lima et les criques et lacs de la Serra de Estrêla. Pour pêcher à Lisbonne ou aux alentours, contactez le **Clube dos Amadores de Pesca de Lisboa**, travessa do Adro 12, 1100 Lisbonne (✆ **21/314-01-77**) ou le **Clube dos Amadores de Pesca da Costa do Sol**, rua dos Fontainhos 16, 2750 Cascais (✆ **21/484-16-91**). Sinon, contactez l'office du tourisme local.

La pêche en mer, le long des 800 kilomètres de côtes, est cependant bien plus fructueuse. En effet, les courants océaniques qui ramènent les poissons vers les côtes européennes offrent la possibilité de prises abondantes. Il est possible de louer un bateau, avec ou sans équipage.

FOOTBALL

C'est le sport le plus populaire au Portugal, si bien que le pays entier retient sa respiration lors de matches importants, par exemple contre l'Espagne ou le Brésil. Des affiches inondent la ville et les journaux, pour signaler les rencontres à venir. Une des équipes les plus appréciées est celle de Porto, qui a remporté la Coupe d'Europe en 1987. À Lisbonne, les fans se répartissent principalement entre deux clubs : le Benfica et le Sporting Clube.

GOLF

Une véritable passion pour le golf existe au Portugal, pays aux terres ensoleillées et aux liens culturels forts avec la Grande-Bretagne. Les compétitions, dont certaines sont de réputation mondiale, datent pour la plupart des années 1970. Elles se déroulent en général en Algarve ou dans les régions de Lisbonne ou de Porto, à Madère ou encore aux Açores. Surplombant la mer, ces terrains de golf sont souvent d'une beauté spectaculaire. Beaucoup furent conçus par des designers célèbres comme Robert Trent Jones, Henry Cotton ou Frank Pennink. Contactez la **Federaçao Portuguesa de Golf**

(Fédération portugaise de golf), rua Almeida Brandao 39, 1200 Lisbonne (∅ 21/412-37-80).

RANDONNÉES À CHEVAL

La solide réputation équestre des Portugais remonte aux batailles contre les invasions romaines. Les derniers chevaux issus d'un cheptel purement européen se trouvent au Portugal et vivent dans les Écuries royales à Alter do Chao, au milieu des plaines portugaises. La plupart des stations balnéaires en Algarve et à Cascais possèdent des chevaux et proposent de longues excursions à travers les montagnes ou le long des plages. Contactez la **Federaçao Equestre Portuguesa** (Fédération portugaise d'équitation), av. Duque d'Avila 9, 1000 Lisbonne (∅ 21/847-87-74).

EXPLORATION DE LA NATURE

La randonnée offre de merveilleuses possibilités pour les amoureux des oiseaux. En effet, à l'extrême ouest de l'Europe, le pays se situe juste le long des principales routes migratoires entre les terres chaudes et humides de l'Afrique et les contrées plus froides de l'Europe du Nord. Le caractère humide et accidenté du nord du Portugal convient parfaitement aux oiseaux. De plus, aux alentours de Peneda-Geres, des sangliers, des chevaux sauvages et des loups vivent en toute liberté au milieu des forêts et des montagnes.

SPORTS NAUTIQUES

Pays tourné vers la mer, le Portugal offre tout naturellement une multitude de sports nautiques. Toutefois, en dehors de l'Algarve, il existe peu de structures très organisées, et la côte atlantique offre un paysage bien différent, avec des petites plages retirées et des hameaux de pêcheurs. L'Algarve s'est par ailleurs récemment équipé de vastes **parcs aquatiques** (avec toboggans géants, piscines à vagues...). Si vous avez envie de **naviguer**, le Cascais Yacht Club, les marinas à l'embouchure du Tage, ou en Algarve – par exemple la marina de Vilamoura – vous proposeront plusieurs formules. Pour **surfer**, allez à Guincho, lieu qui attire de nombreux fans venant de toute l'Europe. Pour plus d'informations, contactez l'**Associaçao Naval de Lisboa**, Doca de Belém, 1300 Lisbonne (∅ 21/363-72-38) ; la **Federaçao Portuguesa de Vela**, Doca de Belém, 1300 Lisbonne (∅ 21/364-73-24) ou la **Federaçao Portuguesa de Actividades Subaquaticas**, rua Almeida Brandao 39, 1200 Lisbonne (∅ 21/846-01-74).

Itinéraires conseillés

Si vous disposez d'une semaine

Du 1er au 3e jour Arrivée à Lisbonne le premier jour. Le deuxième jour, visitez le château Saint-Georges, les principaux lieux de Belém, comme le monastère des Hiéronymites. Profitez du troisième jour pour explorer un peu les environs, le palais de Queluz, à 15 kilomètres de la capitale, et Sintra, à 30 kilomètres de la ville.

4e et 5e jours Partez deux jours dans une station balnéaire de la Costa do Sol – appelée aussi la « côte des Rois » – comme Cascais ou Estoril. Il est facile de s'y rendre depuis Lisbonne. Séance détente ou alors visite des lieux, comme Guincho, presque à l'extrémité ouest de l'Europe, et Mafra.

6e jour Allez jusqu'à Setúbal, à 50 kilomètres au sud de Lisbonne. Visitez le château de Palmela, et dormez à Setúbal même ou dans les environs.

7e jour Retour à Lisbonne et dernière visite en ville.

Si vous disposez de deux semaines

La première semaine se déroule comme indiqué au-dessus, puis :

8e au 10e jour Partez dans l'Algarve (voir chapitre 9). **Faro**, situé au cœur de la région, est le point de chute idéal pour la découvrir : rayonnez à partir de là. Restez au minimum 3 jours et 3 nuits.

11e jour Retournez à Lisbonne mais par l'est : allez à **Beja**, capitale du Baixo Alentejo, à 154 kilomètres au nord de Faro. Faites-y une halte avant de continuer jusqu'à Évora, à 140 kilomètres à l'est de Lisbonne, où vous pouvez passer la nuit avant de regagner Lisbonne.

12e jour Envolez-vous vers **Madère**, pour 3 jours au minimum et profitez du soleil. N'oubliez pas de visiter l'intérieur de l'île, l'une des plus belles du monde. Cependant, si vous préférez rester sur le continent, vous pouvez aller au nord de Lisbonne vers Obidos.

11. Questions pratiques

Ambassades et consulats Se reporter à la section « Où se renseigner et se documenter ? » de ce chapitre.

American Express Le représentant de American Express au Portugal est **Top Tours**, qui dispose de bureaux à Lisbonne, Porto, Portimão, et Quarteira. Le siège est à Lisbonne, av. Duque de Loulé 108, 1000 Lisbonne (∅ **21/315-58-85**). Voici les adresses de quelques succursales : rua Alferes Malheiro 96, 4000 Porto (∅ **22/208-27-85**) ; estrada da Rocha, Praia de Rocha, 8500 Portimao (∅ **282/41-75-52**) ; av. Infante de Sagres, 8125 Quarteira (∅ **289/30-27-26**).

Baby-sitters Si vous logez dans un hôtel de première catégorie, celui-ci dispose d'une liste de baby-sitters : demandez-la à la réception. Sinon, la baby-sitter sera probablement la fille du patron. Les tarifs sont peu élevés. Attention, prévenez au moins le matin si vous sortez le soir même, et demandez une baby-sitter qui parle un peu le français, si vous et vos enfants ne parlez pas portugais.

Drogue La drogue circule en grande quantité ; les peines infligées, si vous êtes pris en train d'en consommer ou d'en vendre, sont d'autant plus sévères que vous êtes étranger.

Eau L'eau est, bien sûr, potable, mais nous vous recommandons de faire attention dans les zones rurales, où elle peut ne pas être très pure. En aucun cas vous ne devez nager dans les rivières ou cours d'eau, ni en boire l'eau.

Électricité Le voltage est de 220 volts et la fréquence de 50 Hz. La forme des fiches (prises à deux trous) est celle qui équipe la majorité des maisons européennes. Les voyageurs canadiens doivent donc se munir au préalable d'un transformateur ou s'en procurer un sur place. Le concierge de l'hôtel saura vous indiquer où en trouver.

Fuseaux horaires Comme la plupart des pays européens, le Portugal a une heure d'été et une heure d'hiver. La France, la Belgique et la Suisse ont une heure de décalage avec le Portugal. Ce dernier est en avance de 6 heures sur la côte est du Canada.

Heures ouvrables Les **banques** ouvrent en général du lundi au vendredi de 8 h 30 à 15 h, les **bureaux de change** dans les aéroports et les gares offrent cependant une plus grande amplitude horaire. Le bureau de l'aéroport de Portela est quant à lui ouvert 24 h/24. Les **musées** ouvrent de 10 h à 12 h 30 et de 14 h à 17 h ; certains grands musées restent ouverts sans interruption à l'heure du déjeuner. Les **boutiques** ouvrent en général du lundi au vendredi de 9 h à 13 h puis de 15 h à 19 h, le samedi de 9 h à 13 h. La plupart des **restaurants** servent entre midi et 15 h, puis entre 19 h 30 et 23 h, et ferment le dimanche. Enfin, les **boîtes de nuit** ouvrent après 22 h, mais ne deviennent vraiment animées qu'après minuit, jusqu'à 5 heures du matin.

Journaux et magazines Les principaux quotidiens locaux sont le *Diario de Noticias*, journal centriste très influent, le *O Dia*, orienté à droite, et enfin le *O Diario*, situé à gauche de l'échiquier politique. Vous pouvez trouver les journaux internationaux dans les kiosques des villes les plus importantes et des stations balnéaires.

Langue Le français est parlé dans les lieux touristiques et dans les hôtels de première catégorie ; en revanche, dans des endroits plus retirés ou plus modestes, vous aurez besoin de connaître quelques rudiments de portugais.

Monnaie Se reporter au paragraphe « Argent », plus haut dans ce chapitre.

Pharmacies Il existe un certain nombre de pharmacies de garde, appelées *farmacias de serviço*. Vous obtiendrez leurs coordonnées en appelant le ∅ **118** ou auprès de la réception de votre hôtel. Sinon, les horaires habituels sont de 9 h à 13 h, puis de 15 h à 19 h, du lundi au vendredi, et le samedi de 9 h à 13 h.

Poste Vous pouvez utiliser la poste restante comme adresse dans le pays. Vous devrez présenter votre passeport pour retirer votre courrier. Vous pouvez aussi, bien sûr, vous faire adresser votre courrier à votre hôtel ou encore au représentant d'American Express à Lisbonne. La **poste centrale de Lisbonne** se trouve Praça do Comércio, 1100 Lisbonne (∅ **21/346-32-31**) et est ouverte chaque jour de 8 h 30 à 22 h. En général, les bureaux de poste sont ouverts du lundi au vendredi de 8 h 30 à 18 h. Dans les grandes agglomérations, ils ouvrent aussi le samedi jusqu'à 13 h. On trouve des timbres dans les bureaux de poste, dans les kiosques et dans tous les endroits signalés par un cheval rouge ou un cercle blanc sur fond vert.

Pourboires Les hôtels ajoutent d'office des **frais de service** (ou *serviço*) mais il est de rigueur de laisser aussi un pourboire lorsque vous avez été personnellement servi. Comptez 100 ESC pour le chasseur qui vous fait une course ou le portier qui vous hèle un taxi, de 100 à 200 ESC pour chaque bagage pris en charge, ou encore 300 ESC pour la femme de chambre. Dans les hôtels de première catégorie, le concierge vous présentera une facture à part pour tous les frais supplémentaires. Enfin, donnez un pourboire de 20 % pour un court trajet en **taxi** et de 15 % pour un trajet un plus long.

Les prix, dans les **restaurants** et **boîtes de nuit**, comprennent les 17,5 % de taxe mais il est d'usage de laisser un pourboire (de 5 à 10 %, suivant la qualité du service et le standing du lieu). Comptez 100 ESC pour le vestiaire ou la « dame-pipi ».

Taxes La TVA – dont le sigle portugais est IVA – varie de 8 % à 30 %. Les hôtels et les restaurants ajoutent 17,5 % de TVA, les locations de voiture sont, elles, sujettes à une taxe supplémentaire de 17,5 %. Les produits de luxe et les alcools importés sont taxés à 30 %, c'est pour cela que les Portugais consomment en général des boissons locales. Le montant de la TVA est inscrit en bas de votre ticket de caisse. Vous pouvez dans certains cas récupérer votre TVA à l'aéroport, renseignez-vous lors de votre achat si cela est possible.

Télégrammes/télex/fax Le réceptionniste de votre hôtel pourra vous envoyer votre message. Sinon, allez à la poste.

Téléphone Les vieilles cabines publiques sont peu à peu remplacées par de nouvelles, blanches, et qui acceptent aussi bien les cartes de téléphone prépayées que les pièces. Les appels vous reviendront bien moins cher que si vous appelez depuis votre hôtel.

Dans les boutiques « CrediFone » ou les bureaux de poste, vous pouvez acheter des cartes de 50, 100 ou 150 unités, coûtant respectivement 555 ESC, 1 011 ESC, 1 624 ESC.

Appels du Portugal vers l'étranger Composez l'indicatif des appels internationaux (le 00), puis l'indicatif du pays (le 33 pour la France, le 32 pour la Belgique, le 41 pour la Suisse et le 1 pour le Canada), puis l'indicatif de zone sans le zéro et enfin le numéro de votre correspondant.

Appels de l'étranger vers le Portugal Composez le préfixe international propre à votre pays (le 00 pour la Suisse, la France et la Belgique, et le 011 pour le Canada), puis le code du Portugal (le 351), puis l'indicatif de la région sans le zéro initial, et enfin le numéro de votre correspondant. Sachez que les indicatifs régionaux ont changé en 1999 et sont aujourd'hui intégrés aux numéros qui commencent par le 2. Tous les numéros de téléphone dans ce guide sont précédés de l'indicatif local approprié.

Appels nationaux et locaux Au Portugal, pour appeler dans une même ville comme d'une ville à l'autre, vous devez composer l'indicatif de la ville appelée et le numéro de votre correspondant.

Appels en PCV L'appel en PCV se dit *chamada a cobrar* en portugais. Vous devez appeler le ✆ 05 05 00 33 pour appeler en France, le ✆ 05 05 00 32 en Belgique, le ✆ 05 05 00 41 en Suisse et le ✆ 05 01 71 226 au Canada.

Télévision et radio Lisbonne possède quatre chaînes, les deux principales étant **Canal 1** (sur VHF) et **TV2** (sur UHF) et les deux autres de petites chaînes privées (**Sociedade Independente de Communicaçao** et **TV Independente**). Souvent, des films étrangers y sont diffusés sous-titrés. Certains hôtels possèdent le câble. Pour des informations concernant la radio, se reporter à « Radio » dans la section « Lisbonne en bref » du chapitre 4.

Urgences En cas d'urgence vous pouvez appeler le ✆ 112 n'importe où dans le pays. Pour la police ou une assistance médicale, le ✆ 115, et le ✆ 32-22-22 ou le **60-60-60** pour les pompiers. Enfin le numéro de la Croix-Rouge est le ✆ 61-77-77.

4 Découvrir Lisbonne

C'est à l'époque de son âge d'or que Lisbonne a gagné la réputation de huitième merveille du monde, lorsque les voyageurs vantaient, à leur retour, ses richesses, que l'on disait égaler celles de Venise.

Au temps où elle était l'un des plus grands empires maritimes du monde, Lisbonne se trouvait au carrefour du commerce entre l'Asie, l'Europe et l'Amérique. Elle importait des produits exotiques des vastes contrées de son empire, s'enrichissant ainsi grâce aux autres cultures. De plus, maîtrisant les mers et les principales routes commerciales, la ville put amasser d'innombrables biens : des trésors d'Asie transitant par ses ports en Inde – porcelaines, soieries, pierres précieuses, perles, ou épices tels le gingembre, le poivre ou le cumin -, mais aussi des produits d'Amérique – café, or, diamants.

Après une longue période d'assoupissement, Lisbonne retrouve aujourd'hui toute sa vitalité. Il faut en effet remonter à 1755 – date du tristement fameux tremblement de terre – pour retrouver pareille frénésie immobilière. L'Exposition universelle de 1998, qui célébrait le 500e anniversaire du premier voyage de Vasco de Gama en Inde, en fut le point d'orgue. Les visiteurs de l'EXPO 1998 trouvèrent donc une ville rénovée et dynamique.

Mais l'événement le plus marquant de tous fut l'inauguration du pont Vasco-de-Gama enjambant le Tage, le fleuve qui traverse Lisbonne. Grâce à lui, l'accès aux autres régions du Portugal et à l'Espagne est désormais plus rapide. De plus, une nouvelle zone urbanisée s'est développée sur la rive est du Tage, donnant naissance à un nœud ferroviaire, la gare de Oriente. Enfin, des immeubles de bureaux à l'architecture postmoderne sont sortis de terre, des bâtisses médiévales ont été restaurées, tandis que le vieux Lisbonne et ses charmes architecturaux et artistiques régalent toujours les yeux des visiteurs.

Un peu d'histoire

Beaucoup de Lisboètes disent à qui veut l'entendre que leur ville a été fondée par Ulysse tandis que d'autres assurent que les Carthaginois ou les Phéniciens en furent les premiers habitants. La dépouille du saint patron du Portugal, Vincent, aurait échoué au Portugal sur un bateau guidé par deux corbeaux. Toujours d'après la légende, lesdits oiseaux auraient vécu dans la tour de la cathédrale jusqu'au XIXe siècle.

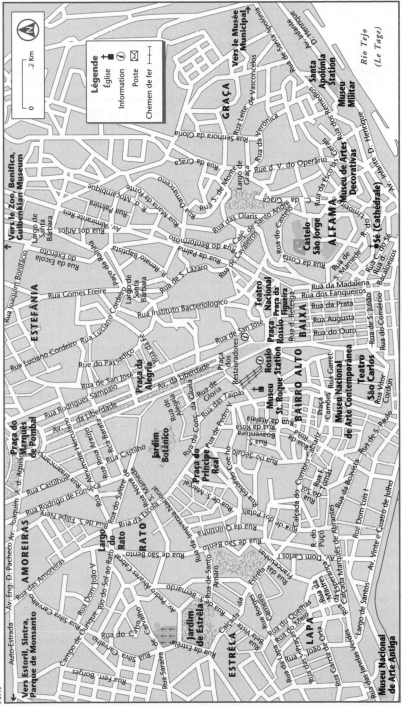

Lisbonne

Légende
- ✝ Église
- ⓘ Information
- ☒ Poste
- ┼┼┼ Chemin de fer

0 — .2 Km

Rio Tejo
(Le Tage)

GRAÇA

ALFAMA

BAIXA

BAIRRO ALTO

ESTEFÂNIA

AMOREIRAS

RATO

ESTRÊLA

LAPA

Vers le Musée Municipal

Santa Apolónia Station

Museu Militar

Museu de Artes Decorativas

Sé (Cathédrale)

Castelo São Jorge

Teatro Nacional

Praça da Figueira

Praça Rossio

Rua da Madalena
Rua dos Fanqueiros
Rua da Prata
Rua Augusta
Rua do Ouro

Rossio Station

Museu St. Roque

Museu Nacional de Arte Contemporânea

Teatro São Carlos

Praça dos Restauradores

Praça da Alegria

Av. da Liberdade

Praça do Marquês de Pombal

Jardim Botânico

Praça do Príncipe Real

Jardim de Estrêla

Museu Nacional de Arte Antiga

Largo do Rato

Vers le Zoo, Benfica, Gulbenkian Museum

Vers Estoril, Sintra, Parque de Monsanto

Auto-Estrada

3-0910

Le marquis de Pombal,
véritable fondateur du Portugal

Aristocrate et politicien, Sebastião José de Carvalho e Mello (1699-1782) est plus connu sous le nom de marquis de Pombal. Il fut le plus illustre représentant du Portugal dans les cours d'Europe, et sans doute un des plus grands hommes d'État de son siècle. Tout d'abord ambassadeur à Londres puis à Vienne, Pombal contribua à renforcer les liens historiques qui unissent le Portugal à la Grande-Bretagne, encourageant un commerce du vin encore dynamique aujourd'hui. Puis il devint un ministre des Affaires étrangères très influent auprès du roi Joseph-Emmanuel, lequel régna de 1750 à 1777 : il finit ainsi par gérer les affaires générales d'un pays au roi très indolent. Le marquis de Pombal fit abolir l'esclavage au Brésil et réduisit le pouvoir des jésuites, véritable fer de lance de l'Inquisition portugaise. Mais, surtout, il mena de manière brillante la reconstruction de Lisbonne après le tremblement de terre de 1755 qui réduisit la ville en miettes.

Les Romains s'établirent à Lisbonne vers 205 av. J.-C. et construisirent une fortification sur ce qui est aujourd'hui l'emplacement du château Saint-Georges. Puis les Wisigoths s'emparèrent de la ville au Ve siècle apr. J.-C. En 711 commence l'occupation maure, laquelle dura jusqu'en 1147, lorsque le premier roi du Portugal, Alphonso Henriques, prit Lisbonne. Mais celle-ci ne devint la capitale du pays qu'en 1256, sous Alphonse III, laissant Coimbra à un destin désormais universitaire.

Le grand tremblement de terre eut lieu le jour de la Toussaint, le 1er novembre 1755 à 9 h 40. « De l'Écosse à l'Asie Mineure, les gens prirent peur et regardèrent le ciel, attendant avec anxiété. Puis ce fut le tremblement de terre », rapporte un chroniqueur de l'époque. Un raz-de-marée ravagea Algésiras, en Espagne. Toutes les capitales d'Europe tremblèrent, les églises furent prises d'assaut et d'innombrables cierges allumés. On compta 22 secousses. À Lisbonne, hôpitaux, prisons, palais, édifices publics, tout s'effondra. Bougies et cierges firent s'embraser la ville en un gigantesque incendie qui dura 6 jours. Voltaire décrit ainsi la catastrophe dans *Candide* : « La mer s'élève en bouillonnant dans le port, et brise les vaisseaux qui sont à l'ancre. Des tourbillons de flammes et de cendres couvrent les rues et les places publiques ; les maisons s'écroulent, les toits sont renversés sur les fondements, et les fondements se dispersent ; 30 000 habitants de tout âge et de tout sexe sont écrasés sous des ruines. »

Les survivants des premières secousses s'enfuirent de leurs maisons en feu mais rencontrèrent sur leur chemin le Tage et ses murs d'eau dévastateurs. 60 000 personnes auraient péri dans la catastrophe.

Voltaire commente de manière cynique les lendemains du désastre : « Il était décidé par l'université de Coimbra, que le spectacle de quelques personnes brûlées à petit feu, en grande cérémonie, est un secret infaillible pour empêcher la terre de trembler. »

Le marquis de Pombal, alors Premier ministre, ordonna l'enterrement des corps et la reconstruction de la ville. Pour accomplir ce plan ambitieux, le roi lui donna des pouvoirs spéciaux.

Pombal fit réaliser une ville traversée par de larges boulevards symétriques, agrémentée de jolis parcs, de fontaines et de statues, et dotée de trottoirs en mosaïque noire et blanche. Le mélange des nouvelles réalisations et de l'ancienne architecture fut si réussi que les visiteurs d'aujourd'hui considèrent encore Lisbonne comme l'une des plus belles villes du monde. Sous un ciel bleu dur, les maisons aux couleurs pastel, évoquant les villes d'Afrique du Nord, charment le regard. On appelle le Tage l'« amant éternel » de Lisbonne. Les mouettes hantent le port, là où les chalutiers en provenance d'Afrique déchargent leur cargaison. Les pigeons ont élu domicile praça do Comércio, connue aussi sous le nom de place du Cheval-Noir. Des funiculaires descendent du Bairro Alto (la Ville haute) jusqu'au front de mer. Les rues portent des noms évocateurs, comme rua do Açucar, la rue du Sucre. De nombreuses fontaines jalonnent la ville, dont une, celle du Samaritain, date du XVIe siècle. Les boulevards sont parfois flanqués de hauts bâtiments modernes, cependant que dans d'autres quartiers, du linge pend aux fenêtres de maisons datant du XVIIIe siècle. Dans cette ville, tout porte un surnom, des quartiers (le Chiado, d'après le nom d'un poète) aux personnages fameux qui y ont laissé leur empreinte, comme Fernando dit « Le Beau », qui fit construire l'une des murailles de Lisbonne.

Lisbonne aujourd'hui

L'époque où Lisbonne n'était qu'une ville aux allures provinciales, dans les années 70, est bien révolue. Aujourd'hui, Lisbonne est une ville cosmopolite, truffée de chantiers de toutes sortes. Certaines rues obstruées de Baixa ont été fermées à la circulation en attendant d'être rénovées, tandis qu'ailleurs des galeries commerçantes ont été aménagées. Lisbonne traverse donc de grands changements, tant architecturaux que culturels. La plus petite capitale de l'Europe, où vivent 1,6 million d'habitants, accueille en effet de nombreux immigrants du monde entier, ce qui lui donne une allure de Babel moderne. D'autre part, l'économie connaît une forte croissance, en partie alimentée par des investissements européens. Le textile, la chaussure ou la porcelaine sont parmi les secteurs dominants et porteurs. Certains endroits, comme l'avenida da Liberdade, la principale artère de Lisbonne, rappellent Paris avec ses portraitistes montmartrois. D'innombrables marchands de breloques animent les trottoirs de la capitale.

Un séjour en basse saison, au printemps ou à l'automne, lorsque le climat est clément, ni humide ni torride, et que la ville n'est pas assaillie par des flots de visiteurs, vous donnera l'occasion de profiter pleinement des charmes de Lisbonne.

1. Informations pratiques

Comment s'y rendre

En avion Les vols internationaux et intérieurs partent et arrivent à **Aeroporto de Lisboa** (∅ 21/840-20-60), à 6 kilomètres du centre. Pour toute information, appelez le ∅ 21/841-35-00 ou le 21/840-22-62.

Une navette relie l'aéroport à la gare Cais do Sodré en passant par praça dos Restauradores et praça do Comércio toutes les 20 minutes de 7 h à 21 h. Le tarif est de 430 ESC. Pas de supplément bagage. Prévoyez de 2 000 ESC à 3 000 ESC si vous prenez le taxi (et 300 ESC par bagage). Pour des renseignements sur les vols et les tarifs ainsi que sur Lisbonne, vous pouvez contacter : **TAP Air Portugal**, praça do Marquès de Pombal 3A (∅ **21/841-69-90**).

En train La plupart des trains internationaux en provenance de Madrid ou de Paris arrivent à la gare ferroviaire de **Estaçao da Santa Apolonia**, avenida Infante Dom Henrique, au bord du Tage, dans le quartier de l'Alfama. 2 trains relient quotidiennement Madrid à Lisbonne. Cette gare dessert aussi le nord et l'est du Portugal. Une nouvelle gare a été inaugurée à l'occasion de l'Exposition universelle de1998 : la **Gare de Oriente**, reliée au métro, et qui relie Lisbonne à Porto, Sintra ou encore au Douro. Il existe enfin trois autres gares : l'**Estaçao do Rossio**, qui dessert Sintra, l'**Estaçao do Cais do Sodre**, qui dessert Cascais et Estoril sur la Costa do Sol, et l'**Estaçao do Barreiro** qui, elle, relie Lisbonne à l'Algarve et à l'Alentejo. Pour toute **information sur les trains**, appelez le ∅ 21/888-40-25.

En bus La gare routière de Lisbonne, **Rodoviaria da Estremadura**, av. Casal Ribeiro 18B (∅ 21/357-77-15), à une demi-heure à pied de praça dos Restauradores, dessert l'ensemble du pays. Les bus 1, 21 et 32 vous mènent vers le Rossio. Prenez le bus 1 si vous voulez aller à Estoril ou à Cascais. Il y a 10 liaisons quotidiennes vers Lagos, en Algarve, 15 vers Porto, et 8 vers Coimbra.

En voiture La route qui mène au Portugal est relativement en bon état. De Madrid, la route principale est la N620, qui part de Tordesillas et passe au sud-ouest de Salamanque. Vous passez la frontière au niveau de Fuentes de Onoro. La plupart des postes-frontières sont ouverts chaque jour de 7 h à minuit. Enfin, si vous avez une voiture de location, vérifiez que votre assurance couvre bien le Portugal.

Informations touristiques

L'office du tourisme du Portugal se trouve, à Lisbonne, **Palacio da Foz**, praça dos Restauradores (∅ 21/346-63-07), à l'extrémité de l'avenida da Liberdade, dans le quartier de Baixa. Heures d'ouverture : du lundi au samedi de 9 h à 20 h, le dimanche de 10 h à 18 h. Métro : Restauradores.

L'office du tourisme de Lisbonne, Lisboa Turismo, se situe rua do Jardim do Reqedor 50 (∅ 21/343-36-72)

Il est ouvert chaque jour de 9 h à 18 h. Vous y trouverez la Carte de Lisbonne, une sorte de sésame qui vous permet de visiter la ville en toute facilité. Cette carte permet un accès gratuit aux transports urbains et aux musées, et des réductions sont appliquées pour certains événements. Ce *pass* coûte, pour un adulte, 1 900 ESC pour une journée, 3 100 ESC pour 2 jours, 4 000 ESC pour 3 jours ; pour un enfant de 5 à 11 ans : 750 ESC pour une journée, 1 100 ESC pour 2 jours, et 1 500 ESC pour 3 jours.

Plan de la ville

Principaux lieux

La légende dit que Lisbonne s'étend, comme Rome, sur sept collines. Cette affirmation était peut-être exacte autrefois. En fait, la ville s'étend aujourd'hui sur un nombre de collines bien plus important, surtout sur la rive droite du Tage. Se balader dans Lisbonne est donc loin d'être de tout repos car les rues ondulent au gré des pentes, mais vos efforts seront largement récompensés par la beauté de la ville.

Commencez votre exploration de Lisbonne en partant de l'une de ses portes, la **praça do Comércio**, qui borde le Tage. C'est l'une des places les plus parfaites d'Europe, qui rivalise par sa beauté avec la piazza dell'Unita d'Italia à Trieste. Avant le tremblement de terre de 1755, cette place était connue sous le nom de terreiro do Paço (parc du Palais), car le roi et sa cour vivaient à cet endroit dans un palais qui fut détruit. En 1908, un événement fatidique eut lieu sur cette place, l'assassinat du roi Charles

Comment trouver une adresse ?

Trouver une adresse dans les vieux quartiers de Lisbonne est parfois difficile, car la numérotation des immeubles est un peu folklorique. Demandez donc toujours la rue perpendiculaire la plus proche avant de vous rendre quelque part.

Les adresses sont composées comme suit : le nom de la rue d'abord, puis le numéro, et parfois l'étage. Par exemple, av. Casal Ribeiro 18 3e : l'immeuble est situé au numéro 18 de l'avenue et vous devez vous rendre au troisième étage. La mention « ESP » après un numéro d'étage signifie « gauche » et « DIR », droite.

Ier et de son fils aîné, Louis-Philippe. Cet événement sonna le glas de la dynastie de Bragance, qui s'écroula deux ans plus tard. Aujourd'hui, la place, sur laquelle vous pouvez admirer une statue en bronze vert de Joseph Ier à cheval, abrite de nombreux bâtiments ministériels ainsi que la Bourse. Hélas, le parking central gâche l'harmonie du lieu !

Du côté ouest de la place, se trouve l'Hôtel de Ville, donnant sur la **praça do Municipio**. Le bâtiment, construit à la fin du XIXe siècle, a été conçu par l'architecte Domingos Parente.

En quittant la place par le nord, vous tombez sur la **praça de Dom Pedro IV**, plus connue sous le nom du **Rossio**.

Cette place très animée possède des trottoirs remarquables aux arabesques noires et blanches, si bien que les touristes l'ont surnommée la « praça saoule ». Vous pouvez déguster ici du café en provenance des anciennes colonies portugaises en Afrique, tout en admirant la statue de Pierre IV, né au Portugal, couronné empereur du Brésil sous le nom de Pierre Ier ainsi que la façade du Teatro Nacional de Dona Maria II. Ce théâtre, dont la façade a été préservée, a vu son intérieur pillé avant d'être complètement reconstruit. Si vous arrivez en train, vous découvrirez l'Estaçao do Rossio à l'architecture manuéline exubérante.

Séparant le Rossio de l'avenida da Liberdade se trouve la praça dos Restauradores, dont le nom rappelle la Restauration, lorsque les Portugais s'affranchirent de 60 ans de domination espagnole et choisirent leur roi. Un obélisque commémore l'événement.

La principale avenue de Lisbonne est l'avenida da Liberdade (avenue de la Liberté). Cette artère élégante qui date de 1880 et que l'on appelait autrefois l'« antichambre de Lisbonne », est bordée de jardins et d'arbres aux ombres rafraîchissantes ainsi que de boutiques prestigieuses – compagnies aériennes, cafés et hôtels, dont le Tivoli, y ont élu domicile. Elle rappelle les Champs-Élysées parisiens ou le Vittorio Veneto romain.

En haut de l'avenue se trouve la praça do Marquês de Pombal, au milieu de laquelle se trouve une statue érigée en l'honneur du Premier ministre qui présida la reconstruction de Lisbonne après le tremblement de terre.

En continuant vers le nord, vous entrez dans le Parque Eduardo VII, en hommage au fils de la reine Victoria, laquelle visita Lisbonne. Vous pourrez visiter, à l'intérieur du parc, l'Estufa Fria, une demeure qui vaut le détour.

Plans de la ville

Munissez-vous d'un bon plan bien détaillé. Achetez-en un dans un kiosque, ceux distribués dans les offices de tourisme ou les hôtels ne sont vraiment pas assez précis.

Les quartiers en bref

Baixa Le quartier des affaires de Lisbonne se déploie entre deux rues principales, la rua da Prata (rue de l'argent) et la **rua Aurea** (rue de l'or), anciennement appelée rua do Oro, qui abritent de nombreux orfèvres. Une rue relie la praça do Comércio au Rossio, et des arcades mènent de la place à la **rua Augusta**. Ce quartier de Lisbonne est en style pombalin (du nom du Premier ministre qui fit reconstruire Lisbonne après le tremblement de terre).

Chiado Ce quartier se situe à l'ouest de Baixa et regroupe principalement des commerces. En haut d'une colline, il est traversé par la **rua Garrett**, qui porte le nom de l'écrivain romantique João Batista de Almeida Garrett (1799-1854). Les plus belles boutiques de la ville se trouvent là, comme la **Vista Alegre**, un magasin de porcelaine, ou encore le café **A Brasileira**, traditionnel lieu de rendez-vous des gens de lettres.

Bairro Alto En continuant votre montée, à pied ou en tramway, vous atteignez le Bairro Alto, en haut de la colline. La plupart des bâtiments ont été épargnés par le tremblement de terre de 1755. Par son charme et ses couleurs, ce quartier, qui abrite de nombreux clubs de *fado*, d'excellents restaurants et des bars sympathiques, n'est pas sans rappeler l'Alfama. Une bonne partie des lieux nocturnes de Lisbonne se trouve aussi ici.

L'Alfama À l'est de la praça do Comércio se tient le quartier historique de Lisbonne. Autrefois quartier maure, puis lieu de résidence de l'aristocratie, l'Alfama – dont seule une partie a résisté au tremblement de terre de 1755 – accueille aujourd'hui les dockers et les pêcheurs. Le **Castelo São Jorge** (château de Saint-Georges), une fortification bâtie par les Wisigoths sur un site déjà occupé par les Romains, domine le quartier. Rua dos Bacalheiros vous pourrez visiter un autre lieu remarquable, la **Casa dos Bicos** (la maison des Pierres-Pointues), une maison du début du XVIe siècle dont la façade est parsemée de pierres taillées en forme de diamants. Soyez prudent la nuit dans ce quartier.

Belém À l'ouest, sur la route menant à Estoril, se trouve la banlieue de Belém. Situé juste à l'embouchure du Tage, là où partaient les caravelles, Belém était autrefois, avant le tremblement de terre, un lieu de résidence de l'aristocratie parsemé de maisons élégantes. Ce quartier regroupe encore quelques-uns des plus beaux monuments du Portugal, dont une partie date des Grandes Découvertes.

Deux des principales attractions du pays se trouvent ici : le **Mosteiro dos Jerónimos**, bâtiment à l'architecture manuéline, datant du XVIe siècle, et le **Museu Nacional dos Coches**, un des plus beaux musées de l'automobile du monde. Belém abrite aussi bien d'autres musées, dont le **Museu de Arte Popular** et le **Museu de Marinha**.

Cacilhas Sur la rive gauche du Tage, Cacilhas est un quartier ouvrier, avec ses usines qui crachent de la fumée. Ce sont les restaurant de fruits de mer qui attirent les habitants de la rive droite ici. Vous pouvez vous y rendre en ferry depuis la praça do Comércio. Néanmoins, le moyen le plus spectaculaire de traverser le Tage est d'emprunter l'un des deux ponts, soit le **Ponte do 25 de Abril**, soit le tout nouveau **Ponte Vasco da Gama**, le plus long pont suspendu d'Europe – 16 kilomètres – qui fut inauguré en 1998 pour l'Exposition universelle. Il permet de rejoindre désormais plus facilement l'Algarve, ainsi que la plaine de l'Alentejo et l'Espagne.

2. Se déplacer

Globalement, les transports publics à Lisbonne sont bon marché et plutôt bien étudiés, étant donné le caractère accidenté de la topographie et l'étroitesse des rues.
Le mieux est de visiter la ville à pied. Toutefois, s'il s'agit de se rendre dans un quartier éloigné de l'endroit où l'on se trouve, par exemple d'aller de l'Alfama à Belém, il faudra se résoudre à prendre sa voiture ou emprunter les transports publics.

Les transports publics

Carris

(∅ 21/363-20-44 ou 21/363-93-43) gère le système des trains, métros, tramways et bus à Lisbonne. Vous pouvez acheter un *bilhete de assinatura turístico* valable pour un nombre de trajets illimité pendant le nombre de jours que vous désirez. Par exemple, un tel billet vous coûtera 430 ESC pour un jour, ou 1 600 ESC pour quatre jours. Ce billet est disponible aux guichets CARRIS, ouverts tous les jours de 8 h à 20 h, dans les stations de métro. Vous devez présenter votre passeport pour acheter ce billet.

Métro

Une grande lettre M signale les stations de métro, qui sont plus de 24 au total. Le ticket à l'unité coûte 80 ESC, un carnet de dix 550 ESC. Une des lignes les plus fréquentées relie l'avenida da Liberdade à campo Pequeno, un quartier à l'écart du centre-ville et où se déroulent les corridas. Le métro circule de 6 h du matin à 1 h dans la nuit. Pour plus d'informations, téléphonez au ∅ 21/355-84-57.
Lorsque vous empruntez le métro à Lisbonne, vous visitez en même temps une collection d'art contemporain impressionnante. En effet, des peintures d'artistes portugais fameux, comme Maria Keil ou Maria Helena Vieira da Silva, mais aussi des sculptures et des carreaux vernissés décorent les différentes stations. Ne ratez pas les stations Cais do Sodré, Baixa/Chiado, Campo Grande, et Marquês de Pombal.

Bus et tramway

Ce sont parmi les moins chers d'Europe. Les tramways – *eléctricos* – grimpent jusqu'au Bairro Alto. Mis en service en 1903, les *eléctricos* ont remplacé les trams tirés par des chevaux. Aujourd'hui archaïques, ils sont devenus une véritable attraction touristique. Ainsi, au lieu de les retirer progressivement de la circulation, les autorités de la ville les ont fait réviser et remettre à neuf. Ne manquez pas l'**eléctrico n°28**, qui parcourt les quartiers historiques de Lisbonne. Les **bus à deux étages** ont été importés de Londres : il ne manque plus que Big Ben pour compléter le tableau !
Le tarif de base est de 160 ESC, à moins que vous ne franchissiez plusieurs zones – la ville comporte ainsi 5 zones. Les bus et *eléctricos* roulent de 6 h à 1 h du matin. Vous trouverez au pied de l'ascenseur Santa Justa Elevator, rua Aurea, un guichet avec tous les horaires. Autrement, le concierge de votre hôtel pourra vous renseigner.

Train

Un réseau de trains moderne et très au point relie Lisbonne aux villes et villages de la Riviera portugaise. Le voyage est agréable et peu onéreux. Vous pouvez prendre le train à la station Cais do Sodre, sur le front de mer, et longer ainsi la côte jusqu'à Cascais. Attention, pour aller à Sintra, vous devrez aller à la gare Estaçao do Rossio, qui donne sur la praça de Dom Pedro IV. L'aller simple pour aller de Lisbonne à Cascais, Estoril ou Sintra coûte 180 ESC.

Funiculaires

Lisbonne possède trois funiculaires, le Glória, qui va de praça dos Restauradores à rua São Pedro de Alcântara ; le Bica, qui relie la calçada do Combro à la rua do Boavista ; et enfin le Lavra, qui va du côté est de l'avenida da Liberdade au campo Martires da Pátria. Le prix d'un aller simple varie entre 60 ESC et 180 ESC.

Ferry

Les ferries reliaient les deux rives du Tage bien avant la construction des deux ponts et les relient encore aujourd'hui, après avoir été modernisés. En fait, de nombreux habitants de la capitale les empruntent chaque jour pour éviter les bouchons des heures de pointe sur les ponts.

En règle générale, les bateaux quittent Cais de Alfândega (praça do Comércio) et Cais do Sodré, direction Cacilhas. Le voyage vaut le détour pour les paysages qui vous sont offerts. L'arrivée a lieu à Estação do Barreiro, d'où vous pouvez gagner par train – toutes les demi-heures – la Costa Azul et l'Algarve. Un ferry quitte Lisbonne toutes les 30 minutes, et le voyage dure lui aussi 30 minutes. Le prix comprend aussi le trajet en train. Sinon, le prix du ferry seul est de 95 ESC.

En taxi

Les taxis à Lisbonne, plutôt bon marché, sont un moyen de transport courant et pratique, sauf si vous avez un budget très serré.

En moyenne, vous payez 250 ESC pour la prise en charge, puis environ 70 ESC par kilomètre. Enfin, les tarifs sont plus chers de 20 % la nuit (de 22 h à 6 h). Attention, la loi autorise le chauffeur à appliquer un surplus de 50 % si vos bagages pèsent plus de 33 kilos. Enfin, le pourboire est d'environ 20 % du montant. Pour **appeler un taxi**, composez le ✆ **21/811-90-00** ou le 21/793-27-56.

Si vous choisissez, comme un grand nombre de touristes, de descendre dans un hôtel de la Costa do Sol, comme le Palácio à Estoril ou le Cidadela à Cascais, évitez la solution du taxi, bien trop chère. Préférez le train (voir plus haut).

En voiture

Conduire à Lisbonne relève de l'exploit : en effet, la circulation y est très dense, il y a beaucoup d'accidents et **se garer** est pratiquement impossible. Quelle que soit l'heure de la journée, c'est toujours l'heure de pointe ! Si vous faites une excursion en dehors de Lisbonne, louez donc une voiture au dernier moment. Enfin, si vous rejoignez Lisbonne en voiture, contactez votre hôtel à l'avance pour qu'il arrange la question du parking.

Locations de voitures

Les principales compagnies de location ont leur bureau à Lisbonne.

Avis, av. Praia da Vitória 12C (✆ **21/356-11-76**), ouvert tous les jours de 8 h à 19 h ; **Hertz**, Qto. Frangelha Baixio (✆ **21/849-27-22**), du lundi au vendredi de 8 h à 19 h, et le samedi et le dimanche de 9 h à 13 h et de 14 h à 19 h. **Budget**, av. Visconte Valmar 36 (✆ **21/994-04-43**), est ouvert du lundi au samedi de 8 h à 20 h, le dimanche de 8 h à 18 h 30.

Les ponts sur le tage

Les ponts suspendus Ponte do 25 de Abril et Ponte Vasco da Gama – ce dernier, inauguré en 1998, étant le plus long pont suspendu d'Europe avec 16 kilomètres de portée – relient tous deux Lisbonne à la rive sud du Tage (Cacilhas, Évora, etc.).

L'ouverture du deuxième pont a désengorgé en partie le trafic sur le premier. Prix en fonction du gabarit de la voiture.

À pied

Le centre de Lisbonne étant relativement peu étendu et la circulation un cauchemar, c'est donc le meilleur moyen d'explorer la ville. En revanche, pour découvrir des quartiers un peu plus à l'écart, comme Belém, les transports publics sont tout indiqués (voir plus haut).

Lisbonne pratique

Le concierge de votre hôtel est, en règle générale, une source d'informations très fiable. Voir aussi « Préparer son voyage », chapitre 3.

Baby-sitters La plupart des hôtels de première catégorie tiennent des baby-sitters à votre disposition (voir auprès du concierge). En revanche, dans des établissements plus modestes, c'est en général la fille du propriétaire qui en fait office. Les tarifs sont peu élevés. N'oubliez pas que votre enfant sera moins désorienté si la baby-sitter est en mesure de parler quelques mots de français !

Change Bureaux de change à la gare Santa Apolónia et à l'aéroport, ouverts 7 jours/7 24 h/24. Mais les distributeurs automatiques offrent de meilleurs taux. Ils sont légion dans le quartier de Baixa. La poste (voir « Courrier », plus loin) change également l'argent.

Climat Les journaux locaux possèdent tous une rubrique météorologie. Sinon, si vous parlez portugais, vous pouvez appeler le ∅ **150**.

Coiffeurs Nous recommandons pour les femmes **Hair**, rua Castilho 77 (∅ **21/387-78-55**) et pour les hommes **Bengto**, dans le quartier commerçant Amoreiras, travesso das Amoreiras (∅ **21/383-29-29**).

Consignes Il y en a une à **Estação da Santa Apolónia**, près du quartier de l'Alfama. Coût : entre 450 ESC et 600 ESC pour 48 heures.

Courrier Vous pouvez bien sûr recevoir du courrier à votre hôtel, ou alors au bureau American Express ou encore à la poste (poste restante). Vous devrez présenter une pièce d'identité pour le retirer. La **poste centrale** (Correio Geral) à Lisbonne est praça do Comércio, 1100 Lisboa (∅ **21/346-32-31**). Elle est ouverte du lundi au vendredi de 8 h 30 à 18 h 30.

Dentistes En cas de besoin, vous pouvez obtenir l'adresse d'un dentiste à la réception de votre hôtel. Certains d'entre eux parlent au moins l'anglais. Il existe, sinon, une clinique dentaire très réputée, la **Clinica Medical da Praga d'Espanha**, rua Dom Luís de Narona 32 (∅ **21/796-74-57**).

Heure Pour l'horloge parlante à Lisbonne, composez le ∅ **15**.

Hôpitaux En cas d'urgence, demandez à votre hôtel un médecin parlant français ou alors appelez votre ambassade pour qu'on vous en indique un.

Linge Lavatax est une chaîne de laveries automatiques à Lisbonne, mais aussi à Estoril ou à Cascais. À Lisbonne : **Lavatax**, rua Francisco Sanches 65A (∅ **21/812-33-92**).

Lunettes L'un des meilleurs opticiens de Lisbonne est **Oculista das Avenidas**, av. do Marquês de Tomar 71A (∅ **21/796-42-97**).

Médecins Voir « Hôpitaux », ci-dessus.

Pertes et vols Allez en personne au **Governo Civil**, à côté de l'opéra São Carlos. Heures d'ouverture : du lundi au samedi de 9 h à 12 h et de 14 h à 18 h. Si vous avez perdu un bagage dans les transports publics, rendez-vous alors au **Secção de Achados da PSP**, Olivais Sul, praça da Cidade Salazar Lote 180 (∅ 21/853-54-03), qui est ouvert du lundi au vendredi de 9 h à 12 h et de 13 h 30 à 17 h.

Pharmacies Farmácia Vall, av. Visconde Valmor 60A (∅ **21/797-30-43**), est située en plein centre.

Photo (matériel et développement) Nous vous recommandons **Fotosport**, Centro Comercial Amoreiras, boutique n°. 1080 (∅ **01/383-21-01**). Ouvert tous les jours de 10 h à 24 h.

Police Appelez le ∅ **115**.

Sécurité Avant, Lisbonne était l'une des capitales les plus sûres d'Europe, mais ce n'est malheureusement plus vrai. Il peut même être assez dangereux de déambuler seul la nuit en ville, surtout si vous êtes seul. En général, les voleurs arrachent sacs à main et autres objets de valeur – comme les appareils photo – et vous soutirent le code d'accès de votre carte de crédit. Attention, donc, y compris de jour, dans des quartiers très fréquentés.

SOS Pour les drogués anonymes, appelez le ∅ **21/726-77-66**.

Télégrammes/Télex/Fax Vous pouvez les envoyer de votre hôtel sans aucun problème, en règle générale. Sinon, allez à **Marconi** (le Bureau portugais des communications radio), rua de São Julião 131 pour les télégrammes. Pour envoyer un télégramme à l'étranger depuis un téléphone, appelez le ∅ **182** pour joindre Marconi. Pour en envoyer un au Portugal même, appelez le ∅ **183**... mais il vaut mieux maîtriser le portugais ! Autrement, pour les fax et télex, allez à la poste centrale (voir « Courrier », plus haut).

Téléphone Pour les appels internationaux, allez plutôt à la poste centrale (voir « Courrier », plus haut). Vous donnerez le numéro de téléphone à un opérateur, lequel composera pour vous le numéro et vous facturera votre communication à la fin. Sinon les nombreux téléphones publics font l'affaire pour les appels locaux ou nationaux. Certains d'entre eux acceptent les cartes de téléphone prépayées, comme YLP ou CrediFone. Voir « Téléphone » dans « Préparer son voyage », chapitre 3.

Télévision Lisbonne possède deux chaînes publiques (chaînes 1 et 2) et 2 autres privées (SIC, sur la 3, et TVY, sur la 4). La plupart des hôtels sont câblés.

Transports Informations à l'aéroport, appelez le ∅ **21/841-35-00**. Pour les trains, appelez le ∅ **21/888-40-25**. **TAP Air Portugal** est situé praça do Marquês de Pombal 3A (∅ **21/841-69-90**).

Urgences Pour appeler la **police** ou une **ambulance**, appelez le ∅ **112**. En cas d'**incendie**, appelez le ∅ **21/342-22-22**.

3. Se loger

Lisbonne possède, certes, une offre hôtelière bien plus abondante et bien plus variée qu'il y a quelques années, mais les prix eux aussi ont bien changé : les bonnes affaires d'autrefois ne sont plus aussi nombreuses, et vous payez maintenant plus ou moins le même prix que dans n'importe quelle autre capitale europénne.

Certains hôtels fraîchement construits profitent tout simplement du récent boom touristique et semblent plus enclins à accueillir des tours opérateurs du Japon ou d'ailleurs

Se loger à Lisbonne

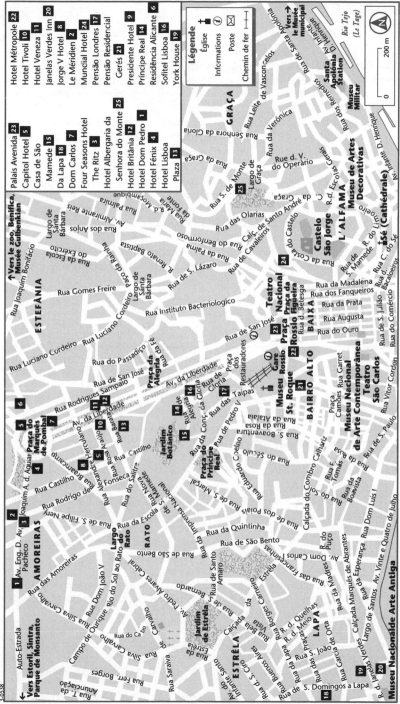

Hotel Métropole 22
Hotel Tivoli 10
Hotel Veneza 11
Janelas Verdes Inn 20
Jorge V Hotel 8
Le Méridien 2
Muncial Hotel 24
Pensão Londres 17
Pensão Residencial Gerés 21
Presidente Hotel 9
Príncipe Real 14
Residência Alicante 6
Sofitel Lisboa 16
York House 19

Palais Avenida 23
Capitol Hotel 5
Casa de São Mamede 15
Da Lapa 18
Dom Carlos 7
Four Seasons Hotel The Ritz 3
Hotel Albergaria da Senhora do Monte 25
Hotel Britânia 12
Hotel Dom Pedro 1
Hotel Fénix 4
Hotel Lisboa Plaza 13

Légende
Église
Informations
Poste
Chemin de fer

0   200 m

que des individuels. Nous écartons systématiquement, dans nos recommandations, des établissements tels que ceux-ci.

Le principal dilemme, pour un touriste visitant Lisbonne, est le suivant : loger soit dans un hôtel en ville, soit dans une ville côtière proche, comme Estoril ou Cascais (voir chapitre 6). Si vous orientez vos vacances plutôt « détente et soleil » tout en voulant découvrir les trésors de Lisbonne, choisissez alors de dormir dans une ville de la Costa do Sol. Il est tout à fait possible de se rendre rapidement à Lisbonne (trains toutes les 20 minutes).

Si, au contraire, vous préférez arpenter Lisbonne longuement, il vaut mieux dormir en ville. Cette solution est aussi la meilleure si vous voyagez pendant la saison creuse (de novembre à mars), qui n'est pas la plus agréable en station balnéaire.

En dehors des hôtels de première catégorie, il est tout à fait possible de se loger à Lisbonne à des prix raisonnables, et parfois modiques, en particulier dans les pensions de famille ou *pensãos*. La plupart d'entre elles sont des endroits simples, vous aurez en général la salle de bains et les toilettes sur le palier. Certaines sont très bien situées dans Lisbonne, vous permettant ainsi de vous déplacer facilement aussi bien le jour que la nuit et d'économiser en transports.

Si vous n'avez rien réservé pour votre arrivée à Lisbonne, commencez vos recherches dès que vous êtes en ville, sous peine de voir toutes les bonnes affaires vous échapper et de payer plus cher que prévu.

En centre-ville

PRIX TRÈS ÉLEVÉS

✪ **Da Lapa.** Rua do Pau de Bandeira 4, 1200 Lisboa. ∅ **21/395-00-05** Fax 21/395-06-65. www.orient-expresshotels.com Mél : reservas@hotelapa.com. 102 chambres. TV CLIM. Minibar Tél. Double 55 000-100 000 ESC ; suite à partir de 90 000 ESC. Petit déjeuner compris. CB. Parking gratuit. Bus : 13 ou 27.

C'est l'hôtel le plus en vue de Lisbonne depuis qu'il a détrôné le Four Seasons Hotel The Ritz comme la plus belle adresse de la ville. Palais à l'origine construit pour la famille de Valença en 1870, il fut vendu en 1910 à une autre famille, qui l'occupa jusqu'en 1988. Rénové pendant 4 ans, il ouvrit en 1992 en grande pompe. Il fut ensuite acheté par l'Orient Express en 1998. Cet hôtel possède des jardins splendides et immenses qui descendent vers le Tage, et se situe au cœur du quartier Lapa, le quartier des ambassades.

Toutes les chambres – excepté une vingtaine – sont dans une aile moderne. Elles sont spacieuses, toutes dotées d'un balcon et meublées en style XVIIIe siècle français ou anglais ; les salles de bains sont en marbre. Les chambres les plus anciennes sont pleines de charme, les plus récentes offrent souvent une vue panoramique sur Lisbonne. La décoration de l'hôtel est extrêmement soignée, offrant au regard des fresques colorées et des sols aux motifs somptueux.

Restauration/distractions : le restaurant Embaixada (voir « Se restaurer », p. 84) est l'un des plus réputés mais aussi l'un des plus chers de Lisbonne. Dîner aux chandelles près de la piscine dans le Pavilhão.

Services : room service 24 h/24, blanchisserie, concierge, piscine, business center.

✪ **Four Seasons Hotel The Ritz Lisbonne.** Rua Rodrigo de Fonseca 88, 1200 Lisboa. ∅ **21/383-20-20** Fax 21/383-17-83. www.fourseasons.com 284 chambres. TV CLIM. Minibar Tél. Double 25 000-60 000 ESC ; suite à partir de 65 000 ESC. CB. Parking gratuit. Métro : Rotunda. Bus : 1, 2, 9, ou 32.

Le Ritz, construit sur l'ordre du dictateur Salazar à la fin des années 1950, est main-

Se loger en famille

Hotel Lisboa Plaza (*voir page 76*) Situé en plein cœur de Lisbonne, cet hôtel est lui-même géré par une famille. Les enfants de moins de 11 ans ne paient pas s'ils dorment dans la chambre de leurs parents.

Hotel Príncipe (*voir page 80*) Cet hôtel accueille volontiers les familles avec enfants qui, entre 5 et 7 ans, paient moitié prix. Gratuit pour les moins de 5 ans. Baby-sitting possible. Prix raisonnables.

Presidente Hotel (*voir page 81*) Au centre de Lisbonne, juste à côté de l'avenida da Liberdade, cet hôtel est parfaitement adapté pour les familles : il y a un lit supplémentaire dans chaque chambre et il offre des facilités pour le baby-sitting.

tenant géré par Four Seasons. Des carrières entières de marbre durent être vidées pour pouvoir décorer ce somptueux hôtel au mobilier en acajou et en marqueterie de toute beauté. Rien d'étonnant, donc, à ce que des hôtes de choix aient un temps élu domicile ici. Certaines chambres modernes possèdent une terrasse donnant sur le parc Eduardo VII. Un étage est réservé aux non-fumeurs. Les chambres paires donnent sur la rue, tandis que les chambres impaires ont vue sur le parc. Quelques chambres doubles sont louées au prix d'une simple, attirant ainsi les hommes d'affaires. **Restauration/distractions** : le restaurant Veranda est extrêmement apprécié. Le petit déjeuner et le déjeuner sont connus pour être particulièrement variés, tandis que le dîner offre de merveilleux plats portugais ainsi que de délicieux fruits de mer. Repas dehors de mai à octobre sur la terrasse véranda. Le service est impeccable, le montant de la note astronomique... Le bar du Ritz, qui domine la terrasse et le parc, est un lieu de rendez-vous très couru. **Services** : room service, baby-sitting, blanchisserie, café, salon de thé, centre de remise en forme et salon de beauté.

✪ **Hotel Dom Pedro.** Av. Engenheiro Duarte Pacheco, 1070 Lisboa. ∅ 21/389-66-00 Fax 21/389-66-01. www.dompedro-hotels.com Mél : dp.lisboa@mail.telepac.pt. 262 chambres. TV CLIM. Minibar Tél. Double 40 000-60 000 ESC ; suite à partir de 70 000 ESC. Petit déjeuner compris. CB. Parking gratuit. Métro : Marquês de Pombal.
Ouvert en 1998 et dernier-né de l'hôtellerie haut de gamme à Lisbonne, cet hôtel a rapidement dépassé, par la qualité des prestations offertes, ses concurrents déjà installés, plus ancienne mode. Classé cinq-étoiles par le gouvernement portugais, associé à certains prestigieux hôtels d'Algarve et de Madère, l'hôtel Dom Pedro est situé au cœur du quartier Amoreiras. Autant l'extérieur est très moderne et même futuriste – sa façade de 21 étages est entièrement recouverte de verre réfléchissant – autant l'intérieur est classique et cossu. Les chambres sont richement décorées de tissus et de tentures aux motifs héraldiques. **Restauration** : Il Gatto Pardo (voir « Se restaurer », p. 87) est un restaurant italien dont le thème est la peau de léopard... Il y a aussi un bistro très classe, Le Café. **Services** : room service 24 h/24, blanchisserie, concierge.

✪ **Hotel Lisboa Sheraton.** Rua Latino Coelho 1, 1097 Lisboa. ∅ **21/357-57-57** Fax 21/314-22-92. 388 chambres. TV CLIM. Minibar Tél. Double 44 000 ESC, suite à partir de 90 000 ESC. CB. Parking 1 900 ESC. Bus : 1, 2, 9, ou 32.
Construit en 1972 et rénové en 1993, cet hôtel 5 étoiles est un gratte-ciel de 25 étages qui domine un carrefour très animé, à quelques encablures au nord de la praça do Marquês de Pombal. Il est surtout fréquenté par les hommes d'affaires. Les chambres, moins prestigieuses que le hall d'entrée, sont généralement spacieuses et d'une élégance discrète. Néanmoins, l'insonorisation des chambres laisse à désirer. Les plus

belles sont celles qui donnent sur le Tage. **Restauration/distractions** : musique *live* le soir au bar. Vous pourrez aussi boire jour et nuit un verre au 26ᵉ étage de la tour et admirer la vue panoramique sur Lisbonne, tout en dansant, le soir, au son d'un orchestre. Grill à la carte, renommé pour sa qualité. Service impeccable. Large sélection de plats portugais et continentaux. *Lounge* et bar privés. **Services** : room service, blanchisserie, baby-sitting, concierge (une véritable mine d'informations), coiffeur, massages, sauna et solarium, centre de remise en forme, piscine découverte, boutiques, location de voitures. Réception séparée pour les suites. Prix élevés.

Palais Avenida. Rua 1ᵉʳ Dezembro 123, 1200 Lisboa. ∅ **21/346-01-51** Fax 21/342-28-84. Mél : hotel.av.palace@mail.telepac.pt. 96 chambres. TV CLIM. Minibar Tél. Double 27 000-36 000 ESC, suite à partir de 55 000 ESC. Petit déjeuner compris. CB. Parking gratuit. Métro : Restauradores. Tram : 35.

Construit en 1892 et rénové à la fin des années 1990, ce palais est l'un des derniers témoins du Lisbonne d'autrefois, véritable grande dame de l'hôtellerie lisboète. Son emplacement, sur le Rossio, est en outre très pratique. Dès que vous passez la porte, vous pénétrez dans un autre monde, fait d'élégance et de nostalgie, où la beauté de la décoration Belle Époque rivalise avec le confort de la modernité. Les chambres insonorisées sont restaurées dans un style XVIIᵉ ou XVIIIᵉ siècle. **Restauration/distractions** : l'hôtel possède un des bars les plus élégants et les plus branchés du centre-ville. Il n'y a pas de restaurant, mais vous pourrez en trouver facilement une flopée à quelques pas de là. **Services** : room service de 7 h 30 à 24 h, salon télé, *business rooms*, concierge et blanchisserie.

✪ **Hotel Tivoli.** Av. da Liberdade 185, 1298 Lisboa Codex. ∅ **21/319-89-00** Fax 21/319-89-50. Mél : htllisboa@mail.telepac.pt. 357 chambres. TV CLIM. Minibar Tél. Double 26 000-34 000 ESC, suite à partir de 50 000 ESC. Petit déjeuner continental compris. CB. Parking 1 600 ESC. Métro : Avenida. Bus : 1, 2, 9, ou 32.

L'hôtel Tivoli, rénové en 1992, possède de nombreux atouts, parmi lesquels une piscine. En outre, situé sur une artère principale de la ville, il offre des services très variés. Enfin, les prix sont tout à fait raisonnables, en comparaison des prestations offertes. Le hall d'entrée possède une mezzanine de la taille d'une arène agréablement décorée de tapis orientaux. Le restaurant O Terraco, lieu très accueillant, est attenant. Les chambres allient le classicisme à la modernité. Les plus grandes sont sur rue, tandis que les plus calmes sont bien sûr à l'arrière. Pour une raison inconnue, les chambres dont le numéro termine en « 50 » ont des salles de bains plus spacieuses. Toutes les chambres ne se valent donc pas. La climatisation fonctionne, ce qui n'est pas le cas dans tous les hôtels de Lisbonne ! Le Tivoli Jardim, qui jouxte l'hôtel, a le même propriétaire, mais il est d'un moins bon standing. **Restauration** : le restaurant O Zodíaco sert un buffet à midi et le soir tandis que le O Terraço, au dernier étage, offre une belle vue sur Lisbonne et des repas à la carte. Vous pouvez choisir votre morceau de viande, que l'on vous cuit sur du charbon de bois. Le restaurant, à la différence des autres services, est tout de même un peu cher. **Services** : room service, concierge, baby-sitting, blanchisserie, *business center*, boutiques.

Les clients ont accès au Club Tivoli, qui a un jardin adorable, une piscine chauffée, un court de tennis, un solarium, un bar et un restaurant où vous pouvez manger légèrement.

Hotel Lisboa Plaza. Travessa do Salitre 7, av. da Liberdade, 1269 Lisboa. ∅ **21/346-39-22** Fax 21/347-16-30. www.heritage.pt Mél : plaza.hotels@heritage.pt. 112 chambres. TV CLIM. Minibar Tél. Double 23 500-34 600 ESC, suite 35 000-48 000 ESC. Petit déjeuner compris. Gratuit pour les moins de 13 ans dans la chambre des parents. CB. Parking 2 300 ESC. Métro : Avenida. Bus : 1, 2, 36, ou 44.

Cet hôtel, situé au cœur de Lisbonne, est un lieu tout à fait charmant. Établissement 4 étoiles construit en 1953, géré par une famille, il fut rénové en 1988. Il possède une façade et un bar Art nouveau tandis que le reste de la décoration, à la fois contemporaine et classique, fut conçu par un célèbre architecte d'intérieur portugais, G. Viterbo. Les chambres sont de taille moyenne, confortables et joliment décorées. Certaines donnent sur un jardin botanique. Quelques-unes sont réservées aux non-fumeurs. **Restauration** : le restaurant Quinta d'Avenida est spécialisé en cuisine traditionnelle portugaise. **Services** : room service, baby-sitting, blanchisserie, location de voitures, *business services*.

Hotel Real Parque. Av. Luís Bivar 67, 1050 Bivar. ⌀ **21/357-01-01** Fax 21/357-07-50. Mél : realparque@mail.telepac.pt. 155 chambres. TV CLIM. Minibar Tél. Double 19 000-23 000 ESC, suite 35 000-45 000 ESC. Petit déjeuner compris. CB. Parking 1 200 ESC. Métro : Picoas, São Sebastião ou Parque.

Ce bâtiment moderne de 10 étages, situé à côté du parc Eduardo VII, a ouvert ses portes en 1995. À la fois chic et moderne, il offre des prestations excellentes et un cadre passe-partout mais néanmoins très confortable. Certes, les chambres ne sont pas très grandes, mais elles offrent un confort amplement suffisant ainsi qu'une belle vue sur Lisbonne. **Restauration/distractions** : le restaurant Cozinha do Real est connu pour ses spécialités portugaises. Plats internationaux possibles. Bar agréable et cosmopolite. **Services** : room service, concierge, blanchisserie, salles de réunion.

Le Méridien. Rua Castilho 149, 1070 Lisboa. ⌀ **21/383-04-00** Fax 21/387-04-72. Mél : reservas.lisboa@lemeridien.pt. 347 chambres. TV CLIM. Minibar Tél. Double 32 500-38 000 ESC, suite à partir de 65 000 ESC. CB. Parking 2 400 ESC. Métro : Rotunda. Bus : 1, 2, 9, ou 32.

Un des hôtels les plus spectaculaires de Lisbonne, Le Méridien a ouvert en 1985. C'est une tour de 18 étages, faite de béton et de verre miroir, située juste en face du Four Seasons Hotel The Ritz. L'entrée est assez grandiose, avec son marbre blanc et ses fontaines gigantesques. Quant aux chambres, leur taille est modeste et leur décoration très standard. **Restauration/distractions** : l'hôtel offre plusieurs lieux de restauration : un salon de thé, Le Ganesh, qui donne sur le parc, au rez-de-chaussée ; le restaurant L'Appart, au premier étage, lieu assez formel et prestigieux ; et enfin Le Nautique, un piano-bar élégamment décoré. **Services** : room service, blanchisserie, baby-sitting, centre de remise en forme avec sauna et massage, location de voitures, *business center*.

Sofitel Lisboa. Av. da Liberdade 123, 1250 Lisboa. ⌀ **21/342-92-02** Fax 21/342-92-22. 168 chambres. TV CLIM. Minibar Tél. Double 35 000 ESC, suite 55 000 ESC. CB. Métro : Avenida.

Situé le long d'un boulevard très fréquenté de Lisbonne, cet hôtel est assez récent. La décoration allie le côté high-tech à une atmosphère intime. Les chambres, plutôt spacieuses et très confortables, ne déçoivent en rien l'attente du voyageur. Les plus belles chambres donnent sur le boulevard, certaines sont réservées aux non-fumeurs. Prestations supplémentaires pour les chambres d'hommes d'affaires. Le personnel parle français. **Restauration/distractions** : le restaurant, Cais d'Avenida, est fréquenté surtout par la clientèle d'affaires lisboète. Le menu, principalement français, affiche des prix raisonnables. Quant au bar, Molière, richement lambrissé, il est très apprécié des Lisboètes. **Services** : room service, concierge, blanchisserie, business services.

PRIX MOYENS

Capitol Hotel. Rua Eça de Queiroz 24, 1000 Lisboa. ⌀ **21/353-68-11** Fax 21/352-61-65. www.rex.pt Mél : rex.hotel@mail.telepac.pt. 58 chambres. TV CLIM. Minibar Tél. Double 19 000-22 300 ESC, suite à partir de 24 000 ESC. Petit déjeuner compris. CB. Bus : 1, 2, 9, ou 32. Métro : Rotunda.

Cette jolie petite hostellerie, rénovée en 1994, est à quelques minutes de l'avenida da Liberdade et de la praça do Marquês de Pombal. À l'écart des bruyants boulevards, elle donne sur un parc planté de saules pleureurs et de chênes. Les chambres, de taille moyenne, sont décorées de manière simple et accueillante. Elles comportent un coffre-fort. Les chambres à l'avant possèdent toutes un balcon qui donne sur la rue, très fréquentée, celles situées à l'arrière en ont parfois un, mais ne vous attendez pas à une vue panoramique ! Évitez d'y loger si un groupe arrive de Madrid. Enfin l'hôtel comporte un bar, un snack et un restaurant à la décoration passablement fatiguée mais dont la cuisine régionale et internationale est appréciable.

Dom Carlos. Av. Duque de Loulé 121, 1050 Lisboa. ∅ 21/351-25-90 Fax 21/352-07-28. Mél : hdcarlos@mail.telepac.pt. 76 chambres. TV CLIM. Minibar Tél. Double 20 800 ESC, triple 24 000 ESC. Petit déjeuner compris. CB. Métro : Marquês de Pombal. Bus : 1, 36, 44, ou 45.

Situé à côté de la praça do Marquês de Pombal, cet hôtel a été complètement rénové en 1995. Le principal intérêt de ce lieu réside dans son prix, plus que raisonnable, comparé aux prix des concurrents dans le même quartier. L'hôtel fait face à un parc qui porte le nom d'un poète du XIXᵉ siècle, Camilo Castelo Branco, à moitié aveugle, et surnommé le « poète de l'éternité ». La façade, tout en verre, donne une impression d'espace, et le salon en mezzanine est accueillant, avec ses canapés face au parc. Les chambres, assez spacieuses, sont fonctionnelles et simples, décorées en bois rouge. Le petit bar très confortable est idéal pour un tête-à-tête. **Services :** blanchisserie, baby-sitting, location de voitures.

Hotel Britânia. Rua Rodrigues Sampaio 17. ∅ 21/315-50-16 Fax 21/315-50-21. www.heritage.pt Mél : britania.hotel@heritage.pt. 30 chambres. TV CLIM. Minibar Tél. Double 19 500-30 600 ESC. Petit déjeuner compris. CB. Métro : Avenida. Bus : 1, 2, 11, ou 21.

Le Britânia est, à sa manière, l'un des hôtels les plus traditionnels et les plus distingués de Lisbonne. Conçu en 1944 par le célèbre architecte portugais Cassiano Branco dans un style Art déco, il est situé non loin de l'avenida da Liberdade, et attire une clientèle élégante. Rénové en 1995, l'hôtel offre des chambres confortables et très spacieuses. Le personnel est particulièrement affable. **Restauration/ services :** Bar. Seul le petit déjeuner est servi, mais vous pouvez bénéficier des services offerts par le Lisboa Plaza, juste en face, et avec lequel le Britânia est associé.

Hotel Fénix. Praça do Marquês de Pombal 8, 1200 Lisboa. ∅ 21/386-21-21 Fax 21/386-01-31. 123 chambres. TV CLIM. Minibar Tél. Double 20 500 ESC, suite 40 000 ESC. Petit déjeuner continental compris. CB. Métro : Marquês de Pombal.

Une récente rénovation a redonné tout son lustre à cet hôtel désormais confortable et qui se révèle être une bonne adresse. Ses prix sont serrés et son emplacement est certes bruyant, mais très pratique. La plupart des chambres donnent sur l'avenue et le parc Eduardo VII et sont joliment décorées. En revanche, certaines sont vraiment trop petites. Celles qui donnent sur la rue longeant le parc sont les meilleures. La clientèle est principalement composée d'habitués. **Restauration :** l'hôtel dispose d'un bar et d'un restaurant, El Bodegón, proposant spécialités portugaises et espagnoles (voir « Se restaurer », ci-après).

Hotel Metropole. Rossio 30, 1100 Lisboa. ∅ 21/346-91-64 Fax 21/346-91-66. 36 chambres. TV CLIM. Tél. Double 23 200-27 000 ESC. Petit déjeuner (buffet) compris. CB. Métro : Rossio.

Cet hôtel, construit en 1900, se situe dans un alignement de bâtiments majestueux qui longent le Rossio. C'est l'hôtel le plus central de Lisbonne, idéal pour qui veut aller au théâtre, dîner en ville ou faire des excursions. Rénové en 1993, il offre un confort tout à fait honorable pour un trois-étoiles. La décoration est mêlée de touches Art déco. Les chambres sont ravissantes mais de taille très variable. Celles de devant donnent sur la place, bruyante et animée, tandis que celles de derrière dominent le Barrio Alto. L'amabilité du personnel contribue au charme du lieu. Il n'y a pas de restaurant. **Services** : room service de 7 h à 24 h.

Hotel Veneza. Av. da Liberdade 189, 1200 Lisboa. ∅ **21/352-26-18** Fax 21/352-66-78. Mél : 3k.hotels@mail.telepac.pt. 36 chambres. TV CLIM. Minibar Tél. Double 18 000 ESC. Petit déjeuner continental compris. CB. Parking 1 400 ESC. Métro : Avenida.

Le Veneza, ouvert en 1990, occupe l'un des derniers palais du début du XXe siècle qui s'alignaient autrefois le long de l'avenida da Liberdade. Un gigantesque escalier dessert les trois étages. Les chambres de taille moyenne, sont modernes et bien équipées. Le personnel est affable. **Services** : bar. Les clients de l'hôtel ont accès aux équipements de l'hôtel Tivoli : restaurants, bar, piscine et centre de remise en forme (voir ci-dessus).

✪ **Janelas Verdes Inn.** Rua das Janelas Verdes 47, 1200 Lisboa. ∅ **21/396-81-43** Fax 21/396-81-44. www.heritage.pt Mél : jverdes@heritage.pt. 17 chambres. TV CLIM. Tél. Double 29 200-35 900 ESC; triple 39 000-45 300 ESC. Petit déjeuner continental compris. CB. Bus : 27, 40, 49, ou 60.

Cette demeure aristocratique du XVIIe siècle, située à côté du musée d'Art ancien, fut la maison du romancier portugais Eça de Queiroz et une annexe de York House. L'hôtel a les mêmes propriétaires que le Lisboa Plaza (voir plus haut). Les chambres sont grandes, luxueuses et très bien restaurées. Le hall, tout en rouge, évoque le Lisbonne du début du XXe siècle.

Lisboa Penta Hotel. Av. dos Combatentes, 1070 Lisboa. ∅ **21/723-54-00** Fax 21/726-42-81. Mél : pentahotel@mail.telepac.pt. 592 chambres. TV CLIM. Minibar Tél. Double 18 200-26 000 ESC, suite 40 000 ESC. Petit déjeuner compris. Parking 1 250 ESC. Métro : Cidade Universitária.

À dix minutes à pied du centre-ville, très accessible depuis l'aéroport, cet hôtel fait partie de la chaîne internationale Penta. Situé en haut d'une colline, il offre une vue panoramique sur toute la ville. Les chambres sont confortables, modernes, avec des salles de bains en marbre portugais. **Services** : restaurant, bar, grill Passarola (plus cher), piscine, gym, terrains de squash, sauna et massage.

Mundial Hotel. Rua Dom Duarte 4, 1100 Lisboa. ∅ **21/884-20-00** Fax 21/884-21-10. 250 chambres. TV CLIM. Minibar Tél. Double 19 600 ESC, suite 29 000 ESC. Petit déjeuner compris. CB. Métro : Rossio ou Martimonis.

À quelques encablures du Rossio, cet hôtel est au beau milieu de Lisbonne et très apprécié de nombreux hommes d'affaires européens. En fait, l'emplacement présente des avantages – théâtres et boutiques sont juste à côté – et des inconvénients – la rue animée et colorée est un peu miteuse, surtout la nuit. Les chambres sont spacieuses et confortables, mais très simples. Celles qui sont à l'arrière sont les plus calmes, les autres peuvent être très bruyantes. Le personnel est efficace, et tout est très propre et bien entretenu. **Restauration** : un bar est à votre disposition. Le restaurant le Varanda de Lisboa, au dernier étage, domine le château Saint-Georges et l'Alfama. Vous y mangerez des plats portugais et français, mais la spécialité est la cuisine régionale. Service très correct et bonne cuisine, même si elle manque parfois un peu de saveur. Pianiste le soir. **Services** : room service, blanchisserie, concierge, baby-sitting, location de voitures.

Príncipe Real. Rua de Alegria 53, 1200 Lisboa. ∅ **21/346-01-16** Fax 21/342-21-04. Mél : hbelver@mail.telepac.pt. 24 chambres. TV CLIM. Minibar Tél. Double 25 500-29 000 ESC. Petit déjeuner compris. CB. Métro : Avenida ou Rotunda. Bus : 2.

Cet hôtel moderne de cinq étages est situé à côté du jardin botanique et récupère le surplus de clients du Four Seasons Hotel The Ritz (voir plus haut). Il est un peu en haut de l'avenida da Liberdade. Les chambres sont bien équipées, petites mais joliment décorées. **Restauration** : restaurant panoramique (excellente cuisine portugaise), bar, café, snack-bar. **Services** : room service, blanchisserie, location de voitures.

❍ **York House.** Rua das Janelas Verdes 32, 1200 Lisboa. ∅ **21/396-24-35** Fax 21/397-27-93. Mél : yorkhouse@telepac.pt. 34 chambres. TV Tél. Double 30 000-41 000 ESC. Petit déjeuner compris. Parking gratuit dans la rue. Bus : 27, 40, 49, 54, ou 60.

York House marie le charme du passé et le confort moderne. Ancien couvent du XVIe siècle, il est situé à l'écart du centre de Lisbonne, particulièrement embouteillé, attirant ainsi les amateurs de calme et de tranquillité. Réservez donc à l'avance. Pendant longtemps, la clientèle fut composée d'Anglais, d'artistes et de poètes. Situé juste à côté du musée d'Art et sur une colline qui domine le Tage, il est entouré d'un jardin. Le mobilier fut choisi avec beaucoup de goût par un architecte lisboète. Les chambres sont de taille variable ; leur mobilier date des XVIIIe et XIXe siècles. Le hall d'entrée est très beau, avec ses céramiques et son décor. L'ancien réfectoire des moines possède de longues fenêtres et des niches abritant des antiquités. **Services** : restaurant franco-portugais de qualité, parking gratuit dans la rue (mais il y a rarement des places). Attention, pas de climatisation.

PETITS PRIX

Casa de São Mamede. Rua da Escola Politécnica 159, 1250 Lisboa. ∅ **21/396-31-66** Fax 21/395-18-96. 28 chambres. TV Tél. Double 12 500 ESC, triple 15 000 ESC. Petit déjeuner continental compris. Pas de cartes de crédit. Tram : 24. Bus : 22, 49, ou 58.

Construit dans les années 1800, ce bâtiment fut la villa du comte de Coruche avant d'être transformé en hôtel en 1945. Il est situé derrière le jardin botanique, entre l'avenida da Liberdade et le centre commercial Amoreiras. La rénovation du lieu n'a pas complètement effacé le côté désuet de la décoration. Il est aujourd'hui géré par la famille Marquês.

Hotel Príncipe. Av. Duque d'Ávila 201, 1000 Lisboa. ∅ **21/356-15-94** Fax 21/353-43-14. Mél : confortprincipe@mail.telepac.pt. 67 chambres. TV CLIM. Tél. Double 13 000 ESC. Gratuit pour les moins de 5 ans, moitié prix pour les 5-7 ans dans la chambre des parents. Petit déjeuner continental compris. Métro : São Sebastião. Tram : 20. Bus : 41 ou 46.

Ce lieu indéfinissable est très fréquenté par les matadors portugais et espagnols, qui apprécient beaucoup le bar et la salle à manger. Les chambres sont spacieuses et possèdent pour la plupart un balcon. Attention, ne confondez pas avec l'hôtel de première catégorie le Principe Real (voir plus haut). **Services** : room service jusqu'à 24 h, blanchisserie.

Jorge V Hotel. Rua Mouzinho da Silveira 3, 1200 Lisboa. ∅ **21/356-25-25** Fax 21/315-03-19. 49 chambres. TV CLIM. Tél. Double 14 000 ESC, suite 18 000 ESC. petit déjeuner continental compris. Parking 1 500 ESC. Métro : Avenida ou Marquês de Pombal.

Le Jorge V est un joli petit hôtel des années 1960 qui a un emplacement de choix, en retrait mais non loin de l'avenida da Liberdade. Sa façade est agrémentée de balcons suffisamment spacieux pour y prendre le petit déjeuner ou une collation l'après-midi. Les chambres, certes peu spacieuses et vieillissantes, sont néanmoins confortables. **Services** : room service jusqu'à 24 h, bar avec spécialités régionales.

Miraparque. Av. Sidónio Pais 12, 1000 Lisboa. ∅ **21/352-42-86** Fax 21/357-89-20. Mél : miraparque@esoterica.pt. 108 chambres. TV CLIM. Minibar Tél. Double 14 500 ESC. Petit déjeuner (buffet) compris. CB. Bus : 91. Métro : Parque.

Miraparque est situé sur une rue calme en face du parc Eduardo VII. Les chambres sont petites et leur équipement date des années 1960 mais elles sont bien entretenues. L'emplacement est appréciable et les prix bas. L'ambiance du bar est sympathique.

Pensão Residencial Gerês. Calçado do Garcia 6, 1150 Lisboa. ∅ **21/881-04-97** Fax 21/888-20-06. 20 chambres, 16 avec salle de bains. TV Tél. Double sans sdb. 6 500-8 000 ESC, double avec sdb. 10 000 ESC. Petit déjeuner continental compris. Métro : Rossio.

Toute proche de praça do Rossio, et très accessible depuis la gare, cette pension toute simple était autrefois un immeuble d'habitation. Les chambres sont petites et sans prétention.

Presidente Hotel. Rua Alexandre Herculano 13, 1150 Lisboa. ∅ **21/353-95-01** Fax 21/352-02-72. 59 chambres. TV CLIM. Minibar Tél. Double 13 000-17100 ESC. Petit déjeuner (buffet) compris. CB. Métro : Marquês de Pombal. Bus : 1, 36, 44, ou 45.

Cet établissement modeste occupe un angle de la bruyante avenida da Liberdade. Il n'a rien d'exceptionnel, mais il est tout à fait correct. Construit à la fin des années 1960, il a été rénové en 1992. Nous le recommandons aux familles : elles peuvent disposer d'un lit supplémentaire pour 3 000 ESC et des solutions de baby-sitting vous sont proposées. Les chambres sont petites et agréablement arrangées. **Services :** room service jusqu'à 24 h, restaurant (bon marché), blanchisserie, infirmerie.

Residência Alicante. Av. Duque de Loulé 20, 1000 Lisboa. ∅ **21/353-05-14** Fax 21/352-02-50. 36 chambres. TV Tél. Double 8 900 ESC. Petit déjeuner (buffet) compris. CB. Métro : Picoas ou Marquês de Pombal. Bus : 1, 2, 9, 32, 36, ou 45.

Cet hôtel à la façade orange vif est situé dans un quartier résidentiel calme et sans grand intérêt. Le lieu est accueillant. Les chambres varient par leur taille et leur décoration ; 14 d'entre elles sont climatisées et les plus calmes donnent sur la cour intérieure. Ce lieu est apprécié des voyageurs à budget serré.

Residência Imperador. Av. do 5 de Outubro 55, 1050 Lisboa. ∅ **21/352-48-84** Fax 21/352-65-37. 43 chambres. TV CLIM. Tél. Double 8 000 ESC. Petit déjeuner continental compris. CB. Métro : Saldanha. Bus : 44, 45, ou 90.

L'avantage de cet hôtel réside dans son emplacement, non loin du centre. Le hall en pin est certes minuscule, mais les chambres sont de taille raisonnable, très simples et propres, même si la décoration est médiocre. Le petit déjeuner est servi au dernier étage, dans le salon ou en terrasse.

Residência Nazareth. Av. António Augusto de Aguiar 25, 1000 Lisboa. ∅ **21/354-20-16** Fax 21/356-08-36. 32 chambres. TV CLIM. Minibar Tél. Double 8 000 ESC. Petit déjeuner continental compris. CB.Métro : São Sebastião or Parque. Bus : 31, 41, ou 46.

Cet hôtel se reconnaît facilement à sa façade rose poussiéreuse et à ses fenêtres, dont certaines sont surmontées d'arcades. Le plâtre fatigué et les lampes en fer forgé sont d'évidentes copies tandis que le bar et la salle TV ressemblent eux aussi à une cave voûtée. Un dépoussiérage serait le bienvenu.

Dans le bairro alto

Pensão Londres. Rua Dom Pedro V 53, 1200 Lisboa. ∅ **21/346-22-03** Fax 21/346-56-82. 39 chambres, 15 avec salle d'eau (douche ou baignoire), 8 avec douche. Tél. Double avec lavabo 7 000 ESC, double avec douche 9 000 ESC, double avec baignoire 11 000 ESC. Petit déjeuner continental compris. CB. Tram : 20 ou 24. Bus : 58 ou 100.

À l'origine une demeure pleine de dignité, cet hôtel est aujourd'hui un établissement sans prétention, un peu délabré. Il est situé non loin du belvédère São Pedro de Alcântara et entouré de nombreux restaurants très bon marché et de bars ainsi que de clubs de *fado*, juste en contrebas, dans les rues du Bairro Alto. Les chambres sont petites et simples, certaines (notamment aux 3e et 4e étages) ont vue sur la ville. Le personnel est très serviable. Vous pouvez accéder à l'hôtel en prenant le funiculaire à côté du Palácio da Foz sur la praça dos Restauradores.

Dans le Graça

Hotel Albergaria da Senhora do Monte. Calçada do Monte 39, 1100 Lisboa. ∅ 21/886-60-02 Fax 21/887-77-83. 32 chambres. TV CLIM. Tél. Double 17 500 ESC, suite 27 500 ESC. Petit déjeuner continental compris. Métro : Socorro. Tram : 28. Bus : 12, 17, ou 35.

Ce tout petit hôtel jouit d'un emplacement de rêve, juste à côté du belvédère Miradouro Senhora do Monte. La vue la nuit de la ville est mémorable, avec le château Saint-Georges et le Tage à vos pieds. Autrefois immeuble d'habitation, cet hôtel a été transformé en établissement genre club : le salon comporte de grands canapés et des lampes qui donnent au lieu une atmosphère intime. Les chambres sont très agréables, et possèdent toutes une véranda. La décoration est soignée, avec ses panneaux de porte dorés et ses salles de bains à la robinetterie en bronze. Attention, il n'y a pas de restaurant et l'hôtel est loin du centre. **Services** : room service.

Dans le Campo Grande

Radisson SAS Lisboa. Av. Marechal Craveiro Lopes, 1700 Lisboa. ∅ 21/759-96-39 Fax 21/758-69-49. 236 chambres. TV CLIM. Minibar Tél. Double 36 000 ESC ; suite à partir de 45 000 ESC. Petit déjeuner compris. CB. Parking : 1 200 ESC. Métro : Campo Grande.

Ancien Holiday Inn Crowne Plaza, c'est un hôtel récent, construit au début des années 1990. Repris par le groupe Radisson/SAS en 1996, il est très apprécié des hommes d'affaires. Sa tour en pierre rose de 12 étages s'élève au-dessus du quartier résidentiel du Campo Grande, à 4 kilomètres au nord du Rossio ; il est donc visible de très loin. Les chambres sont confortables, de taille moyenne et décorées de manière standard. **Restauration** : le restaurant, le Bordal Pinheiro, propose une cuisine internationale et des buffets. **Services** : room service, centre de remise en forme, concierge.

4. Se restaurer

Le nombre de restaurants a incroyablement augmenté dans les dix dernières années. La hausse des prix n'a pas freiné l'entrain des Lisboètes qui dînent encore plus fréquemment à l'extérieur qu'autrefois. Pour déguster de bons plats, fini le passage obligé par des restaurants classiques comme le Gambrinus ou l'António Clara. Désormais, même dans des endroits modestes, vous pouvez goûter les traditionnels poissons et fruits de mer mais aussi les plats d'anciennes colonies portugaises – Brésil, Mozambique, Goa... Les prix dans les restaurants de premier ordre avoisinent certes ceux des autres capitales européennes mais point n'est besoin de dépenser des fortunes pour bien manger. En effet l'éventail des restaurants est vaste, et chacun y trouve son compte. Pensez à dîner un soir dans un café de *fado* (voir chapitre 5). Attention, les Lisboètes ont tendance à manger plus tard qu'en Europe du Nord, même s'ils ne battent pas le record espagnol ! Certains restaurants demeurent ainsi ouverts très tard (comme le Gambrinus, le Bachus, et le Cervejaria Trindade).

Lisbonne comprend aussi de nombreux « poumons » verts, des parcs et jardins où vous pourrez pique-niquer en toute quiétude. Parmi eux, le plus beau est le **Parque Eduardo VII**, en haut de l'avenida da Liberdade, équipé en outre de tables de pique-nique. Un bon endroit pour s'approvisionner est Celeiro, rua do 1 de Dezembro 65 (∅ 21/342-74-95). Pour accompagner vos sandwichs, vous trouverez un grand choix de vins et de fromages, ainsi que des fruits frais et du pain. Enfin, vous pouvez décider de commander un poulet rôti pour 1 100 ESC le kilo. Ouvert du lundi au vendredi de 8 h 30 à 20 h, et le samedi de 9 h à 19 h. Métro : Rossio.

Dans le centre-ville

PRIX TRÈS ÉLEVÉS

✪ **Gambrinus.** Rua das Portas de Santo Antão 25. ∅ **21/342-14-66**. Réservation conseillée. Plats 6 000-13 000 ESC. CB. Ouvert tlj. de 12 h à 1 h 30. Métro : Rossio. *Fruits de mer.*

L'un des meilleurs restaurants de la ville, le Gambrinus offre une qualité de premier choix pour le poisson et les crustacés. Le restaurant est situé au cœur de Lisbonne, à quelques pas de la gare et du Rossio, sur un petit square, juste derrière le Théâtre national. Vous pouvez siroter un apéritif avant de passer dîner dans une salle au plafond de cathédrale.

Gambrinus offre un menu à la carte et des plats du jour. La cuisine est fine et séduit tous les gourmets. Les soupes sont bonnes, surtout la bisque de crustacés. Les plats les plus chers sont, logiquement, les crevettes et le homard. Si vous préférez la viande et appréciez les plats épicés, demandez un poulet piri-piri. Les desserts, enfin, sont très recherchés. Un café accompagné d'un cognac de 30 ans d'âge est la note finale parfaite pour clore un somptueux repas.

PRIX ÉLEVÉS

✪ **António Clara.** Av. da República 38. ∅ **21/799-42-80**. Réservation conseillée. Plats 2 500-3 500 ESC CB. Lun.-sam. 12 h-15 h et 19 h-22 h 30. Métro : Saldainha. *Portugais, international.*

La réputation de ce lieu tient non seulement au caractère exquis de sa cuisine mais aussi à son cadre. Villa Art nouveau et ancienne demeure d'un des architectes portugais les plus renommés, Miguel Ventura Terra (1866-1918), cette bâtisse a été construite en 1890.

L'escalier élancé et les moulures élégantes vous plongent dans le XVIIe siècle. Pensez à prendre un apéritif dans le salon décoré façon XIXe siècle avant de gagner la salle à manger, l'une des plus belles de Lisbonne. Vous apprécierez à coup sûr cette cuisine mise au goût du jour, aux saveurs raffinées. Parmi les spécialités l'espadon fumé, la paella, la morue Margarida da Praça ou encore le bœuf Wellington. Ces plats n'ont peut-être rien de rare, mais les meilleurs ingrédients sont utilisés pour les concocter. Poissons et fruits de mer sont proposés en fonction des saisons et de la qualité de la pêche. Quant à la dégustation de vin, c'est une véritable cérémonie, avec son ballet de sommeliers et de serveurs aux petits soins. Enfin, le bar, au rez-de-chaussée, où sont régulièrement exposées des œuvres d'art, est absolument parfait pour déguster un digestif.

✪ **Casa da Comida.** Travessa de Amoreiras 1 (à côté de rua Alexandre Herculano). ∅ **21/388-53-76**. Réservation conseillée. Plats 3 200-5 000 ESC. CB. Lun.-ven. 13 h-15 h ; lun.-sam. 20 h-24 h. Métro : Rato. *Portugais, français.*

Les gourmets lisboètes parlent de la Casa da Comida comme de l'un des meilleurs restaurants de la ville dans l'un des cadres les plus agréables qui soient. De plus, si vous vous trouvez dans les parages un jour de grand froid, un feu de cheminée vous attend. La salle à manger et le bar sont joliment décorés, le jardin est charmant. La cuisine est ici plus imaginative et créative que dans aucun autre restaurant de Lisbonne. Le chef est très attentif à la qualité des ingrédients, et le menu ne vous décevra jamais, recelant toujours de bonnes surprises. Spécialités : homard et légumes, un plateau de crustacés Casa da Comida, un *faisoa à convento de Alcântara* (faisan mariné dans du porto pendant 24 h). Vous trouverez en outre une excellente sélection de vins.

Clara. Campo dos Mártires da Pátria 49. ∅ **21/885-30-53**. Réservation conseillée. Plats 2 900-4 000 ESC. CB. Lun.-sam. 12 h-15 h 30 et 19 h-24 h. Fermé du 1er au 15 août. Métro : Avenida. *Portugais, international.*

Situé sur une colline, parmi des villas au charme désuet et des jardins municipaux, cette bâtisse aux tuiles vertes abrite un élégant restaurant à la tête duquel se trouve Zelia Pimpista. Commencez par boire un apéritif au bar, qui fit office de magasin d'antiquités, puis de salon d'appartement, et enfin de vestibule de manoir, avant de remplir sa fonction actuelle. Un piano accompagne ce moment délicieux. Une grande cheminée et une large baie vitrée donnant sur la terrasse du jardin font de ce lieu un havre de paix. Parmi les spécialités : le tournedos Clara, le lapin farci cuit dans une sauce au vin, toutes sortes de pâtes, ou encore le filet de sole à l'orange, du faisan aux raisins, et enfin une paella Valencienne. Rappelons que ces plats sont servis dans les grands restaurants de Lisbonne, mais ici, la perfection de la préparation fait la différence. Et puis, après tout, quand une recette a fait ses preuves, pourquoi la changer ?

Embaixada. Dans le Da Lapa Hotel, rua do Pau de Bandeira 4. ∅ **21/395-00-05**. Réservation conseillée. Plats 2 700-6 000 ESC ; buffet à midi 4 800 ESC ; menu dégustation 8 700 ESC. CB. Tlj. 12 h 30-15 h 30 et 19 h 30-22 h 30. Tram : 25 ou 28. Bus : 13 ou 27. *International, portugais.*

Ce restaurant est le plus raffiné parmi ceux des hôtels cinq-étoiles de Lisbonne. La salle à manger élégante donne sur un des jardins les plus somptueux de ce quartier très chic. Proche des ambassades et des consulats, Embaxaida est très apprécié du corps diplomatique, ce qui ne surprend pas, étant donné son nom. À midi, le buffet à un prix forfaitaire et offrant un éventail de cuisine internationale a beaucoup de succès. Les plats à la carte varient, eux, suivant les saisons. Parmi les spécialités : le saumon à la sauge, l'agneau à la menthe, une succulente *feijoada*, ou encore du canard aux poires. Certes, si cette cuisine n'a pas eu l'occasion de faire ses preuves dans le temps, la qualité supérieure des ingrédients et le professionnalisme du personnel assurent une grande qualité. Bref, si vous voulez dîner au calme et dans une atmosphère raffinée, cet endroit est tout désigné.

Escorial. Rua das Portas de Santo Antão 47. ∅ **21/346-44-29**. Réservation conseillée. Plats 3 500-8 000 ESC ; menu dégustation 9 800 ESC pour deux. CB. Tlj. 12 h-24 h. Métro : Rossio ou Restauradores. *International.*

Situé au cœur du quartier des restaurants de Lisbonne, ce lieu, dont le propriétaire est espagnol, allie une cuisine traditionnelle espagnole et une ambiance conviviale. Les murs de la salle à manger sont recouverts de panneaux de bois rose. Le *lounge* vous attend pour l'apéritif, au milieu d'œuvres d'art régulièrement exposées par des artistes portugais contemporains. Nous vous recommandons les huîtres – portugaises –, les brochettes de calmars ou encore, bien sûr, le homard. Parmi les autres spécialités du chef : le bœuf Stroganoff, la paella, ou la perdrix. Malgré le caractère de plus en plus sordide du quartier la nuit, Escorial a résisté au temps ; toujours novateur, il demeure l'un de nos restaurants favoris. Les ingrédients sont frais, le service remarquable d'élégance et de professionnalisme.

Restaurante Tavares. Rua da Misericórdia 37. ∅ **21/342-11-12**. Réservation conseillée. Plats 6 000-8 000 ESC ; menu midi et soir à 10 000 ESC. CB. Lun.-ven. 12 h 30-15 h ; dim.-ven. 20 h-22 h 30. Bus : 15. *Portugais, continental.*

À l'origine, Tavares était un café. Il fut fondé en 1784. Puis quand les frères Tavares moururent, une demi-douzaine de serveurs se groupèrent et reprirent le restaurant. Il est aujourd'hui toujours dirigé par une équipe de serveurs qui le maintiennent fièrement parmi les meilleurs de la capitale. Autrefois c'était le meilleur, aujourd'hui il a de nombreux rivaux. Néanmoins, sa qualité de plus vieux restaurant de Lisbonne lui attribue une place de choix dans notre sélection. La cuisine et le service sont parfaits, et continuent à séduire une clientèle composée de diplomates et de hauts fonc-

Se restaurer en famille

Bonjardim (*voir page 88*) En général, les enfants adorent le poulet. Vous pourrez trouver à cette adresse d'excellents poulets rôtis bon marché, juste à côté de praça dos Restauradores. Demandez un *frango no espeto*, un poulet rôti doré à la broche servi avec des frites.

Snack do Ritz (*voir page 90*) Situé dans l'un des hôtels les plus prestigieux de Lisbonne, ce restaurant aux prix moyens est idéal si vous voulez faire goûter à vos enfants de la cuisine portugaise.

tionnaires ainsi que de gens de lettres. Le cadre est fabuleux (murs aux panneaux blanc et or, chandeliers, fauteuils Louis XV, donnant au lieu un ton XVIIIᵉ siècle), même s'il commence à dater. Le personnel est particulièrement qualifié pour vous conseiller dans votre choix de vins.

Vous pourrez d'abord goûter des crêpes de *marisco*, enchaîner avec une sole au champagne, du crabe farci façon Tavares, ou alors des palourdes *Bulhão Pato*, ou bien du tournedos Grand Duc. Pour finir le festin, tentez la spécialité du chef, un soufflé somptueux, et laissez-vous tenter par un café *filtro*. Le restaurant sert aussi, en plus de tous ces plats merveilleux, les traditionnels plats portugais comme les sardines et la morue salée. Si vous êtes plus classique, il vous est toujours possible de commander un plat international, comme l'escalope de veau viennoise.

Sua Excelência. Rua do Conde 34. ∅ **21/390-36-14**. Réservation conseillée. Plats 2 500-3 000 ESC. CB. Lun.-mar. et jeu.-ven. 13 h-15 h ; jeu.-dim. 20 h-22 h 30. Fermé en septembre. Bus : 27 ou 49. Tram : 25. *Portugais*.

Ce restaurant a été fondé par Francisco Queiroz, ancien agent de voyages en Angola. Ce lieu est à la mode, avec ses tables colorées et son décor portugais, son plancher couleur de terre cuite et ses hauts plafonds peints. Certains plats sont originaux, comme le poulet Moamba, recette angolaise, ou comme ce petit poisson que l'on mange tout entier, servi avec une sauce épaisse et parfumée à base de pain rassis. Vous retrouverez des valeurs sûres, parmi lesquelles les crevettes au piri-piri (raisonnablement épicées), les *lulas à moda da casa* (calmars cuits dans une sauce au vin blanc, à la crème fraîche et au cognac), les sardines, les palourdes (cinq préparations différentes), et enfin le « meilleur espadon fumé du Portugal », comme le dit le menu. Le restaurant est à quelques pas au-dessus de l'entrée du musée national d'Art ancien. Vous pouvez donc coupler votre visite au musée avec une escapade culinaire. Ce restaurant est encore plus charmant le soir.

PRIX MOYENS

A Gôndola. Av. de Berna 64. ∅ **21/797-04-26**. Réservation conseillée. Plats 3 500-4 000 ESC. CB. Lun.-ven. 12 h 30-15 h et 19 h 30-22 h. Métro : Praça de Espanha. Bus : 16, 26, 31, ou 46. *Italien, portugais*.

C'est l'un des meilleurs restaurants italiens de la ville. Le déjeuner est servi en salle ou en terrasse. Même si le décor n'est pas particulièrement original, la cuisine vaut à elle seule le détour. De plus, les prix sont tout à fait corrects. Nous vous conseillons de commencer par le jambon au melon et aux figues, puis d'enchaîner avec un filet de sole meunière ou des sardines grillées pimentées. Certes, ce restaurant n'égale pas les meilleurs restaurants en Italie, mais c'est un choix honorable, si vous désirez manger italien, et si vous allez au musée Gulbenkian, tout proche.

Alemontes. Traversa da Santa Marta 4A. ∅ **21/315-77-93**. Réservation conseillée. Plats 2 500-4 000 ESC.CB. Tlj. 12 h 30-17 h et 19 h 30-24 h. Métro : Marquês de Pombal. *Portugais.*

Ce restaurant est souvent recommandé par le personnel des hôtels bon marché. C'est de fait un endroit où l'on mange bien et pour pas très cher. Vous pourrez y écouter du *fado* le soir. Le décor est accueillant, avec des tapis faits main et des plats décoratifs. La carte comprend de nombreux plats de la région de Tras-os-Montes, parmi lesquels le lièvre aux haricots blancs et le cochon de lait cuit à la broche. Ne manquez pas la délicieuse longe de veau accompagnée de pommes de terre et de légumes frais. Le porc grillé est une autre de leurs spécialités.

Bachus. Largo da Trindade 9. ∅ **21/342-28-28**. Réservation conseillée. Plats 1 600-3 500 ESC. CB. Lun.-ven. 12 h-15 h, sam. 19 h-24 h. Métro : Chiado. Bus : 58. *International.*

Des peintures murales amusantes décorent la façade de ce restaurant, tandis que l'intérieur est recherché et sophistiqué. L'atmosphère relève à la fois du salon privé d'un palais russe, d'un club anglais du début du XXe siècle et d'un bistro stylé de Manhattan. Le menu change souvent, en fonction des arrivages et des saisons. Essayez le chateaubriand à la béarnaise, la chèvre, le bœuf Stroganoff, les crevettes Bachus ou le plat du jour. La liste des vins est impressionnante. La cuisine du chef est très classique, et la clientèle est en général très satisfaite.

Chester. Rua Rodrigo de Fonseca 87D. ∅ **21/388-78-11**. Réservation conseillée. Plats 2 000-3 200 ESC ; fruits de mer 5 800-12 000 ESC. CB. Lun.-ven. 12 h 30-15 h ; lun.-sam. 19 h 30-22 h 30. Métro : Rotunda. *Steaks, continental.*

Chester, situé juste à côté du Four Seasons Hotel The Ritz, est un bar-restaurant qui possède une bonne cave et dont le service est efficace. Les plats les plus savoureux comprennent : le *camarão tigre à Chester* (de gigantesques crevettes style Chester), le *lombo Bárbaro* (steak style barbare), une *lagosta à Cardinal* (homard façon Cardinal), du *salmão grelhado com molho béarnaise* (saumon grillé à la béarnaise), du *Cataplana rica de peixes* (poisson mariné façon Cataplana), des *costeletas de cordeiro com molho polã* (agneau à la menthe), ou encore des *costeletas de javali* (morceaux de sanglier sauvage sautés). Un habitué parle ainsi de ce restaurant : « Toujours fiable, toujours sérieux, jamais trop innovant non plus – mais n'est-ce pas ce qu'on attend parfois ? »

✪ **Conventual.** Praça das Flores 45. ∅ **21/390-91-96**. Réservation conseillée. Plats 2 300-3 500 ESC. CB. Lun.-ven. 12 h 30-15 h 30 et 19 h 30-23 h 30, sam. 19 h 30-23 h 30. Métro : Avenida. Bus : 100. *Portugais.*

Nombre de ses admirateurs – parmi lesquels le Premier ministre du Portugal – placent Conventual comme le restaurant le plus fin de tout Lisbonne – même si ses prix sont bien inférieurs à ceux de ses concurrents. Cet endroit abrité derrière une simple porte en bois donne sur l'une des plus jolies places de la ville.

À l'intérieur, le restaurant recèle une décoration d'inspiration religieuse (panneaux d'églises baroques, statues religieuses). Le propriétaire a inventé de délicieuses recettes : une soupe à la coriandre crémeuse, de la perdrix marinée dans du porto, du canard au champagne, ou encore – et c'est l'une de nos préférées – des palourdes marinées dans une sauce aux poivrons rouges, aux oignons et à la crème.

El Bodegón. Dans l'hôtel Fénix, praça do Marquês de Pombal 8. ∅ **21/386-31-55**. Réservation conseillée. Plats 1 800-3 600 ESC. CB. Tlj. 12 h 30-15 h et 19 h 30-22 h 30. Métro : Rotunda. *Portugais, espagnol, international.*

El Bodegón est un restaurant de premier ordre dans un hôtel qui l'est aussi. Le décor ressemble à une taverne, avec son plafond voûté, son carrelage et ses piliers. Goûtez la caille – un vrai délice –, la perdrix ou encore le saumon frais en provenance du nord du Portugal. Les huîtres sont aussi une valeur sûre, surtout après octobre.

Le menu comporte un plat du jour différent chaque jour. À la carte, les calmars frits, la paella et quelques plats italiens ne vous décevront pas non plus. Ne manquez pas, si c'est la saison, les succulentes fraises de Sintra. Les prix sont tout à fait corrects.

Frei Papinhas. Rua Dom Francisco Manuel de Melo 32A (juste à côté de rua Castilho, près du parc Eduardo VII). ∅ 21/385-87-57. Réservation conseillée. Plats 2 600-6 500 ESC ; fruits de mer 5 200-12 000 ESC. CB. Tlj. 12 h 30-15 h et 19 h-24 h. Métro : São Sebastião. *International.*

Frei Papinhas est à quelques minutes à pied du Four Seasons Hotel The Ritz et du Méridien (voir « Où se loger », au début de ce chapitre). Un groupe d'intellectuels et d'écrivains est à l'origine de ce lieu conciliant bonne cuisine et convivialité. Le restaurant est ainsi accueillant : le décor rustique et sophistiqué à la fois comporte un mur de pierres apparentes, de larges poutres et des murs en crépi. Quant à la cuisine, elle comprend de nombreux plats internationaux, parmi lesquels nous vous conseillons les soupes froides du chef – comme la vichyssoise ou le gazpacho -, le filet d'espadon ou le porc Alentejo. Vous pourrez accompagner vos plats des meilleurs vins portugais. Enfin, le service est excellent et les prix tout à fait adaptés, et l'été, l'air conditionné ne gâche rien.

Il Gatto Pardo. Dans l'hôtel Dom Pedro, av. Engenheiro, Duarte Pacheco. ∅ 21/389-66-00. Réservation conseillée. Plats 2 200-3 200 ESC ; menus à 6 000 ESC et 8 000 ESC. CB. Tlj. 12 h 30-15 h 30 et 20 h-23 h. Métro : Marquês de Pombal. *Italien.*

Ce restaurant raffiné ne ressemble en rien à certaines infâmes pizzerias. Situé au deuxième étage de l'hôtel (voir ci-dessus « Où se loger ») , le décor dans les tons beige et brun allie le bois et le motif peau de léopard. Tout le reste vient d'Italie, depuis le personnel jusqu'aux ingrédients ! La pappardelle cuisinée avec des courgettes et du safran, et les pâtes aux palourdes nous ont véritablement enthousiasmés. N'oublions pas non plus la seiche ni l'espadon grillé. Le chef excelle à préparer le canard au miel et au vinaigre. Jolie terrasse et belle vue.

O Funil. Av. Elias Garcia 82A. ∅ 21/796-60-07. Réservation conseillée. Plats 1 450-2 950 ESC. CB. Mar.-dim. 12 h-15 h 30 ; mar.-sam. 19 h-22 h 30. Métro : Campo Pequeno. Bus : 1, 32, 36, 38, 44, ou 45. *Portugais.*

O Funil (La Cheminée) fait si bien la *cozinha Portuguesa* (la cuisine portugaise) et pour si peu cher que les gens font la queue pour y manger. Il est donc souvent difficile d'obtenir une table. Les propriétaires possèdent leur propre *vinho da casa* (maison de vin). Essayez le rouge Alijo. Les produits sont frais et le menu propose un large éventail séduisant, qui va du filet de poisson au riz à la morue cuisinée aux herbes en passant par des palourdes au vin.

Pabé. Rua Duque de Palmela 27A. ∅ 21/353-74-84. Réservation conseillée. Plats 2 300-4 000 ESC. CB. Tlj. 12 h-1 h. Métro : Rotunda. *Portugais, international.*

Ce restaurant est facile d'accès, non loin de praça do Marquês de Pombal. C'est un pub (*pabé*, en portugais) au cadre accueillant et typique (des portes saloon, des murs décorés de scènes de chasse) qui fait tout pour égaler ses homologues britanniques. La viande est spécialement importée des États-Unis. Le chateaubriand pour deux est à essayer ou alors, si vous préférez la cuisine portugaise, le cocktail de crevettes et le *supremo de galinha* (poulet aux champignons) valent le détour. La clientèle est bon chic bon genre, et à la fois portugaise et anglo-saxonne. Quant aux prix, ils ne sont pas très compréhensibles et le service est inégal.

✪ Restaurant 33. Rua Alexandre Herculano 33A. ∅ 21/354-60-79. Réservation conseillée. Plats 2 500-3 600 ESC. CB. Lun.-ven. 12 h-15 h 30 ; Lun.-sam. 20 h-22 h 30. Métro : Rotunda. Bus : 6 ou 9. *Portugais, international.*

Le Restaurant 33, dont le cadre évoque un pavillon de chasse anglais, est un vrai petit paradis. La cuisine est succulente : plateaux de fruits de mer, saumon fumé, homard Tour d'Argent. Les assiettes sont généreuses, les saveurs exquises, et les produits très frais. Le restaurant est de plus situé à côté de nombreux hôtels de qualité. Pianiste le soir.

Telheiro. Rua Latino Coelho 10A. ∅ **21/353-40-07**. Réservation conseillée. Plats 1 000-3 000 ESC. CB. Tlj. 12 h-15 h et 19 h-22 h 30. Métro : Picoas. Bus : 30. *Portugais.*

Situé non loin du Sheraton, Telheiro (« toit » en portugais) ressemble à un bistro. La plupart des serveurs sont angolais. La carte change chaque jour et propose des plats goûteux comme le gazpacho, la soupe au chou et à la pomme de terre, les moules, le cochon de lait ou le poisson frais grillé. Attention, si vous avez le palais sensible, aux saveurs venues d'ailleurs.

Tía Matilde. Rua da Beneficência 77. ∅ **21/797-21-72**. Plats 1 000-3 400 ESC. CB. Lun.-sam. 12 h-16 h ; Lun.-ven. 19 h-22 h 30. Fermé 9-23 août. Métro : Praça d'Espanha ou Palhavã. Bus : 31. *Portugais.*

Tía Matilde est un grand restaurant très fréquenté à côté de praça de Espanha. L'atmosphère est souvent agitée, la clientèle avant tout portugaise. Goûtez aux spécialités savoureuses du Ribatejo, comme le *cabrito assado* (chèvre de montagne rôtie), l'*arroz de frango* (poulet avec du riz), le *bacalhau* (morue) à la Tía Matilde, et la piquante *caldeirada* (ragoût de poisson). Comme le disait un père portugais à son fils : « Une nourriture comme celle-là fera de toi un homme. » Que cela vaille aussi pour vous !

PETITS PRIX

António Oliveira. Rua Tomás Ribeiro 63. ∅ **21/353-87-80**. Plats entre 790-1 500 ESC. CB. Lun.-sam. 7 h 30-22 h 30. Métro : Picoas. Bus : 44, 55, 94, 101. *Portugais, international.*

Cet endroit a été créé exprès pour les hommes d'affaires portugais à la recherche d'une ambiance décontractée et d'une bonne cuisine. Situé à l'écart du tourbillon de la ville, c'est une véritable oasis de bleu et de blanc (carreaux et plafond bleus, nappes blanches parsemées de bleu). Pour commencer, goûtez l'excellente soupe de crustacés. Le *polvo à lagareira* (pieuvre et pommes de terre cuites au grill, avec de l'huile d'olive et de l'ail) est une spécialité qui mérite sa réputation. Si vous préférez la viande, essayez le *frango na prata* (poulet en papillotes) ou le porc aux palourdes façon Alentejana. Le propriétaire, lui, recommande l'*açorda de marisco*, et le plat à l'œuf et aux crustacés panés en ragoût est un véritable régal. La liste des desserts est infinie. C'est vraiment une cuisine comme à la maison, et la clientèle, en grande majorité portugaise, apprécie.

Bonjardim. Travessa de Santo Antão 10. ∅ **21/342-74-24**. Plats entre 1 100-2 900 ESC. CB. Tlj. 12 h-23 h. Métro : Restauradores. *Portugais.*

Bonjardim, l'un des restaurants les plus populaires et les plus appréciés de Lisbonne, mérite amplement l'enthousiasme qu'il suscite parmi ses nombreux clients. En effet, la cuisine est saine, les prix très corrects, et la carte riche. Situé à l'est de l'avenida da Liberdade et non loin de la praça dos Restauradores, son succès est tel qu'il a ouvert une annexe juste en face.

Dans le restaurant principal, climatisé et inondé de soleil, il y a deux niveaux : un bar et une salle en bas, et une autre salle en haut, au décor rustique. Laissez-vous tenter par les poulets qui cuisent au charbon de bois, l'odeur qui se diffusera pendant votre repas vous convaincra. Si vous choisissez le *frango no espeto*, la portion convient pour deux. Le colin cuit à la portugaise ou le porc frit avec des palourdes valent le détour. Et si votre palais le supporte, osez le poulet au piri-piri, une sauce très épicée importée des anciennes colonies portugaises en Afrique.

Bonjardim possède aussi une cafétéria self-service juste à côté, travessa de Santo Antão II (∅ 21/342-43-89). Vous y trouverez des plats portugais, comme la soupe aux fruits de mer, le poulet rôti ou le *garoupa à Bretone*, la spécialité du chef. Repas à partir de 1 800 ESC, sans la boisson.

Cervejaria Brilhante. Rua das Portas de Santo Antão 105 (en face du Coliseu). ∅ **21/346-14-07.** Plats 1 600-3 400 ESC ; menu touriste à 1 800 ESC. CB. Tlj. 12 h-24 h. Métro : Rossio. Bus : 1, 2, 36, 44, ou 45. *Fruits de mer, portugais.*

Les Lisboètes s'arrêtent ici à toute occasion pour une bière et des *mariscos* (fruits de mer). La taverne évoque le monde de la pêche et de la mer, avec son décor fait de bois et de fresques. La vitrine met l'eau à la bouche, avec ses crabes, ses huîtres et ses homards. Prix au kilo variables en fonction de l'arrivage. La cuisine est savoureuse, mais soyez patient, il est difficile d'attirer l'attention d'un serveur.

Cervejaria Ribadoura. Av. da Liberdade 155 (au niveau de rua do Salitre). ∅ **21/354-94-11.** Plats 1 200-3 600 ESC. CB. Tlj. 9 h-1 h 30. Métro : Avenida. Bus : 1, 2, 44, ou 45. *Fruits de mer.*

Cervejaria Ribadoura est l'un des restaurants typiques du centre de Lisbonne où déguster des crustacés accompagnés de bière. Situé au milieu de l'artère principale de la ville, il offre un cadre de taverne, simple. La grande spécialité est le poisson. Essayez le *bacalhau* (la morue) *à Bras*. Il est tout à fait possible de manger légèrement, surtout le midi, par exemple d'une omelette aux crevettes. De nombreux clients mangent du poisson puis de la viande. Attention, seuls les palais habitués aux épices pourront supporter le porc sauté au piri-piri, sauce à base de piments rouges d'Angola. Finir le repas par du fromage portugais est une bonne idée.

Cervejaria Trindade. Rua Nova de Trindade 20B. ∅ 21/342-35-06. Plats 1 500-3 000 ESC. CB. Tlj. 9 h-1 h 30. Métro : Rossio. Bus : 15, 20, 51, ou 100. *Portugais.*

La décoration de Cervejaria Trindade tient à la fois du bar à bières allemand et de la taverne portugaise. La bâtisse est construite sur les fondations du Convento dos Frades Tinos du XIIIe siècle et détruit par le tremblement de terre de 1755. Ouverte depuis 1836, c'est la plus vieille taverne de Lisbonne ; elle appartient aux brasseurs de la bière Sagres. Vous pouvez goûter tout simplement un steak avec des montagnes de frites, ou bien préférer tenter le *bife na frigideira* (steak à la moutarde avec un œuf), ou encore la spécialité de la maison, les *ameijoas* (palourdes) à Trindade. Comme dessert, essayez un morceau de fromage de chèvre, *queijo da serra* et un café. Cour intérieure ouverte l'été.

Pastelaria Sala de Cha Versailles. Av. da República 15A. ∅ **21/354-63-40.** Sandwichs 265 ESC ; pâtisseries 130-160 ESC ; plats du jour 1 150-2 400 ESC. CB. Tlj. 7 h 30-22 h. Métro : Salvanhe. *Sandwichs, pâtisseries.*

C'est le plus ancien salon de thé de Lisbonne, classé monument historique. Certains habitués viendraient ici depuis son ouverture en 1932. Autrefois, la spécialité était le Licungo, le fameux thé noir du Mozambique. Certes, vous pouvez encore le commander, mais aujourd'hui la clientèle préfère les marques anglaises. (Les Portugais affirment que ce sont eux, et non les Anglais, qui ont introduit la coutume du thé à la cour d'Angleterre, après le mariage de Catherine de Bragance et de Charles II en 1662.) Le décor est riche, avec ses chandeliers, ses miroirs et son plafond en stuc ainsi que son sol en marbre noir et blanc. Outre le thé, vous pouvez commander des milkshakes, du jus d'orange pressé, de la bière ou de l'alcool. Vous pouvez aussi manger des boulettes de morue, des sandwichs au jambon et au fromage ainsi que des plats locaux simples et sains.

Restaurante a Colmeia. Rua da Emenda 110. ∅ **21/347-05-00.** Plats 600-1 500 ESC. Pas de cartes de crédit. Lun.-ven. 12 h-19 h. Métro : Baixa Chiado. Tram : 28. Bus : 58 ou 100. *Végétarien.*

Situé au dernier étage d'un bâtiment, ce restaurant offre une cuisine végétarienne et macrobiotique malheureusement assez fade. Vous trouverez aussi une petite boutique de produits bio.

Sancho. Travessa da Glória 14 (vers av. da Liberdade, à côté de praça dos Restauradores). ∅ **21/346-97-80.** CLIM. Réservation conseillée. Plats 1 290-2 100 ESC. CB. Lun.-sam. 12 h-15 h et 19 h-22 h 30. Métro : Avenida ou Restauradores. *Portugais, international.*

Ouvert depuis 1962, Sancho est un restaurant au cadre accueillant et typiquement ibérique – murs en stuc, plafond voûté, cheminée et chaises en cuir et bois – très apprécié des Lisboètes. La soupe de poissons gratinée est une valeur sûre. Les crustacés, toujours chers, sont eux aussi une spécialité maison. Beaucoup de plats du chef sont faits à base de colin ou de steak à la Portugaise. Si vous aimez les plats épicés, commandez un *churrasco de cabrito ao piri-piri* (chevreau au poivre). La carte n'a guère changé depuis des lustres, mais quoi de plus normal, puisque la recette connaît toujours autant de succès ?

Snack do Ritz. Dans le Four Seasons Hotel The Ritz, rua Castilho 77C. ∅ **21/383-20-20.** Plats 1 500-2 800 ESC. CB. Lun.-sam. 12 h-23 h 30. *Portugais, international.*

C'est l'option la moins chère pour dîner dans cet hôtel légendaire. L'entrée est à part, et fait face au parc Eduardo VII. Le menu offre une variété de choix, parmi lesquels du poisson grillé ou du poulet au miel et aux noisettes. L'accent est mis sur la cuisine portugaise, la carte change tous les jours en fonction des arrivages et de la saison. Vous serez servi par un personnel en uniforme.

Dans le Bairro Alto

Prix élevés

Tasquinha d'Adelaide. Rua do Patrocinio 70. ∅ **21/396-22-39.** Réservation conseillée. Plats 2 000-4 000 ESC. CB. Lun.-sam. 20 h 30-2 h. Fermé 15 jours en août. Métro : Rato. Tram : 25, 28, ou 30. *Régional, portugais.*

Situé à l'extrême ouest du quartier du Bairro Alto, à quelques pas de la station Alcântara et de la Basilica da Estrêla, ce restaurant convivial est souvent bondé, d'autant qu'il n'y a que 25 couverts ! Il est surtout connu pour ses spécialités du Tras-os-Montes, une province sauvage du nord-est du Portugal, et pour son charme simple et accueillant. Parmi les plats, très relevés : l'*alheiras fritas com arroz de grelos* (tripes) et des *lulas grelhadas* (calmars grillés cuits dans un plat en argile). Pour finir, essayez la *charcade de ovos* de Dona Adelaide (une recette secrète à base de jaunes d'œufs). Nous recommandons cette cuisine du nord-est du Portugal, surtout à ceux qui raffolent des sauces piquantes.

Prix moyens

Comida de Santo. Calçada Engenheiro Miguel Pais 39. ∅ **21/396-33-39.** Réservation conseillée. Plats 1 650-3 500 ESC ; fruits de mer 1 900-2 500 ESC. CB. Tlj. 12 h 30-16 h et 19 h 30-1 h. Métro : Rato. Bus : 58. *Brésilien.*

Comida de Santo est le premier restaurant brésilien de Lisbonne à avoir ouvert dans les années 1980. Il occupe une ancienne demeure privée vieille de 100 ans et ne contient que 12 tables. C'est donc le plus souvent complet.

Des gigantesques panneaux peints représentent des scènes stylisées de la jungle, laissant flotter une atmosphère de Nouveau Monde. Il convient de commencer par une *caipirinha* (cocktail à base de citron vert et de sucre) qui vous donne envie de danser la samba. Vous trouverez aussi une version épicée de la fameuse *feijoada* (ragoût de viande et de haricots), une *picanha* (bœuf brésilien bouilli avec du sel), une *vatapá* (crevettes poivrées), et plusieurs plats de poisson grillé succulents. L'endroit est extrêmement en vogue, réserver est donc indispensable.

Pap' Açorda. Rua da Atalaia 57-59. ∅ **21/346-48-11**. Réservation conseillée. Plats 1 900-4 400 ESC. CB. Mar.-sam. 12 h-14 h 30 et 19 h-22 h. Fermé en août. Métro : Baixa/Chiado. *Portugais.*

La façade de Pap' Açorda fut à l'origine conçue pour une boulangerie. Aujourd'hui, ce lieu au décor rose et blanc rassemble une clientèle hétéroclite de toutes nationalités et de tous genres. Vous pouvez commencer par boire un apéritif au bar, et vous arrêter là. Si vous souhaitez, en revanche, poursuivre et dîner, vous avez le choix entre deux salles, décorées de chandeliers en cristal style Empire, et dont l'une est aménagée comme un jardin. La cuisine est délicieuse et variée : moules, riz avec des crustacés, bifteck dans l'aloyau avec des champignons, et large éventail de poissons et de fruits de mer. Attention, cependant, si vous commandez des crustacés : le prix est au kilo (à peu près 15 000 ESC le kilo pour des crevettes roses). L'*açorda* est la spécialité maison, c'est un plat traditionnel avec du pain, des fruits de mer, des œufs, de la coriandre et de l'ail ainsi que de l'huile d'olive.

PETITS PRIX

Bota Alta. Travessa da Queimada 35-37. ∅ **21/342-79-59**. Réservation conseillée. Plats 1 300-2 300 ESC. CB. Lun.-ven. 12 h-14 h 30 ; lun.-sam. 19 h-22 h 30. Bus : 58 ou 100. *Portugais.*

Bota Alta, juché en haut d'une rue du Bairro Alto, se targue d'avoir affaire à une clientèle d'habitués prêts à s'entasser dans la salle et parfois à attendre une table debout au bar. La décoration allie des objets d'art et des photos. Parmi les plats, vous pourrez choisir entre le steak Bota Alta, plusieurs recettes de morue (dont le *bacalhau real*, morue frite dans du porto et du cognac) et toutes sortes de plats du jour, comme le goulash hongrois ! Nous ignorons pourquoi le *bacalhau* est aussi apprécié par les Portugais, qui disent avoir autant de poissons que de jours dans l'année – mais ne quittez pas le Portugal sans l'avoir goûté.

Brasuca. Rua João Pereira da Rosa 7 (à côté de rua do Seculo). ∅ **21/322-07-40**. Réservation conseillée. Plats 1 550-2 050 ESC. CB. Mar.-dim. 12 h-15 h et 19 h-23 h. Fermé le midi en août. Tram : 28. *Brésilien.*

Situé à la frontière du Bairro Alto, près de praça do Principe Real, c'est le meilleur restaurant brésilien de Lisbonne. Juca Oliveira, chef et propriétaire, est à la tête de cette ancienne demeure privée depuis deux décennies. Le décor est chaleureux, avec la cheminée et des antiquités XIXe siècle. Les plats sont copieux. Vous pourrez déguster une *feijoada*, plat traditionnel brésilien à base de haricots noirs, de viande, de riz et de chou. Un de nos plats préférés est le *bauru a brasuca*, un steak tendre cuit dans une sauce à l'oignon, avec fromage et jambon. La cuisine étant brésilienne, les plats sont surtout à base de bœuf, mais l'agneau et le porc, sans oublier la morue, figurent également sur la carte. Tentez une bière brésilienne pour accompagner vos plats.

Cantinho da Paz. Rua da Paz 4 (à côté de rua dos Poiais de São Bento). ∅ **21/396-96-98**. Réservation conseillée. Plats 1 780-2 500 ESC. CB. Mar.-dim. 12 h 30-14 h 30 et 19 h 30-23 h. Tram : 26. Bus : 6 ou 49. *Goa.*

Ce restaurant célèbre la cuisine de Goa, ancienne colonie portugaise récupérée par le gouvernement indien en 1961. Les Portugais de Goa ont donc importé à Lisbonne leur cuisine, délicate et relevée. L'un de nos plats préférés est le curry de crevettes nageant dans une crème à la noix de coco. Vous choisirez peut-être, et avec raison, l'agneau, le poisson ou la volaille, cuisinés avec force épices. Le porc est cuisiné à l'ail et au gingembre. Les propriétaires, très serviables, parlent anglais.

Cais da Ribeira. Cais do Sodré. ✆ 21/342-36-11. Réservation conseillée. Plats 1 500-5 500 ESC. CB. Mer.-ven. et dim. 12 h-15 h ; Mar.-dim. 19 h 30-23 h. Métro : Cais do Sodré. *Portugais.*

Ce merveilleux petit restaurant régional occupe un ancien entrepôt de poissons et sert les meilleurs poissons grillés au feu de bois de Lisbonne. C'est un endroit accueillant situé en front de mer, avec vue sur le Tage, et qui propose des recettes de grand-mère délicieuses. La *caldeirada*, version locale épicée d'un ragoût pour pêcheurs, laissera votre palais en feu pendant quelque temps. Le chef prépare aussi une excellente paella pour deux, des steaks grillés accompagnés parfois de sauce au poivre. La plupart des plats sont abordables, sauf les crustacés, assez chers.

Casa Nostra. Rua de Rosa 84-90 (entrée par travessa de Poco da Cidade 60). ✆ 21/342-59-31. Réservation conseillée. Plats 1 000-2 600 ESC ; fruits de mer 1 900-2 400 ESC. CB. Mar.-ven. 12 h-14 h 30, dim. 13 h-14 h 30 ; mar.-sam. 20 h-23 h. Métro : Chiado. Tram : 28 ou 28B. *Italien.*

Maria Paola Porru, ingénieur du son dans le cinéma, a fini après de nombreux voyages dans toute l'Europe par créer ce lieu un peu à l'écart mais très branché. Un cadre simple mais recherché se cache derrière une façade centenaire et délibérément passe-partout. Toutes les pâtes sont faites maison. Nous vous conseillons les fettuccine au mascarpone, les lasagnes, les spaghetti aux palourdes portugaises ainsi que la viande grillée, sans oublier le tiramisu.

Cervejaria/Restaurante Fábrica Real. Rua da Escola Politécnica 275-283. ✆ 21/387-29-18. Plats 1 000-2 000 ESC ; fruits de mer 1 000-5 000 ESC ; menu touristes 1 100 ESC. CB. Lun.-sam. 7 h-2 h. Bus : 6, 9, 36. Métro : Rato. *Portugais.*

Situé entre la gare Rossio et le jardin botanique, ce restaurant est une ancienne usine de soie datant du XVIIIe siècle, aménagée avec goût. Le bar est au rez-de-chaussée et le restaurant à l'étage. Les portions sont généreuses et les prix corrects. Les habitués ne viennent parfois que pour boire un verre de bière. Dans la carte, nous vous conseillons le *bife à la Real Fábrica* (steak à la crème et aux champignons)et le *leitão da bairrada* (cochon de lait délicieusement rôti), spécialité régionale qui se marie parfaitement avec de la bière.

Dans le Chiado

PRIX ÉLEVÉS

✪ **Tágide.** Largo da Academia Nacional de Belas Artes 18-20. ✆ 21/342-07-20. Réservation conseillée. Plats 3 000-5 000 ESC. CB. Lun.-ven. 12 h 30-14 h 30 et 19 h 30-22 h 30. Métro : Chiado. Tram : 20. Bus : 15. *Portugais, international.*

Tágide fut d'abord la demeure d'un diplomate puis une grande boîte de nuit avant de devenir un des principaux restaurants de Lisbonne. Il est situé en hauteur par rapport aux docks, en haut d'une colline qui domine le vieux Lisbonne et le Tage. De votre table, vous pouvez admirer les bateaux à l'ancre dans le port.

La cuisine est moderne et vraiment appétissante et les assiettes présentées de manière esthétique. De plus, elle convient à tous les goûts, et ne risque pas de vous déplaire si vous aimez les saveurs classiques. Comme entrée, nous vous suggérons un pâté de saumon ou du crabe farci froid ou encore de l'espadon fumé. Parmi les spécialités, signalons le flétan à la coriandre et le porc à la coriandre et aux palourdes. Comme dessert, le soufflé à l'orange et au citron nappé de chocolat chaud est délicieux. Le restaurant est fréquenté par le monde de la finance et le gouvernement portugais, dont le président.

PETITS PRIX

Pastelaria Bernard'. Rua Garrett 104. ∅ **21/347-31-33**. Sandwichs 300-400 ESC ; Petit déjeuner continental 500 ESC CB. Lun.-sam. 8 h-24 h. Métro : Baixa Chiado. *Sandwichs/snacks.*

Pastelaria Bernard' est le salon de thé le plus branché de Lisbonne. Datant des années 1800, il est situé au cœur du Chiado. Lorsqu'il fait beau, vous pouvez déjeuner en terrasse. Nombreuses spécialités portugaises, comme la morue aux amandes. La plupart des clients viennent cependant ici pour prendre un thé avec un sandwich. Les desserts méritent amplement leur réputation. Attention, une tenue correcte est exigée à l'intérieur. C'est une bonne idée pour le petit déjeuner.

Dans le Graça

PRIX MOYENS

Restaurante O Faz Figura. Rua do Paraíso 15B. ∅ **21/886-89-81**. Réservation conseillée. Plats 2 000-3 400 ESC. CB. Lun.-sam. 12 h 30-15 h et 20 h-24 h. Métro : Santa Apolónia. *Portugais, international.*

C'est l'un des restaurants les meilleurs et les plus joliment décorés de Lisbonne, et le service est impeccable. Si vous réservez, demandez à être dans la véranda, qui donne sur le Tage. Sinon, vous pouvez tout simplement passer boire un verre au bar. Spécialités : *feijoada de marisco* (ragoût de crustacés) et *cataplana* de poisson et de fruits de mer. La cuisine est toujours très savoureuse, parfois un peu épicée.

Via Graça Restaurante. Rua Damasceno Monteiro 9B. ∅ **21/887-08-30**. Réservation conseillée. Plats 2 000-3 400 ESC. CB. Lun.-ven. 12 h 30-15 h 30 ; lun.-sam. 19 h 30-23 h. Tram : 28. *Portugais.*

Situé sur une colline dans le quartier résidentiel de Graça, à quelques pas des fortifications qui entourent Castelo de São Jorge, ce restaurant jouit d'une vue panoramique qui embrasse le castelo et la Basilica da Estrêla. Des bougies et un service discret complètent ce cadre romantique. Certes, les plats ne sont pas très originaux, mais ils sont savoureux. Spécialités maison : des plats traditionnels portugais comme le *pato assado com moscatel* (canard rôti dans du vin de la région de Setúbal) et le *linguado com recheio de camarão* (filet de sole farcie servi avec des crevettes).

PETITS PRIX

Restaurant d'Avis. Rua de Grilo 98. ∅ **21/868-13-54**. Réservation conseillée. Plats 1 200-2 400 ESC. CB. Lun.-sam. 12 h-15 h et 19 h 30-22 h. Fermé en août. Bus : 39 ou 59. *Portugais.*

Ce restaurant simple mais sympathique n'a rien à voir, contrairement aux apparences, avec le Restaurante Aviz, autrefois une référence en matière de cuisine et situé rua Serpa Pinto. Ici tout est plus humble. Créé à la fin des années 1980, ce restaurant est idéal pour les gourmands à petit budget. Le restaurant sert de la cuisine de l'Alentejo, comme le porc rôti aux palourdes ou des bols fumants de *caldo verde* (une soupe fortifiante à base de légumes verts et de pommes de terre), et aussi du délicieux poisson frais. Si la cuisine est savoureuse, ne vous attendez cependant pas à un décor luxueux. Quelques serveurs parlent anglais.

Dans Belém

PRIX MOYENS

São Jerónimo. Rua dos Jerónimos 12. ∅ **21/364-87-97**. Réservation conseillée. Plats 2 200-3 500 ESC. CB. Lun.-ven. 12 h 30-15 h ; lun.-sam. 19 h 30-22 h 30. Bus : 15, 27, 28, ou 29. *Portugais, international.*

Si vous visitez le fameux monastère du même nom, vous pouvez vous arrêter manger dans ce restaurant élégant et plaisant. Le décor s'inspire des années folles et des designers français ; vous y trouverez des chaises de Philippe Starck ou des fauteuils de Le Corbusier. La cuisine ne brille certes pas par son originalité mais les produits sont frais. La clientèle étant essentiellement étrangère, la cuisine proposée perd donc un peu le côté corsé des plats portugais.

Vela Latina. Doca do Bom Sucesso. ∅ **21/301-71-18**. Plats 2 200-3 600 ESC. CB. Lun.-sam. 12 h 30-15 h et 20 h-23 h. *Portugais*.

Situé dans un parc verdoyant proche du Tage et de la tour de Belém, ce restaurant accueillant propose une cuisine bien préparée, avec beaucoup de légumes verts, dans un cadre apaisant. De nombreux clients s'arrêtent ici déjeuner après leur visite au Mosteiro dos Jerónimos tout proche ou au Musée des Carrosses. Parmi les spécialités, tous les plats traditionnels – des crêpes fourrées au homard, des plateaux de poisson frais ou du colin avec du riz. Attention, le prix des crustacés peut monter en flèche suivant la saison.

Dans l'Alfama

Casa do Leão. Castelo de São Jorge. ∅ **21/887-59-62**. Réservation conseillée. Plats 1 900-4 600 ESC. CB. Tlj. 12 h 30-15 h 30 et 20 h-22 h 30 Bus : 37. *Portugais, international*.

Arrêtez-vous pour déjeuner dans ce restaurant situé dans un bâtiment à l'intérieur de l'enceinte du château de Saint-Georges. Vous passerez entre deux anciens canons avant d'être accueilli par un maître d'hôtel. La salle est très spacieuse, et vous apprécierez la vue panoramique sur l'Alfama et les collines légendaires de Lisbonne. Goûtez le canard à l'orange et au raisin, ou le porc façon Saint-Georges, ou encore la morue à la crème. De toute évidence, la cuisine du chef est adaptée à une clientèle internationale, mais garde sa saveur. Le menu change en fonction des saisons. En revanche, le service laisse un peu à désirer ; il est vrai que les serveurs sont le plus souvent débordés.

Dans l'Alcântara

Café Alcântara. Rua Maria Luisa Holstein 15. ∅ **21/363-71-76**. Réservation conseillée. Plats 3 500-7 000 ESC. CB. Tlj. 20 h-1 h. Bar ouvert tlj. 21 h-3 h. Bus : 57. *Français, portugais*.

Depuis son ouverture en 1989, ce restaurant est devenu l'un des lieux les plus sympathiques de Lisbonne. Il occupe un ancien entrepôt de bois vieux de 600 ans. Aujourd'hui, ce vaste espace aux murs vert et bordeaux et au mobilier en bois draine une clientèle hétéroclite, à la fois portugaise et internationale. Le chef prépare des plats régionaux pleins de saveurs et d'épices – parfois un peu trop au goût de certains. Parmi les plats : des rillettes de saumon, du canard laqué, ou encore une *bacalhau* (morue) ou une *feijoada*, ragoût de viande et de haricots.

Explorer Lisbonne 5

Beaucoup de visiteurs prennent leurs quartiers à Lisbonne, mais négligent ses joyaux culturels, préférant aller se promener à Sintra, sur la Riviera portugaise (Estoril et Cascais), ou à Mafra, poussant même jusqu'à Nazaré et Fátima.

Peu consacrent assez de temps à la visite de la capitale. Or, pour faire honneur à la ville et à ses environs, il faudrait au moins prévoir 5 jours. En outre, les principales curiosités de Lisbonne restent assez peu connues, et c'est une véritable aubaine qu'apprécieront les voyageurs redoutant la cohue habituelle sur les grands sites touristiques européens.

Ce chapitre vous dévoilera les trésors cachés de la capitale portugaise. Si votre temps est compté, vous visiterez le **musée national des Carrosses**, le **monastère des Hiéronymites (mosteiro dos Jerónimos)**, l'**Alfama** et son **château de Saint-Georges**. Même s'ils n'ont pas l'importance du Prado à Madrid, deux musées d'art au moins méritent attention : le **Museu Nacional de Arte Antiga** et le **Museu da Fundação Calouste Gulbenkian**.

Avec un peu plus de temps, vous pourrez aller à la **Fundação Ricardo Espírito Santo** voir comment se fabriquent des copies d'objets anciens ou comment l'on dore un livre à la feuille. Mais le voyageur curieux peut également aller admirer les galères royales couvertes d'or du **musée de la Marine**, se promener devant les étals du **marché au poisson**, visiter le nouvel **aquarium**, ou découvrir l'artisanat exposé au **musée d'Art populaire de Belém**.

Propositions d'itinéraires

Si vous avez 1 journée

Promenez-vous dans l'Alfama (voir « Promenade à pied n° 1 »), le quartier le plus intéressant de Lisbonne. Ne manquez pas de visiter la **Sé** (cathédrale) du XIIᵉ siècle, et d'aller admirer le panorama de la ville et du Tage depuis le **belvédère Santa Luzia**. Montez au **Castelo de São Jorge** (château de Saint-Georges). Prenez un taxi ou un bus pour Belém afin de voir le **Mosteiro dos Jerónimos** et la **Torre de Belém**. Éventuellement, profitez de votre présence à Belém pour faire un tour au **Museu Nacional dos Coches** (musée national des Carrosses), l'une des curiosités majeures de Lisbonne.

Vue imprenable

Pour avoir une splendide vue des toits de Lisbonne, prenez l'**ascenseur Santa Justa**, dans la rua de Santa Justa. Cette structure au décor tarabiscoté est l'œuvre d'un ingénieur portugais, Raoul Mesnier de Ponsard, fils d'immigrants français arrivés à Porto en 1849 (on l'attribue souvent à tort à Gustave Eiffel). L'ascenseur part de la rua Aurea, au cœur du quartier commerçant proche de la place Rossio, et s'élève jusqu'à une plate-forme panoramique. Il fonctionne tous les jours de 7 h à 23 h. Le ticket coûte 160 ESC (gratuit pour moins de 4 ans). Suite à un incendie survenu en 1992, on ne peut plus emprunter la passerelle reliant la plate-forme au Bairro Alto. Vous êtes obligé de redescendre dans le quartier de Baixa. Métro : Rossio.

Si vous avez 2 jours

Le 2e jour, vous pourrez aller à Sintra, le site le plus visité des environs de Lisbonne. La journée sera bien occupée à explorer le château et d'autres palais de ce site superbe. Tâchez au moins de ne pas partir sans avoir vu le **Palácio Nacional de Sintra** et le **Palácio Nacional da Pena**. Revenez à Lisbonne en fin de journée : vous passerez une merveilleuse soirée à écouter du *fado* dans un café.

Si vous avez 3 jours

Consacrez la matinée du 3e jour au **Museu da Fundação Calouste Gulbenkian**, un des plus beaux musées d'art d'Europe. Vous pourrez ensuite déjeuner dans le Bairro Alto. L'après-midi, vous aurez le temps de visiter la **Fundação Ricardo Espírito Santo** (musée des Arts décoratifs) et le **Museu Nacional de Arte Antiga** (musée national d'Art ancien), avant d'aller vous promener dans le Parque Eduardo VII.

Si vous avez 4 jours

Le 4e jour, vous pourriez prévoir une excursion (par commodité, on pourra opter pour une excursion organisée – voir p. 114 la liste des circuits proposés) à destination, par exemple, du port de pêche de **Nazaré** et de la ville fortifiée d'**Óbidos**. Si vous le souhaitez, vous pourrez passer également à **Fátima**, haut lieu de la foi catholique.

Si vous avez 5 jours

Le dernier jour, vous aurez sûrement envie de lever le pied en passant la matinée sur la plage d'**Estoril**. À midi, vous pourriez déjeuner à **Cascais**, et ensuite vous promener dans le vieux village devenu une grande station balnéaire. Poussez jusqu'à **Guincho**, à 7 km en longeant la côte. L'endroit est proche de la pointe occidentale extrême du continent européen et le panorama est splendide.

1. Les principales curiosités : l'Alfama, Belém et les musées

✪ L'Alfama

Quartier emblématique de la ville, situé dans sa partie est, l'Alfama est la mémoire vivante de Lisbonne. La muraille des Wisigoths, incorporée à quelques vieilles maisons, rappelle le lointain passé de la ville. Avant la conquête chrétienne, l'Alfama fut habité pendant des siècles par les Sarrasins.

Le tremblement de terre dévastateur de 1755 n'a pas tout détruit, si bien que l'Alfama a conservé en grande partie son charme originel. Les marchés s'étalent dans les ruelles pavées, les canaris gazouillent au soleil dans des cages suspendues aux charmants balcons, les vieilles tavernes sont décorées de guirlandes d'ail et de piment. Les maisons sont si rapprochées qu'en certains endroits il est impossible d'écarter les bras. Le poète Frederico de Brito a chanté cet entassement avec lyrisme : « Ta maison est si proche de la mienne ! Dans la douceur de la nuit étoilée, pour échanger un tendre baiser, nos lèvres se joignent avec facilité, très haut au-dessus de la rue étroite. »

L'Alfama est encore habité par des dockers, des poissonniers et des marins. Le linge claque aux fenêtres des plus petites maisons, et les marchandes de poisson sortent de bon matin sur leur balcon pour arroser leurs géraniums. Sur les marchés, les légumes de la campagne, les bananes de Madère, les ananas des Açores et les poissons les plus variés s'amoncellent en tas colorés. Une multitude de chats rôdent en quête de rats. Parfois, une veuve enroulée dans son châle noir, et penchée devant sa porte sur un brasero où grillent des sardines, jette une tête de poisson au félin qui passe.

Il fut un temps où l'Alfama était un quartier aristocratique. Quelques nobles sont restés, mais le plus souvent, leur souvenir ne se perpétue que dans les armoiries effritées qui ornent des façades du XVIᵉ siècle. L'hôtel aristocratique le plus connu est celui qu'occupait le comte d'Arcos, dernier vice-roi du Brésil. Construit au XVIᵉ siècle et en partie épargné par le tremblement de terre, il se dresse sur le largo da Salvador.

Au détour d'une rue, il arrive que la vue embrasse tous les styles bariolés de l'Alfama, de l'humble demeure au toit de tuile à l'exubérance des églises baroques. L'une des plus belles vues se découvre depuis le belvédère du **largo das Portas do Sol**, près du musée des Arts décoratifs. C'est un balcon ouvert sur la mer et dominant la cascade des toits et des maisons descendant vers le Tage.

L'une des plus anciennes églises de Lisbonne est **Santo Estevão** (Saint-Étienne), sur le largo de Santo Estevão, dont la première construction remonte au XIIIᵉ siècle. La structure actuelle en marbre date du début du XVIIIᵉ. L'**église de São Miguel** (Saint-Michel), largo de São Miguel, sur une place ombragée de palmiers, au cœur de l'Alfama, est également d'origine médiévale. Elle fut reconstruite après le tremblement de terre de 1755, et son intérieur est couvert de dorures et de trompe-l'œil du XVIIIᵉ siècle. Autre poignant vestige du passé : la **rua da Judiaria**. C'est ici que les Juifs chassés d'Espagne par l'Inquisition trouvèrent refuge.

Le soir, le quartier change de caractère. La lumière des lampadaires dessine des ombres étranges sur les murs médiévaux, d'où monte la plainte d'une fadista. Si le Bairro Alto est le quartier traditionnel du *fado*, les cafés de l'Alfama résonnent également de ces mélodies nostalgiques. Avant de devenir des *fadistas* célèbres, Amália et Celeste Rodrigues vendaient ici, près des docks, des fleurs aux touristes qui arrivaient par bateau.

La promenade à pied détaillée plus loin dans ce chapitre vous indiquera un itinéraire spécifique pour découvrir l'Alfama. Il est préférable d'explorer le quartier de jour ; la nuit, la sécurité y est aléatoire.

✪ Castelo de São Jorge. Rua da Costa do Castelo. Pas de tél. Entrée libre. Avr.-sept., tlj. 9 h-21 h ; oct.-mars tlj. 9 h-18 h. Bus : 37. Tram : 12 ou 28.

Pour les Lisboètes, le château de Saint-Georges est le berceau de leur ville ; il se peut, en effet, que la capitale se soit développée à partir de ce site, déjà habité, croit-on, avant l'occupation romaine. Cette butte permettait de défendre le Tage et la ville en contrebas. Au Vᵉ siècle, les Wisigoths construisirent un fort qui fut pris par les Sarrasins au début du VIIIᵉ siècle. Une grande partie des murs existant aujourd'hui date de la période musulmane. En 1147, Alphonso Henriques, le premier roi du

✪ Les coups de cœur de Frommer's à Lisbonne

À l'écoute du *fado* dans l'Alfama. *Fado*, nom d'un genre musical authentiquement portugais, signifie « destin ». Sa complainte sur le temps passé et le bonheur perdu s'échappe tous les soirs des petites maisons de l'Alfama (et du Bairro Alto). Des guitares à douze cordes accompagnent des femmes drapées de noir appelées *fadistas*, tout comme les interprètes masculins de *fado*. Rien n'est plus typique de Lisbonne que ces chants mélancoliques.

Faire les boutiques d'artisanat. Difficile de séjourner à Lisbonne sans acheter quelque chose. Des artisans de tout le pays vous proposent leurs plus belles productions : céramique, broderie (des Açores et de Madère), argenterie, porcelaine et cristal raffinés, *azulejos* (carreaux vernissés), tapis tissés main et pulls tricotés main.

Un après-midi à Sintra. Emboîtez le pas aux rois et reines portugais de jadis, et prenez la direction du « merveilleux Éden » de Byron. Le poète anglais ne fut pas le seul à proclamer Sintra le village « le plus délicieux d'Europe ». Même les Espagnols, d'habitude plutôt sceptiques, le disent : « Voir le monde et passer à côté de Sintra/ C'est, ni plus ni moins, voyager les yeux bandés. »

pays, chassa les Maures et étendit le royaume vers le sud. Cependant, avant même que Lisbonne ne devienne la capitale de la nouvelle nation, le site avait été choisi pour y élever un palais royal.

Pour découvrir la plus belle vue sur le Tage et l'Alfama, traversez les esplanades et montez sur les remparts du vieux château. Le nom de Saint-Georges (saint patron de l'Angleterre) commémore un pacte anglo-portugais conclu dès 1371.

Avant de franchir les douves, on traverse un quartier presque médiéval d'aspect, blotti sous l'aile protectrice du château (nombre de maisons ont conservé leur cour mauresque, tandis que d'autres ont été grandement remaniées). À l'entrée, les visiteurs s'arrêtent au belvédère que les Portugais nomment leur « vieille fenêtre ». Il domine l'Alfama, les Serras de Monsanto et Sintra, le Ponte do 25 de Abril sur le Tage, la praça do Comércio, et les toits de tuile de la capitale. Sur la place, se dresse la statue du premier roi, Alphonso Henriques, en posture héroïque, sabre dans une main et bouclier dans l'autre.

À l'intérieur de l'enceinte, on peut se promener sous les oliviers, les pins et les chênes-lièges, en compagnie de gracieux flamants. Des cygnes blancs à cou noir glissent dans un silence seulement troublé par le cri perçant d'un rare paon blanc.

Sé (Cathédrale). Largo da Sé. ✆ 21/88-67-52. Entrée : gratuite pour la cathédrale, 100 ESC pour le cloître. Lun.-sam. 10 h-17 h. Tram : 28 (Graça). Bus : 37.

Même les brochures officielles reconnaissent que la cathédrale n'est pas très riche. Caractérisée par les tours jumelles qui flanquent son entrée, la structure marie les styles gothique et roman. La façade sévère s'apparente à celle d'une forteresse médiévale. Elle fut, un temps, convertie en mosquée par les Sarrasins, puis reconstruite après avoir été reprise par les chrétiens, conduits par le premier roi du Portugal, Alphonso Henriques. La Sé devint ensuite la première église de Lisbonne, mais les tremblements de terre de 1344 et 1755 ont endommagé la structure.

L'extérieur plutôt rude cache de nombreux trésors, parmi lesquels les fonts baptismaux où saint Antoine de Padoue aurait été baptisé en 1195. La chapelle gothique de Bartholomeu Joanes, du XIVᵉ siècle, retiendra l'attention. On s'attardera également devant la crèche de Machado de Castro (le sculpteur portugais du XVIIIᵉ siècle auteur de la statue équestre de la praça do Comércio), le sarcophage de Lopo Fernandes Pacheco, du XIVe siècle, et dans la nef et les bas-côtés qui sont d'origine. La visite de la sacristie et du cloître exige un guide. Le cloître, construit au XIVe siècle à la demande du roi Denis, est de style ogival, avec des guirlandes, une grille romane en fer forgé, et des tombes aux dalles recouvertes d'inscriptions. La sacristie renferme des marbres, des reliques, des images précieuses et des pièces du trésor ecclésiastique des XVe et XVIe siècles. Le matin, les reflets des vitraux sur le sol évoquent une peinture de Monet.

Santo António de Lisboa. Largo de Santo António de Sé. ∅ **21/886-91-45.** Entrée libre. Tlj. 7 h 30-19 h 30. Métro : Rossio. Bus : 37.

Saint Antoine de Padoue, un moine franciscain itinérant devenu le saint patron du Portugal, est né ici en 1195, dans une maison aujourd'hui disparue. Suite au tremblement de terre de 1755 qui détruisit l'église d'origine, Mateus Vicente dressa les plans de l'édifice actuel, du XVIIIe siècle.

Dans la crypte, un guide vous montrera l'endroit où le saint serait né (il est enterré à Padoue, en Italie). Il passe pour être le protecteur des jeunes mariées, et pour être particulièrement attentif aux enfants de Lisbonne. Afin de réunir les fonds nécessaires à l'érection de l'autel, les enfants de l'Alfama fabriquèrent des autels miniatures portant une image du saint. Sa fête, célébrée le 12 juin, donne lieu à des réjouissances et des agapes copieuses. Le matin, on allume des feux dans les rues et on chante. La fête de saint Antoine se déroule le lendemain.

Belém

C'est de Bélem, à l'embouchure même du Tage, que partaient les navigateurs portugais vers les contrées lointaines inconnues du monde occidental : Bartholomeu Diaz pour reconnaître la côte africaine et le cap de Bonne-Espérance, Vasco de Gama vers les Indes, et Ferdinand Magellan pour faire le tour du monde.

Belém s'est constitué autour du Restelo, le point de départ des bateaux qui osaient s'élancer sur la mer dite de l'Obscurité. La prospérité grandit avec l'afflux des richesses, particulièrement des épices, venant d'outremer. De grands monuments, comme la tour de Belém et le monastère des Hiéronymites, furent construits et embellis dans le style manuélin.

Par la suite, la famille royale se fit bâtir un palais d'été, mais la localité acquit son vrai caractère avec l'arrivée des Lisboètes fortunés qui quittaient le centre-ville pour se faire construire des hôtels particuliers à Belém. La ville est longtemps restée une municipalité indépendante, avant d'être intégrée à Lisbonne. De nos jours, ses nombreux musées attirent les visiteurs, mais la première des curiosités est la Torre de Belém.

Torre de Belém. Praça do Império, av. de Brasília. ∅ **21/362-00-34.** Entrée 400 ESC adultes, 200 ESC enfants, gratuite à partir de 65 ans. Mar.-dim. 10 h-17 h. Tram : 15 ou 17. Bus : 27, 28, 43, 49 ou 51.

La tour quadrangulaire de Belém glorifie l'époque des navigateurs. Érigée entre 1515 et 1520, ce symbole même du Portugal, inscrit au patrimoine mondial de l'Unesco, rappelle la grandeur du passé militaire et naval du pays. Elle se dresse au point où les caravelles appareillaient.

Son architecte, Francisco de Arruda, a mélangé des éléments gothiques et mauresques, et intégré des motifs caractéristiques du style manuélin tels que les cordes torsadées taillées dans la pierre. Les armoiries de Manuel Ier surmontent la loggia, et des balcons agrémentent trois côtés du monument. Le long des balustrades des loggias, des croix représentent les croisés portugais.

Une fois passé le pont-levis et la porte Renaissance, la richesse s'estompe. La sévérité gothique prédomine. Parmi les quelques objets anciens, on remarquera un trône du XVIe siècle couronné de fleurons et un *inset* tapissé de réseaux gothiques à jour. Si vous avez le courage de monter sur les remparts, vous serez récompensé par un panorama sur le Tage et ses bateaux, et sur les collines émaillées de vieilles villas aux toits de tuile. En face de la Tour de Belém, un monument commémore la première traversée de l'Atlantique en avion (avec escales). Cela se passait le 30 mars 1922. Partis de Lisbonne, le pilote Gago Coutinho et son navigateur Sacadura Cabral se posèrent finalement à Rio de Janeiro.

Au centre de la praça do Império à Belém se trouve la Fonte Luminosa (fontaine lumineuse). Les motifs des jets d'eau, plus de soixante-dix en tout, composent un spectacle nocturne qui dure presque une heure.

Padrão dos Descobrimentos. Praça da Boa Esperança, av. de Brasília. ∅ 21/301-62-28. Entrée 300 ESC. Mar.-dim. 9 h 30-18 h 30. Tram : 15. Bus : 27, 28, 43 ou 49.

Telle la proue d'une caravelle de l'époque, le mémorial des Découvertes se dresse sur le Tage, comme s'il était prêt à appareiller. Les grands explorateurs, au premier rang desquels Vasco de Gama, sont immortalisés le long des rampes.

À l'endroit où les rampes se rejoignent, on a placé Henri le Navigateur, dont le génie ouvrit la porte sur des mondes nouveaux. Le mémorial fut inauguré en 1960. L'une des statues représente Philippa de Lancastre, la mère anglaise d'Henri, à genoux. D'autres personnages de la frise symbolisent les croisés (l'homme tenant un drapeau marqué d'une croix), les navigateurs, les moines, les cartographes et les cosmographes. Au sommet de la proue, trônent les armoiries du Portugal à l'époque de Manuel le Fortuné. Par terre, devant le mémorial, s'étend une carte du monde en marbres multicolores, avec les dates des découvertes en incrustations de métal.

☉ Mosteiro dos Jerónimos. Praça do Império. ∅ 21/362-00-34. Entrée libre à l'église. Pour les cloîtres 500 ESC ; gratuit pour les enfants et les plus de 65 ans. Mar.-dim. 10 h-17 h. Tram : 15. Bus : 27, 28, 29, 43 ou 49.

Débordant de joie, Manuel Ier fit construire ce monastère pour commémorer le périple de Vasco de Gama aux Indes et remercier la Vierge du succès de l'entreprise. Le style de l'architecture, appelé manuélin du nom du roi, associe le gothique flamboyant à des influences mauresques et aux premières traces de style Renaissance. Précédemment, Henri le Navigateur avait fait construire une petite chapelle dédiée à la Vierge. Le monastère fut fondé en 1502, et partiellement financé par le commerce des épices qui se développa après l'ouverture de la route maritime des Indes. Le tremblement de terre de 1755 endommagea mais ne détruisit pas l'édifice, qui fut restauré en profondeur, pas toujours avec intelligence.

L'église renferme trois nefs, remarquables par la présence de colonnes d'apparence fragile. Certaines salles, comme le réfectoire des moines, sont couvertes de berceaux à nervures. Exceptionnel également, le « palmier » de la sacristie.

Nombre de figures légendaires de l'histoire portugaise, à commencer par Vasco de Gama, seraient ensevelies au monastère. Les Portugais sont convaincus également que Luís Vaz de Camões, l'auteur de l'épopée *Os Lusíadas* (*Les Lusiades*), où il glorifie les triomphes de ses compatriotes, repose ici. Les deux tombes s'appuyent sur des dos de lions. Le poème épique de Camões aurait inspiré des rêves de gloire au jeune roi Sebastien. Ce monarque insensé, dévot jusqu'au fanatisme, trouva la mort au Maroc, à Alcácer-Kibir, en 1578, lors d'une croisade. Ceux qui refusèrent de croire à sa mort et attendirent son retour furent appelés les sébastianistes ; ils acquièrent un semblant d'influence. Quatre hommes tentèrent de faire reconnaître leur droit sur le

Musées et monuments de Belém

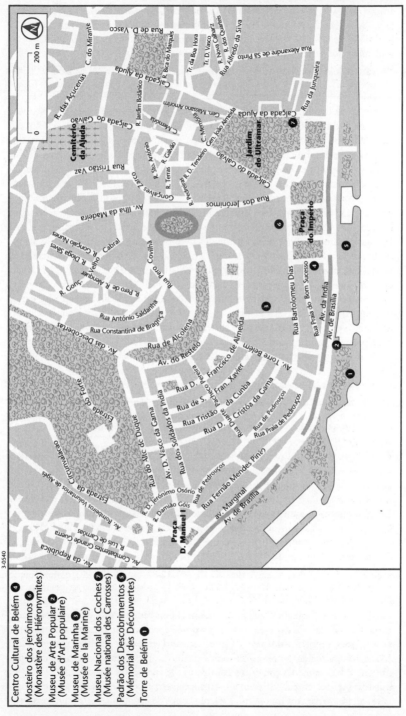

Centro Cultural de Belém ❹
Mosteiro dos Jerónimos ❻
(Monastère des Hiéronymites)
Museu de Arte Popular ❷
(Musée d'Art populaire)
Museu de Marinha ❸
(Musée de la Marine)
Museu Nacional dos Coches ❼
(Musée national des Carrosses)
Padrão dos Descobrimentos ❺
(Mémorial des Découvertes)
Torre de Belém ❶

3-0540

trône portugais, chacun prétendant obstinément, jusqu'à la mort même, qu'il était le roi Sebastien. La dépouille du roi serait conservée dans un tombeau en marbre du XVIe siècle de style maniériste. Le poète romantique Herculano (1800-1854) repose également aux Jerónimos, de même que Fernando Pessoa.

✪ **Museu de Marinha (musée de la Marine).** Praça do Império. ∅ **21/362-00-19.** Entrée adultes 400 ESC, étudiants 200 ESC, gratuit pour les moins de 10 ans et les plus de 65 ans. Mar.-dim. 10 h-18 h ; hors saison mar.-dim. 10 h-17 h. Bus : 27, 28, 29, 43, 49 ou 51.

Le musée de la Marine, un des plus importants de son genre en Europe, restitue la gloire de la domination portugaise sur les mers. Comme il se devait, il a été installé dans l'aile ouest du Mosteiro dos Jerónimos. Ces galères royales sont les témoins d'un âge d'opulence qui ne reculait devant aucun excès. L'or ruisselle sur les têtes de dragons, et les monstres marins ondulent sans retenue. Réunir un équipage nombreux ne posait aucun problème aux rois et reines de ce temps-là. En 1785, la reine Marie Ire fit construire une magnifique galère pour le mariage de son fils et successeur, le prince Jean, avec la princesse espagnole Carlota Joaquina Bourbon. Quatre-vingt mannequins vêtus de beaux gilets moutarde et écarlate figurent l'équipage.

Le musée renferme des centaines de modèles réduits de bateaux à voiles du XVe au XIXe siècle, de bateaux de guerre du XXe siècle, de navires de la marine marchande, de bateaux de pêche, de rivière et de plaisance. Dans une section consacrée à l'Orient, on verra une réplique incrustée de perles d'un bateau-dragon réservé aux cortèges maritimes et fluviaux. Toute une panoplie d'uniformes navals est exposée, depuis celui qu'on portait dans les avant-postes du Mozambique en 1896, jusqu'à celui qui avait cours en 1961. Dans une salle spéciale, on a reconstitué le salon de réception de la reine sur le yacht royal de Charles Ier, le roi assassiné sur la praça do Comércio en 1908. C'est sur ce bateau que son fils Manuel II, sa femme et la reine mère, Amélie, s'enfuirent à Gibraltar après la chute de la monarchie en 1910. Le musée de la Marine rend également hommage à quelques aviateurs portugais des temps héroïques.

✪ **Museu Nacional dos Coches (musée national des Carrosses).** Praça de Afonso de Albuquerque. ∅ **21/895-59-94.** Entrée adultes 450 ESC, 14-25 ans 225 ESC, gratuit pour les moins de 14 ans. Mar.-dim. 10 h-17 h 30. Fermé les jours fériés. Tram : 15. Bus : 14, 27, 28, 29, 43 ou 49.

Premier site touristique de Lisbonne, le musée national des Carrosses est le plus beau du genre au monde. Fondé par Amélie, la femme de Charles Ier, il occupe une ancienne école d'équitation du XVIIIe siècle reliée au palais royal de Belém. Les carrosses sont exposés dans un ancien manège. La plupart datent des XVIIe et XIXe siècles. Les plus fascinants sont trois carrosses baroques couverts de dorures dont se servait l'ambassadeur portugais auprès du Vatican sous le pape Clément XI (1716). On peut également admirer le carrosse du XVIIe siècle avec lequel le roi Philippe II d'Espagne fit le voyage de Madrid à Lisbonne afin de visiter sa nouvelle possession.

Museu de Arte Popular. Av. de Brasília. ∅ **21/301-12-82.** Entrée 300 ESC, gratuit pour les moins de 10 ans. Mar.-dim. 10 h-12 h 30 et 14 h-17 h. Fermé les jours fériés. Tram : 15. Bus : 27, 28, 29, 43, 49 ou 51.

Le musée d'Art populaire est la présentation la plus remarquable des arts et des coutumes populaires portugaises. Les murs ont été peints par certains des meilleurs artistes contemporains du pays : Carlos Botelho, Eduardo Anahory, Estrêla Faria, Manuel Lapa, Paulo Ferreira, et Tomás de Melo. Des agrandissements photographiques d'habitants des provinces complètent le travail des artistes. La création du musée, en 1948, est l'aboutissement d'un mouvement de renaissance des arts populaires orchestré par António Ferro. Les collections de céramique, de mobilier, de van-

Un autre regard sur Lisbonne

Les marchés Le grand marché de **Ribeira Nova** est situé en plein cœur de Lisbonne, près de la Cais do Sodré (d'où partent les trains pour la Costa do Sol). Une énorme halle abrite un ensemble d'étals où les meilleurs restaurants viennent s'approvisionner. Les marchandises arrivent chaque matin dans des paniers en osier : carottes géantes, choux de la taille d'un arbuste, bananes par régimes entiers. Quelques fruits et légumes fraîchement cueillis sont acheminés à dos d'âne, ou en camion, et d'autres sont portés sur la tête par des femmes, à la mode méditerranéenne.

Sur le marché, des femmes gaiement vêtues de jupes bouffantes et de tabliers bigarrés règnent sur des montagnes de légumes, de fruits et de poissons. Au signal, elles commencent à crier le prix de leurs marchandises, ne s'arrêtant un court instant que pour poser pour une photo.

Les bateaux de pêche accostent à l'aube, et les pêcheurs déchargent leur cargaison sur de longs comptoirs de marbre. Les *varinas* (marchandes de poisson) hissent les paniers de poisson frais sur leur tête et s'en vont par les rues escarpées de l'Alfama ou du Bairro Alto le vendre de maison en maison.

Estufa Fria (Serre) L'Estufa Fria se trouve dans le beau Parque Eduardo VII (Ø 1/388-22-78), qui porte le nom du fils de la reine Victoria, en souvenir de ses trois visites à Lisbonne. Sur un fond de rochers et d'eau, les plantes tropicales forment une véritable forêt. Le parc est situé au bout de l'avenida da Liberdade, couronnée par une statue du marquis de Pombal flanqué de son « animal de compagnie », qui n'est autre qu'un lion. L'entrée de la serre coûte 100 ESC. Elle est ouverte tous les jours de 9 h à 18 h d'avril à septembre, et de 9 h à 17 h d'octobre à mai. Métro : Rotunda. Bus : 2, 11, 12, 27, 32, 38, 44, 45 ou 83.

Cemitério dos Ingleses (Cimetière anglais) Le cimetière anglais se trouve en haut de la rua da Estrêla, à une extrémité du jardin Estrêla. Il renferme la tombe du romancier et dramaturge Henry Fielding, auteur de *Tom Jones*. Malade, Fielding vint à Lisbonne en 1754 dans l'espoir de se rétablir. Il a raconté son expérience dans une petite œuvre posthume, *Journal d'un voyage à Lisbonne*. Malheureusement, il s'éteignit deux mois après son arrivée dans la capitale portugaise. Un monument fut élevé à sa mémoire en 1830. Sonnez pour entrer.

Aqueduto das Aguas Livres (Aqueduc d'Aguas Livres) Remarquable monument baroque, cet aqueduc relie la rivière Aguas Livres, depuis Caneças, au réservoir de Casa de Agua à Amoreiras. Construit sous Jean V au début du XVIIIe siècle, d'une longueur de 17,5 km, il est visible depuis la N7 qui va à Sintra et Estoril. Il est en partie enterré ; seules quelques-unes de ses 109 arches s'élèvent au-dessus du sol. Le plus beau tronçon traverse en 14 arches la vallée d'Alcântara entre Serafina et les collines de Campolide.

Jardim Botânico Relié au musée national du Costume, le Parque do Monteiro-Mor, largo Julio de Castilho, à Lumiar, est l'un des plus beaux jardins botaniques de Lisbonne. Il renferme un **restaurant** (Ø 21/759-03-18). Le parc est ouvert du mardi au dimanche, de 10 h à 18 h de juin à septembre et de 10 h à 17 h 30 d'octobre à mai. L'entrée coûte 200 ESC, elle est gratuite pour les moins de 10 ans. Gratuit pour tous le dimanche matin. Un billet combiné avec le musée national du Costume coûte 400 ESC. Bus : 1, 3, 4 ou 36.

nerie, de vêtements, d'outils agricoles et de peintures emplissent cinq salles qui correspondent plus ou moins aux provinces, chacune ayant son caractère propre. Le bâtiment abrita le Centre régional lors de l'Exposition universelle de 1940.

Centro Cultural de Belém. Praça do Império. ∅ **21/361-24-00** ou 01/362-41-91. Entrée libre au centre ; le prix des expositions temporaires est variable. Tlj. 11 h-20 h. Tram : 15. Bus : 27, 28, 29, 43 ou 49.

Ce centre accueille parfois des expositions temporaires d'art portugais, mais il fonctionne principalement comme palais des congrès. Toutes sortes de manifestations, annoncées dans la presse locale, s'y tiennent, concerts classiques ou festivals de films. Le centre abrite une cafétéria bon marché et quelques boutiques. Le bâtiment date du début des années 90 ; il fut construit pour accueillir les réunions préparatoires à l'entrée du Portugal dans la Communauté européenne.

Autres grands musées

La plupart des grands musées de Lisbonne se trouvent à Belém, mais deux grandes institutions sont logées dans la ville même : le musée national d'Art ancien et le Centre Gulbenkian pour les arts et la culture. Un autre musée important est présenté à la rubrique « Autres curiosités » : le musée São Roque d'art ecclésiastique.

❍ **Museu Nacional de Arte Antiga (musée national d'Art ancien).** Rua das Janelas Verdes 9. ∅ **21/396-41-51.** Entrée adultes 500 ESC, étudiants 250 ESC, gratuit pour les moins de 14 ans. Mar. 14 h-18 h, mer.-dim. 10 h-18 h. Tram : 15 ou 18. Bus : 7, 40, 49 ou 60.

Le musée national d'Art ancien abrite la plus grande collection de peinture du pays. Il occupe deux bâtiments conjoints : un palais du XVIIe siècle et une annexe construite sur le site de l'ancien couvent des carmélites de Santo Alberto. La chapelle du couvent a été sauvegardée. Elle constitue un bon exemple de l'intégration des arts ornementaux à l'architecture, avec ses bois dorés, ses carreaux vernissés et ses sculptures des XVIIe et XVIIIe siècles.

Le musée détient de nombreuses œuvres de renom, comme le polyptyque provenant du monastère de Saint-Vincent, attribué à Nuno Gonçalves et datant des années 1460. On dénombre 60 portraits de personnalités marquantes de l'histoire portugaise. Les autres pièces remarquables sont le triptyque de Jérôme Bosch, *La Tentation de saint Antoine* ; *La Mère et l'Enfant* de Hans Memling ; le *Saint Jérôme* d'Albrecht Dürer ; et des toiles de Velázquez, Zurbarán, Poussin et Courbet. Des œuvres datant du XVe au XIXe siècle retracent l'évolution de l'art portugais.

Le musée possède également une remarquable collection d'argenterie et d'orfèvrerie, portugaise et étrangère, parmi laquelle se distinguent la croix d'Alcobaça et l'ostensoir de Belém, fabriqués avec le premier or rapporté des Indes par Vasco de Gama. Le service en argenterie française du XVIIIe siècle commandé par Joseph Ier est un autre ensemble exceptionnel. Divers objets provenant du Bénin, des Indes, de Perse, de Chine et du Japon, furent récoltés au gré de l'expansion portugaise outre-mer. Deux très belles paires de paravents dépeignent les liens du Portugal avec le Japon au XVIIe siècle. Le reste des collections comprend des tapisseries flamandes, un riche ensemble d'habits sacerdotaux, des céramiques italiennes polychromes et des sculptures.

❍ **Museu da Fundação Calouste Gulbenkian.** Av. de Berna 45. ∅ **21/795-02-36.** Entrée 500 ESC, gratuit pour les moins de 10 ans et plus de 65 ans. Gratuit pour tous le dimanche. Mar. 14 h-18 h, mer.-dim. 10 h-18 h. Métro : Sebastião. Tram : 24. Bus : 16, 26, 31, 46 ou 56.

Ouvert en 1969, ce musée, faisant partie du Fundação Calouste Gulbenkian, abrite, selon un critique, « l'une des plus belles collections privées du monde ». Elle a appartenu au magnat arménien du pétrole, Calouste Gulbenkian, qui mourut en 1955.

Le centre, d'architecture moderne d'un coût de plusieurs millions d'euros, fut bâti dans l'ancienne propriété du comte Vilalva.

La collection comprend des antiquités égyptiennes, grecques et romaines ; un ensemble exceptionnel d'art islamique, notamment de céramiques et de textiles de Turquie et de Perse ; des verres, des livres, des reliures et des miniatures syriennes ; des vases chinois, des estampes japonaises et des laques. L'art européen est présent avec des manuscrits enluminés et des ivoires du Moyen Âge, des peintures et sculptures du XVe au XIXe siècle, des tapisseries et médailles de la Renaissance, des objets d'art français du XVIIIe siècle, des toiles impressionnistes françaises, des bijoux de René Lalique, et de la verrerie.

Grâce à ses talents de négociateur, Gulbenkian réussit à se procurer des œuvres du musée de l'Ermitage à Saint-Pétersbourg. Parmi ses acquisitions les plus illustres figurent deux Rembrandt, le *Portrait d'un vieillard* et *Alexandre le Grand* ; le *Portrait d'Hélène Fourment* de Pierre Paul Rubens ; et le *Portrait de Madame Claude Monet* de Pierre-Auguste Renoir. On ne manquera pas non plus d'aller jeter un coup d'œil à la toile de Mary Cassatt. Jean-Antoine Houdon, le sculpteur français, est représenté par une statue de *Diane*. L'argenterie de François-Thomas Germain, autrefois utilisée par la grande Catherine de Russie, se trouve ici également, ainsi qu'une pièce de Thomas Germain père.

En tant que centre culturel, la Fondation Gulbenkian sponsorise des pièces de théâtre, des films, des ballets et des concerts, ainsi que des expositions temporaires de grands artistes modernes, portugais et étrangers.

2. Autres curiosités

❂ Le Bairro Alto

Tout comme l'Alfama, le Bairro Alto (la Ville haute) a conservé les traits de la Lisbonne d'antan. Par sa population et sa situation, il constituait le cœur de la cité, qui fut en grande partie épargné par le tremblement de terre de 1755. Aujourd'hui, ce quartier abrite quelques-uns des meilleurs cafés de *fado* de Lisbonne, ce qui en fait un centre de vie nocturne. Mais l'endroit est des plus agréables à visiter de jour également, afin de mieux apprécier ses rues et ruelles pavées, bordées d'édifices anciens baignant dans la chaude lumière maritime.

D'abord appelé Vila Nova de Andrade, le quartier naît en 1513 lorsque la famille Andrade achète une partie de l'énorme Santa Catarina qu'elle revend en parcelles à bâtir. Les premiers acheteurs sont des charpentiers, des marchands et des calfats, dont certains revendent immédiatement à des aristocrates. Petit à petit, les familles nobles s'y installent, suivies par les jésuites, qui abandonnent leur modeste collège de Mouraria pour le monastère de São Roque, où opère encore aujourd'hui la Misericórdia (l'assistance aux pauvres) de Lisbonne. Dès lors, la prolétarisation du quartier s'accentue. Aujourd'hui, il est devenu aussi le domaine de la presse – la plupart des grands journaux y sont imprimés. De même, écrivains et artistes apprécient l'ambiance et la bonne cuisine du quartier.

L'endroit est très pittoresque. Le linge sèche aux fenêtres et aux balcons, à côté des cages à canaris, perroquets et perruches. Le matin, les ménagères vont au marché, où s'époumonent les *varinas* (les marchandes de poisson) et autres commerçantes. Les femmes, assises aux portes et accoudées aux fenêtres, regardent passer les gens.

Le soir, le quartier s'anime. Une foule de Portugais et d'étrangers se presse dans les cafés de *fado*, les restaurants, les discothèques et les petits bars. Les *tascas* (restaurants bon marché) abondent, de même que les adresses plus luxueuses, et les gens se promènent à la lumière des lampadaires victoriens.

Églises

« Si vous voulez voir toutes les églises, il faudra rester plusieurs mois », déclara un jour un guide à un touriste. Le fait est que la liste des églises paraît infinie. Ce qui suit est un choix parmi les plus intéressantes.

Panteão Nacional. Largo de Santa Clara. ∅ **21/888-15-29**. Entrée 250 ESC, gratuite pour les moins de 10 ans. Gratuite pour tous le dimanche. Mar.-dim. 10 h-18 h 30. Fermée les jours fériés. Bus : 9 ou 46. Tram : 28.

Avant de débuter la construction d'une maison, les Portugais disent à l'entrepreneur : « Ne mettez pas aussi longtemps que pour Santa Engrácia. » En effet, la construction de l'église baroque de Santa Engrácia débuta en 1682 ; elle résista au tremblement de terre de 1755, et ne fut achevée qu'en 1966 ! Avec ses quatre tours carrées, l'édifice offre un aspect un peu froid. Il fut décidé d'en faire un Panthéon national, de style néo-classique, renfermant les tombes des chefs d'État.

Des monuments commémorent Henri le Navigateur ; Luís Vaz de Camões, le plus grand poète du pays ; Pedro Álvares Cabral, « découvreur » du Brésil ; Afonso de Albuquerque, vice-roi des Indes ; Nuno Álvares Pereira, saint et guerrier ; et naturellement, Vasco de Gama. Sont enterrés au Panthéon plusieurs présidents du Portugal et des écrivains, tels Almeida Garrett, figure littéraire du XIXe siècle, João de Deus, poète lyrique, et Guerra Junqueiro, poète également.

Demandez aux gardiens de vous conduire sur la terrasse d'où l'on découvre une jolie vue sur le fleuve. La visite du Panthéon peut se combiner à celle du marché aux puces (descendez le campo de Santa Clara en direction du fleuve).

Igreja da São Vicente de Fora. Largo de São Vicente. ∅ **21/887-64-70**. Entrée gratuite. Tlj. 9 h-12 h 30 et 15 h-18 h. Bus : 12 ou 28. Tram : 28.

Dans cette église Renaissance, qui s'apparente à un panthéon, sont ensevelis les grands noms et quelques épouses oubliées de la dynastie de Bragance. Elle fut érigée entre 1582 et 1627 à la place d'un ancien couvent du XIIe siècle. À cette époque, elle se trouvait à l'extérieur de la ville, d'où son nom de « Saint-Vincent-hors-les-Murs ». La coupole s'effondra le matin du tremblement de terre de 1755.

Les Bragance sont montés sur le trône en 1640 et en sont redescendus en 1910, année où Manuel II et sa mère Amélie furent contraints de fuir en Angleterre. À la mort de Manuel II en 1932, son corps fut ramené au Portugal pour y être enterré. Amélie, la dernière reine du Portugal, mourut en 1951. Elle repose ici, aux côtés de son mari, Charles Ier (le roi-peintre) et de leur fils aîné, le prince Louis-Philippe, tous deux assassinés sur la praça do Comércio, en 1908.

Hormis les tombes royales, le principal attrait de Saint-Vincent réside dans son merveilleux ensemble de carreaux de céramique, certains illustrant les fables de La Fontaine. Leur nombre avoisinerait le million. On notera la curieuse statue en ivoire de Jésus, réalisée au XVIIIe siècle dans l'ancienne province portugaise de Goa.

Musées

Centro de Arte Moderna. Rua Dr. Nicolau de Bettencourt. ∅ **21/795-02-41**. Entrée 500 ESC, gratuit pour les moins de 10 ans. Gratuit pour tous le dimanche. Mer.-dim. 10 h-18 h, mar. 14 h-18 h. Métro : Praça d'Espagna. Bus : 16, 26, 31, 46, 56.

En contournant le bâtiment du musée Calouste Gulbenkian (voir « Les principales curiosités »), on arrive au **Centre d'Art moderne**, le principal lieu d'exposition per-

Le Bairro Alto

Vers Aqueduto das Aguas Livres
Estufa Fria
Jardim Botânico
Jardim Zoologico
Museu Nacional Militar

Academia das Ciencas

← **Vers Cemeterio Dos ingleses**

Rua do Século

Rua N. do Loureiro

Rua S. Boaventura

Funicular

→ **Vers Igreja de Sâo Vicente De Foro**

Estaçâo do Rossio

LISBONNE

Rua de Sâo Pedro Alcântara

Rua Soriano

Rua da Rosa

Trav. da Queimada

0 — 200 m

✝ ❶

→ **Vers Fundaçâo Ricardo Espirito Santo**

Rua Santa Catarina

Rua da Atalaia

Rua da Barroca

Rua do Norte

Rua das Cáveas

Rua da Misercórdia

BICA Funicular

Rua das Chagas

Rua da Nova da Trindade

❷ ✝

→ **Vers Panteâo Nacional**

❸ ✝
Largo do Carmo

❹ ✝

❺

Pr. Luis Camões ✝

Rua Trindade

Rua do Carmo

Rua das Flores

Largo do Chiado

✝ Rua Garret ✝

Rua Vens

Rua de Sâo Paulo

Rua do Alecrim

Rua Duque de Bragança

Rua Capelo

❻

❼

Rua Serpa

❽

Rua Nova do Almada

Rua do Crucifixo

Rua do Ouro

Rua Augusta

Rua de S. Nicolau

❾

Rua Vitoi Cordon

Rua da Conceição

Pr. Duque da Terceira

Légende
Église ✝ ■

3-0541

← **Vers Aquário Vasco Da Gama**

Pr. do Município

PORTUGAL

⭐ **LISBONNE**

Biblioteca National ❼
Elevador de Santa Justa ❺
Igreja de Sâo Roque ❶
Igreja do Carmo ❸
Mercado Ribeira Nova ❾
Museu Arqueológico ❹
Museu de Arte Contemporâneo ❽
Teatro de Sâo Carlos ❻
Teatro Trindade ❷

manente d'art moderne portugais. Le centre donne sur un parc qu'il partage avec la Fondation Gulbenkian, dont il est une émanation, tout comme le musée.

Les quelque dix mille pièces de ses collections sont conservées dans un complexe aux lignes épurées et aux formes géométriques savamment proportionnées, conçu par un architecte anglais, avec une sculpture d'Henry Moore à l'entrée. Sont exposés des artistes modernes portugais tels que Souza-Cardoso, Almada, Paula Rego, João Cutileiro, Costa Pinheiro et Vieira da Silva.

Fundação Ricardo Espírito Santo. Largo das Portas do Sol 2. ∅ **21/886-21-83.** Entrée 800 ESC, gratuit pour les moins de 12 ans et les plus de 65 ans. Mar.-dim. 10 h-17 h. Tram : 12 ou 28. Bus : 37.

Le musée d'Art décoratif est une fondation créée en 1953, grâce à la générosité et à la largeur de vues du Dr Ricardo Espírito Santo Silva. Il le dota de sa collection personnelle et ouvrit des ateliers d'artisanat qui englobent quasiment tous les métiers relatifs aux arts décoratifs. Ce musée joliment meublé occupe une des nombreuses demeures aristocratiques qui embellissaient autrefois l'Alfama. Dans les ateliers, on peut voir comment sont fabriquées des copies de meubles et d'objets, d'une totale pureté de style. On pratique également des travaux de restauration sur des meubles, des livres et des tapis d'Arraiolos. Les ateliers se visitent le mercredi.

Les collections sont présentées de telle manière qu'on a l'impression de visiter un palais habité, aménagé dans le goût des XVIIIᵉ et XIXᵉ siècles avec des pièces exceptionnelles – meubles, argenterie portugaise et tapis d'Arraiolos – du XVIIᵉ au XIXᵉ siècle.

Museu do Chiado. Rua Serpa Pinto 4. ∅ **21/343-21-48.** Entrée : musée, 400 ESC. Mar. 14 h-18 h, mer.-dim. 10 h-18 h. Métro : Chiado. Tram : 28. Bus : 58 ou 100.

Logé dans l'ancien Convento de São Francisco, le **musée du Chiado** fut aménagé par l'architecte français Jean-Michel Wilmotte. Successeur du musée d'Art contemporain, sa collection couvre la période 1850-1950, balayant tous les courants artistiques du romantisme au postnaturalisme. On y verra d'excellents exemples du modernisme au Portugal. Le musée organise également des expositions temporaires d'art contemporain, couvrant peinture, sculpture, photographie et travail multimédia.

Museu Nacional Militar. Largo do Museu de Artilharia. ∅ **21/884-25-56.** Entrée adultes 300 ESC, enfants 75 ESC. Mar.-dim. 10 h-17 h. Bus : 9, 25, 25A, 35, 39, 46.

Le **Musée national militaire** fait face à la gare de Santa Apolónia, non loin du terreiro do Paço et du Castelo de São Jorge. Il a remplacé un ancien chantier naval datant du règne de Manuel Iᵉʳ (1495-1521). Sous Jean III, on bâtit une nouvelle fonderie de pièces d'artillerie. On y fabriquait également de la poudre et l'on y entreposait les armes équipant la flotte portugaise. Un incendie endommagea les bâtiments en 1726. Le tremblement de terre de 1755 les détruisit entièrement. Reconstruit à la demande de Joseph Iᵉʳ, le complexe prit le nom d'Arsenal de l'armée royale. Le musée, qui s'appela d'abord musée de l'Artillerie, date de 1851. Aujourd'hui, il expose non seulement des armes, mais des peintures, des sculptures, des carreaux et des exemples d'architecture.

Il possède l'une des plus belles collections au monde d'artillerie ancienne. Parmi les canons en bronze d'époques diverses, on remarque un spécimen provenant de Diu, pesant 20 tonnes et portant des inscriptions arabes. Certaines pièces en fer datent du XIVᵉ siècle. Des armes légères – armes à feu, pistolets et épées – sont exposées sous vitrines.

Museu de São Roque/Igreja de São Roque. Largo Trindade Coelho. ∅ **21/323-53-80.** Entrée 150 ESC, gratuit pour les moins de 10 ans et les plus de 65 ans. Gratuit pour tous le dimanche. Mar.-dim. 10 h-17 h. Métro : Chiado. Bus : 28.

Les jésuites ont fondé l'église Saint-Roch à la fin du XVIe siècle. Sous son plafond en bois peint, l'église abrite une célèbre chapelle de Vanvitelli dédiée à saint Jean-Baptiste. Commande de Jean V, en 1741, elle fut assemblée à Rome avec des matières précieuses, albâtre et lapis-lazuli entre autres, démontée, expédiée à Lisbonne et remontée. La mosaïque de marbre ressemble à une peinture. On visite également la sacristie, riche en peintures illustrant la vie des saints de la Société de Jésus. Les jésuites furent très puissants à une époque, tenant quasiment les rênes du pouvoir à la place du roi.

Le musée Saint-Roch, à l'intérieur de l'église, mérite un coup d'œil, essentiellement pour sa collection d'argenterie baroque. Une paire de torchères en bronze et argent, pesant environ 380 kg, est une des plus somptueuses d'Europe. Les broderies en or du XVIIIe siècle sont des trésors inestimables, de même que les vêtements sacerdotaux. Parmi les peintures, principalement du XVIe siècle, on remarque une Catherine d'Autriche nantie d'un double menton, et une représentation du mariage de Manuel Ier. Ne manquez pas également une remarquable *Vierge (à l'Enfant)* de la Peste, du XVe siècle, et une conque polie du XVIIIe siècle ayant servi de fonts baptismaux.

❂ **Oceanario de Lisboa.** Parque das Nações. ∅ **21/891-70-02.** Entrée adultes 1 500 ESC, moins de 13 ans et étudiants 800 ESC. Tlj. 10 h-19 h. Métro : Estação do Oriente.

Cet **aquarium** de niveau mondial est la réalisation la plus durable et la plus impressionnante de l'EXPO 1998. Le deuxième aquarium du monde par la taille (le plus grand se trouve à Osaka) est un bâtiment de pierre et de verre renfermant une cuve de 5 millions de litres. Les quatre écosystèmes des océans Atlantique, Pacifique, Indien et Antarctique ont été reconstitués. Chaque section comprend une partie émergée peuplée d'oiseaux, d'amphibiens et de reptiles. On notera les loutres du Pacifique, les manchots de l'Antarctique, les arbres et les fleurs évocateurs de la Polynésie dans la partie consacrée à l'océan Indien, ainsi que les macareux, les sternes et les mouettes du compartiment atlantique. Cette installation gigantesque est associée à un fort sentiment de fierté nationale : dans leur majorité, les Portugais la considèrent comme un rappel de leur ancienne gloire maritime.

3. Pour les enfants

Jardim Zoológico de Lisboa. Estada de Benfica 58. ∅ **21/726-93-49.** Entrée du zoo 1 950 ESC, 3-8 ans 1 500 ESC. Tlj. 9 h-20 h. Métro : Jardim Zoologico. Bus : 15, 16, 16C, 26, 31, 46, 58, 63, 68.

Le **jardin zoologique**, riche d'une collection de 2 000 animaux, est aménagé dans un coin fleuri du parc de Laranjeiras de 26 hectares. Il est à 10 minutes de métro de Rossio. À l'intérieur, on peut prendre un petit tram et faire du canotage.

Planetário Calouste Gulbenkian. Praça do Império, Belém. ∅ **21/362-00-02.** Entrée adultes 500 ESC, 10-18 ans 200 ESC, gratuit pour les 6-10 ans et les plus de 65 ans. Gratuit pour tous le dimanche. Les enfants de moins de 6 ans ne sont pas admis. Bus : 29, 43, 49.

Annexe du musée de la Marine, le **planétarium** Calouste Gulbenkian est ouvert au public toute l'année. Des présentations ont lieu le mercredi et le jeudi à 11 h, 15 h et 16 h 15. Le samedi et le dimanche, les séances sont à 15 h 30 et 17 h. Le dimanche, une séance spéciale est organisée pour les enfants, à 11 h. Chaque séance dure 50 minutes.

Aquário Vasco da Gama. Rua Direita do Dafundo. ∅ **21/419-63-37.** Entrée adultes 500 ESC, 7-17 ans 200 ESC, gratuit pour les moins de 7 ans. Tlj. 10 h-18 h. Métro : Algés. Bus : 29 ou 51.

L'**aquarium Vasco-de-Gama**, sur la N6, près de la gare d'Algés sur la ligne de chemin de fer de Cascais, existe depuis 1898. La section des animaux vivants comprend
un pavillon d'otaries et un grand nombre de bassins hébergeant des créatures
marines de toutes provenances. Une partie importante des collections est formée par
les matériaux zoologiques rapportés par les expéditions océanographiques de
Charles Ier – invertébrés marins, oiseaux aquatiques, poissons et mammifères – et par
l'équipement du laboratoire du roi.

4. Promenades dans la ville

Lisbonne comblera les marcheurs. Les principaux quartiers de la ville sont riches en
sites intéressants et en scènes pittoresques de la vie quotidienne.

Promenade n° 1 – L'Alfama

Départ. Prendre un taxi jusqu'au Largo do Salvador.
Arrivée. Miradouro de Santa Luzia.
Durée. 2 heures, temps de visite non compris.
Meilleur moment. Un jour ensoleillé.
Pire moment. Le crépuscule ou la nuit tombée.

L'Alfama se découvre à pied de préférence, pour pouvoir emprunter ses rues en escalier. Autrefois aristocratique, le quartier est tombé en décrépitude. Dans certains
coins, vous aurez l'impression de remonter le temps. Sachez qu'il n'est pas recommandé de s'y promener la nuit.

Nous recommandons l'itinéraire suivant.

1. **Largo do Salvador.** Vous y verrez un hôtel particulier du XVIe siècle ayant appartenu au comte d'Arcos. Descendez dans la rua da Regueira jusqu'au :

2. **Beco do Carneiro,** le « cul-de-sac des béliers ». Cette ruelle est incroyablement étroite.
Les gens vivent à un mètre cinquante de distance, à peine, les uns face aux autres.
Au fond, faites demi-tour en empruntant l'escalier sur votre gauche, en direction du :

3. **Largo de Santo Estevão,** qui porte le nom de l'église qui le borde. Faites le tour
de l'église et, derrière, avancez en direction du :

4. **Pátio das Flores,** en empruntant un escalier. Ici, vous verrez quelques-unes des
petites maisons les plus charmantes de l'Alfama, décorées d'*azulejos* typiques.
Descendez par l'escalier vers la rua dos Remédios et tournez à droite vers le :

5. **Largo do Chafariz de Dentro,** où vous verrez des ménagères en train de puiser
de l'eau à une fontaine. Beaucoup d'appartements n'ont pas l'eau courante. Depuis
la place, rejoignez la :

6. **Rua de São Pedro,** la rue sans doute la plus animée de l'Alfama. En vous promenant, vous serez probablement suivi par un turbulent groupe d'enfants.
Arrêtez-vous dans l'une des tavernes pour prendre un verre de *vinho verde*. En res-
sortant, vous pourriez bien croiser un vieux pêcheur descendant vers la mer, ses filets
jaune et brun jetés sur l'épaule.
La rua de São Pedro mène au :

7. **Largo de São Rafael,** qui vous convaincra que le XVIIe siècle n'est pas terminé. En
chemin, vous passerez devant une *leitaria* (laiterie), qui vend désormais du lait en
bouteille, mais autrefois, on trayait les vaches sur les lieux. Quittez la place par la :

8. **Rua da Judiaria,** ainsi appelée parce qu'un grand nombre de Juifs fuyant l'Inquisition espagnole s'établirent ici. Revenez sur le largo de São Rafael, que vous traverserez pour rejoindre la rua de São Pedro. Descendez la rue jusqu'au croisement et prenez à gauche. Vous arrivez sur le :

9. **Largo de São Miguel,** où se dresse une église d'un baroque surchargé. De là, remontez la rua de São Miguel, et tournez à gauche dans le :

10. **Beco de Cardosa,** où vivent encore de nombreux pêcheurs et leurs épouses (les *varinas*). Les balcons de fer forgé sont souvent fleuris. Au bout de la ruelle, vous arrivez au Beco Santa Helena qui rejoint en plusieurs volées de marches le :

11. **Largo das Portas do Sol.** Sur cette place, se trouve le musée d'Art décoratif (Fundação Ricardo Espírito Santo ; voir plus haut « Autres curiosités »).

☕ **Pour faire une pause** Sur le Miradouro de Santa Luzia, on trouvera plusieurs petits cafés et bars avec des tables en terrasse. Les visiteurs étrangers sont nombreux, attablés, à regarder les bateaux passer sur le Tage. Tous ces établissements sont à peu près équivalents dans leurs prestations. Cependant, nous recommandons **Cerca Moura,** largo das Portas do Sol 4 (∅ 21/887-48-59), qui offre la meilleure carte et la vue la plus spectaculaire.

Continuez en direction du sud par la rua Limoeiro jusqu'à ce que vous arriviez à l'un des belvédères les plus célèbres de l'Alfama, le :

12. **Miradouro de Santa Luzia,** un « balcon » avec vue sur la mer. Le belvédère surplombe les maisons de l'Alfama qui descendent en masse désordonnée jusqu'au Tage.

Promenade n° 2 – Baixa, le Centre et le Chiado

Départ. Praça do Comércio.
Arrivée. Ascenseur de Santa Justa.
Durée. 3 heures.
Meilleur moment. Un jour ensoleillé, sauf le dimanche.
Pire moment. Du lundi au samedi de 7 h 30 à 9 h et de 17 h à 19 h, et le dimanche quand les magasins sont fermés.

Nous recommandons de partir de la :

1. **Praça do Comércio** (également appelée terreiro do Paço). C'est le côté du Baixa qui longe le fleuve. Cette place fut reconstruite après le tremblement de terre de 1755, d'après les plans du marquis de Pombal. La statue équestre représente le roi Joseph, qui régnait à l'époque du tremblement de terre. C'est ici que l'avant-dernier représentant de la dynastie des Bragance, Charles Ier, fut assassiné en 1908 avec son fils aîné, Louis-Philippe. Il est regrettable que les employés des administrations voisines aient transformé la place en parking.

De la place, remontez l'avenida Ribeira das Naus en direction de l'ouest, jusqu'à ce que vous arriviez au :

2. **Cais do Sodré,** la gare ferroviaire. En chemin, vous apprécierez quelques points de vue sur le Tage. Au Cais do Sodré, vous découvrirez un marché d'alimentation en plein air, en bordure du fleuve, derrière la gare. Le marché au poisson Ribeiro est situé dans un bâtiment à coupole, sur la droite. Il a lieu tous les matins (sauf le dimanche) dès le lever du jour. Les *varinas* (marchandes de poisson) emportent le poisson fraîchement pêché dans de grands paniers qu'elles tiennent adroitement en équilibre sur la tête.

Revenez sur la praça do Comércio par la rua do Arsenal séparée du fleuve par un pâté de maisons. Vous débouchez sur l'angle nord-ouest de la place. Après tant de marche à pied, et surtout s'il fait chaud, vous aurez besoin de :

☕ **Faire une pause** Le **Café Martinho da Arcada,** praça do Comércio 3 (∅ 21/887-92-59), est un rendez-vous d'intellectuels depuis 1782. Fernando Pessoa était un habitué. Le vieux restaurant s'est embourgeoisé, mais il est attenant à un café-bar qu'on désigne généralement comme « le meilleur café du Portugal ». Si vous y passez à l'heure du déjeuner, commandez la délicieuse *cataplana*, ou ragoût de palourdes, servie à la mode de l'Algarve.

Après le repas, prenez la direction du nord, par la :

3. **Rua Augusta,** une des rues commerçantes les plus connues du Baixa. La rue grouillante de monde est bordée de librairies, de maroquineries, de magasins de broderie et d'ameublement. Beaucoup de rues adjacentes sont piétonnières, rendant le lèche-vitrine beaucoup plus agréable. Il est souvent possible de faire de bonnes affaires sur les bijoux d'or et d'argent dans les nombreuses et étincelantes bijouteries. Une multitude d'épiceries vous proposent tous les vins et fromages produits au Portugal, ainsi qu'une infinie variété de pâtisseries dont les Lisboètes sont très friands.

La partie ouest de ce quartier au plan quadrillé s'appelle le **Chiado**. C'est la zone commerçante la plus chic de la ville. En 1988, un incendie ravagea de nombreux magasins à la périphérie de la rua Garrett. Depuis, le quartier a retrouvé tout son entrain.

La rua Augusta débouche sur le :

4. **Rossio,** autrefois appelé praça de Dom Pedro IV. La place principale du Baixa date des années 1200. Durant l'Inquisition, il s'y déroula de nombreux autodafés, à l'occasion desquels les Lisboètes pouvaient assister en outre à la torture et à la mort d'un « infidèle », juif le plus souvent. Ce fut ensuite le cœur de la Lisbonne pombaline telle qu'elle fut reconstruite par le marquis après le tremblement de terre de 1755. Des bâtiments néoclassiques des XVIIIe et XIXe siècles entourent la place, bordée de cafés et de boutiques de souvenirs. Le Teatro Nacional de Dona Maria II, de 1840, se dresse sur le côté nord, à la place de l'ancien palais de l'Inquisition. Sur sa façade, la statue représente Gil Vicente, le « Shakespeare portugais » à qui l'on attribue la création du théâtre portugais.

La foule se rassemble autour de deux fontaines baroques, à l'une et l'autre extrémités du Rossio. La statue en bronze perchée sur une colonne représente Pierre IV, qui a donné son nom à la place (il fut également couronné roi du Brésil sous le nom de Pierre Ier). Une multitude d'étals de fleuristes adoucissent le côté ostensiblement commercial de l'endroit.

☕ **Pour faire une pause** Le **Café Nicola,** praça de Dom Pedro IV 24-25 (∅ 21/346-05-79) date de 1777. Il acquit sa réputation de rendez-vous de l'intelligentsia portugaise au XIXe siècle. C'est le café le plus populaire de Lisbonne, quoiqu'il manque un peu de charme. Pâtisseries, tasses de café et repas peuvent être consommés en salle ou en terrasse.

Quittez le Rossio par l'angle nord-ouest et dirigez-vous vers la place adjacente, praça da Camara. Si vous continuez vers le nord, vous arrivez au début de :

5. **L'Avenida da Liberdade,** l'artère principale de Lisbonne, tracée en 1879. Large d'une centaine de mètres, elle traverse le centre-ville sur un kilomètre et demi. On la considère encore comme l'avenue la plus cossue de la capitale, bien que nombre de ses hôtels particuliers Art nouveau et Art déco aient disparu. Les trottoirs sont pavés de mosaïques noir et blanc. C'est le cœur du quartier des cinémas. Vous passerez

Promenade – Baixa, le Centre et le Chiado

1. Praça do Comércio
   (Terreiro do Paço)
2. Cais do Sodré
   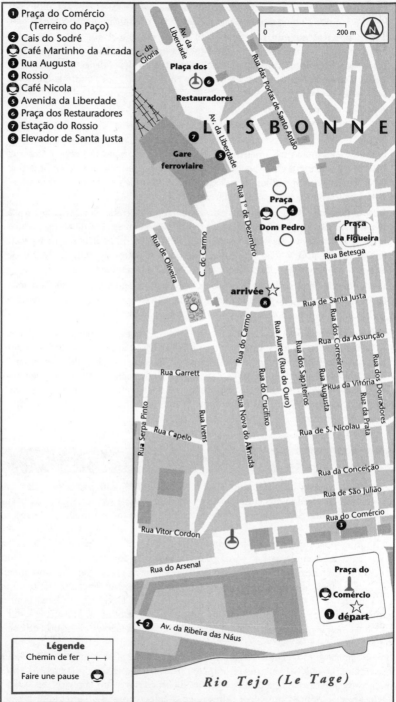 Café Martinho da Arcada
3. Rua Augusta
4. Rossio
   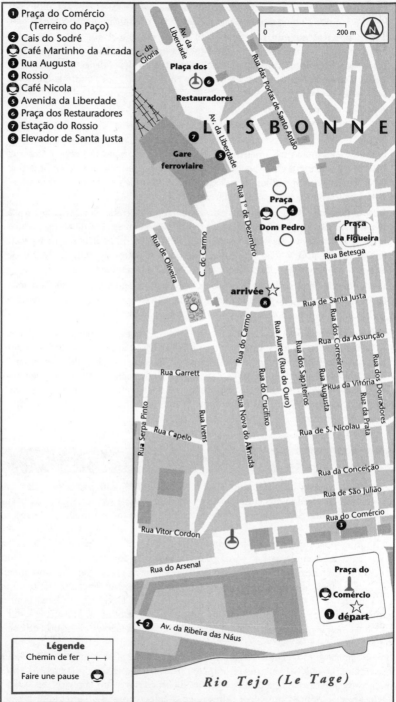 Café Nicola
5. Avenida da Liberdade
6. Praça dos Restauradores
7. Estação do Rossio
8. Elevador de Santa Justa

0   200 m

L I S B O N N E

Av. da Liberdade

C. da Glória

Rua das Portas de Santo Antão

Plaça dos

Restauradores

Av. da Liberdade

Gare ferroviaire

Rua 1º de Dezembro

Praça

Dom Pedro

Praça da Figueira

Rua Betesga

Rua de Oliveira

C. do Carmo

arrivée ☆

Rua de Santa Justa

Rua dos Correios

Rua da Assunção

Rua dos Dourados

Rua do Carmo

Rua Aurea (Rua do Ouro)

Rua dos Sapateiros

Rua Augusta

Rua da Vitória

Rua da Prata

Rua Garrett

Rua do Crucifixo

Rua Serpa Pinto

Rua Capelo

Rua Ivens

Rua Nova do Almada

Rua de S. Nicolau

Rua da Conceição

Rua de São Julião

Rua Vitor Cordon

Rua do Comércio
3

Rua do Arsenal

Praça do

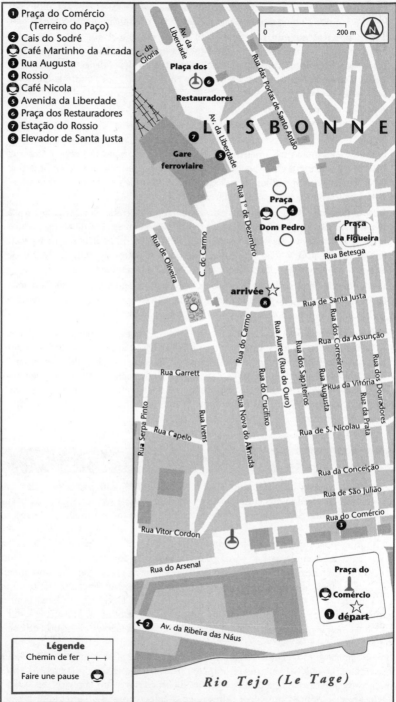 **Comércio**

1 **départ** ☆

← 2   Av. da Ribeira das Náus

Légende

Chemin de fer   ⊢—⊣

Faire une pause 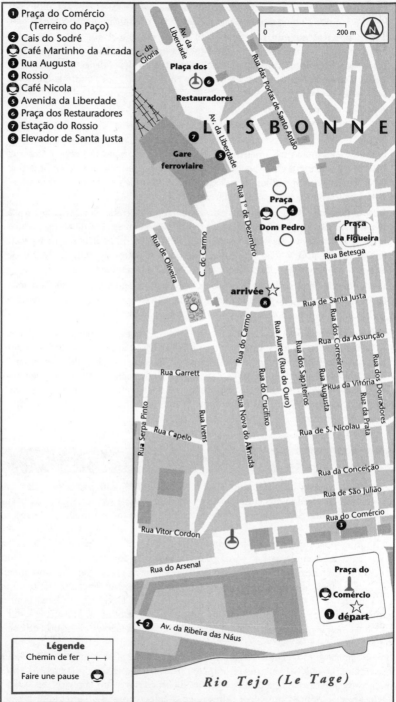

Rio Tejo (Le Tage)

3-0543

également devant des compagnies aériennes, des agences de voyages et autres services. Au centre, s'étend une *esplanada*. Vous arrivez presque immédiatement sur la :

6. **Praça dos Restauradores,** du nom du groupe d'hommes qui se révoltèrent en 1640 contre la domination espagnole. Le soulèvement, commémoré au centre de la place par un obélisque, aboutit au rétablissement de l'indépendance du Portugal. Le Palácio Foz rouge foncé, qui héberge aujourd'hui le ministère de l'Information, borde également la place.

À l'ouest de la place, se dresse :

7. **L'Estação do Rossio.** Le principal terminal ferroviaire de la ville est l'une des gares les plus curieuses d'Europe du point de vue architectural. Son style « néo-manuélin » en fait une imitation d'un palais richement décoré. Les trains desservant Sintra et l'Estrémadure partent d'un quai surélevé, auquel on accède par un escalator depuis le niveau de la rue. Très animé, le hall est rempli de commerces, notamment des boutiques de souvenirs, et de bureaux de change.

Détour possible À ce stade, vous pouvez remonter l'avenida da Liberdade jusqu'à la praça do Marquês de Pombal, où se dresse le monument à la gloire du Premier ministre qui reconstruisit Lisbonne. Au nord de la place, on peut se promener dans le Parque Eduardo VII. Si vous voulez découvrir d'autres aspects du centre de Lisbonne, allez vers le sud à partir de la praça dos Restauradores.

Si vous décidez de revenir par l'avenida da Liberdade, rejoignez la praça de Dom João da Câmara, et au lieu de retourner sur le Rossio, descendez la rua do 1 de Dezembro vers le sud. Elle devient la rua do Carmo et conduit au pied de :

8. **L'Elevador de Santa Justa,** une tour de style gothique, à l'angle de la rua Aurea et de la rua de Santa Justa. Construit en 1902, l'ascenseur est souvent attribué à tort à Gustave Eiffel. Il vous propulsera en une minute du Baixa au Bairro Alto. Cependant, suite à un grave incendie, en 1992, la passerelle reliant le Bairro Alto est fermée jusqu'à nouvel ordre. En haut, vous attendent un snack-bar et une plate-forme panoramique. La vue sur la ville est magnifique. Si vous le souhaitez, vous pouvez redescendre par l'ascenseur.

5. Visites organisées

Star Travel, travessa Escola Arauio 31 (∅ 21/352-00-00), s'adresse aux visiteurs qui veulent voir les monuments et curiosités ou faire un tour de reconnaissance de la ville et de ses environs. Sept circuits différents sont proposés toute l'année. Il est recommandé de réserver.

« **Lisbonne touristique** » est un tour quotidien d'une demi-journée qui commence par la descente de l'avenida da Liberdade jusqu'au Rossio, le cœur de la ville. Vous montez ensuite au château de Saint-Georges pour découvrir les vieux quartiers, notamment l'antique Alfama. Sur le parcours qui longe le Tage, vous vous arrêterez à la place du Cheval-Noir, à la tour de Belém et au monument des Découvertes. Vous pourrez ensuite admirer les dentelles de pierre du monastère des Jerónimos. Hormis le lundi et les jours fériés, le tour s'achève par une visite du musée des Carrosses. Le prix de ce circuit est de 5 500 ESC.

Proposé le mardi et le jeudi, « **Lisbonne et la côte Bleue** » est un circuit d'une journée entière. Le matin, vous suivez le même parcours que le tour précédent. L'après-midi, vous traversez le Tage et suivez la côte Bleue, en traversant la région des « Trois-Châteaux », Sesimbra, Setúbal, et Palmela. Le circuit comprend un arrêt pour prendre un café à la Pousada do Castelo, et la visite d'une cave vinicole et d'un centre d'artisanat à Azeitão. Son coût est de 13 500 ESC. Un tour similaire d'une demi-journée est proposé quotidiennement sous le titre « **Arrábida/Sesimbra** ». Il suit le parcours de l'après-midi du tour de la « Côte-Bleue », avec un arrêt supplémentaire à la réserve naturelle des monts de l'Arrábida. Son prix est de 8 900 ESC.

Pour un aperçu différent, on fera le « **Lisbonne by night** » organisé les lundi, mercredi et vendredi soir. Il s'arrête aux mêmes endroits que les autres tours de ville, avant de s'enfoncer dans le vieux quartier d'Alcântara. La soirée s'achève par un dîner avec boissons dans un restaurant où se produit une *fadista*. Le tour coûte 11 000 ESC avec deux boissons au restaurant, ou 13 000 ESC avec dîner et boissons. Les mardi, jeudi et samedi soir, le tour « **Casino Estoril** » suit le même parcours que « Lisbonne by night », mais s'achève par un dîner avec spectacle au casino d'Estoril. Il coûte 13 000 ESC avec deux boissons au casino, ou 14 500 ESC avec dîner.

Si vous êtes amateur de plage, inscrivez-vous au tour « **Costa do Estoril/Sintra** ». Il explore la côte d'Estoril et de Cascais, avec arrêts aux falaises de la Boca do Inferno, et au Cabo da Roca. Vous traversez ensuite les monts de Sintra pour terminer au palais de Vila (sauf le mercredi, jour de fermeture : le tour se termine alors au palais de Queluz). Il coûte 8 900 ESC. Autre possibilité pour découvrir les environs de Lisbonne : le tour « **Cascais/Mafra/Sintra/Estoril/Queluz** » d'une journée entière, proposé tous les jours. Vous visitez les somptueuses salles XVIIIe du palais de Queluz (fermé le mardi) et la basilique de Mafra. Après un arrêt déjeuner à Ericeira, vous visitez le palais de Pena à Sintra, et vous revenez par Guincho, Cascais et Estoril. Son prix est de 14 000 ESC.

6. Activités de plein air et de loisir

Lisbonne n'est pas très riche en équipements sportifs. La plupart des activités de plein air telles que sports aquatiques, pêche et plongée, se déroulent sur la Costa do Sol au nord de la ville.

Pour s'allonger sur une plage, il faut prendre le train pour la Costa do Sol. Les principales stations sont Estoril et Cascais (voir chapitre 6).

PÊCHE

À Sesimbra (voir chapitre 7), au sud de Lisbonne, les pêcheurs emmènent les visiteurs à bord de leurs bateaux pour la « pêche au gros ». Les tarifs sont négociables.

CENTRES DE REMISE EN FORME

Vous pouvez avoir accès aux centres de remise en forme de certains hôtels recommandés au chapitre 4, comme le Lisboa Sheraton, même si vous n'êtes pas client. L'accès est payant. Il est conseillé de prendre rendez-vous par téléphone.

GOLF

Les meilleurs clubs sont situés le long de la Costa do Sol et à Estoril. Le plus proche de Lisbonne (mais non le meilleur) fait partie du **Lisboa Sports Club**, Casal da Carregueira, près de Belas (✆ **21/432-14-74**). Il faut compter 25 minutes en voiture, depuis le centre, embouteillages en sus. Ancien club de la famille royale portugaise, le **Penha Longa Golf Club**, Quinta da Penha Longa, se trouve à Linhó, près de Sintra (✆ **21/924-90-31**), à 32 km au nord-ouest de Lisbonne. Conçu par Robert Trent Jones Jr. en 1992, le terrain est accessible aux membres du club et aux clients du Caesar Park Penha Longa, Estate da Logoa Azul, Linhó, 2710 Sintra (✆ **21/924-90-11** ; fax

21/924-90-07). Les passionnés de golf peuvent loger à l'hôtel Westin de 177 chambres donnant sur le terrain. Pour 18 trous, les *greens fees* vont de 13 000 à 17 000 ESC.

JOGGING

Autrefois, le Parque Eduardo VII était un endroit idéal pour le jogging, mais récemment, des coureurs ont été victimes d'agressions. Si le jogging diurne présente un certain risque, le jogging nocturne y est franchement déconseillé. Certains vont courir à l'Estádio Nacional (le stade national), à la périphérie nord de la ville, sur la route d'Estoril. Une piste damée par le passage des joggeurs serpente dans les bois de pins. Le soir, l'endroit n'est pas recommandé non plus. D'autres préfèrent courir le long du Tage entre le Ponte do 25 de Abril (le grand pont suspendu) et Belém, en direction du nord. Une autre possibilité est offerte par le terre-plein central de l'avenida da Liberdade, entre la praça do Marquês de Pombal et le Baixa, mais vous risquez d'être gêné par la foule.

NATATION

Vous avez le choix entre la **Piscina do Campo Grande**, campo Grande (✆ 21/795-79-45), la Piscina dos Olivais, avenida Dr. Francisco Luís Gomes (✆ 21/851-46-30), à 4,5 km au nord-est de Lisbonne, et la **Piscina do Areiro**, avenida de Roma (✆ **21/848-67-94**). L'entrée coûte 235 ESC pour les adultes, 120 ESC pour les enfants.

TENNIS

Des courts de tennis sont ouverts au public au **Campo Grande Estádio do 1 de Maio**, à Alvalade. Pour jouer, renseignez-vous auprès de l'office du tourisme principal de Lisbonne. Les joueurs acharnés iront soit au **Club de Tenis de Estoril**, à Estoril, soit à la **Quinta da Marinha**, à Cascais.

7. Les sports populaires

TAUROMACHIE

Autrefois, la tauromachie était le sport de la noblesse. À la différence de l'Espagne voisine, le taureau n'est pas tué – une interdiction édictée par le marquis de Pombal au XVIIIᵉ siècle, après que le duc d'Arcos eut perdu son fils dans l'arène. D'autres traits distinguent les *touradas* portugaises des corridas espagnoles. Si le spectacle s'entoure également de pompe et de cérémonie, les *cavaleiros* élégamment vêtus qui chargent le taureau à cheval ont un rôle aussi important que les *maços de forçado*, qui affrontent le taureau à pied. Beaucoup considèrent ce face-à-face avec la bête comme la partie la plus excitante du combat.

Attention, toutefois : les courses de taureaux ne plaisent pas à tout le monde. Même si l'animal n'est pas tué en public, ce spectacle soulève le cœur de plus d'une personne, peu sensible à l'argument de la beauté de l'art. Les lances que l'on pique dans le cou du taureau le font saigner et l'affaiblissent de manière évidente. Comme l'écrit un lecteur, « les animaux sont terrorisés, désorientés et harcelés avant d'être charitablement autorisés à sortir ».

La saison va de Pâques à mi-octobre. À Lisbonne, la **Praça de Touros** de 8 500 places, campo Pequeno, avenida da República (✆ 21/793-24-42 ; métro : Campo Pequeno), est la plus grande arène du pays. Les combats ont généralement lieu le jeudi ou le dimanche après-midi. Ces *touradas*, et le nom des toreros vedettes, sont annoncés

Le saviez-vous ?

- À en croire une légende locale, Lisbonne aurait été fondée par Ulysse.
- Le tremblement de terre de 1755 a tué 30 000 personnes et laissé la majeure partie de la ville en ruine.
- En 1481, Christophe Colomb soumit son projet de périple maritime vers l'ouest au roi Jean II qui ne le prit pas au sérieux.
- Le romancier anglais Henry Fielding arriva à Lisbonne en 1754 pour recouvrer la santé, mais il mourut deux mois plus tard. Il est enterré au cimetière anglais de Lisbonne.
- En 1955, Calouste Gulbenkian, un magnat arménien du pétrole originaire de Turquie, céda à la ville de Lisbonne sa collection d'œuvres d'art, une des plus riches du monde.
- Après l'effondrement de l'empire portugais, les rapatriés des anciennes colonies affluèrent à Lisbonne, où ils introduisirent la cuisine et la musique africaines.
- La Igreja (église) de Santa Engrácia, commencée au XVIIe siècle, ne fut achevée qu'en 1966.
- Les combats de taureaux s'appellent des *touradas*. Contrairement aux Espagnols, les Portugais ne tuent pas les taureaux dans l'arène.
- L'Alfama est un quartier qui ressemble à une casbah arabe, avec de nombreuses petites rues dont la largeur ne dépasse pas 2,50 mètres.
- Vous lirez dans de nombreux guides que l'ascenseur de Santa Justa a été construit par Gustave Eiffel, alors qu'il est l'œuvre de Raoul Meinier de Ponsard, un citoyen portugais (d'ascendance française).

longtemps à l'avance. Le concierge de votre hôtel peut vous renseigner ; beaucoup se chargeront d'acheter les billets.

Autre grande arène, le **Monumental de Cascais** (℘ 21/483-31-03) se trouve à Cascais, sur la Costa do Sol, desservie par le train au départ de Lisbonne. Depuis la gare de Cascais, un taxi vous conduira à l'arène, juste à l'extérieur du centre. Le meilleur endroit où acheter des billets est le guichet de l'arène. Pour avoir les meilleures places, il faudra payer les 10 % de commission habituels à une agence. La meilleure est l'**Agência de Bilhetes para Espectáculos Públicos**, praça dos Restauradores (℘ 21/346-11-89). Les billets coûtent entre 2 000 et 12 000 ESC, selon que les places sont à l'ombre ou au soleil.

FOOTBALL

Les Portugais adorent le foot. Rien, pas même la politique, la morue bouillie ou le *fado*, ne les excite davantage. Le succès ou l'échec de l'équipe favorite provoque des scènes d'hystérie. C'est aussi un bon moyen pour les pickpockets de gagner leur vie. Ils opèrent aux moments critiques, quand les spectateurs sont absorbés par le match.

Lisbonne possède trois équipes qui jouent presque tous les dimanches durant la saison, de septembre à mai. Vous n'en profiterez donc pas si vous venez en été. Tâchez d'arriver au moins une heure avant le match, lequel est précédé par des concerts de fanfares et autres feux d'artifice.

L'équipe la plus connue est le **Benfica** dont les matchs se déroulent au grand Estádio da Luz, avenida General Norton Matos (℘ 21/726-61-29), au nord-ouest de Lisbonne.

C'est l'un des plus grands stades d'Europe, où plane encore le souvenir du légendaire Eusebio, qui, dans les années 60, dirigea son équipe au cours de cinq championnats d'Europe. Tous les jeunes footballeurs de Lisbonne rêvent de devenir le prochain Eusebio.

Le **Sporting Clube de Portugal** joue à l'**Estádio do José Alvalade** (∅ 21/759-41-61), au nord de la ville, près du campo Grande. La troisième équipe, les **Belenenses** de Belém, joue à l'**Estádio do Rastelo** (∅ 21/301-04-61). Elle n'est ni aussi bonne ni aussi célèbre que le Benfica, mais surtout, ne le dites pas à un de ses fans quand l'action bat son plein. Le prix des billets varie selon l'importance de l'événement, tournant en moyenne autour de 2 500 ESC. On peut les prendre le jour même du match aux trois stades, ou, pour être sûr d'avoir de la place, les acheter à l'avance au kiosque de la praça dos Restauradores. Les places partent particulièrement vite en cas de match entre le Benfica et le Sporting, ou lorsque le FC Porto, grand rival de Lisbonne, vient jouer contre l'un des deux.

8. Faire des achats à Lisbonne

L'histoire du Portugal, grande nation maritime, ainsi que l'ouverture d'esprit des artisans et leur facilité à absorber des styles divers expliquent la présence d'influences exotiques dans l'artisanat portugais. C'est à Lisbonne que l'on pourra le mieux apprécier l'ampleur de leur talent et trouver les objets les plus rares en provenance de tout le pays, Madère et les Açores compris.

QUARTIERS COMMERÇANTS

Les commerces sont disséminés dans toute la ville, mais le **Baixa**, dans le centre-ville, est l'endroit privilégié pour faire du lèche-vitrine. La **rua Aurea** (rue de l'Or, où se trouvent les principaux bijoutiers), la **rua da Prata** (rue de l'Argent), et la **rua Augusta**, sont trois grandes rues commerçantes. La partie commerçante du Baixa s'étend du Rossio au Tage.

La **rua Garrett**, dans le Chiado, est le lieu d'élection des boutiques de luxe. Un grand incendie, en 1988, détruisit de nombreux magasins, rénovés depuis.

Les amateurs d'antiquités iront chiner du côté de la **rua Dom Pedro V**. Les antiquaires ont également élu domicile rua da Misericórdia, rua de São Pedro de Alcântara, rua da Escola Politécnica, et rua do Alecrim.

HEURES D'OUVERTURE, EXPÉDITION ET TAXES

La plupart des magasins ouvrent entre 9 h et 10 h, ferment à midi pour le déjeuner, rouvrent à 14 h et ferment le soir à 19 h. Cependant, certains commerçants ferment plutôt de 13 h à 15 h, aussi est-il préférable de se renseigner avant de se déplacer. Le samedi, la plupart des commerces ouvrent à 9 h ou 10 h et ferment à 13 h. Le dimanche, les magasins sont fermés. Si les heures d'ouverture d'un magasin mentionné ci-après diffèrent de la norme, nous donnons ses horaires.

De nombreux établissements **emballent et expédient** les objets lourds et volumineux. Tout objet d'un certain volume, comme un meuble, doit être expédié par bateau. Les antiquaires de Lisbonne vous fourniront une liste de transporteurs de bonne réputation. Pour les colis de moyenne ou petite taille, l'avion ne coûte pas beaucoup plus cher que le bateau.

N'oubliez pas que tous vos envois doivent être en règle avec les douanes de votre pays, ce qui implique des démarches administratives et peut-être un déplacement à l'aéroport de votre lieu de résidence. Il est parfois préférable de louer les services d'un agent en douanes privé qui exécutera ces formalités à votre place.

La **taxe à la valeur ajoutée** (IVA en portugais) s'échelonne de 8 % pour les biens de première nécessité comme la nourriture ou même les livres, à 17 % pour les biens de luxe ou la plupart de ce que consomme un visiteur étranger en vacances au Portugal. Elle est comprise dans le prix de pratiquement tous les biens et services.

Les étrangers en possession d'un passeport valide peuvent obtenir le remboursement de la taxe, s'ils font leurs achats dans des magasins signalant par une vignette spéciale agréée par l'État que cette opération est possible, et si leurs achats dépassent 12 180 ESC dans le magasin en question. Avant d'acheter, demandez bien si le magasin est équipé pour faire cette opération. La taxe sera comprise dans le prix. Demandez ensuite au vendeur de remplir un « Tax Free Check » (chèque de détaxe). Lorsque vous quitterez le Portugal, vous montrerez aux douaniers votre passeport et vos achats (si vous prenez l'avion, vous devez les transporter à la main et ne pas les enregistrer avec vos bagages). Si tout est en ordre, vos chèques de détaxe seront tamponnés et vous pourrez les échanger contre du liquide aux guichets de remboursement de la taxe.

Notez que l'IVA acquittée dans les régions semi-autonomes des Açores et de Madère s'échelonne de 4 % à 12 %. Le système de remboursement est le même.

LES MEILLEURES AFFAIRES

Quelle que soit la région d'origine – Açores, Trás-os-Montes ou autres – tous les types de marchandises prennent le chemin de Lisbonne. Si vous allez dans une région particulière, tâchez de faire vos achats dans les magasins locaux où les prix sont souvent 20 % moins chers qu'à Lisbonne, à l'exception des célèbres **broderies** de Madère qui sont vendues à peu près au même prix sur place et dans la capitale.

Les objets en **liège**, du set de table au coffret à cigarettes, sont des achats intéressants. Les collectionneurs sont friands de **carreaux décoratifs émaillés**. Lisbonne est aussi l'endroit indiqué où acheter de la vaisselle et des objets en **porcelaine**, des **pulls marins** fabriqués dans le Nord, et des **disques de *fado***.

Les paniers, légers et finement tressés, font de jolis cadeaux, utiles de surcroît. En ce qui concerne la **dentelle** faite main, mieux vaut l'acheter à Vila do Conde, près de Porto, où vous obtiendrez un meilleur prix, mais beaucoup de boutiques de Lisbonne en vendent également.

La **poterie** est l'un des achats les plus intéressants. Celle de Barcelos, où s'étalent des coqs multicolores, est légendaire. En fait, le coq est quasiment devenu le symbole du Portugal. La poterie bleu et blanc est faite à Coimbra et Alcobaça. Les productions que nous affectionnons particulièrement sont celles de Caldas da Rainha, avec leurs plats jaune et vert en forme de légumes (surtout des choux), de fruits, d'animaux et même de feuilles. Vila Real est célèbre pour sa poterie noire, et Aceiro pour sa polychromie. Certains pots en terre rouge de l'Alentejo relèvent de traditions qui remontent aux Étrusques. Le **cristal Atlantis** est aussi un achat intéressant, de même que les articles en **daim** et en **cuir**, comme en Espagne. Dans l'Algarve, on fabrique des **lanternes**, des **pare-étincelles** et même des **meubles de jardin** en métal – cuivre, étain et laiton principalement.

L'**or**, le meilleur achat possible au Portugal, fait l'objet d'une stricte réglementation. Pour les bijoux, il doit être à un minimum de 19,2 carats. La **bijouterie filigranée** en or et en argent est célèbre à Lisbonne et ailleurs dans le pays. Le travail ornemental ajouré en fils d'or et d'argent date de l'Antiquité. Les objets les plus coûteux, souvent des objets d'art, sont fabriqués avec de l'or à 19,25 carats. Le filigrane est fréquent dans la représentation des caravelles. Les bibelots de moindre valeur sont souvent en argent fin, parfois trempé dans de l'or à 24 carats.

Les **tapis d'Arraiolos** en laine sont aussi des fabrications portugaises de réputation internationale. D'après la légende, ce seraient les artisans maures chassés de Lisbonne qui auraient entamé leur production au début du XVIe siècle, dans la petite ville d'Arraiolos, dans l'Alentejo. Les motifs s'inspireraient de modèles persans. Quelques tapis sont exposés dans des musées.

Achats de A à Z

ANTIQUITÉS

L'étroite rua de São José, dans le district de Graça, est bordée de part et d'autre par des boutiques pleines d'antiquités du monde entier. Vous trouverez des lits en bois tourné et sculpté d'un style chargé, des chaises à haut dossier, des tables, des armoires sculptées, des plaques décoratives en laiton, des casseroles en cuivre, des candélabres en argent, des appliques en cristal, des lustres, et toutes sortes de statues en bois, de boîtes en argent, d'assiettes en porcelaine, et de bols. Ne comptez pas trop faire des affaires extraordinaires.

Solar. Rua Dom Pedro V 68-70. ∅ **21/346-55-22**. Métro : Restauradores. Bus : 58 ou 100.

Dans la rua Dom Pedro V, une autre rue d'antiquaires, celui-ci est notre préféré. On y trouvera des carreaux rescapés de monuments et manoirs anciens. Leur état est variable. Beaucoup datent du XVe siècle. En vente également, des céramiques portugaises des XVIIIe et XIXe siècles, et du mobilier portugais ancien d'époques et de prix divers.

ARGENT, OR ET FILIGRANE

Joalharia do Carmo. Rua do Carmo 87B. ∅ **21/342-42-00**. Métro : Rossio. Bus : 21, 31, 36, 41.

Fondée il y a près d'un siècle, cette boutique est l'une des meilleures de Lisbonne pour les filigranes : du pendentif le plus simple à la caravelle pourvue de tout son gréement, entièrement façonnés en minces bandes et fils d'or ou d'argent, ou des deux. Toutes les pièces sont faites à la main. Des pierres précieuses ou semi-précieuses rehaussent quelques objets en or. Il existe aussi des objets en platine, souvent de formes étonnantes. Comptez au minimum 3 500 ESC, pour les objets les plus simples : bracelets et boucles d'oreille.

✪ **W. A. Sarmento.** Rua Aurea 251. ∅ **21/347-07-83**. Métro : Rossio. Tram : 28 ou 28B. Bus : 11, 13, 25 ou 81.

Au pied de l'ascenseur de Santa Justa, W. A. Sarmento est dirigé par la même famille depuis plus d'un siècle. Orfèvres les plus raffinés du Portugal, ils se sont fait une spécialité du filigranage le plus délicat, dans des bracelets à breloques, par exemple. C'est ici que l'on vient traditionnellement acheter les cadeaux de communion et de fin d'études. Aristocrates de la Costa do Sol, vedettes de cinéma et diplomates figurent parmi la clientèle de la maison.

BRODERIE

Casa Bordados da Madeira. Rua do 1 de Dezembro 137. ∅ **21/342-14-47**. Métro : Restauradores. Bus : 1, 2, 36 ou 44.

Dans le même immeuble que l'Hotel Avenida Palace, cet établissement propose des broderies artisanales provenant de Madère, de Viana et de Lixa e Prado. Si vous passez une commande, le magasin se chargera de l'expédition. En hiver, vous trouverez d'épais pulls marins faits à Póvoa do Varzim.

✪ **Casa Regional da Ilha Verde.** Rua Paiva de Andrade 4. ∅ **21/342-59-74.** Tram : 28. Métro : Chiado.

Cette boutique du Chiado est spécialisée dans les objets artisanaux, en particulier les broderies des Açores, d'où son nom de Maison régionale de l'île Verte. Chaque pièce est garantie fait main. Certains motifs des services de table, sont en usage depuis des siècles. Les prix sont intéressants.

✪ **Madeira House.** Rua Augusta 131-135. ∅ **21/342-68-13.** Métro : Chiado. Tram : 28 ou 28B.

La Maison de Madère vend les articles en lin et en coton, et les cadeaux, fabriqués sur l'île. On en trouvera une autre avenida da Liberdade 159 (∅ 21/315-15-58).

✪ **Príncipe Real.** Rua da Escola Politécnica 12-14. ∅ **21/346-59-45.** Bus : 58. Métro : Rato ou Chiado.

La directrice-designer de Príncipe Real, Cristina Castro, et son fils Victor comptent quelques célébrités parmi leurs clients : les Rockefeller, Michael Douglas, les Kennedy et des familles royales européennes (celle de Monaco, entre autres). Les draps et nappes, en coton, lin ou organdi, sont parmi les plus beaux d'Europe. Les prix ne sont pas pour autant exorbitants. Cet établissement est l'un des derniers réalisant de la broderie artistique sur commande. Les commandes sont exécutées avec rapidité et sérieux. Les 80 ouvrières de la fabrique réaliseront le linge de table orné du motif qui se mariera avec votre service de porcelaine, ou de l'un des motifs originaux de Cristina Castro.

Teresa Alecrim. Rua Nova do Almada 76. ∅ **21/346-30-69.** Tram : 28 ou 28B. Bus : 2. Métro : Chiado.

Cette boutique porte le nom de sa propriétaire, qui réalise des broderies raffinées dans le style de Laura Ashley. Les draps, taies d'oreillers, serviettes et dessus-de-lit sont en coton uni ou à motifs. Vous verrez également des essuie-mains en coton damassé avec un monogramme brodé.

CARREAUX

Fábrica Viúva Lamego. Largo do Intendente 25. ∅ **21/885-24-08.** Métro : Intendente. Tram : 17, 19 ou 28.

Fondée en 1879, cette fabrique réalise des carreaux contemporains – pour l'essentiel, des copies de motifs anciens – et de la poterie, notamment un choix intéressant d'oiseaux et d'animaux divers. La boutique est immédiatement reconnaissable à sa façade couverte de carreaux colorés.

✪ **Sant'Anna.** Rua do Alecrim 95-97. ∅ **21/342-25-37.** Métro : Estação do Cais do Sodré. Tram : 20, 29, ou 30.

Fondé en 1741 dans le district du Chiado, Sant'Anna est le premier fabricant de céramique du Portugal, réputé pour ses carreaux émaillés. On peut visiter les ateliers situés calçada da Boa Hora 96 (∅ 21/363-31-17) à condition de prendre rendez-vous par téléphone. Ses artisans, parmi les meilleurs d'Europe, inventent des motifs en s'inspirant de modèles en usage depuis le Moyen Âge.

CRISTAL

Deposito da Marinha Grande. Rua de São Bento 234-242. ∅ **21/396-32-34.** Bus : 6, 49 ou 100.

Cette boutique discrète vend la verrerie d'une fabrique en activité depuis un siècle, Marinha Grande. Le choix d'articles comprend de la verrerie traditionnelle *bico de Jacpues*, épaisse et ornée (verres, plats, carafes, salières, etc.), ainsi que des services modernes en verre teinté. On trouvera également des services en cristal Atlantis et de la porcelaine Vista Alegre. Le cristal Atlantis de chez Marinha Grande est renommé ;

on le trouvera ici à des prix intéressants, en service entier ou à la pièce. Un autre maga-sin est situé plus haut dans la même rue, au numéro 418-420 (∅ **21/396-32-34**).

CUIR ET DAIM

Buckles & Company. Benovo Comercial do Vestuareo Alea Cascals, estrada nacional 9 (N9), près d'Estoril. ∅ **21/460-25-62**.

Dans un décor de miroirs et de lambris, vous pourrez choisir vestes, sacs ou chaus-sures en cuir, ainsi que des vêtements de marques internationales. Le personnel connaît son métier. La boutique est accessible en train depuis Cais do Sodré.

DISQUES DE *FADO*

Valentim de Carvalho. Rossio 57. ∅ **21/322-44-00**. Métro : Rossio.

Ce grand magasin moderne dispose d'un ensemble très complet d'enregistrements des plus grands noms du *fado*. Pour se familiariser avec ce genre musical inépuisable, le mieux est d'écouter Amália Rodriguez, Nuno Câmara Pereira, Carlos Ducarmo, ou Carlos Paredes. Sur chaque CD de la série Fado Capital, on trouvera au moins trois *fadistas* de moindre renom.

Le magasin comprend un rayon de livres sur la musique. Au rez-de-chaussée, vous trouverez du *fado*, en CD et vinyles, de la musique folklorique portugaise, du rock contemporain, et tous genres de musique, du classique au rock punk, par des artistes internationaux.

GALERIES D'ART

EuroArte. Rua Rodrigo de Fonseca 107. ∅ **21/385-40-69**. Métro : Marquês de Pombal. Bus : 2.

C'est ici que les jeunes peintres de la péninsule Ibérique espèrent exposer. La ligne d'EuroArte en matière d'art contemporain est à peu près la même que celle de la Galeria Yela (voir plus loin). Soyez attentifs aux tendances actuelles (souvent chan-geantes) et guettez le vrai talent, peut-être promis à un riche avenir.

Galeria 111. Campo Grande 113. ∅ **21/797-74-18**. Métro : Campo Grande. Fermée 4 août-4 sept. Tram : 36A ou 57.

Dirigée depuis 1964 par Manuel et Arlete de Brito, la Galeria 111 est un acteur majeur du monde de l'art portugais. Elle expose les grands noms de l'art contempo-rain local. Le stock de la galerie comprend des dessins, des gravures, des sérigraphies, des lithographies, des livres d'art et des cartes postales.

Galeria Sesimbra. Rua Castillo 77. ∅ **21/387-02-91**. Métro : Marquês de Pombal. Bus : 2, 11, ou 58.

À proximité de l'Hotel Ritz, la Galeria Sesimbra est une autre grande galerie de la capitale, dirigée par un marchand fort distingué. On y admirera de la peinture, de la sculpture et de la céramique portugaises du meilleur goût, à l'écart des tendances par trop provocantes ou expérimentales. La ligne de la galerie s'en tient, en effet, à des œuvres suggestives qui plaisent à sa clientèle bourgeoise traditionnelle. Sont exposés des artistes portugais, ou étrangers à condition qu'« ils aient vécu suffisam-ment longtemps au Portugal pour ressentir le pays en profondeur ». Les œuvres les plus connues sont les tapisseries Agulha dont les points aux variations contrôlées par l'artiste sont plus séduisants que les points obtenus avec un métier à tisser.

Galeria Yela. Rua Rodrigo de Fonseca 103. ∅ **21/388-03-99**. Métro : Marquês de Pombal.

Cette galerie proche de l'Hotel Ritz choisit ses artistes parmi l'avant-garde de la péninsule Ibérique. La galerie EuroArte (voir précédemment) est sa seule rivale dans ce domaine. Acryliques, dessins et gravures composent son stock d'art contemporain.

Liège

Casa das Cortiças. Rua da Escola Politécnica 4-6. ∅ **21/342-58-58**. Bus : 58. Métro : Rato.

Chez Casa das Cortiças, vous pourrez vous procurer des souvenirs typiquement portugais. Son fondateur, « Monsieur Liège », est entré dans la mythologie lisboète en proposant « tous les objets possibles et imaginables » en liège. (Le Portugal est un des principaux producteurs mondiaux de cette matière). Il y a longtemps qu'il n'est plus de ce monde, mais la boutique est toujours là. On sera étonné du nombre d'objets qu'il est possible de réaliser en liège, comme des échiquiers et leurs pièces...

Livres

Livraria Bertrand. Rua Garrett 73. ∅ **21/346-86-46**. Métro : Chiado.

La Livraria Bertrand propose un bon choix d'ouvrages, y compris les derniers bestsellers, ainsi qu'une sélection de magazines étrangers, des guides de voyage, des plans de Lisbonne et des cartes du Portugal.

Librairie française. Avenida Marquês de Tomar 38. ∅ **21/795-68-66**. Métro : S.Sebastiao ou Saldanha

Tabacaria Mónaco. Rossio 21. ∅ **21/346-81-91**. Métro : Rossio. Tram : 12, 20, ou 28.

Ouverte en 1893, cette étroite *tabacaria* (où l'on vend des journaux et du tabac) a conservé son décor Art nouveau comprenant des carreaux de Rafael Bordalo Pinheiro et une peinture à l'adobe de Rosendo Carmalheira. On y trouvera un choix de magazines internationaux, des guides et des cartes.

Marchés

Pour trouver l'objet rare à bas prix, il faut aller chiner à la *Feira da Ladra*. On y retrouvera l'ambiance typique des marchés aux puces de Paris ou de Madrid, avec, en plus, le charme des ruelles en pente, encombrées d'étals. Il a lieu le mardi et le samedi. Pour faire de bonnes affaires, il est préférable d'y aller le matin. Le marché se trouve dans l'Alfama, à 5 minutes à pied du Tage. On pourra commencer l'exploration à partir du campo de Santa Clara.

Métal

Casa Maciel Ltda. Rua da Misericórdia 63-65. ∅ **21/342-24-51**. Métro : Rossio. Tram : 10, 24, 29 ou 30.

Le rétameur qui créa l'enseigne à l'origine, en 1810, se distingua dans la fabrication de lanternes et de moules à gâteaux originaux. L'établissement fut primé dans de nombreux concours nationaux et internationaux. On peut faire son choix parmi les motifs maison ou se faire faire des pièces sur commande, qui seront expédiées.

Mode

✪ **Ana Salazar**, styliste de renom international, est la créatrice de vêtements féminins la plus novatrice. Son goût pour les tissus extensibles l'amène à réaliser des ensembles « moulants mais portables ». Son magasin principal est situé rua do Carmo 89 (∅ 21/347-22-89 ; métro : Rossio ; bus : 21). Elle en possède un autre à Lisbonne, av. de Roma 16E (∅ 21/848-67-99).

Deux des plus grands magasins de vêtements d'homme sont **Rosa y Peixeira**, av. da Liberdade 204 (∅ 21/311-03-50 ; métro : Avenida), et **Laurenço y Santos**, praça dos Restauradores 47 (∅ 21/346-25-70 ; métro : Restauradores). Du costume trois pièces à la tenue de golf, tout est de qualité supérieure.

PANIERS

L'un des plus grands choix de paniers est offert à la **Feira da Ladra** (voir ci-dessus « Marchés »). Une autre boutique intéressante est le **Centro do Turismo e Artesanato** (voir ci-après « Poterie et céramique »).

PORCELAINE

De nombreux magasins vendent de la porcelaine portugaise, notamment la célèbre **Fábrica Viúva Lamego** (voir ci-dessus « Carreaux »). Le **Deposito da Marinha Grande** (voir ci-dessus « Cristal ») est bien fourni en porcelaine Vista Alegre.

✪ **Vista Alegre.** Largo do Chiado 18. ∅ **21/347-54-81**. Métro : Chiado. Tram : 24.

Cette entreprise fondée en 1824 réalise des services de table en porcelaine qui sont parmi les plus beaux du Portugal. Elle fabrique également des objets d'art et des éditions limitées destinées aux collectionneurs, ainsi qu'une gamme de vaisselle ordinaire. C'est aussi à Vista Alegre qu'on s'adresse pour réaliser les cadeaux offerts aux chefs d'État en visite officielle.

POTERIE ET CÉRAMIQUE

Centro do Turismo e Artesanato. Rua Castilho 61B. ∅ **21/386-38-30**. Métro : Rotunda. Tram : 25 ou 26. Bus : 20, 22 ou 27.

Comme son nom l'indique, ce centre vend des productions artisanales : poterie, céramique, paniers et broderie. Les poteries et céramiques viennent de toutes les régions. Pour un objet d'une certaine importance, il faut compter 1 500 ESC minimum, mais on peut trouver des petits objets (petits vases, cendriers, etc.) à 750 ESC. Le rayon de vêtements est bien pourvu en pulls de Póvoa do Varzim, entre 5 000 et 9 000 ESC, et en chemises écossaises de marin, à 9 000 ESC. On trouvera également des vins et des liqueurs du pays.

PULLS

On trouvera un grand choix de pulls portugais à la **Feira da Ladra** (voir ci-dessus « Marchés ») et au **Centro do Turismo e Artesanato** (voir ci-dessus « Poterie et céramique »). **Casa Bordados da Madeira** (voir ci-dessus « Broderie ») est bien pourvue en pulls marins de Nazaré.

Casa do Turista. Av. da Liberdade 159. ∅ **21/315-15-58**. Métro : Avenida. Bus : 41, 45, 44 ou 46.

Ce magasin situé dans le centre propose plus de 2 000 objets artisanaux provenant de toutes les régions du Portugal, parmi lesquels des pulls de Póvoa do Varzim et des foulards traditionnels du Minho. (Les fameux pulls marins de Nazaré ont beaucoup plus de chances de provenir de Póvoa do Varzim que de Nazaré.) On trouvera également des essuie-mains, des nappes et des serviettes brodés, des céramiques et des paniers de paille.

TAPIS

✪ **Casa Quintão.** Rua Serpa Pinto, 12-A. ∅ **21/346-58-37**. Métro : Chiado.

La Casa Quintão est le point de vente incontournable des tapis d'Arraiolos. Le prix des pièces est fixé au mètre carré, et varie selon la densité des points. L'entreprise réalise des copies de tapis et tapisseries orientaux et médiévaux, ainsi que des pièces individualisées. La boutique vend du matériel et vous conseille dans la réalisation de vos propres tapis et coussins. Le personnel est vraiment à votre service.

VERRE

Voir ci-dessus « Porcelaine ».

Vin

Mercearia Liberdade. Av. da Liberdade 207. ∅ 21/354-70-46. Métro : Avenida. Bus : 41, 44 ou 45.

Les étagères vertes de cette charmante boutique typiquement portugaise sont garnies des meilleurs portos et madères. Les prix s'échelonnent de 3 000 à 160 000 ESC. On y vend également des produits d'artisanat régional et des céramiques créées par des artistes de renom. Le classement des millésimes est une question délicate concernant le porto, car la qualité varie au sein d'un même millésime. Cela étant, 1994 est généralement considérée comme une excellente année.

9. Vie nocturne

Si vous n'avez qu'une soirée à passer à Lisbonne, une visite dans un club de *fado* s'impose. C'est à Lisbonne que les accords mélancoliques de ce « chant des douleurs » portugais résonnent avec le plus d'intensité. La capitale attire en effet les plus grandes chanteuses du monde. Cependant, n'allez pas écouter du *fado* – art majeur au Portugal – en pensant pouvoir discuter avec vos amis ; ce serait mal vu. (Pour en savoir plus, lisez l'encadré de la page 127.) La plupart des clubs d'authentique fado sont situés dans le Bairro Alto et dans l'Alfama, entre le château Saint-Georges et les docks. Si vous êtes en taxi, dans l'Alfama, faites-vous déposer au **largo do Chafariz**, une petite place à deux pas du port. Dans le Bairro Alto, partez du **largo de São Roque**. La plupart des adresses que nous recommandons sont situées aux abords de ces deux places.

Le *fado* éclipse tous les autres types de sorties nocturnes possibles à Lisbonne. Si vous souhaitiez changer de style, l'office du tourisme vous fournira la liste des spectacles du moment. Autre source d'information à ne pas négliger, l'**Agência de Bilhetes para Espectáculos Públicos**, qui se trouve sur la praça dos Restauradores (∅ 21/346-11-89). Elle est ouverte tous les jours de 9 h à 22 h. Il est préférable de s'y rendre plutôt que de téléphoner. L'agence vend des billets pour la plupart des théâtres et cinémas, sauf pour le Teatro Nacional de São Carlos ; pour cette salle, adressez-vous aux guichets du théâtre (voir plus loin).

On pourra éventuellement consulter les magazines *What's On in Lisbon* ou *Your Companion in Portugal*, distribués dans la plupart des kiosques. L'hebdomadaire *Sete* contient une liste de spectacles et distractions diverses, de même que les guides mensuels gratuits *Agenda Cultural* et *LISBOaem*. N'oubliez pas non plus d'interroger le concierge de votre hôtel, l'une de ses fonctions étant justement de réserver des places pour les clients. Dans le quotidien local, *Diário de Noticias*, on trouvera la liste complète des sorties culturelles, mais en portugais.

Les bars, bien souvent, n'ouvrent pas avant 22 h ou 23 h, et les clubs sont calmes avant 1 h du matin. Le soir, le Bairro Alto et ses quelque 150 bars et restaurants est le quartier le plus branché.

Arts de la scène

Opéra et ballet

Teatro Nacional de São Carlos. Rua Serpa Pinto 9. ∅ 21/346-59-14. Billets 2 500-9 600 ESC. Guichets tlj. 13 h-19 h. Tram : 24, 28 ou 28B. Bus : 15 ou 100.

Le Teatro Nacional de São Carlos est un opéra de réputation internationale. Les grandes compagnies mondiales se produisent dans la salle du XVIIIᵉ siècle. La saison commence en septembre et se termine en juillet. Aucune réduction spéciale n'est accordée.

Musique classique

Museu da Fundação Calouste Gulbenkian. Av. de Berna 45. ∅ **21/793-51-31**. Métro : Sebastião. Bus : 16, 18, 26, 31, 42, 46 ou 56.

Concerts, récitals et, à l'occasion, ballets, se succèdent d'octobre à juin. De temps en temps ont lieu des concerts de jazz.

Teatro Municipal de São Luís. Rua António Maria Cardoso 40. ∅ **21/325-08-00**. Billets 1 000-2 500 ESC. Métro : Estação Cais do Sodré. Tram : 10, 28 ou 28B.

Des concerts symphoniques et de musique de chambre ont souvent lieu dans cette salle, ainsi que des ballets.

Théâtre

Teatro Nacional de Dona Maria II. Praça de Dom Pedro IV. ∅ **21/342-22-10**. Billets 1 500-3 000 ESC ; demi-tarif pour les étudiants en possession d'une carte. Métro : Rossio. Bus : 21, 31, 36 ou 41.

La saison du théâtre le plus célèbre du Portugal commence en automne et se termine à la fin du printemps. On y joue les pièces du répertoire portugais et étranger, en portugais uniquement.

Clubs et scène musicale

Clubs de *fado*

Dans les clubs que nous avons sélectionnés, il n'est pas nécessaire de dîner. Vous pouvez simplement prendre une boisson, la première étant souvent obligatoire. La musique commence vers 21 h-22 h, mais il n'est pas recommandé d'arriver avant 23 h. Beaucoup restent ouverts jusqu'à 3 h du matin ; certains, jusqu'à l'aube.

Adega Machado. Rua do Norte 91. ∅ **21/347-05-50**. Entrée (2 boissons comprises) 2 500 ESC. Mar.-dim., service : 20 h 30 ; musique : 21 h 15. Fermeture vers 3 h du matin. Bus : 58 ou 100.

Ce club de *fado*, un des plus prisés du pays, a résisté à l'épreuve du temps. En alternance avec des *fadistas* aussi célèbres que Marina Rosa, on pourra applaudir des danseurs folkloriques qui tournent, battent des mains et chantent des chansons populaires en costumes bigarrés. Le dîner est à la carte, et la cuisine essentiellement portugaise comprend quelques plats régionaux. Comptez 5 000 à 6 000 ESC pour un repas complet.

A Severa. Rua das Gaveas 51. ∅ **21/346-40-06**. Entrée (2 boissons comprises) 3 500 ESC. Ven.-mer. 20 h-3 h 30. Bus : 20 ou 24.

Grâce à la qualité de sa cuisine et à la sélection minutieuse de ses *fadistas*, le succès de cette salle ne s'est jamais démenti. Tous les soirs, les meilleurs chanteurs, hommes ou femmes, montent sur scène, accompagnés d'une guitare et d'un violon alto, en alternance avec des danseurs folkloriques. Une niche est occupée par une statue à la gloire de Maria Severa, la gitane légendaire qui a donné son nom à la salle. Après minuit, les touristes cèdent un peu de place aux habitués, qui réclament leurs chansons favorites et parfois les chantent en chœur.

La cuisine fait appel aux recettes septentrionales. Comptez au moins 6 000 ESC par personne pour un repas avec vin.

Lisboa a Noite. Rua das Gaveas 69. ∅ **21/346-85-57**. Entrée (2 boissons comprises) 3 000 ESC. Lun.-sam. 20 h-3 h, spectacles à 21 h 30. Bus : 58 ou 100.

« Lisbonne la nuit » fait partie d'un groupe de clubs de bonne réputation cherchant à attirer une clientèle locale aussi bien qu'étrangère. La star incontestée du lieu est sa fougueuse patronne, Fernanda Maria. Ces dernières années, elle a partagé la vedette

Fado : la nostalgie en musique

La *saudade*, humeur mélancolique et romantique qui imprègne l'âme portugaise, s'exprime avec force dans la littérature et surtout dans cette forme de chant qu'est le *fado*. Traditionnellement, ses interprètes sont des femmes (*fadistas*), accompagnées à la guitare et au violon alto.

Le *fado* étant l'art populaire le plus vivant du Portugal, il serait dommage de visiter le pays sans passer au moins une soirée dans l'une des tavernes de la capitale, bercé par ses accords nostalgiques.

Le mot *fado* dérive du latin *fatum* (« destin »). Habituellement, les chansons parlent d'amour malheureux, de jalousie ou de regret des jours anciens. Comme on le dit souvent, cette musique évoque « une vie sous l'empire d'un Destin que rien ne peut ébranler ».

Ce chant devint célèbre au xixe siècle lorsque la belle Maria Severa, fille d'une gitane, fit chavirer les cœurs des Lisboètes, en particulier celui d'un torero célèbre, le comte de Vimioso. La tradition veut que les *fadistas* d'aujourd'hui portent un châle à franges noires en souvenir de cette chanteuse légendaire.

Le nom d'Amália Rodrigues est indissociable de l'histoire du *fado* au xxe siècle. Issue d'une humble famille de Lisbonne, elle fut découverte alors qu'elle vendait des fleurs pieds nus, sur les quais proches de l'Alfama. Elle conquit le public américain dans les années 50, en chantant dans le club new-yorkais *La Vie en Rose*. Beaucoup la considèrent comme la figure portugaise la plus marquante depuis Vasco de Gama. Drapée de noir, avare de gestes et d'ornements excessifs, Rodrigues éleva le *fado* au rang de forme musicale internationale quasi exclusivement par la force de son talent.

avec au moins quatre autres chanteurs, le plus visible du lot étant João Kuaros. Ensemble, ils font vibrer la corde de la nostalgie pour le vieux Portugal. Le cadre – une ancienne écurie décorée dans le style « époque des découvertes » – tend vers la rusticité, mais d'un genre luxueux. Lorsqu'il fait froid, des bûches d'eucalyptus crépitent dans une haute cheminée. Au fond, se trouvent une cuisine ouverte et un grill au charbon de bois. Les spécialités de la maison sont la morue séchée Fernanda Maria et le steak flambé Lisboa a Noite. Le prix d'un repas tourne autour de 8 000 ESC.

Luso. Travessa da Queimada 10. ∅ **21/342-22-81.** Entrée (déduite des boissons) 3 500 ESC. Lun.-sam. 20 h-3 h, spectacle de 21 h 30 à 23 h. Bus : 58 ou 100.

Dans un réseau d'écuries voûtées du xviie siècle, Luso est l'un des clubs les plus célèbres et les plus anciens du Bairro Alto. Bien qu'il ait eu tendance à devenir un peu trop touristique ces derniers temps, son charme populaire est resté intact depuis sa transformation en restaurant musical dans les années 30. Cuisine régionale et divertissement sont servis, la plupart des soirées, à 160 clients. Un dîner complet revient à 6 000 ESC environ.

Parreirinha da Alfama. Beco do Espírito Santo 1. ∅ **21/886-82-09.** Entrée (déduite des boissons) 2 000 ESC. Tlj. 20 h 30-2 h 30, musique à partir de 21 h 30. Bus : 39 ou 46.

Toutes les *fadistas* dignes de leur châle semblent avoir chanté dans ce café de l'ancien temps, à deux pas des docks de l'Alfama. Le programme est cent pour cent *fado*, sans danse folklorique. L'endroit est resté plus ou moins inchangé depuis son ouverture au début des années 50. En première partie de soirée, les *fadistas* chantent des airs célèbres, puis elles entonnent leurs classiques favoris. Un bon dîner régional vous reviendra à 5 000 ESC environ, mais vous pouvez aussi ne commander que des boissons. L'atmosphère est beaucoup plus conviviale après 22 h 30, quand la salle a été chauffée par les stars locales, telle Lina Maria.

Grands cafés et salons de thé

Lieux traditionnels de convivialité, les grands cafés portugais évoluent avec leur temps. Les vieilles salles au décor séculaire cèdent rapidement la place aux ambiances chrome-et-plastique. L'un des plus anciens encore en activité est **A Brasileira**, rua Garrett 120 (∅ 21/346-95-41 ; métro : Rossio), dans le quartier du Chiado. Son opulent décor Art nouveau, un peu défraîchi cependant, n'a pour ainsi dire pas changé depuis 1905, époque où il était le rendez-vous à la mode des intellectuels. On y croisait le poète Bocage, de Setúbal, que tous les lycéens portugais étudient aujourd'hui. Celui-ci fut, un jour, le héros d'un incident qui est passé dans la légende lisboète. Accosté par un bandit qui lui demandait où il allait, il aurait répondu : « Je vais au Brasileira, mais si vous me tuez, j'irai dans un autre monde. » Dans un environnement de glaces et de pilastres en marbre, les consommateurs sont assis devant de petites tables, sur des chaises en cuir repoussé. Au milieu, trône la statue de Fernando Pessoa assis. En salle, un sandwich coûte entre 260 et 550 ESC, une pâtisserie entre 150 et 300 ESC, un café 150 ESC et une bière bouteille, 200 ESC. Les prix sont un peu inférieurs au bar. L'endroit est parfait pour s'extraire de l'agitation et de la chaleur extérieures. A Brasileira est ouvert tous les jours de 7 h 30 à 2 h. Paiement en espèces uniquement.

Bien que dépourvue du cachet historique du Brasileira, la **Pastelaria Suiça**, à l'angle sud de la praça de Dom Pedro IV, dans le Baixa (∅ 21/321-40-90), n'en est pas moins le salon de thé le plus fréquenté de Lisbonne. Elle s'étend jusqu'à la place voisine da Figueira. Les tables en terrasse se remplissent au premier rayon de soleil. La *pastelaria* propose toute une gamme de thés et de cafés, et des pâtisseries maison des plus alléchantes. L'ambiance est bruyante et le va-et-vient permanent. Ouvert tous les jours de 7 h à 22 h.

Le Versailles, av. da República 15 (∅ 21/354-63-40) est une vénérable institution lisboète. L'élégance du décor vieux de 60 ans, associant lustres, miroirs dorés et hauts plafonds, s'est un peu ternie. Détails au charme désuet irrésistible : des serveurs en habits immaculés vous apportent le thé dans un service en plaqué argent. Outre du thé et du café, la maison sert un chocolat réputé. Les pâtisseries maison sont succulentes. Ouvert tous les jours de 7 h à 22 h.

DÉGUSTATION DE PORTO

Solar do Vinho do Porto. Rua de São Pedro de Alcântara 45. ∅ 21/347-57-07. Lun.-sam. 14 h-minuit. Bus : 58 ou 100.

Solar s'est voué exclusivement à la dégustation du porto, sous toutes ses formes. Le bar fut ouvert peu de temps après la Seconde Guerre mondiale par un établissement contrôlé par l'Institut du vin de porto, afin de mieux faire connaître les productions. Le cadre vieux de trois siècles et l'atmosphère sont ibériques à souhait. Il est situé à 50 mètres du terminus haut du funiculaire Glória, tout près du Bairro Alto et de ses clubs de *fado*. La *lista de vinhos* énumère plus de 200 portos de toute espèce : doux ou sec, rouge ou blanc. Le prix du verre varie de 200 à 4 210 ESC.

BOÎTES DE NUIT ET MUSIQUE LIVE

Le bar du Café Alcântara. Rua Maria Luisa Holstein 15. ∅ 21/363-71-76. Entrée libre. Tlj. 20 h-3 h. Bus : 12 ou 18.

Bien que l'établissement travaille essentiellement avec son restaurant de luxe (voir Café Alcântara dans « Se restaurer » au chapitre 4), son bar est très apprécié des amateurs de night-clubs. Aménagé au bord du fleuve dans un ancien entrepôt-fabrique, le décor évoque un wagon de métro dans le Paris du début du XXe siècle. Les clients – de nationalités diverses : Américains, Portugais, Anglais, Allemands et Brésiliens – n'hésitent pas à engager la conversation avec les nouveaux venus à la mine engageante. Le premier prix pour une bière pression est de 550 ESC, et de 1 000 ESC pour un whisky d'importation. Attendez-vous à beaucoup de provocation et d'outrance de la part d'une clientèle où se mêlent homosexuels, hétérosexuels et certains soirs, un gros contingent de flamboyantes dragqueens.

Blues Café. Rua Cintura do Armazan 3. ∅ **21/395-70-85.** Entrée 10 000 ESC s'il est plein ; sinon, gratuit. Lun.-Jeu. 20 h 30-4 h ; ven.-dim. 20 h 30-6 h. Tram : 15.

Comme nous, vous aimerez sûrement cet endroit, bien qu'il n'ait pas grand-chose à voir avec le blues et ne ressemble ni de près ni de loin à un café. L'espace tiendrait plutôt du pub au bord du fleuve. Un étage est ceinturé d'un balcon en nid d'aigle. Il est voisin du Docks (voir ci-après), et son restaurant sert à des heures tardives des assiettes de cuisine portugaise sans complication. La clientèle, dans les 20 à 30 ans, connaît son hip-hop et son garage sur le bout des doigts. La bière bouteille varie de 600 à 900 ESC.

Docks. Av. do 24 de Julio, au Centro Mare. ∅ **21/395-08-56.** Entrée 10 000 ESC s'il est plein ; sinon, gratuit. Mar.-sam. 23 h 30-6 h. Tram : 15.

Comme on pouvait s'en douter, l'endroit borde le Tage, avec des fenêtres donnant sur l'eau. Raffiné, élégant, dans l'un des plus beaux intérieurs du quartier, il attire dans son décor vaguement nautique une clientèle légèrement au-dessus de la trentaine. Le rez-de-chaussée où se passe l'action est dominé par une mezzanine circulaire en amphithéâtre, pour les voyeurs. La bière bouteille coûte dans les 600 ESC. Les choix musicaux du DJ donnent parfois des envies de danser.

Model's. Travessa Teixeira Junior 6. ∅ **21/363-39-59.** Entrée 1 200 ESC. Mar.-dim. 23 h 30-4 h. Bus : 4, 27, 28, 32. Tram : 15, 18.

C'est l'endroit où aller si vous êtes parti pour danser toute la nuit en remuante et jeune compagnie. Les comptoirs et les pistes de danse de ce grand espace sonore sont quasiment indestructibles. La musique change tous les soirs, selon les préférences de la direction et des DJs, faisant alterner tribal underground, techno, garage, house et une pincée de salsa et merengue.

Kapital. Av. do 24 de Julio 68. ∅ **21/395-71-01.** Entrée 1 000-4 500 ESC. Tlj. 23 h 30 à l'aube. Tram : 15.

Tous les milieux sociaux se retrouvent dans ce bar-discothèque voisin des docks du Tage. Les détracteurs du Kapital lui reprochent d'être un lieu pour riches, vrais ou faux. C'est malgré tout un lieu où l'on s'amuse, surtout la première fois quand l'effet de surprise est intact. Le rez-de-chaussée est une discothèque où la musique, parfois expérimentale, est forte, dansante et dans le vent. Au premier étage, un bar central est entouré de rangées de chaises et de canapés confortables. La discothèque du deuxième étage passe essentiellement de la musique disco des années 80. Le prix d'entrée varie énormément selon le look. Moins de monde les dimanche, lundi et mardi.

Kremlin. Escadinhas da Praia 5. ∅ **21/390-87-60.** Entrée à partir de 1 000 ESC. Mar.-dim. 23 h-5 h. Bus : 32 ou 37.

Cette ancienne écurie en sous-sol plaît aux noctambules branchés, gays ou hétérosexuels. L'ambiance musicale varie du heavy metal à la techno, et le décor change, semble-t-il, aussi souvent que le DJ. L'entrée tourne autour de 1 000 ESC, parfois plus, selon l'humeur du portier. Le club est moins prestigieux et moins fréquenté que par le passé, aussi la sélection à l'entrée est-elle moins sévère qu'autrefois. La bière coûte 600 ESC, le whisky-soda 1 000 ESC.

Plateau. Escadinhas da Praia 3. ∅ 21/396-51-16. Entrée 1 000 ESC. Mar.-sam. minuit-4 h 30. Tram : 15.

Proche du Kapital et du Kremlin (voir ci-dessus), cette boîte de nuit offre un décor aux couleurs de confettis et une clientèle mixte. L'élite se mêle au commun des mortels en quête d'amour et de bonne musique. On appréciera le confort des sièges, les serveurs qui manient l'art du cocktail avec dextérité et la qualité des choix musicaux mélangeant rock'n roll, garage, hip-hop et, plus rarement, reggae. Contrairement à ce qu'on pourrait penser, on ne vient pas ici uniquement pour danser. Beaucoup se contentent de regarder et d'écouter.

Rock City. Rua Cintura do Porto de Lisboa, Armazém (Entrepôt) 225. ∅ 21/342-86-36. Entrée (déduite des boissons) 1 000 ESC ven. et sam. Tlj. 2 h-7 h. Tram : 15.

Cet endroit amusant est l'un des rares à Lisbonne où l'on puisse entendre des orchestres. Les guitares sont accrochées aux murs, et un avion est suspendu au plafond. Les oiseaux de nuit viennent se trémousser sur des accords de rock émis par un orchestre qui joue à côté du bar, très entouré certains soirs. Il n'y a que quelques tables, où l'on peut commander une simple assiette de nourriture à choisir sur une carte restreinte. On regrettera que ce soit toujours les mêmes orchestres qui reviennent, pour jouer des tubes des années 70 et 80, entre autres de Bruce Springsteen et de Queen. La bière bouteille commence à 600 ESC.

Les bars

Bachus. Largo da Trindade 9. ∅ 21/342-28-28. Tlj. midi-minuit. Bus : 58 ou 100.

Ce restaurant possède l'un des bars les plus conviviaux de la capitale. Environné de tapis orientaux et de bronzes, sous un éclairage intime, vous serez servi par un personnel poli et en uniforme. Vous croiserez les personnalités les plus en vue de Lisbonne. Des soupers aux chandelles tardifs sont servis au bar. Le choix de boissons est international. Le premier prix est de 600 ESC.

Bar Nova. Rua da Rosa 261. ∅ 21/346-28-34. Tlj. 22 h-2 h. Bus : 58 ou 100.

Ce rendez-vous quelque peu délabré du Bairro Alto est fait pour le vrai noctambule qui veut se chauffer avant d'aller en boîte. On trouvera trois salles sombres et basses de plafond, où la bière coûte 500 ESC et le cocktail dans les 600 ESC.

Bora-Bora. Rua da Madalena 201. ∅ 21/887-20-43. Métro : Rossio. Dim.-Jeu. 21 h-2 h, ven.-sam. 21 h-3 h. Tram : 12 ou 28.

On pourrait penser que Lisbonne est un drôle d'endroit pour un bar polynésien, mais le thème plaît aux Portugais qui ne digèrent plus le folklore ibérique. Naturellement, le Bora-Bora s'est spécialisé dans les boissons fruitées et ardentes, à base de rhum. Les confortables canapés sont disposés de telle manière qu'on puisse admirer les objets polynésiens accrochés aux murs. La bière coûte 650 ESC, et les cocktails commencent à 1 100 ESC.

Café Bar Tagus. Rua Diário de Noticias 40B. ∅ 21/347-64-03. Tlj. jusqu'à 3 h. Bus : 58 ou 100. Métro : Chiado.

À 22 h, ce bar s'anime avec l'arrivée d'une clientèle à la mode qui vient prendre un dernier verre au comptoir en acajou et laque noir. Le week-end, la foule déborde sur la rue, par ailleurs relativement calme dans cette partie du Bairro Alto. L'ambiance feutrée est propice au dialogue entre journalistes, artistes et personnalités travaillant dans les grands journaux et chaînes de télévision de Lisbonne. La bière coûte 600 ESC, et le whisky-soda 850 ESC, premier prix.

Indochina. Rua Cintura Armazém (Entrepôt) H, Apt. Nave C. ⌀ **21/395-58-75**. Entrée libre. Tlj. 23 h 30 à l'aube. Tram : 15.

Plutôt « bar de nuit » que bar ordinaire, l'Indochina n'essaye pas de faire concurrence aux clubs qui passent les derniers hits à la mode. Les chaises confortables favorisent les rencontres dans la salle, où se mélangent gays et hétérosexuels. L'ambiance est plus calme, plus douce que dans les bars trépidants du voisinage. Sur place, on trouvera un restaurant asiatique, mais la plupart des gens viennent ici uniquement pour boire un verre et jauger l'élégance des consommateurs.

Os Três Pastorinhos. Rua da Barroca 111-113. ⌀ **21/346-43-01**. Mar.-dim. minuit-2 h. Bus : 58 ou 100.

Les habitués des « Trois Bergers » préfèrent boire plutôt que danser dans ce bar nocturne. L'ambiance détendue qui règne dans les deux salles a séduit les étudiants, mannequins et autres gens de cinéma qui les fréquentent, et qui ne font pas grand cas de la petite piste de danse. Les écrans de vidéo passent des clips de hip-hop et de funk. La bière coûte 600 ESC, et le whisky commence à 900 ESC.

The Panorama Bar. Dans le Lisboa Sheraton Hotel, rua Latino Coelho 1. ⌀ **21/357-57-57**. Tlj. 18 h-2h. Bus : 1, 2, 9 ou 32. Métro : Picoas.

Le Panorama Bar occupe le trentième et dernier étage du Lisboa Sheraton, un des immeubles les plus élevés du Portugal. La vue (jour et nuit) embrasse les villes ancienne et nouvelle de Lisbonne, le flot majestueux du Tage, et nombre de cités situées sur la rive opposée du fleuve. Le décor où se mêlent les références repose sur la pierre ciselée et le vitrail. Vous paierez 1 400 à 1 800 ESC le whisky-soda.

Portas Largas Bar. Rua da Atalaia 105. ⌀ **21/346-63-79**. Tlj. 20 h-3h. Bus : 58 ou 100.

Ce bar cosmopolite du Bairro Alto, au comptoir de marbre usé par les ans et aux chaises en bois dur est un exemple de vieille *tasca* portugaise. Cela dit, la clientèle est aussi contemporaine et aussi mêlée – « homos, hétéros, Noirs, Jaunes, Blancs et Portugais » – que partout ailleurs en ville. En début de soirée, le programme musical est dominé par le *fado* chanté par les grandes stars comme Amália Rodrigues. Après minuit, vient le tour des groupes rock portugais et internationaux. Le week-end, la foule déborde sur la rue et se mélange à celle du bar gay d'en face, le Frágil (voir ci-après). Comptez environ 400 ESC pour une bière, et 600 ESC minimum pour un whisky.

Procópio Bar. Alto de São Francisco 21A. ⌀ **21/385-28-51**. Lun.-sam. 18 h-3 h. Fermé 1er-15 août. Bus : 9.

Longtemps un rendez-vous privilégié des journalistes, politiciens et acteurs étrangers, le Procópio, autrefois novateur et original, est devenu une valeur sûre et éprouvée. Le client s'assoit sur des sièges capitonnés en velours rouge, dans un environnement de vitraux, de verres peints et de structures tarabiscotées en laiton. Les cocktails coûtent 850 ESC minimum, les bières 600 ESC minimum. Il est tentant de devenir un habitué du Procópio, à condition de le trouver. Il se trouve dans une rue adjacente de la rua de João Penha, elle-même donnant sur la praça das Amoreiras.

Bars et clubs gays et lesbiens

Catholicisme oblige, le Portugal est encore l'un des pays européens le plus moralement répressif envers les homosexuels. Cependant, au moins 8 lieux nocturnes gays se sont ouverts dans le quartier de Príncipe Real, et chaque année, la présence gay se fait plus visible. Vous pourriez commencer votre virée nocturne à l'un des deux premiers établissements suivants :

Agua no Bico. Rua de São Marçal 170. ∅ **21/347-28-30**. Entrée libre. Tlj. 21 h-2 h. Bus : 15, 58, 100.

Situé à la limite orientale du Bairro Alto, ce bar-dancing mélange le genre pub anglais aux ornements futuristes d'un club gay. Il est signalé par une discrète plaque métallique, dans une rue en pente raide bordée de villas du XVIIIe siècle. La clientèle jeune reste parfois après la fermeture pour regarder des vidéos pornos. Les bières commencent à 400 ESC et les whiskys-sodas à 600 ESC. Il est conseillé de venir en taxi vu la rareté des transports en commun le soir. Le nom du bar est tiré d'un conte médiéval, *L'Eau dans le bec*, que l'un des jolis serveurs vous racontera si vous le lui demandez gentiment.

Frágil. Rua da Atalia 126-128. ∅ **21/346-95-78**. Entrée 1 000 ESC. Lun.-sam. 23 h 30-4 h. Tram : 28. Bus : 15 ou 100.

Ouvert depuis deux décennies, ce bar-dancing – la piste de danse est grande – est animé par des DJs versés dans la musique underground la plus récente. La clientèle, bourgeoise, belle et branchée, rassemble tout ce que Lisbonne compte de gays parmi les journalistes, les stylistes, les peintres et les financiers. Le propriétaire change le décor tous les six mois et profite de l'occasion pour organiser une grande fête. La bière coûte 600 ESC minimum, le whisky 900 ESC minimum.

Memorial Bar. Rua Gustavo de Matos Sequeira 42A. ∅ **21/396-88-91**. Entrée 1 000 ESC. Mar.-sam. 22 h-4 h, dim. 16 h-20 h. Bus : 58 ou 100.

Dans une étroite ruelle du Bairro Alto, le Memorial Bar est le point de passage obligé de toute la communauté lesbienne de la ville. Environ 60 % de sa clientèle sont des femmes, et les hommes gays qui composent le reste sont de moins en moins nombreux. Le personnel parle espagnol, français et anglais, et les nouvelles venues seront vite prises en main par les habituées. Des soirées spectacles – numéros comiques, travestis ou musique portugaise – ont lieu deux fois par semaine (les jours changent). Une bière coûte 600 ESC. Ambiance disco après minuit.

Queens. Rua de Cintura do Porto de Lisboa, Armazém (Entrepôt) 8, Naves A&B, Doca de Alcântara Norte. ∅ **21/395-58-70**. Entrée 1 000 ESC. Lun.-sam. 22 h-6 h. Tram : 15.

Ce night-club aménagé dans un vaste bâtiment d'allure industrielle, sur les bords du Tage, dépasse en taille tous ses concurrents du voisinage. La sono sophistiquée inonde l'immense piste de danse de musique break. La clientèle est majoritairement masculine et de moins de 35 ans.

Trumps. Rua da Imprensa Nacional 104B. ∅ **21/397-10-59**. Entrée (déduite des boissons) 1 000 ESC. Tlj. 22 h-4 h, parfois 6 h. Bus : 58.

Apprécié des expatriés, le Trumps est le bar gay le plus chic de Lisbonne, et l'un des plus récents. Proche du Bairro Alto (mais pas dans le quartier), il compte plusieurs bars répartis sur deux niveaux, une piste de danse animée, et des tas de recoins sombres. La direction estime à 70 % la proportion de la clientèle constituée par les gays hommes, d'âges et d'orientations diverses, où toutes les subcultures sont représentées à l'exception du cuir. Un quart de la clientèle est composée de lesbiennes, et les 5% restants sont les amis hétérosexuels de la majorité. À l'entrée, se trouve un café. Une bière coûte 600 ESC, et l'un ou l'autre des serveurs parle français, anglais ou espagnol.

Estoril, Cascais et Sintra 6

Attirés par Guincho (près de la pointe occidentale extrême du continent européen), par la Boca do Inferno (la « Bouche de l'Enfer ») et le « merveilleux Éden » de Byron à Sintra, beaucoup de visiteurs passent l'essentiel de leur séjour dans cette région autour de Lisbonne. Les splendeurs de la bibliothèque du palais-monastère de Mafra (l'Escurial portugais), le joli palais rose rococo de Queluz, ou la dégustation de fruits de mer à la station balnéaire d'Ericeira méritent en effet le détour.

L'attrait principal de la région est la Costa do Sol, sur la rive nord de l'estuaire du Tage. La côte d'Azur portugaise est formée d'un chapelet de stations balnéaires, Estoril et Cascais entre autres. Si vous arrivez à Lisbonne un jour de beau temps, vous serez sans doute tenté d'aller directement au bord de la mer. Estoril est si proche qu'on peut très facilement faire l'aller retour depuis la capitale – y compris en train (voir p. 135 « Informations pratiques » ci-après) – pour voir les curiosités et visiter les clubs de *fado*.

Si le bord de mer de la Costa do Sol est à juste titre célèbre, il est néanmoins recommandé de se baigner dans les piscines des hôtels-clubs, car les eaux côtières sont polluées. Les plages sont toutefois parfaites pour un bain de soleil.

La côte du Soleil est parfois surnommée A Costa dos Reis, « la côte des Rois » : en effet, rois en exil, prétendants, marquises italiennes, princesses russes et baronnes allemandes sont venus s'y réfugier en nombre. Certains préférèrent la simplicité, comme la princesse Elena de Roumanie (Magda Lupescu) qui vécut pour ainsi dire recluse dans une villa sans prétention. D'autres s'attachèrent à un rigide cérémonial de cour, comme Umberto d'Italie, qui ne resta qu'un mois sur le trône, en 1946, avant d'être contraint à l'exil. Parmi les autres nobles ayant vécu sur la côte du Soleil figurent Don Juan, comte de Barcelone, qui perdit le trône d'Espagne en 1969 lorsque Franco désigna son fils Juan Carlos pour lui succéder, Joanna, l'ancienne reine de Bulgarie, et l'infante Dona Maria Adelaide de Bragance, sœur du prétendant au trône portugais.

Malgré cette concentration d'aristocrates, la Riviera est un micro-cosme du Portugal. Même si vous n'avez pas l'intention de rester sur la côte, offrez-vous un petit tour en train : vous passerez devant des maisons aux murs pastel, aux toits de tuiles rouges et aux façades couvertes d'antiques carreaux bleu et blanc, devant des kilomètres de résidences modernes entourées de cannas, de pins, de mimosas et d'eucalyptus, et devant des piscines se découpant sur un fond de collines verdoyantes piquetées de villas.

L'aéroport (aeroporto de Lisboa) à Portela de Sacavém est le plus proche de la Costa do Sol et de Sintra. Une fois à Lisbonne, vous pouvez louer une voiture ou prendre les transports en commun.

Explorer la région en voiture

Comme ses homologues européennes, la côte souffre d'un excès de développement qui lui a ôté une grande partie de son charme. La circulation y est moins intense en semaine que le samedi et le dimanche, jours de sortie des Lisboètes. Si vous avez le choix, tâchez d'éviter les week-ends, surtout de juin à septembre.

Il est possible soit de loger dans la capitale et d'explorer ses environs en voiture, soit de trouver des hôtels sur la route. Estoril, Cascais et Sintra sont les points de chute habituels. La visite du palais de Queluz peut se faire dans la journée au départ de Lisbonne.

Premier jour Vous pouvez longer en voiture la **côte d'Estoril** qui s'étire sur 32 km à l'ouest de Lisbonne. Quittez la capitale par l'A7, continuez en direction d'Estoril, distant de 24 km, et profitez-en pour passer la journée sur les plages et visiter éventuellement le **casino**. Si vous projetez de continuer votre circuit le lendemain, il est préférable de passer la nuit ici plutôt que de rentrer à Lisbonne dans les embouteillages.

Deuxième jour Le matin, prenez la direction de **Cascais**, à 6,5 km. Cet ancien village de pêcheurs est devenu l'une des principales stations balnéaires du Portugal. Si la plage ne vous intéresse pas, vous pourrez visiter ses quelques monuments. Si vous cherchez une adresse pour déjeuner, nous vous recommandons Dom Manolo (voir p. 148). Après le déjeuner, continuez à longer la côte sur 2 km en direction de son plus célèbre site, la **Boca do Inferno** (la « Bouche de l'Enfer »), où les vagues viennent s'écraser dans une impressionnante grotte naturelle. Après ce spectacle agité, vous pouvez suivre une route pittoresque de 9 km en direction de la plage de surf de **Guincho**, réputée pour offrir les meilleurs fruits de mer de la région de Lisbonne. Si vous vous baignez, prenez garde aux dangereux courants. Passez la nuit à Guincho ou dans la région de Cascais.

Troisième jour De Guincho, vous pouvez revenir sur vos pas en longeant la mer jusqu'à Cascais ou Estoril, ou bien rejoindre la N247 et aller au **Cabo da Roca**, le point le plus occidental du continent européen. Suivez ensuite les indications vers **Sintra** à l'est, où vous aurez sûrement envie de passer la journée – et plus si possible – à visiter les châteaux et les églises.

Quatrième jour Continuez jusqu'à **Mafra**, où se trouve un fabuleux palais, un des plus grands monuments historiques d'Europe. La visite terminée, prenez la N116 en direction d'**Ericeira**, à 11 km au nord-ouest, où vous découvrirez une petite plage constellée de bateaux de pêche colorés. Pour déjeuner, un restaurant de fruits de mer s'impose !

1. Estoril : lieu de villégiature des familles royales

À 13 km au sud de Sintra, 24 km à l'ouest de Lisbonne

Cette station élégante dotée de belles plages a longtemps profité de sa réputation de lieu de villégiature des monarques. Des comtesses un peu fanées descendent du train, des rois en exil viennent dîner au Palácio Hotel, et les enfants des dictateurs renversés se font bronzer au bord de la piscine. L'Estoril d'aujourd'hui est la création de Fausto Figueiredo, qui fit construire le luxueux Palácio en 1930. Le casino, quant à lui, a ouvert ses portes à la fin des années 60. Durant la Seconde Guerre mondiale, fuyant les envahisseurs nazis, maintes cours déchues vinrent en pays neutre attendre des jours meilleurs.

Informations pratiques

COMMENT S'Y RENDRE

En train Des trains partent de la gare de Cais do Sodré, au bord du Tage à Lisbonne. L'aller-retour coûte 400 ESC, et les départs se succèdent toutes les 12 à 30 minutes. Le trajet dure une demi-heure. Les trains circulent tous les jours de 5 h 30 à 2 h 30. Pour tout **renseignement**, appelez le ✆ 21/888-40-25.

En bus Prenez le train jusqu'à Estoril d'où vous pourrez prendre un bus pour Sintra (voir ci-dessous).

En voiture De Lisbonne, prenez la N6 vers l'ouest. La durée du trajet dépend de la circulation, importante quasiment jour et nuit. Elle est plus fluide du lundi au vendredi de 10 h à 16 h. Les heures de pointes sont à éviter absolument, de même que la ruée vers les plages le samedi et le dimanche matin avant 10 h, et le retour sur Lisbonne le soir de ces mêmes jours entre 16 h et 18 h. Il peut être moins éprouvant pour les nerfs de renoncer à la voiture pour visiter la côte et de prendre le train.

INFORMATIONS TOURISTIQUES

La **Junta Turismo Costa do Estoril** est située à Arcadas do Parque (✆ 21/466-38-13), en face de la gare.

Activités et shopping

EXPLORER LA STATION

Le **Parque Estoril**, en centre-ville, est un espace vert parfaitement entretenu. Sa végétation tropicale et ses nombreux palmiers lui ont valu son surnom de « coin d'Afrique ». Le **casino** se dresse en haut du parc. Vous y trouverez des salles de jeu, une scène de cabaret international, un dancing et des cinémas.

La **plage** se trouve de l'autre côté des voies de chemin de fer. L'élite européenne prend le soleil sur des chaises en toile à rayures vertes, disposées le long de la **Praia Estoril Tamariz**. Le site est agréable, mais nous ne recommandons pas de s'aventurer dans l'eau, trop polluée. On pourra au moins profiter du sable et du spectacle. Pour vous baigner, préférez l'une des nombreuses piscines d'hôtel des environs.

Tamariz est la plus grande plage gay du Portugal. En général, la fréquentation est plutôt mixte – homo et hétéro. Le coin gay est facile à repérer : « C'est là où il y a le plus de gens qui ont fait de la gonflette », nous a assuré un vieil habitué des lieux.

À l'est, São João do Estoril possède aussi une plage, malheureusement polluée, et de belles villas. Les visiteurs s'y rendent pour dîner et danser.

Activités de plein air

En dehors de la plage, la grande activité d'Estoril est le golf. Une institution, en activité depuis 1940, le **Clube de Golf do Estoril**, avenida da República (∅ 21/468-01-76), s'étend au pied de la colline de Sintra, à 3 minutes de voiture du casino. Le terrain, un des plus beaux d'Europe, a accueilli de nombreux championnats. Il possède un parcours de 9 trous et un autre de 18 trous. Du lundi au vendredi, les non-membres peuvent jouer le 18 trous pour 8 600 ESC. Le samedi et le dimanche sont réservés aux membres du club et aux clients du Palácio Hotel (voir plus loin), qui payent 3 000 ESC du lundi au vendredi et 5 000 ESC le week-end. Les clubs se louent 2 500 ESC pour 18 trous.

Le complexe de courts de tennis le plus moderne, que partagent la plupart des grands hôtels de la ville, est le **Clube de Tenis do Estoril**, Avenida Conte de Barcelona (∅ 21/466-2770). Il dispose de plus de 20 courts, dont les plus récents de la ville, accessibles pour 1 000 ESC par personne et par heure. À deux pas du Palácio Hotel, il est ouvert tous les jours de 7 h 30 au coucher du soleil.

Shopping

En dehors des boutiques des grands hôtels qui vendent des écharpes et des accessoires de bain, Estoril n'est pas riche en commerces. Pour trouver du choix, il faut se rendre sur les marchés de Lisbonne ou dans le grand centre commercial de Cascais (voir p. 144), à 10 minutes de voiture d'Estoril.

En juillet et août, la station accueille une foire d'artisanat en plein air, la **Feira do Artesanato**, près du casino. Elle vaut le détour, même si vous séjournez à Cascais. Elle est ouverte de 17 h à minuit. Outre des spécialités régionales de qualité, on trouvera des articles et des objets d'art, céramique comprise, provenant de toutes les régions du Portugal. On peut aussi se rendre à Carcavelos, à 6,5 km au sud-est d'Estoril, où se tient un marché animé, tous les jeudis de 7 h à 17 h. L'artisanat local voisine avec des articles de base : nourriture et vêtements. On peut se rendre à Carcavelos en train depuis Estoril. Il est préférable d'y aller le matin.

Se loger

Prix élevés

✪ **Palácio Hotel.** Rua do Parque, 2765 Estoril. ∅ **21/464-80-00** Fax 21/464-81-59. 162 chambres. TV CLIM. Minibar Tél. Double 30 000-35 000 ESC ; suite à partir de 45 000 ESC. Petit déjeuner compris. CB. Parking gratuit.

Le Palácio Hotel est la retraite légendaire de la royauté en exil. À ses débuts en 1930, il reçut le prince héritier du Japon et sa fiancée. Umberto, le roi déchu d'Italie, et Don Juan, le comte de Barcelone, ont suivi. Pendant la guerre, lorsque les gens fuyaient avec pour seul bagage une valise de bijoux et les vêtements qu'ils portaient sur eux, l'hôtel acceptait les paiements en diamants, rubis et or. À cette époque également, il devint un nid d'espions. Les salles de réception, pompéiennes, sont scandées de colonnes de marbre terre de Sienne, de bandeaux orange, et de tapis tissés à la main. Les petits salons, intimes, sont parfaits pour un tête-à-tête. Les chambres, vastes, sont traditionnelles, avec un beau mobilier Régence, un dressing et une salle de bains luxueuse. La rénovation entamée en 1990 n'était toujours pas terminée pour l'an 2000. Les chambres individuelles donnant sur l'arrière sont plus petites, mais aussi plus tranquilles. L'hôtel donne sur le côté du parc Estoril, dominé par le casino. La plage est à deux pas. **Restauration :** l'un des atouts majeurs du Palácio est son restaurant-grill, Four Seasons (voir plus loin « Se restaurer »). Le restaurant

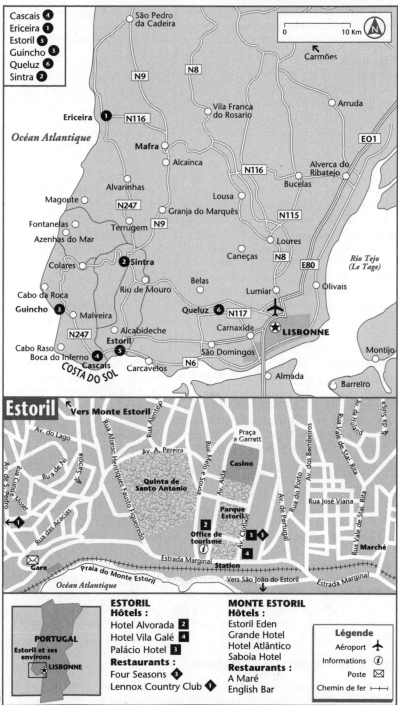

Estoril et ses environs

Cascais ❹
Ericeira ❶
Estoril ❺
Guincho ❸
Queluz ❻
Sintra ❷

0   10 Km

São Pedro da Cadeira

↖ Carmões

Océan Atlantique

Ericeira ❶ N116

Vila Franca do Rosario

Arruda

EO1

Mafra

Alcainca

N116

Alverca do Ribatejo

Bucelas

Alvarinhas

Magoute

N247

Granja do Marquês

Lousa

N115

Fontanelas

Terrugem

N9

Loures

Azenhas do Mar

Caneças

N8

E80

Rio Tejo (Le Tage)

Colares

❷ **Sintra**

Rio de Mouro

Belas

Lumiar

Olivais

Cabo da Roca

Guincho ❸ Malveira

Queluz ❻ N117

✈

Alcabideche

Carnaxide

★ **LISBONNE**

N247

Estoril ❺

São Domingos

Montijo

Cabo Raso

Boca do Inferno

❹ **Cascais**

Carcavelos

N6

Almada

Barrelro

COSTA DO SOL

Estoril

↖ **Vers Monte Estoril**

Av. do Lago

Rua Alfonso Henriques Fausto Figueiredo

Rua Alentejo

Rua Melo e Sousa

Praça a Garrett

Av. de Conde Moser

Av. de S. Pedro

Rua de Ní

Ru a de Ní

Av. A. Pereira

Casino

Rua Vale de Stai Ria

Rua 4p Holand da Suiça

Quinta de Santo Antonio

Av. Aida

Parque Estoril

Av. dos Bembeiros

Rua do Porto

Rua José Viana

Rua das Acacias

❶

❷ **Office de tourisme** ⓘ

❸ ❸

Av. Glorate

Av. de Portugal

Marché

Rua Vale de Stai. Rita

❹

✉ **Gare**

Estrada Marginal

Station

Praia do Monte Estoril

Océan Atlantique

Vers São João do Estoril

Estrada Marginal

PORTUGAL

Estoril et ses environs

★ LISBONNE

ESTORIL
Hôtels :

Hotel Alvorada ❷
Hotel Vila Galé ❹
Palácio Hotel ❸

Restaurants :

Four Seasons ❸
Lennox Country Club ❶

MONTE ESTORIL
Hôtels :

Estoril Eden
Grande Hotel
Hotel Atlântico
Saboia Hotel

Restaurants :

A Maré
English Bar

3-0544

Atlântico sert le petit déjeuner ; le Bar Estoril offre un accompagnement de piano. Le café est servi dans le salon central. **Services :** room service 24 h/24, baby-sitting, coiffeur, blanchisserie, pressing, piscine, accès prioritaire au terrain de golf voisin.

PRIX MOYENS

Hotel Alvorada. Rua de Lisboa 3, 2765 Estoril. ∅ 21/468-00-70 Fax 21/468-72-50. Mél : hotelavorada@ip.pt. 53 chambres. TV CLIM. Tél. Double 10 000-17 000 ESC ; triple 12 000-22 000 ESC. Petit déjeuner compris. CB. Parking gratuit.

Tout juste fonctionnel malgré sa rénovation complète au milieu des années 90, l'Hotel Alvorada ouvrit ses portes en 1969. Il offre un hébergement de style « pousada », en moins spectaculaire. Il se trouve en face du casino et du Parque Estoril, à 3 minutes à pied de la plage. Il est recommandé pour ses chambres de taille moyenne, bien entretenues mais sans élégance, chacune dotée d'un balcon et d'une belle salle de bains. Les espaces communs sont accueillants, notamment le hall décoré de peintures portugaises modernes et de meubles de style provincial. Le solarium sur le toit offre une vue panoramique sur la mer.

Hotel Vila Galé. Estrada Marginal, 2765 Estoril. ∅ 21/468-18-11 Fax 21/468-18-15. www.vilagale.pt. Mél : galeestoril@vilagale.pt. 126 chambres. TV CLIM. Minibar Tél. Double 15 000-30 000 ESC. Petit déjeuner compris. CB. Parking 760 ESC.

Construit à la fin des années 50 juste à côté de l'éblouissant Palácio (voir p. 136), cet hôtel dresse fièrement ses 7 étages de murs de verre. La moitié des chambres environ possède un balcon assez spacieux avec vue sur la mer et le casino. À une minute de la plage et de la gare, il se trouve, de plus, au cœur du quartier des boutiques d'Estoril. L'agrandissement de l'hôtel – triplant presque sa capacité – et la rénovation très attendue des chambres furent achevés en 1996. Les nouvelles chambres, comme les anciennes, sont équipées d'un mobilier moderne, élégant, en bois teinté, comprenant lits jumeaux, armoire et coffre. Depuis la rénovation, les tarifs les plus bas, qui faisaient autrefois l'attrait de l'hôtel, ont augmenté, mais il reste encore quelques chambres bon marché. La salle à manger, au niveau du hall, sert de la cuisine portugaise et jouit d'une vue imprenable sur la mer et les collines alentour, parsemées de villas. Au bar pavé de marbre, le design contemporain est à l'honneur. **Services :** room service 24 h/24, blanchisserie, baby-sitting, agence de location de voiture Budget.

Lennox Country Club. Rua Eng. Álvaro Pedro Sousa 5, 2765 Estoril. ∅ 21/468-04-51 Fax 21/467-08-59. 32 chambres. CLIM. Minibar Tél. Double 20 000-23 400 ESC ; suite 25 000-35 000 ESC. Petit déjeuner-buffet compris. CB. Parking gratuit.

Du fait, notamment, de son penchant pour le golf, cet hôtel à flanc de coteau rénové en 1993 ressemble beaucoup à un petit coin d'Écosse. Près du bar, sont affichées des photos dédicacées par des joueurs célèbres ayant séjourné dans ses murs. Le parc fait de cette adresse l'une des attractions majeures de la ville. Les chambres, de taille moyenne, sont belles et confortables. Certaines sont situées dans plusieurs bâtiments proches de la réception. Les plus spacieuses et attrayantes se trouvent dans le bâtiment principal, une ancienne demeure privée. Les suites sont équipées de kitchenettes. Le restaurant sert de la cuisine anglaise, notamment du *steak-and-kidney pie*, et des plats régionaux portugais. **Services :** room service, baby sitting, blanchisserie et piscine chauffée.

Hébergements à proximité

Bâti à flanc de coteau et donnant sur la baie de Cascais, Monte Estoril est le quartier résidentiel d'Estoril, 800 m plus à l'ouest sur la route de Cascais.

PRIX ÉLEVÉS

Estoril Eden. Av. Sabóia 209, Monte Estoril, 2765 Estoril. ∅ **21/467-05-73** Fax 21/466-76-01. www.maisturism.pt. Mél : eden@mail.telepac.pt. 162 appartements. TV CLIM. Tél. Appart. 2 personnes 14 700-21 000 ESC. Petit déjeuner compris. CB. Parking 1 300 ESC.

Le quatre-étoiles Estoril Eden est un endroit parfait pour les familles. Construite en 1985, la tour aux murs blancs se dresse sur un tertre rocheux dominant la route qui longe le rivage. Les appartements, insonorisés, de taille moyenne, sont tous équipés d'une kitchenette, de lits fermes, d'une vidéo interne et d'un balcon avec vue sur la mer. Dans les studios, les lits sont rabattables. Le décor est un peu défraîchi. **Restauration/distractions** : le Garden Patio propose une cuisine régionale et internationale à la carte et en buffet. La piscine possède son propre café-bar, Le Bistrot. Un pianiste accompagne le service pendant le dîner, et le soir, les clients ont une discothèque à leur disposition.On peut faire ses courses dans une supérette. **Services** : blanchisserie (mais le service est lent), piscines couverte et découverte, salle de remise en forme, solarium, concierge 24 h/24, jeux gratuits pour les enfants en été, baby-sitting.

Grande Hotel. Av. Sabóia 488, Monte Estoril, 2765 Estoril. ∅ **21/464-97-00** Fax 21/468-48-34. Mél : grandehotel@ip.pt. 73 chambres. TV CLIM. Tél. Double 10 000-20 000 ESC. Demi-tarif pour les enfants de moins de 8 ans dans la chambre des parents. Petit déjeuner-buffet compris. CB. Parking gratuit.

Un grand hôtel existe à cet endroit depuis 1895. L'édifice actuel est une reconstruction. À quelques minutes de la plage, il offre 7 étages de chambres spacieuses et bien meublées, dont la moitié possède des balcons suffisamment larges pour y prendre le petit déjeuner ou un bain de soleil. Refait de fond en comble en 1996, il est accueillant et confortable. Les salles communes sont charmantes et agréablement meublées, et une cheminée apporte une touche supplémentaire de convivialité. Les chambres sont meublées en style contemporain. Vacanciers et hommes d'affaires fréquentent cet hôtel qui possède un bon restaurant et un bar chaleureux. **Services** : room service (de 7 h à 22 h), blanchisserie, baby-sitting et piscine avec chaises longues et parasols.

Hotel Atlântico. Estrada Marginal 7, Monte Estoril, 2765 Estoril. ∅ **21/468-02-70** Fax 21/468-36-19. Mél : hotel.atlantico@telepac.pt. 175 chambres. TV Tél. Double, de mi-mai à sept.25 000-30 000 ESC, avr. à mi-mai et oct. 20 000-25 000 ESC, nov. à mars 15 000-18 000 ESC. Petit déjeuner compris. CB. Parking gratuit.

L'Hotel Atlântico est un bâtiment de 6 étages, donnant sur la plage, mais séparé d'elle par une voie ferrée. Le passage des trains et celui des voitures sur la route côtière sont les deux inconvénients du lieu. Toutefois, les chambres face à la mer et à un étage suffisamment élevé sont calmes. Les chambres sont de taille moyenne, correctement meublées (bureau suédois et fauteuil) et pourvues d'un couchage ferme et d'une belle salle de bains. Les 4e et 5e étages ont été rénovés en 1996 et dotés de literies neuves et de mobilier moderne en bois. Plus de 80 chambres sont climatisées et possèdent un minibar. La salle à manger, construite comme une grotte sous l'hôtel, donne, à travers un mur vitré, sur la piscine et la mer. Un bar offre télévision et vidéo, un autre est animé par des musiciens en soirée. **Services** : room service 24 h/24, blanchisserie, baby-sitting, grand solarium et piscine d'eau de mer en plein air.

PETITS PRIX

Saboia Hotel. Rua Belmonte 1, Monte Estoril, 2765 Estoril. ∅ **21/468-11-22** Fax 21/468-11-17. www.hotelabroad.co.uk/b1552.htm. 48 chambres. TV Tél. Double 12 000-14 000 ESC. Petit déjeuner-buffet compris. CB. Parking gratuit.

Au milieu d'un quartier de villas du XIXᵉ siècle, cette tour blanc et crème pointée vers le ciel offre un hébergement confortable de style années 70. À la fin des années 90, ce 3 étoiles a pris un aspect entièrement nouveau après rénovation. Chaque chambre, de taille petite à moyenne et équipée d'un lit à matelas ferme, dispose d'un accès à la piscine. Des chambres non-fumeurs sont disponibles. Le bar du rez-de-chaussée est climatisé et éclairé par de grandes fenêtres. Au sous-sol, se trouvent un snack-bar et un restaurant. La plage est à 10 minutes à pied.

Se restaurer

PRIX ÉLEVÉS

English Bar. Av. Sabóia 9, Monte Estoril. ∅ 21/468-04-13. Réservation conseillée. Plats 4 500-6 000 ESC. CB. Lun.-sam. 12 h 30-16 h et 19 h 30-minuit. Fermé les 2ᵉ et 3ᵉ semaines d'août. *Portugais.*

De nombreux amoureux viennent dans cet établissement célèbre – qui n'est pas un bar et encore moins anglais – dans le seul but de contempler le coucher de soleil sur la baie de Cascais. En dépit de la façade en faux style élisabéthain, la cuisine très soignée est essentiellement portugaise, même si la carte propose quelques plats internationaux. Tâchez d'être placé près d'une fenêtre de la belle salle à manger au parquet à l'anglaise et aux chaises confortables à dossier de cuir. Parmi les plats proposés, on retiendra la succulente crème de *mariscos* (un velouté de crustacés), le bar aux palourdes, ou le filet de bœuf. La spécialité du chef est le *cherne na canoa*, turbot accompagné de palourdes dans une sauce délicieuse. En saison, on peut commander de la *perdiz Serra Morena* (perdrix rôtie). Pour conclure en douceur, nous suggérons la mousse aux noisettes.

❂ **Four Seasons.** In the Palácio Hotel, rua do Parque. ∅ 21/464-80-00. Réservation obligatoire. Plats 2 000-2 700 ESC ; fruits de mer 2 500-13 000 ESC ; menu 5 500 ESC. CB. Tous les jours 13 h-15 h et 19 h 30-22 h 30. *International.*

Le Four Seasons bénéficie de l'aura de l'hôtel dont il dépend, un des plus célèbres du Portugal. Il n'en est pas moins l'un des restaurants les plus fins et les plus chers d'Estoril.

La carte et le service du Four Seasons s'accordent effectivement aux saisons. La vaisselle, les uniformes, le linge, la porcelaine et la verrerie changent à chaque époque de l'année. Les tables au décor très recherché, hormis celles qui trônent à l'écart sur la mezzanine, sont groupées autour d'une cuisine ibérique, belle mais purement décorative. Le calme, les bougies et les riches couleurs évoquent un intérieur russe élégant du XIXᵉ siècle. Cependant, la politesse et le charme parfaits du personnel très qualifié sont typiquement portugais.

La cuisine internationale est délicieuse. En entrée, vous pouvez choisir la crêpe aux trois fromages, la bisque de homard, ou le potage de moules froid. Suivront la sole meunière, les médaillons de mérou aux algues et aux œufs de saumon, l'*amira* de crevettes flambées, ou la *parrillada* de homard, crevettes, moules et palourdes, pour deux personnes. Parmi les viandes, vous dégusterez du bœuf et du veau farci aux crevettes, des médaillons de chevreuil aux châtaignes, et des côtelettes de sanglier à l'ananas. Le menu comprend un potage ou une entrée, un plat, un dessert, de l'eau minérale et un café. Le vin est en supplément pour 1 000 ESC. On entre directement depuis la rue ou le hall de l'hôtel.

PRIX MOYENS

A Choupana. Estrada Marginal, São João do Estoril. ∅ 21/468-3099. Plat 2 000-5 000 ESC. CB. Tlj. 9 h-2 h. Portugais, *international.*

Juste à l'est d'Estoril, vous pourrez passer toute la soirée dans ce restaurant qui comprend un dancing ouvert jusqu'à 2 h du matin. En plus d'une vue panoramique sur la baie de Cascais, il offre une excellente cuisine : son *cataplana*, par exemple, est un mélange de poulet et de palourdes. D'autres plats valent le détour, comme le curry de fruits de mer, le mérou au four, et la meilleure paella de la côte. La fraîcheur des fruits de mer est garantie.

A Maré. Alamedo Columbano 6, Monte Estoril. ∅ **21/468-55-70.** Réservation conseillée. Plat 1 500-3 200 ESC ; menus (pour des groupes d'au moins 10 personnes) 3 000-5 000 ESC par personne. CB. Tlj. 12 h-15 h et 19 h-23 h. *Portugais.*

C'est l'une des adresses les plus fiables et les mieux tenues d'Estoril, fréquentée par une clientèle d'habitués. Cette villa au décor romantique d'un charme suranné fut habitée par une ancienne comtesse. La carte compte toujours au moins sept poissons, aux préparations plus délectables les unes que les autres, même si beaucoup préfèrent une simple friture à l'ail et au persil. Sept menus succulents sont proposés – comprenant tous une entrée, un plat, du vin et un café – le plus cher offrant des crustacés. Un choix de crustacés figure également à la carte.

Vie nocturne

Jeux d'argent

Une tournée des grands-ducs dans les bars des grands hôtels comme le Palácio vous introduira dans le monde élégant d'Estoril. Si vous aimez les ambiances plus solennelles, rendez-vous à l'**Estoril Casino**, dans le Parque Estoril, praça José Teodoro dos Santos (∅ **21/468-45-21**). L'entrée de la salle de jeu (roulette, chemin de fer, blackjack et jeux de dés) coûte 500 ESC. Vous pouvez jouer tous les jours de 15 h à 3 h du matin, à condition d'avoir plus de 18 ans et de présenter une pièce d'identité avec photo. L'entrée de la salle des machines à sous est gratuite et ne requiert aucune pièce d'identité. Datant de la fin des années 50, le casino domine un jardin à la française, en haut d'une colline près du centre-ville. Une cour intérieure agrémentée de fontaines et d'allées carrelées est bordée de parois de verre évoquant un musée d'art moderne.

Bars et clubs

À l'intérieur du casino, le **Salão Preto e Prata** (∅ **21/468-45-21**) héberge la revue la plus tape-à-l'œil et la plus pittoresque de la région. Si vous ne dînez pas sur place, vous payez une entrée de 5 000 ESC qui inclut les deux premières boissons. Le spectacle commençant à 23 h, mieux vaut arriver vers 22 h 30. Des danseuses tout en jambes, parées de paillettes, de plumes et de strass, se pavanent sur scène en cortèges tourbillonnants. Les repas sont servis dans le théâtre de 700 places ou dans un restaurant annexe de 150 couverts, le Wunderbar. Le dîner-spectacle coûte de 9 000 ESC à 14 000 ESC par personne.

La discothèque la plus célèbre et la plus impressionnante est le **Frolic**, dans le Parque do Estoril (∅ **21/468-12-19**). Voisine de l'Hotel Palácio et proche du casino, elle attire une clientèle aisée de plus de 25 ans. L'entrée de 3 000 ESC comprend une boisson. Clinquante, bien fréquentée, avec des airs de discothèque de grandes villes, elle est ouverte tous les soirs de 23 h à l'aube.

Si vous recherchez un endroit plus typique, moins survolté, allez prendre un verre dans un bar situé dans le **Forte Velho (Vieux Fort)**, Estrada Marginal, São João do Estoril (∅ **21/468-13-37**). L'endroit n'est pas à la pointe de la mode (pour cela, il y en a d'autres à Lisbonne), mais les murs de ce fort vieux d'un demi-siècle, autrefois redoutable, lui confèrent un attrait indéniable. À l'intérieur, vous trouverez un bar très usagé, de la musique disco, et une foule infatigable de moins de 30 ans le week-end, d'âge plus divers en semaine. L'entrée est gratuite, et la bière coûte dans les 600 ESC. Pour une ambiance plus anglo-saxonne, prenez la direction du **Ray's Cocktail Bar & Lounge**, av. Sabóia 425, Monte Estoril (Ø 21/468-01-06), vieille institution au décor colonial kitsch et éclectique. Les cocktails commencent à 600 ESC, la bière coûte au moins 425 ESC. Ouvert tous les jours de 13 h à 2 h du matin.

2. Cascais

À 6 km à l'ouest d'Estoril, 30 km à l'ouest de Lisbonne

Dans les années 30, Cascais était un petit village de pêcheurs qui séduisait les artistes et les écrivains. Son histoire en tant que station balnéaire est ancienne. Autrefois, il était réputé village royal, placé sous la protection de la famille régnante. Puis les militaires ont remplacé les monarques dans ce rôle. Le général António de Fragoso Carmona, président sans pouvoir du régime salazariste jusqu'en 1951, résida dans le fort du XVIIe siècle qui défend la Riviera portugaise.

Dire que Cascais se développe est un euphémisme : la ville explose ! Résidences, nouveaux hôtels, et restaurants – les meilleurs de la Costa do Sol -, attirent un flot incessant de visiteurs.

Cependant, la vie des pêcheurs suit son cours ordinaire. La vente à la criée (*lota*) de la pêche du jour se déroule sur la grand-place, au pied d'un hôtel moderne. Dans le petit port, les bateaux de pêche multicolores côtoient les embarcations de plaisance d'un monde cosmopolite qui afflue du début du printemps à l'automne.

Les liens de la ville avec la mer sont anciens. Si vous parlez portugais, interrogez n'importe quel pêcheur au visage buriné, il vous dira que c'est l'un des leurs, Afonso Sanches, qui découvrit l'Amérique en 1482. Christophe Colomb, ayant appris la nouvelle de cette découverte fortuite, en vola le secret et en recueillit l'honneur...

Informations pratiques

COMMENT S'Y RENDRE

En train Les trains à destination de Cascais partent de la gare de Cais do Sodré à Lisbonne, au bord du Tage. Ils circulent dans les deux sens à intervalles de 15 à 30 minutes, tous les jours de 5 h 30 à 2 h 30. Le billet aller-retour coûte 400 ESC. **Renseignements** au Ø 21/888-40-25.

En bus Depuis Lisbonne, il est recommandé de prendre le train. Depuis Sintra, 11 bus quotidiens font le trajet d'une heure jusqu'à Cascais. L'aller-retour coûte 300 ESC.

En voiture Venant d'Estoril (voir plus haut la rubrique « Estoril »), suivez la N6 sur 6 km en direction de l'ouest.

INFORMATIONS TOURISTIQUES

L'office du tourisme de Cascais se trouve av. Combatentes da Grande Guerra 25 (Ø 21/486-82-04).

Visites et activités

DÉCOUVRIR LA VILLE

Les corridas qui se déroulent les dimanches d'été au **Monumental de Cascais**, une arène en dehors du centre-ville (voir « Les sports grand public », chapitre 5), attirent une foule nombreuse, rendant la circulation impossible aux abords de la ville.

Le grand **Parque do Marechal Carmona**, ouvert tous les jours de 9 h à 20 h, est un lieu de détente très agréable. Ce parc, avec son lac, son café et son petit zoo, s'étend à la pointe sud de la station, près du rivage. Il est possible de pique-niquer sur des chaises et des tables installées à l'ombre des grands arbres.

L'église la plus intéressante est l'**Igreja de Nossa Senhora da Assunção** (Notre-Dame-de-l'Assomption) sur le largo da Assunção (∅ 21/483-04-77), une place ombragée à la périphérie ouest de la ville. Elle est ouverte tous les jours de 9 h à 13 h et de 17 h à 20 h. La nef est remplie de peintures de Josefa de Óbidos, une artiste du XVIIᵉ siècle. Il était rare, à l'époque, qu'une femme se voit confier des commandes de cette importance. Les *azulejos* (carreaux) datent de 1720 et 1748. Le somptueux autel date de la fin du XVIᵉ siècle.

Cascais possède aussi quelques petits musées, comme le **Museu do Mar** (musée de la Mer), avenida da República (∅ 21/486-13-77), où sont exposés des objets liés à la pêche, notamment du matériel et des modèles réduits de bateaux. On verra également des costumes folkloriques portés par les résidents du début du XIXᵉ siècle. Des photos anciennes et des peintures restituent l'ambiance du Cascais d'autrefois. Le musée est ouvert du mardi au dimanche, de 10 h à 17 h ; l'entrée coûte 200 ESC.

Autre musée intéressant, le **Museu do Conde de Castro Guimarães**, estrada da Boca do Inferno (∅ 21/482-06-56), dans le Parque do Marechal Carmona, occupe l'ancienne maison XIXᵉ d'une famille dont le dernier descendant est mort en 1927. Tout un ensemble de céramiques, d'antiquités, d'illustrations, d'aiguières en argent, de samovars et de châles brodés indo-portugais, entre autres, reconstitue le cadre de vie aux XVIIIᵉ et XIXᵉ siècles. Il est ouvert du mardi au dimanche de 10 h à 12 h 30 et de 14 h à 17 h. L'entrée coûte 250 ESC.

Le but d'excursion le plus célèbre des environs de Cascais est la ✪ **Boca do Inferno** (la « Bouche de l'Enfer »). Cette curiosité géologique mérite sa terrible réputation. Lorsque la mer est mauvaise, les vagues mugissantes s'écrasent avec une telle furie contre la falaise qu'elles y ont creusé une énorme cavité, ou *boca*... ce qu'on a du mal à imaginer par temps calme. Suivez la route en direction de Guincho, et tournez à gauche vers la mer.

ACTIVITÉS DE PLEIN AIR

La plupart des visiteurs se satisfont des trois belles plages de l'endroit. Se prélasser sur le sable est sans danger, mais la baignade n'est pas conseillée : l'eau risque d'être trop polluée. Si vous souhaitez vous dépensez plus activement, **Equinócio**, Verandas de Cascais 3 (∅ 21/483-53-54), loue du matériel de surf.

Pour aller pêcher, adressez-vous au **Clube Naval de Cascais**, Esp. Príncipe Luís Filipe, en face de l'Hotel Baia (∅ 21/483-01-25), qui organise des sorties en mer vers des lieux de pêche.

Le meilleur centre de randonnée équestre, ouvert toute l'année, est la **Quinta da Marinha** (∅ 21/486-90-84), à 4 km à l'ouest de Cascais. Appelez pour vous renseigner sur l'accès et les conditions.

Le meilleur terrain de golf est celui du **Clube de Golfe da Marinha**, Quinta da Marinha (∅ 21/486-98-81), niché dans une forêt de pins parasols. Le grand Robert Trent Jones Sr. en personne a dessiné le parcours de 18 trous, orgueil d'un complexe résidentiel de luxe de 130 hectares. Tout au long de ses 6 kilomètres, vous pourrez contempler à loisir des dunes battues par le vent et des récifs lacérés par les vagues. Le 14ᵉ trou, face à une profonde gorge rocheuse, est le plus difficile. En semaine, le tarif est de 7 900 ESC, ou 4 200 ESC après 16 h ; le week-end, il passe à 9 500 ESC jusqu'à 16 h et 5 200 ESC ensuite.

SHOPPING

La plus grande concentration de magasins élégants de la région se trouve non loin de la station, dans le vaste centre commercial **Shopping Cascais**, Estrada de Sintra (∅ 21/460-00-53 pour tout renseignement), situé en bordure de l'A5, la route Cascais-Sintra. Une centaine de boutiques, sur deux étages, sont consacrées à l'équipement ménager, au mobilier et à l'habillement. Il comprend également un **cinéma** (∅ 21/460-04-20), qui programme des films étrangers sous-titrés en portugais.

Si vous préférez un cadre qui soit moins franchement commercial et plus couleur locale, promenez-vous dans le dédale de petites rues bordées de boutiques de céramique qui entoure l'église de Cascais, ou bien remontez l'artère la plus commerçante de la ville, **rua da Raita**, une voie piétonne du centre-ville.

Les **marchés** offrent les meilleures opportunités d'achats. Au nord du centre-ville, dans la rue Mercado adjacente à l'avenida do 25 de Abril, un marché de fruits et légumes (et de bien d'autres choses) se tient les mercredis et samedis matin. Un autre marché très étendu a lieu les 1er et 3e dimanches de chaque mois devant les arènes, Praça de Touros, dans avenida Pedro Álvares, à l'ouest du centre-ville.

Se loger

En juillet et août, il est nécessaire de réserver quelque temps à l'avance.

PRIX ÉLEVÉS

✪ **Cascais Vila Dom Pedro.** Rua Fernandes Tomaz 1, 2750 Cascais. ∅ 21/486-3410 Fax 21/484-46-80. 10 chambres. TV CLIM. Minibar Tél. Double 35 000-41 000 ESC. Petit déjeuner compris. CB. Parking gratuit.

Dans le centre de Cascais, près de la gare, cette ancienne demeure privée a été transformée avec goût en hôtel 5 étoiles de grande classe. Il donne sur la baie de Cascais et offre des chambres spacieuses, joliment meublées, avec des matelas de luxe. Le 4e étage est un toit en terrasse. **Restauration** : vous dégusterez dans la salle à manger une cuisine portugaise et internationale de premier choix. Le menu gastronomique revient à 7 000 ESC. Même si vous n'êtes pas un client de l'hôtel, il est préférable de réserver. **Services** : room service 24 h/24, blanchisserie, pressing, concierge, jacuzzi.

✪ **Estalagem Senhora da Guia.** Estrada do Guincho, 2750 Cascais. ∅ 21/486-92-39 Fax 21/486-92-27. Mél : senhora.da.guia@mail.telepac.pt. 42 chambres. TV CLIM. Minibar Tél. Double 19 000-35 000 ESC ; suite à partir de 48 000 ESC. Petit déjeuner-buffet compris. Enfants de 2 à 12 ans 4 000 ESC, dans la chambre des parents. CB. Parking gratuit.

À son retour du Brésil, la famille Ornelas a entrepris de transformer l'ancienne résidence de campagne d'une famille de brasseurs, les Sagres, en hôtel de charme. La maison ne date que de 1970, mais ses murs épais, ses hauts plafonds et ses moulures très travaillées donnent une impression d'ancienneté. Un trio de frères et sœurs polyglottes a rendu son ancien lustre à la demeure. Les chambres élégantes – de taille moyenne – et les suites sont aménagées avec des reproductions de meubles portugais du XVIIIe siècle, des tapis épais, des persiennes. Toutes offrent des prestations de luxe, notamment en matière de literie et de salles de bains. La villa reposant sur un promontoire, vous jouirez en outre de superbes panoramas. **Restauration/distractions** : le bar inondé de soleil est l'une des pièces les plus attachantes de la maison. Il est rempli d'antiquités appartenant à la famille, dont beaucoup de pièces anglaises acquises pendant son séjour à Madère, et il possède une cheminée. Le petit déjeuner est servi sous des parasols au bord de la piscine. La salle à manger solennelle où sont

servis les repas du midi et du soir reste fraîche même par temps de canicule.
Services : concierge, room service, 15 % de réduction au club de golf du voisinage.

Estoril Sol. Parque Palmela, 2750 Cascais. ∅ **21/483-90-00** Fax 21/483-22-80. 309 chambres. TV CLIM. Minibar Tél. Double 30 000 ESC ; suite 47 000-56 000 ESC. Petit déjeuner-buffet compris. CB. Parking 1 200 ESC.

L'Estoril Sol est une tour perchée sur une corniche entre la route côtière et la voie ferrée qui la sépare de la plage, entièrement vouée aux séjours de vacances. C'est la réalisation du rêve de son propriétaire, José Teodoro dos Santos, *self-made man* qui débarqua à Lisbonne sans un sou en poche. Il créa un paradis moderne pour vacanciers, avec des espaces communs suffisamment grands pour accueillir une invasion de visiteurs en quête de soleil. L'Estoril Sol est un des plus grands hôtels du Portugal. Ses chambres et ses suites ont vue sur la mer ou sur les collines alentour. Elles sont de taille petite à moyenne, remplies d'un mobilier passe-partout, mais les lits sont confortables. Leur point fort est la salle de bains en marbre, pourvue d'un lavabo double, d'un sèche-cheveux, d'articles de toilette de luxe et de peignoirs. Le bar est vaste (un agent de la circulation rendrait service), la véranda est la plus étendue de la péninsule, et l'on accède à la plage par un passage souterrain. **Restauration** : on a le choix entre l'Ain Restaurant et le Grill, qui servent tous deux de la cuisine portugaise et française. Au Grill, le soir, on peut dîner au son du piano. **Services** : room service 24 h/24, blanchisserie, pressing, baby-sitting, gymnase, piscine olympique pour adultes et petit bassin pour enfants, sauna, solarium, salle de remise en forme avec salles de squash, possibilité de monter à cheval et de faire du ski nautique, galerie marchande, station-service.

✪ **Hotel Albatroz.** Rua Frederico Arouca 100, 2750 Cascais. ∅ **21/483-28-21** Fax 21/484-48-27. www.hotel.pt. Mél : albatroz@mail.telpac.pt. 40 chambres. TV CLIM. Minibar Tél. Nov.-mars, double 28 000-38 500 ESC, suite 46 000 ESC. Avr.-oct., double 39 500-55 000 ESC, suite 75 000 ESC. CB. Parking gratuit.

L'Albatros est la meilleure option offerte sur la Costa do Sol, tant du point de vue de l'hébergement que de la nourriture. Posé sur une corniche rocheuse dominant l'océan, il s'organise autour d'une villa néoclassique qui fut la résidence estivale du duc de Loulé. Au XIXe siècle, il fut acquis par le comte et la comtesse de Foz, avant d'être transformé en petit hôtel au XXe siècle. Il a été récemment rénové avec goût et élégance. Le décor discret utilise abondamment les carreaux peints et le verre. Le logis principal du XIXe siècle en pierre de taille a été complété par une série d'annexes en terrasses où se trouvent les chambres. Celles-ci varient en taille, mais toutes sont luxueusement meublées. Celles donnant sur la rue peuvent être bruyantes. Imprégné d'histoire, l'Albatroz a reçu de nombreuses célébrités : Anthony Eden, Cary Grant, le duc et la duchesse de Bedford, Claudette Colbert, William Holden, Amy Vanderbilt et l'ancienne reine de Bulgarie. Le prince Rainier et la princesse Grace y sont venus plusieurs fois. **Restauration** : le restaurant à la carte est un des meilleurs de la côte (voir plus loin « Se restaurer »). **Services** : room service 24 h/24, baby-sitting, blanchisserie et pressing, piscine, solarium.

PRIX MODÉRÉS

Estalagem Farol. Estrada da Boca do Inferno 7, 2750 Cascais. ∅ **21/483-01-73** Fax 21/484-14-47. 14 chambres. TV Minibar Tél. Double 12 500-14 000 ESC. Petit déjeuner-buffet compris. CB. Parking gratuit.

Lors de sa construction à la fin du XIXe siècle, l'Estalagem Farol était destiné à loger l'entourage du comte de Cabral. Il devint un petit hôtel en 1988. À l'arrière, à la place du jardin, les propriétaires ont aménagé une piscine à quelques pas de la mer.

Les petites chambres sont confortables, équipées de couchages fermes et meublées avec goût. Notre endroit préféré est le bar, pour ses lambris ciselés, son riche décor et sa vue magnifique sur la mer. Le restaurant Santa Marta déborde d'un charme typiquement ibérique. Blanchisserie et baby-sitting sont possibles. Le bruit de la discothèque voisine peut gêner certains hôtes.

PETITS PRIX

Albergaria Valbom. Av. Valbom 14, 2750 Cascais. ∅ 21/486-58-01 Fax 21/486-58-05. 40 chambres. CLIM. Tél. Double 6 000-12 500 ESC. Petit déjeuner compris. CB. Parking gratuit.

Construit en 1973, cet hôtel présente une banale façade de béton blanc trouée de rangées régulières de balcons encastrés. L'intérieur est chaleureux et confortable, et le personnel serviable et poli. Les chambres décorées sans excès d'originalité sont équipées de matelas fermes. Elles entourent un salon inondé de soleil. Les chambres les plus calmes donnent sur l'arrière. Le bar est spacieux. Le Valbom se dresse dans une rue terne, mi-résidentielle mi-commerçante, à deux pas du centre de Cascais, près de la gare ferroviaire.

✪ **Casa Pérgola.** Av. Valbom 13, 2750 Cascais. ∅ 21/484-00-40 Fax 21/483-47-91. Mél : pergolahouse@mail.telpac.pt. 11 chambres. CLIM. Double 14 000-20 000 ESC. Petit déjeuner compris. N'accepte pas les cartes de crédit. Fermé nov.-fév.

Construite au XVIIIe siècle, cette élégante villa dressée au fond d'un jardin offre l'un des intérieurs les plus charmants et les plus tranquilles de Cascais. Sise en centre-ville, elle est environnée de restaurants et de boutiques. Maria de Luz règne sur les lieux. Son personnel, très stylé, est fier de vous montrer les antiquités ou encore les carreaux bleus de l'élégant salon du premier étage. Chacune des chambres est bien meublée, et dotée d'un excellent lit. Réservez quelque temps à l'avance. Officiellement fermé de novembre à février, l'hôtel ouvre néanmoins ses portes à d'autres périodes aux groupes qui réservent au moins cinq chambres.

Solar Dom Carlos. Rua Latina Coelho, 2750 Cascais. ∅ 21/482-8115 Fax 21/486-5155. www.portugalinfo.net-d-carlos. Mél : solardcarlos@mailtelepac.pt. 18 chambres. TV Tél. 8 000-10 000 ESC. Petit déjeuner compris. CB. Parking gratuit.

Si vous voulez limiter vos dépenses, ce petit hôtel, ancienne demeure d'un aristocrate local située à l'écart dans une petite rue, est des plus charmants. Il date du début du XVIe siècle, et la chapelle de son noble propriétaire est restée intacte. L'établissement est d'une propreté impeccable. Les chambres, confortablement meublées, sont souvent grandes et dotées de bons lits, mais les autres prestations sont réduites. Un troisième lit peut être rajouté dans les chambres. L'hôtel possède un jardin privé.

Se restaurer

Après Lisbonne, Cascais offre la plus grande concentration de restaurants de qualité. Une dégustation de fruits de mer à Cascais vaut le déplacement.

PRIX ÉLEVÉS

✪ **Restaurant Albatroz.** Dans l'Hotel Albatroz, rua Frederico Arouca 100. ∅ 21/483-28-21. Réservation obligatoire. Plats 3 200-4 500 ESC. CB. Tlj. 12 h 30-15 h et 19 h 30-22 h. *Portugais, international.*

Une des meilleures tables de la Costa do Sol, ce restaurant au décor élégant fait partie de l'hôtel le plus renommé de la côte (voir plus haut « Se loger »). Son décor estival est attrayant en toute saison. La salle évite la raideur et le pompeux, mais le service n'en est pas moins stylé, et le genre vestimentaire de la clientèle peut être qualifié de « simple mais impeccable ».

Vous prendrez d'abord l'apéritif sur la terrasse couverte dominant la mer. Vous serez ensuite invité à prendre place dans une salle à manger étincelante où l'on sert la meilleure cuisine portugaise et internationale de Cascais. Faites votre choix entre le saumon poché, la perdrix à la cocotte, le chateaubriand, ou la sole farcie aux crustacés, auxquels s'ajoutent des plats du jour de poisson. La lotte aux palourdes est un délice. Les desserts vont des crêpes Suzette au soufflé glacé. La carte des vins, portugais et internationaux, est bien fournie.

Visconde da Luz. Dans le Jardim Visconde da Luz. ∅ **21/486-68-48.** Réservation obligatoire. Plats 2 000-6 000 ESC. CB. 12 h-16 h et 19 h-24 h, fermé le lundi. *Portugais, fruits de mer.*

La situation de ce restaurant bien connu est l'un de ses atouts majeurs : il occupe un bungalow à la lisière d'un parc, dans le centre de Cascais. La vue embrasse des rangées de tilleuls et de sycomores où des nuées d'oiseaux s'assemblent au crépuscule (attention, si vous vous promenez en dessous). Le décor est du genre Art nouveau modernisé. Le personnel en uniforme est poli et empressé. Avant d'entrer, vous aurez peut-être envie de jeter un coup d'œil aux cuisines carrelées de bleu et blanc. La cuisine portugaise est bien préparée, à partir d'ingrédients frais. Au menu, sole grillée, crustacés, porc aux palourdes, curry de fruits de mer, ou palourdes en sauce à l'ail, avec du gâteau aux amandes en dessert. Beaucoup de fruits de mer sont vendus au kilo, de quoi satisfaire largement l'appétit de deux personnes.

PRIX MODÉRÉS

Beira Mar. Rua das Flores 6. ∅ **21/483-73-80.** Réservation conseillée. Plats 2 800-4 200 ESC. CB. 12 h-15 h et 19 h-23 h, fermé le mardi. *Portugais.*

Situé face au marché au poisson, ce petit restaurant réputé est spécialisé dans les produits de la mer, qu'il prépare à merveille. À l'entrée, toutes les richesses de l'Estrémadure sont entassées dans une vieille charrette. Vous êtes assis à des tables impeccables, et le service est à la fois prévenant et efficace. On peut commencer par des palourdes ou d'autres crustacés, par exemple la *sopa marisco* (soupe de crustacés). On pourra choisir ensuite de l'aiglefin à la banane. Sole grillée et autres plats complètent la carte. Cette copieuse nourriture s'arrose de vins locaux. Pour le dessert, laissez-vous tenter par une « couronne de framboises sauvages fraîchement cueillies et humectées de crème » suivie d'un « petit verre de porto vieux ».

Eduardo. Largo das Grutas 3. ∅ **21/483-19-01.** Réservation conseillée. Plats 1 700-3 200 ESC ; menu 3 800 ESC. CB. 12 h-15 h et 19 h-23 h, fermé le mercredi. *Portugais, français.*

Un décor rustique à base d'objets régionaux agrémente ce restaurant provincial qui occupe le rez-de-chaussée d'une résidence de l'après-guerre, dans le centre de Cascais. Il porte le prénom de son propriétaire d'origine belge, Édouard de Beukelaer, qui réalise de savoureux repas portugais et français. Au menu : steaks dans le filet, filets de turbot braisé, langoustines dans une sauce au beurre et aux câpres, ou foie de veau. Rien de très original, mais tout est bien cuisiné.

O Pipas. Rua das Flores 18. ∅ **21/486-45-01.** Réservation conseillée. Plats 2 000-3 000 ESC. CB. Tlj. 12 h-15 h 30 et 19 h-23 h 30. *Portugais, international.*

Ce restaurant réputé sert une cuisine bien préparée à des prix abordables, hormis les crustacés. Beaucoup le considèrent comme le meilleur restaurant indépendant (hors restaurants d'hôtel) de la station. L'espace à deux niveaux ressemble à un bistrot portugais, avec ses casiers à bouteilles et ses grandes baies vitrées laissant entrer le soleil et donnant sur la rue animée. La carte comprend du homard, des palourdes, des crustacés de toutes sortes (huîtres comprises), plusieurs préparations de sole, de calamar, et des grillades de crustacés. Le repas de crustacés pour deux revient à 14 000 ESC.

❍ **Reijos Restaurant.** Rua Frederico Arouca 35. ∅ **21/483-03-11.** Réservation obligatoire pour le dîner. Plats 3 000- 5 000 ESC. CB. 12 h 30-15 h 30 et 19 h-23 h, fermé le dimanche et 20 déc.-20 jan. *Américain, portugais.*

En pleine saison, vous devrez attendre qu'une table se libère ou abandonner tout espoir de manger dans ce petit bistrot simple et intime dont l'excellente cuisine attire une foule considérable. L'Américain Ray Ettinger, associé de longue date avec le Portugais Tony Brito, mêlent avec bonheur cuisine américaine et cuisine portugaise. Si M. Ettinger a le mal du pays, il vous préparera une exceptionnelle pièce de bœuf rôtie à l'anglaise ou un steak Salisbury avec une sauce aux champignons. Parmi les autres plats qui ont fait sa réputation, on signalera le homard thermidor, le steak au poivre, le curry de crevettes et le filet mignon. Deux spécialités de Macao sont préparées à votre table : le bœuf aux petits poivrons du jardin et les crevettes au concombre. Au nombre des poissons frais figurent la sole, le bar et le saumon, sans oublier le célèbre *bacalhau a Reijos* (de la morue séchée cuite au four avec une sauce au fromage). Le légume d'accompagnement est servi sans supplément. En outre, M. Ettinger prépare sur place un remarquable choix de desserts à partir d'ingrédients de saison. Le service est parfait.

Restaurante o Batel. Travessa das Flores 4. ∅ **21/483-02-15.** Réservation obligatoire. Plats 1 500-5 000 ESC ; menu 3 200 ESC. CB. 12 h-16 h et 18 h 30-24 h, fermé le lundi. *Portugais, international.*

O Batel fait face au marché au poisson. La salle aux murs blancs et rugueux sous un plafond à poutres apparentes est garnie de petites tables, dans un style semi-rustique d'auberge de campagne. Il fait salle comble à chaque repas grâce à une copieuse cuisine régionale servie à des prix raisonnables. Le menu est particulièrement intéressant. Il comprend une soupe, un plat, un dessert et, à votre choix, une bouteille d'eau, un café ou une demi-bouteille de vin. Les spécialités de la maison sont le homard thermidor et le homard au cognac (les prix sont révisés en fonction du marché). Parmi les plats moins chers, nous recommandons la délicieuse sole de Cascais à la banane, les palourdes à la crème, ou les crustacés variés avec du riz. En entrée, essayez le cocktail de bouquets. Au dessert, on mentionnera l'ananas au Madère. Vous pouvez arroser le tout de rosé Casal Mendes.

PETITS PRIX

Dom Manolo. Av. Marginal 13. ∅ **21/483-1126.** Plats 1 000-2 000 ESC. Les cartes de crédit ne sont pas acceptées. Tlj. 10 h-23 h 30. Fermé en janvier. *Portugais.*

Dans la rue principale de Cascais, cette rôtisserie à direction espagnole ressemble à une taverne espagnole. On vous servira une nourriture régionale simple et bonne à des prix raisonnables. Elle attire davantage les résidents locaux que les touristes. Beaucoup de clients sont des habitués qui viennent au moins une fois par semaine se délecter du poulet à la broche, d'une cuisson parfaite, servi avec des frites ou une salade. Essayez aussi les délicieuses sardines grillées, n'importe quel plat de crevettes, et surtout, la pêche du jour. Les serveurs vous conseilleront. Un flan velouté achève le repas.

John Bull/Britannia Restaurant. Largo Luís de Camões 4A. ∅ **21/483-33-19.** Plats 1 500-2 300 ESC ; menu 3 500 ESC. CB. Tlj. 12 h 30-15 h 30 et 19 h 30-23 h 30. *Anglais, portugais, américain.*

Ce pub central affiche ses attaches anglaises tant à l'extérieur dans la façade élisabéthaine blanc et noir à colombages qu'à l'intérieur du John Bull Pub. La salle du rez-de-chaussée est tapissée de lambris de bois sombre, avec des poutres en chêne au plafond et une cheminée. Elle est meublée de tabourets et de tables en bois grossièrement taillé, et décorée de pots en étain. On discute autour d'une pinte d'*ale* ou de *lager* tirée à la main. En haut, le Britannia Restaurant propose des plats anglais, américains et portugais : *cottage pie*, poulet frit du Sud, *T-bones* et fruits de mer locaux. La cuisine est consistante et fiable, rien de plus.

Vie nocturne

Clubs de *fado* à l'ancienne et discothèques tapageuses égaient les nuits de cette station florissante.

Clubs de *fado*

La salle de *fado* la plus célèbre, plébiscitée par les amateurs et la critique, est le légendaire **Rodrigo**, rua de Birre 961, Forte Dom Rodrigo, estrada de Birre (∅ 21/487-13-73). On y écoutera des versions bien orchestrées de *fado* traditionnel, de 22 h à 2 h du matin, sauf le lundi. Un repas complet coûte 5 000 à 8 000 ESC. Nous préférons, quant à nous, y passer uniquement pour boire un verre. L'entrée – environ 3 000 ESC – inclut deux consommations. Rodrigo Inaçio, le propriétaire, a réussi à attirer les célébrités de Lisbonne grâce à l'étendue de son répertoire et à ses interprétations émouvantes.

Discothèques et clubs de danse

La liste des lieux nocturnes de Cascais se renouvelle aussi rapidement que ses vacanciers, mais le plus réputé est le **Coconuts**, dans l'Estalagem Farol, estrada do Guincho (∅ 21/483-01-73). La clientèle est mixte, homo et hétéro. Situé dans une annexe de l'hôtel avec vue sur la mer, il comprend deux pistes de danse et un espace réservé au karaoké. D'avril à septembre, il est ouvert tous les soirs de 23 h à l'aube ; le reste de l'année, il est ouvert aux mêmes heures, mais uniquement le mercredi, le vendredi et le samedi. L'entrée coûte 2 000 ESC et comprend une boisson. Il devait être rénové en l'an 2000. Un divertissement plus tranquille, et plus banal, est offert au **Palm Beach Karaoke Bar**, Alameda Duguesa de Palmela (∅ 21/483-08-51). Dans ce bar-pub, chacun peut s'emparer du micro et se prendre pour une star le temps d'une chanson. Le restaurant attenant change volontiers de style en fonction des saisons et de la clientèle. La bière coûte au moins 600 ESC. Ouvert de 19 h à 2 h, sauf le lundi.

3. Guincho

À 6,5 km au nord de Cascais, 9,5 km au nord d'Estoril

Le *guincho* est le cri que pousse l'hirondelle lorsqu'elle s'élance au-dessus de l'océan, portée par les courants d'air chaud. Les hirondelles nichent toute l'année à Guincho. La nuit, parfois, un hurlement monte de la mer comme si elle était prise d'un accès de furie : cela aussi, c'est le *guincho*.

La ville occupe la pointe occidentale extrême du continent européen, que les Portugais nomment le **Cabo da Roca**. Les vastes plages de sable brûlées par le soleil et les promontoires qui avancent dans la mer moutonneuse forment un spectacle grandiose. Les dunes venteuses s'adossent à des collines boisées, et à l'est, la Serra de Sintra s'élève dans le lointain.

Informations pratiques

COMMENT S'Y RENDRE

En bus Des bus partent toutes les heures de la gare ferroviaire de Cascais à destination de la Praia do Guincho. Le trajet dure 20 minutes.

En voiture De Cascais, suivez la N247 vers l'ouest.

L'office du tourisme le plus proche se trouve à Cascais (voir plus haut).

Plages dangereuses et festins de fruits de mer

La **Praia do Guincho** attire des foules considérables, mais le courant est traître. Il est donc prudent de garder à l'esprit le conseil que Jennings Parrott donnait aux lecteurs de l'*International Herald Tribune* : « Si vous êtes emporté par le courant, ne cherchez pas à résister. Ne paniquez pas. Le vent l'oblige à tourner et vous serez ramené sur le rivage. » Prenez néanmoins un casse-croûte, conseille un pêcheur local, car « il arrive que le courant mette plusieurs jours à faire le tour ». La plus grande prudence est donc de mise. Si vous sentez que le courant vous emporte, ne vous épuisez pas à essayer de lutter contre lui, et attendez les secours en économisant vos forces.

Les **restaurants de fruits de mer** (voir plus bas « Se restaurer ») sont l'un des principaux attraits de Guincho. Vous pourrez goûter aux petits homards appelés *bruxas*, « sorcières », et aussi « papillons de nuit », en portugais. Crabes et homards sont élevés dans des parcs à crustacés du voisinage qui sont une curiosité en eux-mêmes.

Se loger

PRIX ÉLEVÉS

✪ **Hotel do Guincho.** Praia do Guincho, 2750 Cascais. ✆ 21/487-04-91 Fax 21/487-04-31. www.guinchotel.pt. Mél : reservation@guinchotel.pt. 29 chambres. TV CLIM. Minibar Tél. Double 23 000-38 000 ESC ; suite 43 000 ESC. Petit déjeuner compris. CB. Parking gratuit.

L'Hotel do Guincho est un bel endroit où passer la nuit. Au XVIIe siècle, à quelques mètres du point le plus à l'ouest de l'Europe, une armée de maçons locaux construisit l'une des forteresses les plus intimidantes de la côte. Les tours jumelles qui flanquent la façade d'allure mauresque montent encore la garde au-dessus d'un terrain de sable et de rocher écrasé de soleil. On entre par une cour fermée où se trouve un puits qui alimentait la garnison. Les espaces publics renferment tout le bric-à-brac antique d'une demeure aristocratique. Quand il fait froid, un feu crépite dans la cheminée de granit, éclairant de ses reflets les tapis épais et les meubles séculaires. Chacune des chambres, petites mais luxueusement meublées, est fermée par une épaisse porte en pin aux lourdes ferrures, et couverte d'un plafond voûté en pierre. La plupart donnent sur la mer et sont décorées dans le style médiéval portugais. Certains lits sont encastrés dans des alcôves. Les salles de bains sont équipées de peignoirs et de sèche-cheveux. Il existe aussi trois petites suites élégantes, certaines avec cheminée. Parmi les hôtes célèbres, l'hôtel a vu passer Orson Welles, qui, dit-on, était fasciné par la brume et les vagues. La princesse Grace et les Premiers ministres d'Italie et du Portugal appréciaient également l'étrangeté du lieu. **Restauration** : le restaurant récemment refait est l'un des plus beaux de la région. La cuisine est essentiellement française. Les menus coûtent entre 6 500 et 9 500 ESC. Les chefs tirent des bons ingrédients locaux toutes les nuances de goût possibles. On appréciera aussi le bar, de grande classe. **Services** : room service 24 h/24 h, concierge, blanchisserie, baby-sitting, solarium, piscine.

PETITS PRIX

Estalagem do Forte Muchaxo. Praia do Guincho, 2750 Cascais. ✆ 21/487-02-21 Fax 21/487-04-44. 60 chambres. Tél. Double 10 000-26 000 ESC. Petit déjeuner compris. CB. Parking gratuit.

Il y a quarante ans, le propriétaire, M. Muchaxo père, vendait du brandy et du café aux pêcheurs, dans une simple hutte en paille, sur les rochers. Peu à peu, il se mit à leur

Un verre à la santé de Colares

Colares se situe à l'extrémité de la Serra de Sintra, côté océan (à 8 km à l'ouest de Sintra). C'est une petite ville aux rues tortueuses bordées de vieilles quintas (hôtels particuliers) et égayées de fleurs éclatantes et de vignes. La localité est réputée pour les vins rouges et blancs que l'on tire des vignobles poussant sur la terre sablonneuse des alentours. L'alliance d'une terre de bonne qualité et des brises marines a donné quelques-uns des meilleurs vins du pays.

Un groupe de viticulteurs avertis et dynamiques a doté le village d'infrastructures répondant aux attentes des œnophiles.

Le premier arrêt sera réservé au siège de la plus grande coopérative de la région, **Adega de Colares**, rua Alameda Coronel Linhares de Lima (∅ **21/929-12-10**). Installé dans un ancien hôtel particulier vieux d'un siècle, c'est le plus important centre de dégustation et de commercialisation de vin à Colares. Sous des plafonds en bois finement ouvragés, vous pourrez goûter au vin sélectionné et mélangé à partir de la production d'une centaine de viticulteurs locaux. Un labyrinthe de caves, que l'on peut visiter, rayonne en sous-sol autour de la maison. Les bouteilles sont en vente, et vous pouvez les goûter avant de faire votre choix. Ouvert tous les jours de 9 h à 12 h et de 15 h à 17 h.

Autre possibilité : à 4,8 km au nord, dans le hameau d'Azenhas do Mar, vous trouverez **Adegas Beira-Mar (Soc. Chitas)** (∅ **21/929-20-36**), le plus gros producteur indépendant de blancs et de rouges de la région. Les caves anciennes côtoient les nouvelles, avec leurs installations d'élevage – moins séduisantes qu'on pourrait le croire. En tout cas, il en sort des vins superbes, de réputation internationale. Sur place, une personne vous fera visiter les locaux, et le vin est en vente. Ouvert tous les jours de 9 h à 12 h et de 15 h à 17 h.

Si vous souhaitez passer la nuit à Colares, l'hôtel le plus avenant est l'**Estalagem de Colares**, estrada nacional 247, 2710 Colares (∅ **21/928-29-4** Fax 21/928-29-83). Il offre 12 chambres joliment meublées, toutes avec salle de bains, climatisation, télévision et téléphone. Cristina Sousa, une résidente de Cascais, a restauré le bâtiment avec un soin religieux avant de l'ouvrir en 1996. D'un restaurant délabré, elle a fait un petit hôtel raffiné doté d'une belle salle à manger. Les chambres, charmantes, sont décorées dans le style portugais traditionnel. Une double coûte entre 14 000 et 18 000 ESC, petit déjeuner compris. Le parking est gratuit.

L'établissement est proche du centre de Colares. Il est environné d'un jardin d'un hectare où l'on peut se reposer sur des chaises longues, entre les massifs de fleurs et la rivière, le Ribeira de Colares. Au restaurant, les plats coûtent entre 1 500 et 2 800 ESC. Il est ouvert tous les jours de 12 h 30 à 15 h et de 19 h 30 à 22 h 30. L'ambiance raffinée évoque une maison de campagne de grand standing. Les principales cartes de crédit sont acceptées.

Le restaurant le plus sympathique du district, **Refúgio da Roca**, estrada de Cabo de Roca (∅ **21/929-08-98**), borde la rue principale du hameau d'Azoya, à 8 km au sud de Colares. Sa spécialité est le poisson (le bar, la brème et la sole, en particulier), ultra-frais et grillé au charbon de bois. La nourriture, très agréable dans sa simplicité, s'accorde tout à fait au cadre rempli d'objets évoquant les activités agricoles et viticoles de la région. Comptez entre 4 500 et 5 000 ESC pour un excellent dîner régional arrosé d'un vin local. Ouvert de 12 h 30 à 15 h et de 20 h à 23 h, tous les jours sauf le mardi. Les principales cartes de crédit sont acceptées.

préparer des repas, et les vacanciers européens finirent par découvrir l'endroit. À la fin, même les membres de familles royales venaient s'y sustenter.

La famille Muchaxo a conservé la hutte d'origine et tient encore les rênes de cette hacienda dont l'éclat commence à pâlir. Les plus belles chambres donnent sur la mer. Toutes sont différentes, mais la plupart ont des murs blancs immaculés et des plafonds à poutres apparentes. Sur un côté, adossée à des parois rocheuses, une piscine est entourée de terrasses et de plongeoirs. Si le temps est mauvais, les hôtes se rassemblent dans le salon pour se réchauffer autour de la grande cheminée en pierres levées.

On a le choix entre deux salles à manger. L'une est moderne, l'autre est couverte d'un plafond en bambou et garnie de meubles provinciaux peints à la main. On vient de très loin pour goûter à la cuisine portugaise et française, très appréciée des voyageurs les plus exigeants. Les plus aventureux commenceront par des bernacles. La spécialité de la maison est le homard à la Barraca.

Se restaurer

✪ **Restaurante Porto de Santa Maria.** Estrada do Guincho. ✆ **21/487-10-36** ou 21/487-02-40. Plats ordinaires 2 000-10 000 ESC ; fruits de mer 4 500-9 000 ESC. CB. 12 h 15-15 h 30 et 19 h-22 h 30, fermé le lundi. *Portugais.*

Vous ne serez pas les seuls à venir en voiture jusqu'à ce lieu isolé au bord de la route. Des centaines de vacanciers portugais et européens amateurs de bonne chère vous accompagneront, surtout en été. Dans son genre, c'est l'un des restaurants les plus séduisants de la côte. On y sert des fruits de mer exquis pour lesquels certains n'hésitent pas à faire le voyage depuis Lisbonne. Un portier vous conduira dans le bâtiment bas au bord de la mer d'où l'on peut observer le jeu parfois dangereux des vagues.

Un énorme aquarium de marbre blanc anime un décor austère. Un personnel poli sert tous les genres possibles de crustacés, facturés au gramme, ainsi que des spécialités de la maison, comme la sole grillée. Le riz aux crustacés, ou *arroz de mariscos*, est le plat le plus réputé, à juste titre. Goûtez absolument aux rondelles de fromage au lait de brebis qui vous attendent sur la table.

4. Queluz

À 14,5 km au nord-ouest de Lisbonne

À une vingtaine de minutes de Lisbonne, Queluz est un joli but d'excursion au départ de la capitale, ou un arrêt idéal sur la route de Sintra. Le palais de Queluz (voir « Explorer le palais » ci-après), tout en rose rococo, est un vrai château de conte de fées.

Informations pratiques

Comment s'y rendre

En train Depuis l'Estação do Rossio, à Lisbonne, prenez le train de Sintra jusqu'à Queluz. Dans la journée, les départs se succèdent toutes les 15 minutes. Le trajet dure une demi-heure, et le billet aller simple coûte 155 ESC. Appelez le ✆ 21/888-40-25 pour connaître les horaires. À Queluz, tournez à gauche et suivez les flèches jusqu'au palais distant de 800 mètres.

En voiture Depuis Lisbonne, prenez l'A1 vers l'ouest. Elle devient la N249. Sortez à Queluz. Comptez 20 minutes de trajet.

INFORMATIONS TOURISTIQUES

Vous pouvez demander des renseignements à l'office du tourisme de Sintra (voir p. 156).

Explorer le palais

Sur la route de Lisbonne à Sintra, le ✪ **Palácio Nacional de Queluz**, largo do Palácio, 2745 Lisboa (✆ **21/435-00-39**), étincelle sous les rayons du soleil. C'est un magnifique exemple du style rococo portugais. Pierre III en ordonna la construction en 1747, mais les travaux tardèrent jusqu'en 1787. L'architecte Mateus Vicente de Oliveira fut rejoint par la suite par le décorateur français Jean-Baptiste Robillion, à qui l'on doit notamment le dessin du jardin de Neptune.

Le palais d'aujourd'hui ne ressemble pas à celui du XVIIIe siècle. Queluz a beaucoup souffert lors de l'invasion napoléonienne et, dans sa retraite au Brésil, la famille royale emporta presque tout le mobilier. En 1934, un incendie détruisit une grande partie de la structure, mais une délicate reconstruction a restitué la gaieté et la légèreté du style du XVIIIe.

Pétunias mauves et géraniums rouges rehaussent les plantes grimpantes taillées au plus près et les buis sculptés. Des lys flottent sur les fontaines tapissées de carreaux bleus, et où se reflètent la façade en demi-teintes, les statues et les balustrades finement sculptées. À l'intérieur, on admirera le cabinet de toilette de la reine orné de panneaux représentant une ronde d'enfants ; la chambre de Don Quichotte (où Pierre IV vint au monde et où il poussa son dernier soupir à peine rentré du Brésil) ; le salon de musique, avec son pianoforte français et son clavecin anglais du XVIIIe ; et la salle du trône ornée de glaces et de lustres en cristal, où sont encore donnés des banquets officiels.

Des objets de toutes provenances, dans le goût rococo, habillent le palais. On verra les inévitables panneaux de chinoiseries (de Macao), des marbres florentins extraits des carrières où Michel-Ange travailla en son temps, des tapisseries flamandes et ibériques, des antiquités Empire, des céramiques bleu indigo de Delft, des fauteuils Hepplewhite du XVIIIe, des porcelaines autrichiennes, des tapis de Rabat, des meubles Chippendale portugais, et des pièces brésiliennes en bois de jacaranda, tous d'une qualité exceptionnelle. Lors de leur visite officielle au Portugal, les présidents Eisenhower, Carter et Reagan ont logé dans les 30 pièces du pavillon de Marie Ire, de même qu'Elizabeth II (à deux reprises), et le prince et la princesse de Galles. Ces pièces merveilleuses, remeublées par le gouvernement portugais, auraient recueilli les vociférations de la pauvre Marie Ire, brisée de chagrin et devenue folle, qu'il fallut parfois attacher à son lit. Avant de perdre la raison, cette femme intelligente et courageuse œuvra efficacement pour son pays à un moment troublé de son histoire.

Le palais est ouvert tous les jours sauf le mardi, de 10 h à 13 h et de 14 h à 17 h. Il est fermé les jours fériés. L'entrée coûte 500 ESC, elle est gratuite pour les enfants jusqu'à 14 ans, et pour tous le dimanche matin.

Se loger

✪ **Pousada Dona Maria I.** Largo do Palácio, 2745 Queluz. ✆ **21/435-61-58** Fax 21/435-61-89. 26 chambres. TV CLIM. Minibar Tél. Double 20 300-31 000 ESC ; suite 24 000-38 000 ESC. Petit déjeuner compris. CB. Depuis Sintra, prendre l'IC19 et suivre les indications jusqu'à Queluz. Parking gratuit.

Au XVIIe siècle, cet édifice abritait les communs du palais qui se dresse majestueusement de l'autre côté de la route. Baptisée du nom de la reine la plus vénérée du Portugal, la *pousada* est agrémentée d'une tour d'horloge très décorée qui ne déparerait pas le jardin d'un manoir anglais. Les lieux permettent d'admirer quelques touches de décor manuélin aux détails touffus. Des concerts sont parfois donnés dans le théâtre du XVIIᵉ siècle. Les chambres sont confortables, de taille moyenne, hautes sous plafond et équipées de matelas fermes. Le restaurant Cozinha Velha (voir ci-après), ouvert dans les années 50, était connu bien avant que la *pousada* ouvre ses portes en 1995.

Se restaurer

✪ **Cozinha Velha (La Vieille Cuisine).** Palácio Nacional de Queluz, largo do Palácio. ∅ **21/435-02-32.** Réservation obligatoire. Plats 2 500-7 950 ESC. CB. Tlj. 12 h 30-15 h et 19 h 30-22 h. *Portugais, international.*

Si vous n'avez que deux ou trois repas à prendre dans la région de Lisbonne, prenez-en un à la Cozinha Velha. Cette ancienne cuisine du palais, au style grandiose, a depuis été transformée en une salle à manger pittoresque qu'apprécient les gourmets, de sang royal entre autres, à l'affût d'un cadre romantique.

On entre dans le restaurant par le patio. La salle à manger ressemble à une petite chapelle, sous de grands arcs en pierre. La cheminée isolée et les colonnes de marbre attirent le regard. Adossée à un mur, une longue table, de marbre également, est recouverte de paniers de fruits et de vases de fleurs. Les murs sont décorés de cuivres étincelants, de peintures à l'huile et de torchères. Le traitement imaginatif des ingrédients régionaux plaît aux connaisseurs. La cuisine joue également avec les épices, les herbes aromatiques et les textures. Nous recommandons les hors-d'œuvre pour deux, suivis, par exemple, de médaillons de mérou noir à la béchamel et aux crevettes, d'une sole pochée Cozinha Velha, de chevreau grillé et sa purée de pousses de navet, ou d'un steak au poivre à la mousse d'épinard. En dessert, essayez les crêpes Cozinha Velha avec un sorbet au champagne.

5. Sintra : Le « merveilleux Éden » de Byron

À 30 km au nord-ouest de Lisbonne

Les écrivains chantent les louanges de Sintra depuis que le poète national portugais, Luís Vaz de Camões, en proclama la gloire dans *Os Lusíadas* (*Les Lusiades*). Byron, qui y séjourna en 1809 lors de son grand tour d'Europe en compagnie de John Cam Hobhouse, l'appelait son « Éden merveilleux ». Les romantiques anglais s'enflammèrent à la lecture de sa description du site dans *Le Pèlerinage du Chevalier Harold*, où il brosse, par ailleurs, un tableau un peu triste du Portugal.

Sintra est l'une des plus anciennes villes du pays. Les croisés s'en emparèrent en 1147 après une lutte acharnée contre les Maures retranchés dans leur château, dont les ruines se dressent encore au sommet de la colline. Imaginez une ville à flanc de coteau, enfouie dans une végétation dense : camélias pour les mélancoliques, fougères peuplées de lézards, bougainvillées roses et pourpres escaladant des treillis, géraniums rouges se déversant de balcons en fer forgé, branches d'eucalyptus agitées par le vent, bosquets de citronniers et mimosas qui embaument l'atmosphère. Les villas tarabiscotées, couvertes de carreaux qui se décollent, ont un petit air d'autrefois. Prenez garde : certains, visitant Sintra, tombent sous le charme et n'en repartent jamais. La ville est classée au patrimoine mondial de l'Unesco.

Sintra

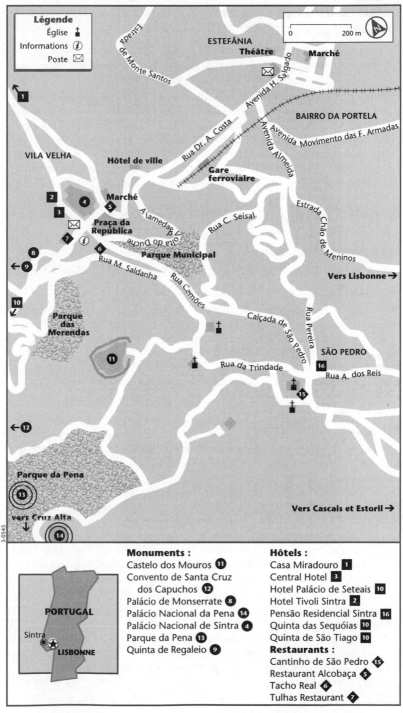

Légende
- Église ✝
- Informations (i)
- Poste ✉

0 — 200 m

ESTEFÂNIA
Théâtre
Marché

Estrada de Monte Santos

Avenida H. Salgado

BAIRRO DA PORTELA

Avenida Movimento das F. Armadas

Rua Dr. A. Costa

VILA VELHA

Hôtel de ville

Gare ferroviaire

Avenida Almeida

Marché

Praça da República

Alameda de V.

Volta do Duche

Rua C. Seisal

Estrada Chão de Meninos

Parque Municipal

Rua M. Saldanha

Rua Camões

Vers Lisbonne →

Parque das Merendas

Calçada de São Pedro

Rua Pereira

SÃO PEDRO

Rua da Trindade

Rua A. dos Reis

Parque da Pena

vers Cruz Alta

Vers Cascais et Estoril →

Monuments :
- Castelo dos Mouros (11)
- Convento de Santa Cruz dos Capuchos (12)
- Palácio de Monserrate (8)
- Palácio Nacional da Pena (14)
- Palácio Nacional de Sintra (4)
- Parque da Pena (13)
- Quinta de Regaleio (9)

Hôtels :
- Casa Miradouro (1)
- Central Hotel (3)
- Hotel Palácio de Seteais (10)
- Hotel Tivoli Sintra (2)
- Pensão Residencial Sintra (16)
- Quinta das Sequóias (10)
- Quinta de São Tiago (10)

Restaurants :
- Cantinho de São Pedro (15)
- Restaurant Alcobaça (5)
- Tacho Real (6)
- Tulhas Restaurant (7)

PORTUGAL

Sintra

LISBONNE

3-0545

Informations pratiques

COMMENT S'Y RENDRE

En train Sintra se trouve à 45 minutes de train de l'Estação do Rossio, au Rossio à Lisbonne. On compte un départ tous les quarts d'heure. Le billet aller-retour coûte 360 ESC. Pour tout **renseignement**, appelez le ∅ **21/888-40-25**.

En bus Il n'est pas recommandé de prendre le bus depuis Lisbonne, à cause de sa lenteur. Les visiteurs qui séjournent sur la Costa do Sol peuvent partir de Cascais ou d'Estoril. À Sintra, la gare routière se trouve dans l'avenida Dr. Miguel Bombarda, en face de la gare ferroviaire principale. À Estoril, les bus stationnent en face de la gare ferroviaire et les départs se succèdent toutes les 45 minutes durant la journée. L'aller simple coûte 300 ESC, et le trajet dure 40 minutes. Onze bus quotidiens circulent entre Sintra et **Cascais**. Le trajet dure 1 heure, et l'aller-retour coûte 300 ESC.

En voiture Depuis Lisbonne, prenez l'A1 vers l'ouest. Elle devient la N249 avant d'arriver à Sintra.

INFORMATIONS TOURISTIQUES

L'**office du tourisme de Sintra** se trouve praça da República 23 (∅ **21/923-11-57**).

MANIFESTATIONS

De juin à début août, le **Festival de Sintra** (∅ **21/923-4845**), entièrement consacré au piano romantique, attire de nombreux mélomanes. Les interprètes sont les meilleurs de la scène internationale. Les concerts, une douzaine environ, se déroulent dans les églises, palais (Palácio da Vila, Palácio da Pena, et Palácio de Queluz), parcs et manoirs campagnards de la région. Chaque concert coûte 3 000 ESC. L'office du tourisme (voir « Informations touristiques ») vous renseignera avec précision.

Explorer Sintra

PALAIS, CHÂTEAUX ET COUVENTS

De nombreuses visites organisées partent de Lisbonne et de Sintra. Cependant, cette approche ne laisse pas place à la découverte personnelle, indispensable en ce qui concerne Sintra.

Nous donnons la description de quelques sites, sachant qu'il est difficile de faire son choix parmi tant de trésors.

Il est possible d'aller de la ville à la *serra* en **calèche** (départ de la grande place qui fait face au Palais national de Sintra). Le tour de 45 minutes coûte 6 000 ESC pour 5 passagers maximum, un prix tout à fait intéressant pour une agréable promenade sous les arbres. Si vous arrivez par le train, vous devrez soit prendre un taxi jusqu'aux sites, soit monter à pied – et c'est assez long – à travers la luxuriante colline.

Attention !

À Sintra, ne laissez pas d'objets de valeur en évidence dans les voitures, et prenez garde aux pickpockets et autres voleurs à l'arraché. Si la ville attire presque tous les touristes qui posent le pied au Portugal, elle est par conséquent une des destinations favorites de leurs prédateurs. En revanche, on n'aura pas, en principe, à redouter des actes de violence.

✪ **Palácio Nacional de Sintra.** Largo da Rainha Dona Amélia. ∅ **21/923-00-85.** Entrée adultes 400, 6-16 ans 200 ESC, gratuit pour les moins de 6 ans. Jeu.-mar. 10 h-13 h et 14 h-17 h.

Palais royal jusqu'en 1910, le palais national de Sintra fut habité pour la dernière fois par la reine Marie II, la grand-mère italienne de Manuel II, dernier roi du Portugal. Une grande partie du palais date du règne de Manuel Ier, le Fortuné.

Bien avant l'arrivée des croisés sous Alphonso Henriques, les sultans avaient fait construire un palais d'été qu'ils avaient peuplé de danseuses exerçant leur art devant des fontaines glouglouantes. Le palais fut détruit, mais le style mauresque a fait sa réapparition dans les versions modernes. La structure actuelle est un amalgame de styles où prédominent le gothique et le manuélin. Les carreaux en terre vernissée qui tapissent nombre de salles sont parmi les plus beaux du pays.

La salle du Cygne était une des préférées Jean Ier, un des rois fondateurs du Portugal, père d'Henri le Navigateur et mari de Philippa de Lancastre. On raconte qu'un jour, la reine anglaise surprit son mari en train d'embrasser une des dames de la cour. Apparemment, elle ne lui en tint pas rigueur, mais la chose s'ébruita et finit par provoquer un scandale embarrassant pour le roi. Voulant couper court aux spéculations et épargner à sa femme des tourments supplémentaires, il appela ses décorateurs dans la salle, ferma la porte à clé et leur confia une mission secrète. À la réouverture des portes, les dames de la cour découvrirent que le plafond était couvert de pies. On comprit le message, et la cour dut se trouver un autre sujet de bavardage. Les guides appellent aujourd'hui ce salon la chambre des Pies.

La salle des Sirènes est l'une des plus élégantes du palais. La salle Héraldique ou des Cerfs est décorée d'armoiries de familles aristocratiques portugaises et de scènes de chasse. Dans la plupart des salles, de larges fenêtres s'ouvrent sur la colline de Sintra. Des fourneaux carrelés trônent dans l'Ancienne Cuisine, où, jadis, se déroulaient des festins. Les plus célèbres furent les banquets de gibier de Charles Ier, le roi assassiné en 1908. Le palais est riche en peintures et en tapisseries ibériques et flamandes, mais c'est sans doute dans ses patios ombragés, rafraîchis par le clapotis des fontaines, qu'on appréciera le mieux l'endroit.

Les billets s'achètent au kiosque qui se trouve sur la gauche en approchant du palais. Celui-ci donne sur la place centrale. À l'extérieur, les deux cheminées coniques sont l'élément architectural le plus caractéristique de Sintra.

✪ **Palácio Nacional de Pena.** Estrada de Pena. ∅ **21/910-53-40.** Entrée 475 ESC, gratuit pour les moins de 15 ans. Oct.-mai mar.-dim. 10 h-13 h et 14 h-17 h ; Juin-sept. mar.-dim. 10 h-13 h et 14 h-18 h 30. Dernière entrée une demi-heure avant la fermeture.

Perché sur un plateau à 450 m d'altitude, Pena domine Sintra telle une forteresse médiévale. L'ascension au château, par une route sinueuse traversant le Parque das Merendas, fait partie du charme de la visite.

Ce château, construit en 1844, est sorti de l'imagination de Ferdinand de Saxe-Cobourg-Gotha, mari de Maria II. Pour réaliser son rêve, Ferdinand fit appel à l'un de ses compatriotes, le baron allemand Eschwege. On aperçoit une statue du baron en regardant, depuis le château, en direction d'un gros rocher qui barre le chemin. Quatre ans furent nécessaires, à partir de 1846, pour concevoir et réaliser le **parc**, l'un des parcs les plus spectaculaires du Portugal, réputé pour la richesse de ses essences d'arbres et d'arbustes. Ferdinand fut l'âme du projet.

Passé le pont-levis, on entre dans le château proprement dit, dont le dernier occupant royal fut la reine Marie-Amélie, jusqu'en 1910, date à laquelle la monarchie fut renversée. Le jeune roi et sa mère durent s'exiler en Angleterre. Amélie ne revit le palais qu'en 1945, lorsqu'elle revint au Portugal dans des circonstances plus favorables. Pena est resté dans l'état où Amélie l'a laissé, ce qui le rend d'autant plus touchant. C'est un des rares témoins du mode de vie royal aux temps de la Belle Époque.

Pour avoir une vue d'ensemble du parc et du château, vous pouvez monter jusqu'à la **Cruz Alta**. L'entrée est gratuite.

Au début du XVIe siècle, Manuel le Fortuné avait fait construire en ces lieux un monastère pour les hiéronymites (ordre de Saint-Jérôme). Il en reste un cloître et une petite chapelle à ogives que l'on peut visiter.

Accès au palais Si vous n'êtes pas en voiture, un taxi ou un bus (de mai à septembre) vous y conduira en 20 minutes, depuis la place principale de Sintra. Beaucoup de visiteurs demandent au chauffeur du taxi de les attendre. Si vous préférez la marche, sachez qu'il vous faudra au moins 2 heures, même si vous êtes en bonne forme, pour gravir les 2,5 km jusqu'au château.

✪ **Castelo dos Mouros.** Calçada dos Clérigos. ✆ 21/923-15-56. Entrée gratuite. Tlj. juin-sept. 10 h-18 h ; oct.-mai 9 h-17 h. Depuis le palais de Pena (10 minutes à pied), suivre les indications jusqu'au castelo.

Le château des Maures fut construit vers le VIIIe ou IXe siècle à une altitude de 405 m. En 1147, les croisés scandinaves s'en emparèrent à l'issue d'un siège. Au XIXe siècle, Ferdinand de Saxe-Cobourg-Gotha, le royal époux à l'origine du palais de Pena (voir plus haut), tenta de le restaurer, mais le résultat n'est pas convaincant.

Au parking, un guide vous indiquera la direction à prendre. Du haut de la tour royale, on jouit d'une vue panoramique sur Sintra, son palais et son château, avec la côte au loin.

Palácio de Monserrate. Estrada de Monserrate. ✆ 21/923-01-37. Entrée 200 ESC. Tlj. juin-sept. 10 h-18 h ; oct.-mai 10 h-17 h. De Sintra, prendre la N375 et suivre les indications.

Sir Francis Cook, un riche commerçant britannique, entreprit, entre 1846 et 1850, de réaliser le « merveilleux Éden » de Byron en faisant venir des paysagistes et en important des essences d'Afrique, de Norvège et d'autres lieux. Le résultat est un jardin botanique sans égal dans la péninsule Ibérique. Étagé sur tout un flanc de colline, son exploration occupera environ une demi-journée.

Cook édifia son palais, largement inspiré l'art oriental, au pied de la colline. À sa mort, hélas, le destin de Montserrate faillit basculer. La propriété fut achetée par un industriel anglais qui s'évertua à détruire le rêve de Cook. Il commença par vendre les antiquités qui meublaient le palais. Elles lui rapportèrent plus que le domaine ne lui avait coûté, mais il n'était pas encore satisfait, et il projeta de diviser le parc pour y construire des villas. Tardivement, l'État décida d'intervenir. On s'en réjouira en respirant les fleurs aux parfums délicats et en admirant les lys flottant sur les fontaines, les fougères qui escaladent la colline, les épicéas nordiques qui s'élancent vers le ciel, et la flore africaine qui ne semble pas souffrir le moins du monde du changement de latitude.

Convento de Santa Cruz dos Capuchos. Estrada de Pena. ✆ 21/923-15-56. Entrée 200 ESC. Tlj. juin-sept. 9 h-18 h ; oct.-mai 9 h-17 h.

En 1560, Dom Álvaro de Castro fit construire ce couvent bizarrement structuré à l'intention des capucins. Le liège entre en telle quantité dans la construction qu'on l'a parfois surnommé le « monastère en liège ».

Il se trouve dans une zone retirée, à 6,5 km de Sintra. On monte par un sentier moussu. Sonnez à la porte et un guide (non un moine) vous ouvrira et vous montrera les minuscules cellules. Aujourd'hui, le couvent paraît abandonné. Même du temps où il était habité par des moines, il ne devait pas être débordant d'activité.

Ses anciens pensionnaires, en tout une huitaine de capucins, avaient un penchant marqué pour les travaux les plus minutieux. C'est ainsi qu'ils ont tapissé le monastère de carreaux en liège et de coquillages. Ils ont également taillé une chapelle dans la roche, isolée avec du liège. À l'extérieur, l'un d'eux trouva le temps de réaliser une fresque d'autel en l'honneur de saint François d'Assise. Les moines quittèrent le couvent en 1834.

Aucun bus ne s'y rend. Si vous n'avez pas de véhicule, prenez un taxi depuis la place centrale de Sintra.

Quinta de Regaleioa. Rua Visconde de Monserrate. ∅ **21/910-66-50.** Entrée adultes 2 000 ESC, 8-16 ans 1 000 ESC, gratuit pour les moins de 8 ans. Tlj. 10 h-18 h.

Inscrite au répertoire du patrimoine mondial de l'Unesco, cette *quinta* (hôtel particulier) du quartier ancien date du début du XXe siècle. Elle amalgame des éléments architecturaux de styles divers : gothique, manuélin et Renaissance. On peut visiter la demeure, remplie d'antiquités et d'objets typiques d'un âge révolu. Du haut des tourelles, la vue domine la campagne environnante. En sortant, on peut aller se promener dans le parc qui entoure la maison.

ACTIVITÉS DE PLEIN AIR

Le meilleur terrain de golf est celui de l'**Estoril-Sol Golf Club**, estrada da Lagoa Azul, à l'extérieur de Sintra (∅ **21/923-24-61**). Il s'étend au pied de la chaîne de Sintra, à 32 km de Lisbonne. Le Palácio Nacional da Pena le surplombe. Le cadre boisé est constitué d'acacias et de pins. Le terrain est assez court (4 200 m) et n'offre que 9 trous et 18 *tees*. Un parcours de 9 trous coûte 3 700 ESC du lundi au vendredi, 4 200 ESC le samedi et le dimanche. Ouvert de 8 h à 19 h du lundi au vendredi, et de 8 h à 20 h le samedi et le dimanche.

À Sintra, on peut jouer au **tennis** au court du Parque Liberdade (∅ **21/924-11-39**). Le club est ouvert tous les jours de 9 h à 19 h. Il coûte 500 ESC par joueur et par heure.

SHOPPING

Compte tenu de sa richesse folklorique et de son passé, Sintra est, depuis l'aube du tourisme moderne, le dépôt de tout ce que le Portugal produit de plus charmant. En vous promenant dans ses rues et ruelles pavées, vous découvrirez quantité de petites boutiques curieuses écoulant des productions artisanales provenant de la région et du reste du Portugal.

Parmi les meilleures adresses, citons le **Sintra Bazar**, praça da República 37 (∅ **21/923-05-14**), où sept ou huit marchands différents vendent des objets d'artisanat originaux. Dans la même rue, **A Esquina**, praça da República 20 (∅ **21/923-34-27**) est spécialisé dans la céramique peinte à la main, certaines pièces étant des reproductions de modèles anciens datant du XVe au XVIIIe siècle. Almorábida, rua Visconde de Monserrate 12-24 (∅ **21/924-05-39**), en face du palais de Sintra, vend des tapis d'Arraiolos, de la dentelle et des cuivres finement martelés. Comme antiquaire, on retiendra **Henríque Peixera**, rua Consigliere de Proso 2 (∅ **21/923-10-43**), dont les meubles et accessoires sont proposés à des prix parfois vertigineux.

Deux boutiques sont manifestement très conscientes de l'engouement que suscite l'artisanat dans le monde industrialisé. Il s'agit de **Loja Branca**, rua Consigliere de Proso 2 (∅ **21/923-23-75**), qui vend des tissus de texture grossière, parfois curieux, et **Violeta**, rua das Padarias 19 (∅ **21/923-40-95**), qui emmagasine les nappes en lin, les serviettes, les draps et les dessus-de-lit brodés à la main.

Se loger

PRIX TRÈS ÉLEVÉS

✪ **Hotel Palácio de Seteais.** Rua Barbosa do Bocage 8, Seteais, 2710 Sintra. ∅ **21/923-32-00** Fax 21/923-42-77. Mél : hpseteais@mail.telepac.pt. 30 chambres. TV Minibar Tél. Double 35 000 -46 000 ESC ; suite 46 000-55 000 ESC. Petit déjeuner compris. CB.

Byron travailla à son *Childe Harold* dans le jardin de cet ancien palais. Seteais est moins vieux qu'il ne paraît – un Gildmeester hollandais le fit construire à la fin du XVIIIe siècle. Le cinquième marquis de Marialva, qui aimait donner de grandes fêtes, en fit l'acquisition et le restaura. L'hôtel se dresse au bout d'une longue allée, sur la crête d'une colline. Un arc d'entrée domine la sévère architecture. La plupart des salons, galeries et salles donnent sur les terrasses et le jardin fleuri, en direction de la mer. Un long vestibule et une cage d'escalier garnie de colonnes et de balustrades blanc et or conduisent à la salle à manger, au bar et aux terrasses du niveau inférieur. La bibliothèque et le salon de musique attenant sont garnis de meubles d'époque. Le salon principal renferme des antiquités et une belle peinture murale qui déborde sur le plafond. Le livre d'or est un vrai bottin mondain. Le nombre de chambres étant limité, il est impératif de réserver. Belles et spacieuses, elles sont meublées d'antiquités ou de reproductions de qualité. **Restauration/distractions** : il est indispensable de réserver si l'on ne loge pas à l'hôtel. Le menu comprend quatre plats. Le café se prend sur la terrasse et la loggia attenante, ou dans la salle à manger. Les repas sont servis tous les jours de 12 h 30 à 14 h 30 et de 19 h 30 à 21 h 30. Pianiste, harpiste et violoniste sont souvent à l'œuvre. **Services** : room service de 8 h à minuit, blanchisserie, baby-sitting, piscine, courts de tennis (2), équitation.

PRIX MOYENS

Hotel Tivoli Sintra. Praça da República, 2710 Sintra. ∅ **21/923-35-05** Fax 221/923-15-72. 75 chambres. TV CLIM. Minibar Tél. Double 21 300 ESC. Petit déjeuner compris. CB. Parking gratuit.

Le plus bel hôtel du centre-ville, très apprécié des groupes, est le Tivoli Sintra, un établissement moderne et aéré qui ouvrit ses portes en 1981. Il se trouve à quelques mètres du Central Hotel (voir ci-après) et du Palais national. L'association du confort le plus actuel et d'un décor traditionnel portugais est tout à fait réussie. Le vestibule très vaste est pavé de marbre. Les grandes chambres sont meublées confortablement, avec des lits larges aux matelas fermes, et de grands fauteuils. Les balcons et les salles communes donnent sur une colline boisée où l'on aperçoit des *quintas*. On pourra prendre l'apéritif au bar avant de gagner le restaurant et d'y admirer la vue panoramique sur Montserrate. **Services** : room service jusqu'à minuit, blanchisserie, baby-sitting, salon de beauté.

✪ **Quinta das Sequóias.** Apdo. 4, 2710 Sintra. ∅ et fax **21/924-38-21.** www.portugalvirtual.pt/quinta.das.sequoias. 6 chambres. Double 17 000-25 000 ESC. Petit déjeuner compris. CB. Fermé 2 semaines en janvier. Parking gratuit. De Sintra, suivre la direction de Montserrate, et bifurquer à gauche quand l'hôtel est indiqué.

À 1,5 km au sud de la ville, ce manoir du XIXe siècle fut d'abord l'annexe rurale d'un palais beaucoup plus vaste du centre-ville, le Palácio do Relogio. Il est situé à 5 minutes de voiture du Palácio de Seteais. Un parc de 16 hectares entoure la *quinta*. Les chambres spacieuses dans l'ensemble sont hautes de plafond et garnies d'un mobilier solennel du XIXe siècle. Sur place, on profitera d'une piscine, d'un bain à remous, d'un sauna et d'un verdoyant jardin à l'anglaise. Si vous en faites la demande au petit déjeuner, on pourra vous servir le dîner.

Dans un rayon de 15 km, on pourra visiter un site de fouilles archéologiques – où l'on a trouvé des monnaies romaines et des objets de l'âge du bronze – et des sources bouillonnantes, déjà mentionnées par les historiens du XVe siècle.

Quinta de São Tiago. Estrada de Monserrate, 2710 Sintra. ∅ **21/923-29-23** Fax 21/923-43-29. 13 chambres. Double 21 000 ESC ; suite 30 000 ESC. Petit déjeuner compris. Les cartes de crédits ne sont pas acceptées. Parking gratuit.

Visitée par Byron en 1809, la Quinta de São Tiago est l'un des endroits les plus tentants de la région de Sintra. Au bout d'une mauvaise route, on découvre un hôtel à flanc de montagne dans un environnement boisé. La *quinta* d'origine remonte au XVIe siècle. Il a été refait et joliment meublé d'antiquités. Beaucoup de chambres ont vue sur la vallée de Colares et la mer, au loin. Depuis la piscine, on voit Monserrate et la côte Atlantique.

Dans la plus pure tradition britannique, le thé est servi au salon aménagé dans l'ancienne cuisine. Des spectacles de danse sont organisés, en été, dans le salon de musique, et les buffets estivaux sont de grands moments. La cuisine est régionale et européenne ; ne manquez pas de réserver si vous souhaitez manger ici. Les chambres confortablement meublées et bien décorées sont équipées de matelas fermes.

PETITS PRIX

❂ Casa Miradouro. Rua Sotto Mayor 55 (Apdo. 1027), 2710 Sintra. ∅ **21/923-59-00** Fax 21/924-18-36. 6 chambres. Double 16 000-21 000 ESC. Petit déjeuner compris. CB. Fermé 30 déc.-19 fév.. Depuis l'Hotel Tivoli Sintra (voir plus haut), suivre la rua Sotto Mayor sur 400 m.

De 1894, année de sa construction, à 1987, cette confortable villa ibérique a appartenu à une famille de militaires de haut rang. En 1993, un Suisse, Frédéric Kneubühl, l'acheta, la rénova et la garnit d'un mélange de mobilier moderne et fin XIXe. C'est maintenant un bed-and-breakfast très agréable, avec un petit jardin. Les chambres parfaitement entretenues sont des plus charmantes, avec leurs tapis provinciaux, leurs sols carrelés, leurs cadres de lit en fer forgé et leurs matelas fermes. Vous ne trouverez ici ni piscine ni aucun des aménagements offerts dans l'hôtellerie classique. Aussi pourrez-vous consacrer tout votre temps à visiter Lisbonne et la région. Des chambres du haut, on aperçoit le palais de Pena et, par temps clair, l'Atlantique.

Central Hotel. Praça da República, 2710 Sintra. ∅ **21/923-00-63**. 10 chambres. Tél. Double 15 000 ESC ; triple 20 000 ESC. Petit déjeuner compris. CB.

Cette auberge de village, charmante quoiqu'un peu décatie, est gérée en famille. Elle offre un hébergement personnalisé et une bonne cuisine. L'édifice borde la place centrale, face au Palais national. La façade est accueillante, avec ses carreaux bleu et blanc et sa véranda protégée par un store. L'intérieur, en particulier les petites chambres, est de style anglais. Chaque chambre est meublée différemment, avec de jolies pièces telles que des bureaux en marqueterie et bois poli. Presque toutes les salles de bains carrelées sont bien conçues et avenantes. Attention, les chambres donnant sur la place sont bruyantes.

On peut prendre ses repas dans la véranda avec vue sur le village, ou dans l'une des grandes pièces intérieures. La cuisine est avant tout portugaise. On retiendra le veau au Madère, les côtelettes de veau milanaises, le bœuf à la portugaise ou le chateaubriand pour deux personnes. Le pudding maison au caramel permet de terminer en douceur. Les repas sont servis tous les jours de 12 h 30 à 15 h et de 20 h à 21 h.

Pensão Residencial Sintra (Quinta Visconde de Tojal). Travessa dos Avelares 12, 2710 Sintra. ∅ et Fax **21/923-07-38**. 10 chambres. Tél. Double 12 500-15 000 ESC. Petit déjeuner buffet compris. CB. Parking gratuit. De Sintra, prendre un bus marqué *São pedro* ou *Mirasintra*.

Le vicomte Tojal se fit construire cette respectable demeure dans les années 1850. Elle se trouve à São Pedro, un faubourg verdoyant de Sintra à 800 m à l'est du centre-ville. Peu après la Seconde Guerre mondiale, les parents d'origine allemande de la propriétaire actuelle, Susana Rosner Fragoso, achetèrent la maison, passèrent une couche de peinture blanche et en firent un digne *pensão*. Entouré d'un grand jardin ombragé d'arbres vénérables, l'établissement fut rénové avec goût en 1994. Les chambres de taille moyenne aux couleurs pastel sont garnies de meubles simples mais confortables des années 50 et 60. Un service de bar est à la disposition des hôtes dans les espaces communs tout au long de la journée et le soir.

Se restaurer

PRIX MOYENS

Cantinho de São Pedro. Praça Dom Fernando II 18 (à Lojas do Picadeiro). ∅ **21/923-067.** Réservation conseillée. Plats 2 000-5 000 ESC. CB. Tlj. 12 h-15 h et 19 h 30-22 h. *Portugais, international.*

À São Pedro de Sintra, environ 1 km au sud-est de la ville, voici l'une des meilleures tables de l'agglomération. L'établissement se trouve en bordure de la place centrale, Praça Dom Fernando II, où se tient la Feira da Sintra tous les 2e et 4e dimanches du mois. (Remontant à l'époque de la reconquête, c'est l'une des plus anciennes foires du pays. Les artisans se sont regroupés dans la rue Lojas do Picadeiro.) Au Cantinho de São Pedro, choisissez parmi les *pratos do dia* (plats du jour) ou les spécialités : crêpes veloutées farcies au homard, ou bifteck fondant au poivre vert. Lors d'une récente visite, nous avons apprécié le gratin de saumon et crevettes. Le succès du porc aux palourdes à la mode de l'Alentejo ne se dément pas, non sans raison.

Hotel Tivoli Sintra. Praça da República. ∅ **21/923-35-05.** Réservation conseillée. Plats 2 500-4 000 ESC ; menu 3 900 ESC. CB. Tlj. 12 h 30-15 h et 19 h 30-22 h. *Portugais, international.*

Il serait regrettable de passer à côté de ce restaurant simplement parce qu'il se dissimule derrière les murs de verre et de béton de l'hôtel le plus attirant du centre. On y sert une des meilleures cuisines de la ville. Un bataillon de serveurs en uniforme s'affaire dans une salle au plafond métallique rutilant, tapissée de lambris sombres, et percée, sur un côté, de grandes baies allant du sol au plafond. Les plats figurant au menu du jour, par exemple le tournedos Rossini, la soupe de poisson ou le filet de turbot à l'ail et aux champignons, sont préparés avec soin.

Tacho Real. Rua da Ferraria 4. ∅ **21/923-52-77.** Réservation conseillée. Plats 1 600-6 000 ESC ; menu 2 500 ESC. CB. Jeu.-mar. 12 h-15 h et 19 h 30-22 h. *Portugais, français.*

Les Lisboètes n'hésitent pas à faire le voyage pour venir dîner dans ce restaurant dont la cuisine met savamment en valeur viandes et poissons. Quelques succulents plats de volaille figurent également à la carte. Le filet de poisson aux crevettes et au riz, et le steak dans le filet à la crème et aux champignons sont deux des spécialités les plus prisées. Nous aimons toujours autant le bouillonnant ragoût de poisson. Le menu est d'un excellent rapport qualité/prix : il comprend une soupe, un plat, un dessert, un café et une demi-bouteille de vin. Service efficace et aimable.

PETITS PRIX

Restaurant Alcobaça. Rua das Padarias 7, 9, et 11. ∅ **21/923-16-51.** Réservation recommandée. Plats 850-2 800 ESC ; menu 1 600 ESC. CB. Tlj. 12 h-16 h et 19 h 30-22 h 30. *Portugais.*

Apprécié des visiteurs anglais, ce restaurant occupe deux étages d'un immeuble du centre-ville, dans une petite rue piétonne en pente raide. Les prix sont parmi les plus bas de la ville. La cuisine, typiquement portugaise, se compose d'un savoureux riz à la lotte, de sardines grillées, de *caldo verde*, de filet de colin au riz, de poulpe, de poulet Alcobaça, et d'un succulent porc aux palourdes.

Tulhas Restaurant. Gil Vicente 4. ∅ **21/961-85-80**. Plats 1 100-2 000 ESC ; menu 3 000 ESC. CB. Jeu.-mar. 12 h-15 h 30 et 19 h-22 h. *Portugais.*
Le restaurant, décoré de carreaux de céramique et de bois, se trouve entre l'office du tourisme et l'église San Martin. Les spécialités de la maison sont la morue à la crème et aux pommes de terre, l'agneau ou le canard rôti au riz, le steak au poivre et le veau au madère. Il y a sans doute plus raffiné, mais viande et poisson sont de bonne qualité, et les saveurs sont parfaitement équilibrées.

Vie nocturne

Les nuits de Sintra ne sont guère mouvementées. Les Portugais qui habitent ou passent leurs vacances ici vous diront que les soirées les plus amusantes sont privées. On retiendra néanmoins une adresse en centre-ville où l'on a des chances de rencontrer des gens de toute l'Europe : **Adega des Caves**, praça da República (∅ **21/923-08-48**). L'établissement est un restaurant très fréquenté. Le soir, il se transforme en barbodega agréable, spécialisé dans la bière et les vins portugais. Il est ouvert tous les soirs jusqu'à 2 h du matin environ. Un concurrent proche et sympathique est le **Hockey Club Bar**, praça da República (∅ **21/923-57-10**). Aux deux adresses, la bière la moins chère est à 300 ESC.

6. Ericeira

À 20 km au nord-ouest de Sintra, 50 km au nord-ouest de Lisbonne

Ce port de pêche est blotti entre l'Atlantique et la colline de Sintra. Ses ruelles sont bordées de petites maisons blanches aux angles et aux pourtours de fenêtres soulignés de couleurs pastel. La mer fait vivre Ericeira depuis plus de 700 ans. Les pêcheurs en tirent encore leur subsistance. La plage attire les foules chaque été, donnant un coup de fouet bienvenu à l'économie locale. Le long de la côte, des parcs appelés *serrações* où l'on élève des homards (*lagostas*) s'adossent à la falaise. Le homard est la spécialité de tous les restaurants locaux.

En 1584, Mateus Alvares débarqua à Ericeira, venant des Açores. Il prétendait être le roi Sebastien que l'on croyait mort (certains le disaient disparu) sur les champs de bataille d'Afrique du Nord. Alvares et environ deux douzaines de ses principaux partisans furent exécutés après leur défaite contre les soldats de Philippe II d'Espagne, mais aujourd'hui, il est considéré comme le roi d'Ericeira. En octobre 1910, c'est ici que Manuel II et sa mère Amélie embarquèrent pour leur terre d'exil, l'Angleterre.

Informations pratiques

COMMENT S'Y RENDRE

Il n'existe pas de liaison ferroviaire directe pour Ericeira.

En bus Les bus Mafrense desservent la localité au départ de Sintra et de Lisbonne. Un bus part toutes les heures du largo Martim Moniz à Lisbonne. Le trajet dure 1 heure et quart. L'aller simple coûte 300 ESC. De Sintra, il y a un bus par heure. Le trajet dure 1 heure et coûte 350 ESC aller simple.

En voiture De Sintra (voir ci-dessus), suivez la N247 vers le nord-ouest.

INFORMATIONS TOURISTIQUES
L'office du tourisme d'Ericeira se trouve sur le Largo de Santa Marta (✆ 261/86-31-22).

Explorer la ville

Ericeira possède un certain nombre de sites religieux et historiques dignes d'intérêt. L'**église de São Pedro** et la **Misericórdia** (une institution charitable) renferment de rares peintures des XVIIᵉ et XVIIIᵉ siècles. L'**ermitage de São Sebastião**, avec son décor mauresque, semblerait plus à sa place en Afrique du Nord. Un autre ermitage honore le souvenir de saint Antoine.

Si la **Praia do Sol**, une plage de sable en croissant, est la plage préférée des vacanciers, trois autres plages s'offrent au visiteur : la plage Ribeira, la plage du Nord et la plage Saint-Sébastien. On peut se baigner partout sans craindre la pollution, ce qui n'est pas le cas à Estoril et Cascais.

Aux alentours

✪ **Palácio Nacional de Mafra.** 2640 Mafra. ✆ **261/81-75-50**. Entrée adultes 400 ESC, plus de 65 ans, étudiants et moins de 15 ans 200 ESC. Mer.-lun. 10 h-17 h. Bus : bus Mafrense depuis Lisbonne.

Ce palais est un chef-d'œuvre d'architecture baroque d'une rigueur, d'une grandeur et d'une majesté extraordinaires. Au plus fort de ses treize années de construction, le chantier employait 50 000 ouvriers qui logeaient dans une petite ville voisine construite spécialement à leur intention. Considérant les techniques de l'époque, la rapidité de sa construction n'est pas le moindre des traits surprenants de ce palais. Le modèle de Mafra est le palais labyrinthique de l'Escurial que Philippe II d'Espagne s'était fait construire à proximité de Madrid. Le dédale des corridors et des séparations n'est peut-être pas aussi impressionnant, mais son contenu est d'une variété étonnante. Les 300 religieux occupant les 880 pièces pouvaient regarder par 4 500 portes et fenêtres.

La main de Dieu est à l'origine de Mafra. Le dévot Jean V ne semblait pas en mesure d'engendrer un héritier. À la cour, la rumeur le disait stérile. Un jour, il déclara incidemment devant un moine franciscain qu'il donnerait un monastère à l'ordre s'il lui était accordé d'avoir un héritier. Son souhait ayant été exaucé suite à ce que le roi considéra comme une « intervention divine », les franciscains obtinrent ce qui avait été dit. L'héritier vint au monde et, avec lui, Mafra. Les travaux commencèrent en 1717. À l'origine, il devait héberger 13 moines, mais le chiffre grossit rapidement à 300.

Résidence estivale de la royauté à 40 km au nord-ouest de Lisbonne, Mafra accueillit Carlota Joaquina, la reine condamnée à l'exil. Charles Iᵉʳ, le roi de la maison de Bragance assassiné sur la praça do Comércio en 1908, aimait autant la chasse que la peinture. Dans une des salles, il fit réaliser des lustres à partir de ramures de cerfs et tapisser le mobilier de peaux d'animaux. Son fils, qui régna deux ans sous le nom de Manuel II, passa sa dernière nuit sur le sol portugais à Mafra avant de s'embarquer pour l'Angleterre avec sa mère, Amélie.

Deux tours renferment plus de 110 carillons faits à Anvers, qui s'entendent jusqu'à 25 km à la ronde. Elles flanquent une basilique coiffée d'un dôme que l'on a comparé à celui de Saint-Paul, à Londres. L'église est entourée d'un ensemble de chapelles, onze au total, ornées de retables en jaspe finement ouvragés, de bas-reliefs et de statues italiennes en marbre. L'orgueil de Mafra appartient au monastère : c'est sa bibliothèque de 40 000 volumes, certains vieux de deux ou trois siècles, et décorés à l'or fin. Préférée par certains à la bibliothèque de réputation mondiale de Coimbra, la pièce baigne dans une belle lumière dorée. La collection de vêtements sacerdotaux chargés d'ornements du musée d'Art religieux est exceptionnelle.

En suivant les placages de marbre rouge de Sintra – matériau omniprésent –, vous pénétrez dans la pharmacie des moines, leur hôpital et leur infirmerie. Ensuite, vous pourrez explorer les vastes cuisines et les cellules des pénitents garnies de leurs instruments de flagellation. On traverse également la salle d'audience au plafond en trompe-l'œil, le cabinet de couture de Marie Ire et le salon de musique de Carlos.

Se loger et se restaurer

Hotel Vilazul. Calcada da Baleia 10, 2655 Ericeira. ∅ **261/868-00-00** Fax 21/629-27. www.i.am/hotel.vilazul. Mél : vilazul@ip.pt. 21 chambres. TV CLIM. Tél. Double 13 000 ESC. Petit déjeuner compris. CB. Parking gratuit.

Le meilleur hôtel de la ville sert également la meilleure cuisine dans son restaurant, O Poco. Meublées avec simplicité, ses chambres n'en sont pas moins confortables. Certaines sont dotées de petits balcons. Au deuxième étage, un agréable salon offre une vue panoramique sur la partie sud d'Ericeira.

La cuisine d'O Poco est réputée depuis 1968. Ses spécialités sont les plats locaux, telle la *caldeirada* (ragoût de poisson), la meilleure de la ville, et les sardines grillées. On sert également des plats portugais et internationaux. Deux bars complètent l'offre de restauration de l'hôtel.

Pedro o Pescador. Rua Dr. Eduardo Burnay 22, 2655 Ericeira. ∅ **261/864-032** Fax 261/862-321. Mél : hotel.pedro@mailtelepac.pt. 25 chambres. TV Tél. Double 7 500-11 000 ESC. Petit déjeuner-buffet compris. CB. Parking gratuit.

Le meilleur hôtel de la station après le précédent est une auberge assez modeste qui attire une clientèle de fidèles habitués lisboètes. Les chambres sont meublées confortablement, et la gentillesse des propriétaires pallie le manque d'équipements. Appelez pour savoir si le restaurant, autrefois réputé, sera ouvert lors de votre passage.

7

Au sud du Tage

Au siècle dernier, les touristes de l'Angleterre victorienne qui traversaient le Tage en bateau pour aller visiter la rive gauche de Lisbonne avaient tous lu le poète Robert Southey. « Je n'ai jamais vu un paysage aussi sublime, écrivait-il, que les montagnes de l'Arrábida. Changeant constamment d'aspect à mesure que l'on avance, elles nous offrent des beautés nouvelles à chaque virage. » L'isthme étroit qui s'étend au sud du Tage est en train de devenir une attraction touristique majeure. La construction d'un grand pont suspendu, le Ponte do 25 de Abril, permettant de passer sur l'autre rive en quelques minutes, n'a pas peu contribué à ce regain d'intérêt. À travers des forêts de pins, de bonnes routes vous conduisent aux sommets du triangle appelé « le pays des trois châteaux » : Sesimbra, Setúbal et Palmela. Les traditionalistes préfèrent prendre le ferry entre la praça do Comércio à Lisbonne et Cacilhas, sur l'autre rive du Tage.

Historiquement coupé de Lisbonne, l'isthme est sauvage, accidenté et luxuriant. Tantôt, la terre plonge vers la mer, tantôt elle s'étale sur des kilomètres de plages de sable, tantôt elle ondule en une succession d'orangeraies odorantes et de vignes à muscat. Bordées de falaises et de criques, les eaux cristallines de l'Atlantique se prêtent merveilleusement à la baignade, à la plongée sous-marine et à la pêche au thon, à l'espadon ou au bar.

La richesse du passé de la région est attestée par les vestiges phéniciens, les ruines et les routes romaines, la marque de l'architecture mauresque et les forteresses espagnoles. La proximité de Lisbonne (Setúbal n'est qu'à 40 km au sud-est) fait de cette région une destination idéale pour une excursion d'une journée. Un bon réseau de ferries, ainsi que des bus, la relie à la capitale – ceux-ci vous amèneront en 45 minutes de Lisbonne aux plages de Caparica.

Si vous prenez le ferry entre la praça do Comércio et Cacilhas, vous pourrez ensuite prendre un bus jusqu'aux plages de Caparica. Si vous vous déplacez en bus dans la péninsule, Setúbal sera votre meilleur point de chute. De là, vous pourrez rayonner, toujours en bus, vers Palmela et Sesimbra.

Les liaisons ferroviaires, en revanche, sont très limitées. En été, un petit train dessert 8 km de plage le long de la Costa da Caparica, en s'arrêtant en 20 endroits. Une ligne de chemin de fer normale dessert Setúbal. De là, il faut prendre le bus pour visiter les petits ports de pêche de la côte sud.

La voiture reste le moyen de locomotion idéal pour visiter le pays à votre rythme.

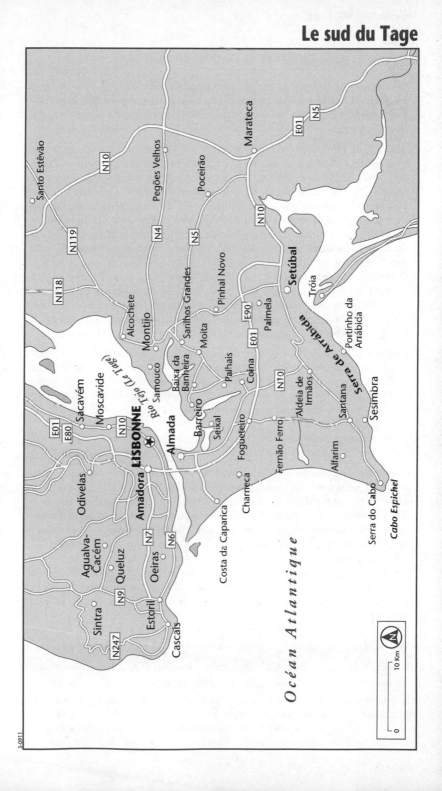

Le sud du Tage

Explorer la région en voiture

La péninsule de Setúbal, au sud du Tage (*Tejo* en portugais), est l'une des plus agréables promenades en voiture que l'on puisse faire dans le pays. Trois jours suffiront largement pour tout voir, mais vous pouvez prolonger votre séjour en multipliant les arrêts.

Premier jour De Lisbonne, traversez le Ponte do 25 de Abril du haut duquel la vue embrasse toute la ville. Vous êtes sur l'E1 qui va à Setúbal. Le monument du **Cristo Rei**, datant de 1959, se dresse sur la rive gauche au-dessus de **Cacilhas**, un ancien port de pêche devenu pratiquement une banlieue de Lisbonne. L'endroit est réputé pour ses restaurants de poisson qui bordent la rua do Ginjal, la rue principale. On vient facilement à Cacilhas en ferry depuis Lisbonne, il n'est donc pas nécessaire de s'y arrêter pour l'instant. On pourra aussi laisser de côté les célèbres plages de la **Costa da Caparica** et prendre la direction des plages moins fréquentées de la côte sud de la péninsule.

Continuez jusqu'au croisement avec la N378 que vous pourrez prendre pour rejoindre le petit port de pêche et la station balnéaire de **Sesimbra**. La localité se trouve à 42,5 km de Lisbonne. Prévoyez d'y passer la nuit. Avant le coucher du soleil, poussez jusqu'à l'extrémité des terres, le **Cabo Espichel**, distant de 11 km par la N379. Son église de pèlerinage marque la pointe sud-ouest de la péninsule.

Deuxième jour Le matin, prenez la direction de Setúbal au nord-est, par la N379. Une route tranquille et sinueuse vous fera traverser les contreforts de la **Serra da Arrábida**. Il est particulièrement agréable de déjeuner au bord de la mer, dans un des petits restaurants de fruits de mer du village de **Portinho da Arrábida**. Aucun restaurant n'étant meilleur que l'autre, on choisira le plus attrayant, ou plutôt celui qui dispose d'une table libre.

Après le déjeuner, reprenez la même route et passez la nuit à **Setúbal**, en arrivant suffisamment tôt, si possible, pour avoir le temps de visiter le **Convento de Jesús**.

Troisième jour Le matin, on pourra prendre un ferry pour traverser l'estuaire et aller visiter la longue bande de terre appelée **Peninsula de Tróia**, parsemée de plages de sable doré baignées d'une eau parfaitement claire. Un grand complexe sportif, le **Tróia Tourist Complex**, comprend des courts de tennis, un terrain de golf et d'autres attractions. Quelques maigres ruines, de l'autre côté de la marina, sont tout ce qu'il reste de la ville romaine du Ve siècle de Cetóbriga, détruite par un raz-de-marée.

Revenez à Setúbal par le ferry et reprenez votre circuit, cette fois en direction du nord par la N252 pour rejoindre la *pousada* de **Palmela**, à 8 km. Vous pourrez y passer la nuit, à la condition expresse d'avoir réservé. Le lendemain matin, rentrez à Lisbonne par l'E1. Vous arriverez largement à temps pour déjeuner. Palmela n'est qu'à 32 km au sud-est de la capitale.

1. Azeitão

À 15 km au nord-ouest de Setúbal, 25 km au sud-est de Lisbonne

Cette bourgade assoupie repose au cœur du pays des *quintas*. Sous sa forme la plus rudimentaire, une *quinta* est une simple ferme entourée de terres. Dans sa version luxueuse, c'est un manoir de belle facture rempli d'œuvres d'art. Azeitão est réputé pour détenir les plus beaux du pays. Le village est un bon point de départ de randonnées, surtout pour ceux qui veulent escalader les pentes calcaires de la Serra da Arrábida. D'autres préfèrent les longues marches dans les odorantes forêts de pins ou les oliveraies argentées. En conclusion de votre journée, vous pourrez commander du fromage d'Azeitão, que vous accompagnerez d'une bouteille de muscat local.

Informations pratiques

COMMENT S'Y RENDRE

En voiture La voiture est indispensable, compte tenu de l'isolement du village. Après avoir traversé un des ponts du Tage, prenez l'ancienne route de Setúbal (N10) vers le sud, que vous quitterez à l'embranchement vers Azeitão.

Visite des Quintas

✪ Quinta de Bacalhoa. Vila Fresca de Azeitão. ✆ 21/218-00-11. Entrée adultes 250 ESC ; gratuit pour les moins de 13 ans. Jardins (sur demande) lun.-sam. 13 h-17 h.

Manuel Ier aurait été le premier à introduire le concept de *quinta* au Portugal lorsqu'il fit construire, au début du XVIe siècle, la Quinta de Bacalhoa où vécut sa mère. Par la suite, le fils d'Alphonse d'Albuquerque, puis les Bragance, en devinrent propriétaires. Finalement, elle fut laissée à l'abandon et des pilleurs emportèrent une grande partie de son décor, notamment les carreaux de céramique anciens.

Une Américaine acheta le manoir avant la Seconde Guerre mondiale et consacra plusieurs années à lui rendre son aspect d'origine. Loggias, pavillons, coupoles en demi-lune suggérant une influence mauresque, ainsi que trois tours pyramidales caractérisent son architecture. Un des panneaux d'*azulejos* (carreaux) du XVIe siècle représente une innocente Suzanne poursuivie par des vieillards lubriques. D'après certains historiens d'art, le palais serait le premier exemple d'architecture Renaissance au Portugal.

Bacalhoa est un domaine privé, mais les jardins sont ouverts au public sur demande. Les terres sont plantées de vignes appartenant aux fabricants du vin Lancers, J.-M da Fonseca, International-Vinhos, Ltda. Il existe deux caves J.-M. da Fonseca à 800 m de distance l'une de l'autre : la « maison mère » et un établissement plus récent. La première se trouve dans le centre d'Azeitão, de même que la demeure familiale des Fonseca, une *quinta* du XIXe siècle. Au rez-de-chaussée de la maison, un petit musée et une salle de réception sont ouverts au public. Les vignobles des pentes de l'Arrábida fournissent les établissements Fonseca depuis le début du XIXe siècle. Le bon muscat qui a fait leur réputation est utilisé pour parfumer et sucrer le Lancers blanc. Le meilleur produit est un muscat appelé Setúbal, qu'on trouve rarement à l'étranger, mais qui ravira les connaisseurs.

Se loger et se restaurer

Quinta das Torres. Estrada Nacional 10, Azeitão, 2900 Setúbal. ✆ 21/218-00-01. Fax 21/219-06-07. 10 chambres, 2 bungalows. Double 9 000 ESC-16 000 ESC ; bungalow 14 000 ESC-25 000 ESC. Petit déjeuner compris. Restaurant : tlj. 13 h-15 h et 19 h-22 h. CB. Parking gratuit.

Manoir seigneurial du XVIe siècle à l'élégance un peu ternie, la Quinta das Torres a été maintenue en l'état pour ceux qui recherchent un voyage dans le temps et un séjour au calme. Restée dans la famille depuis des générations, la demeure se dresse au bout d'une allée bordée d'arbres, fermée par une grande grille. En s'avançant, on distingue deux tours pointues de section carrée de part et d'autre de la terrasse à l'entrée. Chaque chambre est unique. S'il en est de petites, la suite, où trônent des lits de princesse en cuivre, est aussi vaste qu'une salle de bal. Certaines chambres ont de hautes fenêtres à volets, des sols au carrelage patiné par le temps, et sont décorées de meubles anciens, de vases garnis de fleurs fraîches, de lampes à huile et de niches abritant des saints et des madones. Les bungalows de quatre personnes, idéals pour un séjour en famille, sont équipés de kitchenettes.

Par temps froid, des bûches flambent dans la haute cheminée de la salle à manger, dont le décor de carreaux représente des scènes aussi recherchées que *L'Enlèvement des Sabines* et *Le Siège de Troie*. La cuisine, riche et consistante, a bonne réputation. Un repas coûte dans les 4 500 ESC ; au menu : filet de porc fumé, steak au poivre ou crevettes géantes.

2. Sesimbra

À 25,5 km au sud-ouest de Setúbal, 42,5 km au sud de Lisbonne

Sesimbra, considéré comme l'un des petits ports de pêche les plus authentiques du pays, est longtemps resté le trésor caché des Portugais. Aujourd'hui, des tours modernes font de l'ombre aux maisons anciennes, mais les *varinas* et les pêcheurs se livrent toujours à leur activité ancestrale, tirant de l'Atlantique leurs moyens de subsistance. Chaque jour, au retour des bateaux, la pêche est vendue à la criée dans une *lota* de Porto Abrigo. Sesimbra est également un important centre de pêche sportive.

Informations pratiques

COMMENT S'Y RENDRE

En train Venant de Lisbonne, il est préférable de prendre le bus. En train, il faut aller à Setúbal et revenir sur ses pas en bus jusqu'à Sesimbra.

En bus Des bus pour Setúbal partent régulièrement de la praça de Espanha (métro : Palhavã) à Lisbonne, et de Cacilhas, sur l'autre rive du Tage. À Setúbal, vous changerez pour prendre un autre bus qui vous amènera à Sesimbra en une demi-heure. Pour tout **renseignement** et demande d'horaire, appelez le ∅ 265/52-50-51.

En voiture De Lisbonne, traversez le Ponte do 25 de Abril et suivez l'autoroute jusqu'à Setúbal. Au croisement avec la N378, prenez la direction de Sesimbra, au sud.

En ferry On peut aussi se rendre à Sesimbra en prenant le ferry partant de l'embarcadère de la praça do Comércio à Lisbonne, puis le bus à Cacilhas.

INFORMATIONS TOURISTIQUES

L'**office du tourisme** se trouve sur le largo da Marinha (∅ 21/223-57-43).

MANIFESTATIONS SPÉCIALES

Le calendrier des fêtes commence avec le **Carnaval** et son défilé qui attire toujours une foule de jeunes. Typiques de cette fête, les **Cegadas** sont une sorte de théâtre populaire burlesque, joué uniquement par des hommes. Elles font la satire des événements politiques, économiques ou de la vie quotidienne.

En avril (pas de date fixe), se déroule la **Feira do Mare**, comprenant concerts, expositions et spectacles folkloriques. Du 3 au 5 mai, les **Festas em Honra do Senhor Jesùs das Chagas** célèbrent le saint patron des marins pêcheurs. Une procession et la bénédiction de la mer ont lieu le 4 mai, et, parallèlement, se déroule une fête municipale exubérante. Les festivités en l'honneur des saints se déroulent du 23 au 30 juin. Le soir, des feux d'artifice, des défilés et, parfois, du *fado* créent une joyeuse atmosphère. Du 25 au 28 juillet, vient le tour du saint patron de la ville, **São Tiago**. À cette occasion, des manifestations culturelles, de danse notamment, sont organisées. Le dernier dimanche de septembre est le jour fixé pour la fête de **Notre Dame du Cap**, avec procession et petite foire.

Explorer Sesimbra

EXPLORER LA RÉGION

Tout au bout de la plage, au-delà du port encombré de bateaux, se dresse la **forteresse de São Teodosio**, du XVIIᵉ siècle, dont la fonction était de défendre la région contre les raids des pirates qui se livraient au pillage et enlevaient les plus belles femmes. Le site est visible de l'extérieur, mais n'est pas ouvert au public.

Du haut des remparts en ruine et des cinq tours du **château de Sesimbra**, le village ressemble à une miniature pittoresque. Le château fut pris aux Maures en 1165 et reconstruit après le tremblement de terre de 1755 qui abattit des pans entiers de ses murailles crénelées. Il renferme le monument le plus ancien de Sesimbra, une église du XIIᵉ siècle. Le site est ouvert tous les jours de 7 h à 19 h. L'entrée est libre.

Depuis Sesimbra, vous pouvez rejoindre, à l'ouest, le **Cabo Espichel** où se trouvent des hospices de pèlerins du début du XVIIIᵉ siècle, fouettés par le vent et gardés par des escouades de mouettes qui tournoient dans le ciel. Une église de pèlerinage en mauvais état, le **Santuário da Nossa Senhora do Cabo**, accentue la mélancolie du lieu. On pourra jeter un coup d'œil à son intérieur baroque garni de bois dorés et de sculptures, tous les jours de 9 h à 13 h et de 15 h à 18 h. L'entrée est libre. En sortant, approchez-vous – prudemment – du bord de la falaise pour admirer le panorama ; il n'y a pas de garde-fou et la mer gronde 100 m plus bas. De la sculpture moderne agrémente ce cadre désolé. Situé à la pointe sud de la chaîne de l'Arrábida, ce lieu de pèlerinage est actif depuis le XIIIᵉ siècle. En 1180, Fuas Roupinho repoussa les Maures qui s'enfuirent par la mer, et s'empara de plusieurs de leurs navires. De Sesimbra, 6 bus quotidiens font le trajet d'une demi-heure jusqu'au cap.

ACTIVITÉS DE PLEIN AIR

La réputation de Sesimbra vient de sa situation en bordure d'une longue et belle plage de sable, surpeuplée en été du fait de l'afflux des Lisboètes. Mais l'eau, très propre, est idéale pour la baignade.

Sesimbra est ausi un centre de pêche réputé pour l'espadon. Les pêcheurs locaux accepteront de prendre des visiteurs à bord de leurs bateaux pour un prix négociable. Renseignez-vous à l'office du tourisme (voir plus haut « Informations touristiques ») afin d'organiser une pêche en mer.

SHOPPING

L'avenida da Liberdade, dans le centre-ville, est bordée de toutes sortes de commerces. La boutique d'artisanat la plus impressionnante est **Mateus**, rua da Fortaleza (∅ 21/223-05-50), où s'étale une profusion de plats et de pots en céramique couverts de fleurs, de vignes, d'arbres et d'animaux, mythiques ou réels. Tout achat peut être expédié au domicile de l'acheteur.

À 14,5 km du centre-ville, sur la route de Setúbal, se trouve l'une des plus grosses fabriques de céramique de la région, **São Simão Arte** (∅ 21/218-31-35), qui domine le hameau d'Azeitão. La fabrique vend ses productions à des prix quelque peu inférieurs à ceux des revendeurs.

Se loger

Hotel do Mar. Rua Combatentes de Ultramar 10, 2970 Sesimbra. ⌀ **21/223-33-26.** Fax 21/223-38-88. 168 chambres. TV, CLIM, Tél. Double 14 000 ESC-24 500 ESC ; suite 32 000 ESC-62 000 ESC. Enfants jusqu'à 8 ans dans la chambre des parents 3 000 ESC. Petit déjeuner compris. CB. Parking gratuit.

L'Hotel do Mar est un des hôtels-clubs les plus originaux que l'on puisse trouver au sud du Tage. La construction, de type alvéolaire, s'étage depuis le haut de la falaise jusqu'au bord de l'eau. Les passages, garnis de peintures contemporaines, de plaques de céramique et de sculptures, ressemblent à des galeries d'art. Le hall principal renferme une volière vitrée peuplée d'oiseaux tropicaux. Toutes les chambres, dont quelques-une avec minibar, sont dotées de terrasses avec vue sur l'océan et le jardin descendant à flanc de colline. Certaines salles de bains sont un peu trop exiguës. Le mobilier est de bon goût, les literies de bonne qualité. Les suites sont très diverses en taille, commodités et prix. Les moins chères sont des hébergements standard confortables. Les plus chères sont des unités luxueuses dotées d'une piscine et d'un bain à remous. Le petit déjeuner est servi sur une terrasse couverte de fleurs.

Le restaurant lambrissé donne sur la mer. C'est un excellent endroit pour déjeuner dans le cadre d'une excursion d'une journée depuis Lisbonne. L'apéritif se prend dans un bar rustique ; après dîner, les hôtes se rassemblent autour de la cheminée, dans le salon. **Services :** room service, baby-sitting, concierge, blanchisserie, courts de tennis (2), plage, piscines couverte et découverte, sauna, solarium.

Villas de Sesimbra. Altinho de São João, 2970 Sesimbra. ⌀ **21/228-00-05.** Fax 21/223-15-33. Mél : villages@oscar.pt. 207 appartements. TV, CLIM, Tél. Appart. 2 personnes 18 000 ESC-25 000 ESC. CB. Parking gratuit.

Les Villas de Sesimbra constituent actuellement la meilleure offre hôtelière à Sesimbra. Ce complexe d'appartements modernes, retiré dans les collines à 2 km de la côte, a brisé le long monopole de l'Hotel do Mar (ci-dessus) dans le créneau du tourisme de grand standing. Ses commodités sont bien supérieures à celles de son concurrent. Il répond à toutes les attentes du vacancier moderne : club de remise en forme avec salle de gym et sauna, piscines extérieures chauffées, courts de squash et de tennis. Le complexe, qui veut séduire la clientèle familiale, possède une aire de jeux pour les enfants.

Un jardin entoure l'hôtel, avec des terrasses panoramiques. La gamme des hébergements est très étendue : elle va de studios « trop petits » à un somptueux penthouse, d'où la vue est spectaculaire. Les tarifs sont en fonction du logement choisi. Tous sont équipés d'une kitchenette et de la TV par satellite. Vous pourrez vous préparer le poisson acheté sur le marché, ou vous asseoir à la table du restaurant, qui sert un breakfast américain (de 7 h 30 à 10 h) et de la cuisine régionale traditionnelle au déjeuner (de 12 h 30 à 15 h) et au dîner (de 19 h 30 à 22 h).

Se restaurer

Restaurante Ribamar. Av. dos Náufragos 29. ⌀ **21/223-48-53.** Réservation conseillée. Plats 1 800 ESC-2 500 ESC ; menu à prix fixe 5 000 ESC. CB. En été, tlj. 12 h-24 h ; hors saison, tlj. 12 h-16 h et 19 h-23 h. *Portugais, international.*

Le Restaurante Ribamar sert l'une des meilleures cuisines portugaises de la région. Il est spécialisé dans le poisson et les crustacés, la plupart sortant directement des eaux locales. Le bâtiment, non loin de la plage, fait face à la mer, avec une vue d'ensemble de la baie. On peut manger en salle ou en terrasse. La spécialité du chef est un appétissant plateau de poissons et de crustacés pour deux personnes. L'espadon, prove-

Les plages préférées des Portugais

Les plages de la **Costa da Caparica**, sur la rive gauche du Tage en face du centre de Lisbonne, sont moins polluées que celles, certes plus chic, de la Costa do Sol (Estoril et Cascais). Mais curieusement, les étrangers se précipitent encore sur la Costa do Sol, abandonnant une grande partie de la Costa da Caparica aux gens du cru.

Le littoral à l'ouest de la péninsule, d'une longueur de 9 km, est une succession de plages entrecoupées de petites criques, de récifs rocheux et de lagunes d'eau calme et limpide. Plus vous vous éloignez de la petite station balnéaire de Caparica, plus les plages sont propres et belles.

Un petit train dessert la côte de juin à septembre en faisant 20 arrêts. Chacune des plages possède un charme particulier. Les plus proches du terminus attirent les familles. La n° 9 est fréquentée par les homosexuels et la n° 17 est une plage naturiste.

Pour s'y rendre par les transports en commun, on peut prendre un ferry de Lisbonne à Cacilhas, de l'autre côté du Tage. Ils partent tous les quarts d'heure du Terminal Fluvial de la praça do Comércio. On change ensuite pour un bus marqué CAPARICA, partant de la gare routière voisine du terminal des ferries. Le trajet jusqu'aux plages dure environ trois quarts d'heure. Il s'arrête au terminus du train.

La péninsule possède bien d'autres plages merveilleuses. À **Sesimbra** (voir plus haut), un village de pêcheurs devenu station balnéaire au sud de la Serra da Arrábida, vous trouverez des plages de sable qui risquent cependant d'être surpeuplées de juin à août.

D'autres belles plages s'étendent de l'autre côté de l'embouchure du Sado, à **Tróia** (voir p. 176), une station balnéaire importante où l'on a construit, hélas, des résidences totalement dépourvues de charme. Des ferries partent toute la journée du port de Setúbal, à intervalles de 45 minutes. La traversée dure 20 minutes. Le côté océan du promontoire de Tróia est moins fréquenté et moins pollué.

Beaucoup de petites plages se cachent à l'ouest de Setúbal, au pied de la Serra da Arrábida. À **Portinho do Arrábida** (voir p. 174), par exemple, la baie décrit une courbe parfaite, ourlée de plages de sable et baignée d'une eau limpide.

nant de la pêche locale, est un autre point fort de la maison. Les homards, langoustines et autres crabes qui garniront votre assiette sont pêchés dans les deux grands aquariums de l'hôtel. Le menu, d'un prix raisonnable, comprend une soupe, un plat, un dessert, du vin et un café.

Vie nocturne

La meilleure discothèque – et la plus fréquentée – est la **Belle Epoque**, à Falasia (∅ 21/223-20-01), à 400 m à l'est du centre. Elle ouvre tous les soirs à 23 h. L'entrée coûte 1 200 ESC ; ce prix comprend une boisson. Si vous cherchez un repaire plus tranquille pour prendre un ou deux verres, essayez le **De Facto Bar**, avenida dos Náufragos (∅ 21/223-42-14), ou son voisin immédiat, le **Bar Inglês** (∅ 21/223-56-11). Chez l'un et l'autre, l'espace de type boîte de nuit est chaleureux, sûr, international, et moins folklorique qu'il n'y paraît.

3. Portinho da Arrábida

À 13 km au sud-ouest de Setúbal, 37 km au sud-est de Lisbonne

Le village de pêcheurs de Portinho da Arrábida, au pied de la serra, est une des destinations favorites des familles lisboètes qui louent des petites maisons multicolores sur la plage. Si vous venez ici en voiture aux mois de juillet et août, prenez garde. Il est quasiment impossible de se garer, et la route, théoriquement en sens unique, est en réalité empruntée dans les deux sens. Vous mettrez des heures à remonter la colline. Et seuls les athlètes entraînés tenteront de descendre et de remonter à pied. Les visiteurs avertis tâchent de laisser la voiture sur une route plus large, au-dessus du port, et descendent à pied en se frayant un chemin à travers la foule des vacanciers.

Il n'y a pas d'hébergement à Portinho ; la meilleure solution consiste à revenir à Sesimbra ou à continuer sur Setúbal.

Informations pratiques

COMMENT S'Y RENDRE

En bus Les bus qui circulent entre Sesimbra et Setúbal s'arrêtent à Portinho da Arrábida.

En voiture Depuis Sesimbra, suivez la N379 en direction de Setúbal, et tournez à droite à l'embranchement vers Portinho da Arrábida. Mais lisez d'abord l'avertissement ci-dessus concernant le stationnement. Portinho est une bonne étape pour déjeuner si vous visitez les contreforts de la Serra da Arrábida en voiture.

INFORMATIONS TOURISTIQUES

Les **offices du tourisme** les plus proches se trouvent à Setúbal et à Sesimbra, mais ils sont de peu d'utilité pour visiter Portinho.

Explorer les montagnes

La Serra da Arrábida, qui forme un dos de baleine calcaire d'environ 35 km de long, commence à Palmela et plonge spectaculairement dans la mer au Cabo Espichel. L'État portugais a sagement réservé une aire 10 675 hectares entre Sesimbra et Setúbal, afin de protéger les paysages et l'architecture locale de l'appétit des promoteurs.

Par endroits, les falaises et promontoires sont si élevés que les eaux violettes de l'Atlantique en contrebas semblent vues à travers les nuages. Plus de mille espèces de plantes ont été répertoriées : chêne vert, laurier, genévrier, cyprès, araucaria, lavande, myrte... L'époque que nous préférons est le début du printemps (fin mars-début avril) lorsque les reliefs se couvrent de fleurs sauvages, de la jacinthe des bois aux clochettes bleu vif à la pivoine rose corail.

La serra est trouée de nombreuses grottes, la plus fameuse étant la **Lapa de Santa Margarida** que Hans Christian Andersen comparait à « une église taillée dans la roche, avec une voûte fantastique, des tuyaux d'orgue, des colonnes et des autels ». Une multitude de criques sableuses s'arrondissent au pied des falaises. Certaines s'ouvrent pour former des plages ; d'autres sont moins accessibles. L'une des plus belles plages est la **Praia de Galapos**. Une autre destination célèbre est **Praia de Figuerinha**, entre Portinho da Arrábida et Setúbal, où l'on pratique la pêche au gros, la voile et la planche à voile.

Perché sur un coteau comme une tiare posée sur **Portinho da Arrábida**, le Convento da Arrábida date de 1542. Vous pouvez sonner à la porte. Selon son humeur, le gardien vous fera visiter ou non.

Se restaurer

Restaurante Beira-Mar. Portinho da Arrábida. ∅ **21/218-05-44.** Plats 1 100 ESC-3 200 ESC. Mai-sept. tlj. 12 h-21 h 30 ; jan.-avr. et oct.-nov., jeu.-mar. 12 h-21 h 30. Fermé en déc. *Portugais.*

Un repas dans ce restaurant aéré vous récompensera de la descente à pied de la colline. Les tables les plus recherchées par temps chaud sont disposées sur un balcon de béton, à quelques mètres au-dessus des eaux calmes du port, à proximité des bateaux de pêche. En guise de nappe, vous aurez droit à du papier blanc, mais la cuisine, sans prétention, est savoureuse. La carte comprend un superbe porc aux palourdes, un tendre poulet rôti, du ragoût de poisson, des sardines grillées, plusieurs préparations de morue, de la sole grillée, du riz aux crustacés, le tout arrosé de vins régionaux. C'est robuste et consistant. Certains week-ends, vous aurez du mal à attirer l'attention du serveur, en admettant que vous ayez trouvé une table libre.

4. Setúbal

À 10 km au sud-est de Lisbonne

Sur la rive droite du Sado s'étend l'une des plus grandes et des plus anciennes villes du Portugal, fondée, dit-on, par le petit-fils de Noé. Les visiteurs motorisés l'incluent souvent dans leurs circuits à cause de l'exceptionnelle Pousada de São Filipe, aménagée dans un fort de la fin du XVIe siècle dominant la mer (voir ci-après « Se loger »).

Centre de l'industrie de la sardine, Setúbal est en outre réputée pour produire le meilleur muscat du monde. Déjà du temps des Romains et des Wisigoths, les amateurs vantaient les mérites du raisin local, chaleureux et plein d'arômes. La ville est entourée d'orangeraies (que l'on exploite pour la confiture), de vergers et de vignes, et de plages extraordinaires telle la célèbre Praia da Figuerinha. Les monticules blancs en forme de pyramide que l'on voit un peu partout sont des dépôts de sel séchant au soleil, autre production majeure de cette ville tournée vers la mer.

Nombre d'artistes et d'écrivains sont originaires de Setúbal, le plus célèbre étant le poète du XVIIIe siècle, Manuel Maria Barbosa du Bocage, un précurseur des romantiques. Un monument en son honneur se dresse sur la praça do Bocage.

Informations pratiques

COMMENT S'Y RENDRE

En train Le trajet depuis Lisbonne dure une heure et demie, et le billet aller simple coûte 500 ESC. Pour tout **renseignement** et demande d'horaire, appelez le ∅ 21/888-40-25.

En bus Un bus en provenance de Lisbonne arrive toutes les heures ou toutes les deux heures, selon le moment de la journée. Le trajet dure 1 heure et le billet aller simple coûte 550 ESC. Pour tout **renseignement** et demande d'horaire, appelez le ∅ 265/52-50-51.

En voiture Après avoir traversé l'un des ponts du Tage, prenez la direction de Setúbal par l'autoroute A2, et suivez ensuite les indications vers Setúbal. L'ancienne route (N10) est beaucoup plus lente.

INFORMATIONS TOURISTIQUES

L'office du tourisme se trouve sur le largo do Corpo Santo (∅ 265/53-91-20).

Explorer Setúbal

Musée et monument

✪ **Convento de Jesús.** Praça Miguel Bombarda (près de l'avenida do 22 de Dezembro). ∅ 265/53-21-42. Entrée libre. Mar.-sam. 9 h-13 h et 13 h 30-17 h 30. Bus : 1, 4, 7, 10 ou 12.

Le Convento de Jesús est un exemple du style manuélin de la fin du XVe siècle. On prêtera attention à la chapelle principale, au décor très chargé de la porte principale et aux colonnes en marbre de l'Arrábida. Chacune est formée de trois colonnes torsadées ; elles ne semblent pas soutenir la voûte, mais descendre vers le sol comme des appendices végétaux. Pour Hans Christian Andersen, elle était « l'une des plus belles petites églises que j'aie jamais vues ». Elle fut souvent restaurée, la dernière fois en 1969-1970.

Museu da Setúbal. Rua Balneário Paula Borba. ∅ 265/52-47-72. Entrée libre. Mar.-sam. 9 h-12 h et 13 h 30-17 h 30. Bus : 1, 4, 7, 10 ou 12.

Attenant au Convento de Jesús, ce musée municipal sans prétention abrite quelques peintures portugaises du début du XVIe siècle, des œuvres espagnoles et flamandes, et de l'art contemporain.

Peninsula de Tróia

Tróia est une longue péninsule sableuse traversant l'estuaire du Sado. Elle est accessible par ferry depuis Setúbal. Cette langue de terre parsemée de pins a été choisie pour construire l'un des plus grands complexes touristiques du Portugal, dont la vedette est le **Tróia Tourist Complex** (∅ 265/49-90-00), comprenant des appartements-hôtels et un terrain de golf de 18 trous, de 6 340 m et d'un par de 72, conçu par Robert Trent Jones. Les plages sont parmi les plus belles que l'on puisse trouver au sud de Lisbonne, et l'eau n'est pas polluée. Les autres équipements sportifs comprennent des piscines d'eau de mer, des équipements de sports nautiques, des terrains de jeu pour les enfants, et une douzaine de courts de tennis. On peut aussi louer des bicyclettes ou faire des promenades à cheval.

Si vous souhaitez passer quelques jours de vacances au bord de la mer, vous pourrez louer un appartement sur l'île. Vous obtiendrez tous les renseignements auprès de **Torralta-CIF, S. A.**, av. Duque de Loulé 24, 1098 Lisboa Codex (∅ 21/353-87-73 ou 21/355-63-10).

Cetóbriga, sur la péninsule, abrite les ruines d'un port romain, autrefois prospère. Les fouilles ont commencé au milieu du XIXe siècle. La ville, datant des IIIe et IVe siècles, fut détruite par la mer, mais on a retrouvé les vestiges de plusieurs villas, de piscines, d'un temple décoré de fresques, et d'un lieu où l'on conservait le poisson dans le sel. On a également la preuve que les Phéniciens, à une époque plus reculée, avaient colonisé la péninsule. Les ruines de Cetóbriga sont situées à 2,5 km environ de l'actuel complexe touristique de Tróia. Les maigres vestiges sont visibles, face à la marina.

Pour se rendre à Tróia depuis Setúbal, achetez un billet chez **Transsado**, Doca do Comércio (∅ 265/52-33-84), près de l'avenida Luisa Todi, dans le secteur est des quais. Au moins 36 départs de ferry se succèdent tout au long de la journée. La traversée dure un quart d'heure et coûte 160 ESC (adultes ou enfants). Le passage d'une voiture coûte 560 ESC dans chaque sens. Pour tout renseignement, appelez le ∅ 265/235-101.

Activités de plein air

La péninsule de Tróia (voir ci-dessus), avec ses belles plages de sable blanc, est l'espace de loisir et de détente de Setúbal. Au cours des 25 dernières années, de gros moyens ont été consacrés à la mise en valeur de quelques zones rocailleuses et isolées entre

Lisbonne et Setúbal. De ces terres arides et désolées ont surgi les taches vert émeraude de terrains de golf parmi les meilleurs d'Europe.

Le golf le plus réputé de Lisbonne est l'**Aroeira Clube de Golf** (ancien Clube de Campo de Portugal), Herdade de Aroeira, Fonte da Telha, 2825 Monte de Caparica, Aroeira (∅ 21/297-13-14). Dessiné au début des années 70 par l'architecte anglais Frank Pennink sur un domaine de 360 hectares, le parcours fait 6 km de long pour un par de 72. Son tracé, aux dires des revues spécialisées, serait un des plus subtils d'Europe. Des falaises basses et des lacs séparent les longs fairways luxuriants et les bosquets de pins de l'Atlantique. Mieux vaut réserver. Les *greens fees* pour 18 trous vont de 9 000 ESC à 12 000 ESC, selon l'heure et le jour. On peut louer des clubs pour 3 500 ESC à 7 500 ESC, et une voiturette électrique coûte 7 000 ESC pour un parcours de 18 trous. Pour se rendre au club depuis Lisbonne, traversez l'un des ponts du Tage, faites 32 km vers le sud et quittez l'autoroute à Costa da Caparica. Depuis Setúbal, prenez la N10 en direction de Lisbonne et sortez à Foguateiro.

Si le terrain d'Aroeira est complet, vous pourrez vous rabattre sur d'autres clubs de la région. Le **Clube de Golf Perú** est proche du hameau de Negreiros (∅ 21/210-45-15). Venant de Setúbal, prenez l'Estrada Nacional 10 (N10) et faites une vingtaine de kilomètres en suivant la direction de Lisbonne. Moins prestigieux, le **Clube de Golf Montado** se trouve dans le hameau de Montado (∅ 265/70-66-48 ou 265/70-67-99). Venant de Setúbal, faites 10 km sur l'*estrada nacional* en direction de l'Alentejo et de l'Algarve. Les *greens fees* sont comparables à ceux de l'Aroeira, mais aucun de ces deux clubs ne soulève l'enthousiasme parmi les professionnels.

Shopping

Setúbal est suffisamment riche en commerces d'artisanat pour occuper un amateur curieux pendant au moins un après-midi. L'un des passages obligés est la boutique du **Castelo de São Filipe** (∅ 265/52-38-44). Prenez le passage souterrain qui part de l'entrée du château. Dans le centre-ville, le long des rues qui entourent la *pousada* et la cathédrale, vous trouverez au moins une demi-douzaine de boutiques de cadeaux spécialisées dans la broderie, la céramique, le bois et le cuir.

Fortuna (∅ 265/287-10-68), fabrique de céramique et école technique, domine le hameau de Quinta do Anjo, à 7 km au nord-ouest de Setúbal. Pour y accéder, suivez la direction de Palmela. L'un de ses principaux concurrents fabrique des céramiques vernissées et peintes de motifs fantaisistes de fleurs, de vignes et d'animaux sauvages ou mythiques : il s'agit de **São Simão Arte** (∅ 265/208-31-35), principale fabrique de Vila Fresca de Azeitão, à 14,5 km au nord-est de Setúbal. Toutes deux font visiter les ateliers et vendent leurs productions.

Se loger

Hotel Bonfim. Av. Alexandre Herculano 58, 2900 Setúbal. ∅ 265/53-41-11. Fax 265/53-48-58. Mél. : hotel.bonfim@mail.telepac.pt. 100 chambres. TV CLIM. Minibar Tél. Double 17 500 ESC ; suite 25 000 ESC. Petit déjeuner compris. CB. Parking gratuit.

Cet hôtel de 10 étages, moderne et international, surpasse de loin tous les autres hôtels du centre-ville. Il se dresse sur la bordure est du plus grand parc de la ville, pas très loin de la mer, ce qui autorise sa direction à le comparer ironiquement un hôtel de Central Park à New York. Ouvert en 1993, il dispose de chambres de taille moyenne, bien meublées. Les deux derniers étages sont occupés par des salles de conférence. Il n'a pas de restaurant ; ceux-ci sont nombreux, mais pas forcément de grande qualité, dans le voisinage.

✪ **Pousada de São Filipe.** Castelo de São Filipe, 2900 Setúbal. ∅ **265/52-38-44.** Fax 265/53-25-38. www.pousadas.pt. 16 chambres. TV CLIM. Tél. Double 18 000 ESC-30 500 ESC ; suite 32 000 ESC-38 000 ESC. Petit déjeuner compris. CB. Parking gratuit.

Ce château fortifié dominant la ville et le port du haut d'une colline remonte à 1590. Il est l'œuvre de l'architecte italien Philipe Terzi qui séjourna au Portugal sous le règne du jeune roi Sebastien. On y monte par une route de montagne, qui passe sous un arc et longe des tours avant d'atteindre le belvédère. Si vous n'êtes pas motorisé, montez en taxi depuis Setúbal ; à pied, le chemin risque de vous paraître long ! Les cimaises des murs de la chapelle et des salles communes sont recouvertes de carreaux où sont représentées des scènes de la vie de saint Philippe et de la Vierge. Ils sont datés de 1736 et signés Policarpo de Oliveira Bernardes. Les chambres où logeaient les soldats et le gouverneur ont été meublées avec goût d'antiquités et de reproductions de pièces des XVIe et XVIIe siècles. Armes et munitions ont cédé la place à des lits moelleux, aux cadres tarabiscotés de facture portugaise. Certaines sont climatisées. Pour y accéder, il faut parcourir des kilomètres de corridors remplis de plantes vertes. L'agréable restaurant sert de la cuisine régionale traditionnelle au déjeuner (de 13 h à 15 h) et au dîner (de 19 h 30 à 22 h). Un repas complet, vin et café compris, coûte dans les 5 000 ESC. **Services :** room service, blanchisserie, guichet de location de voiture.

Quinta do Patricio. Estrada do Castelo de São Filipe, 2900 Setúbal. ∅ et fax **265/338-17.** 4 chambres. Double 11 000 ESC-13 000 ESC ; appartement 13 000 ESC-15 000 ESC. Petit déjeuner compris. CB. Parking gratuit.

Située dans le parc naturel de l'Arrábida, cette *quinta*, avec jardin privé et piscine, offre le meilleur hébergement du genre dans la région. Membre de Turismo de Habitação, ce n'est, en fait, qu'un bed-and-breakfast sans commune mesure avec la *pousada* plus luxueuse des environs. Ancienne demeure privée, le manoir occupe un site tranquille jouissant d'une belle vue sur l'estuaire et sur Setúbal. Vous aurez le choix entre des chambres dans le bâtiment principal, un appartement indépendant et même un moulin à vent restauré, avec salle de bains, cheminée et petit réfrigérateur. Réservez le plus tôt possible, surtout pour l'été.

Residencial Setúbalense. Rua Major Afonso Pala 17, 2900 Setúbal. ∅ et fax **265/52-57-89.** 24 chambres. TV CLIM. Tél. Double 5 700 ESC-9 500 ESC. Petit déjeuner compris. CB. Parking gratuit.

À environ une minute à pied au nord de la place centrale de Setúbal, largo da Misericórdia, cet hôtel à direction familiale ouvrit ses portes au début des années 90. L'édifice de trois étages, une ancienne demeure privée vieille de deux siècles, a été restauré avec soin. Les chambres, de taille moyenne, sont hautes de plafond et meublées dans un style moderne épuré ; les literies sont fermes. Le chaleureux bar de l'hôtel fait également office de café. Il n'y a pas de restaurant, mais n'importe quel membre du personnel vous indiquera plusieurs bons établissements dans le voisinage.

Se restaurer

O Beco. Largo da Misericórdia 24 r/c. ∅ **265/52-46-17.** Plats 1 300 ESC-2 100 ESC. CB. Tlj. 12 h-16 h ; mer.-dim. 19 h-22 h 30. Bus : 2, 7, 8 ou 20. *Portugais.*

O Beco, dans le centre-ville, est connu depuis les années 60. Un étroit passage conduit à deux salles à manger décorées de vieux fourneaux, d'objets régionaux et d'une cheminée. Le service est efficace, la nourriture consistante, pleine d'arômes et généreusement servie. L'entrée classique est la soupe aux crustacés. Le porc a le goût sucré des animaux de l'Alentejo nourris aux glands. Nous conseillons également le bifteck spécial, le *pato com arroz a antiga* (canard au four avec du riz), la paella, et un ragoût portugais, le *cozido*. Le dimanche, on sert du *cabrito* (chevreau). Les gourmets aventureux commanderont du calamar grillé. Pour rester sur une note régionale, on terminera par une tarte à l'orange.

Restaurante Bocage. Rua da Marqueza do Faial 8-10. ∅ **265/52-25-13**. Plats 1 000 ESC-1 800 ESC. CB. Jeu.-mar. 12 h-15 h 30 et 19 h-22 h. *Portugais.*

Le Portugal d'autrefois revit derrière la façade défraîchie de cet hôtel particulier, se dressant dans un angle de la place centrale, interdite aux voitures. On dîne sous les ventilateurs des années 50 et un plafond blanc à caissons. La plupart des clients accompagnent leur poisson d'un muscat fruité. Inutile de chercher des prouesses de raffinement dans cette chaleureuse taverne. La clientèle presque exclusivement portugaise trouve ici une cuisine régionale, à l'exemple de ces *lulas de caldeirada* (ragoût de calamar). L'alcool de muscat est très apprécié en digestif.

Vie nocturne

Setúbal l'industrieuse offre plus d'occasions de faire la fête qu'on pourrait l'imaginer au premier abord. La plus forte concentration de lieux nocturnes se trouve près de l'extrémité ouest de l'avenida Luisa Todi, la route qui mène aux plages, à l'ouest. Le plus étrange est le **Conventual**, avenida Luisa Todi (∅ 265/53-45-29). Une série de salles aux voûtes savamment architecturées (qui, jadis, couvraient l'un des couvents les plus remarquables de Setúbal) offre plusieurs bars variant les atmosphères musicales. Bien que l'endroit se prête davantage à discuter autour d'un verre, l'une des salles fonctionne comme une discothèque. Ouvert tous les jours de 22 h 30 à l'aube.

Un autre pôle d'activités nocturnes se situe à Albarquel, un village au bord de la mer à 1,5 km environ à l'ouest de Setúbal. Le **Disco Albatroz** fait partie du même établissement que son voisin, le **Restaurant All-Barquel**, Praia de Albarquel (∅ 265/221-191-46), ouvert la nuit. Tous deux attirent des noctambules de tous âges. **Alforge**, Rua Regimento Infantaria 14 (∅ 265/376-75), est un petit bar-restaurant original. Dans la journée, il est fréquenté par des ouvriers, mais le soir, la clientèle rajeunit et s'anime quelque peu. Le *vinho verde* coule à flots. Vous pouvez commander un repas complet – essayez le calamar grillé –, éventuellement un sandwich, et certainement une boisson. Les repas sont servis du lundi au samedi jusqu'à 2 h du matin.

5. Palmela

À 8 km au nord de Setúbal, 32 km au sud-est de Lisbonne

Le village de Palmela repose au cœur du pays du vin, dans les contreforts de l'Arrábida. Il est réputé pour sa forteresse, du haut de laquelle, à 360 m d'altitude, on découvre l'un des plus beaux panoramas du Portugal. Par-delà les vallées couleur terre de Sienne et les vignes gorgées de raisins, la vue s'étend jusqu'à Lisbonne au nord, et l'estuaire du Sado au sud.

Informations pratiques

COMMENT S'Y RENDRE

Palmela n'est desservi par aucun bus ou train.

En voiture Venant de Lisbonne, traversez le Ponte do 25 de Abril et suivez l'E1. Sortez à Palmela. Venant de Setúbal, suivez la A2 vers le nord et sortez au même endroit.

INFORMATIONS TOURISTIQUES

L'office du tourisme local (∅ 21/233-21-22) se trouve au castelo de Palmela (voir ci-après).

Explorer le château

Le Castelo de Palmela occupe une position considérée depuis longtemps comme stratégique pour le contrôle des territoires au sud du Tage. Partant de Palmela, Alphonso Henriques, le premier roi du Portugal, chassa les Maures et établit la domination de sa nouvelle nation sur le district. La forteresse du XIIᵉ siècle était, déjà à son époque, un splendide exemple d'architecture militaire médiévale. On pense que les Celtes fondèrent un château en ce lieu vers 300 av. J.-C.

La voie romaine découverte par les archéologues derrière le château est intéressante, car elle est la seule de son espèce mise au jour au Portugal. Ses liens avec les colonies romaines de Tróia, en face de Setúbal, sont l'objet de spéculations diverses. On peut monter au château, aujourd'hui transformé en *pousada*, à n'importe quel moment de la journée.

Se loger et se restaurer

✪ **Pousada do Castelo de Palmela.** 2950 Palmela. ∅ **21/235-12-26.** Fax 21/233-04-40. Mél : enatur@mail.telepac.pt. 28 chambres. TV CLIM. Minibar Tél. Double 20 300 ESC-31 000 ESC ; suite 38 000 ESC. Petit déjeuner compris. CB. Parking gratuit.

Cet ancien monastère construit en 1482 sur les ordres de Jean Iᵉʳ et dédié à saint Jacques est pratiquement tout ce qui reste du château du XIIᵉ siècle. Situé en haut d'une colline, il domine la vallée et l'on aperçoit la mer au loin. Sa transformation en *pousada* l'a sauvé de la ruine. Une restauration habile et discrète a sauvegardé l'aspect et l'atmosphère habituels d'un cloître. Le plan est traditionnel : un grand bâtiment carré s'ouvre sur une grande cour, et les arcades du niveau inférieur ont été vitrées et garnies de fauteuils.

Les anciennes cellules transformées en chambres ont été ouvertes, agrandies et brillamment mises au goût du jour. Elles sont décorées dans le style portugais, avec des meubles de fabrication artisanale et de beaux tissus. La dernière réfection des chambres, qui bénéficient pour la plupart d'une jolie vue, date de 1993. Il n'empêche, la nudité et la sévérité de certaines conviendraient mieux à de pieux moines qu'à des voyageurs du XXIᵉ siècle. Près de la salle à manger, un salon confortable abrite un intéressant bassin d'ablutions autrefois utilisé par les moines.

La salle à manger, ancien réfectoire du monastère, est imposante ; mais l'atmosphère est décontractée et le service efficace. Outre le petit déjeuner, on y sert de la cuisine portugaise, pour 3 700 à 5 000 ESC le repas, tous les jours de 13 h à 15 h et de 19 h 30 à 22 h. **Services** : room service, blanchisserie, concierge.

Quinta do Particio. Estrada de São Filipe, 2900 Setúbal. ∅ et fax **265/233-817.** 5 chambres. Double 9 000 ESC-15 000 ESC. Petit déjeuner compris. CB. Parking gratuit.

Très prisée d'une clientèle de vacanciers portugais et nord-européens, la *quinta* est située à 800 m environ à l'ouest du centre-ville, juste derrière le château médiéval de Setúbal. La partie la plus ancienne de ce charmant bed-and-breakfast géré en famille est son moulin à vent de 1798, aujourd'hui la chambre la plus confortable de l'établissement. Les autres se trouvent dans la maison principale, séparée du moulin par un joli jardin. Ne cherchez pas l'atmosphère conventionnelle d'un hôtel international. Ici, la vie s'écoule lentement, entre le jardin et les espaces publics décorés avec goût. Les chambres, simples, petites, confortables et bien tenues, ont une dignité sévère en accord avec le caractère de la maison, vieille d'un siècle.

Il y a des siècles, l'Empire portugais bâtit ses origines dans ces terres situées au nord de Lisbonne, dont l'attrait n'a nullement été altéré par les années. Bien au contraire, cette région n'a fait qu'embellir au fil du temps.

La proximité de l'océan imprègne toute l'Estrémadure : océan furieux dont les vagues viennent s'écraser sur sa côte méridionale, ou océan assoupi aux eaux à peine ridées dans la baie abritée de São Martinho do Porto, plus au nord. Océan nourricier, aussi : les côtes regorgent de poissons et de fruits de mer – homards, crevettes, crabes... et les hommes en tirent leur subsistance. Même les monuments, par leurs motifs maritimes caractéristiques de l'architecture manuéline, rappellent le lien profond qui unit le Portugal à la mer.

L'Estrémadure compte des villes qui remontent à l'époque de la fondation de la nation portugaise. Et en dépit de son nom qui signifie « extrémité », cette région au doux climat, dont les jardins font partie des plus beaux du pays, n'apparaît pas particulièrement retirée. Sous de nombreux aspects, elle est plutôt le cœur spirituel du Portugal. En revanche, la lenteur, l'irrégularité et parfois le manque de fiabilité des transports publics la pénalisent encore ; vous la visiterez mieux en voiture.

Explorer la région en voiture

Premier jour Vous pourrez commencer votre visite à proximité des remparts qui entourent la ville-musée d'**Óbidos**, l'une des plus romantiques du Portugal. Elle mérite qu'on y passe la nuit, surtout si vous avez parcouru les 93 km qui la séparent de Lisbonne.

Deuxième jour Partez de bonne heure sur la N8 en direction du nord-est sur 32 km pour visiter l'un des plus importants monuments médiévaux du pays, le **monastère cistercien d'Alcobaça**. Une dignité impressionnante émane de l'architecture de ce monastère. Prenez ensuite la N8-5 vers l'ouest pour vous rendre à **Nazaré** (à 13 km) où vous passerez la nuit après avoir savouré un repas de fruits de mer pêchés sur place le jour même.

Troisième jour Visitez le monastère de **Batalha** situé à presque 29 km à l'est de Nazaré (empruntez la N242) ainsi que le lieu de pèlerinage mondialement connu de **Fátima**, à 19 km à l'est de Batalha sur la N356. Les hôtels de Fátima sont moins attrayants que la *pousada* de Batalha, où nous vous recommandons de loger. Vous pourrez ainsi vous rendre à Fátima dans la journée – une demi-journée suffit amplement pour visiter le site, à moins d'y venir en pèlerinage -, puis rentrer à Batalha pour y passer la nuit. Le lendemain matin, vous pourrez alors visiter le célèbre monastère.

1. Óbidos

À 93 km au nord de Lisbonne, 6,5 km au sud de Caldas da Rainha

Des années après qu'Alphonso Henriques eut expulsé les Maures d'Óbidos, Denis, le roi-poète, et son épouse, Isabelle d'Aragon, franchirent les remparts de cette localité médiévale et furent frappés par sa grande beauté. La reine compara le village, avec ses longues murailles et ses maisons éclatantes blanchies à la chaux, à une couronne sertie de pierres précieuses. Soucieux de lui être agréable, le roi lui offrit le village, établissant ainsi une tradition : désormais, c'est Óbidos – et non des pierres précieuses – que les futurs mariés de la famille royale portugaise offrirent à leur promise. Cela ne leur coûtait rien, et quelle reine aurait pu se plaindre de recevoir un tel apanage ?

On entre à Óbidos par un corps de garde recouvert de tuiles pour découvrir une ville qui s'élève sur une colline en pain de sucre au-dessus d'une vallée de vignobles. Ses tours dorées, ses remparts (reconstruits au XIIᵉ siècle puis restaurés ultérieurement) et ses murailles crénelées contrastent avec les maisons blanches étincelantes et les moulins de la campagne environnante. Le voyage dans le passé peut commencer... Certes, le château a été transformé en *pousada*. Mais de ses remparts, la vue est si grandiose sur l'Estrémadure qu'on peut presque imaginer l'escorte d'Alphonso Henriques avançant dans les collines.

Informations pratiques

COMMENT S'Y RENDRE

En train Au départ de l'Estação do Rossio à Lisbonne, des trains régionaux relient la capitale à Cacém où vous pouvez prendre une correspondance pour Óbidos. Prévoyez environ 2 heures de voyage. Il y a environ 8 trains par jour et l'aller simple coûte 900 ESC. Pour toute **information** et pour obtenir les horaires, appelez le ∅ 21/888-40-25.

En autobus L'Estrémadure est desservie par un service d'autobus au départ de Lisbonne mais le train est un moyen de transport plus pratique. Les autobus partent de l'avenida Casal Ribeiro à Lisbonne pour Caldas da Rainha où vous changerez pour Óbidos. L'aller simple coûte 950 ESC. Environ 6 autobus quotidiens relient Caldas da Rainha à Óbidos (durée du trajet : 20 minutes). Pour toute **information**, appelez le ∅ 262/83-10-67.

En voiture À partir de Lisbonne, empruntez la N8 vers le nord pour Óbidos *via* Torres Vedras.

INFORMATIONS TOURISTIQUES

L'**office de tourisme d'îbidos** se trouve sur la rua Direita (∅ **262/95-92-31**).

Explorer la ville

C'est dans l'Igreja de Santa Maria qui remonte à la Renaissance qu'Alphonse V, alors âgé de 10 ans, et sa cousine de 8 ans prononcèrent leurs vœux de mariage. L'intérieur

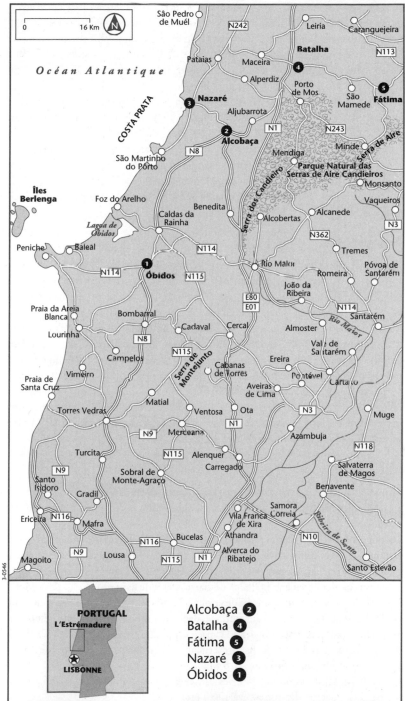

L'Estrémadure

0 — 16 Km

Océan Atlantique

Îles Berlenga

COSTA PRATA

São Pedro de Muél
N242
Leiria
Caranguejeira
N113
Batalha ④
Pataias
Maceira
Alperdiz
Porto de Mos
São Mamede
Fátima ⑤
③ **Nazaré**
Aljubarrota
② **Alcobaça**
N1
N243
Minde
Serra de Aire
N8
São Martinho do Pórto
Mendiga
Parque Natural das Serras de Aire Candieiros
Monsanto
Vaqueiros
Foz do Arelho
Benedita
Alcobertas
Alcanede
N3
Caldas da Rainha
Lagoa de Óbidos
Serra dos Candieiro
N362
Tremes
Peniche
Baleal
① **Óbidos**
N114
Rio Maior
Romeira
Póvoa de Santarém
N114
N115
E80
E01
João da Ribeira
Rio Maior
N114
Santarém
Praia da Areia Blanca
Bombarral
Cadaval
Cercal
Almoster
Vale de Santarém
Lourinha
N8
N115
Serra de Montejunto
Cabanas de Torres
Ereira
Pontével
Cartaxo
Campelos
Praia de Santa Cruz
Vimeiro
Matial
Ventosa
Ota
Aveiras de Cima
N3
Muge
Torres Vedras
N9
Merceana
N1
Azambuja
N118
Turcita
N115
Alenquer
Carregado
Salvaterra de Magos
N9
Sobral de Monte-Agraço
Benavente
Santo Isidoro
Gradil
Samora Correia
Ribeira de Santo
Ericeira
N116
Mafra
Vila Franca de Xira
Athandra
N10
N9
Bucelas
N116
Alverca do Ribatejo
Magoito
Lousa
N115
N1
Santo Estevão

3-0546

PORTUGAL
L'Estrémadure
LISBONNE

Alcobaça ②
Batalha ④
Fátima ⑤
Nazaré ③
Óbidos ①

de l'église est recouvert d'*azulejos* (carreaux) bleus et blancs. Prenez le temps d'admirer un tombeau de la Renaissance et les peintures de Josefa de Óbidos, artiste du XVIIe siècle. La chapelle Saint-Laurent abrite des reliques du saint. L'église se trouve à droite du bureau de poste sur la place centrale. Elle est ouverte tous les jours de 9 h 30 à 12 h 30 et de 16 h 30 à 19 h d'avril à septembre, et de 9 h 30 à 12 h 30 et de 14 h 30 à 18 h d'octobre à mars (l'entrée est gratuite).

Le *castelo* (dont une partie a été transformée en *pousada*, voir p. 000) est un autre monument d'intérêt. Il fut considérablement endommagé lors du tremblement de terre de 1755, puis restauré. C'est l'un des plus célèbres châteaux médiévaux du Portugal ; il est doté de plusieurs tours et de nombreux éléments architecturaux manuélins. En 1148, Alphonso Henriques et ses troupes, déguisés en cerisiers (!), réussirent à s'y introduire et le reprirent aux Maures.

L'entrée principale d'Óbidos est la **Porta da Villa**, reliée au château par la rue principale, **rua Direita**.

Activités de plein air

Vous pouvez louer des planches à voile sur la plage de **Lagoa de Óbidos** qui se trouve au nord-ouest d'Óbidos et à l'ouest de Caldas da Rainha. Les surfeurs préfèrent la plage de **Peniche** au sud-ouest de Lagoa d'Óbidos. Elle se trouve sur une haute péninsule bordée de larges plages de sable au pied de falaises rocheuses.

L'unique terrain de golf de la région, le **Vimeiro Golf Club**, est associé à l'**Hotel Golf Mar** de Torres Vedras (℘ 261/98-41-57), qui surplombe la falaise. C'est un parcours de 9 trous assez étroit et bien délimité par des arbres et des buissons, en bordure d'une rivière. Vous pouvez y louer des caddies et des voiturettes. L'hôtel, doté du meilleur complexe sportif de la région, compte des tennis, des piscines (dont une chauffée), un centre d'équitation et offre la possibilité de s'adonner à la pêche. L'établissement thermal de Vimeiro est à proximité. Le terrain de golf se trouve à un peu plus de 33 km au sud d'Óbidos. Les *green fees* coûtent 3 000 ESC.

Shopping

Prenez le temps de fouiner dans les **magasins** parmi les épaisses étoffes tissées, les sacs en raphia, les petits tapis et les dentelles fabriqués dans la région, à la main ou à la machine.

Óbidos est l'une des villes les plus folkloriques du Portugal ; des dizaines de magasins aux murs épais bordent la rue principale, rua Direita. Ils regorgent d'articles en céramique, de broderies, d'objets en bois sculpté et de vins. Parmi les établissements à noter plus particulièrement, l'**Oficina do Barro**, praça de Santa Maria (℘ 262/95-92-31), dépend de l'office de tourisme de la ville. De délicats articles en céramique, habituellement émaillés en blanc, sont fabriqués dans son propre atelier. Celui-ci est ouvert au public. Tout près, vous trouverez l'**Espaço Oppidum**, rua Direita (℘ 262/95-96-53), où l'on est passé maître dans l'art d'émailler de vieilles tuiles de terre cuite décorées de représentations d'oiseaux et d'animaux. Enfin, **Loja dos Arcos**, rua Direita (℘ 262/95-98-33), propose du vin, des articles en cuir et des objets en céramique plus intéressants que ceux des autres magasins à proximité.

Les plages d'Estrémadure

Vous n'avez que l'embarras du choix. Les plages s'étendent les unes à la suite des autres le long de la côte sur quelque 240 km jusqu'à son extrémité nord, à la limite sud de la station balnéaire de **Figueira da Foz**.

Il y a des plages pour tous les goûts. Bon nombre, au sable poudreux et aux eaux cristallines, sont très peu fréquentées. D'autres, surtout celles situées à proximité de terrains industriels, sont beaucoup moins attrayantes et risquent d'être polluées. Les plages arborant le pavillon bleu respectent les normes d'hygiène et de sécurité fixées par l'Union européenne.

Nous aimons tout particulièrement le village balnéaire de **São Martinho do Porto**, à 115 km de Lisbonne, et à proximité de la très touristique Nazaré. Niché au pied de collines recouvertes de pins au bord de l'océan, ses eaux sont aussi claires que calmes. Nous conseillons une autre plage, à **São Pedro de Muél**, au nord de Nazaré, à 135 km au nord de Lisbonne. Cette station compte un complexe hôtelier de 73 chambres, **Mar e Sol**, av. da Liberdade 1 (∅ **244/59-00-00**), où vous pouvez séjourner ou vous restaurer.

Située à 91 km de Lisbonne, la petite ville de **Peniche** mérite elle aussi le détour. Le port de pêche est installé sur la péninsule et les vastes plages de sable s'étendent au pied des falaises rocheuses. On n'y trouve pas toujours une eau des plus propres (par comparaison à d'autres lieux, plus isolés et moins fréquentés) mais c'est un endroit très apprécié des familles. Quand vous en aurez assez de la plage, vous pourrez explorer **Cabo Carvoeiro**, sur la péninsule, à 5 km de Peniche. Vous y serez aux premières loges pour contempler les vagues qui s'écrasent sur les falaises rocheuses, à des centaines de mètres en contrebas de la route.

Pedrogão, Baleal, Consolação, Porto Covo, Porto Dinheiro et **Santa Cruz** comptent des plages plus secondaires mais néanmoins agréables. Elles sont toutes indiquées par des panneaux le long de la route.

Les plages les plus fréquentées et les mieux équipées ne sont pas toujours les plus propres, et toutes n'arborent pas le pavillon bleu.

Se loger

PRIX ÉLEVÉS

✪ **Pousada do Castelo.** Paço Real (Apdo. 18), 2510 Óbidos. ∅ **262/95-91-05** Fax 262/95-91-48. Mél : enatur@mail.telepac.pt. 9 chambres. TV CLIM. Minibar Tél. Double 34 000 ESC ; suite à partir de 41 500 ESC. Petit déjeuner compris. CB. Parking gratuit.

Ce palais en pierre de style manuélin situé sur les remparts d'Óbidos appartient résolument à l'héritage historique du Portugal. Aujourd'hui, c'est la *pousada* la plus demandée du pays, à proximité de la plage Foz do Arelho, agréable station balnéaire où Graham Greene passait ses vacances ; il peut donc être difficile d'y réserver une chambre. Après avoir parcouru les tortueuses rues pavées du village, on y entre par une imposante voûte gothique, pour déboucher sur une grande cour ensoleillée où trône un majestueux escalier en pierre qui mène au grand hall. Les salons sont meublés confortablement, mais de nombreuses chambres sont trop exiguës et austères, malgré les jolis couvre-lits en cretonne, pour qu'on s'y sente confortablement installé. Les fenêtres donnent sur la campagne environnante. **Restauration/distractions** : la plupart des voyageurs y passent une nuit et prennent le repas proposé à la *pousada* (de 2 800 à 4 000 ESC). Nous recommandons tout spécialement le cochon de lait rôti et le poulet au vin rouge mijoté dans un caquelon en terre cuite. La salle à manger est de style *quinta* portugaise. Si vous ne séjournez pas à la *pousada*, téléphonez pour réserver en été. Les repas sont servis tous les jours de 12 h 30 à 15 h et de 19 h 30 à 22 h. Le salon et le bar sont parfaits pour prendre un verre en fin de journée. **Services** : room service, blanchisserie, concierge.

PRIX MOYENS

Albergaria Josefa d'Óbidos. Rua Dom João de Ornelas, 2510 Óbidos. ∅ **262/95-92-28** Fax 262/95-95-33. 38 chambres. TV CLIM. Minibar Tél. Double 12 000 ESC ; suite 19 000 ESC. Petit déjeuner compris. CB. Parking gratuit.

Située immédiatement à l'extérieur des fortifications de la vieille ville, l'Albergaria Josefa d'Óbidos, avec ses terrasses fleuries, fut construite en 1983, bien qu'elle semble beaucoup plus ancienne. C'est généralement ici que descendent ceux qui ne trouvent pas de chambre à la Pousada do Castelo. Les petites chambres sont moquettées, équipées de literies fermes, et la plupart d'entre elles sont décorées de reproductions du XVIIIe siècle.

Le restaurant typique, avec terrasse privée, vous accueille même si vous ne séjournez pas à l'hôtel, à moins que la salle n'ait été réservée par un groupe. Il est ouvert tous les jours de 12 h à 15 h et de 19 h 30 à 22 h 30. Vous pouvez prendre l'apéritif au bar décoré de reproductions d'œuvres de Josefa de Óbidos, égérie de l'Albergaria. La discothèque et le pub sont ouverts uniquement en hiver.

Albergaria Rainha Santa Isabel. Rua Direita, 2510 Óbidos. ∅ **262/95-93-23** Fax 262/95-91-15. 20 chambres. TV CLIM. Tél. Double 11 250-12 750 ESC. Petit déjeuner compris. CB. Stationnement possible à proximité.

En dépit des problèmes de stationnement dans la rue principale, nombreux sont ceux qui préfèrent cet établissement à tout autre de la localité. Situé dans l'étroite rue pavée qui traverse le centre-ville, l'édifice qui ouvrit comme hôtel en 1985 existe depuis plusieurs siècles et fut jadis une demeure privée. Le haut plafond du hall est orné de carreaux bleu, blanc et jaune. Le bar est confortable avec ses canapés en cuir et ses sièges de style victorien. Les chambres, auxquelles on accède par un ascenseur, sont meublées simplement mais impeccablement et équipées d'une bonne literie. Généralement, la plupart des clients s'arrêtent devant l'hôtel pour déposer leurs bagages à la réception puis vont se garer gratuitement sur la place de l'église, à 100 m de là.

Estalagem do Convento. Rua Dom João de Ornelas, 2510 Óbidos. ∅ **262/95-92-16** Fax 262/95-91-59. Mél : estconventhotel@mail.pt. 31 chambres. Minibar Tél. Double 10 000-16 200 ESC ; suite 14 000-21 600 ESC. Petit déjeuner compris. CB. Parking gratuit.

Cet ancien couvent de village se trouve à l'extérieur de l'enceinte de la ville. Le hall de la réception doit être le plus minuscule de toute la péninsule Ibérique, mais il abrite pourtant une cheminée, un coffre du XVIIe siècle, des torchères et un couple d'anges dorés ! Le mobilier des chambres complète parfaitement le tableau. Si les lits sont vieux, les matelas sont heureusement plus récents. Les chambres donnent sur des couloirs interminables où sont installés des bancs et des coffres suffisamment grands pour contenir le trousseau d'une dizaine de mariées.

Il n'est pas nécessaire de loger à l'hôtel pour apprécier le restaurant. Il offre une table d'hôte et une carte qui propose des spécialités telles que la soupe à l'oignon, le steak au poivre et les crêpes Suzette. Installée sous les lourdes poutres noires du plafond, la salle est agrémentée d'une cheminée monumentale et d'un four en briques.

Quand il fait beau, on dîne dans le patio à l'arrière, véritable jardin de mandariniers et d'orangers ceint d'un mur en pierre humide. Le restaurant est ouvert tous les jours de 19 h 30 à 22 h 30. En plus d'un bar aux poutres taillées à la main, l'hôtel compte une salle de séjour.

PETITS PRIX

Pensão Martim de Freitas. Estrada Nacional 8, Arrabalde, 2510 Óbidos. ∅ **262/95-91-85.** 6 chambres, 4 avec salle de bains (baignoire ou douche). Double sans sdb. 7 000 ESC, double avec sdb. 10 000 ESC. Petit déjeuner compris. Pas de CB. Parking gratuit.

La « pension » est située à l'extérieur des fortifications sur la route d'Alcobaça et de Caldas da Rainha. Les charmants propriétaires offrent de petites chambres confortables meublées dans le style du XVIIe siècle. Tout est impeccable dans cet établissement où l'office de tourisme envoie tous ceux qui cherchent un hébergement bon marché. Le personnel est aimable et serviable.

Se restaurer

PRIX MOYENS

La majorité de ceux qui visitent Óbidos apprécie de dîner à la Pousada do Castelo (voir p. 185). Nous conseillons toutefois d'autres petits restaurants alentour, à l'intérieur ou à l'extérieur des fortifications, moins formels, plus typiques et beaucoup plus abordables.

Café/Restaurante 1 de Dezembro. Largo São Pedro. ∅ **262/95-92-98.** Plats 1 400-1 600 ESC ; menu touristique 1 900 ESC. CB. Ven.-lun. 8 h-24 h. *Portugais.*

Ce restaurant snack-bar est connu pour ses *pratos do dia* (plats du jour) élaborés avec les ingrédients du marché du jour. Les repas sont servis pratiquement à toute heure. C'est une formule pratique, sympathique, sans prétention, et la cuisine est toujours bonne.

Restaurante Alcaide. Rua Direita. ∅ **262/95-92-20.** Réservation conseillée. Plats 1 600-1 900 ESC ; menu 3 000 ESC. CB. Mar.-dim. 12 h 30-15 h 30 et 19 h 30-22 h. Fermé en nov. *Cuisine régionale.*

Une famille originaire des Açores dirige notre restaurant préféré à l'intérieur de l'enceinte de la ville. Situé dans une rue étroite qui débouche sur la *pousada*, ce petit établissement est connu pour ses savoureux plats régionaux et ses bons vins à petits prix. Décoré comme une taverne portugaise, il donne sur un balcon où les plus chanceux pourront dîner. Dans les viandes, on note d'heureuses versions du lapin au four et du chevreau rôti ainsi qu'un excellent ragoût de porc en lamelles et haricots rouges. Parmi les nombreux plats de poissons, signalons les filets de turbot et leur sauce au citron accompagnés de pommes de terre vapeur, le steak de thon poêlé accompagné de petites pommes de terre et de salades variées, le sabre et la morue *alcaide* (recette maison) avec des pommes de terre en rondelles à l'huile d'olive, du persil et des oignons.

Restaurante Dom João V. Largo da Igreja Senhor da Pedra. ∅ **262/95-91-34.** Plats 1 300-2 800 ESC. CB. Mar.-dim. 12 h-16 h et 19 h-23 h. *Cuisine régionale.*

Situé à 800 m du centre d'Óbidos, ce restaurant se spécialise dans la gastronomie régionale et propose de bons vins portugais. La salle à manger est spacieuse et le personnel serviable. On vous invitera à jeter un œil dans la cuisine pour faire votre choix si vous vous sentez un peu dépassé par le menu. La cuisine ne présente rien d'élaboré mais elle est savoureuse et à des prix très abordables. Le dimanche est le jour du *cabrito assado no forno* (cabri rôti au four). Il est possible de stationner à proximité, avantage non négligeable à Óbidos.

Se loger et se restaurer dans les environs

✪ **Quinta da Cortiçada.** Outeiro da Cortiçada, 2040 Riomaior. ✆ **243/47-81-82** Fax 243/47-87-72. 9 chambres. Double 16 000-18 000 ESC ; suite 19 000-20 000 ESC. Petit déjeuner compris. CB. Parking gratuit. D'Óbidos, empruntez la N1114 en direction du sud-est sur 38 km jusqu'au hameau de Riomaior, puis suivez les indications.

Voici l'un des manoirs les plus élégants de la région, qui fut construit par la famille Falcoa à la fin du XIXe siècle. Dans les années 1970, la famille Nobre l'acheta, procéda à de nombreuses rénovations et le transforma en bed-and-breakfast. Situé dans un domaine de champs et de bois de 88 hectares, c'est un bel ensemble de bâtiments rouges aux toits de tuiles, entouré de pelouses d'émeraude où un bassin circulaire accueille des oiseaux et du gibier d'eau. Les salons sont décorés de meubles d'époque ; la *quinta* abrite un bar et un restaurant un peu guindé où l'on sert une cuisine portugaise et européenne pour 3 800 ESC par personne. Les chambres, de taille moyenne, sont confortablement meublées mais n'ont ni téléviseur ni téléphone. Il y a des courts de tennis ; on peut emprunter des bicyclettes et utiliser la piscine gratuitement.

Quinta da Ferraria. Ribeira de São João, 2040 Riomaior. ✆ **243/950-01** Fax 243/956-96. 13 chambres, 2 appartements. TV CLIM. Tél. Double 12 000-15 000 ESC ; suite 18 000 ESC ; appartement 23 000 ESC. Petit déjeuner compris pour les chambres doubles et les suites. CB. Parking gratuit. D'Óbidos, empruntez la N1114 en direction du sud-est sur 38 km jusqu'au hameau de Riomaior, puis suivez les indications.

En 1992, cet ensemble délabré de bâtiments agricoles fut transformé en un charmant hôtel champêtre. Installée sur 80 hectares de champs et de vergers, la *quinta* est abritée derrière des murs blanchis à la chaux et un portail en fer forgé. Beaucoup apprécient son ambiance authentique et plus décontractée que celle de la Quinta da Cortiçada, qui se trouve à quelque 9 km de là. L'établissement compte un bar et un restaurant qui sert sur demande une cuisine familiale pour 3 800 ESC par personne. Une piscine et un court de tennis sont réservés aux clients. On peut louer des bicyclettes et un club d'équitation se trouve à proximité.

Vie nocturne

La ville compte une vingtaine de cafés et de bars éparpillés dans le centre-ville parmi les nombreux magasins de souvenirs. On y sert de la bière et du vin ainsi qu'une liqueur sucrée (la Ginjinha) fabriquée à partir de cerises de la région.

Si vous venez en hiver, **Disco**, situé dans l'Albergaria Josefa d'Óbidos, rua Dom João de Ornelas (✆ **262/95-92-28**) près de l'entrée principale de la ville, constituera sans doute le point culminant de votre soirée. C'est, dans un cadre que l'on pourrait qualifier de champêtre, l'établissement qui se rapproche le plus d'une discothèque ; on y prend un verre et on y danse parfois. Disco est ouvert le vendredi et le samedi de 22 h 30 à 3 h ou 4 h. L'entrée coûte 500 ESC pour les femmes et 1 000 ESC pour les hommes, une boisson comprise.

Aux alentours

Après avoir passé une mauvaise nuit à Óbidos, la sœur de Manuel Ier partit pour Batalha. En traversant un petit village, **Caldas da Rainha**, Leonor, qui souffrait de rhumatismes, aperçut des paysans qui se baignaient dans des flaques d'eau malodorantes au bord de la route. Dès qu'elle fut informée des vertus thérapeutiques de ces sources, elle ordonna à ses dames d'honneur de les éloigner (essentiel pour préserver sa pudeur).

Drapée d'une étoffe, elle entra dans une mare d'eau sulfurée à l'odeur fétide. Elle fut si soulagée de ses douleurs suite à ce bain qu'elle revint fréquemment dans cette localité qui devint une station thermale. Leonor alla même jusqu'à vendre ses bijoux en rubis et en or pour financer la construction d'un hôpital et d'une église. **Nossa Senhora do Pópulo** fut édifiée au début du XVIᵉ siècle dans le style manuélin alors à son apogée ; elle est dotée d'un élégant clocher remarquablement exécuté. La station thermale, dont le succès fut particulièrement grand au XIXᵉ siècle, est située à 96 km au nord de Lisbonne. On s'y rend souvent après avoir visité Óbidos, à 6 km de là.

Caldas da Rainha est également célèbre pour sa céramique, notamment les soupières et assiettes à soupe décorées de motifs de feuilles de choux. À l'intérieur et à l'extérieur de la ville, sur le bord de la route d'Alcobaça, de nombreux stands proposent des prix très inférieurs à ce que vous trouveriez à Lisbonne. Il est recommandé de se rendre dans les salles d'exposition des fabriques, notamment **Armando Baiana**, rua Cascais da Ribeira 37 (∅ 262/82-43-55) et **Secla**, rua São João de Deus (∅ 262/84-21-51).

2. Alcobaça

À 107 km au nord de Lisbonne, 16 km au nord-est de Caldas da Rainha

Le monastère constitue la principale attraction d'Alcobaça. Une fois que vous l'aurez visité, vous pourrez explorer le marché à proximité : il a la réputation de proposer les meilleurs fruits de tout le Portugal. Les pêches, qui proviennent des vergers environnants dont les arbres furent plantés par des cisterciens, sont particulièrement succulentes. De nombreux étals vendent également les poteries bleu et blanc typiques d'Alcobaça.

Informations pratiques

COMMENT S'Y RENDRE

En train On peut s'y rendre en train au départ de l'Estação do Rossio à Lisbonne. La gare la plus proche se trouve à Valado dos Frades, à presque 5 km, entre Nazaré et Alcobaça. Pour toute **information**, notamment sur les horaires, appelez le ∅ 21/888-40-25. Un service d'autobus, environ 14 par jour, relie la gare de Valado dos Frades à Alcobaça ; l'aller simple coûte 155 ESC.

En autobus Nazaré et Alcobaça sont reliées par un service d'environ 15 autobus par jour ; l'aller simple coûte 210 ESC. Pour toute information, appelez le ∅ 262/55-11-72. Au départ de Lisbonne, il y a trois autobus express par jour. Le trajet dure 2 h 30 et coûte 1 200 ESC (aller simple).

En voiture De Caldas da Rainha, prenez la N8 en direction du nord-est.

INFORMATIONS TOURISTIQUES

L'**office de tourisme d'Alcobaça** est situé sur la praça do 25 de Abril (∅ 262/58-23-77).

Explorer Alcobaça

VISITE DU MONASTÈRE

✪ **Mosteiro de Santa Maria.** 2460 Alcobaça. ∅ 262/583-909. Entrée 400 ESC. Ouvert tlj. avr.-sept., 9 h-17 h ; oct.-mars 9 h-19 h.

Au Moyen Âge, le monastère cistercien de Sainte-Marie était l'un des plus riches et des plus prestigieux d'Europe. Le premier roi du Portugal, Alphonso Henriques,

Hors des sentiers battus : la nature à l'état brut

Les environs d'Alcobaça comptent deux havres naturels peu connus mais très spectaculaires du Portugal : un parc national et une île, endroit idéal où s'adonner à la plongée sous-marine.

Le **Parque Natural das Serras** de Aire est à cheval sur l'Estrémadure et le Ribatejo, à mi-chemin entre Lisbonne et la ville universitaire de Coimbra. Il compte quelque 30 000 hectares de landes et de broussailles ; le paysage rocheux est très peu boisé. Le hameau de **Minde**, où les femmes tissent de petits tapis en patchwork très célèbres dans la région, abrite un centre pour randonneurs.

Dans cette région rocheuse, la vie des agriculteurs est très difficile. Ils tirent le meilleur profit des ressources dont ils disposent, utilisant l'énergie éolienne des moulins et bâtissant avec les pierres qu'ils ramassent. Si vous préférez visiter cette zone en voiture plutôt qu'à pied, empruntez la N362 qui relie Batalha au nord à Santarém au sud, sur 45 km.

L'île de Berlenga est un autre site naturel de toute beauté. La masse granitique rougeâtre de Berlenga constitue la plus grande île du petit archipel composé de trois groupes de rochers appelés les Farilhões, Estelas et les Forcades. Berlenga, à 11 km de Peniche, abrite une forteresse médiévale, ancien de poste de garde destiné à protéger les côtes portugaises. L'île est une réserve naturelle, dont les nombreuses criques et grottes sous-marines abritent une faune extrêmement variée, paradis des plongeurs et des pêcheurs.

La forteresse médiévale, le **Forte de São João Batista**, fut détruite en 1666 lors d'une bataille au cours de laquelle 28 Portugais tentèrent de tenir tête à un contingent de 1 500 Espagnols qui leur lançaient des boulets à partir de leurs 15 bateaux. Reconstruite vers la fin du XVIIe siècle, elle abrite désormais une auberge. On accède au phare en empruntant de la forteresse un escalier qui offre une belle vue sur l'archipel. Un chemin pavé partant du phare conduit à une petite baie bordée d'une plage et de cabanes de pêcheurs.

L'auberge (∅ 262/78-25-50) organise des excursions en bateau autour de l'île. Elle est ouverte du mois de juin au 21 septembre ; une nuit en chambre double ne coûte que 2 000 ESC, mais les installations sont sommaires. Il est possible de dormir en dortoir. L'auberge n'offre aucun service. Il faut apporter ses provisions et ses draps, faire sa cuisine, son lit et même le ménage. Les salles de bains sont communes. Pour apprécier un séjour dans cet îlot, il faut être un amoureux de la mer et savoir apprécier la vie à l'abri des murs de pierre et des tours et tourelles de défense d'un ancien fort médiéval. Sa cour intérieure pavée, équipée de tables et de parasols, se prête parfaitement aux bains de soleil.

Depuis le chemin au sud de l'auberge, vous pouvez apercevoir le **Furado Grande**, un long tunnel marin qui mène à une anse encadrée par les falaises en granit. Une caverne que les habitants appellent la **caverne bleue** se trouve sous la forteresse. Les eaux de son bassin sont en effet d'une belle couleur vert émeraude.

Pour vous rendre sur l'île, allez d'abord à Peniche, à 91 km au nord de Lisbonne. Un ferry effectue la traversée trois fois par jour en juillet et août ; le premier part à 9 h. L'aller-retour dans la journée coûte 2 500 ESC. Entre septembre et juin, il n'y a qu'un seul ferry qui part à 10 h et revient à 18 h. Attention au mal de mer : la traversée est agitée !

avait fait serment de le construire avant d'affronter les Maures à Santarém ; il tint promesse et sa construction débuta en 1147. Il donna également aux cisterciens les terres autour d'Alcobaça, au confluent de l'Alcoa et de la Baça, pour honorer sa dette envers le saint patron de leur ordre, Bernard de Clairvaux, prédicateur de la croisade, à qui il devait la victoire.

En dépit de sa façade baroque et de remaniements ultérieurs, le monastère est un monument de simplicité et de majesté. En descendant la nef de 100 m de long, on ne peut manquer d'avoir le sentiment de pénétrer dans un autre monde. La voûte repose sur un groupe de piliers tout blancs de 21 mètres de haut.

Le transept abrite les tombeaux gothiques de Pierre Ier et Inès de Castro, les Roméo et Juliette portugais. Œuvre d'un sculpteur anonyme, les monuments, bien qu'endommagés, sont les plus remarquables exemples de la sculpture portugaise du XIVe siècle. Des anges veillent sur le gisant d'Inès reposant sur un tombeau soutenu par des animaux sculptés aux visages humains, représentant apparemment les assassins qui tranchèrent la gorge de la malheureuse. Inès fut enterrée à Alcobaça à l'issue d'une cérémonie macabre au cours de laquelle le roi fit exhumer sa dépouille en décomposition et contraignit ses courtisans à lui baiser la main pour lui rendre hommage en tant que reine du royaume. Conformément aux ordres du roi, un sculpteur inscrivit sur sa tombe, sur une rosace représentant la Roue de la Fortune, les mots *ate o fim do mundo* (« jusqu'à la fin du monde »). Protégé par des anges, les pieds posés sur un chien, Pierre Ier repose dans une tombe soutenue par des lions, symbole de sa colère et de sa vengeance éternelles.

Le monastère renferme beaucoup d'autres curiosités. Denis, le roi-poète, affectionnait tout particulièrement le cloître du Silence orné d'arcs délicats. Il fut à l'origine d'une activité littéraire florissante au monastère, où les moines s'affairaient à traduire les écrits religieux. La cuisine, par où passe un bras de l'Alcoa dont on modifia le cours, est également à voir. L'alimentation de la cuisine par de l'eau de rivière était en effet indispensable au maintien d'une certaine hygiène, et caractérise beaucoup de monastères cisterciens. Selon des chroniqueurs, les religieux pêchaient les poissons de leur dîner dans le cours d'eau puis y lavaient ensuite leurs plats.

Enfin, la Sala dos Reis (salle des Rois) du XVIIIe siècle renferme des niches abritant des statues de rois portugais. Certaines sont vides, attendant toujours leurs statues qui ne furent jamais sculptées... Les carreaux (*azulejos*) décrivent partiellement le triomphe d'Alphonso Henriques contre les Maures.

SHOPPING

Les commerçants du coin ont eu la judicieuse idée de se rassembler sur la place du célèbre monastère de la ville, la praça do 25 de Abril. Vous y trouverez une dizaine de magasins d'artisanat et de céramique. La **Casa Artisate Egarafeira** (∅ **062/59-01-20**), qui propose des antiquités, de la céramique et des vins régionaux, est l'un des meilleurs.

Se loger

Hotel Santa Maria. Rua Francisco Zagalo 20-22, 2460 Alcobaça. ∅ **262/59-73-95** Fax 262/59-67-15. 85 chambres. TV CLIM. Minibar Tél. Double 10 000 ESC. Petit déjeuner compris. CB. Parking gratuit.

L'hôtel moderne le plus attrayant de la ville se trouve sur une rue en pente juste au-dessus de la place fleurie du monastère. C'est un établissement assez simple, idéalement situé dans une partie calme mais centrale de la ville historique. Les chambres sont petites et un peu encombrées, mais joliment décorées de lambris aux formes géométriques et dotées de sièges confortables. Certaines ont vue sur le monastère. D'autres donnent sur des balcons surplombant la place. Le bar se trouve au rez-de-chaussée, près de la salle de télévision où l'on prend le petit déjeuner. Si vous avez du mal à stationner, l'hôtel vous ouvrira gratuitement son garage.

Se restaurer

Trindade. Praça do Dom Afonso Henríques 22. ∅ **262/582-397**. Plats 950-1 800 ESC. CB. Ouvert tlj. 12 h-1 h. Fermé en oct. *Portugais, cuisine de l'Alentejo.*

Ce restaurant snack-bar, le plus en vogue de la ville, donne sur une partie latérale du monastère en face d'une place ombragée. Quand il fait beau, les serveurs affairés se pressent de l'autre côté de la rue pour y porter des boissons rafraîchissantes.Votre savoureux repas comprendra sans doute une soupe de crustacés, du lapin rôti, le poisson du jour ou un tendre poulet rôti. La cuisine copieuse est très savoureuse mais l'établissement est souvent envahi par des pèlerins du monde entier.

Vie nocturne

Alcobaça offre plus de distractions qu'il n'y paraît. **Bar Caribas**, av. Professore Vieira Natividade 10 (∅ **262/59-86-40**) est un bistro. **Cheque-Mate**, rua Eng. Bernardo Villanova (∅ **262/59-85-49**) est le lieu de prédilection des célibataires. La seule boîte de nuit, **Sunset** (∅ **262/59-70-17**), se trouve dans le hameau de Fervença à 1,5 kilomètre d'Alcobaça. C'est là que les fêtards terminent leurs soirées... Du centre-ville, prenez la direction de Nazaré. Sunset est ouverte le vendredi, le samedi et le dimanche de 23 h à au moins 4 h du matin.

3. Nazaré

À 131 km au nord de Lisbonne, 13 km au nord-ouest d'Alcobaça

Les habitants du village de pêcheurs le plus célèbre du Portugal évoluent dans un monde unique et traditionnel que le tourisme menace d'engloutir. Nombreux sont ses résidents qui ne sont jamais allés à Lisbonne et n'ont même jamais quitté leur village, sauf peut-être pour se rendre en pèlerinage à la ville voisine de Fátima. La transformation de Nazaré en une importante destination touristique à partir des années 60, après sa « découverte » par des écrivains et des peintres, ne sembla guère changer leurs habitudes. La basse saison est sans doute le meilleur moment pour se rendre à Nazaré. L'été, il n'est plus guère possible d'y voir quoi que ce soit. Des hordes de touristes affluent et chercher une place de stationnement ou un coin de plage où poser sa serviette relève de la mission impossible. La construction de grands immeubles sur chaque mètre carré de terrain disponible a totalement métamorphosé ce qui fut le « village de pêcheurs le plus pittoresque du Portugal ». Étonnamment, il existe toujours, mais il faut vraiment le chercher.

Informations pratiques

COMMENT S'Y RENDRE

En train Il n'existe pas de train direct au départ de Lisbonne. Un service quotidien de 9 trains relie Lisbonne à Valado dos Frades (durée du trajet : 3 h ; aller simple : 1 200 ESC). Pour toute **information**, appelez le ∅ **21/888-40-25**. Des autobus (voir ci-dessous) assurent la liaison entre Valado dos Frades et Nazaré.

En autobus Un service quotidien d'environ 12 autobus relie Nazaré à Valado dos Frades (la gare de chemin de fer la plus proche). L'aller simple coûte 155 ESC. Au départ de Lisbonne, un service quotidien de 8 autobus express assure la liaison directe plus rapidement que le train (durée du trajet : 2 h ; aller simple : 1 200 ESC). Pour toute **information**, appelez le ∅ 262/55-11-72.

En voiture D'Alcobaça (voir ci-dessus), continuez sur la N8-4 en direction du nord-ouest.

INFORMATIONS TOURISTIQUES

L'**office de tourisme de Nazaré** se trouve sur l'avenida da República (∅ 262/56-11-94).

Explorer la ville

Ne vous attendez pas à trouver une architecture exceptionnelle ou des monuments historiques ; il faut venir ici pour voir les villageois et leurs bateaux légendaires. Bon nombre d'habitants de Nazaré prétendent descendre des Carthaginois et des Phéniciens – pour preuve, leur nez aquilin et leurs sombres sourcils caractéristiques.

Leur tenue vestimentaire est un véritable patchwork de couleurs délavées par le soleil. Les hommes aux traits rudes portent des chemises et pantalons en laine à carreaux bigarrés. Si les origines de cette tenue sont inconnues, on dit que les pêcheurs se seraient inspirés des vêtements que portaient les troupes de Wellington quand elles traversèrent la région au cours des guerres napoléoniennes. Les hommes portent un long bonnet de laine en forme de chaussette au fond duquel ils conservent leurs objets de valeur, pipe favorite ou crucifix.

Les femmes marchent généralement pieds nus ; elles portent des blouses brodées à la main et des jupes plissées à carreaux. Les veuves sont traditionnellement vêtues de noir en signe de deuil, châles à pompons, pèlerines ou capuchons. Les jeunes filles célibataires portent traditionnellement sept jupons superposés. Comme certains touristes mettaient les malheureuses dans l'embarras en cherchant à les compter, c'est désormais interdit par la loi.

Les bateaux de pêche ressemblent aux embarcations des Phéniciens : élancés, allongés et peints de couleurs vives. Des yeux aux formes grossières sont souvent dessinés sur la proue élevée en forme de poignard : ils sont censés avoir le pouvoir magique de sonder les profondeurs de la mer pour y trouver du poisson et d'éloigner les orages. Les bateaux sont équipés de lanternes permettant de pêcher après la tombée de la nuit – périlleuse activité... Lors des vents d'hiver ou à marée haute, on met les bateaux à l'abri dans un port moderne situé à 10 minutes du centre. Ils ne sont plus tirés par des bœufs mais par des machines. Signe des temps, si vous souhaitez voir ces bateaux, un villageois vous y conduira, moyennant rémunération.

Nazaré est divisée en deux parties : le quartier des pêcheurs et le **Sítio**, ville haute presque entièrement résidentielle. Près de la plage, vous trouverez des magasins d'artisanat, des marchés, des restaurants, des hôtels et des pensions de famille. La place principale donne sur la mer et les rues étroites mènent à des placettes qui rappellent les médinas arabes. Les magasins suspendent à l'extérieur de leur boutique un symbole de ce qu'ils vendent (par exemple, une tête de vache en bois indique une boucherie). Les halles aux poissons et aux fruits et légumes se trouvent à l'endroit le plus éloigné de la falaise et de la place principale.

Se dressant au-dessus de la mer, le promontoire du Sítio surplombe la mer et la plage. On y accède en funiculaire ou par un sentier de chèvres pavé et escarpé. La vierge Marie y aurait fait une apparition en 1182. En poursuivant un cerf sur son cheval, Fuas Roupinho, un jeune aristocrate, s'approcha dangereusement du bord de la falaise enveloppée de brume. Soudain, le brouillard se leva pour dévoiler la Vierge et l'abîme tout près, sauvant ainsi le jeune homme. En hommage à cette miraculeuse apparition, il fit édifier la chapelle du souvenir (**Ermida da Memoria**).

Shopping

Les apparences sont prometteuses, mais la déception est au rendez-vous. Est-ce simplement dû à l'énorme volume de marchandises toutes semblables entassées dans les boutiques ? Vous constaterez rapidement que les habitants de Nazaré, sensibles au tourisme, ont depuis longtemps perdu l'enthousiasme qu'ils éprouvaient pour leurs éternels pulls rugueux de pêcheurs qui encombrent les rayons de presque tous les magasins. Les *varinas* vigoureuses de Nazaré ont en effet laissé tomber depuis bien longtemps le tricot au profit d'activités commerciales plus actuelles comme tenir un snackbar, un magasin de souvenirs ou un stand de cartes postales. La majorité des tricots que vous verrez ici proviennent de régions moins prospères du Portugal, à l'extrémité nord du pays.

Se loger

Nazaré a beau être l'une des destinations touristiques les plus en vogue, la ville n'a pourtant jamais compté d'hôtel de première catégorie. Beira-Mar (voir « Se restaurer ») propose également un hébergement.

Albergaria Mar Bravo. Praça Sousa Oliveira 70-71, 2450 Nazaré. ∅ **262/55-11-80** Fax 262/55-39-79. 16 chambres. TV CLIM. Tél. Double 14 000-19 000 ESC. Petit déjeuner compris. CB. Parking 1 500 ESC.

Jadis Pensão Madeira, cet établissement a été transformé en auberge quatre-étoiles. Climatisées, les chambres de petite taille, avec salle de bains, sont confortablement meublées. La situation de l'établissement, sur la principale place face à la plage, est idéale à condition d'apprécier la compagnie des touristes. L'hôtel compte deux restaurants, un salon avec télévision et un bar.

Hotel Praia. Av. Vieira Guimarães 39, 2450 Nazaré. ∅ **262/56-14-23** Fax 262/56-14-36. 44 chambres. TV CLIM. Tél. Double 19 500 ESC ; suite 22 000 ESC. Petit déjeuner compris. CB. Parking 1 500 ESC.

Construit à la fin des années 1960 quand les touristes commençaient à découvrir Nazaré, le Praia (« plage ») est le premier hôtel de la ville (où la concurrence ne fait pas vraiment rage). Haut de six étages, il est décoré dans un style moderne passe-partout. Il est à 3 minutes à pied de la plage où se trouvent les bateaux de pêche et les tentes de plage. Rénovées en 1993, les chambres de taille moyenne sont assez confortables et bien entretenues.

Ouvert à tous, le restaurant propose des plats régionaux de viande et de poisson. Un repas coûte en moyenne 3 000 ESC.

Hotel da Nazaré. Largo Afonso Zuquete, 2450 Nazaré. ∅ **262/56-90-30** Fax 262/56-90-38. 52 chambres. TV CLIM. Minibar Tél. Double 7 200-13 130 ESC ; suite 10 870-18 270 ESC. Petit déjeuner compris. CB. Parking gratuit.

Cet hôtel se trouve dans une rue animée et bruyante en retrait du front de mer, à 3 minutes de la promenade, et donne sur une minuscule place. De nombreuses chambres sur la rue ont un balcon. Petites, elles sont meublées simplement, et les lits sont bons. Des tarifs inférieurs sont appliqués en hiver. Depuis la terrasse sur le toit, vous aurez une jolie vue sur Nazaré et Sítio.

Les 4e et 5e étages de l'hôtel, où se trouvent le restaurant et le bar, constituent le principal atout de cet établissement. Les fenêtres de la salle à manger donnent sur les toits du village, les falaises déchiquetées et le port. Le restaurant, qui se spécialise dans les plats de poissons, n'est pas réservé aux seuls clients de l'hôtel.

Pensão-Restaurante Ribamar. Rua Gomes Freire 9, 2450 Nazaré. ∅ 262/55-11-58 Fax 262/56-22-24. 25 chambres. Double 17 300-22 400 ESC ; suite 18 800-23 900 ESC. Demi-pension comprise. CB. Parking 1 000 ESC.

Cette authentique auberge de village donne sur la mer. À l'arrière, un escalier en colimaçon mène aux chambres auxquelles on accède par un couloir décoré de paniers en osiers remplis de pommes de pin. Les chambres impeccables et confortables sont toutes décorées différemment et dotées de bons lits. La plupart d'entre elles ont un balcon.

Même si vous ne venez qu'une journée, essayez la cuisine régionale qui est servie dans la salle à manger au plafond orné des traditionnelles poutres en chêne. Le restaurant est ouvert tous les jours de 12 h 30 à 15 h et de 19 h 30 à 22 h (dîner à la chandelle). Comptez à partir de 3 500 ESC pour un repas.

Se restaurer

Beira-Mar. Av. da República 40, 2450 Nazaré. ∅ 262/56-13-58. Plats 980-3 600 ESC. CB. Ouvert tlj. 12 h-15 h et 19 h-22 h. Fermé déc.-fév. *Portugais.*

Beira-Mar est l'un des meilleurs restaurants du port. Situé dans un édifice moderne, il propose des plats traditionnels portugais, notamment le poisson du jour. On peut également y choisir des plats de viande et des soupes régionales, mais les fruits de mer constituent sa véritable attraction. Il est généralement bondé en été. Si la cuisine n'est pas imaginative, elle n'en demeure pas moins savoureuse et elle est élaborée à partir de produits très frais.

Donnant sur la plage, cet établissement offre également un hébergement à prix modérés. Les 15 chambres doubles simplement meublées et quelque peu sommaires coûtent de 6 500 à 14 500 ESC la nuit et elles sont uniquement disponibles de mars à novembre.

Mar Bravo. Praça Sousa Oliveira 71. ∅ 262/55-11-80. Réservation conseillée. Plats 2 500-3 000 ESC ; plats de poissons 4 500-10 000 ESC ; menu 2 000 ESC. CB. Tlj. 12 h-22 h. *Portugais.*

Situé au coin de la place qui donne sur l'océan, Mar Bravo est l'un des plus fréquentés parmi les dizaines de restaurants trop chers de ce village animé. Il est décoré de carreaux (*azulejos*) et un gigantesque poster de la plage de Nazaré orne le mur du fond. Nous vous conseillons de prendre un potage et un plat de poisson ou de viande. Parmi ces derniers, vous pourrez choisir entre le caprice de bar, le ragoût de poisson *nazaréna*, le ragoût de homard et le porc grillé. En dessert, optez pour un soufflé, une salade de fruits ou un gâteau. La salle à manger de l'étage donne sur l'océan.

Vie nocturne

Bon nombre de bars et de bodegas bordent les principaux boulevards de Nazaré. Vous en trouverez des dizaines sur les grandes artères telles que l'avenida da República et l'avenida Marginale. Allez de bar en bar jusqu'à satiété mais n'omettez pas de passer à **Bar Gaibota**, avenida Marginal (∅ 262/56-22-85). Envisagez de conclure votre folle soirée à la discothèque la plus en vogue de Nazaré (qui aux dernières nouvelles était la seule), **Masartes**, avenida Marginale (∅ 262/55-14-66). Elle est ouverte le vendredi, le samedi et le dimanche de 22 h 30 à l'aube.

4. Batalha

À 117 km au nord de Lisbonne

Le monastère de Batalha, classé au patrimoine mondial de l'Unesco, justifie à lui seul un détour par cette localité.Si vous choisissez de le faire, vous pourrez vous loger et vous restaurer sur place.

Informations pratiques

COMMENT S'Y RENDRE

En train Au départ de Lisbonne, il n'existe pas de liaison directe. Les trains vont jusqu'à Valado dos Frades et il faut prendre un autobus pour effectuer le reste du trajet jusqu'à Batalha. Pour obtenir les horaires, appelez le ∅ **21/888-40-25**.

En autobus Batalha est reliée à Nazaré (voir ci-dessus) par un service quotidien de 7 autobus avec une correspondance à Alcobaça (durée du trajet : 1 heure ; aller simple 435 ESC). Au départ de Lisbonne, il y a 6 bus express par jour (durée du trajet : 2 heures ; aller simple 1 000 ESC).

En voiture À partir d'Alcobaça (voir ci-dessus), poursuivez vers le nord-est sur la N8.

INFORMATIONS TOURISTIQUES

L'office de tourisme de Batalha se trouve sur la praça Mouzinho de Albuquerque (∅ **244/76-51-80**). Si vous voyagez en autobus, il dispose des horaires détaillés des différentes correspondances pour les localités avoisinantes.

Visite du monastère

❂ **Mosteiro de Santa Maria da Vitória.** N8. ∅ **244/765-497**. Entrée adultes 400 ESC, 14-25 ans 200 ESC, gratuite pour les moins de 14 ans. Ouvert tlj. oct.-mars 9 h-17 h ; avr.-sept. 9 h-18 h.

Dans les plaines d'Aljubarrota, Jean Ier, fondateur de la dynastie d'Aviz, fit en 1385 le serment de payer sa dette spirituelle à la Vierge Marie si son armée sous-équipée et moins nombreuse que celle des envahisseurs castillans parvenait à les repousser. Victorieux, il fit construire le magnifique monastère Sainte-Marie-de-la-Victoire dans les splendides styles gothique et manuélin. Vu de l'ouest, c'est un ensemble imposant de pinacles, d'arcs-boutants et de balustrades. Chef-d'œuvre de pierre minutieusement travaillé, il a été restauré à plusieurs reprises.

Le **portail ouest**, impressionnant entrelacs de sculptures gothiques de saints et d'autres personnages, est surplombé de vitraux bleu, mauve et ambre. La teinte ocre du calcaire aurait changé avec le temps et elle est aujourd'hui d'un beige doré. Les armées napoléoniennes irrévérencieuses s'exercèrent au tir sur les vitraux.

Dans la **capela do Fundador** qui fut achevée en 1435, reposent Jean Ier et son épouse anglaise, Philippa de Lancastre. Le tombeau du prince Henri le Navigateur est à proximité de ceux de ses parents. S'il ne devint jamais roi, le Portugal lui doit sans doute d'avoir été une grande puissance maritime. Ses mains ciselées sont jointes pour la prière. Trois autres princes reposent dans des tombeaux sous un plafond comme constellé de flocons de neige.

Afonso Domingues entreprit la construction du **cloître royal** qui fut achevé par Huguet. Ses motifs maritimes sont caractéristiques des débuts de l'architecture manuéline. Un second cloître, le **cloître d'Alphonse V**, remonte au XVe siècle.

La **salle capitulaire** est l'œuvre maîtresse du monastère. C'est une salle carrée dont la voûte dénuée de piliers d'appui constitue un exemple sans égal du style gothique.

Des sentinelles et la lueur d'une flamme éternelle veillent sur les tombes de deux soldats portugais inconnus. Sur un côté de la salle, le musée des Soldats inconnus abrite des offrandes aux soldats morts, dont un présent du maréchal Joffre. Les restes de vieilles caves à vin se trouvent au bout de la crypte.

D'extraordinaires motifs, véritable dentelle de pierre, ornent le somptueux portail qui débouche sur les sept **chapelles inachevées**. Ces dernières, abritées par un « plafond de ciel » changeant, offrent l'un des plus extraordinaires exemples de l'architecture manuéline, d'une exubérance fantastique. C'est à l'origine Dom Duarte, fils de Jean Ier, qui les avait commanditées, mais il mourut avant qu'elles ne fussent terminées. Le chantier fut repris à la fin du XVe siècle par Manuel Ier, puis abandonné à nouveau pour qu'architectes et ouvriers puissent se consacrer à la construction du monastère de Belém.

Dans l'avant-cour, on remarquera une statue érigée en hommage à l'héroïque Nuno Álvares qui combattit aux côtés de Jean Ier dans les plaines d'Aljubarrota. Elle fut inaugurée en 1968.

Se loger et se restaurer

Pousada do Mestre Afonso Domingues. Largo do Mestre Afonso Domingues, 2440 Batalha. ✆ **244/765-260** Fax 244/765-247. 21 chambres. CLIM. Minibar. Tél. Double 25 000 ESC ; suite 30 000 ESC. Petit déjeuner compris. CB. Parking gratuit.

La Pousada do Mestre Afonso Domingues vient combler un grand vide en matière d'hébergement dans cette région du Portugal. Elle se trouve sur la place en face du monastère. L'établissement, d'apparence assez quelconque, est cependant moderne, confortable et bien entretenu. Les chambres de taille respectable sont insonorisées (pour vous épargner les bruits de la circulation), bien meublées et équipées de lits confortables. Le personnel est serviable et l'hôtel offre un service de blanchisserie. Même si vous ne passez pas la nuit à Batalha, rien ne vous empêche de dîner au très bon restaurant de la *pousada*. On y sert une cuisine typique du Portugal pour 4 000 ESC le repas complet. Il est ouvert tous les jours de 12 h 30 à 15 h et de 19 h 30 à 22 h.

5. Fátima

À 141 km au nord de Lisbonne, 58 km à l'est de Nazaré

Fátima est un lieu de pèlerinage mondialement connu, théâtre d'une grande ferveur religieuse.

Informations pratiques

COMMENT S'Y RENDRE

En train Un train quotidien assure la liaison entre Lisbonne et Chão de Maças qui se trouve à 20 km de Fátima. Pour toute information et pour obtenir les horaires, appelez le ✆ 21/888-40-25. Un service d'autobus transporte les passagers jusqu'à Fátima et sur les lieux de pèlerinage.

En autobus Sur les horaires d'autobus, Fátima apparaît souvent comme « Cova da Iria » ce qui peut semer la confusion. Un service quotidien de 3 autobus relie Fátima à Batalha. Le trajet dure 40 minutes ; l'aller simple coûte 250 ESC. Il y a 8 autobus par jour au départ de Lisbonne (durée du trajet 1 h 30 ; aller simple : 1 200 ESC). Pour toute **information** et pour obtenir les horaires, appelez le ✆ 249/53-16-11.

En voiture De Batalha (voir ci-dessus), poursuivez vers l'est sur la N356.

INFORMATIONS TOURISTIQUES
L'office de tourisme se trouve sur l'avenida Dom José Alves Correia da Silva
(∅ 249/53-11-39).

Un pèlerinage à Fátima

Le 13 mai et le 13 octobre, les pèlerins envahissent la ville. Dès le 12, les routes menant à Fátima sont encombrées de fidèles juchés sur des charrettes tirées par des ânes, à bicyclette ou en voiture. La plupart, toutefois, sont à pied, certains même à genoux pour faire pénitence. Une fois sur place, ils campent jusqu'à l'aube. Sur la place centrale, plus vaste que la place Saint-Pierre à Rome, tandis que l'on fait déambuler une statue de la Madone dans la foule, quelque 75 000 personnes agitent leurs mouchoirs. On s'entasse ensuite dans la **chapelle des Apparitions**, une petite bâtisse au toit pentu. Une colonne blanche s'y dresse, qui marque le lieu où avait jadis poussé un petit chêne vert. La Vierge serait apparue sur ce chêne le 13 mai 1917 et aurait parlé avec trois jeunes bergers. Le chêne a disparu depuis longtemps, emporté morceau après morceau par les collectionneurs... Celui qui se tient aujourd'hui près de la chapelle existait déjà en 1917 et n'est pas lié à l'apparition de la Vierge. La première chapelle construite fut dynamitée la nuit du 6 mars 1922 par des incrédules qui soupçonnaient l'Église d'avoir inventé le miracle de toutes pièces.

Tandis que la Première Guerre mondiale s'éternisait, trois jeunes pieux, Lúcia de Jesús et ses cousins, Jacinta et Francisco Marto, affirmèrent avoir vu la première apparition « d'une dame » sur le plateau de Cova da Iria. Les signes avant-coureurs de son arrivée leur étaient apparus en 1916 sous la forme de ce qu'ils appelèrent ultérieurement « un ange de la paix ». On fit plusieurs tentatives pour étouffer leur récit mais il se propagea rapidement jusqu'à susciter l'enthousiasme, l'incrédulité et la controverse dans le monde entier. Lors de l'apparition du mois de juillet, la dame leur aurait révélé trois secrets. L'un aurait annoncé la Seconde Guerre mondiale et un autre aurait évoqué un « rejet de Dieu » par la Russie. En 1960, des responsables de l'Église prirent connaissance du dernier, dont Lúcia avait été informée, mais ils ont refusé d'en divulguer la teneur. Sur ordre du gouvernement portugais, le maire d'une localité voisine jeta les jeunes en prison et les menaça de torture, et même de les faire brûler vifs. Mais ils ne se laissèrent pas intimider et maintinrent leur histoire. La dame serait à nouveau apparue à six reprises, la dernière fois remontant au 13 octobre 1917. Ce jour-là, une foule de 70 000 personnes venues se joindre aux trois jeunes assista au célèbre « miracle du soleil ». La journée avait débuté par des pluies torrentielles et des vents terribles. De très nombreux assistants déclarèrent avoir vu à midi « le ciel s'ouvrir » et le soleil commencer à tournoyer comme une boule de feu en direction de la Terre. Bon nombre de ceux qui étaient présents craignirent l'arrivée du Jugement dernier. D'autres affirmèrent plus tard avoir pensé que le soleil brûlant allait s'écraser sur la Terre et l'incendier. De nombreuses autorités, et certainement les pèlerins, convinrent qu'un événement surnaturel s'était produit. Mais seuls les jeunes déclarèrent avoir vu « Notre Dame ».

Francisco et Jacinta périrent lors de l'épidémie de grippe qui s'abattit sur l'Europe après la Grande Guerre. Lúcia intégra un couvent de religieuses carmélites dans la ville universitaire de Coimbra. Elle revint à Fátima en 1967 à l'occasion des fêtes de commémoration du 50ᵉ anniversaire de l'apparition, pour lesquelles le pape fit le voyage de Rome.

Une froide basilique virginale blanche de style néoclassique a été érigée au bout de la grande esplanade. Une tenue correcte est exigée à l'entrée. Une pancarte située à l'extérieur sert d'avertissement : « La sainte Vierge Marie, mère de Dieu, apparut en ce lieu. C'est pourquoi il est demandé aux femmes de ne pas pénétrer dans ce sanctuaire vêtues de pantalons ou d'autres effets masculins. » Il est également interdit aux hommes d'entrer en shorts. Dans le pauvre village d'Aljustrel près de Fátima se dressent encore les maisons des jeunes bergers.

Shopping

Vous risquez de trouver les bibelots « religieux » de Fátima quelque peu écœurants. Si vous souhaitez trouver d'autres types d'articles, le plus grand magasin de souvenirs de la localité, **Centro Comercial**, estrada de Leira ($\varnothing$ 249/53-23-75) vous conviendra mieux. Il regorge de marchandise – statues pieuses mais aussi autres objets en porcelaine de la région –, à 500 m du principal sanctuaire religieux. Le **Pax Hotel**, rua Francisco Marto ($\varnothing$ 249/53-30-10) abrite également un magasin proposant un large choix de souvenirs.

Se loger

En période de pèlerinage, il est pratiquement impossible de trouver une chambre à moins de l'avoir réservée des mois à l'avance.

Estalagem Dom Gonçalo. Rua Jacinta Marto 100, 2495 Fátima. $\varnothing$ **249/53-93-30** Fax 249/53-93-35. Mél : hotel.d.goncalo@ip.pt. 42 chambres. TV CLIM. Minibar Tél. Double 13 550 ESC ; suite 16 200 ESC. Petit déjeuner compris. CB. Parking gratuit.

Cet hôtel moderne est installé dans un grand jardin à l'entrée de la ville. Les chambres, de taille petite ou moyenne, sont parmi les meilleures de la ville, avec celles de l'Hotel de Fátima. Elles sont toutes confortablement (literie ferme) et agréablement meublées. Si les salles de bains sont petites, elles sont fonctionnelles et bien entretenues.

L'Estalagem Dom Gonçalo propose l'une des meilleures cuisines de Fátima et les portions les plus généreuses. Un repas y coûte en moyenne 4 200 ESC. Vous pouvez également dîner à la carte et commander les habituels plats de poisson ou de viande, une salade composée ou une savoureuse omelette. Le restaurant est ouvert tous les jours de 12 h à 15 h et de 19 h 30 à 22 h.

Hotel Cinquentenário. Rua Francisco Marto 175, 2495 Fátima. $\varnothing$ **249/53-34-65** Fax 249/53-29-92. Mél : hotel.cinquentenario@ip.pt. 146 chambres. TV CLIM. Tél. Double 12 500-24 000 ESC. Petit déjeuner continental compris. CB. Parking gratuit.

Cet édifice situé sur un terrain à proximité du sanctuaire propose un hébergement confortable mais peu spacieux. Il affiche complet en période de pèlerinage. Des tapis et des tapisseries contribuent à rendent l'endroit chaleureux. Chaque chambre est équipée d'une literie ferme et d'une salle de bains en bon état ; les suites sont dotées d'un minibar. L'hôtel abrite un piano-bar et un coffee shop, ainsi qu'un restaurant qui propose des plats portugais.

Hotel de Fátima. Rua João Paulo II, 2495 Fátima. $\varnothing$ **249/53-33-51** Fax 249/53-26-91. 135 chambres. TV CLIM. Minibar Tél. Double 15 000 ESC ; suite 17 600-22 000 ESC. Petit déjeuner (buffet) compris. CB. Parking dans le garage 500 ESC, gratuit dehors.

Classé officiellement quatre-étoiles, l'Hotel de Fátima remporte le prix du meilleur hôtel parmi des concurrents peu brillants. Bon nombre des chambres, de taille moyenne, donnent sur le sanctuaire. Elles sont toutes meublées dans le style provincial portugais – bois naturel – et décorées d'étoffes de couleurs vives. Les meilleures se trouvent dans la nouvelle aile qui compte 45 chambres. Deux ascenseurs desservent les trois étages de l'hôtel.

Le bar se trouve au rez-de-chaussée, près de l'accueillante réception attenante à un grand salon. Le restaurant propose une table d'hôte au déjeuner ou au dîner pour 3 400 ESC. On pourrait qualifier la cuisine de « cuisine pour collectivités religieuses ».

Hotel Santa Maria. Rua de Santo António, 2495 Fátima. ∅ **249/53-30-15** Fax 249/53-21-97. Mél : santamaria.sanjose@ip.pt. 62 chambres. TV CLIM. Tél. Double 7 500-9 300 ESC ; suite à partir de 14 000 ESC. Petit déjeuner continental compris. CB. Parking gratuit.

Cet hôtel moderne et confortable se trouve dans une rue calme à quelques pas du parc qui entoure le sanctuaire. Le hall, dallé de marbre gris et blanc et décoré de nombreuses boiseries s'ouvre sur un coin salon ensoleillé où prospèrent de magnifiques plantes, baignées dans la lumière qui passe par les vitraux de la fenêtre. Les chambres sont petites et simples mais tout à fait fonctionnelles, avec une literie ferme et un poste radio ; toutes ont un balcon. Le personnel est très compétent.

Hotel São José. Av. Dom José Alves Correia da Silva, 2495 Fátima. ∅ **249/53-22-15** Fax 249/53-32-17. 76 chambres. TV CLIM. Tél. Double 9 300 ESC ; suite à partir de 13 000 ESC. Petit déjeuner compris. CB. Parking gratuit.

Ce vaste hôtel moderne, pourvu de balcons, se trouve dans l'une des rues les plus animées de Fátima à proximité du sanctuaire. Son personnel porte l'uniforme, son hall est en marbre et ses chambres de taille moyenne sont confortables. Abritant deux bars et un restaurant, cet établissement semble chic comparé à certains de ses concurrents à l'allure plus spartiate. Les chambres sont dotées d'un couchage ferme et d'une salle de bains en très bon état.

Hotel Três Pastorinhos. Rua João Paulo II, 2495 Fátima. ∅ **249/53-34-29** Fax 249/53-24-49. 92 chambres. CLIM. Tél. Double 10 950 ESC ; suite 16 000 ESC. Petit déjeuner continental compris. CB. Parking gratuit.

Cet établissement trois-étoiles (« l'Hôtel des trois jeunes bergers ») abrite des installations modernes dans un cadre aussi dépouillé que celui d'un couvent. Les chambres les plus récentes donnent sur un balcon avec vue sur le sanctuaire. Vous pouvez aussi y manger des repas composés de nombreux plats. La salle du petit déjeuner donne sur des terrasses ensoleillées et bien fleuries.

Se restaurer

Grelha. Rua Jacinta Marto 76. ∅ **249/53-16-33**. Plats 1 100-2 200 ESC ; menu 2 200 ESC. CB. Ouvert ven.-mer. 12 h-15 h et 19 h-22 h 30. Fermé 2 semaines en nov. (les dates varient). *Portugais, grillades.*

Si vous ne souhaitez pas manger à l'hôtel, essayez Grelha à 300 mètres du sanctuaire de Fátima. On y mange des spécialités régionales mais sa bonne réputation vient surtout de ses grillades, notamment de steak et de poisson. La morue grillée est particulièrement conseillée. En période fraîche, sa cheminée est particulièrement appréciable ; le bar est plein toute l'année.

Tía Alice. Rua do Adro. ∅ **249/53-17-37**. Réservation nécessaire. Plats 1 500-2 800 ESC ; menu 3 700 ESC. CB. Mar.-dim. 12 h-15 h ; mar.-sam. 19 h 30-22 h. Fermé en juillet. *Portugais.*

Abrité par une très vieille maison au centre-ville, ce restaurant simple et campagnard (« Tante Alice ») propose une cuisine abondante qui s'inspire des traditions rurales de l'Estrémadure. C'est sans conteste le meilleur restaurant du coin, même si ce n'est pas une référence. La salle à manger, avec ses murs de pierre et ses poutres, se trouve en haut d'un escalier en bois. Les spécialités copieuses comprennent de la soupe aux fèves, de l'agneau rôti au romarin et à l'ail, du poulet, des saucisses portugaises et des côtes d'agneau ou de porc grillées.

Vie nocturne

Comme l'on pouvait s'y attendre dans un lieu de pèlerinage, on se lève tôt (souvent pour la messe du matin) et on se couche tôt à Fátima. Et les cafés étant généralement bouclés vers 22 heures, ceux qui font une indigestion de religion auront tout intérêt à s'échapper par l'estrada de Minde. À 2 km au sud de la ville, vous trouverez deux bars avec musique, beaucoup plus à l'écoute des faiblesses humaines que les églises et les couvents de Fátima : **Mario's Bar**, estrada de Minde (∅ 249/53-16-83) et **Bar Truao**, estrada de Minde (∅ 249/52-15-42).

9

L'Algarve

Dans l'ancienne ville maure de Xelb (aujourd'hui Silves), vivait un vizir, beau et sensible. Lors d'un séjour dans les terres septentrionales, il tomba amoureux d'une belle princesse nordique. Ils se marièrent et le vizir la ramena dans l'Algarve. Bientôt, la jeune princesse commença à se languir des collines et des vallées enneigées de sa terre natale. C'est pourquoi il ordonna qu'on plante des milliers d'amandiers dans son royaume. Depuis cette époque, à la fin janvier et au début février, l'Algarve se tapisse des fleurs blanc pâle des amandiers. Et c'est ainsi que la jeune princesse et le vizir vécurent heureux dans un royaume baigné de soleil, aux hivers parfumés par ces arbres en fleurs...

L'Algarve, qu'on appelle souvent le « jardin du Portugal », est une province maritime située à l'extrémité sud de l'Europe. Son littoral s'étend sur 160 kilomètres, du cap Saint-Vincent à la ville frontière de Vila Real de Santo António, à la limite de l'Espagne. Ses côtes abritent des estuaires tranquilles, des lagunes abritées, des terres basses, refuge des poules d'eau gloussantes, de longues pointes sableuses et des promontoires jaillissant de l'écume blanche de la mer. Le paysage spectaculaire des terres au sud des serras (collines) de Monchique et de Caldeirão, appelées Al-Gharb par les Maures, rappelle étonnamment l'Afrique du Nord. Il y fait en moyenne 16 °C en hiver et 23 °C en été. Le ciel pâle de la journée prend de riches tons azurés le soir. La végétation est abondante : amandiers, citronniers, orangers, caroubiers, grenadiers et figuiers. Le grand tremblement de terre de 1755, s'il détruisit presque entièrement Lisbonne, fut durement ressenti aussi dans toute cette région. Des communautés entières furent rayées de la carte. Pourtant, beaucoup de ruines maures, voire romaines, ont survécu. Des cheminées chantournées, des coupoles de mosquées et des maisons en forme de cubes, il émane une saveur orientale. Phéniciens, Grecs, Romains, Wisigoths, Maures et chrétiens ont tous laissé leur empreinte sur ces terres. Hélas, il est désormais difficile de retrouver les traces et l'atmosphère du passé, disparues à tout jamais, englouties dans une forêt de grands immeubles qui encerclent la plupart des localités. Il y a des années, les autorités portugaises, considérant avec horreur les « erreurs de l'Espagne » qui laissa disparaître sous le béton sa Costa del Sol, s'engagèrent à contrôler l'expansion immobilière. Apparemment, cette promesse n'a pas été tenue.

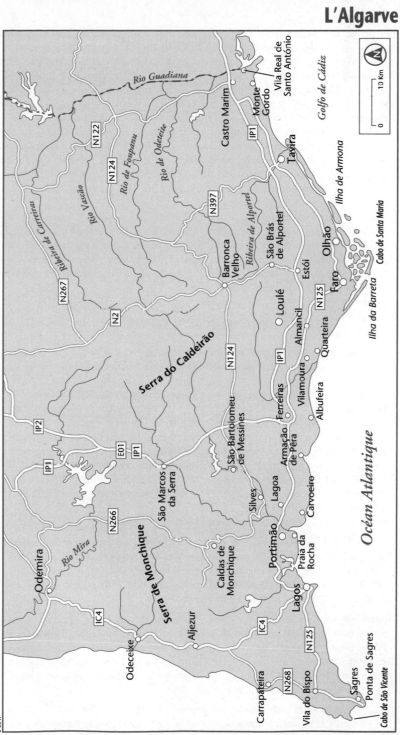

L'Algarve

Rio Guadiana

Vila Real de
Santo António

Golfo de Cádiz

N122

N124

Rio de Fonpanu

Rio de Odeteite

Rio Vascão

Castro Marim

IP1

Monte
Gordo

Tavira

Ribeira de Carreiras

N397

Ribeira de Alportel

Ilha de Armona

N267

N2

Barronca
Velho

São Brás
de Alportel

Estói

Olhão

Faro

Cabo de Santa Maria

Serra do Caldeirão

N124

Loulé

Almancil

N125

IP1

Quarteira

Ilha da Barreta

IP2

São Bartolomeu
de Messines

Ferreiras

Vilamoura

Albufeira

E01 IP1

São Marcos
da Serra

Silves

Lagoa

Armação
de Pêra

Carvoeiro

Océan Atlantique

N266

Rio Mira

Serra de Monchique

Caldas de
Monchique

Portimão

Praia da
Rocha

Odemira

IC4

Aljezur

IC4

Lagos

N125

Odeceixe

N268

Vila do Bispo

Sagres

Ponta de Sagres

Carrapateira

Cabo de São Vicente

3-0547

Les plages de l'Algarve sont parmi des plus belles du Portugal. Tant et si bien qu'elles ont provoqué l'engouement des touristes pour la côte sud, venant concurrencer sérieusement la Costa do Sol à proximité de Lisbonne et la Costa del Sol en Espagne. On trouve des centaines de plages dont bon nombre sont équipées de douches publiques et où il est possible de louer du matériel pour s'adonner aux sports nautiques. Veillez toutefois à respecter les panneaux : toutes ne sont pas accessibles en raison de dénivellations trop fortes ou de courants rapides.

Vers 1965, on laissa œuvrer les bulldozers sur de vastes étendues de littoral qui ont été irriguées et aménagées en terrains de golf. Bon nombre font partie d'ensembles immobiliers ou de grands complexes hôteliers ou résidentiels, tels que Quinta do Lago où des villas pour retraités occupent 800 hectares de végétation en bordure des *fairways*. Les golfeurs avertis peuvent jouer sur la plupart de ces terrains, à condition de s'y prendre à l'avance.

Beaucoup d'anciens villages de pêcheurs, aujourd'hui stations balnéaires, parsèment les côtes de l'Algarve : Carvoeiro, Albufeira, Olhão, Portimão. Les marchés des villages regorgent de petits tapis en fibres végétales, d'objets en cuivre, de poterie et de bonbons aux amandes et aux figues qui prennent parfois la forme d'oiseaux ou de poissons. Dans les ruelles, les petits accordéons jouent les mélodies rapides du *corridinho* cadencé.

Explorer la région en voiture

La route qui s'étend d'un bout à l'autre du littoral de l'Algarve ne fait que 160 kilomètres. Mais les sites à visiter sont nombreux et il vous faudra plusieurs jours pour les parcourir !

Si vous venez de Lisbonne en voiture, vous pouvez rompre la monotonie du voyage en faisant une halte à **Sines**, qui se trouve à 158 km de la capitale, à mi-chemin entre Lisbonne et le cap Saint-Vincent. Cette localité abrite une reconstitution de la maison de Vasco da Gama (né à Sines en 1469). Sines attire les pêcheurs car espadons et bars pullulent dans ses eaux. Des dunes de sable s'élèvent le long des grandes plages privées. Les touristes qui arrivent ceux, hâlés, qui repartent, se croisent au déjeuner à la **Pousada de Santiago**, estrada de Lisboa, 7540 Santiago do Cacém (∅ **269/224-59**). Vous pouvez manger à la table d'hôte pour 4 000 ESC, tous les jours de 12 h 30 à 14 h 30 et de 19 h 30 à 21 h 30.

Arrivé dans l'Algarve, vous pouvez suivre l'itinéraire ci-dessous :

Premier jour Entamez votre visite à **Sagres**, à l'extrémité sud-ouest du pays. Ce spectaculaire promontoire et le **Cabo de São Vicente**, à 6,5 km de là, composent un paysage très accidenté. Passez la majeure partie de la journée à visiter les environs puis prenez la N268 vers le nord-est jusqu'à la bifurcation avec la N125 vers Lagos où vous passerez la nuit. Cette ville est à 33 km de Sagres.

Deuxième jour Dans la matinée, explorez la ville portuaire de **Lagos**, notamment son ancien marché aux esclaves à arcades et l'église Santo Antonio. Au lieu de prendre la N125, empruntez la route du littoral. Passez le restant de la journée sur l'une des trois plages qui font partie des plus belles de la côte : **Praia de Dona Ana, Meia Praia** ou **Praia dos Três Irmãos**. 17 km plus loin, vous arriverez à **Portimão**, centre de la pêche de l'Algarve, où vous pourrez passer la nuit.

Troisième jour Après avoir visité la ville, prenez la N124 en direction du nord puis la N266 sur 21 km jusqu'à Monchique, une chaîne de montagnes recouverte de pins, d'eucalyptus et de châtaigniers. L'Estalagem Abrigo de Montanha de Monchique est un endroit idéal où déjeuner. Continuez jusqu'au **pico da Fóia**. Du haut de ses 915 mètres, c'est le plus haut point de la serra de Monchique. Le trajet jusqu'au sommet est impressionnant.

Après toutes ces escalades, vous apprécierez sans doute un peu de farniente sur la plage. Retournez vers Portimão, en faisant cette fois un arrêt à la **Praia da Rocha** pour la nuit.

Quatrième jour Après avoir piqué une tête dans l'océan, reprenez la N125 à Portimão vers l'est jusqu'à **Lagoa**, un bourg à 8 km de là. Allez ensuite à **Silves** (6 km). Jadis capitale du royaume maure de l'Algarve, Silves abrite un château et une cathédrale.

L'après-midi, retournez à Lagoa, d'où vous suivrez les panneaux pour le petit village de pêcheurs de **Carvoeiro** à 5 km de là. Une colonie d'expatriés raffinés (venus d'autres pays européens) y réside. La plage de sable est nichée entre deux masses rocheuses, ce qui en fait un lieu idéal pour les bains de soleil. L'ombre des falaises est rafraîchissante et la mer calme. Situé à l'est de la plage en haut d'une pente abrupte, le **belvédère Nossa Senhora da Encarnação** offre une vue imposante sur la mer et les falaises avoisinantes, qui récompensera votre effort. Comme il y a peu d'hôtels et que ceux-ci affichent souvent complet, envisagez peut-être de passer la nuit à Albufeira (à 25 km de Lagoa). Pour cela, il vous faudra reprendre la N125 jusqu'à **Ferreiras**, puis la N395 sur la droite.

Cinquième jour Station balnéaire animée, **Albufeira** fut le dernier bastion maure de l'Algarve. Cet ancien village de pêcheurs a connu des aménagements si excessifs que la plupart de ses vestiges ont totalement disparu. Malgré tout, la localité compte d'excellents hôtels et restaurants.

Sixième jour À nouveau sur la N125, allez vers l'est jusqu'à **Almancil**, puis suivez les panneaux pour **Loulé**. Situé à 15 km au nord de Faro, ce bourg constitue le cœur du « pays des cheminées » de la région. En effet, bon nombre de ses maisons sont surmontées de tourelles chantournées en plâtre, ouvragées tels la dentelle ou le filigrane ; vous en verrez même peut-être une au-dessus de la niche d'un chien exigeant. Certaines, dont la sophistication est poussée à l'extrême, ressemblent à des flocons de neige que le vent serait venu coller à une vitre. L'artisanat de Loulé et des villages avoisinants est célèbre.

Retournez à Almancil, d'où vous poursuivrez vers le sud jusqu'aux complexes hôteliers et terrains de golf de **Vila do Lobo** et de **Quinta do Lago**, deux des lieux les plus mythiques de la côte. Déjeunez peut-être dans les parages. Après une rapide visite, suivez les panneaux pour Faro où vous passerez la nuit.

Septième jour Capitale moderne de l'Algarve, Faro ne mérite pas beaucoup plus qu'une rapide balade. Prenez ensuite la N125 vers l'est sur 8 km puis empruntez la direction d'**Olhão**. Ses maisons, cubes blancs empilés les uns sur les autres, surmontés de toits plats en tuiles et flanqués d'escaliers extérieurs, vous rappelleront un collage de Braque.

À partir d'Olhão, poursuivez votre chemin sur la N125, d'où vous admirerez des champs verdoyants plantés d'amandiers et de caroubiers, jusqu'à **Tavira**. Centre de la pêche au thon, cette localité est séparée de la mer par une longue langue de sable, l'Ilha de Tavira. Cette ville gaie aux cheminées tarabiscotées est située à 30 km à l'est de Faro. Continuez votre chemin en direction de l'est sur la N125 jusqu'à la station de **Monte Gordo** pour votre dernière nuit dans l'Algarve. Le lendemain matin, vous pourrez visiter la ville frontière de **Vila Real de Santo António** avant de repartir pour de nouvelles aventures.

1. Sagres : « le bout du monde »

À 279 km au sud de Lisbonne, 33,5 km à l'ouest de Lagos, 114 km à l'ouest de Faro

Située à l'extrémité sud-ouest de l'Europe et jadis appelée *o fim do mundo* (« le bout du monde »), Sagres est un promontoire rocheux accidenté qui semble jaillir de l'Atlantique. C'est d'ici qu'Henri le Navigateur lança le Portugal sur le chemin des Grandes Découvertes. Il y fonda une école de navigation où Magellan, Diaz, Cabral et Vasco de Gama firent leur apprentissage. Véritable ascète, il rassembla les meilleurs navigateurs, cartographes, géographes, érudits, marins et constructeurs, leur insufflant son ardeur et sa rigueur pour lancer des caravelles portugaises sur la mer. Henri mourut en 1460, avant l'aboutissement des explorations de Christophe Colomb et de Vasco de Gama.

Informations pratiques

COMMENT S'Y RENDRE

En ferry et en train De la praça do Comércio à Lisbonne, vous pouvez prendre un ferry pour traverser le Tage jusqu'à Barreiro. Prenez ensuite le train jusqu'à Lagos. Pour toute **information** et pour obtenir les horaires, appelez le ∅ **21/888-40-25**. Des autobus relient Lagos à Sagres.

En autobus Un service d'autobus **Rodoviária** (∅ **282/76-29-44**) relie 10 fois par jour Lagos à Sagres (durée du trajet : 1 heure ; aller simple : 450 ESC).

En voiture De Lagos, empruntez la N125 vers l'ouest jusqu'à Vila do Bispo, puis la N268 en direction du sud jusqu'à Sagres.

INFORMATIONS TOURISTIQUES

Sagres ne dispose pas d'un office de tourisme permanent. C'est une agence de voyages privée, **Turifo**, praça da República (∅ **282/62-00-03**), qui en remplit les fonctions.

Sites et activités

EXPLORER LA VILLE ET SES ENVIRONS

Le spectacle du coucher de soleil est un ravissement depuis Saint-Vincent et Sagres (surtout si on est installé sur la terrasse de la *pousada*). Dans l'Antiquité, le cap désignait le dernier point exploré, bien que les Phéniciens soient parvenus à aller plus loin. Les marins pensaient que lorsque le soleil disparaissait au-delà du cap, il dégringolait du bord du monde. S'aventurer aux alentours du promontoire équivalait à se mesurer aux démons de l'Inconnu. De nos jours, sur le site restauré de la forteresse battue par les vents au « bout de la terre » de l'Europe, se trouve l'énorme cadran en pierre d'une rose des vents. Henri se serait servi de cette **Venta de Rosa** lors de ses études navales à Sagres. La forteresse abrite un petit musée de moindre intérêt consacré à l'histoire locale. Il est ouvert du mardi au dimanche de 10 h à 12 h et de 14 h à 18 h. L'entrée coûte 300 ESC. Dans une petite **chapelle**, restaurée en 1960, les matelots auraient imploré la protection divine avant de partir dans les eaux inexplorées. Elle est fermée au public.

Le promontoire du **Cabo de São Vicente** se trouve à 5 km de là. Il porte ce nom car, selon la légende, la dépouille de saint Vincent y arriva mystérieusement sur une embarcation guidée par des corbeaux. (Selon d'autres récits, le corps du saint patron, assassiné à Valence en Espagne, vint échouer sur les rivages de Lisbonne.) Les mouettes se laissent porter par l'air et, à mesure que vous approchez, vous découvrez des chèvres en train de paître sur une colline dont les arbres poussent courbés sous les assauts du vent. La lumière du phare, le deuxième plus puissant d'Europe, est visible à une distance de 96 km au large. Il est habituellement ouvert tous les jours de 8 h à 12 h et de 14 h à 19 h, mais il faut demander au gardien l'autorisation d'y monter. Il n'existe pas d'autobus entre le cap et Sagres.

ACTIVITÉS DE PLEIN AIR

Plages

La péninsule est bordée de nombreuses plages ; on peut pratiquer le nudisme sur certaines. **Mareta**, qui se trouve au bout de la route qui va du centre-ville à la mer, est la meilleure et la plus fréquentée. À l'est de la ville, **Tonel** est également une belle plage de sable. À l'ouest de la ville, la **Praia de Baleeira** et la **Praia de Martinhal** conviennent davantage à la planche à voile qu'à la baignade.

Visite des environs

Si vous souhaitez louer une bicyclette pour explorer le cap, adressez-vous à **Turinfo**, praça da República, Sagres (∅ **282/62-00-03**). La demi-journée coûte 1 200 ESC. Turinfo organise également des visites en Jeep de la réserve naturelle du cap pour 6 900 ESC, déjeuner compris.

Pêche

Entre octobre et janvier, vous êtes assuré de faire une pêche pléthorique ; en descendant sur n'importe quelle plage, vous trouverez presque à coup sûr un pêcheur qui vous prendra à bord une demi-journée. Pratiquement tous les grands hôtels de l'Algarve peuvent vous organiser une excursion de pêche en mer ou vous fournir la liste des patrons pêcheurs auxquels vous pouvez vous adresser. Vous pouvez aussi prendre contact avec **Turinfo** (voir ci-dessus), qui propose des excursions de 3 heures tous les après-midi si le temps le permet. Les bateaux quittent le port de Sagres à 16 h 30. L'excursion coûte à partir de 4 000 ESC par personne, matériel compris. L'agence propose également des excursions touristiques (sans pêche) de 2 heures jusqu'à l'extrémité du Cabo de São Vicente pour 3 300 ESC par personne tous les après-midi (si le temps le permet) à 14 h.

Se loger

Hotel da Baleeira. Sítio da Baleeira, Sagres, 8650 Vila do Bispo. ∅ **282/624-212** Fax 282/624-425. Mél : hotel.baleeira@mail.telepac.pt. 118 chambres. TV Tél. Double 18 600 ESC. Petit déjeuner compris. CB. Stationnement gratuit.

Orienté comme la proue d'un navire, l'Hotel da Baleeira (« baleinière ») surplombe le port de pêche. C'est le plus grand hôtel des environs. Les chambres ont des balcons avec vue sur la mer. Il y a presque deux fois plus de chambres qu'auparavant ; les plus anciennes sont assez petites et certaines ont un sol en linoléum. Les salles de bains sont également minuscules.

Si vous passez seulement la journée à Sagres, vous pouvez vous restaurer dans la salle à manger donnant sur la mer où chaque table offre une vue imprenable. Le chef puise dans son propre vivier de homards et les plats sont attrayants. On y dîne à partir de 2 500 ESC. L'hôtel met à la disposition de ses clients un bar américain, une piscine d'eau salée, une terrasse dallée, un court de tennis et une plage privée.

Pousada do Infante. Ponta da Atalaia, 8650 Sagres. ∅ **282/642-222** Fax 282/642-225. www.pousadas.pt. 39 chambres. TV Minibar Tél. Double 16 300-25 000 ESC ; suite 20 800-31 000 ESC. Petit déjeuner compris. CB. Stationnement gratuit.

Meilleur établissement de Sagres, la Pousada do Infante ressemble à un monastère construit par des moines ascétiques qui auraient cherché à communier avec la nature. Vous tomberez sous le charme de la beauté brute des falaises rocheuses, des vagues déferlantes et de l'océan qui semble se perdre dans l'infini. Construite en 1960, cette auberge de tourisme (appartenant au réseau géré par l'État) toute blanche s'étend au bord d'une falaise audacieusement penchée sur la mer. Ses arcades abritent une vaste terrasse en pierre équipée de mobilier de jardin. Au deuxième étage, les chambres, avec balcon, sont de taille moyenne et meublées dans un style traditionnel ; le résultat n'est pas très probant. Les chambres 1 à 12 sont les meilleures. Les salons tout en marbre brillant, de proportions généreuses, sont décorés de superbes tapisseries retraçant les exploits d'Henri le Navigateur. La cheminée est entourée de grands canapés de velours. Les murs de la salle à manger sont carrelés d'*azulejos* et une cheminée conique surmontée d'une maquette de bateau décore un coin de la pièce. Les clients de l'hôtel peuvent y savourer des repas traditionnels. **Services** : room service, piscine découverte d'eau salée, écuries, court de tennis. Annexe officielle de l'établissement, la Fortaleza do Belixe (voir « Se restaurer » ci-dessous) propose des chambres moins luxueuses.

Se restaurer

Fortaleza do Belixe. Fortaleza do Belixe, Vila do Bispo, 8650 Sagres. ⌀ **282/62-41-24**. Plats 980-4 000 ESC ; menu 3 500 ESC. CB. Tlj. 13 h-15 h et 19 h 30-21 h 30. Fermé 15 nov.-15 fév. De Sagres, prenez la route du littoral sur 5 km en suivant les panneaux pour Cabo de São Vicente. *Portugais, international.*

Cet établissement occupe une forteresse médiévale restaurée qui remonte à la grande époque d'Henri le Navigateur. Il se trouve sur une partie sableuse et rocheuse du littoral entre Sagres et l'extrémité sud-ouest du Portugal, le Cabo de São Vicente. Les quatre salles à manger offrent une vue au moins partielle de la mer toute proche mais l'une d'elles bénéficie d'un plus beau panorama : avis aux amoureux de la mer ! Le menu est simple, sans façon et savoureux. Il compte notamment du *caldo verde*, de la soupe de poissons délicieuse, des calmars frits ou grillés, de l'espadon grillé, de bonnes recettes simples à base de veau, de porc, de bœuf et, bien sûr, de poisson du marché. Cet établissement propose en outre 4 chambres. Le prix d'une chambre double est de 16 000 ESC, petit déjeuner compris. C'est l'annexe de la Pousada do Infante, plus luxueuse et plus chère (voir « Se loger » ci-dessus). Le stationnement est gratuit.

Vie nocturne

Il est plus aisé de trouver un endroit où prendre un verre qu'une jolie boutique de souvenirs à Sagres. Dans la vieille ville, le **Bar Dromedário**, rua Comandante Meteoso (⌀ 282/62-42-19) et le **A Rosa dos Ventos Bar** (« rose des vents »), praça da República (⌀ 282/62-44-80) sont les meilleurs parmi les nombreux bars ouverts la nuit. Une clientèle européenne les fréquente pour discuter, se détendre et prendre une bière, un verre de vin ou de sangria. Si vous voulez danser, mais après 23 heures, allez à **Disco Tapas**, Sítio do Poço (⌀ **282/62-45-48**), à 800 mètres à l'est de la vieille ville.

2. Lagos

À 33 km à l'est de Sagres, 69 km à l'ouest de Faro, 263 km au sud de Lisbonne, 13 km à l'ouest de Portimão.

Appelée Locobriga par les Lusitaniens et les Romains, Zawaia par les Maures, le port de Lagos vit les premières caravelles à l'époque d'Henri le Navigateur. Bordée par la Costa do Ouro, la baie de Sagres était à une époque de son histoire épique suffisamment vaste pour permettre à 407 vaisseaux de manœuvrer aisément. Ville portuaire dès l'Antiquité (ses origines remonteraient aux Carthaginois, trois siècles av. J.-C.), Lagos était célèbre parmi les marins de la flotte de l'amiral Nelson. De Liverpool à Manchester, en passant par Plymouth, les matelots parlaient avec nostalgie des superbes femmes de l'Algarve, aux yeux verts et au teint mat. Ils entraient au port avec impatience, pressés de se livrer à toutes sortes d'excès et de se désaltérer avec le capiteux vin portugais. À vrai dire, peu de choses ont changé depuis l'époque de Nelson. Rares sont ceux qui vont à Lagos pour en connaître l'histoire ; ici, on profite pleinement des plaisirs de la table et des attraits de la plage. En hiver, les fleurs des amandiers répliquent, sur terre, à la blancheur des moutons sur l'eau et il fait souvent assez beau pour qu'on puisse prendre le soleil. En ville, le marché aux puces envahissant les ruelles ajoute une touche de charme. À moins de 2 km de là sur la côte, le promontoire rocheux de la **Ponta da Piedade** fait oublier la grande animation des jours de marchés. C'est le plus beau site de toute la côte. Et parmi les falaises et les cavernes secrètes creusées par les vagues, on découvre les exemples les plus exubérants de l'architecture manuéline. Lagos, détruite en grande partie par le tremblement de terre de 1755, perdit le titre de capitale de l'Algarve. De nos jours, il ne reste que les ruines de ses fortifications. Toutefois, de petites ruelles renferment encore des traces de cette époque révolue.

Informations pratiques

COMMENT S'Y RENDRE

En ferry et en train De la praça do Comércio à Lisbonne, vous pouvez prendre un ferry pour traverser le Tage jusqu'à Barreiro. Prenez ensuite le train jusqu'à Lagos. Il y a 3 trains par jour pour Lagos (durée du trajet : 6 h 30 ; aller simple : à partir de 1 900 ESC). Pour toute **information** complémentaire et pour obtenir les horaires, appelez le ∅ 21/888-40-25.

En autobus Un service de 8 autobus relie quotidiennement Lisbonne à Lagos (durée du trajet : 5 h ; aller simple : 2 650 ESC). Appelez le ∅ 282/76-29-44 pour obtenir les horaires.

En voiture Si vous venez de Lisbonne, empruntez la N120 après Sines vers Lagos puis suivez les panneaux. Si vous venez de Sagres, prenez la N268 vers le nord-est jusqu'à la bifurcation avec la N125 que vous suivrez jusqu'à Lagos.

INFORMATIONS TOURISTIQUES

L'office de tourisme de Lagos se trouve sur le largo Marquês de Pombal (∅ 282/76-30-31).

Sites et activités

EXPLORER LA VILLE

Igreja de Santo António. Rua General Alberto Carlos Silveira. ∅ 282/76-23-01. Entrée 350 ESC. Mar.-dim. 9 h 30-12 h 30 et 14 h-17 h.

L'église Santo António (XVIIIᵉ siècle) se trouve tout près du front de mer. Son autel est orné de très belles sculptures rococo dorées avec de l'or importé du Brésil. Œuvre de nombreux artisans, elles furent commencées au XVIIᵉ siècle puis endommagées lors du tremblement de terre de 1755, puis restaurées.

Museu Municipal Dr. José Formosinho. Rua General Alberto Carlos Silveira. ∅ 282/76-23-01. Entrée 350 ESC. Mar.-dim. 9 h 30-12 h et 14 h-17 h. Fermé les jours fériés.

Le Musée municipal abrite des reproductions de cheminées chantournées de l'Algarve, des sculptures en liège, des habits de cérémonie du XVIᵉ siècle, des céramiques, de la broderie du XVIIe siècle, des sculptures religieuses, une galerie de pein-ture, des armes, des minéraux, une collection de timbres et une section consacrée à des objets curieux. L'aile archéologique renferme des vestiges de l'ère néolithique, des mosaïques romaines exhumées à Boca do Rio près de Budens, des fragments de sta-tues et de colonnes ainsi que d'autres vestiges de l'Antiquité provenant de fouilles effectuées dans la région.

Antigo Mercado de Escravos. Praça do Infante Dom Henríques. Entrée gratuite. Ouvert en permanence.

Le vieux poste de douane rappelle douloureusement l'ère des Grandes Découvertes. Si l'édifice à arcades du marché aux esclaves, le seul du genre en Europe, a aujour-d'hui une allure paisible, il n'en demeure pas moins que c'est sous ses quatre arcades de style roman que furent vendus aux plus offrants des prisonniers arrachés à leur foyer. Il donne sur la place principale dominée par une statue d'Henri le Navigateur.

ACTIVITÉS DE PLEIN AIR

Plages

Certaines des plus belles plages de l'Algarve, notamment la **Praia de Dona Ana** au sud, la plus belle, sont proches de Lagos. Suivez les panneaux pour l'Hotel Golfinho. Si vous allez jusqu'à l'extrême pointe sud, **Ponta da Piedade**, vous passerez par de belles criques proté-gées par des rochers. Des escaliers parfois taillés dans la falaise permettent d'y accéder plus facilement. Bien que très encombrée en été, la **Meia Praia** (« demi-plage »), située de l'autre côté du fleuve, est également une belle plage de sable blanc de 2,5 km de long.

Plongée

Le **Sea Sports Center**, rua Jose Daconceicon, Loja 4, Praia da Luz (∅ 282/78-95-38) est l'un des meilleurs établissements du genre dans l'Algarve. Fondé en 1980, c'est l'un des rares qui soit entièrement homologué et assuré pour la plongée sous-marine. Ici, la sécurité est une priorité. Des excursions sous-marines sont organisées au large de Lagos et de Sagres, où se trouvent de nombreuses cavernes sous-marines et (surtout) des épaves de navires du XXe siècle à des profondeurs de 12 à 35 mètres, à marée haute. Pour un plongeur expérimenté, l'excursion de 2 heures (1 bouteille) coûte 6 500 ESC (tous les jours à 10 h et 14 h). Le prix d'un stage de 5 jours pour l'obtention du brevet PADI s'élève à 55 000 ESC. N'oubliez pas : si vous voulez faire de la plongée sous-marine, la réglementation européenne des assurances requiert que vous présentiez un certificat médical de moins de deux ans attestant que vous y êtes physiquement apte.

Golf

Le terrain de golf de **Palmares**, Meia Praia, 8600 Lagos (∅ **282/76-29-61**) est un terrain de par 71, plutôt moyen. Il fut dessiné par Frank Pennink en 1975 sur un relief inégal. Sur certains *fairways*, il faut driver la balle par-dessus une voie de chemin de fer ou de petits ravins ou encore contourner des palmeraies. Mais son aménagement paysager évoque l'Afrique du Nord, en partie à cause des centaines de palmiers et d'amandiers qui y sont plantés, et la vue du 17e *green* est particulièrement spectaculaire. Les *green fees* coû-tent de 6 000 à 10 000 ESC selon la saison. Le terrain est situé à 800 mètres à l'est du centre-ville en direction de Meia Praia (suivez les panneaux indiquant cette plage).

Il existe un autre terrain, le **Parque da Floresta**, Budens, Vale do Poço, 8650 Vila do Bispo (∅ 282/69-00-00). C'est l'un des rares golfs de premier plan à l'ouest de Lagos ; il se trouve immédiatement à l'intérieur des terres près du hameau de pêcheurs de Salema. Aménagé par l'architecte espagnol Pepe Gancedo pour servir de pièce maîtresse au complexe de villas de vacances dont la construction s'acheva en 1987, ce terrain de par 72 offre des vues à couper le souffle. Le relief inégal et rocailleux s'est attiré des critiques. Il faut parfois driver la balle par-dessus des vignobles, des petits ravins, des ruisseaux ou des jardins. En revanche, le club house qui bénéficie d'une vue extraordinaire fait l'unanimité. Les *green fees* coûtent 6 000 ESC pour un parcours 9 trous, 10 000 ESC pour 18 trous. Pour s'y rendre du centre de Lagos, suivez les panneaux pour Sagres et le Parque da Floresta sur 16 km.

ACHATS

Avec ses poteries, ses verreries soufflées à la main et celles, plus lourdes, en cristal, sa porcelaine et toutes sortes d'articles pour la maison, **Algife**, rua Portes de Portugal 911 (∅ 282/76-14-56), est un des magasins les plus intéressants. Mais la **Casa des Verges**, rua do 25 de Abril 77 (∅ 282/76-00-28), est encore plus attrayante. Fréquentée par certains des habitants et des cuisiniers les plus exigeants de la ville, elle propose de la vannerie, des articles en cuir, en cristal, en porcelaine, de la poterie et des ustensiles de cuisine. On notera plus particulièrement les couvertures de l'Algarve tissées main dans des couleurs vives dont les origines remontent à l'occupation arabe.

Casa Papagaio, rua do 25 de Abril 27 (∅ 282/76-29-76) propose du mobilier d'époque et des objets d'art, parmi lesquels des dizaines de tuiles anciennes peintes à la main. Poussiéreux à souhait, ce magasin évoque quelque peu un musée de province. Dans la bijouterie **Ouraivesaria Lagos**, rua do 25 de Abril 6 (∅ 282/76-27-72), le travail de l'or et de l'argent semble plus minutieux et plus délicat que dans les autres magasins. Vous y trouverez également des pièces de monnaie anciennes, des candélabres en argent, des cuillers ornées des armoiries royales de Lagos ou du Portugal et des assiettes en argent.

Enfin, **Terra Cotta**, praça Luís de Camões (∅ 282/76-33-74), qui rassemble des objets d'art et d'artisanat de tout le bassin méditerranéen, vaut le détour. Vous y trouverez de la poterie espagnole, des objets d'art du Portugal, des articles de marqueterie et des objets en laiton et en cuivre joliment travaillés provenant du Maroc, de Tunisie, d'Égypte et de Grèce.

Se loger

PRIX ÉLEVÉS

✪ **Hotel de Lagos.** Rua Nova da Aldeia 1, 8600 Lagos. ∅ 282/76-99-67 Fax 282/76-99-20. Mél : lagos@mail.telepac.pt. 315 chambres. TV CLIM. Tél. Double 10 960-27 300 ESC ; suite 15 000-30 000 ESC. Petit déjeuner compris. CB. Stationnement gratuit dehors, 1 000 ESC dans le garage.

Château du XXᵉ siècle mêlant styles maure et portugais, l'Hotel de Lagos est situé loin de la plage dans la partie est de la vieille ville, au cœur d'un domaine de plus d'un hectare de collines surplombant Lagos. Vous bénéficierez toujours d'une jolie vue, même si votre chambre donne sur la cour intérieure : celle-ci est baignée de soleil et regorge de plantes semi-tropicales. En revanche, les environs de l'hôtel sont peu attrayants. La salle principale évoque une hacienda avec ses murs blanchis à la chaux égayés de couleurs vives. En hiver, vous apprécierez la douce chaleur d'un feu de cheminée. L'hôtel compte 6 étages. Les chambres sont de taille moyenne, de style années 60, celles du rez-de-chaussée ont un patio attenant. Elles sont toutes de catégorie standard ou luxe avec des murs tout blancs rehaussés de touches chaleureuses. Beaucoup d'entre elles donnent sur un balcon en courbe suffisamment grand pour y prendre le petit déjeuner. Une aile de 31 chambres dotée d'une piscine et d'un club de remise en forme a été construite en 1989. **Restauration/distractions** : de bons repas sont servis dans une accueillante salle avec vue sur le port. L'établissement compte aussi un coffee shop, un piano-bar, des salles de jeux, un restaurant, un bar en bord de piscine et deux salons. **Services** : room service 24 h/24, club de remise en forme, gymnase, piscine couverte. L'Hotel de Lagos est propriétaire sur la plage de Meia Praia du Duna Beach Club qui compte une piscine d'eau salée, un restaurant et trois courts de tennis ; les clients de l'hôtel en sont gratuitement membres durant leur séjour. Un bus privé fait régulièrement la navette entre l'hôtel et le Beach Club à 5 minutes de là. Il est possible de faire du golf sur le terrain de Palmares à proximité (où les clients de l'hôtel bénéficient d'une remise de 10 % à 20 % sur les *green fees*), de la plongée sous-marine et de la pêche au large du littoral, de l'équitation et de la voile dans la baie.

PRIX MOYENS

Albergaria Marina Rio. Av. dos Descobrimentos (Apdo. 388), 8600 Lagos. ∅ 282/76-98-59 Fax 282/76-99-60. 36 chambres. TV CLIM. Tél. Double 7 500-16 500 ESC. Petit déjeuner (buffet) compris. CB. Stationnement gratuit dans la rue, 500 ESC dans le garage.

Deuxième hôtel de la ville, cet établissement 4 étoiles se trouve au centre-ville en face du port de plaisance. Les chambres sont petites à moyennes, agréables, et toutes dotées d'une bonne literie et de sèche-cheveux. Bon nombre d'entre elles ont vue sur la mer. Le dernier étage abrite une petite piscine et un solarium qui donnent sur la baie de Lagos. En été, un service d'autobus gratuit transporte les clients jusqu'aux plages et au terrain de golf de Palmares. Le bar, accueillant, est ouvert toute la journée. Seule ombre au tableau : des agences de voyages allemandes y font souvent des réservations groupées et il est donc difficile d'y trouver une chambre si on voyage seul.

Bellavista de Luz. Praia da Luz, 8600 Lagos. ∅ 282/78-86-55 Fax 282/78-86-56. www.bellavistadaluz.com. Mél : hoteldaluz@mail.telepac.pt. 44 chambres. TV CLIM. Tél. Double 13 000-18 000 ESC ; suite 20 000-27 500 ESC. Petit déjeuner compris. CB. Stationnement gratuit. Fermé 10 jan.-4 fév., 15 nov.-10 déc.

Ce petit joyau chaudement recommandé donne sur la baie, Praia da Luz, et se trouve tout près d'une jolie plage de sable. Les chambres spacieuses sont sobres et confortables (avec notamment une excellente literie). Chacune compte un réfrigérateur, un coffre, une cafetière électrique et un sèche-cheveux. Le restaurant de cet hôtel est fameux pour sa cuisine internationale et portugaise élaborée à partir de produits frais de première qualité. L'hôtel compte deux piscines, des courts de tennis, un gymnase et un club de remise en forme. On peut vous organiser diverses activités, de l'observation des oiseaux à la plongée sous-marine.

Hotel da Meia Praia. Meia Praia, 8600 Lagos. ∅ 282/76-20-01 Fax 282/76-20-08. 66 chambres. Tél. Double 15 000-18 000 ESC. Petit déjeuner compris. CB. Stationnement gratuit. Fermé nov.-mar.

Situé à 4 km de Lagos, cet hôtel de première catégorie est destiné à qui recherche le sable, le soleil et les bons petits plats plutôt qu'un paysage pittoresque. S'il est entouré de jardins privés, une voie de chemin de fer le sépare malheureusement d'une plage de sable de plus de 6 km de long. Les distractions proposées sur place sont nombreuses : deux courts de tennis professionnels en dur, un minigolf, un agréable jardin où se détendre dans des fauteuils en fer forgé blanc à l'ombre des oliviers et des palmiers, de vastes piscines au bord desquelles se prélasser (une pour adultes, une pour enfants). Les chambres de taille moyenne, côté océan, possèdent un balcon cloisonné permettant de prendre des bains de soleil ; elles ont été récemment rénovées et ce sont les plus agréables. L'ameublement est fonctionnel bien que quelque peu défraîchi, mais la literie est ferme et l'ensemble est confortable. La salle à manger, le salon et le bar américain se trouvent de l'autre côté de la façade tout en verre.

PETITS PRIX

✪ **Casa de São Gonçalo da Lagos.** Rua Cândido dos Reis 73, 8600 Lagos. ∅ **282/76-21-71** Fax 282/76-39-27. 13 chambres. Tél. Double 15 000-17 000 ESC. Petit déjeuner compris. CB. Fermé nov.-mars. Stationnement gratuit mais limité dans la rue.

Cette villa rose ornée de jolis balcons en fer forgé remonte au XVIIIᵉ siècle. En plein centre de Lagos, cette demeure remplie de meubles d'époque est une petite merveille méconnue. La majorité des salons et des chambres donnent, à la mode ibérique, sur un paisible patio ensoleillé. On peut prendre son petit déjeuner à l'ombre d'un parasol près de la fraîcheur de la fontaine, au milieu des balcons où grimpent les bougainvillées. Les chambres sont décorées de tables d'époque en acajou, de coffres aux poignées de cuivre, de lits travaillés provenant d'Angola, de linge brodé main et même de lustres en cristal. Les chambres au niveau de la rue sont souvent assez bruyantes. Cette pension de famille de luxe est installée dans une *casa* remplie de coins et de recoins. Les clients peuvent se retrouver dans la vaste salle de séjour décorée d'une cheminée et de mobilier d'époque.

Se restaurer

PRIX ÉLEVÉS

Alpendre. Rua António Barbosa Viana 17. ∅ **282/76-27-05**. Réservation conseillée. Plats 1 600-3 600 ESC. CB. Tlj. 12 h-23 h. *Portugais.*

Selon le magazine américain *Gourmet*, Alpendre est « le restaurant de Lagos le plus célèbre et le plus luxueux ». Peut-être, mais uniquement parce que la concurrence manque d'ardeur. Le menu est très élaboré et sophistiqué. Mais si la cuisine est savoureuse, les portions ne sont pas assez copieuses au goût de certains. Comme le service est souvent lent, ne venez pas si vous êtes pressé. Commencez par une excellente soupe à l'oignon gratinée par exemple, et poursuivez par une spécialité de la maison, par exemple l'appétissant riz aux crustacés, le steak Diane, le tournedos aux champignons sautés et le succulent filet de sole poêlé au beurre et flambé au cognac accompagné d'une sauce à la crème, au jus d'orange et de citron, au vermouth et aux aromates secrets du chef. Parmi les desserts, on note la salade de fruits flambée et les crêpes flambées (pour deux).

PRIX MOYENS

A Lagosteira. Rua do 1 de Maio 20. ∅ **282/76-24-86**. Réservation conseillée. Plats 1 200-2 800 ESC. CB. Lun.-sam. 12 h 30-15 h et 18 h 30-23 h. Fermé 10 jan.-10 fév. *Portugais.*

A Lagosteira est depuis longtemps un haut lieu pour dîneurs avertis. Il est décoré simplement et agrémenté d'un petit bar. Au menu, les meilleures entrées en matière pour un repas copieux sont notamment la traditionnelle soupe de poissons de l'Algarve et les savoureuses palourdes à la Lagosteira. Après ces débuts marins, vous pourrez passer au tendre steak d'aloyau grillé au feu de bois. Le homard est également une spécialité de la maison. La sélection de vins millésimés complète bien les plats.

Don Sebastião. Rua do 25 de Abril 20. ∅ 282/76-27-95. Réservation conseillée. Plats 2 000-4 000 ESC. Tlj. 12 h-15 h et 18 h 30-22 h. Fermé 23 nov.-26 déc. *Portugais.*

Cette taverne à la décoration rustique située sur la principale rue piétonne constitue un excellent choix à Lagos. Le menu varié compte des spécialités locales, notamment les alléchantes côtes de porc aux figues, de succulents plats de crustacés comme les palourdes et crevettes aux épices, et des grillades. Le restaurant a son propre vivier de homards. Pour accompagner ces repas copieux et savoureux, vous disposez d'une excellente carte de vins portugais millésimés. En été, on peut dîner en terrasse dans la rue.

O Galeão. Rua de Laranjeira 1. ∅ **282/76-39-09**. Réservation conseillée. Plats 1 400-3 800 ESC. CB. Lun.-sam. 12 h 30-15 h et 19 h-23 h. Fermé 27 nov.-27 déc. *International*.
Caché dans une petite rue, ce restaurant climatisé propose une large gamme de plats ; vous pouvez d'ailleurs « superviser » les activités en regardant dans la cuisine où l'on s'affaire beaucoup en haute saison. Les viandes sont savoureuses ; les plats de poissons sont bien préparés, frais du jour et délicieux. Vous pouvez notamment prendre des crevettes bouquet à l'ail, un gratin de fruits de mer, une sole meunière aux amandes, un homard thermidor ou une truite saumonée accompagnée d'une sauce au champagne. Les plats de viande ne sont pas en reste : savoureux médaillons de porc sauce curry ou steak d'aloyau Café de Paris.

O Trovador. Largo do Convento da Senhora de Glória 29. ∅ **282/76-31-52**. Réservation conseillée. Plats 1 700-2 900 ESC ; menu gastronomique 3 300 ESC. CB. Mar.-sam. 19 h-24 h. Fermé déc.-jan. *International*.
Marion (elle est allemande) et Dave (il est anglais) dirigent O Trovador. C'est un lieu particulièrement attrayant en basse saison avec ses chaises confortables installées autour de l'âtre rougeoyant. Mais vous connaîtrez à tout moment de l'année une atmosphère agréable, un service de qualité et des plats préparés avec compétence. Le restaurant se trouve en haut de la colline derrière l'Hotel de Lagos (suivez les panneaux à partir de la rua Vasco da Gama). Parmi les entrées conseillées, on citera le pâté de foie de canard maison, le succulent cocktail de poulpe, la terrine de poisson et sa délicate saveur de saumon ainsi que les escargots à la bourguignonne. Les plats de crustacés sont assaisonnés d'herbes et d'épices. La spécialité de Dave est le ragoût de bœuf mitonné dans de la bière brune. Vous apprécierez sans doute aussi l'espadon à la portugaise et le canard rôti à l'orange. Les desserts sont tous bons mais le cheesecake maison, la coupe Trovador et le craquant au citron « mondialement connu » de Marion sont particulièrement savoureux.

Vie nocturne

Vous trouverez à Lagos les indices d'une vie nocturne digne des grandes villes ainsi qu'un groupe de noctambules enthousiastes. Deux bars font l'unanimité : **Bar Amuras**, Marinha de Lagos (∅ **282/79-20-95**), dont la décoration marine semble se fondre dans les bateaux du port de plaisance tout proche et où presque tous les soirs se produisent des groupes live ; et le cosmopolite et sans prétention **Bar Mullens**, rua Cândido dos Reis 86 (pas de tél.) qui remporte autant de succès que le premier. Son décor « médiéval » et ses grands miroirs ont vu passer tous les amateurs de bars. **Phoenix**, rua do 5 de Outubro 11 (pas de tél.) est la discothèque la plus connue et la plus fréquentée en ville. Animée par d'infatigables danseurs de 20 à 40 ans, elle est ouverte tous les jours de 23 h aux alentours de 4 h du matin.

3. Portimão

À 18 km à l'est de Lagos, 61 km à l'ouest de Faro, 288 km au sud-est de Lisbonne

Portimão convient parfaitement à qui préfère séjourner dans un port de pêche animé plutôt que dans un hôtel en bord de plage. Depuis les années 1930, la **Praia da Rocha**, à 3 km de là, attire les amoureux du soleil, qui doivent patienter dans les embouteillages avant de s'entasser sur la plage. La **Praia dos Três Irmãos** lui fait désormais concurrence mais on se presse toujours à **Portimão** en été.

L'odeur de la divine sardine portugaise imprègne chaque rue. Portimão est le centre de la conserverie de poissons de l'Algarve bien qu'elle ne parvienne pas à dépasser Setúbal en matière de production. Pour un changement de rythme, cette ville à cheval sur un bras de l'Arade constitue une bonne halte, et l'on y mange bien. Flânez dans les jardins et les magasins de la ville (célèbre pour sa poterie), sirotez un verre de vin dans les cafés et vagabondez sur les quais où grillent les sardines sur des braseros. Ce sont les activités quotidiennes de ses habitants qui font le charme de cette ville.

Informations pratiques

COMMENT S'Y RENDRE

En train Les liaisons entre Lagos (voir ci-dessus) et Portimão sont fréquentes. Le trajet dure 40 minutes. Pour toute **information**, et pour obtenir les horaires, appelez le ∅ 21/888-40-25.

En autobus Il existe une liaison avec Lisbonne par autobus express (durée du trajet : 4 h 30) ; et un autobus relie la plage Praia da Rocha à la ville (3 km). Pour toute **information** et pour obtenir les horaires, appelez le ∅ 21/314-77-10.

En voiture La N125, qui traverse la côte méridionale d'un bout à l'autre, décrit un arc de cercle sur sa partie orientale pour passer par Portimão.

INFORMATIONS TOURISTIQUES

L'**office de tourisme de Portimão** se trouve sur le largo do 1 de Dezembro (∅ 282/41-91-31). À **Praia da Rocha**, il est situé sur l'avenida Tomás Cabreiro (∅ 282/41-91-32).

Visites et activités

EXPLORER LA VILLE

Portimão a beau n'abriter ni grands monuments ni musées, c'est une ville qui vaut la peine qu'on s'y arrête. Perdez-vous dans ses rues pittoresques, arrêtez-vous à tous les lieux qui attirent votre attention. Les bateaux aux couleurs vives qui déchargeaient jadis leur pêche sur le port poursuivent désormais leurs activités dans des entrepôts de l'autre côté du fleuve. Si de grands immeubles ont poussé, le cœur de la vieille ville demeure intact. Essayez d'arriver à Portimão à temps pour déjeuner. Vous pouvez bien sûr manger dans un restaurant, mais il est beaucoup plus agréable d'aller le long du port où vous trouverez une table à l'un des petits cafés bon marché. Leur spécialité est la sardine grillée au feu de bois, ce qui n'a évidemment rien à voir avec la sardine en conserve. Elle constitue l'ingrédient central d'un repas bon marché accompagné de pain frais tout juste sorti du four, d'une salade et d'une carafe de vin de pays. **Flor da Sardinha**, Cais da Lota (∅ 282/42-48-62), est vivement recommandé : installé dans des chaises en plastique à des tables en plastique, vous pourrez savourer les excellentes sardines toutes fraîches grillées sur le quai même (pas de cartes de crédit).

Si vous arrivez en août, restez pour la **fête de la sardine** (les dates varient) durant laquelle on célèbre la gloire de la sardine portugaise avant de... finir par la manger !

Pour faire un peu de tourisme, allez à **Ferragudo** à 5 km à l'est de la ville, accessible par un pont. Sa plage de sable connaît un succès croissant mais elle demeure intacte. On peut y louer des planches à voile et manger des fruits de mer dans ses restaurants en bord de mer. Les ruines du **Castelo de São João** qui fut construit pour défendre Portimão des attaques des Anglais, des Espagnols et des Hollandais, se trouvent au centre-ville. Inutile de rentrer déjeuner à Portimão. Essayez **A Lanterna**, Parchal (∅ 282/41-44-29), sur la route principale de l'autre côté du pont de Portimão. On y mijote la meilleure soupe de poisson des environs ; la variété de fruits de mer proposés dépend de la pêche du jour. Le restaurant est fermé le dimanche.

À Praia da Rocha qui se trouve à 3 km au sud de Portimão, vous pouvez visiter la **Fortaleza de Santa Catarina** du XVIIIᵉ siècle, avenida Tomás Cabreira (∅ 282/22-066). Ancien bâtiment défensif, elle abrite aujourd'hui un café en plein air, un *salão de cha* (salon de thé) et un restaurant. Ses fenêtres panoramiques donnent sur la plage.

ACTIVITÉS DE PLEIN AIR

Plages

Praia da Rocha est depuis longtemps la station balnéaire la plus réputée de l'Algarve. Les Anglais découvrirent la beauté de ses falaises rocheuses dans les années 1930. Lorsque la Seconde Guerre mondiale éclata, il n'y existait que deux petits hôtels et quelques villas, construites pour la plupart par de riches Portugais. Aujourd'hui, la plage connaît un succès retentissant, et mieux vaut y aller de bon matin. Les ruines de la **forteresse de Santa Catarina** se trouvent au bout de la falaise recouverte de moules, là où l'Arade se jette dans la mer. De cet endroit, on a une belle vue sur Ferragudo et la baie. Si **Praia dos Três Irmãos** est un lieu plus coûteux, rien ne vous empêche d'en visiter la plage qui est à 5 km de Portimão. Du centre-ville, prenez un autobus en direction de Praia dos Tres Irmãos, il y en a toute la journée. Le **terminus des autobus** se trouve à largo do Duque (∅ 282/41-81-20). La plage est une large bande de sable doré de presque 15 km de long, entrecoupée de falaises escarpées creusées de grottes. Elle fut découverte par des amateurs de plongée qui en apprécient les cavernes et les grottes sous-marines.

À proximité, **Alvor** est un village de pêcheurs tout blanc où arts et traditions portugais et maures se mêlent depuis la fin de l'occupation arabe. Jean II appréciait beaucoup Alvor ; les hordes de touristes qui lui ont succédé se pressent désormais sur la longue bande de sable. Ce n'est pas la plus belle plage des environs, mais au moins vous y trouverez de la place. Les autobus au départ de Portimão arrivent à proximité de l'office de tourisme d'Alvor.

Golf

Golf-Penina se trouve à Penina, à 5 km à l'ouest du centre de Portimão (∅ 282/41-54-15), au-delà de bon nombre d'autres grands terrains de golf. Achevé en 1966, c'est l'un des premiers qui fut aménagé dans l'Algarve et il est reconnu dans le monde entier comme un chef-d'œuvre de l'Anglais Sir Henry Cotton. Il est installé sur un terrain plat de rizières qui, selon les détracteurs du site, ne convenait pas pour jouer au golf. On décida donc d'y planter des bosquets d'eucalyptus, au total 350 000 arbres, qui poussèrent rapidement dans le sol vaseux. Les arbres finirent par assécher le sol suffisamment pour que l'architecte du parcours de golf puisse y creuser des dizaines de plans d'eau et un labyrinthe de *fairways* et de *greens*. Il s'étend désormais autour d'un hôtel de luxe, Le Méridien Penina. Vous avez l'embarras du choix : parcours de championnat 18 trous, par 73 ; ou deux terrains 9 trous, l'Academy et le Resort. Les *green fees* sont de 13 500 ESC pour 18 trous et de 3 000 à 4 000 ESC pour 9 trous. Pour se rendre à Penina depuis le centre de Portimão, suivez les panneaux en direction de Lagos et tournez vers Le Méridien Penina, bien signalé.

Situé au beau milieu de roches arides de couleur fauve en flanc de colline, le terrain de golf Pestana de **Vale de Pinta**, Praia do Carvoeiro (∅ 282/34-09-00), envoie les golfeurs dans des bosquets d'oliviers tordus, d'amandiers, de caroubiers et de figuiers. Ce terrain fut dessiné en 1992 par le Californien Ronald Fream qui s'attacha à doter les *fairways* de points de vue sur les collines de la serra de Monchique près de la station

Portimão

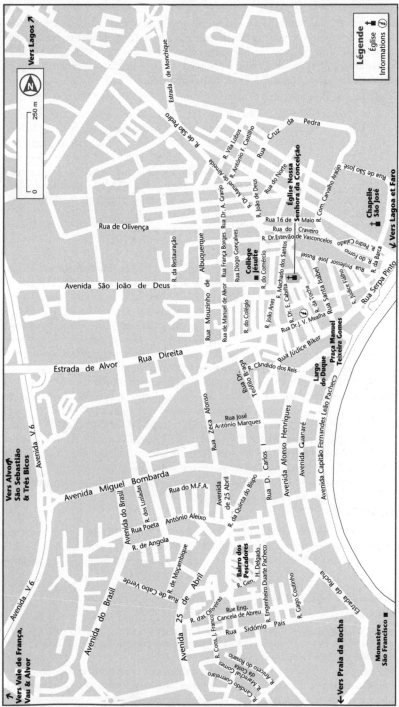

Légende
✝ Église
ⓘ Informations

Vers Lagos ↗

250 m

Estrada de Monchique

R. de São Pedro

R. Vila Lobos

R. António F. Castilho

R. Manuel de Almeida

Rua Cruz da Pedra

Rua do Norte

Rua João de Deus

Église Nossa Senhora da Conceição

Com. Carvalho Araújo

Rua de São José

Chapelle São José ✝

↙ Vers Lagoa et Faro

Rua de Olivença

R. da Restauração

R. Dr. A. Granjo

Rua Franca Borges

Rua Diogo Gonçalves

R. do Comércio

College Jésuite

Rua 16 de Maio

Rua do Craveiro

R. Dr. Estevão de Vasconcelos

F. Machado dos Santos

Rua Professor José Buisel

R. do Forno

R. da Barca

R. Pedro Calado

Avenida São João de Deus

Rua Mouzinho de Albuquerque

Rua de Manuel de Alvor

R. do Colégio

R. João Anes

F. J. de E. Cabrita

R. Dr. E. Cabrita

R. da Tocha

Rua Santa Isabel

F. Júdice Fialho

Rua Serpa Pinto

Rua Dr. J. V. Mealha ⓘ

Estrada de Alvor

Rua Direita

Rua Dr. Teófilo Braga

R. Cândido dos Reis

Rua Júdice Biker

Praça Manuel Teixeira Gomes

Largo do Duque

Avenida Capitão Fernandes Leão Pacheco

Avenida Guararé

Rua Zeca Afonso

Rua José António Marques

Avenida Miguel Bombarda

Avenida do Brasil

R. dos Lusíadas

Rua Poeta

António Aleixo

Rua do M.F.A.

Avenida de 25 Abril

Rua da Quinta do Bispo

Rua D. Carlos

Avenida Afonso Henriques

R. de Angola

Rua de Cabo Verde

Avenida 25 de Abril

Avenida do Brasil

Avenida V. 6

Bairro dos Pescadores

R. Gen. H. Delgado

R. Engenheiro Duarte Pacheco

Rua de Moçambique

Rue Eng. Cancela de Abreu

Rua Sidónio Pais

R. Gago Coutinho

R. das Oliveiras

R. Cons. J. Franco Oliveiras

R. Cândido Guerreiro

R. Marechal Gomes da Costa

R. Aniceto do Rosário

Estrada da Rocha

← Vers Praia da Rocha

Monastère São Francisco ■

↑ Vers Vale de França, Vau & Alvor

Vers Alvor↗
São Sebastião
& Três Bicos
V. 6

balnéaire de Carvoeiro. Selon les spécialistes, ce parcours de golf procure l'un des ensembles les plus variés de challenges du golf portugais. Ensembles de bunkers « voraces », barrières de rochers beiges réunis sans mortier et dénivellations brusques compliquent le parcours de par 72. Les *green fees* coûtent entre 8 500 et 12 000 ESC. En partant de Portimão, empruntez la N125 vers l'est sur 13,5 km et suivez les panneaux qui indiquent Lagoa et Vale de Pinta/Pestana Golf.

Planche à voile et ski nautique

L'Algarve compte assez peu d'écoles réputées. L'une d'elles, très sérieuse et établie depuis 1981, est particulièrement recommandée : c'est l'**Algarve Windsurfing School**, Praia Grande, Ferragudo (∅ 282/46-11-15). Elle se trouve sur la plage, à 3 km à l'est de Portimão, dans un ensemble qui compte également un bar « tropical » et des chaises longues à louer. Vous pourrez faire de la planche à voile à satiété grâce aux vents venant du Sahara. Un cours collectif d'une journée revient à 10 000 ESC et un cours particulier d'une heure à 3 500 ESC. La location de planches coûte entre 1 750 et 2 500 ESC l'heure. Il est aussi possible de faire du ski nautique pour 3 500 ESC les 12 à 15 minutes. L'établissement est fermé de fin octobre à mi-mars.

SHOPPING

Du lundi au samedi de 9 h 30 à 10 h 30, les pêcheurs déchargent leurs bateaux en renversant leurs paniers d'osier pleins. Le **marché aux poissons et aux fruits et légumes** est ouvert tous les jours sauf le dimanche jusqu'à 14 h dans les halles et sur la place. Le premier lundi du mois se tient toute la journée un gigantesque marché régional où l'on trouve des objets de fabrication locale, de la poterie, de la vannerie et même des remèdes de charlatans. Il y a de nombreuses **boutiques** qui proposent un vaste choix de pulls, de porcelaine et de poterie de l'Algarve. Dans ce village de pêcheurs jadis endormi, vous trouverez aujourd'hui quelques rues très commerçantes, comme la **rua Comerciale** et la **rua Vasco da Gama**. Parmi les marchandises, vous verrez des pulls tricotés main, de la porcelaine peinte à la main et une foule de poteries produites dans des fabriques ou par des artisans de tout le Portugal. Trois magasins associés, **Aquarius I, II et III**, proposent des marchandises de très bonne qualité. Rendez-vous tout d'abord au magasin principal (Aquarius I et II, 10 rua Direita ∅ 282/42-66-73), puis à Aquarius III, rua Vasco da Gama 41 (∅ **282/42-66-73**) pour y voir plus particulièrement les lainages, la céramique, la poterie, les articles en cuir et les sculptures sur bois. **Gaby's**, rua Direita 5 (∅ **282/41-41-95**) se spécialise dans les articles en cuir, valises, sacs, attachés-cases et portefeuilles.

Se loger

Le centre de Portimão n'est pas très riche en hôtels mais Praia da Rocha en abrite l'une des plus fortes concentrations sur l'Algarve. Bien que moins aménagée, Praia dos Três Irmãos se place en deuxième position. Durant l'été, il est indispensable de réserver sa chambre.

CENTRE-VILLE DE PORTIMÃO

Petits prix

Albergaria Miradouro. Rua Machado Santos 13, 8500 Portimão. ∅ et fax **282/42-30-11**. 32 chambres. TV Tél. Double 11 000 ESC. Petit déjeuner compris. Pas de CB. Stationnement gratuit.

L'Albergaria Miradouro bénéficie d'un emplacement central sur une place calme – où il est généralement possible de se garer -, face à une église très décorée de style manuélin. Sa façade moderne est cerclée de balcons en béton. Quelques-unes des petites chambres sont dotées de terrasses. Le mobilier est sommaire, mais les lits sont assez confortables et la salle de bains est correcte. Ici, vous rencontrerez certainement des routards venus de toute l'Europe avides d'échanger le récit de leurs aventures.

Hotel Globo. Rua do 5 de Outubro 26, 8500 Portimão. ∅ **282/41-63-50** Fax 282/48-31-42. 75 chambres. Tél. Double 14 000-20 000 ESC ; suite 30 000 ESC. Petit déjeuner compris. CB. Stationnement gratuit mais limité en face de l'hôtel.

En dépit de sa situation en plein cœur de la vieille ville, le Globo est un établissement très actuel, très bien conçu. D'agréables balcons modernes donnent sur des toits de tuiles moussus. En 1967, le propriétaire chargea un architecte de transformer l'auberge en un hôtel de classe. Chaque chambre, de taille moyenne, est décorée avec goût : placards lambrissés en bois d'ébène, têtes de lit encastrées, literie ferme et écritoire surmonté d'une plaque en marbre. Le rez-de-chaussée abrite un salon spacieux doté d'un bar adjacent. Une salle à manger couronne l'étage supérieur : c'est l'Aquarium, uniquement ouvert pour le petit déjeuner. Ses baies vitrées offrent une vue panoramique du port, de l'océan et des montagnes. Un pub-bar américain, Al-Kantor, et une salle de billard occupent le 7e étage.

PRAIA DA ROCHA

Prix élevés

Algarve Hotel Casino. Av. Tomás Cabreira, Praia da Rocha, 8500 Portimão. ∅ **282/41-50-0** Fax 282/41-59-99. Mél : h.algarve@mail.telepac.pt. 217 chambres. TV CLIM. Minibar Tél. Double 22 000-43 000 ESC ; suite 33 000-89 000 ESC. Petit déjeuner compris. CB. Stationnement gratuit dans la rue, 1 000 ESC dans le garage.

Le premier hôtel de la station s'adresse uniquement aux amoureux des paillettes et du glamour que les prix élevés ne font pas sourciller. Doté d'un personnel nombreux pour satisfaire vos moindres souhaits, cet édifice tout en longueur perché en haut d'une falaise saura sans nul doute vous combler. Les chambres, pas toujours très grandes, ont des murs blancs, un plafond de couleur, un sol orné de carreaux aux motifs compliqués, une entrée tout en miroirs, un éclairage indirect, un coffre et une salle de bains avec douche séparée, où vous trouverez des peignoirs et un sèche-cheveux. Les literies sont d'excellente qualité. Bon nombre de chambres, décorées dans un style vaguement mauresque, sont agrémentées d'une terrasse donnant sur la mer et équipée de mobilier de jardin. Les suites Yachting, Oriental, Presidential et Miradouro constituent de véritables monuments d'architecture intérieure. **Restauration/distractions :** des chefs portugais formés en France élaborent les repas gastronomiques du Zodíaco et de Das Amendoeiras. En saison, un buffet est servi au bord de la piscine pour le déjeuner. Le casino de l'hôtel (voir ci-dessous) est le principal lieu de sortie « branché ». Il abrite un restaurant, l'Aladino. **Services :** room service 24 h/24, blanchisserie et nettoyage à sec, baby-sitting, salon de coiffure pour hommes et pour dames, manucure. Gigantesque piscine chauffée en forme de double ovale, petit bassin, 2 courts de tennis sur la plage, solarium en haut de la falaise, sauna, boutiques. Le responsable des activités de loisirs peut organiser des activités personnalisées comme des excursions de pêche en mer sur le bateau de l'hôtel (avec ragoût de fruits de mer), des séances d'équitation, des parties de bridge, des soirées barbecue sur la plage, du minigolf, du volley-ball, des tournois de tennis, du ski nautique et de la pêche en haute mer.

✪ **Bela Vista.** Av. Tomás Cabreira, Praia da Rocha, 8500 Portimão. ∅ **282/450-480** Fax 282/41-53-69. 14 chambres. TV Minibar Tél. Double 23 000 ESC ; suite 34 000 ESC. Petit déjeuner compris. CB. Stationnement gratuit.

Bela Vista est un vieil hôtel particulier de style mauresque construit par une riche famille au XIXe siècle pour servir de résidence d'été. C'est une villa toute blanche surmontée d'un toit de tuiles en terre cuite, installée au bord de l'océan, en haut d'une falaise escarpée, et disposant d'un accès à une crique sableuse. À une extrémité se dresse une tour semblable à un minaret, et une statue de la Vierge est installée dans un recoin. C'est un hôtel depuis 1934, idéal pour qui est sensible à l'architecture ET réserve à l'avance. Les chambres font face à la mer. Toutes ont du caractère, mais les anciennes chambres principales sont les plus belles. Elles sont décorées dans des styles variés. Si la belle structure et les décorations d'origine ont été préservées, les salons renferment un mobilier en plastique. Le hall d'entrée est orné de carreaux bleu et blanc du XIXᵉ siècle qui représentent des scènes allégoriques de l'histoire du Portugal. On remarquera l'escalier en colimaçon. Les clients se retrouvent fréquemment autour de la grande cheminée seigneuriale. **Restauration/distractions** : seul le petit déjeuner est servi. On peut admirer le coucher de soleil sur la mer en sirotant un verre à la terrasse du bar. **Services** : room service (petit déjeuner seulement), blanchisserie, concierge.

Prix moyens

Júpiter. Av. Tomás Cabreira, Praia da Rocha, 8500 Portimão. ∅ **282/41-50-41** Fax 282/41-53-19. Mél : hoteljupiter@mail.telepac.pt. 180 chambres. TV CLIM. Tél. Double 12 000-20 500 ESC ; suite 19 000-26 000 ESC. CB.

Júpiter occupe sans doute l'angle de rue le plus en vue de cette station estivale animée. La galerie circulaire abrite des boutiques et on peut se détendre dans le hall spacieux, un verre à la main, profondément enfoncé dans un voluptueux canapé. Les chambres de taille moyenne offrent tout le confort moderne (literie ferme) mais elles sont sans grand caractère. Toutes ont un balcon avec vue sur le fleuve ou la mer. Si l'hôtel fait face à une large plage, il possède aussi une piscine couverte chauffée. Sous un plafond métallique, la discothèque Blexus procure le divertissement nocturne. L'hôtel abrite aussi Barrote, un restaurant un peu guindé, et un bar américain. En été, des snacks et des déjeuners légers sont servis au bord de la piscine.

Petits prix

Pensão Tursol. Rua Eng. Francisco River, Praia da Rocha, 8500 Portimão. ∅ **282/42-40-46**. 22 chambres. Double 4 000-9 000 ESC. Petit déjeuner compris. Pas de CB. Fermé déc.-fév. Stationnement gratuit.

Ce simple mais charmant hôtel est niché derrière un jardin de plantes grimpantes et de buissons fleuris. Vous le trouverez dans une rue parallèle à la rue principale qui passe près de la plage, dans un coin tranquille de la station néanmoins tout près du centre. Le rez-de-chaussée est occupé par un agréable salon de télévision et une salle où l'on prend le petit déjeuner. Les petites chambres sont assez confortables (literie ferme). Le personnel est serviable. Lorsqu'il fait beau, les fenêtres grandes ouvertes offrent une belle vue sur les paysages alentour.

Residencial Sol. Av. Tomás Cabreira 10, Praia da Rocha, 8500 Portimão. ∅ **282/42-40-71** Fax 282/41-71-99. 22 chambres. Tél. Double 8 000-8 500 ESC ; suite 9 500 ESC. Petit déjeuner compris. CB. Stationnement gratuit.

La façade peinte, en béton, de cet établissement est un peu tristounette. Son emplacement près de la rue principale bruyante y est sans doute pour quelque chose. Mais les apparences sont trompeuses. Les chambres de petite à moyenne taille, décorées de boiseries, sont parmi les plus propres, les moins prétentieuses et les plus attrayantes de la station. Elles sont conçues pour accueillir deux personnes et équipées d'une literie ferme . Celles qui se trouvent à l'arrière sont plus calmes, mais les autres, avec terrasse, donnent sur un parc de bougainvillées de l'autre côté de la rue. La salle de petit déjeuner sert aussi de salle de télévision. **Services** : blanchisserie, nettoyage à sec.

PRAIA DOS TRÊS IRMÃOS
Prix élevés

✪ **Carlton Alvor Hotel.** Praia dos Três Irmãos, Alvor, 8500 Portimão. ✆ **282/45-89-00** Fax 282/45-89-99. www.pestana.com. Mél : pestana.hotel@mail.telepac.pt. 216 chambres. TV CLIM. Minibar Tél. Double 35 000-49 300 ESC ; suite à partir de 40 000 ESC. Petit déjeuner (buffet) compris. CB. Stationnement gratuit.

Construite en 1968 et constamment rénovée, cette citadelle de l'hédonisme respire la joie de vivre plus que tout autre établissement dans l'Algarve. Son emplacement, son bâtiment, ses chambres spacieuses, sa décoration, son service et sa gastronomie sont parfaits. Cet hôtel de luxe situé sur une crête est si bien équipé que vous risquez de ne jamais le quitter de tout votre séjour. Nombre des chambres et salons font face à l'océan, aux jardins et à la magnifique piscine. Un chemin en pente douce ou un ascenseur permettent de descendre du haut de la falaise jusqu'à la plage de sable, face aux pics rocheux qui se dressent dans la mer. À l'intérieur, un large escalier surmonté d'un dôme mène à un niveau inférieur entourant un jardin japonais et un bassin de nénuphars. Les chambres sont de styles variés, de la décoration en peau de vache évoquant le fin fond de l'Arizona au style portugais traditionnel rustique. La plupart contiennent de très grands lits, de vastes placards, de grands bureaux-commodes et une salle de bains dotée de lavabos doubles et de nombreuses serviettes de bain. Bon nombre possèdent un balcon où l'on peut prendre le petit déjeuner en contemplant la baie de Lagos. Évitez de prendre une chambre à l'arrière, la vue est moins belle, les balcons sont plus petits et elles ont des lits escamotables. **Restauration/distractions** : l'hôtel compte plusieurs restaurants de spécialités : Harrira (Maroc), O Almofariz (Portugal) et Sale & Pepe (Italie). Des groupes de danse folklorique de l'Algarve et des chanteurs de *fado* s'y produisent fréquemment. Le grand salon est doté de profonds sièges en cuir et d'un plafond moderne d'inspiration cubiste. Un restaurant et un snack-bar bordent la piscine. **Services** : room service 24 h/24, baby-sitting, blanchisserie, salon de coiffure, club de remise en forme, piscine découverte, solarium, sauna, boutiques, kiosque à journaux, équitation, ski nautique, tennis. Le terrain de golf 18 trous à proximité offre une remise aux clients de l'hôtel.

Pestana Delfim Hotel. Praia dos Três Irmãos, 8501 Alvor. ✆ **282/45-89-01** Fax 282/45-89-70. www.pestana.com. 312 chambres. TV CLIM. Tél. Double 18 000-28 000 ESC ; suite 40 100 ESC. Petit déjeuner (buffet) compris. CB. Stationnement gratuit.

Les promoteurs de ce paradis pour groupes de voyages organisés ont judicieusement sélectionné ce site : il est proche de la plage, installé sur le flanc d'une colline broussailleuse de laquelle on a une vue éblouissante sur le littoral et ses dizaines de grands immeubles. Composés d'une tour centrale et d'ailes semblables déployées en forme de boomerang, les bâtiments modernes de cet hôtel sont vraiment spectaculaires. En dépit de la proximité de la plage, beaucoup de clients optent pour la piscine bordée de parasols... ou pour son bar. Les chambres, de taille moyenne, joliment meublées et dotées d'une bonne literie, possèdent chacune une terrasse. Seules les suites sont climatisées et équipées d'un minibar. Si vous ne venez pas dans le cadre d'un voyage organisé, vous risquez de vous sentir un peu à l'écart. **Restauration** : l'Atlantic Gardens Restaurant est l'un des plus animés de la station. Il propose une gastronomie portugaise et internationale. Le Bistro sert une savoureuse cuisine internationale et portugaise à la carte. **Services** : room service 24 h/24, blanchisserie, baby-sitting, sauna, jacuzzi, petit gymnase.

✪ **Le Méridien Penina Golf Hotel.** Estrada Nacional 125, 8502 Portimão. ∅ **282/41-54-15** Fax 282/41-50-00. Mél : meridienalg.sm@mail._telepac.pt. 213 chambres. TV CLIM. Minibar Tél. Double 42 000-50 000 ESC ; suite 70 000-130 000 ESC. Les 3-11 ans séjournent gratuitement dans la chambre de leurs parents. Petit déjeuner compris. CB. Fermé 3 sept.-20 déc. Stationnement gratuit.

Le Penina Golf fut le premier hôtel de luxe à s'installer sur les côtes de l'Algarve, entre Portimão et Lagos. Il appartient maintenant au groupe Méridien et doit faire face à une féroce concurrence. Mais les amateurs de golf (voir « Activités de plein air » ci-dessus) lui demeurent fidèles. C'est un haut lieu du sport et il est tout près du grand casino de la région. Hormis ses terrains de golf, l'hôtel compte une plage privée avec snack-bar et vestiaires que dessert une navette de l'hôtel. La plupart des chambres sont dotées de baies vitrées et de balcons en nid d'abeilles avec vue sur les *fairways* et la piscine ou sur la serra de Monchique. Elles sont spacieuses et meublées de vastes lits typiques du Portugal. Avec leurs portes-fenêtres donnant sur une terrasse, les chambres « mansardées » sont les plus charmantes. Les quelques duplex du 4e étage ont la faveur des familles avec enfants. **Restauration** : l'hôtel compte cinq restaurants et un coffee shop où l'on peut manger sur le pouce. Le Portuguese Grill et la Terrace (pour dîner en été), qui se spécialise dans les poissons grillés au feu de bois, sont les plus agréables. **Services** : room service 24 h/24, blanchisserie, baby-sitting. 3 terrains de golf de niveau championnat (voir « Activités de plein air » p. 216), plage privée, piscine, équitation et cours d'équitation, planche à voile, ski nautique. Vestiaires, casiers, école et magasins de golf, sauna, salle de billard, salon de coiffure, coiffeur pour hommes, six courts de tennis en dur éclairés, Penguin Village (club pour les 3-13 ans).

Se restaurer

Si vous visitez Portimão, vous y chercherez peut-être un restaurant ; mais la plupart des touristes préfèrent se restaurer en bord de plage, surtout à Praia da Rocha et à Praia dos Três Irmãos. Les grands hôtels comptent tous au moins un restaurant de très bon niveau. Hormis ceux-là, il existe une vaste gamme d'établissements pour toutes les bourses.

CENTRE DE PORTIMÃO

Mariners. Rua Santa Isabel 28. ∅ **282/42-58-48**. Plats 950-2 000 ESC à midi, 1 200-2 000 ESC le soir ; dim. assiette barbecue 1 200-2 300 ESC. Pas de CB. Tlj. 12 h-15 h et 19 h-22 h 30. *International*.

À sa façon, Mariners est l'un des établissements les plus cosmopolites de Portimão, associant des éléments caractéristiques du Portugal et de l'Écosse (d'où viennent les propriétaires James et Pamela Harley), parmi lesquels les rideaux écossais et quelques whiskies purs malt... Situé dans une maison en pierre de plus de quatre siècles aux patio et jardin enveloppés de bougainvillées envahissantes, ce restaurant est à 5 minutes du port. Le repas de midi, assez simple, est servi dans le patio ou au bar : tartes maisons (poulet-champignons, bœuf-rognons par exemple), spaghettis bolognaise ou poisson grillé. Le repas du soir est plus élaboré et formel ; il est servi dans une belle vaisselle en porcelaine et cristal dans une salle à manger aux murs carrelés et aux plafonds voûtés, éclairée à la chandelle. La cuisine semble s'inspirer de nombreuses traditions culinaires, peut-être pour plaire à la clientèle variée. On notera dans le menu les crevettes piri-piri (avec des piments rouges), les chutneys indiens, le poulet au citron, le poulet teriyaki ainsi qu'un vaste choix de savoureux ragoûts qui changent au gré de l'inspiration des cuisiniers. L'établissement reste ouvert l'après-midi pour servir de la bière, du vin ou d'autres boissons, c'est la version écossaise de l'*adega* portugaise.

O Bicho Restaurant. Largo Gil Eanes 12. ∅ **282/42-29-77**. Réservation conseillée. Plats 2 000-3 000 ESC. CB. Lun.-sam. 12 h-15 h et 19 h-23 h. *Cuisine de l'algarve.*

O Bicho fait partie des meilleurs endroits où commander une *cataplana*, plat typique de la région composé de palourdes, de porc, de poivrons verts, de tomates et d'aromates, notamment du piment, de l'ail et des feuilles de laurier. On le mitonne dans un caquelon en cuivre spécial, également appelé *cataplana*, qui permet aux ingrédients de cuire sous un couvercle hermétiquement fermé. Parmi les autres plats tentants, les huîtres et les fruits de mer grillés, mais ils ne parviennent pas à surpasser la *cataplana*. Ce lieu sans façon est très fréquenté par les habitants de la ville et les visiteurs avertis.

PRAIA DA ROCHA

Safari. Rua António Feu. ∅ **282/42-35-40**. Réservation conseillée. Plats 1 500-3 000 ESC ; menus 2 150-3 250 ESC. CB. Tlj. 12 h-24 h. Fermé déc.-15 fév. *Portugais, angolais.*

Safari est un restaurant portugais dont la cuisine est parfumée d'une touche africaine ; en effet, bon nombre de ses savoureuses spécialités sont inspirées de la cuisine angolaise. Safari propose un bon rapport qualité-prix et il est connu pour la fraîcheur de ses poissons et fruits de mer. En été, des groupes de musique brésilienne ou africaine viennent y jouer le week-end. Parmi les plats proposés, nous avons particulièrement aimé le curry Safari, le steak Safari, le steak d'espadon sauce poivre, les crevettes Safari, le poisson du jour grillé au feu de bois et le *bacalhau a Safari* (morue frite dans de l'huile d'olive, de l'ail et des poivrons, servie avec des frites maison). Il est d'usage de commencer le repas par un succulent bol de soupe de poissons. Le restaurant se trouve sur une falaise surplombant la plage et sa terrasse est protégée par des baies vitrées.

Titanic. Dans l'Edifício Colúmbia, rua Eng. Francisco Bivar. ∅ **282/42-23-71**. Réservation conseillée, surtout en été. Plats 1 600-2 800 ESC. CB. Tlj. 19 h-23 h. Fermé 27 nov.- 27 déc. *International.*

Situé dans un complexe résidentiel moderne et abondamment paré de dorures et de cristal, ce restaurant climatisé de 100 couverts est le plus élégant en ville. On y sert les mets les plus fins, parmi lesquels les crustacés et les plats flambés. Le poisson du jour, le porc aux champignons, les crevettes *à la plancha* (à la poêle), la fondue chinoise ou encore l'excellente sole de l'Algarve sauront vous combler. Le service est parfait.

PRAIA DOS TRÊS IRMÃOS

Harira/O Almofariz/Sale & Pepe. Dans l'Alvor Praia Hotel, Praia dos Três Irmãos. ∅ **282/45-89-00**. Réservation indispensable. Plats 2 000-3 500 ESC. CB. Harira mar.-sam. 19 h-23 h ; O Almofariz ven.-mer. 19 h-21 h 30 ; Sale & Pepe mar.-sam. 19 h-21 h 30. Fermé jeu. en été. *Marocain, portugais, italien.*

Aux fins de satisfaire l'évolution des goûts, cet hôtel a divisé son légendaire restaurant de grillades en trois restaurants. Le menu change quotidiennement, il est donc difficile de faire des recommandations, mais les chefs des trois restaurants préparent les meilleures spécialités de leurs pays respectifs avec des produits frais de première qualité. Le restaurant marocain, Harira, est connu pour ses couscous et ses plats d'agneau. L'italien, Sale & Pepe, offre de succulents plats de pâtes et de viandes. Le portugais, O Almofariz, propose des spécialités de tout le Portugal, mais celles de l'Algarve sont les meilleures. Le service est impeccable et les prix sont les mêmes dans les trois établissements.

Monchique :
une escapade au frais, dans les montagnes

La serra de Monchique est la partie de l'Algarve la plus élevée et la plus fraîche. La cime rocheuse de la chaîne, à quelque 902 m d'altitude, est entourée de pentes boisées et de vallées verdoyantes couvertes d'orangers, de maïs, de bruyère, de mimosa, de romarin, de laurier-rose, de chênes-lièges, de châtaigniers, de pins et d'eucalyptus. Des sources jaillissent de la roche volcanique et dévalent les pentes jusqu'à la vallée.

Les localités de Monchique sont réputées pour leur artisanat en bois travaillé : chaises, bancs, cannes décorées et cuillers. Les artisans fabriquent également des paniers en osier, des pulls et des bas en laine, ainsi que du macramé et de la dentelle en lin. L'extraction du charbon faisait aussi partie des activités traditionnelles de la région, mais elle est en passe de disparaître.

La plus grande localité, **Monchique**, se trouve sur le flanc est du pic de Fóia, à 25 km au nord de Portimão. Jadis, on y fabriquait des fûts et des tonneaux en bois ainsi que de l'étoupe et des étoffes rugueuses. Construite au XVIe siècle, l'église paroissiale de style manuélin est dotée d'un intéressant portail à colonnes torses. À l'intérieur, elle est ornée de carreaux décorés, de sculptures en bois et d'une statue de Notre Dame de l'Immaculée Conception, œuvre du XVIIIe siècle attribuée à Machado de Castro. Le couvent de Nossa Senhora do Desterro est en ruines mais on peut en admirer la curieuse fontaine carrelée et l'impressionnant magnolia.

Caldas de Monchique fut découverte à l'époque romaine et transformée en station thermale. Associées à l'air pur de la montagne, ses eaux ont toujours la réputation d'avoir des vertus thérapeutiques.

Niché dans les arbres et les montagnes à presque 13 km de Monchique, **Alferce** recèle des vestiges d'anciennes fortifications. Vous trouverez également au village un grand centre d'artisanat.

Dans la direction opposée, à environ 13 km à l'ouest de Monchique, le **pico da Fóia** culmine à 902 m ; c'est le point le plus haut de l'Algarve. De son sommet, on bénéficie d'un point de vue magnifique sur les collines et la mer, jusqu'à Cabo de São Vicente et Sagres les jours de bonne visibilité.

Dans la petite ville de Monchique, l'**Estalagem Abrigo de Montanha**, 8550 Monchique (⌀ **282/91-21-31**, fax 282/91-36-60), est au cœur d'un jardin botanique. Entouré de camélias en fleurs, de rhododendrons, de mimosas, de bananiers et d'arbousiers, sans parler des chutes d'eau clapotantes, on a du mal à croire qu'on est tout près du littoral torride de l'Algarve. L'auberge compte 13 chambres doubles et 2 suites. Toutes sont dotées de deux lits, d'une salle de bains, et meublées dans le style typique du Portugal. Il faut compter de 14 000 ESC (double) à 17 000 ESC (suite) la nuit, petit déjeuner compris. Lors des soirées fraîches, on peut se retrouver devant la cheminée au salon. L'agréable restaurant propose une bonne cuisine tous les jours de 12 h 30 à 15 h et de 19 h 30 à 21 h 30. Comptez à partir de 3 000 ESC pour un repas. Il est inutile de réserver. Les cartes bancaires sont acceptées.

Restaurante O Búzio. Aldeamento da Prainha, Praia dos Três Irmãos. ∅ 282/45-87-72. Réservation conseillée. Plats 2 500-4 000 ESC. CB. Tlj. 19 h-22 h 30. Fermé nov.-déc. *International.*

Restaurante O Búzio se trouve au bout d'une route qui fait le tour d'un complexe hôtelier parsemé d'appartements privés et de plantes exotiques. En été, il y a tant de voitures garées le long de l'étroite route que vous serez sûrement contraint de stationner près de l'entrée du complexe puis de descendre à pied jusqu'au restaurant. Le dîner est servi dans une salle dont les rideaux bleus rappellent l'océan miroitant au pied de la falaise. Goûtez à l'excellente soupe de poissons, au rafraîchissant *gazpacho* ou au *carre de borrego Serra de Estrêla* (gratin de carré d'agneau à l'ail, au beurre et à la moutarde). Les spécialités de pâtes italiennes sont également recommandées, ainsi que le poisson du jour à la vapeur ou grillé, le savoureux steak au poivre et les brochettes d'agneau accompagnées de riz parfumé au safran. Le restaurant compte 50 couverts à l'intérieur et presque autant sur la terrasse avec vue sur la mer. La cave est bien fournie.

ESTRADA DE ALVOR

O Gato. Urbanização da Quintinha, Lote 10-RC, estrada de Alvor. ∅ 282/42-76-74. Réservation conseillée. Plats 900-2 000 ESC. CB. Mar.-dim. 19 h-22 h. Empruntez la route principale jusqu'à Praia da Rocha ; 100 m après le premier carrefour, tournez à droite en direction d'Alvor. *Portugais, international.*

C'est l'un des meilleurs restaurants à l'extérieur de Portimão. Les habiles cuisiniers élaborent une gamme de plats de premier ordre tant dans leur préparation que dans les ingrédients choisis. Vous pourrez savourer de grands classiques tels que le porc aux palourdes, les côtes d'agneau grillées et l'espadon sauté sauce meunière. Les nombreux plats de poissons et de crustacés rencontrent également un grand succès. La jolie salle à manger est tout de murs blancs et de moulures en acajou.

PORCHES

O Leão de Porches. N25. ∅ 282/38-13-84. Réservation indispensable. Plats 1 700-2 900 ESC. CB. Jeu.-mar. 18 h 30-22 h. Fermé en janvier. De Lagoa, prenez la N25 vers Faro. *International.*

O Leão de Porches se trouve dans un petit village à 3 minutes de route de Lagoa. Le propriétaire, John Forbes, qui possédait un restaurant de réputation mondiale à Londres, est venu exercer ses compétences ici. Cette gastronomie primée compte notamment la *cataplana*, le canard rôti accompagné d'une sauce à l'orange et au Cointreau et le poisson du jour. Le porc sauté au beurre accompagné de groseilles et de pommes fini au cidre et à la crème est également recommandé. Vous pourrez aussi goûter à l'agneau sauté à l'ail et au persil, cuit au four avec des tomates et du vin rouge, surmonté de feuilles de menthe. Concluez par un irish coffee ou une glace maison.

Vie nocturne

Le centre-ville abrite une douzaine de *tascas* et de *bodegas*, mais vous préférez peut-être, comme beaucoup d'étrangers, les endroits nocturnes plus luxueux de Praia da Rocha. L'avenida Tomás Cabreira est bordée de nombreux bars et pubs ; le casino du complexe hôtelier (voir ci-dessous) s'y trouve également. Parmi les plus animés et étonnants, le **Disco Cathedral**, avenida Tomás Cabreira (∅ 282/41-45-57), et **Farmer's Bar**, rua do Mar (∅ 282/42-57-20), servent tous deux du vin, de la bière et des cocktails. Les fous de danse et les noctambules invétérés apprécient l'ambiance – changeante selon la nationalité qui domine – de **Disco Babylonia**, avenida Tomás Cabreira (℗ 282/41-68-38), et de sa concurrente toute proche, **Disco Horago**, avenida Tomás Cabreira (℗ 282/42-63-77). Ces deux endroits se réveillent après 23 h, tous les soirs en saison, et restent ouverts jusqu'au départ du dernier irréductible le lendemain matin.

Le **Casino Praia da Rocha** est installé dans le luxueux Hotel Algarve Casino 5 étoiles, avenida Tomás Cabreira (℗ 282/41-50-01). Les tables de jeu et machines à sous sont ouvertes tous les jours à partir de 16 h et elles ne ferment pas avant 3 h du matin. Le spectacle de cabaret y tient une place centrale avec ses nombreux danseurs tout de plumes et de paillettes vêtus, ses prestidigitateurs et son maître de cérémonie à l'humour parfois un peu lourd, destiné à un public international. Le dîner, servi à partir de 20 h, précède le spectacle et coûte 6 000 ESC. Si vous ne dînez pas, le droit d'entrée de 2 000 ESC inclut la première boisson. Le spectacle est à 22 h. Vous pourrez voir d'autres spectacles, concerts ou *fado*, qui viennent se glisser dans le régime presque constant de cabaret un peu « industriel ».

4. Silves

À 6,5 km au nord de Lagoa, 11 km au nord-est de Carvoeiro

Quand vous franchissez la porte mauresque de cette petite ville en flanc de colline, vous vous apercevez rapidement que Silves ne ressemble à aucune autre localité de l'Algarve. Elle semble toujours vivre à sa grande époque, du temps où elle s'appelait Xelb, pôle de la culture musulmane. Mais, les croisés et les tremblements de terre l'ébranlèrent sérieusement .

Au sommet de la colline, le château de Silves résiste toujours, même s'il a connu des jours meilleurs. Jadis, le sang des musulmans, dans leur dernière tentative de résistance, y « coula comme du vin rouge », écrivit un historien portugais. Et les pleurs et les hurlements des femmes et des enfants résonnaient par-dessus les murs. De nos jours, le seul bruit que vous êtes susceptible d'entendre est celui d'un rock bruyant provenant de la maison du gardien. Une excursion d'une journée suffit souvent pour visiter Silves si vous séjournez dans l'une des stations balnéaires du sud.

Informations pratiques

COMMENT S'Y RENDRE

En train Au départ de Faro, un service de trains dessert la gare de Silves à 1,5 km du centre-ville. Pour toute **information**, appelez le ℗ 089/80-17-26.

En autobus La gare routière se trouve sur la rua da Cruz de Palmeira ; Portimão et Silves sont reliées par un service quotidien de 8 autobus (durée du trajet : 45 minutes).

En voiture En venant de l'est ou de l'ouest sur la N125, l'artère principale qui traverse l'Algarve, vous arrivez à Lagoa (à ne pas confondre avec Lagos). Bifurquez vers le nord en direction de Silves sur la N124.

Explorer la ville

Le **Castelo dos Mouros** en grès rouge remonterait au IXe siècle. De ses remparts, vous avez une vue plongeante sur les toits de mousse jaune safran des maisons, les étroites rues pavées où vaquent les coqs et où les chiens décharnés dorment tranquillement sous les porches. À l'intérieur des murs, on a planté un jardin de chrysanthèmes dorés et de poinsettias écarlates. Dans la forteresse, l'eau coule à flots dans deux énormes citernes datant du Moyen Âge. Sous terre, des cachots et des tunnels labyrinthiques furent le dernier refuge des Maures, avant que les croisés les en délogent pour les mettre à mort. Le site est ouvert tous les jours de 9 h à 20 h (entrée gratuite).

Remontant au XIIIᵉ siècle, l'ancienne **cathédrale de Silves**, ou Sé (aujourd'hui une église), sur la rua de Sé, de style gothique, est l'un des plus remarquables monuments religieux de l'Algarve. Elle fut peut-être construite à l'emplacement d'une mosquée détruite lors de la prise de la ville. Promenez-vous sur ses bas-côtés et dans sa nef, vous ne manquerez pas d'en noter la beauté et la simplicité. Le chœur et le transept de style gothique flamboyant remontent tous deux à une période ultérieure. Bon nombre des tombeaux sont vraisemblablement ceux des croisées qui prirent la ville en 1244. L'église est ouverte tous les jours de 8 h 30 à 13 h et de 14 h 30 à 17 h 30, 18 h de juin à septembre. L'entrée est gratuite mais les dons sont appréciés.

Les plus beaux vestiges trouvés dans la région sont exposés au **Museu Arqueologia**, rua das Portas de Loulé (∅ 282/44-48-32), à une courte distance de la Sé. La pièce maîtresse du musée est un ancien puits-citerne arabe de 9 m de fond. L'entrée coûte 300 ESC. Le musée est ouvert du mardi au dimanche de 10 h à 19 h.

À la sortie de la ville, sur la route d'Enxerim près d'une orangeraie, un solitaire pavillon ouvert abrite un calvaire dentelé en pierre du XVᵉ siècle. Cette œuvre religieuse, la **Cruz de Portugal**, présente une pietà (le visage du Christ est détruit) sur une face, et le Christ en croix sur l'autre. Elle a été déclarée monument du patrimoine national.

Se restaurer

Ladeira. Ladeira de São Pedro. ∅ **282/44-28-70**. Plats 1 200-1 800 ESC ; menu touristique 1 600 ESC. CB. Lun.-sam. 12 h-15 h et 19 h-22 h. *Portugais.*

Ce petit restaurant campagnard est connu de presque tous les habitants du faubourg où il est installé. Le steak Ladeira et la *cataplana* aux poissons variés sont les deux meilleures spécialités ; on y propose également des poissons grillés et des plats régionaux. En saison, vous pourrez manger du gibier, par exemple une succulente perdrix ou un lapin. Si vous téléphonez au préalable, on vous indiquera comment vous rendre au restaurant.

Rui I. Rua Comendador Vilarim 27. ∅ **282/44-26-82**. Plats 1 000-5 000 ESC ; menu touristique 3 000 ESC. CB. Mer.-lun. 12 h-2 h du matin. *Portugais.*

Rui I se targue de pouvoir asseoir plus de clients que tous les autres restaurants de la localité. Les plats de poisson varient selon la pêche du jour. La spécialité de la maison, vivement recommandée, est le riz aux crustacés, un ragoût gorgé d'herbes aromatiques. Parmi les autres plats, le filet de bœuf grillé, le carré d'agneau relevé, l'espadon et toute une gamme de desserts traditionnels mettent l'eau à la bouche. Vous trouverez dans cet établissement une cuisine copieuse et bien préparée.

5. Albufeira

À 37 km à l'ouest de Faro, 324 km au sud-est de Lisbonne

Cet ancien village de pêcheurs accroché au sommet d'une falaise est le Saint-Tropez de l'Algarve. Son rythme nonchalant, le soleil et les plages en font une destination privilégiée des jeunes et des artistes, même si les anciens éprouvent toujours des sentiments mitigés vis-à-vis de cette invasion qui débuta à la fin des années 60. Albufeira est devenue la plus grande station balnéaire de la région. Les touristes trouvent parfois à se loger chez l'habitant et ceux dont le budget est plus modeste plantent souvent leur tente sur la falaise ou dorment à la belle étoile.

Informations pratiques

COMMENT S'Y RENDRE

En train Un service de trains relie Albufeira à Faro (voir ci-dessous), où des trains arrivent fréquemment de Lisbonne. Pour toute **information** sur les horaires, appelez le ∅ 289/80-17-26. La gare se trouve à 6,5 km du centre-ville. Des autobus relient la gare à la station balnéaire toutes les demi-heures (aller simple : 175 ESC).

En autobus Il y a des autobus toutes les heures entre Albufeira et Faro (durée du trajet : 1 h ; aller simple : 570 ESC). Un service quotidien de 7 autobus relie Portimão à Albufeira (durée du trajet : 1 h ; aller simple : 700 ESC). Pour toute **information** et pour obtenir les horaires, appelez le ∅ **289/58-97-55**.

En voiture Que vous veniez de l'est ou de l'ouest, empruntez la principale artère du littoral, la N125. Albufeira est également à proximité du point où la voie rapide venant du nord, la N264, descend dans l'Algarve. La ville est bien indiquée. Prenez la N595 jusqu'à Albufeira et la mer.

INFORMATIONS TOURISTIQUES

L'office de tourisme se trouve sur la rua do 5 de Outubro (∅ **289/58-52-79**).

Visites et activités

EXPLORER LA VILLE

Avec ses rues pentues et ses villas en flanc de falaise, Albufeira ressemble à une agglomération côtière d'Afrique du Nord. Cette ville touristique animée s'élève au-dessus d'une plage ensoleillée en forme de faucille. Un promontoire rocheux criblé de cavernes sépare la langue de plage fréquentée par les baigneurs de celle où les pêcheurs remontent leur embarcation aux couleurs vives sur la terre ferme. On accède à la plage par un passage taillé dans la roche.

Une fois que vous aurez arpenté les rues souvent chaudes mais pittoresques d'Albufeira, vous pouvez vous rafraîchir à **Zoo Marine**, N125, Guia (∅ 289/56-11-04), à 6,5 km au nord-ouest. C'est un parc aquatique avec des attractions, des piscines, des jardins et même des spectacles d'otaries et de dauphins. Il est ouvert tous les jours de 10 h à 20 h.

ACTIVITÉS DE PLEIN AIR

Plages

Certaines des meilleures plages, mais aussi des plus encombrées, se trouvent à proximité d'Albufeira. Ce sont **Falesia**, **Olhos d'Agua** et **Praia da Oura**. Découverte par les Anglais, Albufeira est devenue la station balnéaire la plus touristique de l'Algarve. Si vous souhaitez éviter les foules, prenez une route secondaire vers l'ouest sur 4 km jusqu'à **São Rafael** et **Praia da Galé**. En allant vers l'est, vous trouverez la plage d'**Olhos d'Agua**.

Golf

Selon de nombreux professionnels, le terrain extrêmement bien entretenu de **Pine Cliffs**, Pinhal do Concelho, 8200 Albufeira (∅ **289/50-01-00**) est relaxant mais pas ennuyeux. Ouvert en 1990, il ne compte que 9 trous éparpillés sur une zone assez dense. C'est son association avec le Sheraton Algarve qui fait le principal attrait de ce parcours. Ses *fairways* s'étendent le long de falaises dorées qui, 75 mètres plus bas, abritent une plage de sable fin. C'est un terrain de par 33. Les *green fees* sont de 6 000 ESC pour les clients du Sheraton et de 7 000 ESC pour les autres golfeurs. Le parcours se trouve à 6,5 km à l'ouest de Vilamoura et à 5 km à l'est d'Albufeira. D'Albufeira, suivez les panneaux indiquant Olhof Agua, où d'autres vous indiqueront la direction du Sheraton et de Pine Cliffs.

SHOPPING

Comme c'est l'une des plus grandes stations touristiques de l'Algarve, Albufeira compte une quantité impressionnante de stands en bord de mer, parmi lesquels bon nombre vendent des babioles de plage. Les principales zones commerçantes se situent le long de la **rua do 5 de Outubro** et sur la **praça Duarte de Pacheco**. Situé à 400 m du centre, le plus grand centre commercial de la ville, le **Modelo Shopping Center**, rua de Município, renferme une quantité de marchandises encore plus impressionnante. La plupart des magasins sont ouverts tous les jours de 10 h à 22 h. Albufeira ne produit pas beaucoup de céramique mais vous trouverez une vaste gamme de poteries et d'articles émaillés en terre cuite de toutes les régions du Portugal à l'**Infante Dom Henrique House**, rua Cândido do Reis 30 (∅ **289/51-32-67**). Le magasin propose aussi des paniers en osier et des sculptures sur bois.

Se loger

Ce n'est pas l'hébergement qui manque ici. Toutefois, les tarifs sont assez élevés.

PRIX ÉLEVÉS

Clube Mediterraneo de Balaia. Praia Maria Luisa, 8200 Albufeira. ∅ **289/51-05-00** Fax 289/58-71-79. 412 chambres. TV CLIM. Tél. Double par nuit et par chambre 12 200-29 700 ESC ; double par personne et par semaine 85 400-210 000 ESC. Pension complète et utilisation de la majorité des installations sportives comprises. Moins de 13 ans 17 800 ESC dans la chambre de leurs parents. CB.

Situé à 6,5 km d'Albufeira dans un domaine de 16 hectares de brousse baignée de soleil, ce complexe hôtelier tous frais compris fait partie des plus stables de l'empire Club Med. Fréquenté par des Européens du Nord, il comprend tout un littoral de criques idéales pour se baigner. Les petites chambres, avec balcon ou terrasse, sont équipées de lits jumeaux et de deux coffres. Elles sont décorées dans un style sobre et discret. Les vacanciers en apprécient la proximité du terrain de golf ; d'autres préfèrent s'adonner aux activités sportives organisées. On prend généralement ses repas à des tables communes ; de nombreux buffets sont servis au déjeuner, accompagnés de quantités copieuses de vin de la région. **Restauration/distractions** : le complexe possède 5 restaurants, plusieurs bars, une discothèque et des spectacles sont parfois organisés par le personnel ; des groupes de *fado* ou de musique traditionnelle s'y produisent aussi. **Services** : blanchisserie, baby-sitting, terrain de golf 9 trous, terrain de golf 18 trous à proximité, plage privée, club de remise en forme, sauna, piscine chauffée. Le magasin de sports organise des activités (ski nautique, ball-trap, planche à voile, tir à l'arc).

Hotel Montechoro. Rua Alexandre O'Neill (Apdo. 928), 8200 Albufeira. ∅ **089/58-94-23** Fax 289/58-99-47. Mél : reservas@grupomontechoro.com. 362 chambres. TV CLIM. Tél. Double 14 600-29 800 ESC ; suite 21 800-44 500 ESC. Petit déjeuner (buffet) compris. CB. Stationnement 250 ESC.

Premier choix parmi les hôtels de Montechoro à 3 km au nord-est du centre d'Albufeira, cet établissement semble venir tout droit d'Afrique du Nord. C'est un complexe 4 étoiles entièrement équipé, doté de toutes les prestations et dont les installations sont si vastes qu'on pourrait s'y perdre ; la seule chose qui lui manque est une plage. Les chambres spacieuses avec vue sur la campagne sont généralement de style moderne et dotées d'une literie excellente. **Restauration/distractions** : vous avez le choix entre le Restaurant Montechoro et le Grill das Amendoeiras situé sur le toit. Le soir, on se retrouve au piano-bar Almohade. **Services** : room service 24 h/24, blanchisserie, nettoyage à sec, 2 piscines, courts de tennis de compétition, 2 terrains de squash, sauna, gymnase.

Petits prix

Apartamentos Albufeira Jardim. Cerro da Piedade, 8200 Albufeira. ⌀ **289/58-69-78** Fax 289/58-69-77. 460 appartements. Tél. Deux pièces pour 4 personnes 28 000 ESC ; 3 pièces pour 6 personnes 40 000 ESC. CB. Stationnement gratuit.

Cet établissement est surtout fréquenté par des Européens du Nord, des Espagnols et des Américains venus faire une halte avant de reprendre leur visite de l'Algarve. Situé sur une colline surplombant Albufeira, il ouvrit ses portes dans les années 1970 sous le nom de Jardim I. À la fin des années 1980, on y ajouta une deuxième section, Jardim II, située à 5 minutes à pied. La partie la plus ancienne est plus vaste et elle abrite des jardins plus luxuriants. Les appartements spacieux joliment meublés se trouvent dans des bâtiments de 4 et de 5 étages. Chacun est doté d'un balcon qui donne sur l'océan au loin et la ville. **Restauration** : les clients se préparent habituellement le petit déjeuner (non compris) dans leur appartement. Jardim I et Jardim II se partagent 2 restaurants et 2 coffee shops. **Services** : blanchisserie, baby-sitting, 3 courts de tennis et 5 piscines (dont 2 petits bains). Une navette dessert fréquemment la plage située à 10 minutes de là.

Aparthotel Auramar. Praia dos Aveiros, Areias de São Albufeira, 8200 Albufeira. ⌀ **289/58-76-07** Fax 289/51-33-27. 287 chambres. CLIM. Tél. Double 12 000-18 000 ESC. Lit supplémentaire 3 000 ESC. Petit déjeuner compris. CB. Stationnement gratuit.

Situé à 1,5 km du centre-ville, l'un des plus grands hôtels de la station est installé dans de vastes jardins sur une petite falaise surplombant une plage de sable. Construit en 1974, il ressemble à un ensemble de forteresses tournées vers l'océan. Le complexe est composé de quatre édifices de 3, 4 et 5 étages séparés par des espaces verts. Les chambres possèdent une kitchenette indépendante, idéale pour ceux qui n'ont pas toujours envie de sortir, un living équipé, une terrasse ou un balcon, ainsi qu'une excellente literie. **Restauration/distractions** : l'hôtel possède un snack-bar et un bar de nuit. Le restaurant du bâtiment principal propose un buffet gastronomique portugais et international. Des spectacles sont proposés tous les soirs. **Services** : située près de la falaise, la formidable aire de loisirs compte notamment la meilleure piscine des environs, un petit bain, 2 courts de tennis et une librairie. Il existe un service de location de véhicules.

Estalagem do Cerro. Rua Samora Barros, 8200 Albufeira. ⌀ et fax **089/58-61-91**. 95 chambres. TV CLIM. Tél. Double 12 000-16 000 ESC. CB. Stationnement gratuit mais limité dans la rue.

Construit en 1964, l'Estalagem do Cerro a su reproduire le charme typique de l'Algarve sans faire de compromis sur les prestations. Cette « Auberge de la colline escarpée » coiffe une colline qui surplombe la baie d'Albufeira, à 10 minutes à pied de la plage. L'édifice de style régional ancien et la structure plus moderne partagent un style d'inspiration mauresque. Les chambres de taille moyenne meublées avec goût possèdent une véranda d'où l'on peut admirer la mer, la piscine ou les jardins. **Restauration/distractions** : une salle de restaurant panoramique climatisée propose de savoureux plats régionaux ainsi que des spécialités internationales. Pour l'apéritif ou pour le digestif, les clients se retrouvent dans un bar moderne ou le patio. Presque tous les soirs, on peut danser sur de la musique disco et du *fado*. Des spectacles folkloriques sont également organisés. **Services** : room service, baby-sitting, blanchisserie, salon de coiffure, sauna, massages, solarium, jacuzzi, hammam, gymnase entièrement équipé, coffee shop. Le jardin de l'auberge abrite une piscine découverte chauffée dotée de son propre bar.

Hotel Boa-Vista. Rua Samora Barros 6, 8200 Albufeira. ⌀ **289/58-91-75** Fax 289/58-91-80. Mél : hbelver@mail.telepac.pt. 89 chambres. TV CLIM. Tél. Double 17 500-28 000 ESC. Petit déjeuner compris. CB. Stationnement gratuit mais limité dans la rue.

Situé à l'extérieur du centre-ville, l'« hôtel belle vue », au style typique de l'Algarve, domine la mer. Il offre deux types d'hébergement : dans le bâtiment principal aux nombreuses prestations, et dans un édifice bien équipé mais quelque peu austère de l'autre côté de la rue. Les chambres avec balcon ont vue sur les petites maisons aux toits de tuiles orange de la baie. Le mobilier traditionnel en osier est assorti aux tapis et aux carreaux de céramique ; les salles de bains sont gris et blanc rehaussées de marbre. **Restauration/distractions** : deux restaurants proposent une gastronomie internationale. À noter plus particulièrement le Restaurante Panorámico, restaurant-grill-bar avec vue sur la baie. Un petit orchestre y joue trois soirs par semaine. **Services** : room service 24 h/24, blanchisserie, sauna, piscine découverte.

Hotel Rocamar. Largo Jacinto d'Ayet, 8200 Albufeira. ⌀ **089/58-69-90** Fax 089/58-69-98. 91 chambres. CLIM. Tél. Double 8 500-17 000 ESC. Petit déjeuner compris. CB. Stationnement gratuit mais limité dans la rue.

Situé à 5 minutes à pied des attractions de la ville, cet hôtel ressemble à une version moderne du château mauresque. Il fut construit en 1974 puis agrandi en 1991. Il se dresse du haut de ses six étages au-dessus de falaises ocre dont les pentes dévalent jusqu'aux plages les plus attirantes de l'Algarve. Bon nombre des chambres, notamment toutes celles avec balcon, bénéficient d'une très jolie vue. Si elles sont simples, elles n'en sont pas moins ensoleillées et confortables (la literie est ferme). **Restauration** : une cuisine traditionnelle élaborée est servie dans la salle à manger de style ibérique. Le bar est agréable. **Services** : room service, blanchisserie, baby-sitting.

Hotel Sol e Mar. Rua Bernardino de Sousa, 8200 Albufeira. ⌀ **289/58-00-80** Fax 289/58-70-36. 74 chambres. TV CLIM. Minibar Tél. Double 18 000 ESC. CB.

L'Hotel Sol e Mar est merveilleusement situé en plein cœur d'Albufeira au-dessus de la plage. Il a été construit en 1969 puis agrandi en 1975. Située sur la partie supérieure de la falaise, l'entrée sur deux étages est surprenante : après avoir traversé de spacieux salons baignés de soleil jusqu'à parvenir aux grandes baies vitrées donnant sur le flanc de la falaise, on est au sixième étage. Des chambres de taille moyenne et une vaste terrasse en pierre équipée de mobilier de jardin et de parasols bordent la falaise. Elles sont toutes dotées de beaux lits en bois, de tableaux représentant des paysages marins, de fauteuils aux lignes aérodynamiques, de grands placards et d'un balcon. Pour la baignade, vous aurez le choix entre la plage de sable en contrebas et la piscine couverte chauffée. **Restauration/distractions** : les repas sont servis dans une salle à manger installée sur deux niveaux. Face au restaurant, on trouve un salon-bar, une salle pour jouer aux cartes et une salle de télévision. Les concerts d'orgue électrique se prolongent souvent bien au-delà de minuit. Durant la journée, on accède en ascenseur jusqu'à la terrasse du niveau inférieur pour se baigner ou prendre des bains de soleil. L'Esplanade Café, de style taverne portugaise, s'y trouve également. **Services** : room service, blanchisserie, baby-sitting.

Mar a Vista. Cerro da Piedade, 8200 Albufeira. ⌀ **289/58-63-54** Fax 289/58-63-55. 42 chambres. TV Minibar Tél. Double 9 500 ESC. Petit déjeuner compris. CB. Fermé nov.-avr. Stationnement gratuit.

L'édifice principal de cette auberge de première catégorie, construite dans le style insipide des années 1960, abrite des chambres, un bar et la salle de petit déjeuner. Un second bâtiment contient quatre chambres. La plupart sont dotées d'un balcon et décorées de gravures originales. Le mobilier n'est pas somptueux mais il est confortable (la literie est ferme). La salle du petit déjeuner perchée sur le toit est décorée dans un style provincial, avec des lambris de bois clairs. Le jardin enclos de l'hôtel est bien entretenu et le stationnement est aisé. L'auberge domine la station, dont vous pourrez admirer les toits. **Services** : room service, blanchisserie, baby-sitting.

Villa Recife. Rua Miguel Bombarda 6, 8200 Albufeira. ⌀ **289/58-67-47** Fax 289/58-71-82. 92 chambres. Double 12 000 ESC. Petit déjeuner compris. CB. Stationnement gratuit dans la rue.

En plein cœur de la ville, la Villa Recife loue des chambres ou des appartements deux pièces avec kitchenette. C'est une ancienne villa privée datant des années 1920. La villa d'origine abrite environ 20 chambres, les autres se trouvant dans une aile arrière plus récente. Tous les appartements deux pièces ont un minuscule balcon. Les palmiers et bougainvillées plantés par les premiers propriétaires encadrent l'entrée aux murs carrelés de bleu, blanc et jaune. Presque tous les vendredis, un orchestre anime la soirée sur une estrade à l'avant du jardin, où se trouvent également une piscine découverte et un bar installé sur une terrasse, ouvert de 15 h à minuit. Un service de blanchisserie est disponible.

Se loger dans les environs

PRAIA DA FALÉSIA

✪ **Sheraton Algarve.** Praia da Falésia, Pilhal do Concelho, 8200 Albufeira. ⌀ **289/50-01-00** Fax 289/50-19-50. www.luxurycollection.com. Mél : sheraton_algarve@sheraton.com. 215 chambres. TV CLIM. Minibar Tél. Double 40 000-68 000 ESC ; suite 85 000-140 000 ESC. Petit déjeuner compris. CB. Stationnement gratuit.

Inauguré en 1992, ce complexe 5 étoiles aux équipements très complet, situé à 8 km d'Albufeira et dessiné pour se fondre harmonieusement dans le paysage en bord d'océan, est agencé comme un village de l'Algarve. Ses édifices, au sein d'un jardin de plantes subtropicales parsemé de bosquets de pins, ne dépassent pas 3 étages. De taille moyenne à grande, les chambres donnent sur le domaine, le jardin ou la mer. Elles sont toutes pourvues d'un mobilier luxueux, d'une literie de qualité et d'une salle de bains ultramoderne. **Restauration/distractions** : le principal restaurant, l'Alem Mar, se spécialise dans la cuisine portugaise et les fruits de mer. Toute la journée, le beach club propose des sandwichs, des salades et des assiettes composées. L'un des quelques bars cachés de l'hôtel, Jardim Colonial, accueille un trio de musiciens certains soirs. Le restaurant de l'hôtel a récemment été transformé en boîte de nuit, le Nightclub Portulano, où l'on peut écouter de la musique live presque tous les soirs. **Services** : room service 24 h/24, concierge, blanchisserie, massages, salon de coiffure, coiffeur pour hommes, service de courrier, piscines couverte et découverte, accès direct à la plage, club de remise en forme sur place, terrain de golf 9 trous (le Pine Cliffs ; voir « Activités de plein air », ci-dessus), 3 courts de tennis éclairés.

PRAIA DA GALÉ

✪ Hotel Villa Joya. Praia da Galé (Apdo. Postal 120), 8200 Albufeira. ∅ **289/59-17-95** Fax 289/59-12-01. 17 chambres. Minibar Tél. Double 66 000-80 000 ESC ; suite à partir de 150 000 ESC. Demi-pension comprise. CB. Fermé 5 jan.-1er mars, 10 nov.-20 déc. Stationnement gratuit.

Bâtie dans les années 1970, cette ancienne villa privée de style marocain fut transformée dans les années 1980 pour devenir l'auberge la plus luxueuse et la plus intime de l'Algarve. Très apprécié par les Allemands (Willy Brandt y séjourna peu avant sa mort), l'Hotel Villa Joya se trouve dans un quartier résidentiel de villas à 14 km d'Albufeira, mais on pourrait facilement se croire en pleine campagne en se promenant dans les grands jardins. On accède à la plage par un petit chemin. Chaque chambre, de taille moyenne, a vue sur la mer et est munie d'un lecteur de CD (on peut vous fournir un téléviseur sur demande). **Restauration/distractions** : le restaurant propose des plats élégamment présentés qui s'inspirent principalement des gastronomies française, allemande et portugaise. On peut s'y restaurer sans être client de l'hôtel (téléphoner à l'avance pour vérifier qu'il reste des tables disponibles). Il est ouvert tous les jours de 13 h à 15 h et de 19 h 30 à 21 h (dernière commande). L'hôtel compte aussi un bar. **Services** : room service, concierge, blanchisserie, piscine découverte chauffée, courts de tennis à proximité.

Se restaurer

PRIX ÉLEVÉS

✪ Cabaz da Praia. Praça Miguel Bombarda 7. ∅ **289/51-21-37**. Réservation conseillée. Plats 2 400-5 800 ESC. CB. Ven.-mer. 12 h-14 h et 19 h-22 h 30. *Français, portugais.*

Ouvert depuis plus de 20 ans, le « Sac de plage » est installé sur une pittoresque petite place près de l'Hotel Sol e Mar et de l'église São Sebastião, dans une ancienne maison de pêcheurs. L'ambiance est accueillante et l'on y mange bien. Sa grande terrasse abritée donne sur la principale plage d'Albufeira. Les plats, très réussis, comme le cassoulet de fruits de mer, la salade océane, la lotte et sa sauce à la mangue et le filet de bœuf sauce ail et vin blanc, sont accompagnés de légumes du jour. Le restaurant est réputé pour sa tarte au citron meringuée et ses soufflés.

PRIX MOYENS

A Ruína. Cais Herculano. ∅ **289/51-20-94**. Réservation conseillée. Plats 2 000-5 000 ESC. CB. Tlj. 12 h 30-15 h et 19 h-23 h. *Portugais.*

Surplombant la plage principale, A Ruína fait face au marché aux poissons. On aperçoit les pêcheurs qui recousent leurs filets depuis la longue table éclairée à la chandelle de la salle à manger voûtée. Une autre salle, évoquant une caverne, accueille d'autres tables et un bar. La décoration est sans prétention. Les fruits de mer sont frais et assez bon marché. Pour vous mettre en appétit, prenez un bol de soupe goûteuse, puis commandez l'une des spécialités de poissons comme le thon grillé. L'excellent ragoût de poisson, la *caldeirada*, est la spécialité du chef. En dessert, on choisit habituellement une crème ou une mousse.

Alfredo. Rua do 5 de Outubro 9-11. ∅ **289/51-20-59**. Réservation indispensable. Plats 1 000-2 200 ESC. CB. Tlj. 12 h-22 h 30. *Portugais, italien.*

À une minute de la place du marché, Alfredo est installé dans un édifice construit depuis un siècle, très pittoresque avec ses tables et ses chaises en bois brut qui invitent à siroter tranquillement un verre. Au 2e étage, les simples tables en bois du restaurant sont posées à même le sol dallé de marbre et surplombées d'un plafond à poutres apparentes. Les gros ventilateurs qui y sont accrochés soufflent une brise rafraîchissante et la cuisine qu'on aperçoit offre tout le divertissement que peuvent souhaiter les clients. Le repas de spécialités régionales peut se composer d'une salade de thon, de palourdes *cataplana*, de brème ou de l'espadon, d'un tournedos aux champignons ou d'un steak à la portugaise. La cuvée du patron, le Portas do Sado, est aussi proposée au verre.

La Cigale. Olhos d'Agua. ∅ **289/50-16-37**. Réservation indispensable. Plats 1 600-3 000 ESC ; déjeuner à partir de 1 200 ESC. CB. Tlj. 12 h-15 h et 19 h-23 h. *Portugais, français.*

Située à 7 km d'Albufeira en bord de plage, La Cigale bénéficie d'une terrasse qui en fait un lieu particulièrement romantique le soir. C'est une vraie carte postale de la côte ensoleillée de l'Europe méridionale et la cuisine est aussi délcicieuse que l'atmosphère. La carte des vins est à la hauteur de l'impressionnant menu. Parmi les spécialités, on notera les palourdes à la Cigale, le riz aux crustacés, le steak au poivre, le bar, ainsi qu'une sélection quotidienne de poissons du jour. Le personnel est aimable et efficace.

O Montinho do Campo. Estrada dos Caliços, Montechoro. ∅ **289/54-19-59**. Réservation conseillée en août. Buffet à volonté 3 300 ESC. CB. Mar.-sam. 20 h-4 h du matin. *Brésilien.*

Situé à 3 km au nord du centre commercial de la ville, O Montinho do Campo est installé dans une *quinta* (ferme) aux murs blancs centenaire. C'est l'un des restaurants les plus en vogue, les plus exotiques et les plus animés d'Albufeira. Si l'on peut dîner à l'intérieur dans une ambiance « rustique luxueuse », on se presse surtout sur la terrasse qui donne sur des roseraies enveloppées de bougainvillées descendant jusqu'à la mer. Manger ici vous changera de la cuisine portugaise traditionnelle. Seul plat au menu, le *rodizio* brésilien. On vous apporte une assiette de 10 à 12 viandes différentes accompagnées de riz et de bananes frites. Le buffet à volonté comprend les boissons et propose de 10 à 15 salades différentes. Le service commence tard pour que les clients puissent apprécier les groupes de musique brésilienne qui viennent le jeudi, le vendredi et le samedi de 23 h à 4 h du matin.

PETITS PRIX

Fernando. Dans l'Hotel Sol e Mar, rua Bernardino de Sousa. ∅ **289/51-21-16**. Plats 1 200-1 800 ESC. CB. Tlj. 12 h-24 h. *Portugais.*

Sur sa grande terrasse et dans son agréable salle à manger, Fernando propose des repas alléchants à petits prix. Le poisson du jour y est toujours bon. Vous pourrez toujours compter sur une bonne soupe, habituellement au poisson. Et si vous faites une indigestion de poissons, le cuisinier vous préparera un steak tout simple ou une spécialité portugaise comme le porc aux palourdes. Le restaurant offre également de tentantes brochettes variées. Les desserts sont classiques.

Vie nocturne

On s'amuse bien dans cette station balnéaire où le vin coule à flots et où, à force de les fréquenter, on finit par trouver son bar préféré caché dans un recoin. Pour donner le ton, pourquoi ne pas commencer au **Falan Bar**, rua São Gonçalo de Lagos (pas de tél.), ou au **Fastnet Bar** à proximité, rua Cândido dos Reis 5 (∅ 289/58-91-16), où nul ne s'offusquera si vous confondez bondir et danser. À quelques échoppes de là, le **Classic Bar**, rua Cândido dos Reis 8 (∅ 289/51-20-73), est un établissement bon enfant au décor patiné et sans prétention. Vous dansez ? Kiss, Montechoro (∅ 289/51-56-39), qui attire tous les soirs, de 23 h à 6 h du matin, les danseurs les plus dynamiques, et **Silvia's Disco**, rua São Gonçalo de Lagos (∅ 289/58-85-74), sont les plus branchés.

6. Quarteira

À 22 km à l'ouest de Faro, 306 km au sud-est de Lisbonne

Ce village de pêcheurs jadis assoupi, situé entre Albufeira et Faro, n'était connu que de quelques artistes qui faisaient le divertissement des habitants du coin. Aujourd'hui, l'invasion des visiteurs en a transformé le mode de vie traditionnel. Une jungle de grands immeubles a englouti Quarteira, métamorphosé en station animée de taille disproportionnée. Elle compte l'une des plus grandes plages de l'Algarve, son grand atout. En été, les nombreux vacanciers du Portugal et d'autres pays européens qui y séjournent procurent à la localité un dynamisme économique bienvenu.

Les golfeurs qui ne souhaitent pas payer le prix fort au Vale do Lobo ou au Vilamoura (tous deux 18 trous) peuvent séjourner à Quarteira dans un établissement bon marché (voir « Se loger », ci-dessous). Les terrains sont seulement à une dizaine de minutes en voiture de là et Quarteira est à 11 km de l'aéroport de Faro.

La plus forte concentration d'hôtels et de restaurants de qualité ne se trouve pas à Quarteira ni même à Praia de Quarteira, mais dans la localité de Vilamoura, à l'ouest de Quarteira. Toute la journée, un service fréquent d'autobus relie Quarteira à Vilamoura. Point central sur la côte de l'Algarve à seulement 17 km de l'aéroport de Faro, **Vilamoura** est une vaste zone en cours d'aménagement, la plus vaste « urbanisation » touristique privée d'Europe. Il est prévu d'en faire une ville de taille supérieure à Faro dotée d'un lac artificiel relié à la baie et à l'océan par deux canaux. Un port de plaisance peut déjà accueillir 1 000 bateaux. Vilamoura regorge désormais de « villages de vacances » et de complexes résidentiels.

Informations pratiques

COMMENT S'Y RENDRE

En autobus Si vous voyagez par les transports publics, prenez l'avion, l'autobus ou le train de Lisbonne à Faro (voir « Faro » p. 244), puis empruntez l'un des autobus qui assurent fréquemment la liaison entre Faro et Quarteira.

En voiture Au départ d'Albufeira, allez vers l'est sur la N125 ; de Faro, allez vers l'ouest sur la N125. Des panneaux indiquent la route secondaire qui mène à Quarteira, ville qui servira de base pour explorer les grands centres touristiques de Praia de Quarteira et de Vilamoura.

INFORMATIONS TOURISTIQUES

L'**office de tourisme** se trouve dans l'Edificio Boa Vista, Loja C, avenida Mota Pinto (✆ 289/38-92-09).

Activités de plein air

Le sport constitue une activité de premier plan. Il existe des terrains de golf 18 trous, des courts de tennis, un centre d'équitation et des installations pour pratiquer les sports nautiques et la navigation de plaisance. La station compte également des magasins, des restaurants et des bars qui agrémenteront votre séjour.

NAVIGATION DE PLAISANCE

Des ports de plaisance ont été aménagés dans pratiquement toutes les criques navigables du littoral ; la plupart louent quelques voiliers ou canots automobiles avec ou sans skipper à des marins compétents. Pour louer une embarcation, il est nécessaire de produire un certificat délivré par un club de voile ou un yacht club attestant de vos compétences. Dans le port de plaisance de 100 emplacements de Vilamoura, **Algariate**, 8125 Quarteira (✆ 289/38-99-33), affrète des bateaux de plaisance. Fondé en 1993, c'est l'un des plus grands affréteurs de yachts et de canots automobiles de l'Algarve. On peut y louer des yachts jusqu'à 12 mètres de long, avec ou sans skipper. Les voiliers les plus longs font 13,5 mètres. Il faut compter, sans équipage, de 350 000 à 950 000 ESC la semaine selon la longueur du bateau et la saison. Les canots automobiles font jusqu'à 13,7 mètres de long et coûtent de 600 000 à 1 000 000 ESC la semaine, sans équipage. Vilamoura sert souvent de point de départ pour Madère, l'Afrique du Nord ou le littoral sud de l'Espagne. Si vous préférez confier la responsabilité de la navigation à un tiers, vous pouvez faire une excursion de 3 heures jusqu'à Albufeira et Portimão sur le *Condor de Vilamoura* qui part du port de plaisance de Vilamoura Marina au moins une fois par jour (davantage en cas d'affluence) pour 6 000 ESC par personne.

GOLF

Vila Sol, Alto do Semino, Vilamoura, 8125 Quarteira (✆ 289/30-05-05), possède les meilleurs *fairways* et les profils les plus audacieux et les plus inventifs de tous les terrains de l'Algarve. Dessiné par l'architecte anglais Donald Steel, il a ouvert en 1991 dans un domaine résidentiel de 145 hectares. Steele a pris soin de laisser les contours naturels du terrain définir la configuration des *fairways* et des *greens* impeccables. Ce parcours récent a déjà accueilli à deux reprises l'Open du Portugal (en 1992 et 1993). Les golfeurs ne tarissent pas d'éloges sur la configuration des trous 6, 8 et 14 avec bassins, lits de rivières et pinèdes disposés dans un ordre éprouvant pour les nerfs du joueur. C'est un terrain de par 72. Les *green fees* vont de 9 000 à 15 000 ESC. De Quarteira, dirigez-vous vers l'est sur 5 km en suivant les panneaux pour Estrada Nacional 125, puis bifurquez quand vous verrez les panneaux indiquant Vila Sol.

Vilamoura compte trois terrains connus, chacun doté d'un club house, qui sont gérés par les mêmes investisseurs. Ils se trouvent à 4 km à l'est de Quarteira et sont bien indiqués par des panneaux en centre-ville. Les résidents de 5 hôtels proches bénéficient de réductions sur les *green fees*, calculées en fonction d'un barème variable et compliqué... Parmi les trois terrains de golf de Vilamoura, le **Vilamoura Old Course**, parfois appelé Vilamoura I (✆ 289/31-03-43 pour toute information) est le plus célèbre et le plus recherché. Il a été conçu en 1969 par l'architecte anglais réputé Frank Pennink, bien avant que les goûts américains en matière de golf ne viennent influencer le Portugal. Dans sa conception et sa texture, c'est le plus anglais des terrains de golf de la partie méridionale du Portugal et on le cite invariablement pour sa beauté, sa luxuriance et la maturité de ses arbres et de ses massifs d'arbustes. Si certains trous sont particulièrement difficiles (quatre sont de par 5), c'est néanmoins l'un des terrains constamment bondés de l'Algarve. Il est de par 73 et les *green fees* coûtent 18 000 ESC.

Adjacents au parcours le plus ancien se trouvent deux terrains plus récents mais moins appréciés de par 72 qui offrent un jeu stimulant à qui préfère un relief différent. Il s'agit du **Pinhal Golf Course**, également appelé Vilamoura II (✆ 289/32-15-62), qui fut inauguré au début des années 1970. L'emplacement des nombreuses petites pinèdes constitue son signe distinctif. Il faut compter de 5 250 à 10 500 ESC en fonction de la saison et de l'heure. Enfin, le plus nouveau des trois terrains est le **Laguna Golf Course**, ou Vilamoura III (✆ 289/31-01-80). Connu pour son labyrinthe de pièges d'eau et de lacs, il a ouvert à la fin des années 1980. Les *green fees* varient entre 5 250 et 8 500 ESC en fonction de la saison et de l'heure (moins cher à l'heure du déjeuner qu'en début de matinée).

TENNIS

L'influence anglaise sur le sud du Portugal est si forte qu'aucune station qui se respecte n'oserait se passer d'un court de tennis. Le **Vilamoura Tennis Centre** (∅ 289/31-21-25) en compte 12. Ils sont ouverts à tout joueur adéquatement vêtu au prix de 1 200 ESC l'heure.

Se loger

Vilamoura est plus agréable que Praia de Quarteira, dont les établissements hôteliers, moins attrayants, se remplissent souvent de groupes.

PRAIA DE QUARTEIRA

Atis Hotel. Av. Francisco Sá Carneiro, 8125 Quarteira. ∅ 289/38-97-71 Fax 289/38-97-74. 98 chambres. TV CLIM. Tél. Double 14 100 ESC ; suite 17 000 ESC. Petit déjeuner compris. CB.

Cette rue est bordée de tant de grands immeubles qu'on se croirait à New York, heureusement, bon nombre des chambres simples dotées de balcons de l'Atis Hotel donnent sur la plage toute proche. Elles sont petites mais confortables avec un ameublement standard et une literie ferme. La minuscule piscine découverte n'est isolée du trottoir que par une clôture. **Restauration** : une cafétéria, un restaurant, un bar décoré de lambris sombres et un bar-salle de télévision occupent le rez-de-chaussée. **Services** : room service, blanchisserie, baby-sitting.

Hotel Dom José. Av. Infante do Sagres, 8125 Quarteira. ∅ 289/30-27-50 Fax 289/30-27-55. Mél : hoteldomjose@mail.telepac.pt. 146 chambres. TV CLIM. Tél. Double 8 650-17 350 ESC. Petit déjeuner compris. CB. Stationnement 1 000 ESC.

Il arrive que l'Hotel Dom José (8 étages en son point le plus élevé) affiche complet, souvent à cause des vacanciers britanniques qui trouvent ses prestations bien supérieures à ce que laissent supposer ses 3 étoiles.Les chambres doubles sont petites et simples mais confortablement meublées. Un muret sépare la piscine de la promenade en bordure du port. Tous les soirs, les salons climatisés avec vue sur la mer se remplissent de clients venus prendre un verre sur fond de musique live. **Restauration** : des salades et des sandwichs vous seront proposés dans la salle de télévision grand écran. L'hôtel abrite également un restaurant avec vue sur la mer.

VILAMOURA

Prix élevés

Hotel Atlantis Vilamoura. Apdo. 210, Vilamoura, 8125 Quarteira. ∅ 089/38-99-37 Fax 089/38-99-62. 310 chambres. TV CLIM. Minibar Tél. Double 17 000-33 000 ESC ; suite 44 000 ESC. Petit déjeuner (buffet) compris. CB. Stationnement gratuit.

Voici l'un des établissements hôteliers les plus chic de la région. La façade est ornée de voûtes pointues qui en accentuent le style arabe. En retrait de la zone encombrée de Vilamoura, cet édifice est joliment décoré de marbre brillant, de faux plafonds en bois et de miroirs étincelants. Les chambres de bonne taille sont joliment meublées et souvent décorées de tentures de soie et d'étoffes de couleurs vives. Toutes ont une véranda donnant sur la mer. Les salles de bains sont plutôt petites, mais la literie est excellente. **Restauration** : le soir, un piano égrène sa musique dans l'élégant bar. Le Grill Amendoeira propose une gastronomie régionale et le Madeira de la cuisine portugaise. Tous deux sont ouverts du lundi au samedi de 19 h 30 à 23 h. Le coffee shop est ouvert toute la journée. **Services** : room service, blanchisserie, baby-sitting, club de remise en forme, 3 courts de tennis, grande terrasse toute décorée de plantes, 4 piscines, 20 % de réduction au terrain de golf à proximité.

Vilamoura Marinotel. Vilamoura, 8126 Quarteira Codex. ∅ **289/38-99-88** Fax 289/38-98-69. www.nexus-pt.com/marinotel. Mél : marnotel@mail.telepac.pt. 389 chambres. TV CLIM. Minibar Tél. Double 29 400-53 500 ESC ; suite 37 400-319 300 ESC. Petit déjeuner (buffet) compris. CB. Stationnement gratuit.

Avec plus de 300 employés, le Marinotel 5 étoiles fait partie des meilleurs hôtels de catégorie luxe de l'Algarve. Il rencontre beaucoup de succès chez les Portugais aisés et les étrangers. On y organise des séminaires durant les mois d'hiver. Cet édifice rectangulaire gigantesque est contigu au port de plaisance de Vilamoura. Chacune des chambres spacieuses meublées avec goût donne sur le port de plaisance ou sur l'océan. Les meilleures se trouvent aux 8e et 9e étages. Si les salons dotés d'une belle hauteur de plafond, suffisamment vastes pour accueillir 500 personnes, sont décorés dans un style à la fois traditionnel et moderne, le hall est particulièrement prétentieux et tapageur. **Restauration/distractions** : les restaurants de cet hôtel sont parmi les meilleurs de Vilamoura. Le Grill Sirius (voir « Se restaurer » ci-dessous) remporte la palme. Installée sur deux niveaux, la salle à manger Aries, vaste et claire, donne sur la piscine et l'océan. Elle est ouverte tous les jours de 12 h 30 à 14 h 30 et de 19 h 30 à 22 h. Son jeune personnel fait partie des plus compétents de l'Algarve. Le menu se renouvelle chaque jour et il est possible de commander à la carte parmi des spécialités régionales et ibériques traditionnelles. On peut déjeuner au coffee shop de la piscine. L'hôtel organise aussi des spectacles de *fado*, de danse folklorique, des défilés de mode et parfois des barbecues. **Services** : room service 24 h/24, blanchisserie, baby-sitting, club de remise en forme avec jacuzzi et sauna, 1 piscine couverte et 2 piscines découvertes (dont un petit bain), 2 courts de tennis, accès direct à la plage.

Prix moyens

Dom Pedro Golf Hotel. Vilamoura, 8125 Quarteira. ∅ **289/30-07-00** Fax 289/30-07-01. 263 chambres. TV CLIM. Minibar Tél. Double 17 300-28 000 ESC ; suite 21 600-41 000 ESC. Petit déjeuner compris. CB. Stationnement gratuit.

Cet hôtel de 10 étages offre un confort de première catégorie dans le tourbillon touristique de Vilamoura. Il est près du casino et de la plage. Ses salons sont élégants. Les chambres de taille moyenne, avec terrasse, sont plutôt bien meublées, mais l'ensemble manque d'inspiration. Les groupes venant d'Angleterre et de Scandinavie l'apprécient tout particulièrement. **Restauration/distractions** : le restaurant Mimosa propose des spécialités portugaises et internationales. L'orchestre de la maison offre des spectacles quotidiens. **Services** : room service, blanchisserie, baby-sitting, 3 piscines (notamment un petit bain), 3 courts de tennis, sauna, massages, salon de coiffure. Excursions de pêche en mer et équitation possibles. Les clients de l'hôtel bénéficient d'une remise de 15 % à 20 % sur les *green fees* de plusieurs terrains de golf des environs.

Petits prix

Estalagem da Cegonha. Centro Hipico de Vilamoura, 8125 Quarteira. ∅ **289/30-25-77** Fax 289/32-26-75. 9 chambres. TV Tél. Double 14 900 ESC. Petit déjeuner compris. CB. Stationnement gratuit.

L'Estalagem da Cegonha se trouve à Poço de Boliqueime, Vilamoura, sur la route nationale entre Portimão et Faro, à 7 km du terrain de golf, du casino, du port de plaisance et de la plage. Meilleur rapport qualité/prix de Vilamoura, cette auberge installée dans une ferme vieille de 4 siècles bénéficie d'un cadre paisible, attenant à un manège. Pour la petite histoire, c'est ici que naquit en 1536 la femme qui gagna le cœur du plus grand poète portugais, Camões. Un concours de saut à cheval s'y tient chaque mois de septembre. Les chambres dotées d'une bonne literie sont vastes et décorées douillettement dans un style portugais traditionnel. Le cuisinier de l'auberge a remporté un trophée pour sa cuisine régionale. Vous pouvez prendre un verre dans l'un des bars confortables ou profiter du room service.

Se restaurer

PRAIA DE QUARTEIRA

Restaurante Atlântico. Av. Infante do Sagres 91. ∅ **289/31-51-42.** Réservation conseillée. Plats 900-2 200 ESC. CB. Ven.-mer. 12 h-15 h 30 et 18 h 30-23 h. *Portugais.*

Vous verrez l'auvent protecteur de ce restaurant le long du port sur la promenade principale de la ville, près d'un groupe de concurrents qui se ressemblent tous. Il est fréquemment rempli, alors que les autres sont vides, par une clientèle variée du monde entier. La cuisine régionale traditionnelle est élaborée à partir de produits locaux de qualité et elle se caractérise par des saveurs robustes. Parmi les nombreux plats, on note la soupe de poissons à la mode de l'Algarve, les crevettes bouquet *Atlântico,* le *pescadas a Algarvia* (colin aux amandes), le steak au poivre, le poulet piri-piri (avec des piments), ou encore les palourdes dans leur coquillage.

Restaurante O Pescador. Largo das Cortés Reais. ∅ **289/31-47-55.** Plats 1 200-2 800 ESC. CB. Ven.-mer. 13 h-15 h et 19 h-22 h. Fermé 16 déc.-15 jan. *Cuisine de l'Algarve, internationale.*

O Pescador (« le pêcheur ») est un lieu sans prétention en face du marché aux poissons, de l'autre côté du parking. Vous mangerez des plats simples, typiquement portugais : calmars, mulet grillé, crevettes grillées, colin, steak et porc grillé. Les plats de poissons sont très supérieurs aux plats de viandes. Ses fruits de mer sont parmi les meilleurs des environs, les légumes sont frais et le service aimable. Certains des ingrédients qui entrent dans la composition des plats sont présentés dans une vitrine.

VILAMOURA

Le Vilamoura Marinotel (voir « Se loger » ci-dessus) propose régulièrement la meilleure cuisine de la localité.

Grill Sirius. Dans le Vilamoura Marinotel. ∅ **289/38-99-88.** Réservation conseillée. Plats 2 800-5 000 ESC. CB. Tlj. 19 h 30-23 h 30. *Portugais, international.*

Situé à l'étage principal, le Grill Sirius est le plus huppé et le plus cher des restaurants de cet hôtel. C'est aussi le restaurant et le bar le plus élégant de Vilamoura. Un piano à queue reposant sur une estrade sépare le restaurant du chic Bar Castor. Les sons de la musique live pénètrent dans l'un et l'autre de ces lieux. Le bar propose un vaste choix de boissons de 10 h 30 à 1 h du matin. Surplombant le port de plaisance, le Grill Sirius dont la salle arbore une belle hauteur de plafond est un endroit sophistiqué, sans décoration excessive. Les cuisiniers y concoctent de formidables plats portugais et internationaux. Commencez peut-être par une assiette de poissons fumés variés puis prenez une spécialité de la mer, par exemple le divin cassoulet de homard, le turbot et sa sauce aux fruits de mer, le bar flambé au fenouil, la truite farcie ou l'excellent filet de sole. Les plats de viandes sont composés uniquement des meilleurs morceaux, carré d'agneau et tournedos farci de crevettes et de noix de Saint-Jacques servi avec sa sauce béarnaise.

Vie nocturne

La majeure partie de l'essor touristique de la région n'a pas touché le bourg de Quarteira, c'est pourquoi vous n'y trouverez vraisemblablement qu'une poignée de ternes *bodegas* et *tascas.* Elles s'adressent surtout à une clientèle locale et servent de la bière et du vin. Notons toutefois un établissement tourné vers une clientèle internationale, le **Jazz Bar**, av. Infante do Sagres 133 (∅ 289/38-88-64). On y organise parfois des spectacles auxquels participent des musiciens portugais et européens, à partir de 22 h 30. Ne vous attendez pas à une ambiance citadine trépidante, mais plutôt intime et bon enfant.

On trouve des lieux de divertissement plus luxueux dans la grande agglomération touristique de Vilamoura. Citons en premier lieu le **Casino de Vilamoura** (∅ 289/30-29-96), l'un des lieux de sorties les plus élégants et les plus tape-à-l'œil de toute la région. La salle de jeu – roulette, black-jack, baccarat et autres – en constitue le principal attrait. Il est ouvert tous les jours de 19 h à 3 h du matin. Il est nécessaire de présenter une pièce d'identité et de s'acquitter d'un droit d'entrée de 500 ESC. L'entrée dans la salle des machines à sous, moins prestigieuse, est gratuite. Elle est ouverte tous les jours de 16 h à 4 h du matin.

Le *supper-club* du casino, d'une capacité de 600 places, est ouvert tous les jours pour le dîner à partir de 20 h 30. Le spectacle et la revue de cabaret, époustouflants, commencent à 22 h 30. Le dîner-spectacle coûte 6 500 ESC. Si vous voulez uniquement voir le spectacle, l'entrée coûte 2 000 ESC (une boisson comprise). La discothèque la plus « happening » de Vilamoura, **Black Jack** (∅ 289/30-29-96), se trouve dans le casino mais elle a une entrée séparée et un personnel distinct. Tous les fous de danse de la région s'y retrouvent pour se trémousser. Black Jack est ouverte tous les soirs de 23 h 30 à 6 h du matin. L'entrée coûte 1 000 ESC, une boisson comprise. L'ensemble du casino est ouvert tous les soirs sauf les 24 et 25 décembre.

7. Almancil

À 13 km à l'ouest de Faro, 304 km au sud-est de Lisbonne

Almancil est un petit bourg qui, s'il présente peu d'intérêt touristique, se trouve au cœur de deux des plus luxueux complexes touristiques de l'Algarve : Vale do Lobo, à 6,5 km au sud-est, Quinta do Lago, à 9,5 km au sud-est.

Vale do Lobo, ou « vallée du loup », évoque un lieu retiré. C'est néanmoins le site d'un terrain de golf dessiné par le champion britannique Henry Cotton, situé à 20 minutes en voiture de l'aéroport de Faro. Comme il compte certains trous à proximité de la mer, les joueurs connaissent des émotions fortes lorsque leurs balles passent au-dessus de l'eau. L'un des « domaines touristiques » les plus élégants de l'Algarve, Quinta do Lago, est lui aussi remarquablement équipé. Avec son front de mer bordé de pins, c'est une retraite fort appréciée des acteurs de cinéma et des présidents européens. Autre attrait puissant : le terrain de golf 27 trous. Mais le grand luxe... ça se paye.

Informations pratiques

COMMENT S'Y RENDRE

En train Faro, la porte de l'est de l'Algarve, constitue la plaque tournante des différents moyens de transports vers Almancil et ses complexes touristiques. Prenez le train jusqu'à Faro (voir p. 244) puis empruntez un autobus pour effectuer le reste du trajet.

En autobus La gare routière d'Almancil dessert toute la partie ouest de l'Algarve. Les 14 autobus quotidiens qui relient Faro à Albufeira s'y arrêtent. Pour de plus amples **informations**, appelez le ∅ 289/80-37-92.

En voiture Au départ de Faro, empruntez la N125 vers l'ouest. En partant d'Albufeira ou de Portimão, poursuivez vers l'est sur la N125.

INFORMATIONS TOURISTIQUES

Almancil ne compte pas d'office de tourisme. Mais vous trouverez des informations à l'Edifício do Castelo (✆ **289/46-39-00**) de Loulé.

Activités de plein air

GOLF

Même les grands pros en conviennent, les profils de **Pinheiros Altos**, Quinta do Lago, 8135 Almancil (✆ **289/35-99-10**), sont beaucoup plus difficiles qu'il n'y paraît au premier coup d'œil. C'est l'un des terrains de golf les plus trompeurs de l'Algarve. La conception de ce terrain de 100 hectares contigu au parc national Rio Formosa revient à l'architecte américain Ronald Fream. Il se caractérise par la présence de pins parasols et de dizaines de petits lacs. C'est un terrain de par 73. Les *green fees* s'élèvent à 7 500 ESC pour 9 trous, 15 000 ESC pour 18. Pinheiros Altos est à 5 km d'Almancil. Suivez les panneaux qui indiquent Quinta do Lago et Pinheiros Altos.

Le club de golf auquel ce grand complexe touristique doit sa célébrité, Quinta do Lago, Quinta do Lago, 8135 Almancil (✆ **289/39-07-00**), est composé de deux terrains de 18 trous, **Quinta do Lago** et **Rio Formosa**. À eux deux, ils couvrent plus de 240 hectares de relief sableux contigu à la réserve naturelle de Rio Formosa. Ici, peu de longs drives passent au-dessus de plans d'eau et les *fairways* ondoient à travers les forêts de chênes-lièges et les pinèdes, parfois avec des changements brusques de niveaux (*green fees* : 9 trous 7 500 ESC, 18 trous 15 000 ESC). Les terrains se trouvent à 5,5 km d'Almancil. Suivez les panneaux qui indiquent Quinta do Lago.

Parmi les 4 terrains de golf du gigantesque complexe de Quinta do Lago, le terrain de **São Lourenço** de par 72, Quinta do Lago, Almancil, 8100 Loulé (✆ **289/39-65-22**), est le plus intéressant et le plus stimulant. Situé au bord des marécages verts de la réserve naturelle de Rio Formosa et inauguré en 1988, il a été conçu par les Américains William (Rocky) Roquemore et Joe Lee. Le 6e trou est le plus panoramique et le 8e le plus irritant. Beaucoup de longs drives, surtout ceux des 17e et 18e trous, volent au-dessus d'une lagune d'eau salée. Les clients des hôtels Dona Filipa et Penina ont priorité pour choisir leurs horaires, mais les autres golfeurs sont les bienvenus s'il n'y a pas trop de monde. *Green fees* : 9 trous 12 500 ESC, 18 trous 24 000 ESC. Si vous venez d'Almancil, parcourez 8 km vers le sud en suivant les panneaux pour Quinta do Lago.

Le terrain de **Vale do Lobo**, Vale do Lobo, 8135 Almancil (✆ **289/39-39-39**), n'appartient pas en fait au complexe de Quinta do Lago. Inauguré en 1968 avant tous ses concurrents actuels, il joua un rôle de premier plan pour construire la réputation du sud du Portugal comme un « haut lieu » du golf. Créé par le golfeur britannique Henry Cotton, il renferme quatre segments distincts de 9 trous. Par ordre d'ancienneté, il s'agit du terrain Vert, de l'Orange, du Jaune et du Bleu, qui furent inaugurés en 1997 à grand renfort de publicité dans le monde entier. Les terrains Vert et Orange constituent le terrain Oceanfront, « en bord de mer » de 18 trous ; les Jaune et Bleu composent le Royal. Chacun comprend des parties qui passent par des formations rocheuses et des collines arides d'où l'on aperçoit des oliveraies et des bosquets d'amandiers, l'Atlantique et les grands hôtels de Vilamoura et de Quarteira à proximité. Pour certains long shots, il faut faire passer la balle de golf par-dessus deux ravins, lieux où les vents capricieux et les bunkers qu'on a qualifiés de « voraces » compliquent considérablement la tâche. En fonction de divers facteurs parmi lesquels le jour de la semaine, le montant des *green fees* est compris entre 8 000 et 11 000 ESC pour 9 trous, 13 500 et 18 000 ESC pour 18 trous. En venant d'Almancil, suivez les panneaux qui indiquent Vale do Lobo sur 4 km.

ÉQUITATION

Horses Paradise, à l'Oceanos, rua Cristovão Piers Norte, 8135 Almancil (∅ **289/39-41-89** ou 289/97-13-559 lorsque les propriétaires sont sortis à cheval), est un ancien manège très réputé. Ouvert en 1980, il se trouve entre Almancil, Quinta do Lago et Vale do Lobo. Il convient de réserver à l'avance pour faire des promenades en forêt, à côté des *fairways* des terrains de golf et (parfois) le long de la plage. Le prix d'une promenade de 1 heure s'élève à 4 000 ESC, et de 2 heures à 7 500 ESC.

Se loger

VALE DO LOBO

✪ **Le Méridien Dona Filipa.** Vale do Lobo, 8136 Almancil. ∅ **289/39-41-41** Fax 289/39-42-88. Mél : gm1298@fortehotel.com. 162 chambres. TV CLIM. Minibar Tél. Double 31 000-52 000 ESC ; junior suite 55 000-68 500 ESC ; suite luxe 74 000-107 000 ESC. Petit déjeuner compris. CB. Stationnement gratuit.

L'hôtel-golf Dona Filipa est une véritable citadelle du luxe comme en témoignent des détails tels que les dorures des palmiers qui soutiennent le plafond. Le domaine est impressionnant : 180 hectares de littoral accidenté ourlé de falaises escarpées, de criques et de baies sableuses. Si l'apparence extérieure de l'hôtel est quelque peu anodine, l'intérieur est richement agrémenté de banquettes de soie verte, de cheminées en marbre, de lampes en céramique du Portugal et de gravures anciennes accrochées au-dessus de causeuses de style baroque. Les chambres de taille moyenne à grande sont décorées avec goût de mobilier d'époque, d'accessoires champêtres et de tapis faits main. Elles comptent pour la plupart un balcon et des lits jumeaux, une excellente literie et un coffre. Les salles de bains sont dotées notamment de lavabos doubles, de peignoirs de bain et d'un sèche-cheveux. **Restauration** : se restaurer ici est une activité distinguée et raffinée orchestrée par un maître d'hôtel compétent et un sommelier. On y sert une gastronomie internationale. Le restaurant grill propose des plats à la carte. Situé au bord de la piscine, le coffee shop ne sert que le déjeuner. Le Gothic Bar est le lieu de rencontre privilégié de l'hôtel. **Services** : room service 24 h/24, blanchisserie, baby-sitting, 3 courts de tennis, piscine, salon de coiffure, réduction de 15 % sur les *green fees* des terrains de golf à proximité.

QUINTA DO LAGO

✪ **Quinta do Lago.** Quinta do Lago, 8135 Almancil. ∅ **289/39-66-66** Fax 289/39-63-93. www.quintadolagohotel.com. Mél : info@quintadolagohotel.com. 141 chambres. TV CLIM. Minibar Tél. Double 35 000-72 000 ESC ; suite à partir de 85 000 ESC. Petit déjeuner compris. CB. Stationnement gratuit.

Enclave de la vie mondaine depuis 1986, Quinta do Lago est un domaine tentaculaire de 640 hectares de lotissements privés situé à proximité de l'estuaire du Ria Formosa. On doit cet hôtel aux investissements du prince Faysal d'Arabie saoudite qui en confia la direction à la chaîne hôtelière Orient-Express. Son centre d'équitation et son terrain de golf 27 trous sont parmi les meilleurs d'Europe. Les édifices de style méditerranéen contemporain font de 3 à 6 étages. Dominant un lac salé, les luxueux appartements du Quinta Park Country Club sont dotés de tous les équipements modernes. Agrémentées de haute moquette de laine et d'étoffes aux tons pastel, les chambres généralement spacieuses sont dotées d'une salle de bains carrelée ou en marbre. Elles sont décorées d'objets d'art contemporain et de mobilier en bois clair ; leur balcon donne sur l'estuaire. **Restauration/distractions** : le Navegadores, un grill sans façon qui donne sur une piscine, convient aux adultes et aux enfants.

L'hôtel compte un club house moderne doté d'un restaurant et d'un bar proches du *driving range*, qui dominent le *green* Bermuda du *fairway* B1. Le Beach Pavilion propose des snacks, des repas légers et des boissons. Cadoro propose une gastronomie italienne et le Patio Club est une discothèque raffinée. **Services** : room service 24 h/24, blanchisserie, baby-sitting, centre d'équitation, terrain de golf de 27 trous, courts de tennis, piscines couverte et découverte, club de remise en forme, solarium.

Se restaurer

✪ **Casa Velha**. Quinta do Lago. ∅ **289/39-49-83**. Réservation conseillée. Plats 3 800-4 600 ESC ; menu 7 500 ESC. CB. Lun.-sam. 19 h 30-22 h 30. *Français*.

Casa Velha, un excellent choix, ne fait pas partie du complexe Quinta do Lago à proximité. Situé sur une colline derrière son énorme voisin dans une vieille ferme centenaire devenue un restaurant au début des années 1960, l'établissement domine le lac du complexe. On y sert une gastronomie principalement française et quelques plats portugais et internationaux. Débutez par un foie gras ou une salade marinée au homard. Parmi les spécialités, on note la salade de foies et de gésiers de poulet aux poireaux vinaigrette et la salade de homard parfumée à la vanille. Le bar, le filet de sole et la poitrine de canard aux 12 épices, préparés avec soin, sont également vivement recommandés.

✪ **Restaurant Ermitage**. Estrada Almancil-Vale do Lobo. ∅ **289/39-43-29**. Réservation conseillée. Plats 3 200-4 500 ESC ; menu 9 500 ESC. CB. Mar.-dim. 19 h-22 h 30. Fermé 2 semaines en jan., 1 semaine en juin, 3 semaines en déc. En partant d'Almancil, suivez les panneaux pour Vale do Lobo sur 3 km. *International*.

Ce restaurant, parmi nos préférés dans la région, est dirigé par des Hollandais d'origine, Willemina Gilhooley, et son mari Vincent qui est également le chef. Il est installé dans une ferme (*quinta*) du XVIIIᵉ siècle entourée de jardins et de plantes grimpantes en fleurs. En hiver, les cheminées de la salle accueillante rendent l'ambiance plus chaleureuse encore. En été, c'est la terrasse extérieure qui remporte la vedette. Le restaurant est fréquenté par une clientèle cosmopolite venue de toute l'Europe. En entrée, prenez une terrine de foie d'oie accompagnée de sa sauce aux mûres ou la très jolie assiette de raviolis farcis aux crevettes et aux épinards entourés de quatre sortes de pâtes maison et leur sauce. Parmi les succulents plats, qui varient selon la saison et l'inspiration du chef, on vous proposera peut-être le poisson grillé du jour accompagné de sa sauce hollandaise aux herbes ou le filet de lotte et sa sauce aux crevettes et au curry. Le parfait aux noix accompagné d'une glace maison et d'une sauce au moka fait l'unanimité.

8. Faro

À 256 km au sud-est de Setúbal, 308 km au sud-est de Lisbonne

Jadis très appréciée des Romains puis des Maures, Faro est la capitale provinciale de l'Algarve. Le chaland installé à la terrasse d'un café à déguster un vin local est témoin de l'affrontement quotidien du présent et du passé dans cette petite ville animée de quelque 30 000 habitants. Un vieil homme passe en tirant un âne sur lequel est juchée une jeune fille en blanc abritée sous un parasol. Un routard allemand en short les dépasse rapidement. Faro est un ensemble brouillon débordant de vie et d'animation. Depuis 1249, date à laquelle Alphonse III expulsa définitivement les Maures, Faro est une ville portugaise. Un aéroport international installé dans ses faubourgs accueille des milliers de visiteurs chaque année. C'est avant tout à lui que l'on doit l'essor du tourisme à Faro et dans l'ensemble de l'Algarve. Bon nombre se contentent de traverser rapidement Faro pour se rendre dans une station balnéaire. Ceux qui s'y attardent apprécieront l'attrait et la couleur de ce calme port de pêche. Le comte d'Essex (le favori d'Élisabeth Ire), qui pilla la ville, et le tremblement de terre de 1755 ont pourtant ruiné son charme d'antan. Des vestiges de murs remontant au Moyen Âge et quelques édifices historiques se dressent encore dans la Cidade Velha, la vieille ville, où l'on pénètre par l'Arco da Vila, un portail du XVIIIe siècle.

Informations pratiques

COMMENT S'Y RENDRE

En avion La liaison entre Lisbonne et Faro est assurée par des vols d'une durée de 30 minutes. Pour toute information concernant ces vols, appelez l'aéroport de Faro (∅ 289/80-08-01). De l'aéroport, les bus 14 et 16 vous emmènent jusqu'à la gare de Faro pour 175 ESC. Les autobus partent quotidiennement toutes les 45 minutes de 7 h 10 à 19 h 45.

En train Il y a 6 trains quotidiens en provenance de Lisbonne (durée du trajet : 7 heures ; aller simple : 2 175 ESC). Pour toute information à Faro, appelez la gare à largo da Estação (∅ 289/80-17-26). Pour toute information à Lisbonne, composez le ∅ 21/888-40-25.

En autobus Un autobus en provenance de Lisbonne arrive toutes les heures (durée du trajet : 4 h 30 ; aller simple : 2 300 ESC). La gare routière se trouve sur l'avenida da República (∅ 289/89-97-61).

En voiture Si vous venez de l'ouest, prenez la N125 vers l'est jusqu'à Faro. Si vous venez de la frontière espagnole, prenez la N125 vers l'est.

INFORMATIONS TOURISTIQUES

L'**office de tourisme** se trouve rua da Misericórdia 8-12 (∅ 289/80-36-04).

Visites et activités

EXPLORER LA VILLE

La **Capela d'Ossos** (chapelle des Os) est la plus curieuse attraction de Faro. On y pénètre par une cour située à l'arrière de l'Igreja de Nossa Senhora do Monte do Carmo do Faro, largo do Carmo (∅ 289/82-44-90). Édifiée au XIXe siècle, cette chapelle est entièrement tapissée de crânes humains (il y en aurait 1 245) et d'ossements. Elle est ouverte tous les jours de 10 h à 13 h et de 15 h à 17 h. Entrée gratuite à l'église ; 120 ESC pour la chapelle. Construite en 1713, l'église renferme un autel doré de style baroque. Sa façade, également de style baroque, est flanquée de deux clochers. Deux coupoles dorées, semblables à celles des mosquées et reliées par une balustrade, surmontent les clochers. Les vitraux supérieurs treillissés sont encadrés de dorures ; le portail principal est flanqué de niches abritant des statues.

Parmi les autres monuments religieux, la vieille **Sé** (cathédrale), située sur le largo da Sé (∅ 289/80-66-32) occupe un site antérieurement occupé par une mosquée. Édifiée dans les styles gothique (notamment le clocher) et Renaissance, elle est célèbre pour ses carreaux datant des XVIIe et XVIIIe siècles. Sur la droite, la Capela do Rosário en est la pièce maîtresse. Elle renferme les carreaux les plus anciens et les plus beaux ainsi que les sculptures de deux Nubiens portant des lampes et un orgue rouge d'inspiration chinoise. L'entrée est gratuite. La cathédrale est ouverte du lundi au vendredi de 10 h à 12 h, le samedi à 17 h et le dimanche de 8 h à 13 h pour le culte.

L'**Igreja de São Francisco**, largo de São Francisco (∅ **289/82-36-96**), est l'autre église digne d'intérêt. Sa façade ne présage en rien des richesses baroques qu'elle renferme. Des murs ornés de carreaux blanc et bleu de faïence émaillée retracent la vie de saint François. Une chapelle est richement dorée. Elle est en principe ouverte du lundi au vendredi de 8 h à 10 h et de 14 h à 20 h.

Trois musées sont d'un intérêt plus secondaire. Le **Museu Municipal**, praça Afonso III 14 (∅ **289/89-74-00**), occupe les bâtiments d'un couvent du XVIᵉ siècle, le **Convento de Nossa Senhora da Assunção**. Même si les pièces qu'il renferme ne vous intéressent pas particulièrement, le cloître de deux étages vaut le déplacement. De nombreux vestiges de l'occupation romaine y sont exposés, dont certaines statues provenant des fouilles de Milreu. Le musée est ouvert du lundi au vendredi de 9 h à 18 h 30. L'entrée est gratuite.

À proximité des docks, le **Museu Maritimo**, rua Communidade Luisada (∅ **289/80-36-01**) abrite des maquettes d'embarcations de pêche des environs et des caravelles qui transportèrent Vasco da Gama et ses hommes aux Indes en 1497. On y trouve des reproductions d'un bateau qu'utilisèrent les Portugais pour remonter le fleuve Congo en 1492 et celle d'un vaisseau qui l'emporta sur toute la marine turque en 1717. Il est ouvert du lundi au vendredi de 9 h à 12 h et de 14 h à 17 h (entrée : 100 ESC).

Enfin, le **Museu Ethnografico Regional**, rua do Pé da Cruz (∅ **289/82-76-10**), se consacre à la culture populaire de la région. Il est axé sur l'activité de la pêche, et l'on y trouve des embarcations mais aussi des reconstitutions d'intérieurs de maisons. Des photographies plutôt graves et nostalgiques montrent des villages de pêcheurs de l'Algarve avant qu'ils ne soient engloutis par les immeubles. Le musée est ouvert du lundi au vendredi de 9 h à 12 h 30 et de 14 h à 17 h 30 (Entrée : 300 ESC).

ACTIVITÉS DE PLEIN AIR

Pour ceux qui souhaitent se rendre sur les vastes plages de sable blanc, les **Praia de Faro** situées sur un îlot, où l'on peut faire du ski nautique, de la pêche ou tout simplement louer une chaise longue et un parasol pour se prélasser au soleil, prendre le ferry amarré au quai juste au-dessous de la Cidade Velha (aller-retour : 200 ESC). Il y a trois ferries quotidiens de juin à septembre. La plage, située à 5,5 km du centre-ville, est également reliée au continent par un pont. L'autobus n° 16 relie le dépôt d'autobus à Praia de Faro (150 ESC).

SHOPPING

La majorité des magasins de Faro sont rassemblés sur la **rua Santo António** ou la **rua Francisco Gomes**, sa voisine, en plein cœur de la ville. Jetez un coup d'œil chez **Carminho**, rua Santo António 29 (∅ **289/82-65-22**), vivement recommandé pour son artisanat et, dans une moindre mesure, ses vêtements traditionnels. Et si vous souhaitez vous balader comme un habitant du coin parmi les stands et les étals où sont entassés les produits typiques du sud du Portugal, le mieux est de visiter le **Mercado de Faro**, largo do Mercado, en centre-ville. Il est ouvert tous les jours de 6 h 30 à 13 h 30.

Se loger

Eva. Av. da República, 8,000 Faro. ∅ **289/80-33-54** Fax 289/80-23-04. 148 chambres. TV CLIM. Minibar Tél. Double 16 000-25 000 ESC ; suite 23 500-39 400 ESC. Petit déjeuner compris. CB. Stationnement gratuit mais limité dans la rue.

Telle une forteresse, Eva domine le port. C'est un hôtel moderne de 8 étages qui occupe toute une partie latérale du port envahi par les yachts. Une récente cure de jouvence lui a donné un second souffle. Donnant directement sur la mer, la plupart des chambres sont meublées dans un style sobre, voire austère. Les meilleures ont de grands balcons. Le restaurant installé au dernier étage et la piscine avec bar et solariums, soutenue par 16 piliers en haut du toit, constituent les grands atouts d'Eva. **Restauration :** le restaurant n'est ouvert que le soir et on y organise des dîners dansants le samedi. Un restaurant plus détendu au rez-de-chaussée est ouvert pour le déjeuner et le dîner. Vous trouverez également un snack-bar et trois bars américains. **Services :** room service, blanchisserie, baby-sitting et salon de coiffure.

Hotel Faro. Praça D. Francisco Gomes 2, 8000 Faro. Ø 289/80-32-76 Fax 289/80-35-46. 52 chambres. Clim. Tél. Double 15 000 ESC ; suite 18 000 ESC. CB.

Sous ses allures d'immeuble de bureaux, l'hôtel Faro abrite des chambres récemment rénovées donnent sur le port animé. Elles sont confortablement meublées, mais très standard. Bon nombre sont équipées d'un balcon qui donne sur la place souvent un peu bruyante jusqu'à tard le soir. Chaque suite comprend un petit salon avec un canapé pouvant accueillir une troisième personne.

Se restaurer

Dois Irmãos. Largo do Terreiro do Bispo 13-15. Ø **289/82-33-37**. Réservation conseillée. Plats 950-3 500 ESC ; menu touristique 1 800 ESC. CB. Tlj. 12 h-23 h. *Portugais.*

Ouvert depuis 1925, ce bistro sans chichi compte beaucoup d'inconditionnels. Le menu est aussi modeste que l'établissement et ses prix, mais on se voit offrir un bon choix de poissons grillés et de plats de crustacés. Oubliez les serviettes en papier et concentrez votre attention sur la cassolette de poissons que l'on vient vous servir. Les palourdes et leur sauce savoureuse sont l'un des plats vedettes – c'est justifié – et la sole figure souvent au menu ; mais bien sûr, tout dépend de la prise du jour. Le service est lent mais aimable.

Restaurante Cidade Velha. Rua Domingos Guieiro 19. Ø **289/82-71-45**. Réservation conseillée. Plats 1 500-2 500 ESC. CB. Lun.-ven. 12 h 30-14 h ; Lun.-sam. 19 h 30-22 h 30. *Portugais, international.*

Caché dans une ancienne demeure privée, le charmant Cidade Velha est le meilleur restaurant de la ville. Il se trouve à l'arrière de la cathédrale, derrière d'épais murs de pierre qui furent édifiés il y a au moins 250 ans. Vous pouvez commencer par prendre un apéritif dans le minuscule bar près de l'entrée. Des serveurs en livrée apportent les repas dans deux salles dotées de voûtes en brique. La cuisine s'est considérablement améliorée ces derniers temps. Vous pourriez prendre des beignets de crabe ou de l'espadon fumé avec une sauce au raifort, suivis d'un carré d'agneau cuit au four accompagné de sa sauce au romarin et à la menthe, ou d'un canard rôti et sa sauce à l'abricot, ou bien encore d'un filet de porc farci de noix cuit dans une sauce au porto.

Se loger et se restaurer dans les environs

✪ **Hotel La Réserve.** Estrada de Esteval, Santa Bárbara de Nexe, 8000 Faro. Ø **289/99-94-74** Fax 289/99-94-02. 12 studios, 8 duplex. TV CLIM. Minibar Tél. Studio 28 000-40 000 ESC ; duplex 30 000-44 000 ESC. CB. Stationnement gratuit. En venant de Faro, empruntez la N125 sur 6 km ; à partir de la pancarte indiquant Loulé, continuez tout droit sur 1,5 km jusqu'à Esteval. Tournez à droite quand vous verrez le panneau pour Santa Bárbara de Nexe ; l'hôtel est sur la droite à 1,5 km.

L'Hotel La Réserve, l'un des deux hôtels portugais affiliés aux Relais & Châteaux, se trouve près d'un hameau à 11 km à l'ouest de Faro, dans un bois de 2,4 hectares éloigné de la plage. Il offre un hébergement luxueux et spacieux dans l'atmosphère moderne et élégante d'un petit château ; les studios et duplex sont meublés à la fois en moderne et en traditionnel. Les détails sont soignés, depuis les télécommandes aux nombreux articles de toilette mis à votre disposition. Des bâtiments de deux étages entourent la piscine et le solarium. **Restauration/distractions** : l'hôtel compte deux bars, un snack-bar et un restaurant de spécialités internationales. À côté de l'hôtel, La Réserve est le meilleur restaurant de toute l'Algarve. La présentation des repas est soignée et les propriétaires sont soucieux de la fraîcheur de leurs viandes, poissons et autres ingrédients. L'espadon fumé est l'une des spécialités de la maison. Laissez-vous aussi tenter par les crevettes à l'orientale servies sur lit de riz et accompagnées de croquettes de banane. Le caneton de la région, à la peau croustillante et à la chair tendre, constitue un bon plat. La carte des vins propose les meilleurs millésimes portugais, notamment le célèbre *vinho verde* du Nord. Le restaurant est ouvert du mercredi au lundi de 19 h à 23 h. Il est indispensable de réserver. **Services** : room service, blanchisserie, courts de tennis, piscine.

Vie nocturne

C'est dans la rua do Prior en plein cœur de Faro, à côté de l'Hotel Faro, que la nuit bat son plein. Des dizaines de cafés ouverts la nuit, de pubs (anglais et autres) et de discothèques s'animent aux environs de 22 h 30 jusqu'à l'aube. Allez-y à partir de midi pour sentir l'atmosphère de cette ville dynamique du Sud, où l'on aime le vin et la vie. Puis, si vous êtes d'humeur à danser, rendez-vous dans l'une des deux discothèques les plus branchées de la ville : **24 July**, rua do Prior (∅ 289/80-61-77), et **Millennium**, rua do Prior (∅ 289/82-36-28). Dans l'une comme dans l'autre, l'entrée coûte dans les 1 000 ESC et inclut la première boisson.

Aux alentours

Faro est entourée de villes très intéressantes. Prévoyez une demi-journée pour en visiter une.

LOULÉ

Ce bourg à 15 km de Faro se trouve en plein cœur de la région des cheminées de l'Algarve. Si vous pensez que les cheminées ne présentent pas d'intérêt, c'est que vous n'avez pas vu celles-ci. Ces tourelles chantournées en plâtre surmontent un grand nombre de maisons.

L'artisanat de Loulé et des villages avoisinants est célèbre. On y confectionne des articles en feuille de palmier ou autres fibres végétales : sacs, paniers, petits tapis et chapeaux. Les artisans fabriquent également des objets en cuivre, des harnais polis, de délicates pièces en fer forgé, des sabots, des chaussures et des pantoufles en étoffe, des articles en laiton et de la poterie. Vous trouverez tous ces articles exposés dans les ateliers au pied des murailles d'une vieille forteresse et dans d'autres salles d'exposition, notamment sur la rua do 9 de Abril.

Vous pouvez visiter l'Igreja Matriz de style gothique, l'église paroissiale, largo C. da Silva (∅ 289/46-27-92). À la fin du XIIIᵉ siècle, elle fut donnée en cadeau à la ville. Elle est ouverte du lundi au samedi de 9 h à 12 h et de 14 h à 17 h 30.

Les ruines du **château maure** se trouvent sur largo Dom Pedro I (∅ 289/40-06-00). Elles abritent un musée historique et sont ouvertes tous les jours de 9 h à 17 h 30 (entrée gratuite).

Il y a de nombreux autobus tout au long de la journée ; une quarantaine y arrive en provenance de différentes villes de l'Algarve, notamment Faro. 5 trains par jour au départ de Faro desservent la gare de Loulé, à 5 km du bourg. Des autobus assurent la liaison entre la gare et le centre-ville mais vous pouvez prendre un taxi.

L'**Office de tourisme de Loulé** se trouve dans l'Edifício do Castelo (∅ **289/46-39-00**). Si vous voulez déjeuner, la cuisine portugaise d'**O Avenida**, av. José da Costa Mealha 13 (∅ **289/46-21-06**), sur la grand-rue près du rond-point, est recommandée. C'est un excellent restaurant dont l'une des spécialités sont les crustacés à la mode *cataplana*. Mais vous pouvez aussi commander un steak *à Avenida* ou une sole meunière. Le restaurant est ouvert du lundi au samedi de 12 h à 15 h et de 19 h à 22 h (fermé presque tout le mois de novembre). Un repas coûte à partir de 3 500 ESC. Des spectacles sont parfois organisés. O Avenida accepte les cartes bancaires.

SÃO BRÁS DE ALPORTEL

En vous dirigeant vers le nord de Faro, vous passerez par des figueraies, des orangeraies, des bosquets d'amandiers et des pinèdes dont la résine est collectée dans des coupelles en bois fixées le long des troncs. Au bout de 20 km, vous parviendrez à São Brás de Alportel, une charmante bourgade retirée et peu connue. Dans un cadre bucolique – la zone au pied de la Serra do Caldeirão a été comparée à un vaste jardin –, loin des plages encombrées, cette ville attire le visiteur en quête d'air pur, de calme et de tranquillité. Située au nord-est de Loulé, cette ville aux murs blanchis à la chaux et aux toits de tuiles ne s'anime que les jours de marché. Comme sa voisine, Faro, elle est célèbre pour ses cheminées chantournées en plâtre.

La **Pousada de São Brás**, estrada de Lisboa (N2), 8150 São Brás de Alportel (∅ **289/84-23-05**) est radicalement différente des établissements hôteliers du littoral. Cette auberge appartenant au réseau géré par l'État est une villa perchée sur une colline avec des cheminées chantournées en roche calcaire, offrant une vue panoramique sur les *serras* environnantes. On y arrive en traversant une figueraie parsemée de pierres sur lesquelles sont peints des messages de bienvenue dans de nombreuses langues. Bon nombre y viennent seulement pour déjeuner ou dîner (le restaurant est ouvert tous les jours de 12 h 30 à 15 h et de 19 h 30 à 22 h), mais quelques clients avertis y passent la nuit. Dans la salle à manger, de rustiques chaises et tables de tavernes montagnardes sont installées sur des tapis tissés main. Le repas à la table d'hôte, proposé au dîner pour 3 650 ESC, est composé d'une soupe, d'un plat de poisson, d'un plat de viande, de légumes et d'un dessert. La cuisine est simple mais savoureuse. Après le dîner, vous pouvez vous retirer au salon pour regarder s'éteindre les braises du feu de cheminée avant de monter dans votre chambre en passant devant un collier d'âne tout décoré. Les 22 chambres ont une salle de bains et le téléphone. Il faut compter 24 600 ESC pour une chambre double, petit déjeuner compris. La *pousada* possède une piscine découverte. Le room service est assuré jusqu'à 22 h, vous pouvez bénéficier d'un service de blanchisserie, le stationnement est gratuit et les cartes bancaires sont acceptées.

OLHÃO

Voici la fameuse localité cubiste de l'Algarve, très appréciée des peintres depuis longtemps. En son centre, les cubes blancs s'entassent les uns sur les autres, coiffés de toits de tuiles rouges et flanqués d'escaliers extérieurs, qui évoquent les casbahs d'Afrique du Nord. Malheureusement, on ne trouve plus le style cubiste qu'au centre-ville. Le reste d'Olhão s'est presque évanoui sous les offensives du mercantilisme.

Essayez d'assister à une *lota*, c'est-à-dire une vente à la criée au marché aux poissons, près du front de mer. Olhão est également célèbre pour ses « corridas des mers », au cours desquelles des pêcheurs se mesurent à des thons piégés dans des filets qui finissent dans les entrepôts malodorants du port.

Si vous êtes en ville à l'heure du déjeuner, essayez l'un des étals bon marché le long du front de mer. Chez **Casa de Pasto O Bote**, av. do 5 de Outubro 122 (Ø **289/72-11-83**), vous pouvez choisir votre poisson tout frais parmi tous ceux qui sont présentés sur des plateaux. On vous le fera griller à votre goût. Il faut compter 2 000 ESC au minimum pour un repas. Cet établissement est ouvert du lundi au samedi de 10 h à 15 h et de 19 h à 23 h.

Les plus beaux points de vue se trouvent sur la **colline de Cabeça**, avec ses cavernes piquées de stalagmites et de stalactites, et sur le **mont St.-Michel** pour le joli panorama de la Baretta, aux allures de casbah. Enfin, pour visiter l'une des plages les plus paradisiaques de l'Algarve, empruntez un bateau à moteur qui vous emmènera à l'**Ilha de Armona** en 10 minutes. Les ferries partent toutes les heures en été ; l'aller-retour coûte 160 ESC. Olhão est à 8 km de Faro.

TAVIRA

On arrive à Tavira, petite merveille à 30 km de Faro, après avoir traversé des champs verdoyants parsemés d'amandiers et de caroubiers. Appelée parfois la « Venise de l'Algarve », Tavira borde la Ségua et la Gilão qui se jettent l'une dans l'autre sous un pont romain à sept arches. La place principale est plantée de palmiers et de poivriers. En dépit des assauts du modernisme, Tavira conserve un air de fête. Des cheminées décorées de fioritures surmontent beaucoup de maisons, parmi lesquelles certaines sont ornées de tuiles vert émeraude et de balcons en fer forgé. Beaucoup d'embrasures de portes sont chantournées. Sur l'esplanade de la rivière, le marché aux fruits et légumes est le centre de l'animation de la ville.

L'office de tourisme de Tavira se trouve sur la rua da Galeria (Ø **289/32-25-11**). Tout au long de la journée, Tavira est fréquemment desservie par des autobus en provenance de Faro.

On parvient au **castelo** en remontant une rue en escalier qui part de la rua da Liberdade. Explorez ses murailles crénelées derrière lesquelles se barricadaient les Maures. Vous bénéficierez d'un excellent point de vue sur les flèches de l'église ; on voit l'océan de l'autre côté du delta du fleuve. Le château est ouvert du lundi au vendredi de 8 h à 17 h 30, le samedi et le dimanche de 10 h à 19 h. L'entrée est gratuite. Située à l'ouest de la place principale tout près de l'office de tourisme, l'**Igreja da Misericórdia** vaut le détour. Son joli portail de style Renaissance fut construit entre 1541 et 1551 en hommage à saint Pierre et à saint Paul. Elle est ouverte tous les jours (au moins en théorie) de 10 h à 12 h et de 14 h à 17 h.

Centre de la pêche au thon, Tavira est séparée de la mer par une longue langue de terre, l'**Ilha de Tavira**. Celle-ci s'étend de l'ouest de Cacela jusqu'au-delà du village de pêcheurs de Fuzeta. Deux plages se trouvent sur cette barre sableuse accessible en bateau à moteur : la **Praia de Tavira** et la **Praia de Fuzeta**. Certains préfèrent la plage du minuscule village de **Santa Luzia**, à 3 km de Tavira.

Si vous êtes à Tavira à l'heure du déjeuner, rendez-vous au **Restaurante Imperial**, rua José Pires Padinha 22 (Ø **281/32-23-06**). Proche de la grand-place, ce petit établissement climatisé propose des plats régionaux, notamment des crustacés, du riz aux crustacés, du porc parfumé à l'ail, du poulet rôti, du thon frais et d'autres spécialités portugaises accompagnées de légumes et de bons vins de la région. Le porc aux palourdes accompagné de frites mérite une mention spéciale. Si vous avez encore faim, vous terminerez par un riche dessert aux œufs et aux amandes. Il faut compter 2 500 ESC minimum, vin compris. La cuisine est ouverte tous les jours de 12 h à 23 h. Les cartes bancaires sont acceptées.

ESTÓI ET MILREU

Petit village à environ 8 km de Faro, Estói n'a pas encore vraiment subi l'assaut du tourisme. Ce village est desservi par des autobus en provenance de Faro. Les visiteurs suscitent la curiosité des vieilles femmes cachées derrière les rideaux de leur petite maison et des enfants qui leur courent après dans l'espoir d'obtenir une pièce. Vous verrez parfois des femmes en train de laver leur linge au lavoir du village. Les murs des jardins sont délabrés et les petites maisons dégradées par le temps et les intempéries.

Le **Palácio do Visconde de Estói** constitue le principal monument d'Estói. Le style de la villa à façade baroque rose saumon semble inspiré à la fois du château de Versailles et des jardins ornés de pièces d'eau de la Villa d'Este, près de Rome. Elle fut construite à la fin du XVIIIe siècle, puis restaurée entre 1893 et 1909. Une allée de palmiers débouche sur des jardins en terrasses à balustres bordés d'orangers. La villa n'est pas ouverte au public mais on peut visiter les jardins du mardi au samedi, de 10 h à 17 h. Sonnez aux portails en fer à l'entrée de l'allée de palmiers et un gardien vous les fera visiter. L'entrée est gratuite mais un pourboire est bienvenu.

9. Vila Real de Santo António

À 312 km au sud-est de Lisbonne, 85 km à l'est de Faro, 50 km à l'ouest de Huelva en Espagne

Vingt ans après avoir fait reconstruire Lisbonne après le tremblement de terre de 1755, le marquis de Pombal envoya des architectes et des entrepreneurs à Vila Real de Santo António. En seulement 5 mois, ils remirent en état cette ville frontière face à l'Espagne. Elle a beaucoup changé depuis mais la praça de Pombal demeure intacte. Un obélisque se dresse au centre de la place plantée d'orangers et pavée d'incrustations de carreaux noirs et blancs dont la disposition évoque les rayons du soleil. Séparée de sa voisine espagnole par le Guadiana, Vila Real de Santo António est reliée à Ayamonte en Espagne par un service de ferries.

Informations pratiques

COMMENT S'Y RENDRE

En train Les visiteurs qui viennent de Faro ont plutôt intérêt à prendre un autobus (voir ci-dessous). Toutefois, Vila Real de Santo António est desservie quotidiennement par 11 trains en provenance de Faro (durée du trajet : 2 h 30 ; aller simple : 500 ESC). Il y a 4 trains par jour au départ de Lagos (durée du trajet : 4 h 30 ; aller simple : 890 ESC). Pour toute **information** et pour obtenir les horaires, appelez le ✆ 21/888-40-25. Si vous souhaitez prendre une correspondance avec des trains en Espagne (une heure de plus qu'au Portugal en été), prenez un ferry (voir ci-dessous) de Vila Real de Santo António à Ayamonte. À Ayamonte, des autobus qui partent de la place principale vous emmèneront jusqu'à la gare de Huelva ou de Séville.

En autobus L'autobus est un moyen de transport plus pratique que le train pour se rendre de Faro à Vila Real. Il y a 5 express par jour (durée du trajet : 1 h ; 710 ESC). Au départ de Lagos, 8 autobus quotidiens desservent Vila Real (durée du trajet : 4 h ; 1 100 ESC). Pour toute **information** et pour obtenir les horaires, appelez le ✆ **289/89-96-61**.

En ferry En été, des ferries assurent une liaison quotidienne entre la ville espagnole d'Ayamonte et Vila Real de 8 h à 19 h. Le prix du billet s'élève à 180 ESC par passager ou 750 ESC par voiture.

INFORMATIONS TOURISTIQUES

L'office de tourisme se trouve sur l'avenida Infante Dom Henríque (∅ 281/54-44-95).

Explorer la ville

Vila Real de Santo António est un superbe exemple d'urbanisation du XVIIIe siècle. L'avenida da República est une longue esplanade le long du fleuve. On aperçoit Ayamonte depuis son extrémité nord. Des calèches de couleurs vives peuvent vous emmener voir le chantier naval et le phare.

Vous pouvez visiter le **Museu de Manuel Cabanas**, praça Marquês de Pombal (∅ 281/51-00-00) situé sur la place principale de la ville. Il renferme des vestiges ethnographiques de la région ainsi que des tableaux et des gravures anciennes. Il est ouvert du mardi au dimanche de 11 h à 13 h et de 14 h à 19 h ; l'entrée est gratuite.

À 5 km au nord sur la route de Mertola (N122), vous découvrirez un château-forteresse gris-mouette, le **Castro Marim**. Cette imposante structure remonte aux guerres frontalières qui opposèrent l'Espagne et le Portugal. Ses remparts et murailles sont dressés en direction des territoires de l'autre côté du fleuve. Alphonse III, qui expulsa les Maures de la région, fit édifier la forteresse d'origine. Elle fut détruite par le tremblement de terre de 1755. Son enceinte abrite les ruines de l'**Igreja de São Tiago**, consacrée à saint Jacques.

La nouvelle station balnéaire de **Monte Gordo** est au sud-ouest de Vila Real. Après Faro, Monte Gordo compte la plus forte concentration d'établissements hôteliers. Située à 4 km de l'embouchure du Guadiana à Vila Real, Monte Gordo est la petite dernière de tout un chapelet de stations balnéaires installées dans l'Algarve. Sa plage large et pentue, Praia de Monte Gordo, est l'une des plus agréables dans le sud du Portugal : elle est bordée de plaines de pinèdes, et la température moyenne de l'eau est la plus élevée du pays. Il est regrettable que ce petit village de pêcheurs tranquille ait été dénaturé par les grands immeubles. Aujourd'hui, les *varinas* encouragent leurs fils à travailler dans les hôtels plutôt que sur les bateaux. La pêche aux pourboires a remplacé celle au thon. La localité compte de bons hôtels qui attirent beaucoup d'Européens, notamment des Espagnols.

Se loger

Beaucoup préfèrent séjourner au bord de la plage à Monte Gordo (voir ci-dessous) plutôt que dans les hôtels de Vila Real.

VILA REAL

Hotel Apolo. Av. dos Bombeiros Portugueses, 8900 Vila Real de Santo António. ∅ **281/51-24-48** Fax 081/51-24-50. 42 chambres. TV CLIM. Tél. Double 10 500-20 000 ESC. Petit déjeuner compris. CB. Stationnement gratuit.

L'Hotel Apolo est installé à l'entrée est de la ville. La proximité de la plage et du fleuve en fait un lieu privilégié des vacanciers et des visiteurs en route pour l'Espagne. Un hall spacieux au sol en marbre mène dans un grand bar ensoleillé meublé de sofas confortables. Les petites chambres, meublées simplement, ont toutes un balcon. Ce n'est pas la halte la plus chic que vous effectuerez dans l'Algarve mais il est épatant pour y passer une nuit.

Hotel Guadiana. Av. da República 94, 8900 Vila Real de Santo António. ∅ **281/51-14-82** Fax 281/51-14-78. 39 chambres. TV CLIM. Tél. Double 15 000 ESC ; suite à partir de 17 000 ESC. Petit déjeuner compris. CB. Stationnement gratuit.

Cet hôtel est considéré comme le meilleur de la ville. Il occupe un hôtel particulier classé monument historique national. Le bâtiment principal fut construit en 1916, et enfin rénové en 1992. Situé à proximité du fleuve et de la frontière espagnole, c'est une base idéale pour visiter la ville, la plage Santo António et les attractions balnéaires de Monte Gordo. En dépit des rénovations, cet établissement 3 étoiles conserve une atmosphère traditionnelle portugaise. Certains murs sont carrelés. Les chambres, petites ou moyennes, sont décorées à l'ancienne mode, mais bien équipées. Il n'y a pas de restaurant, mais le bar est agréable.

MONTE GORDO

Casablanca Inn. Rua 7, Monte Gordo, 8900 Vila Real de Santo António. ∅ **281/51-14-44** Fax 281/51-19-99. 42 chambres. CLIM. Tél. Double 16 000-18 500 ESC. Petit déjeuner compris. CB. Stationnement gratuit mais limité dans la rue.

Le Casablanca Inn ne donne pas directement sur la plage mais sur un très joli parc fleuri. Cet hôtel ne déparerait pas dans le quartier riche d'une ville marocaine, avec son jardin luxuriant, couvert de fleurs et ses balcons arqués en retrait. Les chambres de taille moyenne possèdent une terrasse et sont équipées d'une literie ferme. Le bar est fréquenté en soirée par des jeunes, surtout le mardi, le vendredi et le samedi car des concerts live y sont organisés à partir de 22 h 30. Le café en terrasse du bar propose des plats simples de 11 h à 14 h et vous pouvez y prendre un verre tous les jours de 17 h 30 à 1 h du matin. Les spectacles hebdomadaires comprennent de la musique d'orgue. La plage est à 10 minutes à pied.

Hotel Alcázar. Rua de Ceuta, Monte Gordo, 8900 Vila Real de Santo António. ∅ **281/51-01-40** Fax 281/51-01-49. 97 chambres. Double 22 000 ESC ; suite 24 000-29 000 ESC. Petit déjeuner compris. CB.

C'est le meilleur hôtel de la ville mais n'en attendez pas trop. Sa façade en brique bordée de palmiers est soulignée de longs balcons blancs en courbe. Une piscine est installée sur une terrasse que ses murs abritent du vent, ce qui prolonge la belle saison jusqu'à l'automne. La décoration intérieure inspirée du style arabe fait appel à de nombreux arcs et voûtes qui composent des niches joliment éclairées la nuit. Les chambres sont de taille moyenne, un peu austères, mais elles possèdent leur propre terrasse pour les bains de soleil. Les lits jumeaux sont excellents. **Restauration/distractions :** dans le restaurant, moderne et haut de plafond, des serveurs courtois vous apportent un repas soigné, mais assez classique. Toute la semaine, vous pouvez y voir des spectacles. L'hôtel possède une discothèque au sous-sol. Des projections de vidéos de films récents sont assurées dans l'un des salons en contrebas, près du hall principal. Des concerts de musique live sont organisés près du bar de 18 h à 24 h. **Services :** room service, blanchisserie, baby-sitting.

Hotel dos Navegadores. Monte Gordo, 8900 Vila Real de Santo António. ∅ **281/51-08-60** Fax 281/51-08-79. 431 chambres CLIM. Tél. Double 13 000-26 000 ESC ; suite 32 250-50 000 ESC. Petit déjeuner compris. CB. Stationnement gratuit.

Le nom de ce grand hôtel est indiqué si discrètement sur sa façade qu'on pourrait le prendre pour un immeuble. Cet établissement rencontre beaucoup de succès parmi les familles portugaises et britanniques ainsi qu'auprès groupes, qui se retrouvent sous le dôme surmontant la piscine de l'atrium, près de la réception. Un bar sert des boissons aux fruits et les divers salons abritent des plantes semi-tropicales. Les trois quarts des chambres, confortables mais passe-partout, sont dotées de balcons. L'hôtel vient d'en ajouter 80 supplémentaires. **Restauration/distractions** : le restaurant de l'hôtel, ouvert uniquement le soir, propose une cuisine portugaise et internationale classique. Les 3-12 ans disposent d'un centre de loisirs. La plage est à 5 minutes à pied. **Services** : blanchisserie, baby-sitting. Plusieurs boutiques sans d'intérêt bordent un couloir près de la piscine, ainsi qu'un salon de coiffure et un coffee shop.

Hotel Vasco da Gama. Av. Infante Dom Henríque, Monte Gordo, 8900 Vila Real de Santo António. Ø **281/51-09-01** Fax 281/51-09-01. Mél : vagama@mail.telepac.pt. 172 chambres. TV CLIM. Tél. Double 11 500-13 000 ESC ; suite 13 500-26 000 ESC. Petit déjeuner compris. CB. Stationnement gratuit.

Ici, les propriétaires savent ce que recherchent leurs clients nord-européens : bains de soleil et baignades à gogo. L'hôtel se trouve sur une longue plage de sable, mais il possède aussi une piscine olympique équipée d'un haut plongeoir et d'un solarium dallé de presque 400 m². Les chambres, un peu exiguës et spartiates, sont meublées classiquement et ont une literie ferme. On accède au balcon par une porte-fenêtre. **Restauration/distractions** : la salle à manger tout en haut possède des tables supplémentaires sur la mezzanine. Il y a plusieurs salons joliment meublés et deux bars. On peut assister à des spectacles folkloriques le lundi et le samedi, écouter du *fado* le mardi et le vendredi et du piano le lundi et le jeudi. **Services** : room service, blanchisserie, baby-sitting.

Se restaurer

Edmundo. Av. da República 55. Ø **281/54-46-89**. Réservation conseillée. Plats 1 500-2 800 ESC. CB. Lun.-Sam. 12 h-15 h ; tlj. 19 h-22 h. *Portugais.*

Avec sa vue sur le fleuve et l'Espagne sur l'autre rive, Edmundo est l'un des restaurants qui rencontre le plus grand succès à Vila Real, notamment auprès des Espagnols qui viennent passer la journée dans l'Algarve. Essayez d'obtenir une table en terrasse (sur le trottoir). Les restaurateurs sont sympathiques et fiers, avec raison, de leurs recettes régionales, notamment leurs plats de poissons. Commencez par un cocktail de crevettes, puis prenez une sole poêlée, des écrevisses ou le succulent rouget barbet sauté. Vous pouvez également opter pour un plat de viandes tel que les côtes d'agneau et les escalopes de veau.

10 L'Alentejo et le Ribatejo

Les provinces contiguës de l'Alentejo (qui signifie « au-delà du Tage ») et du Ribatejo constituent le cœur du Portugal. Le Ribatejo est une région de rizières et de grands pâturages consacrés à l'élevage des taureaux, tandis que l'Alentejo est une plaine de feu et de glace.

Le Ribatejo est baigné par les eaux du Tage, qui sort de son lit en hiver. Cette région est célèbre pour son pâturin, ses chevaux arabes et ses taureaux noirs. Mais les héros de cette terre sont les *campinos*. Ce sont eux les rudes cavaliers qui domptent les chevaux arabes et dénichent des taureaux à la bravoure exceptionnelle. Que vous visitiez le château des Templiers qui se dresse en plein milieu du Tage à Almourol, ou que vous assistiez à une passionnante *festa brava* durant laquelle chevaux et taureaux parcourent à grand fracas les rues de Vila Franca de Xira, la passion de ce peuple vous émerveillera. Les *fadistas* du Ribatejo sont fameux pour leur impétuosité.

L'Alentejo est la plus grande province du Portugal... si vaste qu'il fut décidé de la diviser en deux districts, l'Alto Alentejo au nord (capitale **Évora**) et le Baixo Alentejo au sud (capitale **Beja**). C'est aussi la moins peuplée. Les maisons blanchies à la chaux, aux fenêtres minuscules, protègent les habitants des rigueurs de l'hiver comme de la chaleur des étés brûlants. Si la fertile région de Beja, au sud, est recouverte de champs de blé, les paysages de l'Alentejo sont largement dominés par des terres arides et des forêts de chênes-lièges. Celles-ci assurent au Portugal le record mondial de production de liège. Si l'Alentejo est surtout une région de plaines à l'intérieur des terres, il borde aussi l'Atlantique de l'embouchure du Sado jusqu'aux limites de l'Algarve, immédiatement au sud de Zambujeira do Mar Carvalhal. Cette zone littorale est la plus déserte et la moins aménagée du Portugal. D'imposantes falaises s'étendent le long de la côte au sud de Lisbonne, parfois interrompues par une crique sableuse ou une baie tranquille. Malheureusement, les plages sont peu protégées de l'assaut des vagues et des vents violents s'y engouffrent ; par ailleurs, la faible température de l'eau décourage généralement les nageurs les plus résolus !

Mieux vaut prendre la voiture pour visiter cette région. Cela permet de séjourner dans une grande ville et de faire des excursions d'une journée dans d'intéressantes localités. Les transports en commun le permettent, mais l'attente est parfois longue entre les correspondances. Ces deux provinces sont si proches de Lisbonne qu'elles touchent les banlieues de la capitale.

L'Alentejo et le Ribatejo

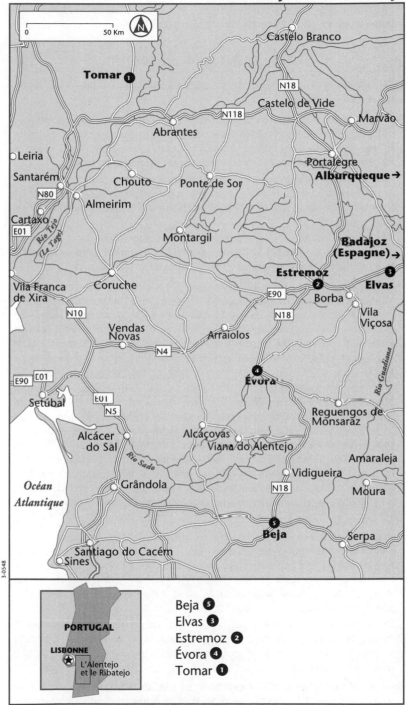

0   50 Km

Castelo Branco

Tomar ❶

N18

Castelo de Vide

N118

Marvão

Abrantes

Leiria

Portalègre

Alburqueque →

Santarém

Chouto

Ponte de Sor

N80

Almeirim

Cartaxo

E01

Rio Tejo

(Le Tage)

Montargil

**Badajoz
(Espagne)** →

Estremoz
❷

❸

Elvas

Vila Franca
de Xira

Coruche

E90

Borba

Vila
Viçosa

N10

N18

Vendas
Novas

Arraiolos

N4

E90   E01

Évora ❹

Setúbal

E01

N5

Rio Guadiana

Reguengos de
Monsaraz

Alcáçovas

Amaraleja

Alcácer
do Sal

Rio Sado

Viana do Alentejo

Vidigueira

*Océan
Atlantique*

Grândola

N18

Moura

❺
Beja

Serpa

Santiago do Cacém

Sines

3-0-548

PORTUGAL

LISBONNE ★

L'Alentejo
et le Ribatejo

Beja ❺
Elvas ❸
Estremoz ❷
Évora ❹
Tomar ❶

Si vous venez de l'Algarve (voir chapitre 9), vous arriverez rapidement dans l'Alentejo. Au départ d'Albufeira dans le sud, prenez l'IP-1.

Explorer la région en voiture

Cet itinéraire vous fera découvrir des paysages vraiment spectaculaires et une région sauvage et authentique.

Premier jour En partant du nord de Lisbonne, empruntez l'autoroute A1 (à péage), près de l'aéroport. Prenez la sortie de Vila Franca de Xira puis passez sur le pont qui enjambe le Tage. Poursuivez sur la N10 pendant 9,5 km jusqu'à Porto Alto. Prenez ensuite la N118 vers le nord-est jusqu'à Santarém, capitale administrative du Ribatejo.

Vous arriverez à **Almeirim** au sud-ouest de Santarém. Cette petite localité était jadis très appréciée de la royauté portugaise. Poursuivez votre chemin sur la N118 pendant 17 km jusqu'à **Chamusca**. La vieille ville abrite des maisons dont l'architecture est typique du Ribatejo.

Au nord de la localité, la N118 se transforme en route secondaire. Quand vous arriverez à la bifurcation avec la N243, prenez la direction de **Tomar** (la route devient la N365 puis la N110 avant d'atteindre Tomar). Vous pouvez y passer la nuit.

Deuxième jour Après avoir visité Tomar (voir p. 257) dans la matinée, empruntez la N110 vers le sud sur 7 km puis tournez à gauche sur la N358. Vous traverserez une campagne pittoresque avant d'arriver au **Castelo de Bode**, le plus grand barrage du pays. Poursuivez votre chemin jusqu'à Constância où vous rattraperez la N3 qui vous emmènera à Abrantes, 16 km plus loin. Vous pouvez visiter la forteresse et le petit musée dans l'église Santa Maria, reconstruite au XVe siècle sur les ruines d'une ancienne église.

D'Abrantes, continuez sur la N118 vers l'est, en direction de **Castelo de Vide**, une station thermale située sur les pentes de la Serra de São Mamede à une altitude de 548 mètres. Dans l'enceinte de la vieille ville, certaines places ont peu changé depuis les XVe et XVIe siècles. La Judiaria, le quartier juif, est un dédale de ruelles étroites bordées de petites maisons aux remarquables portes à voûtes en ogive, les plus belles du Portugal. Vous pouvez passer la nuit à l'**Hotel Sol e Serra**, estrada de São Vicente, 7320 Castelo de Vide (⌀ 245/90-13-01). Construit en 1983, cet hôtel compte 50 chambres assez confortables, dont beaucoup avec balcon. Le prix d'une chambre double s'élève à 13 500 ESC. Le restaurant propose des spécialités régionales pour 2 600 ESC.

Troisième jour Continuez la N246 pendant 9 km jusqu'à la bifurcation pour **Marvão**. Faites encore 4 km dans les montagnes jusqu'à Marvão, un village fortifié du XIIe siècle près de la frontière espagnole. Il faut au moins 2 heures pour en arpenter les vieilles rues, après quoi vous apprécierez sans doute une pause-café dans la ville haute, à la **Pousada de Santa Maria** (⌀ 245/99-32-01), coincée entre deux rues pavées très étroites. Si vous souhaitez passer la nuit sur place, la chambre double coûte entre 16 300 et 24 600 ESC et le repas 3 600 ESC.

En partant de Marvão, empruntez la N359 pendant 21 km vers le sud jusqu'à **Portalegre**. Cette ville industrielle animée est la capitale de l'Alto Alentejo. Continuez pendant 58 km sur la N18, à travers de magnifiques paysages, jusqu'à Estremoz où il est possible de passer la nuit.

Quatrième jour Empruntez l'IP-7 en direction de l'est sur 14 km puis tournez à droite sur la N255 jusqu'à **Vila Viçosa**, siège des ducs de Bragance. Vous pourrez y visiter le Paço Ducal (palais ducal). Retournez ensuite sur vos pas sur la N255 en direction du nord-ouest afin d'aller découvrir **Borba**, la ville du marbre. De là, prenez la N4 (E90) en direction de Badajoz (Espagne) et arrêtez-vous à **Elvas** pour déjeuner. Reprenez la N4 vers Estremoz. Continuez sur la N18 jusqu'à **Évora** à 46 km de là. Ce sera le point fort de la visite dans la région pour beaucoup d'entre vous. Passez-y la nuit (voir p. 265).

Cinquième jour Passez la matinée à Évora, puis repartez sur la N18 en direction du sud-ouest (parfois du sud) jusqu'à **Beja** (voir p. 271), capitale du Baixo Alentejo.

1. Tomar

À 64 km au nord de Santarém, 136 km au nord-est de Lisbonne

Située sur les rives du Nabão, la ville historique de Tomar vit son destin lié à celui de l'ordre des Templiers. En effet, au XII⁰ siècle, ces riches et puissants moines, qui s'étaient illustrés dans leur combat contre les Maures à Santarém (1147), fondèrent le convento de Cristo sur une colline arborée surplombant la ville. Au début du XIV⁰ siècle, les Templiers avaient amassé de grandes richesses mais ils s'étaient aussi attirés de nombreux ennemis. Le pape Clément V prononça la dissolution de leur ordre en 1312. Au Portugal, le roi Denis les incita alors à se regrouper sous l'égide de l'ordre des Chevaliers du Christ, que le pape Jean XXII reconnut en 1319. Le monastère de Tomar devint dès 1356 le siège de l'ordre du Christ. Henri le Navigateur, l'un des plus célèbres grands maîtres, utilisa une grande part des ressources du monastère pour financer ses expéditions.

Informations pratiques

COMMENT S'Y RENDRE

En train La gare se trouve sur l'avenida Combatentes da Grande Guerra (∅ 249/31-28-15), à l'extrémité sud de la ville. Elle est quotidiennement desservie par 12 trains au départ de Lisbonne (durée du trajet : 2 heures ; aller simple 970 ESC) et 5 trains au départ de Porto (durée du trajet : 4 heures ; aller simple 1 500 ESC).

En autobus La gare routière est à côté de la gare ferroviaire sur l'avenida Combatentes da Grande Guerra (∅ 249/31-27-38). Elle est desservie par 6 autobus quotidiens au départ de Lisbonne (durée du trajet : 2 heures ; aller simple 1 500 ESC).

En voiture De Lisbonne, empruntez l'E1 jusqu'à Santarém. Ensuite, prenez la N3 vers le nord-est, puis coupez vers l'est à la bretelle menant à la N110. Quand vous arriverez à la N110, allez vers le nord.

INFORMATIONS TOURISTIQUES

L'office de tourisme de Tomar se trouve sur l'avenida Dr Cândido Madureira (∅ 249/32-24-27).

Explorer la ville

✪ **Convento da Ordem de Cristo** (le couvent du Christ). En haut d'une colline surplombant la vieille ville. ∅ 249/31-34-81. Entrée 400 ESC, gratuit pour les moins de 15 ans. Tlj. avr.-sept. 9 h-18 h ; oct.-mars 9 h 15-12 h 30 et 14 h-17 h.

De sa fondation en 1160 jusqu'au XVII⁰ siècle, le couvent du Christ n'a cessé d'inspirer les maîtres bâtisseurs, qui ne cessèrent de l'embellir, notamment sous le règne du roi Manuel Ier (1495-1521). Il subit malheureusement en 1810 les attaques destructrices des troupes de Napoléon qui en firent leur caserne. L'édifice, restauré à partir de 1834, offre un saisissant condensé des différentes époques architecturales. Monuments parmi les plus extraordinaires du Portugal, il est désormais classé patrimoine mondial de l'Unesco.

Le portail de l'église des Templiers, de style manuélin, est orné de représentations caractéristiques de la Renaissance italienne. À l'intérieur, la rotonde octogonale soutenue par huit piliers serait inspirée du Saint-Sépulcre de Jérusalem. Les similitudes avec l'architecture des mosquées (c'est aussi le cas de la Mezquita de Córdoba – Cordoue, en Espagne), souligne une fois de plus les liens unissant les cultures chrétienne et musulmane. L'auteur Howard La Fay la qualifia d'« écho silencieux de Byzance tout en écarlate et or mat ». Les dommages causés par les troupes françaises sont très visibles. La nef, ornée de rosettes, est de style manuélin. On retrouve partout l'emblème de l'ordre des Templiers.

Les huit cloîtres du monastère présentent toute une variété de styles. Le cloître principal, édifice de deux étages construit au XVIe siècle, présente une symétrie parfaite typique de l'école classique et évoquant le style palladien. Vous pourrez faire une rapide visite guidée des cellules où vivaient les moines.

Ce monastère renferme des chefs-d'œuvre de décoration manuéline en pierre. La fenêtre de la salle capitulaire en est un parfait exemple. Au premier abord, les formes reproduites peuvent paraître confuses ; mais un regard plus attentif y décèlera une évocation condensée des traditions et de la puissance maritimes du Portugal. Nœuds et cordages, marins munis des outils de leur métier, voilures soyeuses flottant dans la pierre et paysages marins de corail... toutes ces représentations délicatement entrelacées composent ce remarquable ouvrage.

Capela de Nossa Senhora da Conceição. Entre la vieille ville et le Convento da Ordem de Cristo. ∅ **249/31-34-81**. Entrée libre. Tlj. 10 h 30-19 h.

En chemin vers le haut de la colline pour visiter le monastère, faites une halte dans cette chapelle de style Renaissance, couronnée de petites coupoles, qui se dresse au-dessus de la ville. On y parvient par une avenue bordée d'arbres. Construite au milieu du XVIe siècle, cette église admirablement proportionnée s'orne en son intérieur d'une forêt de piliers blancs de style corinthien.

Igreja de São João Baptista. Praça da República. ∅ **249/31-26-11**. Entrée libre. Tlj. 8 h-midi et 15 h 30-19 h.

Cette église édifiée par Manuel Ier au XVe siècle se trouve en plein cœur de la ville. Elle renferme des mosaïques noir et blanc en forme de losange et un autel baroque blanc et or. Des carreaux anciens recouvrent la façade d'une chapelle, dans le bas-côté droit. L'église est entourée de ruelles étroites typiques, surplombées par des balcons en fer forgé garnis de cages à oiseaux et de pots de fleurs. On y trouve des échoppes de morue séchée.

Museu luso-hebraico. Rua Dr Joaquim Jaquinto 73. ∅ **249/32-26-02**. Entrée libre ; contributions bienvenues. Tlj. 10 h-18 h (19 h en été).

Ce musée luso-hébraïque est installé dans la synagogue de Tomar, la plus ancienne du Portugal, datant du milieu du XVe siècle. Une communauté juive la fréquenta jusqu'en 1496, date à laquelle Manuel Ier, sous la pression espagnole, ordonna aux Juifs de se convertir ou de quitter la ville. Au fil du temps, la synagogue connut des utilisations diverses : chapelle chrétienne, prison, entrepôt et même grenier à foin. Aujourd'hui, elle est classée monument historique national. Samuel Schwartz, un Allemand qui passa une grande partie de sa vie à la restaurer, acquit l'édifice en 1923. Il en fit don à l'État portugais en 1939. En contrepartie, Schwartz et son épouse furent naturalisés portugais et protégés pendant la Seconde Guerre mondiale. Le musée abrite de nombreux tombeaux du XVe siècle dotés d'inscriptions en hébreu ainsi que des objets de culte judaïques du monde entier qui furent offerts au musée. De récentes fouilles ont permis de découvrir une *mikvah* (baignoire utilisée pour le rite de la purification).

Shopping

Les magasins de la principale rue commerçante de Tomar, la **rua Serpa Pinto**, surnommée « Corre Doura », sont très prisés. Vous y trouverez de nombreuses boutiques d'art populaire, de poterie, de cuivre et de fer forgé. Parmi les meilleurs, figurent **Artlandica**, Convento de São Francisco, rua de São Francisco (Ø 249/32-33-55), et **Região Arte**, avenida Cândido Madureira (Ø 249/32-24-27), concurrent du premier depuis peu et situé près de l'office de tourisme ; il propose des centaines d'objets d'art populaire charmants.

Se loger

À TOMAR

Hotel dos Templários. Largo Cândido dos Reis 1, 2300 Tomar. Ø **249/32-17-30.** Fax 249/32-21-91. 177 chambres. TV CLIM. Tél. Double 18 100 ESC ; suite 29 000 ESC. Petit déjeuner compris. Moins de 8 ans : moitié prix dans la chambre de leurs parents. CB. Stationnement gratuit.

Ce grand hôtel quatre étoiles installé sur les rives du Nabão semble quelque peu déplacé dans cette petite ville ; et il a été agrandi en 1994, ce qui en fait le plus grand établissement du district. Bien qu'ordinaires, les chambres de taille moyenne sont agréables, surtout celles de l'aile la plus récente. Bon nombre donnent sur le couvent du Christ. Elles sont toutes bien meublées et équipées. Les différentes salles sont spacieuses, notamment la salle à manger, dotée d'une terrasse avec vue. Les équipements sont nombreux : grandes terrasses ensoleillées, piscines couverte et découverte, court de tennis et serre. On prend son petit déjeuner dans sa chambre ou dans une salle ensoleillée surplombant le fleuve. Si vous ne faites que passer, faites une halte à la table d'hôte pour le déjeuner ou le dîner (4 850 ESC). Le restaurant est ouvert tous les jours de 13 h à 14 h 30 et de 20 h à 21 h 30. Services : room service, blanchisserie, baby-sitting, coiffeur pour hommes, salon de beauté.

Hotel Residencial Trovador. Rua 10 d'Agosto, 1385 Tomar. Ø 249/32-25-67. Fax 249/32-21-94. 30 chambres. TV CLIM. Tél. Double 7 500-9 000 ESC. Petit déjeuner compris. CB. Stationnement gratuit.

Les chambres, aux murs tapissés de papier peint aux motifs classiques, sont extrêmement propres et confortables. Construit en 1982 par la famille qui le dirige toujours, cet hôtel de trois étages abrite au sous-sol un bar avec musique disco. L'établissement se trouve à proximité de la gare routière et du centre commercial de la ville dans un quartier résidentiel assez morne.

SE LOGER ET SE RESTAURER DANS LES ENVIRONS

✪ **Pousada de São Pedro.** Castelo de Bode, 2300 Tomar. Ø 249/38-11-75. Fax 249/38-11-76. www.pousadas.pt Mél : enatur@mail.telepac.pt 25 chambres. TV CLIM. Minibar Tél. Double 19 500-24 600 ESC ; suite 25 000-35 000 ESC. Petit déjeuner continental compris. CB. Stationnement gratuit.

Quand elle fut construite dans les années 1950, cette *pousada* située à 15 km de Tomar servait surtout de logement aux ingénieurs qui travaillaient à la construction du barrage voisin de Castelo de Bode. Quand le barrage fut achevé en 1970, l'établissement fut transformé en l'une des *pousadas* les plus insolites du pays : la terrasse dallée à l'arrière offre une vue imprenable sur le barrage, dont les courbes gracieuses retiennent un lac fréquenté par de nombreux baigneurs et amateurs de voile.

Le bar près de la terrasse est particulièrement chaleureux, avec des canapés joliment tapissés et une cheminée. Les salles de la *pousada*, aux murs habillés de pierre, sont décorées de mobilier d'époque, notamment religieux. Les petites chambres, sans prétention, sont néanmoins soignées et équipées d'une bonne literie. Après un incendie, au début des années 1990, une nouvelle annexe fut construite pour doter l'établissement de 7 chambres supplémentaires.

La *pousada* propose des spécialités internationales et régionales de très bonne qualité. Le restaurant est ouvert tous les jours de 12 h 30 à 15 h et de 19 h 30 à 22 h. Exemples de spécialités proposées : filet de porc aux pommes et le filet de bœuf flambé aux pêches. Il faut compter en moyenne 3 600 ESC pour un repas.

Se restaurer

Bella Vista. Angle Rua Marquês de Pombal et rua Fonte do Choupo. ✆ 249/31-28-70. Réservation conseillée. Plats 1 000-2 200 ESC ; menu 1 800 ESC. Pas de CB. Lun. et mer.-dim. midi-15 h ; mer.-dim. 19 h-21 h 30. Fermé nov. *Portugais*.

Cette maison en pierre de 150 ans, située en plein centre-ville, appartient depuis trois générations au moins à la famille Sousa. Le patriarche, Eugenio, ouvrit le restaurant en 1975 et il supervise toujours les cuisines du haut de son tabouret. Vous pourrez vous installer dans une douillette salle à manger campagnarde ou sur la terrasse entourée de buissons de fleurs. De votre table, vous aurez une agréable vue sur la vieille ville et le petit canal. Les plats du menu sont simples mais copieux et à des prix abordables. Le cuisinier prépare en principe tous les jours une marmite de *caldo verde* et de la soupe aux crustacés. Vous pourrez aussi choisir entre différentes variantes de la morue portugaise, une savoureuse chèvre rôtie, du filet de sole grillé, un porc rôti aux aromates et plusieurs succulentes recettes de poulet, dont une au curry. Les vins sont sans prétention, abondants et bon marché.

Tomar la nuit

En dépit de sa petite taille et de son attachement à la culture populaire, Tomar compte de nombreux établissements où l'on peut se désaltérer et frayer avec les noctambules du coin. Vous trouverez des *tascas* et des bars éparpillés dans le centre historique de la ville. Le **Bar Akiopukas**, rua de São João (pas de tél.), et le **Quinta Bar**, Quinta do Falcão 26 (✆ 249/38-17-67) sont attrayants et très animés. Une clientèle de 20 à 45 ans s'y retrouve pour écouter de la musique live. Ne serait-ce que pour y prendre un seul verre, le **Casablanca**, rua de São João (pas de tél.), établissement détendu et tranquille dont le thème est, vous l'avez sûrement deviné, saharo-mauresque, vaut également le détour.

2. Estremoz

À 46 km au nord-est d'Évora, 173 km à l'est de Lisbonne, 11 km à l'ouest de Borba

S'élevant dans la plaine comme une pyramide de sel en train de sécher au soleil, la ville fortifiée d'Estremoz se trouve au cœur de la région des carrières de marbre de l'Alentejo. Tant les chaumières que les châteaux utilisent abondamment le marbre comme matériau de construction et de décoration.

En dehors des sentiers battus...

Certaines villes de la région comme Évora se trouvent sur l'itinéraire touristique principal. Toutefois, l'Alentejo et le Ribatejo regorgent de petites localités qui sauront captiver le voyageur qui prendra le temps de les découvrir. Voici les principales :

Serpa Évocatrice du Moyen Âge, Serpa est une ville fortifiée dotée de tours de défense. Après avoir appartenu à l'infant de Serpa, Dom Fernando, frère de Dom Sancho II, elle fut intégrée au royaume du Portugal en 1295. La blancheur de ses bâtisses tranche sur les vastes plaines ocre rouge plantées d'oliviers argentés et de chênes-lièges de l'Alentejo. Le paysage est marqué par la beauté sauvage du Guadiana.

La ville est célèbre pour le fromage qui porte son nom, ses saucissons et ses bonbons. Au hasard de votre flânerie dans les rues étroites, bordées de maisons aux fenêtres treillissées, vous pourrez admirer un musée d'archéologie et plusieurs églises. Les superbes meubles peints que vous découvrirez chez les artisans sont la spécialité de la ville. Serpa – et tout spécialement la *pousada* en haut de la colline – est devenue une halte pour le déjeuner ou pour la nuit sur la route de l'Espagne.

Monsaraz Cette vieille localité fortifiée se trouve à 51 km d'Évora en direction de l'Espagne. C'est un village de vieilles maisons blanchies à la chaux autour de ruelles pavées. De nombreux détails rappellent la présence des Maures jusqu'en 1166. Quelques femmes portent encore les vêtements traditionnels, qui constituent une protection efficace contre le soleil : chapeau d'homme coiffant la tête couverte d'un châle, pantalon d'homme sous la jupe. Monsaraz domine la vallée du Guadiana, frontière entre l'Espagne et le Portugal.

Cette localité se visite aisément en une demi-journée en partant d'Évora. L'escalade des remparts est amplement récompensée par la vue qui évoque un mélange d'arène et de théâtre antique. La **rua Direita** est le site le plus intéressant de la visite. Elle abrite une architecture des plus remarquables ; grilles, balcons et escaliers extérieurs sont en fer forgé.

Borba Sur la route de Borba, vous longerez des carrières remplies de dépôts blancs, noirs et multicolores. Le marbre est roi. Il orne les portes et les façades de nombreuses maisons. La **rua São Bartolomeu** abrite une église consacrée à saint Barthélemy. Elle abrite des murs carrelés d'*azulejos* bleus, blancs et or, et un autel de marbre noir et blanc. La voûte à arêtes est richement décorée de quatre grands médaillons. Huit magasins d'antiquités intéressants se trouvent à proximité. Borba est également un grand centre vinicole ; une dégustation est possible au café ou à la *pousada* d'Elvas.

Marvão Si vous n'avez le temps d'explorer qu'une seule ville-frontière, choisissez celle-ci ! Perchée dans un site unique à 6 km de la frontière espagnole et près de Castelo de Vide, cette cité médiévale de caractère est très bien conservée. On arrive à Marvão en empruntant une route qui serpente sur le flanc de la colline en haut de laquelle est juché le village, avant de longer l'église Notre-Dame-de-l'Étoile, les murs rideaux, les tours de garde et les parapets. Passages voûtés, maisons à balcons ornées de grilles en fer forgé, fenêtres de style manuélin et plusieurs églises bordent les ruelles pentues de la localité. Construit au XIIIᵉ siècle, le château se dresse sur la partie ouest de l'affleurement rocheux. Du parapet, vous bénéficiez d'une vue panoramique des environs, des montagnes de l'Espagne à l'est à la vaste étendue des chaînes portugaises au nord-ouest.

Informations pratiques

COMMENT S'Y RENDRE

Estremoz n'est pas desservie par le chemin de fer.

En autobus La **gare routière** se trouve à Rossio Marquês de Pombal (∅ 268/32-22-82). Elle est desservie quotidiennement par 6 autobus en provenance d'Évora (durée du trajet : 1 heure), et par 5 autobus au départ de Portalegre (durée du trajet : 1 h 30).

En voiture En partant d'Évora (voir p. 267), empruntez la N18 en direction du nord-est.

INFORMATIONS TOURISTIQUES

L'**office de tourisme** d'Estremoz se trouve à Rossio Marquês de Pombal (∅ 268/33-35-41).

Explorer la ville

Le **Rossio Marquês de Pombal** est la grande place du centre de la ville basse, sur laquelle donnent l'**hôtel de ville** et ses deux clochers identiques. Les murs de l'escalier d'honneur sont carrelés d'*azulejos* anciens bleu et blanc qui décrivent des scènes cynégétiques, champêtres et historiques.

À voir également, l'**Igreja de Santa Maria** (église Santa Maria), qui date du XVIe siècle et faisait partie de l'ancienne citadelle. Elle abrite des tableaux de primitifs portugais. Elle est ouverte du mardi au dimanche de 9 h 30 à midi et de 15 h à 17 h. L'entrée est gratuite.

Sur la route de Bencatel, à 2 km au sud de la ville, l'**Igreja de Nossa Senhora dos Mártires**, construite en 1844, vaut elle aussi le détour. Après avoir franchi un remarquable porche de style manuélin, vous pourrez admirer ses superbes carreaux de céramique et sa monumentale abside de style gothique français.

Castelo da Rainha Santa Isabel. Largo de Dom Dinis. Pas de tél.

Le plus commode est de se rendre en voiture jusqu'en haut de la ville haute et de s'arrêter sur le largo de Dom Dinis. Vous jouirez d'une vue imprenable sur les plaines de l'Alto Alentejo depuis les remparts du château de la reine sainte Isabelle. L'imposant donjon qui domine la place centrale est le seul vestige de l'ancien château du XIIIe siècle, où mourut l'épouse du roi Denis, Isabelle, qui fut officieusement proclamée sainte par ses partisans dans la région, tandis que ses détracteurs plaignaient dans leurs écrits le « Pauvre Denis ! ». C'est aussi dans le salon de ce château que Dom Manuel reçut Vasco da Gama avant le départ de l'explorateur pour les Indes. En 1698, la résidence royale fut ravagée par une explosion et un incendie terribles ; un nouveau palais fut édifié au début du XVIIIe siècle au pied du donjon. Par la suite, il devint un arsenal, puis une caserne et enfin une école d'enseignement technique. Tandis que l'édifice, berceau du passé de la ville, menaçait ruine, les autorités municipales s'employèrent à le faire restaurer. Sa conversion en une magnifique *pousada* (voir « Se loger » p. 263) lui a rendu son éclat de monument historique. C'est le meilleur endroit où se loger et se restaurer.

Deux petites chapelles et une église donnent également sur le *largo* pavé de pierre et de marbre. Comme au Moyen Âge, des soldats font les cent pas sur les remparts pour surveiller la forteresse.

Museu Rural da Casa do Povo de Santa Maria de Estremoz. Rossio Marquês de Pombal. **T 268/33-35-41.** Entrée 130 ESC, gratuit pour les moins de 12 ans. Mar.-dim. 9 h-11 h 45 et 14 h-18 h.

Le musée rural se visite avec un guide, qui vous présente la vie quotidienne des habitants de l'Alentejo au moyen de maquettes et d'objets d'artisanat. Cet édifice de style

XVIIIᵉ siècle fait partie du Convento das Maltezas de São João da Penitência, aujourd'hui la Misericórdia (organisme national de bienfaisance).

Shopping

Cette localité doit sa célébrité à sa **cruche** traditionnelle en terre cuite. Munie de deux becs, d'une anse et parfois d'armoiries décoratives estampillées sur la terre humide avant la cuisson, elle est connue sous le nom de *moringue*. Au moins une demi-douzaine de marchands ambulants en vendent sur la place principale, Rossio Marquês de Pombal. Rappels élégants du passé agraire du Portugal, on les associe à l'amour et au mariage (traditionnellement, les femmes portaient ces cruches remplies d'eau aux ouvriers agricoles dans les champs). Certaines sont brutes, d'autres émaillées de couleurs vives.

Le magasin **Artesanato**, avenida de São António (pas de tél.), propose de nombreux autres produits de l'artisanat régional, notamment des métaux travaillés, des sculptures en bois, des articles tissés et des centaines de figurines en terre cuite. Chacune représente un corps de métier typique de l'Alentejo : astucieux portraits de lavandières, charcutiers, menuisiers, prêtres et fabricants de balais.

Se loger

PRIX ÉLEVÉS

✪ **Pousada da Rainha Santa Isabel.** Largo de Dom Dinis, 7100 Estremoz. ∅ **268/33-20-75**. Fax 268/33-20-79. www.pousadas.pt 33 chambres. TV CLIM. Minibar Tél. Double 26 500-35 000 ESC ; suite 42 500-52 300 ESC. Petit déjeuner continental compris. CB. Stationnement gratuit.

Cette *pousada* est l'une des meilleures du réseau géré par l'État, et il est conseillé de réserver plusieurs mois à l'avance. C'est un établissement de luxe, installé dans le vieux château qui domine la ville et la plaine d'Estremoz (voir p. 262). Feuilles dorées, marbre, velours et satin servent d'écrin aux reproductions des XVIIᵉ et XVIIIᵉ siècles accrochées dans les chambres et les couloirs. On y trouve des chambres de styles très différents, des anciennes cellules de moines aux somptueuses suites équipées de lits à baldaquins. Dix excellentes chambres ont été installées dans une nouvelle annexe moderne. Confort et cachet s'intègrent parfaitement à ce cadre historique. **Restauration** : l'élégante salle à manger voûtée propose une gastronomie régionale et internationale. Essayez par exemple le chevreuil aux champignons sauvages ou le perdreau farci de légumes. S'il est au menu, faites preuve d'audace et commandez le sanglier sauvage grillé accompagné d'une sauce au piment. Un repas coûte de 4 500 à 4 800 ESC. Le restaurant est ouvert tous les jours de 12 h 30 à 15 h et de 19 h 30 à 22 h. **Services** : room service 24 h/24, blanchisserie, piscine découverte.

PETITS PRIX

Residência Carvalho. Largo da República 27, 7100 Estremoz. ∅ **268/33-93-70**. 18 chambres. Double sans sdb. 3 500 ESC ; double avec sdb. 5 500 ESC. Petit déjeuner continental compris. Pas de CB.

La Residência Carvalho est propre, simple et bon marché. Et c'est peut-être exactement ce que vous recherchez si la *pousada* affiche complet... Les chambres sont petites mais correctement meublées, bien entretenues et équipées de bonnes literies. Dix chambres ont le téléphone.

Se restaurer

Águias d'Ouro. Rossio Marquês de Pombal 27. Ø **268/33-33-26**. Réservation indispensable. Plats 1 400-2 600 ESC. CB. Tlj. midi-15 heures et 19 h-23 h. *Portugais.*

L'Águias d'Ouro propose de bons plats dans une ambiance agréable, sans égaler toutefois le niveau de la *pousada*. « L'aigle d'or » fait face à la plus grande place d'Estremoz. Sa façade à balcons en mosaïque et marbre évoque un palais ducal. L'étage abrite plusieurs salles à manger meublées de lourds canapés en cuir noir et de tables recouvertes de nappes blanches. Commencez votre repas en commandant un pâté maison accompagné de pain de seigle ou un grand bol de soupe aux épinards et aux haricots avec des croûtons. Parmi les plats, on citera un succulent perdreau farci, un appétissant porc aux palourdes et un agneau aux herbes. La mousse au chocolat est le dessert vedette.

Estremoz la nuit

Estremoz ne comptant pas de discothèque digne d'attention, les habitants des environs fréquentent les pubs du centre-ville. **Ze's Pub**, largo General Graça 78 (Ø **268/32-31-39**), est le plus en vue. Une clientèle âgée de 20 à 50 ans s'y retrouve autour d'une pinte de bière, d'un verre de vin ou d'un whisky. Le **Reguengo Bar**, rua Serpa Pinto 128 (Ø **268/33-33-78**), attire une foule un peu plus jeune sur fond de tubes européens et américains.

Si le *fado* vous intéresse, allez à **Estamine**, rua Brito Capelo 29 (Ø **068/32-26-93**). À partir de 23 h le vendredi et le samedi, des divas du *fado* originaires de la région viennent attendrir les spectateurs. Une fois le concert commencé, il faut acquitter un droit d'entrée de 1 500 ESC qui comprend la première boisson. On n'y sert rien à manger.

3. Elvas

À 11 km à l'ouest de Badajoz (Espagne), 221 km à l'est de Lisbonne

« Ville des prunes », Elvas est caractérisée par ses fortifications crénelées et ses étroites rues pavées (les piétons doivent s'engouffrer sous les porches pour faire place aux voitures). La ville fut aux mains des Maures jusqu'en 1226. Par la suite, elle fut assiégée à de nombreuses reprises par les troupes espagnoles. Elle tomba enfin en 1801 lors de la guerre des Oranges, qui se solda par un traité de paix à Badajoz. Celui-ci attribua Olivença, la ville voisine, à l'Espagne, tandis qu'Elvas restait portugaise. Les remparts constituent un remarquable exemple de place forte du XVIIᵉ siècle avec les portails, murs rideaux, douves, bastions et glacis qui l'entourent.

Bordant les rues escarpées, de petites maisons gris perle et or aux toits de tuiles se blottissent les unes contre les autres. Bon nombre des portes font à peine 1,50 mètre de haut. Les minuscules fenêtres sont décorées de cages à canaris et de pots de géraniums. Construit entre 1498 et 1622, l'**Aqueduto da Amoreira**, l'imposant aqueduc à quatre niveaux, achemine aujourd'hui encore l'eau depuis un lieu situé à 8 km de là.

Informations pratiques

COMMENT S'Y RENDRE

En train La **gare** se trouve à Fontainhas (Ø **068/62-28-16**), à un peu plus de 3 km au nord de la ville. Des autobus relient la gare à la praça da República du centre-ville. La gare est desservie par 4 trains quotidiens au départ de Lisbonne (durée du trajet :

La tauromachie dans le Ribatejo

Dans ces terres de *campinos* (cow-boys du Ribatejo portant le traditionnel bonnet en forme de chaussette) et de toreros, la tauromachie devrait tenir une place prépondérante. Malheureusement, les meilleurs taureaux et les matadors de premier plan partent tous pour Lisbonne, où l'on gagne beaucoup mieux sa vie. Dans les provinces, la tauromachie n'est donc qu'un événement occasionnel.

Située à 32 km au nord-est de Lisbonne, **Vila Franca de Xira** est surnommée la « Pampelune du Portugal ». Deux fois par an, la première semaine de juillet lors de la *Colete Encarnado* (« gilet rouge », du nom de la couleur du gilet des *campinos*), et la première semaine d'octobre, lors de la Fête annuelle, on y organise de folles courses de taureaux auxquelles tout le monde participe. Ces grands événements sont l'occasion de corridas où l'on combat les taureaux noirs élevés dans les pâturages des alentours de Vila Franca.

Au cours de ces fêtes, un troupeau de jeunes taureaux noirs entraînés pour les arènes de Lisbonne ou de Cascais est lâché dans la rue principale de la ville. Au début, les taureaux semblent abasourdis et désorientés. La foule en délire hurle pour essayer de faire sortir les énormes bêtes du rang. Lorsque l'un d'eux finit par le faire, il s'ensuit des mêlées et des ruées frénétiques parfois assorties de hauts faits accomplis par des toreros en herbe, à la cape découpée dans un vieux bout de tissu matelassé. Les taureaux sont rarement intimidés par ceux qui les narguent. Bien des jeunes téméraires remplis d'espoir doivent une fière chandelle aux spectateurs qui les ont hissés jusqu'à un balcon en fer forgé. D'autres sont blessés... l'hôpital local reçoit d'ailleurs des renforts de Lisbonne à cette période. Malgré ses détracteurs qui la jugent barbare, cette tradition se perpétue.

5 h 30 ; aller simple : 1 650 ESC). Il y a un train par jour au départ d'Évora (durée du trajet : 3 heures ; aller simple : 1 100 ESC). Trois trains quotidiens relient Badajoz à Elvas (durée du trajet : 1 h ; aller simple : 620 ESC).

En autobus La **gare routière** se trouve sur la praça da República (☏ 268/62-87-50). Elle est desservie par 4 bus par jour en provenance de Lisbonne (durée du trajet : 4 h ; aller simple : 1 600 ESC). Il y a 2 bus par jour au départ d'Évora (durée du trajet : 2 h ; aller simple : 900 ESC). Toute la journée, la ville est reliée à Badajoz par un service fréquent de bus (durée du trajet : 15 min).

En voiture En partant d'Estremoz (voir la partie précédente), poursuivez en direction de l'Espagne sur la N4.

INFORMATIONS TOURISTIQUES

L'**office de tourisme d'Elvas** se trouve sur la praça da República (☏ 268/62-22-36).

Explorer la ville

La **Sé** (cathédrale) se dresse sur la praça Dom Sancho II, ainsi baptisée en l'honneur du roi qui reconstruisit la ville. Sous un dôme conique, c'est un menaçant édifice aux allures de forteresse décoré de gargouilles, de tourelles et d'un portail tarabiscoté de style manuélin. La cathédrale donne sur une place noire et blanche en forme de losange. La Sé est ouverte tous les jours de 9 h à 12 h 30 et de 14 h à 17 h. En remontant la colline sur la droite de la cathédrale, on débouche sur le **largo de Santa Clara**, une placette au centre de laquelle se dresse un pilori pittoresque de style manuélin doté de quatre têtes de dragon en fer forgé fixées en son chapiteau.

Située au sud du largo de Santa Clara, l'**Igreja de Nossa Senhora de Consolação**, datant du XVIᵉ siècle, est un édifice octogonal de style Renaissance surmonté d'une coupole revêtue d'*azulejos* du XVIIᵉ siècle. Elle est ouverte tous les jours de 9 h à 12 h 30 et de 14 h à 17 h.

Construit par les Maures et consolidé par les souverains chrétiens aux XIVᵉ et XVIᵉ siècles, le **castelo** de la praça da República offre un magnifique panorama sur la ville, ses fortifications et la campagne environnante. Il est ouvert tous les jours de 9 h 30 à 13 h et de 15 à 18 h (du 10 octobre au mois d'avril, il ferme à 17 h 30).

Shopping

L'abondant folklore de cette petite ville peut vous inciter à quelques emplettes. Promenez-vous dans les meilleures rues commerçantes, la **rua de Alchemin** et la **rua de Olivença**, dont les boutiques proposent de nombreux objets rustiques. Le magasin **Alchemin**, rua de Alchemin (✆ 268/62-96-99), propose des objets artisanaux de belle qualité ; si vous recherchez des vêtements, le magasin le plus en vue est **Rente**, rua de Alchemin (✆ 268/62-22-90).

Se loger

PRIX MOYENS

✪ **Pousada de Santa Luzia.** Largo de Dom Diniz, av. de Badajoz-estrada N4, 7350 Elvas. ✆ **268/62-21-94**. Fax 268/62-21-27. www.pousadas.pt 25 chambres. TV CLIM. Minibar Tél. Double 16 900-22 500 ESC. Petit déjeuner compris. CB. Stationnement gratuit.

La Pousada de Santa Luzia est l'un des meilleurs établissements du réseau d'auberges géré par l'État. Il est conseillé de réserver. Elle se trouve au bord d'une voie rapide assez fréquentée (estrada N4), immédiatement à l'extérieur de l'enceinte de la ville, à 5 minutes à pied du centre-ville. L'hôtel, construit dans les années 1940, ressemble à une hacienda. Il fut entièrement rénové en 1994 et garni de mobilier peint à la main, typique de l'Alentejo. La villa en stuc blanc fait face aux fortifications. Le rez-de-chaussée comprend une salle de séjour, une salle de restaurant en L et un bar qui donnent, à travers d'épaisses voûtes, dans un patio mauresque planté d'orangers et orné d'une fontaine et d'un bassin couvert de nénuphars. L'étage supérieur abrite quelques chambres mais vous pouvez aussi bien séjourner dans l'annexe à proximité. C'est une belle villa dont toutes les chambres sont équipées de bonnes literies et agréablement meublées. Le restaurant de la *pousada* est excellent. Les plats de poissons – notamment le rouget barbet grillé et les huîtres du jour – sont particulièrement délicieux. Le restaurant est ouvert tous les jours de midi à 16 h et de 19 h 30 à 22 h 45. Un repas coûte de 3 500 à 4 000 ESC. **Services :** room service et blanchisserie.

PETITS PRIX

Estalagem Dom Sancho II. Praça da República 20, 7350 Elvas. ✆ **268/62-26-86**. Fax 268/62-47-17. 26 chambres. Tél. Double 5 000-7 000 ESC. Petit déjeuner compris. CB. Stationnement gratuit.

L'Estalagem Dom Sancho II est idéalement situé pour se promener dans le village. Certaines chambres donnent sur la vieille place et, de votre fenêtre, vous pourrez admirer l'ancien hôtel de ville et, au nord, l'ancienne cathédrale. Toutefois, les chambres à l'arrière sont beaucoup plus calmes. L'hôtel est meublé de pièces d'époque. Les chambres sont petites mais correctes et la literie est de bonne qualité. L'excellent restaurant propose tous les jours des spécialités portugaises. **Services :** room service et solarium.

Hotel Dom Luís. Av. de Badajoz-estrada N4, 7350 Elvas. ∅ **268/62-27-56.** Fax 268/62-07-33. 90 chambres. TV CLIM. Tél. Double 13 000 ESC. Petit déjeuner compris. CB. Stationnement gratuit.

Cet hôtel bien organisé, le plus grand de la ville, offre les meilleures prestations. Les chambres sont modernes, même si certaines commencent à montrer des signes de fatigue. L'établissement abrite un bon restaurant climatisé qui propose des vins et des plats régionaux. Ce n'est sans doute pas le meilleur de la région, mais vous vous y sentirez bien si vous êtes fatigué et ne souhaitez pas passer la frontière espagnole ce soir-là. Il est ouvert tous les jours de 12 h 30 à 15 h 30 et de 19 h 30 à 22 h 30. Il faut compter en moyenne 2 600 ESC par personne. **Services :** room service et blanchisserie.

Se restaurer

Estalagem Don Quixote. Estrada 4, Pedras Negras. ∅ **268/62-20-14.** Réservation conseillée. Plats 1 000-5 000 ESC ; menu touristique 2 000 ESC. CB. Tlj. midi-16 h et 19 h-minuit. *Portugais/français.*

Voici un choix plus audacieux que la *pousada*, à 2,5 km d'Elvas. Cette propriété isolée est la destination de plus d'un amateur de bonne chère. Il y a du monde le week-end, surtout des Espagnols qui mettent beaucoup d'ambiance. Commandez un verre dans le bar de style anglais aux sièges de cuir. Passez ensuite dans la grande salle à manger de style ibérique traditionnel. À l'entrée, les poissons du jour sont exposés dans une vitrine sur de la glace pilée. Parmi les spécialités, vous n'aurez que l'embarras du choix : riz aux crustacés, sole grillée, espadon grillé, porc rôti, beefsteak *alentejano* et au moins cinq sortes de crustacés. Les plats sont alléchants et préparés avec savoir-faire, même s'ils n'atteignent jamais des sommets gastronomiques. Le service laisse quelque peu à désirer quand le restaurant est plein.

Elvas la nuit

N'escomptez pas de divertissements comme à Lisbonne : Elvas n'en offre pas. Envisagez plutôt de vous promener dans le centre historique de la ville pour dénicher des *tascas* (bars) sympathiques. Ou faites environ 1,5 km vers l'ouest jusqu'à l'**Albergaria Jardim**, estrada do Caia (∅ **268/62-10-50**). Elle est fréquentée par les gens des environs qui viennent prendre un verre et discuter. Le **Player Bar**, Barrio de Santa Onofre Alves (∅ **268/62-86-45**) est aussi un endroit très animé.

4. Évora

À 101 km au sud-ouest de Badajoz (Espagne), 154 km à l'est de Lisbonne

Évora, capitale de l'Alto Alentejo, classée au patrimoine mondial par l'Unesco, est une curiosité historique. Compte tenu de sa taille et de son emplacement, c'est aussi un prodige architectural. Ses ingénieurs ont pris toutes les libertés possibles, mêlant tous les styles, du mudéjar au manuélin, en passant par le romain et le rococo. Jadis retranchée derrière ses murailles médiévales, Évora se montre digne de sa réputation de musée vivant. Des demeures remontant aux XVIe et XVIIe siècles, parmi lesquelles bon nombre abritent des patios carrelés, bordent presque toutes les rues. Pavés, dédales de ruelles, arcades, places parées de fontaines chantantes, maisons blanchies à la chaux ainsi qu'une profusion de voûtes d'inspiration maure font le charme cette ville.

Bon nombre de conquérants sont passés par Évora, dont certains ont laissé un héritage architectural. Les Romains de l'époque de Jules César l'appelaient *Liberalitas Julia*. Elle connut son âge d'or au cours du règne de Jean III au XVIe siècle, époque à laquelle elle devint le Montmartre du Portugal ; c'est ici que des artistes d'avant-garde, notamment le dramaturge Gil Vicente, se rassemblaient sous l'égide de la royauté.

De nos jours, Évora est une capitale provinciale somnolente, sans doute trop consciente de ses attraits. Un historien recommanda à un couple d'Américains d'y voir au moins 59 monuments ! Mais ne vous inquiétez pas : un parcours plus modeste vous permettra tout de même de saisir l'âme de la ville. On visite souvent Évora à l'occasion d'une excursion d'une journée au départ de Lisbonne. Compte tenu de la longueur du trajet, c'est sans doute insuffisant pour vraiment apprécier la ville.

Informations pratiques

COMMENT S'Y RENDRE

En train La gare (℘ 266/70-21-25) est à 1,5 km du centre-ville. Elle est desservie par cinq trains quotidiens en provenance de Lisbonne (durée du trajet : 3 heures ; aller simple : 1 075 ESC). Il y a un train par jour au départ de Faro, dans l'Algarve (durée du trajet : 6 heures ; aller simple : 1 650 ESC). Elle est également reliée à Beja (voir ci-dessous) par un service de 4 trains quotidiens (durée du trajet : 1 h 30 ; aller simple : 720 ESC).

En autobus **Rodoviária Nacional**, rua da República (℘ 266/70-21-21), assure les liaisons par autobus des environs. La ville est desservie par 3 bus quotidiens en provenance de Lisbonne (durée du trajet : 2 h 30 ; aller simple : 1 200 ESC). Un service de 3 autobus quotidiens assure la liaison entre Faro, dans l'Algarve, et Évora (durée du trajet : 5 heures ; aller simple : 1 570 ESC). 3 autobus par jour relient Beja à Évora (durée du trajet : 1 h 30 ; aller simple : 980 ESC).

En voiture En partant de Beja (voir ci-dessous), poursuivez vers le nord sur la N18.

INFORMATIONS TOURISTIQUES

L'office de tourisme d'Évora se trouve sur la praça do Giraldo 71 (℘ 266/70-26-71).

MANIFESTATIONS

La **Feira de São João**, somptueux spectacle musical et folklorique, est la plus importante fête d'Évora. Elle a lieu les dix derniers jours du mois de juin et célèbre l'arrivée de l'été. Des centaines d'habitants de l'Alentejo viennent en ville. Tous les produits de l'artisanat régional, notamment les délicates céramiques, sont exposés. Des stands vendent des spécialités culinaires locales. L'office de tourisme (voir « Informations touristiques » ci-dessus) vous fournira de plus amples informations.

Explorer la ville

✪ Templo de Diana. Largo do Conde de Vila Flor. Pas de tél. Entrée gratuite. Tlj. 24 h/24.

Le principal monument d'Évora est le temple de Diane, situé juste en face de la *pousada* appartenant au réseau géré par l'État (voir « Se loger » p. 268). Datant du Ier ou du IIe siècle apr. J.-C., c'est une gracieuse structure dotée de 14 colonnes en granit de style corinthien et surmontées de chapiteaux en marbre. Ce temple serait consacré à Diane, bien que la preuve formelle n'ait pas été apportée. Il a résisté au tremblement de terre de 1755 et a fort probablement servi d'abattoir. En traversant le jardin, vous apercevrez l'aqueduc romain et la campagne avoisinante.

À la recherche des tapis d'Arraiolos

Perché en haut d'une colline, Arraiolos se trouve à 22 km au nord-ouest d'Évora. Si ce village est fameux pour ses rues étroites et ses maisons blanchies à la chaux, il l'est plus encore pour ses tapis aux motifs compliqués. Cette activité remonte au XVIe siècle, époque à laquelle le Portugal commerçait avec la Perse et les Indes. On fabrique toujours ces tapis, dont les dessins s'inspirent de motifs traditionnels de l'Orient. Leur production est strictement artisanale : ils sont tissés chez l'habitant avec de la laine de mouton de l'Alentejo. Le centre-ville compte de nombreux ateliers et magasins. Vous trouverez un vaste choix chez **Condestavel**, rua Bombeiros Voluntários 7 (∅ 066/42-356).

Sé (cathédrale). Largo Marquês de Mariak (largo de Sé). ∅ 266/75-93-30. Entrée gratuite à la cathédrale ; musée, adultes 450 ESC, gratuit pour les enfants. Mar.-dim. 9 h-midi et 14 h-17 h.

La cathédrale d'Évora, de style roman, fut construite en moins d'un siècle, à partir de 1186. Cet édifice volumineux fut restauré et réaménagé au cours des siècles. Sa façade en pierre est flanquée de deux tours carrées surmontées de flèches coniques. L'une d'elles est entourée de plusieurs clochetons. L'intérieur est composé d'une nef et de deux bas-côtés. L'autel principal, datant du XVIIIe siècle, tout de marbre rose, noir et blanc, est superbe. Les jeunes femmes viennent implorer le groupe sculpté la *Vierge des mères* de leur accorder la fertilité.

Le musée abrite des trésors provenant de la cathédrale, notamment une très belle Vierge en ivoire datant du XIIIe siècle. Elle s'ouvre pour révéler un ensemble de scènes de la vie de la Vierge. Le musée renferme également un reliquaire incrusté de 1 426 pierres précieuses, saphirs, rubis, diamants et émeraudes. Enfin, la pièce la plus prisée est un morceau de bois qui proviendrait de la Croix de Jésus-Christ.

Igreja Real de São Francisco. Rua da República. ∅ 266/70-45-21. Entrée 100 ESC. Tlj. 10 h-13 h et 14 h 30-18 h.

L'église fut édifiée entre 1460 et 1510 dans un style influencé par l'architecture gothique et manuéline. Elle renferme une chapelle (la Capela dos Ossos, XVIe siècle) pour le moins insolite, aux murs recouverts de crânes et d'ossements humains. Selon la légende, ces ossements seraient ceux de soldats morts lors d'une grande bataille ou de victimes de la peste. Surmontant la porte, l'inscription suivante rappelle aux visiteurs la triste destinée humaine : « Nos ossements ici rassemblés attendent les vôtres ! »

Igreja de Nossa Senhora de Graça. Largo da Graça. Entrée gratuite. Mar.-dim. 9 h-midi et 14 h-17 h.

L'église Nossa Senhora da Graça est surtout remarquable pour sa façade baroque ornée de gigantesques nus classiques coiffant ses colonnes. Ces géants de pierre sont souvent comparés à des œuvres de Michel-Ange. L'église fut édifiée à la grande époque d'Évora, durant le règne de Jean III. L'encadrement de la fenêtre centrale est flanqué de colonnes et de grandes rosettes en pierre ; des piliers de style néoclassique soutiennent le niveau inférieur.

Universidade de Évora. Largo do Colégio. ∅ 266/70-55-72. Entrée libre. Lun.-ven. 8 h-19 h (avec autorisation).

Une visite de l'ancienne université d'Évora éclaire sur le passé prestigieux de la cité. En 1559, alors que la ville était en plein essor culturel, l'université fut fondée et confiée aux jésuites. Elle prospéra jusqu'au jour où le marquis de Pombal, hostile à cet ordre religieux, la fit fermer (XVIIIᵉ siècle). Il fallut attendre 1979 pour que les édifices accueillent à nouveau une université. La structure baroque à deux étages entoure une grande cour. Des piliers en marbre soutiennent les arcades de la galerie dont les plafonds sont en bois du Brésil. La cour intérieure est recouverte de carreaux bleus et blancs. D'autres magnifiques *azulejos* représentant des femmes, des animaux sauvages, des anges, des chérubins et des hommes costumés rehaussent l'élégance austère des salles de cours et du réfectoire tout en longueur.

✪ **Igreja de São João Evangelista.** Largo do Conde de Vila Flor. ∅ **266/70-47-14.** Entrée 500 ESC. Mar.-dim. 10 h-midi et 14 h-18 h.

Située en face du temple de Diane à côté de la *pousada*, l'église Saint-Jean-l'Évangéliste, de style gothique-mudéjar, est reliée au palais des ducs de Cadaval. Elle renferme une collection d'*azulejos* du XVIIIᵉ siècle. La sacristie de la chapelle renferme des tableaux, parmi lesquels une représentation effrayante d'Africains massacrant un missionnaire chrétien. Le tableau d'un pape aux yeux et aux pieds mobiles est une véritable curiosité. On y trouve aussi un morceau du rempart qui entourait jadis Évora. Enfin, un guide vous montrera une vieille citerne assez macabre remplie d'ossements (provenant d'anciennes tombes).

✪ **Museu de Évora.** Largo do Conde de Vila Flor. ∅ **266/70-26-04.** Entrée 400 ESC, gratuit pour les moins de 15 ans. Mar.-dim. 10 h-midi et 14 h-17 h.

Le musée des Arts anciens est installé dans le palais épiscopal des XVIᵉ et XVIIᵉ siècles. Au rez-de-chaussée, il renferme des sculptures romaines, médiévales, manuélines et luso-arabes. Vous pourrez y voir les restes d'une vestale en marbre, une *Annonciation* en marbre du XIVᵉ siècle et une *Sainte Trinité* en pierre d'Ança qui remonte aux alentours de l'an 1500. L'étage supérieur renferme un polyptyque de l'école flamande du XVIᵉ siècle qui décrit la vie de la Vierge, des tableaux composant la prédelle d'un retable de l'école flamande sur la passion du Christ ainsi que des tableaux de peintres portugais datant des XVIᵉ et XVIIᵉ siècles.

Shopping

Les plus jolies boutiques se trouvent dans la **rua do 5 de Outubro**, qui commence à proximité de la cathédrale et se termine à la limite de la vieille ville. **Baiginho**, rua do 5 de Outubro (∅ **266/70-41-01**) propose un grand choix d'articles. Sinon, le mieux est de faire du lèche-vitrine dans les rues autour de la cathédrale.

Se loger

PRIX ÉLEVÉS

✪ **Pousada dos Lóios.** Largo Conde de Vila Flor, 7000 Évora. ∅ **266/70-40-51.** Fax 266/70-72-48. 32 chambres. TV CLIM. Tél. Double 28 500-34 000 ESC ; suite 48 500 ESC. Petit déjeuner compris. CB. Stationnement gratuit.

La Pousada dos Lóios est une superbe auberge touristique du réseau géré par l'État. Le monastère de Lóios qu'elle occupe fut construit en 1485, sur le site de l'ancien château d'Évora qui avait été démoli lors d'émeutes en 1384. Le noble Don Rodrigo Afonso de Melo, qui fonda le monastère, en posa lui-même la première pierre au cours d'une cérémonie. Les rois Jean II, Jean IV et Jean V le visitèrent. La salle capitulaire, ornée de portes du XVIᵉ siècle de style luso-maure, renfermait des rapports officiels de l'Inquisition. Suite au tremblement de terre de 1755, de grands travaux furent entrepris pour réparer et préserver les bâtiments. Au cours des années, le monastère a servi de bureau télégraphique, d'école primaire, de caserne et de bureaux.

L'ouverture de la *pousada* en 1965 permit de restaurer le monastère. L'établissement jouit d'un emplacement incomparable, dans le centre historique d'Évora, entre la cathédrale et le temple romain. Le salon blanc et or (jadis une chapelle privée) est décoré d'ornements et de fresques rappelant celles de Pompéi. Il est meublé de pièces d'époque et décoré de tentures tissées à la main, de portraits peints sur médaillons, et de lustres et d'appliques en cristal. Toutes les chambres sont meublées de copies de pièces d'époque de style traditionnel provincial. Toutefois, elles sont de dimensions réduites : ce sont en effet d'anciennes cellules de moines. Demandez une chambre qui donne sur l'intérieur. **Restauration** : comme les pèlerins du bon vieux temps, faites une halte pour déguster un repas typique de l'Alto Alentejo. En hiver, les repas sont servis sous les lustres imposants de la grande salle à manger. À la belle saison, on dîne dans les cloîtres ou dans le patio, sous la voûte en éventail de style manuélin près d'une porte maure menant à la salle capitulaire. Repas à partir de 4 000 ESC. Essayez le porc sucré aux glands, mitonné avec des palourdes, à la mode de l'Alentejo. Le restaurant est ouvert tous les jours de 12 h 30 à 14 h 30 et de 19 h 30 à 22 h. **Services :** room service jusqu'à minuit, blanchisserie, piscine.

Petits prix

Albergaria do Calvario. Traversa dos Lagares, 3700 Évora. ∅ **266/74-59-30**. Fax 266/74-59-39. www.softline.pt/calvario 23 chambres. TV CLIM. Tél. Double 12 500-15 000 ESC ; suite 18 500 ESC. Petit déjeuner compris. CB. Stationnement gratuit.

Cette ancienne fabrique d'huile d'olive a été transformée en un charmant petit hôtel en 1998. Il est à 5 minutes à pied du centre historique. Situé à côté du Convento do Calvario (un couvent fermé au public), l'hôtel est joliment meublé de copies d'antiquités néoclassiques et campagnardes. Il est équipé de bonnes literies et de nouvelles salles de bains. Le petit déjeuner est servi en chambre ou sur les terrasses Esplanade. **Services :** bar, blanchisserie.

Albergaria Vitória. Rua Diana de Lis 5, 7000 Évora. ∅ **266/70-71-74**. Fax 266/70-09-74. 48 chambres. TV CLIM. Tél. Double 11 300-12 000 ESC ; suite à partir de 15 500 ESC. Petit déjeuner compris. CB. Stationnement gratuit mais limité dans la rue.

Cette adresse peut vous être utile si tous les hôtels du centre sont complets. Plutôt mal situé près de la route de ceinture de la vieille ville, cet hôtel moderne en béton se dresse au-dessus d'un quartier résidentiel poussiéreux, à la sortie sud-est de la ville, à 1,5 km de la cathédrale. Ses chambres de type motel offrent un bon couchage et un balcon. Le Restaurante Lis, spécialisé dans les fruits de mer, propose une gastronomie traditionnelle portugaise.

Residencial Riviera. Rua do 5 de Outubro 49, 7000 Évora. ∅ **266/70-33-04**. Fax 266/70-04-67. 22 chambres. TV CLIM. Tél. Double 10 500-15 000 ESC. Petit déjeuner compris. CB. Fermé jan.-mar. Stationnement gratuit mais limité dans la rue.

Le Residencial Riviera jouxte les pavés de l'une des rues les plus charmantes de la ville, deux pâtés de maisons plus bas que la cathédrale. Les encadrements de fenêtres en bois, les balustrades travaillées en fer forgé et les carreaux bleus et jaunes du vestibule de l'édifice d'origine ont été préservés. Les petites chambres sont assez confortables et offrent un bon couchage ; la décoration n'est hélas pas du meilleur goût.

Residencial Solar Monfalm. Largo da Misericórdia 1, 7000 Évora. ∅ **266/75-00-00**. Fax 266/74-23-67. www.monfalimtur.pt Mél : reservas@monfalimtur.pt 26 chambres. TV CLIM. Minibar Tél. Double 12 500-13 500 ESC ; suite 16 000 ESC. Petit déjeuner compris. CB. Stationnement gratuit.

Voici une adorable pension de famille rehaussée d'une petite touche de splendeur : un escalier en pierre qui mène à une entrée carrelée bordée de plantes. La famille

Serrabulhos, qui dirige l'établissement, est parvenue à améliorer le confort des petites chambres, tout en conservant leur atmosphère « rétro ». Toutes situées dans le bâtiment principal, elles sont bien entretenues, agréables et décorées dans un style traditionnel. Assis sur la terrasse, un verre à la main, on admirera la fenêtre à meneaux digne de celle d'un cloître. Bar au rez-de-chaussée.

Se restaurer

Cozinha de São Humberto. Rua da Moeda 39. ∅ **266/70-42-51**. Réservation indispensable. Plats 1 600-2 000 ESC ; menu 3 000 ESC. CB. Ven.-mer. midi-15 h et 19 h-22 h. Fermé nov. *Cuisine de l'Alentejo.*

Le restaurant le plus « ambiance » d'Évora est caché dans une ruelle transversale qui part de la praça do Giraldo. Sa décoration rustique associe des vieux pots, des tromblons, des lampes de chevet, une horloge de parquet et des bouilloires suspendues au plafond. On s'assied sur des chaises cannées ou des divans. On peut déguster un *gazpacho* à la mode de l'Alentejo (encore meilleur quand il fait chaud), suivi d'un poisson frit à la tomate et à l'ail ou d'un porc à la mode d'Évora (un repas à lui seul), pour finir par un fromage de la région. Les produits sont frais du jour et, par l'emploi judicieux des aromates, les cuisiniers ajoutent une nouvelle dimension aux plats régionaux. Une bouteille de Borba accompagne avantageusement la plupart des repas.

❂ **Fialho.** Travessa Mascarenhas 14. ∅ **266/70-30-79**. Réservation conseillée. Plats 2 400-2 920 ESC. CB. Mar.-dim. 12 h 30-24 h. Fermé 1er-21 sept., 24-31 déc. *Cuisine de l'Alentejo.*

Fialho, qui connaît un franc succès depuis son ouverture à la fin de la Seconde Guerre mondiale, est le restaurant le plus traditionnel d'Évora. Si son entrée est peu avenante, l'intérieur évoquant celui d'une taverne portugaise est chaleureux. Fialho propose de bons plats de crustacés, notamment la *sopa de Cacão* (soupe de requin de la région), un succulent porc aux petites palourdes accompagné d'une sauce relevée et un ragoût de perdreau. En saison, on vous proposera peut-être un perdreau entier. La salle, d'une capacité de 80 couverts, est climatisée. Le personnel est particulièrement fier de sa très vaste gamme de vins régionaux.

Guião. Rua da República 81. ∅ **266/70-30-71**. Plats 1 300-2 200 ESC. CB. Mar.-dim. midi-15 h 30 et 19 h-22 h 30. Fermé 2 semaines en juillet. *Cuisine portugaise régionale.*

De l'avis de tous, cette charmante taverne décorée de carreaux bleus et blancs fait partie des trois ou quatre meilleurs restaurants d'Évora. Guião se trouve dans une rue qui part de la place principale, la praça do Giraldo. Cet établissement familial propose des vins de la région et des spécialités culinaires portugaises. Si les repas n'ont rien d'exceptionnel, ils sont très copieux. Parmi les plats typiques, on vous proposera des calmars grillés, du poisson grillé, du steak d'espadon et du porc aux palourdes à la mode de l'Alentejo. En saison, vous pourrez déguster du perdreau.

Évora la nuit

Le centre historique abrite quelques *bodegas* somnolentes et qui sait, l'une d'elles pourrait vous séduire.

Le bar de la **Pousada dos Lóios**, largo Conde de Vila Flor (∅ **266/70-40-51**), vous permettra de prendre un verre dans un cadre historique, très élégant.

Si vous voulez vous mêler à de jeunes et dynamiques citadins, rendez-vous dans l'une des deux discothèques de la ville : **Discoteca Slide**, rua Serpa Pinto 135 (∅ **266/70-82-72**), et **Disco Mr. Snob**, rua Valdevinos 21 (∅ **266/70-69-99**). Vous avez là, en plus petit, la version rurale des discothèques de Lisbonne. Mais n'y allez pas avant 22 h 30.

L'entrée de 1 000 ESC inclut la première boisson. Le mercredi et le vendredi soir, vous pouvez écouter du *fado* chez **Dom Durate**, rua da Moeda 38 (∅ 266/70-78-25).

5. Beja

À 186 km au sud-est de Lisbonne, 75 km au sud d'Évora

Jadis appelée *Pax Julia*, Beja fut fondée par Jules César. Capitale du Baixo Alentejo, la ville s'élève telle une pyramide au-dessus des champs de blé couchés par le vent.

La célébrité de Beja repose sur ce qui fut peut-être un canular littéraire. Au milieu du XVIIᵉ siècle, une jeune religieuse du couvent de la Conceição, la sœur Mariana Alcoforado, serait tombée amoureuse d'un officier français. Celui-ci, prétendument le chevalier de Chamilly, l'aurait séduite puis aurait quitté Beja à tout jamais.

Les effusions de chagrin et d'angoisse de la jeune fille auraient trouvé une expression littéraire sous la forme des *Lettres portugaises*, publiées à Paris en 1669. Ces lettres qui firent sensation devinrent un classique de l'art épistolaire. En 1926, F. C. Green écrivit « Qui fut l'auteur des *Lettres portugaises* ? », affirmant que leur véritable auteur était le comte de Guilleragues. Mais une étude effectuée plus récemment au Portugal a permis de dévoiler des éléments tendant à prouver que les *Lettres portugaises* étaient bien de la main de la sœur Alcoforado.

Informations pratiques

COMMENT S'Y RENDRE

En train Il y a 3 trains par jour pour Beja au départ de Lisbonne (durée du trajet : 3 heures ; aller simple : 1 200 ESC). La ville est aussi desservie par 6 trains quotidiens en provenance d'Évora (durée du trajet : 1 heure ; aller simple : 720 ESC). En provenance de l'Algarve (voir chapitre 9), 4 trains par jour relient Faro à Beja (durée du trajet : 3 h 30 ; aller simple : 1 200 ESC). Pour toute **information**, appelez ∅ 284/32-50-56.

En autobus Quatre *expressos* (autobus express) quotidiens relient Lisbonne à Beja (durée du trajet : 3 heures ; aller simple : 1 150 ESC). La ville est aussi desservie par 4 bus quotidiens en provenance d'Évora (durée du trajet : 2 heures ; aller simple : 900 ESC). Au départ de Faro, il y a 4 bus par jour (durée du trajet : 3 h 30 ; aller simple : 1 200 ESC). Pour obtenir les **horaires**, appelez ∅ 284/31-19-13.

En voiture En partant d'Albufeira dans l'Algarve, empruntez l'IP-1 vers le nord. À la bifurcation avec la N263, prenez cette dernière en direction du nord-est, jusqu'à Beja.

INFORMATIONS TOURISTIQUES

L'**office de tourisme de Beja** se trouve rua Capitão João Francisco de Sousa 25 (∅ 284/31-19-13).

Explorer la ville

Museu Rainha Dona Leonor. Largo da Conceição. ∅ 284/32-33-51. Entrée 100 ESC, gratuit pour les moins de 13 ans. Mar.-dim. 9 h 30-12 h 30 et 14 h-17 h 15.

Fondé en 1927-1928, le musée de la reine Leonor occupe trois édifices sur une vaste place au centre de Beja : le Convento da Conceição et les églises de Santo Amaro et de São Sebastião. Le couvent, bâtiment principal, fut fondé en 1459 par les parents du roi Manuel Ier. Bénéficiant de la protection royale, il devint l'un des plus riches et des plus importants de l'époque. Le Convento da Conceição est célèbre dans le monde entier grâce à Mariana Alcoforado, la religieuse qui aurait écrit au XVIIe siècle les *Lettres portugaises*, des lettres d'amour adressées au chevalier de Chamilly.

L'église baroque, le cloître et la salle capitulaire renferment une collection impressionnante d'*azulejos* espagnols et portugais du XVe au XVIIIe siècle. Des statues et des objets en argent ayant appartenu au couvent sont aussi exposés, ainsi qu'une belle collection de tableaux espagnols, portugais et hollandais du XVe au XVIIIe siècle. L'*Escudela de Pero de Faria*, une pièce en porcelaine de Chine qui remonte à 1541, est unique au monde. L'exposition archéologique permanente du premier étage abrite des artéfacts de la région de Beja.

L'église de Santo Amaro, une des plus anciennes de Beja, repose sur des fondations qui remontent peut-être aux premiers chrétiens. Elle renferme la collection d'art wisigothique la plus importante du Portugal, provenant de Beja et des environs.

L'église de São Sebastião est un petit temple sans grand intérêt architectural. Mais c'est là que se trouve une partie d'une précieuse collection qui nous renseigne sur l'architecture depuis l'ère romaine jusqu'à nos jours. L'église n'étant pas ouverte au public, il faut déposer une demande spéciale pour y pénétrer.

Castelo de Beja. Largo Dr Lima Faleiro. ∅ 284/31-18-00. Entrée 160 ESC. Juin-sept., mar.-dim. 10 h-13 h et 14 h-18 h ; oct.-mai, mar.-dim. 9 h-midi et 13 h-17 h. En venant du centre-ville, suivez les panneaux sur la rua de Aresta Branco.

Construit par le roi Denis au début du XIVe siècle sur les ruines d'une forteresse romaine, le château de Beja domine la ville. Si certaines de ses murailles à tourelles ont été restaurées, ses tours de garde ont disparu, à l'exception d'un donjon en marbre. Celui-ci, recouvert de lierre grimpant, semble résister aux intempéries et à la moisissure. De là, vous bénéficiez d'une belle vue sur la ville et les champs qui l'entourent.

Shopping

L'artisanat de Beja est célèbre : plats et accessoires en cuivre joliment travaillés, nombreuses poteries et sculptures en bois qu'on trouve dans d'autres parties du Ribatejo et de l'Alentejo. Au centre, la **Rua Capital João Francisco de Sousa** est bordée de toutes sortes de magasins. Arabe, rua de Lisboa 69 (T 284/32-72-08) est l'un des plus intéressants. Il se spécialise dans l'artisanat du Portugal, notamment de Beja.

Se loger

PRIX MOYENS

✪ **Pousada do Convento de São Francisco.** Largo do Nuno Álvarez Pereira, 7800 Beja. ∅ **284/32-84-41.** Fax 284/329-143. 35 chambres. TV CLIM. Tél. Double 29 000-31 000 ESC ; suite 51 300 ESC. Petit déjeuner compris. CB. Stationnement gratuit.

Situé dans le centre historique, cet hôtel est un ce monastère franciscain du XIIIe siècle. De la fin de la Seconde Guerre mondiale aux années 1980, l'édifice servit de caserne et de camp d'entraînement. Il a ensuite été transformé par le réseau hôtelier géré par l'État. Des architectes tentèrent, sans grand succès, de préserver une partie des lignes médiévales austères, qui étaient très détériorées. La *pousada* a ouvert ses portes en 1994. Les chambres sont généralement spacieuses et agréables, avec une très bonne literie et une salle de bains moderne. Le jardin de la propriété compte une modeste mais intéressante chapelle. Le restaurant propose des plats sans chichi de cuisine régionale et portugaise. **Services :** piscine, court de tennis, bar.

PETITS PRIX

Hotel Melius. Av. Fialhu Almeida, 7800 Beja. ∅ **284/32-18-22.** Fax 284/32-18-25. 60 chambres. TV CLIM. Tél. Double 11 000 ESC ; suite 14 800-15 750 ESC. Petit déjeuner compris. CB. Parking 300 ESC.

Cet hôtel indépendant récent est une excellente adresse. Ouvert en 1995, il est installé dans les faubourgs sud de la ville, près de la route principale vers l'Algarve. Cet hôtel 3 étoiles de quatre étages propose des services qui faisaient défaut à Beja. Les chambres de taille moyenne sont quelque peu banales, mais confortables, bien entretenues et équipées de bonnes literies. **Restauration :** Le Restaurant Melius est ouvert midi et soir du mardi au samedi, le midi seulement le dimanche. Un repas y coûte de 2 500 à 3 000 ESC. **Services :** gymnase et sauna au sous-sol.

Residencial Cristina. Rua de Mértola 71, 7800 Beja. ∅ **284/32-30-35.** Fax 284/32-04-60. 32 chambres. TV CLIM. Tél. Double 8 900 ESC ; suite 10 100 ESC. CB.

Plus grand hôtel de la ville, le Residencial Cristina, arrive en troisième position (derrière la *pousada* et le Melius). C'est un édifice de 5 étages qui donne sur une rue très commerçante. Vous y trouverez de petites chambres simplement meublées qui, si elles ont été récemment rénovées, demeurent assez austères. Mais tout est impeccablement entretenu et le personnel est obligeant. Seul le petit déjeuner est servi.

Residência Santa Bárbara. Rua de Mértola 56, 7800 Beja. ∅ **284/32-20-28.** Fax 284/32-12-31. 26 chambres. TV CLIM. Tél. Double 7 000-8 000 ESC. Petit déjeuner compris. CB.

Santa Bárbara est une petite oasis dans une ville où l'hébergement de qualité fait quelque peu défaut. La *residência* ressemble à un carton à chapeaux impeccable. Tout y est petit comme en témoignent la réception et l'ascenseur, minuscules. Deux salons occupent le rez-de-chaussée. Les chambres, un peu petites elles aussi, sont encombrées mais correctes, équipées de lits confortables et d'une salle de bains en bon état de fonctionnement. **Services :** blanchisserie.

Se restaurer

Hormis dans les hôtels, Beja ne compte pas de restaurants de première, ni même de deuxième qualité. Les établissements ci-dessous sont toutefois corrects.

Esquina. Rua Infante do Henríque 26. ∅ **284/38-92-38.** Plats 1 000-1 500 ESC ; menu touristique 2 000 ESC. CB. Lun.-sam. midi-15 h et 19 h-22 h. *Portugais.*

Esquina propose des plats traditionnels. Le restaurant est à l'entrée de la ville, à 5 minutes de l'office de tourisme. Le service y est chaleureux. Vous pourrez y savourer une soupe, un porc rôti aux palourdes (la spécialité du chef), des morceaux choisis de bœuf grillés ou du poulet accompagné de légumes et d'un bouillon relevé. En dessert, prenez un flan ou une tarte aux fruits.

Luís da Rocha. Rua Capitão João Francisco de Sousa 63. ∅ **284/32-31-79.** Plats 1 200-2 200 ESC ; menu touristique 1 700 ESC. CB. Lun.-sam. midi-15 h 30 et 19 h-23 h. Fermé mai-sept. *Cuisine portugaise régionale.*

Chez Luís da Rocha, qui est dans la même rue que l'office de tourisme, on peut s'asseoir au café au rez-de-chaussée ou dans la salle à manger éclairée au néon du premier étage. Si la ville entière semble s'y retrouver pour y déguster des pâtisseries et prendre le café, bon nombre préfèrent Esquina à l'heure du repas. Commencez peut-être par une soupe crémeuse du jour, et continuez avec un poisson à la vapeur ou frit ou encore du porc aux palourdes à la mode de l'Alentejo. Comme le dit un employé : « C'est la cuisine du peuple qu'on fait ici, et on ne fait pas de fioritures pour les touristes. »

Beja la nuit

La localité compte bon nombre de pubs et de bars. Parmi les plus en vue, on citera **Barrote**, rua Genente Valadim (∅ 284/32-09-79), un pub à l'atmosphère détendue. Le **Cockpit**, rua Aferidores (pas de tél.) est aussi très agréable. Il est fréquenté par des fans de musique live, punk, rock ou autre, qui s'attroupent près des baffles. Des détails évoquant l'Angleterre se glissent parfois dans le cadre portugais du **Bar Classico**, rua Jorge Reposo (∅ 284/32-60-00), plus formel et chic. La **Disco República de Alcool**, rua General Teofilo de Trindade (∅ 284/32-50-00), ressemble en plus petit, plus sympathique et plus jeune, aux grandes boîtes branchées de Lisbonne. Elle se trouve à la limite du centre historique de la ville et ouvre tous les jours à 22 h.

6. Vila Nova de Milfontes

À 32 km au sud-ouest de Santiago do Cacém, 184 km au sud de Lisbonne

La petite station balnéaire de Vila Nova de Milfontes est une bonne halte dans le Baixo Alentejo sur la route de l'Algarve, au sud. Située à la large embouchure du Mira, cette petite station calme attire un nombre croissant de visiteurs, qui apprécient les plages de sable blanc des rives du fleuve. La localité ne comptant pas d'autre attraction, vous n'aurez qu'à vous détendre et peut-être aller chiner.

Le château restauré, qui défendait la localité contre les pirates marocains et algériens, est devenu une auberge. Après avoir passé la journée sur la plage, vous pourrez poursuivre votre chemin en direction du sud où vous trouverez encore davantage de plages.

Informations pratiques

COMMENT S'Y RENDRE

La localité n'est pas desservie par le chemin de fer.

En autobus Vila Nova est desservie par 3 *expressos* quotidiens en provenance de Lisbonne (durée du trajet : 4 heures ; aller simple : 1 600 ESC). Pour obtenir les **horaires**, appelez ∅ 21/354-58-63 à Lisbonne.

En voiture Il est probable que vous partiez de Setúbal vers le sud (voir chapitre 6). Poursuivez sur la N261 vers Sines, puis sur la N120-1 jusqu'à la route qui part vers l'ouest pour Vila Nova de Milfontes.

INFORMATIONS TOURISTIQUES

L'office de tourisme se trouve sur la rua António Mantas (∅ 283/965-99).

Se loger

Casa dos Arcos. Rua do Cais, 7645 Vila Nova de Milfontes. ∅ **283/99-71-56**. Fax 283/99-62-64. 10 chambres. TV CLIM. Minibar Tél. Double 8 000-9 500 ESC. Petit déjeuner compris. Pas de CB. Stationnement gratuit. Fermé 15-30 oct.

Située au centre de la station à 5 minutes à pied de la plage, cette pension toute simple a été rénovée en 1996. Les chambres de taille petite à moyenne ont été modernisées et dotées d'une literie et d'une plomberie neuves. Rien de grandiose ni ne prétentieux en ce lieu, correct pour passer la nuit, sans plus. Le petit déjeuner continental est particulièrement copieux.

Castelo de Milefontes. Rua do Castelo, 7645 Vila Nova de Milfontes. ∅ **283/99-82-31**. Fax 283/99-71-22. 7 chambres. Double 26 000 ESC. Petit déjeuner et dîner compris. Pas de CB. Stationnement gratuit.

Abritée dans un château datant du XVIIe siècle, l'auberge la plus charmante des environs a été rénovée en 1998. Perché en haut d'une colline, « gardien » de la station, le château offre une vue panoramique sur la mer. Il est à 3 minutes à pied du centre. Les chambres de taille moyenne à spacieuse sont bien aménagées et meublées de pièces anciennes. La literie est excellente. La cuisine, spécialisée dans les fruits de mer, est bonne. Entre Lisbonne et l'Algarve, c'est l'un des meilleurs endroits où passer la nuit.

Se restaurer

Restaurante O Pescador. Largo da Praça 18. ∅ **283/99-63-38**. Réservation conseillée. Plats 1 600-2 500 ESC. CB. Tlj. 9 h-2 h du mat. Fermé 15-31 oct. *Portugais.*

« O Moura » comme on le surnomme ici, est la meilleure *marisqueira* (restaurant de fruits de mer) de la station. Même les gens du coin, qui s'y connaissent en poisson, ne jurent que par elle. M. et Mme Moura, propriétaire et anciens poissonniers, proposent les poissons les plus frais des environs. La lotte au riz est savoureuse, tout comme le caquelon de *caldeirada*, un succulent ragoût de fruits de mer. Les locaux sont climatisés et l'accueil est chaleureux... dans un décor un peu sommaire, mais on vient ici pour manger du poisson !

11 Coimbra et les Beiras

La quintessence du Portugal est là, dans ces trois provinces qui composent les Beiras, où se trouve la prestigieuse ville universitaire de Coimbra. *Beira* signifie « bord » ou « frontière » en portugais. Cette région comprend la Beira Litoral, la Beira Baixa et la Beira Alta. Elle abrite la Serra da Estrela, la plus haute chaîne de montagnes du Portugal, véritable paradis des skieurs en hiver et havre de fraîcheur en été. Les sols granitiques des versants rocailleux des chaînes du Dão et les vallées du Mondego abondent en vignobles d'où provient le vin de la région, le dão vermeil ou jaune citron.

Bondée en été, la célèbre station de **Figueira da Foz** attire les inconditionnels de la plage. Mais vous pouvez en fréquenter d'autres, de la **Praia de Leirosa** au sud à la **Praia de Espinho** à l'extrémité nord. Contrairement aux plages de l'Algarve, celles qui bordent cette côte sont fouettées par des vagues puissantes et leurs eaux sont traversées par de forts courants sous-marins ; l'eau y est beaucoup plus froide. Renseignez-vous avant de vous baigner. Un drapeau jaune ou rouge indique que la baignade est dangereuse, parfois à cause de la pollution.

Des amateurs de pêche du monde entier affluent pour taquiner le poisson dans les eaux du **parc national de la Serra da Estrela** et dans le Vouga. On pêche également le long des plages de la Beira Litoral, parsemées de nombreux rochers. On y trouve surtout de la brème, de la sole et du bar. Il n'est pas nécessaire d'avoir un permis pour la pêche en mer mais c'est obligatoire pour la pêche en eau douce. Les offices de tourisme de la région pourront vous procurer toute information utile à ce sujet.

Explorer la région en voiture

De nombreux villages intéressants de la région des Beiras sont à l'écart des sentiers battus et inaccessibles par les transports en commun. C'est pourquoi il est préférable de visiter cette région en voiture. La circulation est généralement fluide, sauf en plein été sur la zone côtière.

Premier jour Sur la route de Coimbra, à quelque 128 km au nord de Lisbonne, **Leiria** mérite au moins qu'on s'y attarde une demi-journée. En visitant le château, vous pourrez admirer la vue panoramique ; jetez un coup d'œil à l'Igreja de São Pedro du XIIᵉ siècle avant

Coimbra et les Beiras

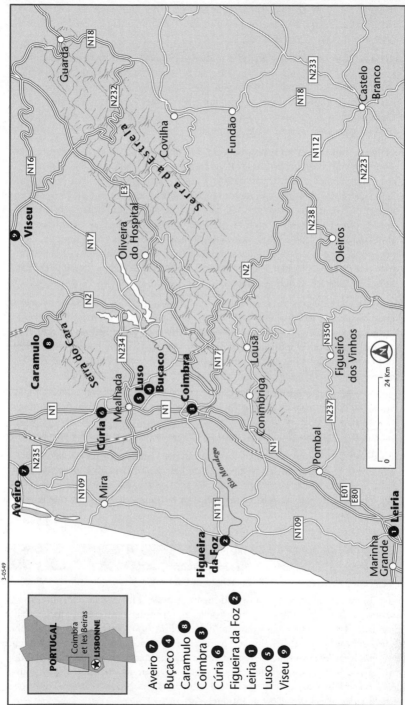

3-0549

de poursuivre votre chemin. Parcourez 54 km vers le nord sur la N109 et l'A1 jusqu'à **Figueira da Foz**, à la fois port de pêche et station balnéaire, la plus célèbre de cette côte. Vous pouvez y passer la nuit.

Deuxième jour En matinée, prenez la route de Coimbra qui est clairement indiquée. Au bout de 25 km, vous arriverez à la petite localité de **Montemor-o-Velho** que domine l'un des plus grands et des plus beaux châteaux du Portugal. Ne manquez pas de vous y arrêter avant de continuez sur la N111 pendant 29 km jusqu'à **Coimbra**. Vous aurez au minimum besoin du reste de la journée pour en apercevoir les principaux sites, avant d'y passer la nuit.

Troisième jour Visitez les ruines romaines de **Conimbriga** à 16 km au sud-est de la ville. Pour vous y rendre, prenez la N1 vers le sud jusqu'à la bifurcation avec la N347, puis allez vers le sud-est. Déjeunez à la *pousada* (auberge d'État) tout près de là. Retournez à Coimbra puis empruntez la N110 vers le nord-est jusqu'à Penacova et prenez une route secondaire indiquée par des panneaux pour **Buçaco** vers le nord. Vous pourrez y explorer les forêts les plus ravissantes du Portugal et visiter le **Palace Hotel do Buçaco**, jadis siège de la royauté. Si vous pouvez vous y offrir une nuit, c'est un endroit idéal. Dans le cas contraire, poursuivez votre chemin jusqu'à la station thermale de **Luso**, non loin de là sur la N255. Cette localité compte des hôtels et des restaurants beaucoup plus abordables.

Quatrième jour Après avoir tranquillement visité Luso, prenez la N234 vers l'ouest jusqu'au hameau de **Mealhada** à 19 km au nord de Coimbra. Prévoyez d'y arriver à l'heure du déjeuner : ses restaurants sont célèbres pour le cochon de lait rôti. Bon nombre dont c'est la spécialité se trouvent le long de la route, notamment **Pedro dos Leitões** (« Pierre des cochons de lait »), Estrada Nacional 1 (✆ **244/82-20-62**), qui semble avoir la faveur des étrangers. Les porcs sont rôtis à la broche.

Après le déjeuner, poursuivez votre chemin sur l'A1 et faites une brève halte dans la vieille station thermale de **Cúria** avant de repartir pour **Aveiro**, à 56 km de Coimbra. Les environs de cette localité comptent de nombreuses possibilités d'hébergement, notamment des *pousadas*. Il n'est donc pas obligatoire de passer la nuit en ville.

Cinquième jour Explorez Aveiro dans la matinée. Enfin, pour un dernier regard aux Beiras, parcourez 96 km en direction de l'est sur l'IP-5 jusqu'à **Viseu**, capitale de la Beira Alta. Passez le reste de la journée à flâner dans les vieilles rues et à visiter ses monuments, par exemple la cathédrale et le Museu de Grão Vasco adjacent. Passez-y la nuit.

1. Leiria

À 32 km au nord d'Alcobaça, 128 km au nord de Lisbonne

Sur la route de Coimbra, Leiria s'étend sur les rives de la Liz et dans les collines avoisinantes. Si la ville moderne est industrielle, elle n'en demeure pas moins une halte attrayante avec son château sur la crête d'une colline, son vieux quartier et sa cathédrale. Leiria se trouve également au centre d'une zone riche en artisanat, notamment la verrerie soufflée. Son folklore ressemble à celui du Ribatejo voisin. Ville de 105 000 habitants, c'est une importante plaque tournante pour les transports. Vous pouvez décider d'en faire votre base d'exploration, et de là gagner Nazaré, Fátima (voir le chapitre 8) et les plages de la côte atlantique.

Informations pratiques

COMMENT S'Y RENDRE

En train Leiria est à 3 h 30 de Lisbonne. La ville est desservie quotidiennement par au moins 6 trains (aller simple : 1 000 ESC). Pour toute **information** et pour obtenir les horaires, appelez le ∅ **244/88-20-27**.

En autobus Au départ de Lisbonne, 4 bus express desservent Leiria (durée du trajet : 2 h ; aller simple 1 300 ESC). Il y a également 7 bus quotidiens en provenance de Coimbra (durée du trajet : 1 h ; aller simple : 950 ESC). Pour toute **information** et pour obtenir les horaires, appelez le ∅ **244/81-15-07**.

En voiture Au départ de Lisbonne, prenez l'autoroute A1 en direction du nord.

INFORMATIONS TOURISTIQUES

L'**office de tourisme de Leiria** se trouve au Jardim Luís de Camões (∅ 244/82-37-73).

Visites et activités

EXPLORER LA VILLE

Le grand **Castelo de Leiria** est visible de partout en ville. La colline servit de position de défense aux Maures lorsqu'ils conquirent la péninsule Ibérique. Au XIIe siècle, le premier roi du Portugal, Alphonso Henriques, la reprit aux Maures à trois reprises et y fit construire une forteresse. Installée au sommet d'un promontoire de roches volcaniques pratiquement inaccessible aux envahisseurs, celle-ci a été considérablement transformée. C'est Denis Ier et son épouse Isabelle, la Reine sainte, qui firent construire le château. On bénéficie d'une belle vue sur la ville et ses environs depuis le balcon royal. L'église du château est, comme lui, de style gothique.

L'entrée à la forteresse coûte 150 ESC. Elle est ouverte tous les jours de 9 h à 18 h 30 d'avril à octobre, et de 9 h à 17 h de novembre à mars. Contactez l'office de tourisme (voir ci-dessus) pour obtenir plus d'informations. Vous pouvez aller en voiture jusqu'au portail d'entrée du château et vous arrêter en chemin à l'**Igreja de São Pedro**, largo de São Pedro, qui remonte au XIIe siècle.

Aux environs de Leiria se trouve l'une des plus anciennes forêts du monde. Aux alentours de l'an 1300, le roi Denis entreprit de faire planter systématiquement le **Pinhal do Rei** d'arbres provenant des Landes. Il espérait ainsi mettre un terme à la progression des dunes de sable poussées à l'intérieur des terres par les rafales de vent venues de l'Atlantique. La forêt, toujours entretenue à ce jour, procura le bois pour la construction des caravelles à bord desquelles les marins portugais partirent à la découverte de nouvelles terres.

ACTIVITÉS DE PLEIN AIR

Hormis visiter les monuments, vous pouvez aller à la plage de **São Pedro de Moel**, à 22 km à l'ouest de Leiria et à 135 km au nord de Lisbonne. Prenez la N242 à l'ouest de Leiria jusqu'à la verrerie de Marinha Grande, puis la N242 sur 9,5 km jusqu'à l'océan. Perché sur une falaise au-dessus de l'Atlantique, São Pedro de Moel est connu pour ses brises océaniques tonifiantes. De nouvelles villas ont poussé, mais le vieux quartier a conservé ses rues pavées. Les plages de sable blanc s'étendent jusqu'au pied des remparts gris du village. Les rochers éparpillés au large amortissent la violence des vagues sur le rivage. En haut de la falaise, dans la partie résidentielle du village, on trouve un bon hôtel, le **Mar e Sol**, av. da Liberdade 1, 2430 Marinha Grande (∅ **244/59-00-00** ; fax 244/59-00-19). Une nuit en chambre double coûte 12 500 ESC, petit déjeuner compris.

Pour une si petite localité, Leiria compte beaucoup de **centres commerciaux**. Mais si vous êtes à la recherche de bonnes affaires et d'objets artisanaux insolites, mieux vaut flâner dans la ville historique, sur la **praça Rodrigues Lobo** et dans les nombreuses ruelles moyenâgeuses qui en partent. Connu pour ses prix raisonnables, **Flabal**, av. Combatentes de Grande Guerra 54 (∅ **244/81-53-64**), est une bonne adresse.

Se loger

Hotel Eurosol. Rua Dom José Alves Correia da Silva, 2410 Leiria. ∅ **244/81-22-01** Fax 244/81-12-05. www.eurosol.pt. Mél : eurosol@mail.telepac.pt. 142 chambres. TV CLIM. Minibar Tél. Double 14 000 ESC ; suite 20 000 ESC. CB. Stationnement gratuit.

Cet hôtel, le meilleur de la localité, domine l'horizon, à l'instar du château de pierre perché sur la colline en face . Les chambres de taille moyenne valent celles des hôtels de première catégorie du nord du pays. Offrant une belle vue, elles sont toutes simples et élégantes, avec leurs des têtes de lit encastrées et leurs placards lambrissés. Les salles de bains sont un peu exiguës. Attirant des hommes d'affaires qui fréquentent le bar-salon et la salle à manger perchés sur le toit, cet hôtel est le centre de la vie mondaine de Leiria. Le menu de la table d'hôte, avec quatre plats, propose une gastronomie internationale pour 3 500 ESC. Un snack-bar contigu offre des mets plus légers. La piscine découverte en forme de polygone et la terrasse carrelée sont très agréables à la bonne saison. L'hôtel compte également une salle de gym ainsi qu'une boîte de nuit au niveau inférieur.

Hotel São Francisco. Rua de São Francisco 26, 2430 Leiria. ∅ **244/82-31-10** Fax 244/81-26-77. 18 chambres. TV CLIM. Minibar Tél. Double 8 500 ESC. Petit déjeuner compris. CB. Stationnement gratuit mais limité dans la rue.

São Francisco est perché au dernier étage d'un immeuble de 9 étages près de la rivière au nord de la ville. Certaines des chambres, petites mais bien entretenues, offrent une vue panoramique de Leiria. Elles sont toutes décorées de tapisseries à motifs. Le mobilier, fonctionnel, est en skaï et la literie est excellente. L'un des salons de l'hôtel compte un bar minuscule. Il n'y a pas de restaurant.

Hotel São Luís. Rua Henríque Sommer, 2400 Leiria. ∅ **244/81-31-97** Fax 244/81-38-97. 48 chambres. TV CLIM. Tél. Double 8 500 ESC ; suite 11 000 ESC. Petit déjeuner compris. CB. Stationnement gratuit mais limité dans la rue.

Le São Luís fait partie des meilleurs hôtels bon marché de Leiria. Établissement 2 étoiles, il est impeccable. Ses chambres, très spacieuses, sont équipées d'une literie ferme. Vous dégusterez un petit déjeuner copieux composé de jambon, de fruits, de jus de fruits et de pain frais. Il y a un service de blanchisserie et un bar, mais pas de restaurant.

Se restaurer

Reis. Rua Wenceslau de Morais 17. ∅ **244/248-34**. Plats 950-1 500 ESC ; menu touristique 1 800 ESC. CB. Lun.-sam. 12 h-15 h et 19 h-22 h. *Portugais, fruits de mer.*

En dépit de sa simplicité, Reis est le meilleur restaurant de Leiria avec ses 70 couverts. Ses inconditionnels apprécient la cuisine simple mais bonne et copieuse à des prix raisonnables. La maison se spécialise dans les grillades, mais aussi dans les plats régionaux comme les soupes robustes, les excellents poissons du jour et les viandes relevées. En hiver, le feu de cheminée en fait un endroit particulièrement accueillant.

Vie nocturne

En dépit de sa taille modeste, Leiria est très animée la nuit. On débute traditionnelle-ment par une promenade sur le **largo Cândido dos Reis** bordé de petites *tascas* et *bode-gas*. Si vous recherchez un lieu plus sophistiqué, allez à l'**Eurosol Bar**, dans l'Hotel Eurosol, rua Dom José Alves Correia da Silva (∅ **244/82-22-01**), joliment tapissé. On y écoute de la musique live le mercredi et le samedi à partir de 21 h. Une clientèle moins « branchée » se retrouve au **Galeria Bar**, Quinto do São António 43 (∅ **244/81-52-93**) ; la décoration des lieux est inhabituelle, et vous pourrez y boire et/ou flirter à satiété. Enfin, vous trouverez une clientèle des plus variées au **Yellow Bar**, rua João Pereira 103 (∅ **244/82-70-82**).

2. Figueira da Foz

À 128 km au sud de Porto, 200 km au nord de Lisbonne, 40 km à l'ouest de Coimbra

Située au nord de Cascais et d'Estoril à l'embouchure du Mondego, Figueira da Foz (« figuier à l'embouchure ») est la station la plus ancienne et la plus connue de cette côte. Hormis son climat – selon les autorités locales, le soleil y brille 2 772 heures par an, c'est-à-dire plus de 7 heures et demie par jour -, cette station a pour principal atout une plage de sable blond qui s'étire sur plus de 3 km.

Informations pratiques

COMMENT S'Y RENDRE

En train La gare se trouve à largo da Estação (∅ 233/42-83-16) près du pont. 13 trains quotidiens arrivent de Coimbra (voir ci-dessous ; durée du trajet : 1 h ; aller simple : 300 ESC). Au départ de Lisbonne, il y a 8 trains par jour (durée du trajet : 3 h ; aller simple : 1 250 ESC).

En autobus Le Terminal Rodoviária, largo Luís de Camões (∅ 233/42-30-95), est la gare routière. La localité est desservie par 4 bus quotidiens en provenance de Lisbonne (durée du trajet : 3 h 30 ; aller simple : 1 200 ESC).

En voiture En partant de Leiria (voir ci-dessus), prenez la N109 en direction du nord.

INFORMATIONS TOURISTIQUES

L'office de tourisme de Figueira da Foz se trouve sur l'avenida do 25 de Abril (∅ 233/40-28-20).

Visites et activités

EXPLORER LA VILLE

On ne vient généralement pas à Figueira pour en visiter les musées, mais l'exception-nelle ✪ **Casa do Paço**, largo Prof. Vitar Guerra 4 (∅ 233/42-21-59), mérite vraiment qu'on fasse une exception. Elle renferme l'une des plus importantes collections au monde de carreaux de faïence de Delft, presque 7 000 ; la plupart représentent des guerriers coiffés d'un plumage criard (certains soufflent dans une trompette). Les sub-tils carreaux bleu et rouge profond témoignent d'un travail minutieux. La *casa* servit de résidence au Comte Bispo de Coimbra, Dom João de Melo, au XIXᵉ siècle, époque à laquelle les nobles fréquentaient Figueira. Elle abrite le siège de l'Associação Comerciale e Industrial, à deux pas de la poste et de l'esplanade. Le musée est ouvert

du lundi au vendredi de 9 h 30 à 12 h 30 et de 14 h à 17 h. L'entrée est gratuite.
Situé à 3 km de Figueira da Foz, **Buarcos** est un village de pêcheurs tranquillement installé sur une corniche en bord de mer, épargné par le tourisme et qui semble bien loin
des casinos et des plages surpeuplées. De sa place centrale à sa digue en pierre, ce village est resté intact.

ACTIVITÉS DE PLEIN AIR

Figueira da Foz donne sur une large **plage** de sable, site qu'occupèrent à l'origine les
Lusitaniens. En juillet et août, l'endroit est bondé. Ceux qui n'apprécient ni le sable ni
les vagues peuvent tout de même se baigner dans une **piscine** coincée entre le Grande
Hotel da Figueira et l'Estalagem da Piscina, sur la grande esplanade.
Il est aussi possible de faire de la randonnée dans la **Serra da Boa Viagem**, une chaîne
de collines dont le point culminant est un site couru des photographes comme des
touristes. En saison, les **corridas** rencontrent un grand succès ; la vieille arène est
ouverte de la mi-juillet à septembre.
Près de Figueira da Foz, les **lacs de Quiaios** offrent un cadre idéal pour pratiquer la
voile et la planche à voile (pour toute information, contactez l'office de tourisme de
Figueira da Foz.). La baie de **Buarcos**, adjacente à Figueira da Foz, accueille également
les véliplanchistes ; les stands sur la plage louent du matériel.

SHOPPING

Si vous voulez acheter des objets artisanaux, vous devriez trouver votre bonheur à
Shangrira, rua Dr. Calado (pas de tél.), ou à **Chafariz**, rua do Estendal (✆ 233/42-
06-86). Ces deux magasins vendent des articles en terre cuite, de la porcelaine
émaillée, quelques sculptures en bois, des articles en cuir et des objets en cuivre et laiton gravés ou patinés. **Ourivesaria Ouro Nobre**, rua Dom Luís I (✆ **233/42-39-52**),
propose de très jolis bijoux filigranés en or ou argent.

Se loger

Mercure Figueira da Foz. Av. do 25 de Abril, 3080 Figueira da Foz. ✆ **233/42-21-46** Fax
233/42-24-20. 102 chambres. TV CLIM. Minibar Tél. Double 19 000 ESC ; suite 45 000 ESC.
Petit déjeuner continental compris. CB. Stationnement 650 ESC.

Rénové en 1995, cet hôtel des années 1950 situé sur la promenade en bord de mer
est vivement recommandé. Il rencontre beaucoup de succès parmi les groupes de
voyages organisés. Ses clients ont librement accès à la piscine olympique d'eau salée.
L'intérieur de l'hôtel, tout de marbre et de verre, crée une atmosphère plus citadine
que balnéaire. Les chambres sont de taille moyenne et pourvues d'une literie ferme.
La plupart ont un balcon, protégé par une véranda pour celles donnant sur la mer.
L'hôtel abrite également un restaurant, un peu austère, et une salle de jeux. L'hôtel
est ouvert toute l'année mais l'atmosphère y est un peu somnolente en janvier.

Se restaurer

Restaurante Tubarão. Av. do 25 de Abril. ✆ 233/42-34-45. Plats 1 000-2 500 ESC. Pas de
cartes de crédit. Tlj. 8 h-4 h du mat. *Portugais.*

La salle à manger est vaste, rafraîchie par des ventilateurs de plafond et la vue sur la
plage est imprenable. Les tables sont installées sur le trottoir sont souvent inoccu-
pées à cause du passage dans la rue. S'ils ne sont pas raffinés, les plats sont pleins de
saveurs : une armée de serveurs pressés vous servira des spécialités comme les *gambas a la plancha* (gambas grillées), la morue grillée, le riz aux crustacés, la soupe aux

fruits de mer et toute une variété de crabes, de homards et de crevettes (au prix du marché). Le menu accorde une large place aux plats régionaux.Un café installé dans une salle voisine sert des boissons nuit et jour.

Vie nocturne

Construit en 1886, le **Grande Casino Peninsular**, rua Dr. Calado 1 (∅ **233/42-20-41**), propose des spectacles et comprend une boîte de nuit et des salles de jeux – black-jack, roulette, banque française... Le droit d'entrée s'élève à 1 500 ESC par personne et inclut une boisson ; il faut compter 900 ESC minimum pour un verre. Le repas à la carte, qui propose les plats habituels des night-clubs, coûte en moyenne 4 000 ESC. Le spectacle commence à 23 h et la boîte de nuit est ouverte tous les jours de 15 h à 3 h du matin.

Travesso São Lourenço abrite de nombreux bars dont l'ambiance est plutôt paisible. Le **Bar Dom Copo**, travesso São Lourenço (∅ **233/42-68-14**) est l'un des plus agréables. De la musique live variée, principal atout de l'établissement, est programmée quatre soirs par semaine. Si vous aimez danser, Figuiera compte quatre bonnes discothèques : **Disco Parlamento**, avenida de Tavarede (∅ **233/42-01-68**), **Pessidonio**, Condados Tavarede (∅ **233/43-56-37**), **Jet Set**, esplanade Dr. Silva Guimarães (∅ **233/42-00-00**) et **Bergantim**, rua Dr. António Lopez Guimarães (∅ **233/42-38-85**), sans doute la plus agréable et la plus fréquentée. Elles ne s'animent pas avant 22 h 30 et l'entrée coûte environ 1 000 ESC (première boisson comprise).

3. Coimbra

À 117 km au sud de Porto, 197 km au nord de Lisbonne

Coimbra, capitale du pays jusqu'en 1256, est avant tout le prestigieux centre universitaire du pays. Cette ville superbe, dont la plus grande partie est située sur la rive droite du Mondego, a la réputation d'être la plus romantique du Portugal. La première université fut fondée par Denis Ier à Lisbonne en 1290. Durant de nombreuses années, elle fut plusieurs fois transférée entre Lisbonne et Coimbra jusqu'à s'installer définitivement à Coimbra en 1537. Bon nombre des dirigeants du pays, dont le dictateur Salazar, y ont fait leurs études. C'est sans doute pendant l'année universitaire que Coimbra est la plus attachante. Les étudiants portent toujours une cape noire et un ruban de couleur attaché à leur cartable indique la faculté qu'ils fréquentent. Le jaune désigne par exemple la faculté de médecine. Les étudiants de Coimbra sont traditionnellement réunis en « républiques » : ce sont des groupes d'étudiants qui louent ensemble des appartements souvent exigus dans la vieille ville. La « république » fonctionne selon une hiérarchie par ordre d'âge, et la démocratie n'y est pas toujours à l'honneur... Dans une « république », le menu d'une soirée typique est susceptible de se composer de sardines grillées accompagnées de pain et d'un verre de vin.

Cette ville pleine d'églises médiévales déborde de dynamisme. Les cafétérias bruyantes, les bars tapageurs et de nombreuses manifestations telles que les courses d'aviron procurent au paysage urbain une joie de vivre certaine.

Informations pratiques

COMMENT S'Y RENDRE

En train Coimbra compte deux gares, l'**Estação Coimbra-A**, largo das Ámeias (∅ **239/83-49-98**) et l'**Estação Coimbra-B** (∅ **239/83-35-25**), à 5 km à l'est du centre-ville. La seconde gare, la B, est principalement desservie par les trains en provenance de villes d'autres régions. De fréquentes navettes joignent les deux gares en 5 minutes (190 ESC). Au moins 14 trains quotidiens relient Lisbonne à Coimbra (durée du trajet : 3 h ; aller simple : 1 310 ESC). Il y a un train toutes les heures au départ de Figueira da Foz (durée du trajet : 1 h ; aller simple : 270 ESC).

En autobus La gare routière se trouve sur l'avenida Fernão de Magalhães (✆ 239/85-52-70). Elle est desservie par 16 bus quotidiens en provenance de Lisbonne (durée du trajet : 3 h ; aller simple : 1 300 ESC). Au départ de Porto, il y a 5 bus par jour (voir chapitre 12 ; durée du trajet : 6 h ; aller simple : 1 160 ESC).

En voiture Au départ de Lisbonne, empruntez l'autoroute A1 vers le nord. Vous mettrez deux heures s'il n'y a pas trop de circulation.

INFORMATIONS TOURISTIQUES

L'office de tourisme de Coimbra se trouve sur largo da Portagem (✆ 239/85-59-30).

Sites, attractions et activités

EXPLORER LA VILLE

Les charmes et mystères de Coimbra se dévoilent à mesure que vous remontez la rua Ferreira Borges, en passant sous l'**Arco de Almedina** gothique à blason. De là, poursuivez l'ascension de cette rue pentue bordée de magasins d'antiquités jusqu'à arriver dans la vieille ville.

La **Sé Nova** (nouvelle cathédrale), largo da Sé Nova, est en face du Musée national. Son intérieur est de style néoclassique, typique du XVIIe siècle. L'entrée est gratuite et elle est ouverte du mardi au vendredi de 9 h à 12 h 30 et de 14 h à 17 h 30. Datant de 1170, la **Sé Velha** (vieille cathédrale), largo da Sé Velha (✆ 239/82-52-73), est plus intéressante. Cette cathédrale a tout d'une forteresse avec ses murs à créneaux. On y pénètre par un portail roman où se trouve habituellement un étudiant qui, moyennant un petit pourboire, peut vous faire visiter la cathédrale ainsi que le cloître, restauré au XVIIIe siècle. Le retable flamand en bois doré du maître-autel, couronné en son sommet par un calvaire, constitue la pièce maîtresse de la cathédrale. Œuvre d'un Français, la chapelle du XVIe siècle sur la gauche de l'autel renferme le tombeau d'un des évêques de Coimbra. L'entrée à la cathédrale est gratuite et elle coûte 150 ESC pour le cloître. La Sé Velha est ouverte du lundi au samedi de 10 h à 18 h.

Universidade Velha. Largo de Dom Dinis. ✆ **239/85-98-00.** Entrée à la Sala dos Capelos, au Museu de Arte Sacra et à la bibliothèque 500 ESC. Tlj. 9 h 30-12 h 30 et 14 h-17 h 30.

Installée définitivement à Coimbra en 1537 sur l'ordre de Jean III, l'université est le principal attrait de la ville. Certains de ses anciens élèves sont célèbres : Luís Vas de Camões (le plus grand poète portugais, auteur de ce qui devint le poème national du Portugal, *Os Lusíadas – Les Lusiades*), saint Antoine de Padoue (également saint patron de Lisbonne) et le dictateur Salazar qui fut professeur d'économie.

Passez outre les statues et l'architecture austères du largo de Dom Dinis et pénétrez dans la cour intérieure en passant par la **porta Ferrea** du XVIIe siècle. Sur la droite, des marches mènent à une galerie à colonnade, la **Via Latina**, qui débouche sur la **Sala dos Capelos**, salle consacrée aux cérémonies de remise des diplômes. Vous y découvrirez un plafond orné de cordages torsadés, une galerie de portraits de rois portugais, des murs de damas rouge et les incontournables azulejos. Vous pouvez ensuite visiter la **chapelle de l'université** qui abrite un buffet d'orgue du XVIIIe siècle, un candélabre du XVIe siècle, un plafond peint, des carreaux du XVIIe siècle et un superbe portail de style manuélin.

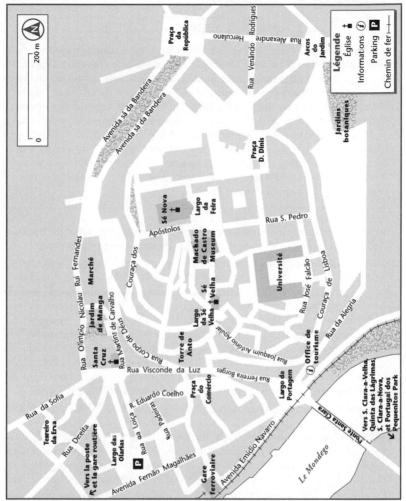

La **Biblioteca Geral da Universidade** (bibliothèque de l'université), également au largo de Dom Dinis, est le joyau architectural de la ville. Construite entre 1716 et 1723 et don de Jean V à l'université, elle abritait à l'origine plus d'un million de volumes. Elle est composée de trois salles aux plafonds très hauts dont les murs sont recouverts de deux étages de rayonnages laqués. Les sols incrustés de jade pâle et de marbre jaune citron mat complètent les décorations baroques en bois doré. Des motifs chinois sont peints sur le bois laqué couleur émeraude, rouge ou or. Les magnifiques tables sont en ébène et en bois de rose importés des anciennes colonies des Indes et du Brésil.

Les plafonds peints en trompe l'œil et la structure même des salles attirent le regard sur le grand portrait de Jean V, accroché devant des rideaux sculptés en bois. Les galeries latérales sont majestueuses : murs recouverts d'ouvrages précieux de droit, de théologie et d'humanités du XVIᵉ au XVIIIᵉ siècle, piliers, matériel et décorations sophistiqués. Au bout du belvédère, vous bénéficierez d'une vue panoramique sur le fleuve et les

Les Roméo et Juliette du Portugal

La réputation romantique de Coimbra trouve son origine dans la tragédie qu'y vécurent Pierre Ier dit le Justicier et Inès de Castro. Le poète Camões conta l'épopée de ce prince et de cette très belle Espagnole, dame de la suite de son épouse. Ils s'éprirent l'un de l'autre une nuit fatidique de 1345, dans ce qui est aujourd'hui la Quinta das Lágrimas où résidait Inès. En 1355, sur ordre d'Alphonse IV, père de Pierre, trois nobles tranchèrent la gorge de la jeune femme dans le jardin de la *quinta*. En 1361, lors d'une cérémonie funèbre à la mémoire d'Inès à l'Igreja e Mosteiro da Santa Cruz, Pierre força ses courtisans à rendre hommage à la dépouille exhumée de sa bien-aimée en lui baisant la main, avant de la conduire au Mosteiro de Santa Maria d'Alcobaça. Aujourd'hui, les amants reposent ensemble dans ce monastère (voir au chapitre 7).

toits de la vieille ville. Une statue de Jean III se dresse sur la place, ainsi que la célèbre horloge de Coimbra, surnommée la *cabra* (chèvre), qui sonnait le couvre-feu.

✪ **Museu Machado de Castro.** Largo Dr. José Rodrigues. ∅ **239/82-37-27.** Entrée 500 ESC, gratuite pour les moins de 12 ans accompagnés d'un adulte. Mar.-dim. 9 h-17 h 30. Bus : 1.
À deux pas de la place de l'Université, vous arriverez au musée qui porte le nom du plus grand sculpteur du XVIIIe siècle. C'est l'un des plus admirables musées du nord du Portugal. Palais épiscopal édifié en 1592 sur un édifice romain, il renferme une collection de sculptures religieuses, notamment en polychromie, parmi lesquelles bon nombre datent du XIVe au XVIIIe siècle. Parmi les autres œuvres, vous pourrez admirer des vêtements sacerdotaux, une statue-reliquaire de sainte Isabelle, des tableaux, des carrosses, des calices en argent, des bijoux anciens, des broderies, des retables et des représentations en céramique des apôtres et du Christ remontant au XVIe siècle.

Igreja e Mosteiro da Santa Cruz. Praça do 8 de Maio. ∅ **239/82-29-41.** Entrée 200 ESC. Tlj. 9 h-12 h et 14 h-17 h.
Cet ancien monastère fut fondé à la fin du XIIe siècle sous le règne d'Alphonso Henriques. De style roman à l'origine, il fut restauré en 1507 en style manuélin. C'est ici que l'histoire de Pierre le Justicier et d'Inès de Castro atteignit son paroxysme (voir l'encadré « Les Roméo et Juliette du Portugal »). La partie inférieure des murs est carrelée d'*azulejos*. Doté d'arêtes dans le plus pur style manuélin exubérant, l'intérieur renferme les tombeaux gothiques d'Alphonso Henriques, les pieds reposant sur un lion, et de son fils Sanche Ier. La chaire sculptée par João de Ruão au XVIe siècle est un grand chef-d'œuvre de la Renaissance portugaise. Les stalles sculptées du chœur évoquent le symbolisme, la mythologie et l'importance historique des Grandes Découvertes. Avec ses colonnes torses et ses tombeaux du XIIIe siècle, le cloître de style gothique manuélin installé sur deux niveaux est imposant. Sa façade très richement décorée est surmontée d'épis et de croix.

AUX ENVIRONS

Convento de Santa Clara-a-Velha. Rua de Baixo. Entrée libre. Tlj. 8 h 30-18 h 30. Traversez le pont Santa Clara puis tournez à gauche pour descendre la rua de Baixo pavée.
Sur les rives recouvertes de limon du Mondego se dressent les restes pillés, inondés et effondrés du Convento de Santa Clara-a-Velha, de style gothique et datant de la fin du XIIIe siècle. Cette église renfermait la dépouille de la sainte patronne de Coimbra, Isabelle, qui fut par la suite transférée au nouveau couvent (Santa Clara-

a-Nova) sur le haut de la colline. Jaillissant du fleuve, les arches romanes se reflètent dans les canaux. Le sol étant inondé par le fleuve, on ne peut parcourir que la partie supérieure de l'édifice.

Convento de Santa Clara-a-Nova. Rua Santa Isabel. ∅ 239/44-16-74. Entrée 100 ESC. Tlj. 8 h 30-18 h 30.

Dominant la rive droite de Coimbra, le Convento de Santa Clara-a-Nova abrite le tombeau de sainte Isabelle. Construit au cours du règne de Jean IV, c'est un bâtiment curieusement attribué pour partie à des religieuses, pour partie à l'armée. L'église abrite un riche intérieur baroque ainsi qu'un cloître de la Renaissance. Le tombeau d'origine de la sainte (fermé sauf lors d'occasions spéciales) se trouve derrière une grille à l'arrière. Une fois la Reine sainte canonisée, la hiérarchie catholique jugea plus digne d'elle le tombeau en argent abrité par le maître-autel. Isabelle, décédée en 1336, avait pourtant préféré être inhumée vêtue du très simple habit de l'ordre des clarisses plutôt qu'en robe d'apparat. Lorsque sa dépouille fut transférée en 1677 depuis le Convento de Santa Clara-a-Velha (voir ci-dessus), elle était paraît-il bien conservée.

Portugal dos Pequenitos. Jardim do Portugal dos Pequenitos. ∅ 239/44-12-25. Entrée adultes 1 000 ESC, enfants 500 ESC. Tlj. avr.-sept. 9 h-20 h ; oct.-mar. 10 h-18 h.

Cet ensemble de maisons miniatures de chaque province portugaise, le « Portugal des petits », constitue pour les enfants la principale attraction de Coimbra. On y parvient en traversant le Ponte de Santa Clara puis en se dirigeant vers la rua António Agusto Gonçalves. Vous vous sentirez comme Gulliver à Lilliput. Ces créations représentent des palais, un temple indien, un pavillon brésilien , un moulin à vent, un château et la *Casa dos Bicos* de Lisbonne qui remonte au XVIᵉ siècle.

Quinta das Lágrimas. Rua António Agusto Gonçalves. ∅ 239/44-16-15. Entrée 150 ESC. Tlj. 9 h-19 h.

C'est le légendaire poète Camões qui conta dans *Les Lusiades* l'histoire du « jardin des larmes ». Inès de Castro, maîtresse de Pierre le Justicier, et leurs trois enfants illégitimes habitaient « dans les campagnes nostalgiques du Mondego » (voir l'encadré « Les Roméo et Juliette du Portugal » p. 000). Les jardins appartiennent à la famille Osorio Cabral depuis le XVIIIᵉ siècle, mais les romantiques de tous les pays peuvent le visiter. La villa a été transformée en un luxueux hôtel (voir « Se loger », ci-dessous), dans les jardins duquel on peut contempler la fontaine d'eau de source surnommée la « Fonte dos Amores ». Camões raconta comment, en 1355, des assassins à la solde du père de son amant tuèrent Inès. Quand Pierre revint, il la trouva étendue dans une mare de sang.

ACTIVITÉS DE PLEIN AIR

Le stade de l'université et le **Club Tênis de Coimbra**, avenida Urbano Durate, Quinta da Estrela (∅ 239/40-34-69) ouvrent leurs courts de tennis au public. Pour faire de l'équitation ou partir en excursion dans les Beiras, contactez le **Centre Hippique de Coimbra**, Mata do Choupal (∅ 239/83-76-95), qui est ouvert tous les jours de 10 h à 13 h et de 15 h à 19 h. Une excursion de 3 heures sur des sentiers de campagne coûte 2 000 ESC par personne. Si vous voulez vous baigner, vous trouverez 3 piscines à la **Piscina Municipal**, rua Dom Manuel I (∅ 239/70-16-05). Elle est ouverte tous les jours en juillet et août de 10 h à 13 h et de 14 h à 19 h. Elle est desservie par le bus 5 qui part du centre-ville. Entrée : 250 ESC.

SHOPPING

Bon nombre des magasins les plus intéressants de Coimbra se trouvent près de la Sé Velha, dans les rues étroites autour de la **rua de Quebra Costas**. Très escarpée, elle n'usurpe par son nom de « rue brise-dos ». Beaucoup vendent des produits fabriqués dans la région. La meilleure librairie, **Livraria Bertrand**, largo da Portagem 9 (∅ **239/82-30-14**), qui vend des ouvrages en langues étrangères, est à un pâté de maisons de l'office de tourisme.

Par ailleurs, l'office de tourisme lui-même recommande aux personnes désireuses de faire des achats de se rendre dans les faubourgs et les villages voisins. Vous pouvez notamment aller à **Lousa** à 21 km à l'est, et à **Penacova**, à 21 km au nord, où vous verrez de modestes kiosques et stands en bordure de route qui vendent des paniers fabriqués main et de la céramique. Mieux encore, à **Condeixa**, à 17 km au sud, vous trouverez un large choix dans les magasins dont les vendeurs ont l'habitude de conseiller les étrangers. Empruntez l'EN1 puis suivez les panneaux en direction de Lisbonne. Condeixa compte 9 fabriques de céramique, principale source de revenus de ses habitants. Nous recommandons particulièrement **Ceramica Berardos**, Barreira, EN1, Condeixia (∅ **239/94-13-31**), **Filceramica**, Avenal, Condeixa (∅ **239/94-18-38**) et **Keramus**, Zona Industrial, Condeixa (∅ **239/94-27-45**).

Se loger

La **Pousada de Santa Cristina** (voir « Une excursion dans la ville romaine de Conimbriga », p. 294) se trouve à proximité.

PRIX ÉLEVÉS

✪ **Quinta das Lágrimas.** Rua António Augusto Gonçalves, Santa Clara, 3000 Coimbra. ∅ **239/44-16-15** Fax 239/44-16-95. www.supernet.pt/hotelagrimas. Mél : lagrima@relaischateaux.fr. 39 chambres. TV CLIM. Minibar Tél. Double 22 000 ESC ; suite à partir de 57 500 ESC. Petit déjeuner compris. CB. Stationnement gratuit.

Hôtel le plus luxueux des Beiras, la « Villa des larmes » doit son nom à l'histoire de Pierre le Justicier et d'Inès de Castro (voir l'encadré « Les Roméo et Juliette du Portugal », p. 288). Inès fut assassinée sur le domaine de la *quinta*. On dit que ses larmes se transformèrent en un ruisseau d'eau pure et fraîche, et que c'est son sang qui aurait donné aux pierres leur ton rougeoyant.

Le duc de Wellington, l'empereur du Brésil et plusieurs rois du Portugal ont séjourné dans cet hôtel moderne très confortable qui a su conserver le romantisme de son passé. Les chambres de taille moyenne à spacieuse sont souvent somptueuses, meublées avec goût dans le style entièrement traditionnel portugais. De nombreux recoins invitent au calme et à la détente dans les salons de réception, parmi les arbres exotiques centenaires, près des superbes fontaines, dans les jardins et sur les pelouses impeccables. **Restauration :** dans un cadre élégant, la *quinta* propose une cuisine très sophistiquée. Certains plats se basent sur de vieilles recettes adaptées au goût du jour. **Services :** room service, blanchisserie et nettoyage à sec, piscine, tennis.

PRIX MOYENS

Hotel Astoria. Av. Emídio Navarro 21, 3000 Coimbra. ∅ **239/822-055** Fax 239/822-057. www.almeidahotels.com. 64 chambres. TV CLIM. Tél. Double 14 000-17 000 ESC. Petit déjeuner compris. CB.

Lorsqu'il fut construit en 1927, l'Astoria triangulaire surmonté d'un dôme était l'hôtel le plus rutilant de Coimbra. Il reçut les personnalités les plus illustres et les plus tristement célèbres du pays avant de tomber en désuétude. Il rouvrit en 1990, plus sobre et plus simple. Ses coupoles et les balustrades de ses balcons en fer forgé s'élèvent en plein cœur de la ville encombrée. Les chambres sont de tailles diverses, mais toutes sont confortables : salle de bains en très bon état et literie excellente. Cinq d'entre elles sont climatisées, mais elles sont souvent réservées à l'avance. Son restaurant au charme d'autrefois, l'Amphitryon, est très prisé des hommes d'affaires pour le déjeuner. Le bar est agréable. Room service de 8 h à 17 h.

❸ **Tivoli Coimbra.** Rua João Machado 4-5, 3000 Coimbra. ∅ **239/826-934** Fax 239/826-827. 100 chambres. TV CLIM. Minibar Tél. Double 19 500 ESC ; suite 27 500 ESC. Petit déjeuner compris. CB. Stationnement gratuit.

Situé sur le flanc d'une colline qui domine les faubourgs nord de Coimbra, à un quart d'heure à pied du centre, cet hôtel est très apprécié des groupes. Construit en 1991, il est affilié à la chaîne portugaise Tivoli Group dont la réputation n'est plus à faire ; ses hôtels de Sintra et de Lisbonne sont parmi les meilleurs dans les catégories 4 et 5 étoiles. Les chambres de taille moyenne sont sobrement modernes ; elles sont équipées d'un coffre et de nombreux gadgets électroniques (télécommandes notamment). Certaines ont vue sur la ville. Les salles de bains sont pourvues d'un sèche-cheveux. **Restauration** : le digne Porta Ferrea propose une cuisine continentale et portugaise préparée avec savoir-faire (ouvert tous les jours 12 h 30-15 h et 19 h 30-22 h). Bar. **Services** : room service, blanchisserie, baby-sitting, concierge, jardin derrière l'hôtel, piscine couverte, club de remise en forme avec sauna et jacuzzi.

PETITS PRIX

Hotel Bragança. Largo das Ámeias 10, 3000 Coimbra. ∅ **239/822-171** Fax 239/836-135. www.maisturismo.pt/braganca.html. 83 chambres. TV CLIM. Tél. Double 12 000 ESC ; suite 17 000 ESC. Petit déjeuner compris. CB. Stationnement gratuit.

Cet inesthétique hôtel près de la gare, fréquenté surtout par des hommes d'affaires, peut vous dépanner si vous n'avez rien trouvé d'autre. Les chambres, de tailles variées, sont inégales : certaines sont chaudes et mal aérées, celles qui ont un balcon donnent sur la route. Le mobilier vraiment sommaire rappelle les années 1950. Vous pouvez manger des plats portugais au restaurant.

Hotel Dom Luís. Quinta da Verzea, 3000 Coimbra. ∅ **239/80-21-20** Fax 239/44-51-96. www.bestwestern.com/pt. Mél : hotel.d.luis@mail.telepac.pt. 100 chambres. TV CLIM. Minibar Tél. Double 14 200 ESC ; suite 20 000 ESC. Petit déjeuner compris. CB. Stationnement gratuit.

Construit en 1989, voici l'un des hôtels les plus élégants de Coimbra. Il est sur la route de Lisbonne à 800 mètres de la ville. Si les chambres sont un peu petites, elles sont confortables, bien entretenues et dotées d'une bonne literie. L'hôtel est agréablement moderne, ses sols sont en marbre brun et son restaurant sert une cuisine internationale et portugaise.

Hotel Domus. Rua Adelina Veiga 62, 3000 Coimbra. ∅ **239/828-584** Fax 239/838-818. 19 chambres. TV Tél. Double 5 500-8 500 ESC ; suite 12 000 ESC. Petit déjeuner compris. CB. Stationnement gratuit dans la rue.

Le Domus se trouve au-dessus d'un magasin d'électroménager dans une étroite rue commerçante. Sa façade des années 1970 est recouverte de carreaux jaune-brun et les fenêtres rectangulaires sont encadrées de marbre. La réception est en haut d'un escalier. Les chambres sont généralement grandes et bien entretenues. Bon nombre sont moquettées et tapissées de papier peint aux motifs contrastés ce qui crée une ambiance familiale et douillette. Une chaîne stéréo diffuse de la musique dans la salle de télévision, où l'on prend aussi le petit déjeuner.

Hotel International. Av. Emídio Navarro 4, 3000 Coimbra. ∅ **239/825-503**. 20 chambres, 16 avec douche uniquement. Double sans sdb. 5 000 ESC ; double avec douche uniquement 5 500 ESC. Pas de CB. Stationnement gratuit mais limité dans la rue.

L'International est très simple et résolument portugais dans sa décoration. Il est installé dans un édifice des années 1840 jadis splendide dont l'intérieur a été rénové au cours des ans. Le bâtiment est devenu un hôtel en 1949 et il y persiste une ambiance de cette époque. La réception est insignifiante. Une fois muni de votre clé, vous grimpez plusieurs escaliers raides pour parvenir à des chambres souvent minuscules dotées d'un piètre mobilier. Dix d'entre elles ont le téléphone et bien sûr, celles avec douches sont prises d'assaut. Aucune n'est équipée de toilettes. Le petit déjeuner n'est pas servi.

Hotel Oslo. Av. Fernão de Magalhães 25, 3000 Coimbra. ∅ **239/829-071** Fax 239/820-614. 36 chambres. TV CLIM. Tél. Double 12 000 ESC ; suite 18 000 ESC. Petit déjeuner compris. CB. Stationnement gratuit.

Situé dans l'une des rues les plus animées de la ville, l'Oslo fut construit durant la mode du « tout scandinave » qui fit rage dans les années 1960. Il fut entièrement rénové en 1993. Les petites chambres sont sobrement modernes, sans prétention et équipées d'une literie ferme. En raison du bruit de la circulation, mieux vaut demander une chambre sur cour. L'hôtel dispose d'un bar et un service de blanchisserie est disponible.

Se restaurer

PRIX MOYENS

Dom Pedro. Av. Emídio Navarro 58. ∅ **239/829-108**. Réservation conseillée. Plats 1 600-2 800 ESC. CB. Mar-dim 12 h-15 h 30 ; tlj. 19 h-22 h 30. *Portugais, continental.*

Après avoir passé le hall voûté, vous arriverez dans une salle attrayante dont les tables sont rassemblées autour d'une fontaine clapotante. En hiver, une cheminée en angle apporte une chaleur bienvenue ; en été les murs épais et le sol en terre cuite procurent de la fraîcheur. On y mange une cuisine toute simple, comme par exemple de la morue Dom Pedro, des calmars grillés, du steak au poivre ou une côte de porc milanaise.

O Alfredo. Av. João das Regras 32. ∅ **239/44-15-22**. Plats 1 000-2 200 ESC. CB. Tlj. 12 h-15 h et 19 h-23 h. *Portugais.*

O Alfredo est situé dans la rue qui mène au pont Santa Clara, sur la rive la moins peuplée du fleuve. De l'extérieur, sa façade anodine rose évoque plutôt un snack-bar qu'un restaurant protocolaire. L'ambiance est détendue. Le menu portugais propose du porc à la mode de l'Alentejo, de la paella aux crustacés, toute une variété de crustacés, du ragoût à la portugaise, divers plats de palourdes, du chevreau rôti et plusieurs variétés régionales de poissons et de viandes. Si les vins sont souvent meilleurs que les plats, vous serez néanmoins satisfait de votre dîner.

Piscinas. Rua Dom Manuel I. ∅ **239/71-70-13**. Réservation conseillée. Plats 1 600-2 200 ESC. CB. Mar.-dim. 12 h-15 h ; tlj. 19 h-22 h. Fermé 1er-15 août. Bus 7 ou 20. *Portugais, continental.*

Ce restaurant, le meilleur de la ville – mais Coimbra ne brille pas par la qualité de ses restaurants –, est particulièrement difficile à trouver ; mieux vaut s'y rendre en taxi. Piscinas (« les piscines ») est contigu à un complexe sportif qui abrite le stade de football et des piscines publiques. Évitez d'y aller avant et après un match ou d'autres manifestations sportives : il est alors bondé. Cet établissement climatisé qui domine deux piscines vous servira de généreuses portions de cuisine régionale. Les cuisiniers savent tirer profit des ingrédients de première qualité qu'ils préparent avec un grand savoir-faire. Commencez par une soupe de crustacés ou des escargots. Parmi les plats, nous avons retenu le bœuf Piscinas, la sole grillée, le steak au poivre, le porc piri-piri (avec des piments) et la fondue bourguignonne. Et tout cela sur fond de musique.

PETITS PRIX

Café Nicola. Rua Ferreira Borges 35. Ø **239/822-061.** Plats 950-1 500 ESC CB. Lun.-sam. 12 h-15 h et 19 h-22 h. *Portugais.*

Café Nicola est un petit restaurant ordinaire mais moderne installé au-dessus d'une épicerie/pâtisserie fine. Les étudiants s'y retrouvent pour prendre un café fort. La cuisine est bonne mais simple et les plats de poisson ou de viande sont généralement suffisants pour deux. Un repas commence presque toujours par une soupe du jour nourrissante. Ensuite, vous pouvez déguster un filet de poisson, du poulet rôti et des croquettes de poulet ou de veau.

✪ **Café Santa Cruz.** Praça do 8 de Maio. Ø **239/833-617.** Sandwichs 300 ESC ; café 80 ESC. Pas de CB. Été lun.-sam. 8 h-2 h du mat ; hiver lun.-sam. 8 h-24 h. Fermé 25 sept.-8 oct. Bus 3 ou 4. *Sandwichs.*

Voici le plus célèbre café de Coimbra, peut-être même de tout le nord du Portugal. Il est installé dans une ancienne chapelle de la cathédrale, sous un plafond très haut soutenu par des nervures flamboyantes en pierre et des voûtes de pierre ajustées. Le comptoir lambrissé est recouvert d'un marbre si beau qu'il ne déparerait pas sur un autel. C'est un lieu de rencontres « branché », de jour comme de nuit. Une foule d'étudiants et d'enseignants viennent y lire le journal dans une atmosphère détendue. Il n'y a pas de bar pour consommer debout, alors chacun s'assied sur un tabouret en cuir à l'une des tables hexagonales recouvertes de marbre. Si vous commandez un cognac, on vous en apportera un verre plein, mais la plupart des clients prennent du café au lait.

Vie nocturne

L'importante population estudiantine de la ville constitue la garantie d'une vie nocturne active, voire tapageuse. Rayonnant autour de la Sé Velha et de largo da Sé Velha, les bars sont remplis d'étudiants, de professeurs et de gens du coin qui viennent prendre un verre, discuter et deviser sur les priorités de l'enseignement. Le plus agréable est de les explorer au hasard. Mais si vous voulez une recommandation précise, essayez le **Diligência Bar**, rua Nova (Ø **239/82-76-67**), où l'on commence à boire et à flirter tôt dans la soirée, pour écouter ensuite une diva locale du *fado* à partir de 22 h ou 22 h 30. Le **Dixie Bar**, rua Joaquim António d'Agiar 6 (Ø **239/83-21-92**), rappelle parfois la Nouvelle-Orléans avec ses concerts de groupes de jazz de la région.

Les discothèques battent leur plein au moins 5 soirs par semaine. Leur atmosphère varie selon la saison et les caprices des noctambules amoureux de danse. En fonction de votre humeur et des clients du moment, vous pourrez choisir entre : **Via Latina**, rua Almeida Garrett 1 (Ø **239/83-30-34**), **Joan Raton**, av. Afonso Henríques 43 (Ø **239/40-40-47**) et **States**, praça Machado Asses 22 (Ø **239/82-70-67**). Elles se réveillent après 22 h 30 et demeurent souvent ouvertes jusqu'à 3 h voire jusqu'à l'aube le vendredi et le samedi. Parmi les fêtes estudiantines de Coimbra, la **Queima das Fitas** (embrasement des rubans) est un rite lié à la remise des diplômes qui a lieu la première ou la deuxième semaine de mai. Puis des *serenatas* (troupes d'étudiants qui recréent la musique et l'ambiance des troubadours du Moyen Âge) vaguement organisées chantent et déambulent dans les rues de Coimbra au moment où l'on s'y attend le moins. Il est impossible de savoir où et quand vous tomberez sur ces manifestations spontanées évocatrices du temps jadis.

Une excursion dans la ville romaine de Conimbriga

✪ Conimbriga, une des grandes découvertes archéologiques romaines en Europe, se trouve à 16 km au sud-ouest de Coimbra. Si vous n'êtes pas motorisé, prenez un bus de Coimbra à Condeixa qui est à 1,5 km de Conimbriga. L'autobus, Avic Mondego, part de Coimbra à 9 h et y retourne à 13 h et 18 h. De Condeixa, continuez à pied ou prenez un taxi.

Site d'une implantation celte de l'âge du fer, ce village se développa sous l'occupation romaine à la fin du Ier siècle. Il se trouvait alors sur la voie romaine reliant Lisbonne (*Olisipo*) à Braga (*Braçara Augusta*).Il fut détruit par les envahisseurs suèves au Ve siècle. On entre dans les ruines en suivant la voie romaine qui passe par le petit **Museu Monográfico**. Ce dernier abrite des vestiges provenant des fouilles effectuées dans les ruines, notamment un buste d'Auguste qui occupait à l'origine le temple d'Auguste de Coimbra. Les ruines de la très vaste **Maison de Cantaber** permettent de se faire une idée de la vie des Romains à Conimbriga. Cette demeure fut occupée jusqu'à ce que la famille de Cantaber soit emmenée en captivité par les Suèves. La **Maison aux Jeux d'eau**, construite au IIIe siècle, époque à laquelle elle fut partiellement détruite par l'édification des remparts de la ville, est tout aussi intéressante. Une grande partie de la demeure a été exhumée, ce qui permet de voir des vestiges de la première période de l'architecture romaine dans les provinces. Lors de fouilles dans les environs, on a trouvé des mosaïques romaines en presque parfait état, aux motifs triangulaires, octogonaux et circulaires, de couleurs rouge sang, moutarde, grise, sienne et jaune ; les dessins représentent des animaux d'Afrique et des scènes de chasse méticuleusement travaillés. Une maison abrite des mosaïques symbolisant des thèmes mythologiques. Le résultat des fouilles atteste du génie architectural des Romains. Des colonnes forment des péristyles autour de bassins reflétant la lumière ; des vestiges de fontaines occupent des cours. Des ruines de temples, un forum, des demeures patriciennes, des canalisations et des égouts furent les témoins de la splendeur passée de la ville. Des installations complexes de canalisations permettaient d'alimenter les bains publics et privés de la cité en chauffage et en vapeur. La ville possédait même son propre aqueduc.

Les ruines sont ouvertes tous les jours de 9 h à 20 h (18 h en hiver). Le musée est ouvert du mardi au dimanche de 10 h à 18 h. L'entrée coûte 400 ESC pour les adultes et elle est gratuite pour les moins de 14 ans. Pour de plus amples informations, appelez le ∅ **239/94-11-77**.

Se loger et se restaurer

✪ **Pousada de Santa Cristina.** Condeixa-a-Nova, 3150 Coimbra. ∅ **239/94-40-25** Fax 239/94-30-97. www.pousadas.pt. 45 chambres. TV CLIM. Tél. Double 24 600 ESC. Petit déjeuner compris. CB. Stationnement gratuit.

Cette *pousada*, l'une les plus raffinées du Portugal, a ouvert en 1993. Cet hôtel moderne de 4 étages s'est installé dans un hôtel particulier tombé en désuétude. La rénovation, s'inspirant d'un palais du XIXe siècle, a conservé bon nombre des ornements d'origine, dont les moulures. Divers objets ont été récupérés au Palácio de Sotomaior, près de Lisbonne, après son incendie. Les chambres sont généralement spacieuses, lumineuses et ensoleillées. L'ameublement est joli, les étoffes et la moquette sont choisies avec goût et la literie est ferme.

Si vous ne comptez pas y dormir, arrêtez-vous au moins pour déguster les spécialités régionales. Le restaurant propose un menu à 3 650 ESC. Un court de tennis, une piscine et un jardin luxuriant rehaussent agréablement le charme de la *pousada*. Bon nombre des touristes qui visitent Coimbra, à 15 km de distance, préfèrent loger ici.

4. Buçaco

À 28 km au nord de Coimbra, 231 km au nord de Lisbonne, 3 km au sud-est de Luso

C'est au cœur de la beauté luxuriante et paisible des forêts de Buçaco que les carmes déchaux choisirent de construire leur monastère, en 1628. Ces moines qui voulaient suivre les préceptes d'isolement énoncés par le fondateur de l'ordre, l'édifièrent avec des matériaux provenant des collines avoisinantes. Ils érigèrent une muraille pour s'isoler et empêcher les femmes d'y pénétrer. Les frères aimaient particulièrement les plantes et les arbres ; chaque année ils entretenaient la végétation naturelle et plantaient des spécimens qui leur étaient envoyés par des membres d'ordres éloignés. Les terres de Buçaco étaient très fertiles : fougères, pins, chênes-lièges, eucalyptus et buissons d'hortensias roses et bleus y proliférèrent. Les moines introduisirent des types de flore exotique tels que le « désespoir-des-singes », une sorte de grand pin du Chili dont les branches sont si convolutées que l'on dit que les singes qui y grimpent s'y perdent. Mais la forêt se distingue surtout par ses imposants cèdres et cyprès.

Informations pratiques

COMMENT S'Y RENDRE

En autobus Mieux vaut visiter Buçaco en voiture. Si vous vous déplacez par les transports en commun, vous pouvez vous rendre dans la forêt en effectuant une excursion d'une journée à partir de Coimbra. Les autobus qui assurent la liaison Coimbra-Viseu font un crochet par la forêt lorsqu'ils passent à Luso et s'arrêtent au Palace Hotel do Buçaco. Il y a un service quotidien de 5 autobus, 3 le dimanche (durée du trajet : 1 h ; aller simple : 440 ESC). Pour toute **information** et pour obtenir les horaires, appelez le ∅ 239/82-78-81.

En voiture De Coimbra, prenez la N110 vers le nord-est jusqu'à Penacova au pied de la Serra do Buçaco. De là, continuez vers le nord sur une route secondaire en suivant les panneaux.

INFORMATIONS TOURISTIQUES

L'**office de tourisme** le plus proche se trouve à Luso (voir p. 297).

Explorer la forêt et ses environs

La forêt aménagée par les carmes déchaux en 1628 était si belle qu'une bulle pontificale datant de 1643 menaça d'excommunication quiconque en dégraderait un arbre. Si le monastère a fermé en 1834, la forêt n'a cessé d'être entretenue depuis. Irriguée par des sources naturelles, la terre bouillonne de fontaines fraîches, parmi lesquelles la plus célèbre est la **Fonte Fria** (fontaine froide).

La forêt de Buçaco fut le théâtre d'une bataille au cours de laquelle Wellington vainquit les divisions napoléoniennes de Masséna. Avant la bataille, le duc de fer dormit dans une simple cellule de moine du cloître. Situé à 800 m du Palace Hotel (∅ **231/93-93-10**), le petit **Museu da Guerra Peninsular** (musée de la Guerre péninsulaire) évoque ce tournant majeur de l'invasion de la péninsule Ibérique par les troupes napoléoniennes. Il renferme une collection de gravures et des armes à feu. Il est ouvert du mardi au dimanche, de 10 h à 17 h 30 du 15 juin au 15 septembre ; le reste de l'année de 10 h à 16 h. L'entrée coûte 200 ESC.

Au début du XXe siècle, on détruisit une grande partie du monastère pour faire place au pavillon de chasse et palais du roi Charles Ier. L'architecte italien Luigi Manini se vit

Parc national de la Serra da Estrela

La Serra da Estrela est le plus grand parc national du Portugal et l'un des lieux de détente et de loisirs les plus fréquentés. De janvier à mai, la grande serra de granit est une station de sports d'hiver. En été, elle accueille les campeurs, les pêcheurs de truites et les alpinistes qui viennent remplacer les skieurs.

Jusqu'à la fin du XIXᵉ siècle, ces terres furent presque totalement isolées du reste du Portugal. Elles étaient principalement connues des chasseurs et des bergers de la région. C'est de là que sont originaires les *cão de sena*, chiens de montagne, une espèce résistante de chien de berger. Cette région, une importante zone d'élevage ovin, abrite aussi des animaux sauvages, notamment des sangliers, des blaireaux et des meutes de loups. D'ailleurs, les chiens de berger portent traditionnellement un collier en fer hérissé de pointes pour les protéger des attaques des loups. Étrange exemple de symbiose dans la nature, bon nombre des chiens survivent en tétant le lait de brebis.

Les principaux sites de la montagne sont reliés par des routes. La grande route de Covilhã à Seia (N339) passe par la pittoresque bourgade de **Torre**, le plus haut sommet du Portugal (1 993 m). Cette localité est devenue une petite station de ski qui compte deux remonte-pentes. La plus grande prudence est recommandée sur la route en lacets qui vous mène ensuite le long de véritables précipices vers la **vallée du Zêzere** et ses superbes paysages panoramiques.

La vallée du Zêzere, dont le cours d'eau draine une profonde gorge glaciaire, est le meilleur endroit pour pêcher la truite. Les amateurs de pêche peuvent aussi tenter leur chance dans les lacs de **Loriga** et de **Comprida**.

Le printemps est la meilleure saison pour faire de la randonnée, lorsque les plantes sont en pleine floraison. Des sentiers bien balisés traversent le parc en ondulant sur les pentes. Il existe plusieurs terrains de camping dans le parc. L'**office de tourisme de Covilhã**, praça do Município ($\emptyset$ **275/31-95-60**), peut vous vous fournir des cartes et des informations.

Le parc est facilement accessible de Coimbra. Empruntez la N17 vers l'est et suivez les panneaux.

confier la réalisation de cet édifice de style néo-manuélin doté de parapets, de contreforts, de sphères armillaires, de galeries à arcades flamboyantes, de tours et de tourelles. Assassiné en 1908, le roi eut à peine le temps d'en profiter. Le palais fut aussitôt aménagé en hôtel et des touristes privilégiés peuvent depuis y déguster le thé de cinq heures au bord de la piscine abritée par des treilles de glycines en fleurs.

Pour profiter pleinement de Buçaco, traversez la forêt en voiture en passant par les ermitages jusqu'à parvenir à la **Cruz Alta** (548 m). La vue du sommet est extraordinaire.

Se loger et se restaurer

✪ **Palace Hotel do Buçaco.** Mata do Buçaco, Buçaco, 3050 Mealhada. $\emptyset$ **231/93-01-01** Fax 231/93-05-09. Mél : almeida.hotelip.pt. 64 chambres. TV CLIM. Tél. Double 29 000-34 500 ESC ; suite 60 000-150 000 ESC. Petit déjeuner continental et stationnement compris. CB. Lieu de villégiature des monarques portugais, voici l'un des palais les plus légendaires du pays. C'est après une dernière visite à Buçaco que l'ex-reine Marie-Amélie rendit l'âme, en 1945. Souffrante, elle avait obtenu du gouvernement portugais l'autorisation de revenir sur les lieux des jours heureux, avant l'assassinat de son mari et de son fils en 1908. En 1910, l'ancien cuisinier du roi, d'origine suisse, avait persuadé les autorités de transformer le palais en hôtel et de lui en laisser la direction.

Cet édifice est une véritable folie architecturale entourée de jardins et d'arbres exotiques provenant des quatre coins de l'empire portugais. L'architecte puisa son inspiration dans d'autres monuments, comme le monastère des Hiéronymites de Belém ou le palais des Doges de Venise. Situé au cœur d'une forêt de 100 hectares, c'est l'un des petits palais les plus grandioses d'Europe. En dépit de l'usure causée par les milliers de clients qui y sont descendus, l'édifice est intact et toujours aussi impressionnant. On notera tout particulièrement l'escalier monumental orné de balustrades en marbre, les torchères de bronze de 4,50 m de large et les murs recouverts d'*azulejos* représentant les grandes scènes de l'histoire du Portugal. Chaque salle de réception, chaque salon abonde en détails architecturaux fantaisistes. La suite de la reine est la plus spectaculaire : petit salon privé, boudoir, somptueuse salle de bains et salle à manger. Bon nombre des chambres ont été restaurées en 1992 mais elles ont su conserver leur cachet tout empreint de retenue et de dignité. **Restauration/distractions :** le déjeuner et le dîner sont servis dans la salle à manger dotée d'une belle hauteur de plafond. Vous pouvez prendre l'apéritif au bar. **Prestations :** room service 24 h/24, blanchisserie, concierge.

5. Luso

À 31 km au nord de Coimbra, 229 km au nord de Lisbonne, 8 km au sud-est de Cúria

Petite station thermale sur la partie nord-ouest des montagnes de Buçaco, Luso bénéficie d'un climat doux et de la présence de sources thermales aux vertus thérapeutiques. La teneur en minéraux de cette eau radioactive et hypotonique est faible. Elle est réputée pour son efficacité dans le traitement des maladies des reins, des troubles de l'alimentation et de la circulation et des allergies respiratoires ou cutanées. Hormis ses aspects salutaires, cette station compte de nombreuses installations en commun avec Buçaco, à 3 km de là. Durant la haute saison thermale, des manifestations culturelles et sportives sont organisées au casino, dans la discothèque, sur les courts de tennis, sur le lac et aux deux piscines (dont l'une est chauffée). Les inconditionnels des cures thermales y affluent de juin à octobre.

Informations pratiques

COMMENT S'Y RENDRE

En train Au départ de Coimbra, la ligne 110 dessert quotidiennement Luso. L'aller simple coûte 450 ESC.

En autobus Un service de 5 bus par jour assure la liaison entre Luso et Coimbra. À partir de 7 h 45, les autobus partent toutes les 2 h 30 (durée du trajet : 1 h ; aller simple : 425 ESC). Pour toute **information** et pour obtenir les horaires, appelez le ∅ 239/82-70-81.

En voiture En partant de Coimbra, allez vers le nord sur l'autoroute Lisbonne-Porto jusqu'à la sortie Luso. Poursuivez vers l'est sur 5,5 km.

INFORMATIONS TOURISTIQUES

L'office de tourisme de Luso se trouve sur la rua Emídio Navarro (∅ 231/93-91-33).

Se loger

Grande Hotel das Termas. Rua dos Banhos, Luso, 3050 Mealhada. ∅ **231/93-04-50** Fax 231/93-03-50. 143 chambres. TV CLIM. Minibar Tél. Double 13 000-15 800 ESC ; suite 40 000 ESC. Petit déjeuner continental compris. CB. Stationnement gratuit.

Le Grande Hotel couleur vanille construit en 1945 est niché dans une vallée de feuillages luxuriants. Ce vaste domaine contigu aux sources thermales offre des chambres confortables de proportions agréables et dotées de mobilier assorti. Certaines donnent sur une terrasse avec vue sur la vallée boisée. 80 chambres sont climatisées. Les clients de l'hôtel apprécient beaucoup l'accès facile aux installations thermales. Vous pouvez faire de la natation dans une piscine olympique, vous détendre et prendre des bains de soleil sur la terrasse herbeuse ou simplement vous délasser sous les saules pleureurs et les bougainvillées. L'hôtel compte des courts de tennis en dur. Dominant la piscine, la salle à manger décorée de peintures murales offre une cuisine régionale et internationale copieuse. Goûtez au Messias, qui a du corps, et au vin de Mealhada, produit des vignobles tout proches.

❂ **Vila Duparchy.** Luso, 3050 Mealhada. ∅ **231/93-07-90** Fax 231/930-307. 6 chambres (certaines avec baignoire, d'autres avec douche). Double 10 000-14 500 ESC. Petit déjeuner compris. CB. Stationnement gratuit.

À seulement 400 m du centre de Luso, cet hôtel se trouve en face de la seule station-service de la ville sur la route de Mealhada. Ferme construite au XIXe siècle, elle porte le nom de l'ingénieur d'origine française qui réalisa la gare de chemin de fer de Luso. Il y résida à l'époque puis la vendit aux ancêtres des propriétaires actuels. Aujourd'hui, sous la direction d'Oscar et de Maria Santos, cet établissement fait partie des plus agréables de la région. Les chambres extrêmement confortables, de tailles variables, sont pourvues de linge raffiné et d'une literie ferme. Dans les salles de bains superbement entretenues, vous trouverez des serviettes moelleuses et de luxueux articles de toilette. Si vous aimez l'équitation, vous pourrez faire des promenades à cheval au cours de votre séjour car la famille Santos se consacre principalement à l'élevage et à l'entraînement de chevaux sur son domaine de 8,5 hectares.

On peut vous préparer le dîner (le commander à l'avance) qui vous sera servi dans la salle à manger familiale et coûte environ 3 500 ESC par personne. Il y a trois salons au niveau inférieur ainsi que des télévisions et des téléphones. L'hôtel dispose également d'une piscine.

Se restaurer

Restaurant O Cesteiro. Rua Dr. Lúcio Pais Abranches. ∅ **231/93-93-60**. Plats 1 000-1 600 ESC. CB. Tlj. 12 h-15 h et 19 h-22 h. *Portugais.*

Ce restaurant sans prétention se trouve près de la gare à quelque 5 minutes du centre-ville, sur la route de Mealhada. La façade est ornée d'une simple enseigne et de carreaux bruns. Le restaurant, spacieux, abrite un bar très fréquenté des artisans et des agriculteurs des environs. Parmi les plats, on vous proposera très probablement du ragoût de canard, du chevreau rôti, du cochon de lait en sauce au safran et toute une gamme de plats de poissons, notamment de la morue. Les plats sont bien préparés et les ingrédients de qualité. Le week-end, le restaurant se remplit de familles portugaises.

6. Cúria

À 11 km au nord-ouest de Luso, 25 km au nord-ouest de Buçaco, 227 km au nord de Lisbonne, 19 km au nord de Coimbra

Au pied des chaînes de la Serra da Estrela, Cúria forme avec Luso et Buçaco un triangle touristique connu. Depuis longtemps, les thermes de Cúria attirent ceux qui apprécient les vertus thérapeutiques de ses eaux médicinales légèrement salines qui contiennent des sulfates de calcium et du bicarbonate de sodium et de magnésium. Par ailleurs, vous trouverez à Cúria des courts de tennis, des piscines, des pistes de roller, un lac pour faire de la barque, des cinémas et des salons de thé. La saison thermale s'étend d'avril à octobre et la foule commence à affluer en juin. Comme Cúria est située dans le district vinicole de Bairrada, vous pourrez y goûter les vins fins de la région. Le cochon de lait rôti, le chevreau rôti et les desserts sont les spécialités culinaires locales.

Informations pratiques

COMMENT S'Y RENDRE

En autobus Un service quotidien d'autobus relie la gare de Luso (voir p. 297) aux thermes de Cúria (aller simple : 425 ESC).

En voiture À partir de Coimbra, empruntez la N1 en direction du nord.

INFORMATIONS TOURISTIQUES

L'office de tourisme de Cúria se trouve sur le largo da Rotunda (∅ 031-51-22-48).

Se loger et se restaurer

✪ **Grande Hotel de Cúria**. 3780 Anadia. ∅ **231/51-57-20** Fax 231/51-53-17. Mél : gcuria@mail.telepac.pt. 84 chambres. TV CLIM. Minibar Tél. Double 12 500-20 000 ESC ; suite 31 500 ESC. Petit déjeuner compris. CB. Stationnement gratuit.

Ouvert dans les années 1880, le Grande Hotel servit d'élégante retraite à de nombreuses têtes couronnées d'Europe. Par la suite, il tomba en désuétude puis subit d'importantes rénovations sous la direction du Belver Hotel Group du Portugal pour rouvrir en 1990. Il est à quelques pas du centre du village, à moins de 800 m de la gare. Avec sa somptueuse façade de style Art nouveau, cet édifice est le plus imposant de la ville. Les salons aux sols dallés de marbre sont décorés de tapisseries et tapis luxueux. Les chambres de taille moyenne à spacieuse sont décorées soit en style Art déco, soit en sobre moderne. Le personnel est parfait. **Restauration :** la cuisine est soignée et préparée avec savoir-faire. Les repas sont servis dans des salles de tailles diverses, en fonction du taux d'occupation de l'hôtel. **Services :** room service (de 7 h à 23 h 30), concierge, massages ; centre de remise en forme avec gymnase, massages, jacuzzis et 2 piscines.

Hotel das Termas. Cúria, 3780 Tamingos. ∅ **231/51-21-85** Fax 231/51-58-38. 57 chambres. TV CLIM. Tél. Double 12 000-18 000 ESC ; suite 17 000-25 000 ESC. Petit déjeuner compris. CB. Stationnement gratuit.

On arrive à l'Hotel das Termas par une route en lacets dans un parc ombragé d'arbres dont le feuillage ressemble à de la dentelle. On se sent chez soi dans les chambres décorées de chintz fleuri avec des lits en bois et des murs tapissés de placards. L'hôtel dégage une atmosphère de colonie britannique avec tous ses objets en bronze et son mobilier en osier. Il est équipé d'installations de remise en forme et de loisirs, notamment d'une piscine entourée d'orangers. Un pont en bois enjambe un lac pour déboucher sur des courts de tennis. La grande salle à manger, avec son parquet et sa cheminée en briques, ressemble à une taverne, surtout quand elle est remplie de clients. L'hôtel dispose même de bicyclettes si vous voulez explorer les environs.

Palace Hotel de Cúria. Cúria, 3780 Tamingos. ∅ **231/51-21-31** Fax 231/51-55-31. 114 chambres. TV Tél. Double 17 000 ESC. Petit déjeuner compris. CB. Fermé nov.-mar. Stationnement gratuit.

Le Palace Hotel, ouvert depuis 1926, est un établissement élégant de 4 étages situé dans un domaine de 6 hectares de jardins. Si ce n'est pas l'établissement le plus connu du Portugal, le Palace fait partie des plus prestigieux. Il a d'ailleurs reçu ces dernières années le président et le Premier ministre. Les chambres joliment meublées, parmi lesquelles certaines sont assez spacieuses, se trouvent entre les tours jumelles de la façade à l'italienne. La piscine de l'hôtel est la plus grande du Portugal. Les clients peuvent utiliser les installations thermales de la ville à proximité. **Restauration** : dans la salle à manger lumineuse, on sert une excellente cuisine portugaise et internationale qui est élaborée dans la mesure du possible à partir de produits frais du marché provenant surtout des Beiras. **Services** : room service, blanchisserie, 2 courts de tennis, une salle de billard, un terrain de jeux et un minigolf. Un zoo miniature abrite des oiseaux exotiques.

Pensão Lourenço. Cúria, 3780 Anadia. ∅ **231/51-22-14**. 38 chambres. Double 6 000 ESC. Petit déjeuner compris. Pas de CB. Fermé oct.-mai. Stationnement gratuit dans la rue.

Dans toute la station thermale, des pancartes indiquent le chemin de cette petite auberge simple que vous trouverez dans un petit coin bordé d'arbres à l'écart du centre-ville. La pension occupe deux bâtiments de part et d'autre d'une route étroite. L'un d'eux abrite un café au rez-de-chaussée dont les tables et les clients débordent parfois sur la rue. Les chambres sont petites ; les meubles sont vieux mais néanmoins confortables. La clientèle est plutôt âgée, composée en grande partie de retraités qui viennent tous les ans à Cúria.

7. Aveiro

À 56 km au nord de Coimbra, 67 km au sud de Porto

Une myriade de canaux enjambés par de petits ponts s'entrecroisent dans Aveiro. Située à l'embouchure du Vouga, la ville est séparée de la mer par une longue langue de sable qui protège des groupes d'îlots. Le paysage de plaines de roseaux, de marais salants, de dunes mouillées par les embruns et de rizières sert d'écrin à son architecture, presque flamande. Sur la lagune, des embarcations aux couleurs vives évoquant les gondoles vénitiennes traversent les eaux. Ces *barcos moliceiros* à fond plat transportent les pêcheurs qui récoltent des algues qu'on utilise comme engrais. On recherche toujours des anguilles, spécialité régionale, qui s'attrapent dans les eaux peu profondes constellées de lotus et de nénuphars. Vous verrez à l'extérieur de la ville de grandes salines bordées de pyramides de sel en train de sécher.

Informations pratiques

Comment s'y rendre

En train La gare se trouve à largo da Estação (∅ **234/42-44-85**). Au moins 20 trains par jour assurent la liaison avec Porto (voir chapitre 12 ; durée du trajet : 30 minutes ; aller simple : 370 ESC). Quelque 22 trains arrivent quotidiennement de Coimbra (durée du trajet : 1 h ; aller simple : 450 ESC). Il y a 5 trains par jour au départ de Viseu (durée du trajet : 4 h ; aller simple : 890 ESC). Enfin, la ville est desservie par 20 trains quotidiens en provenance de Lisbonne (durée du trajet : 5 h ; aller simple : 1 610 ESC).

En autobus La **gare routière** Rodoviária (compagnie nationale de bus express) la plus proche se trouve à Águeda, à 19 km d'Aveiro. Un service d'autobus relie Águeda à la gare d'Aveiro. Pour toute **information** et pour obtenir les horaires, appelez le ∅ 234/42-37-47.

En voiture Au départ de Coimbra, empruntez l'A1 jusqu'à la bifurcation avec la N235 qui relie Aveiro à l'est.

Informations touristiques

L'**office de tourisme d'Aveiro** se trouve sur la rua João Mendonça 8 (∅ 234/42-36-80).

Visites et activités

Explorer la ville et ses environs

La ville est assez encombrée et bruit incessant des Vespas peut être incommodant – sans parler de l'odeur putride des eaux stagnantes des canaux. Pourtant, Aveiro est une ville qui vaut le déplacement.

Les lagunes et les nombreux bassins cachés qui parsèment le paysage aux alentours offrent de belles possibilités d'**excursions en bateau**. Renseignez-vous à l'office de tourisme (voir ci-dessus).

Le **Convento de Jesús**, praça do Milenário (∅ 234/42-32-97), est acclamé comme le plus bel exemple de style baroque au Portugal. L'Infanta Santa Joana (sainte Jeanne), sœur de Jean II et fille d'Alphonse V, y prit le voile en 1472. Son tombeau, en marbre incrusté provenant d'Italie, attire de nombreux pèlerins. Ses couleurs, un camaïeu de roses, lui donnent l'aspect d'un gâteau surmonté de chérubins. Le couvent est un édifice public devenu le **Museu de Aveiro**. Remarquez les dorures travaillées qui brillent dans la chapelle en dépit de la poussière. Ce musée abrite une mèche de cheveux de sainte Jeanne, sa ceinture et son rosaire, ainsi que l'histoire complète de sa vie en illustrations. Un portrait d'elle, peint sur *intonaco*, est absolument remarquable. Vous pourrez y voir aussi un ensemble de tableaux du XVe siècle, des portraits des rois Charles Ier et Manuel II (les deux derniers souverains de la dynastie de Bragance), des céramiques anciennes et des sculptures des XVIe, XVIIe et XVIIIe siècles. Des voitures et des carrosses en bon état des XVIIIe et XIXe siècles sont également exposés. Après le musée, vous pouvez visiter le cloître orné de colonnes doriques. Le musée est ouvert du mardi au dimanche de 10 h à 17 h. L'entrée coûte 300 ESC pour les adultes et elle est gratuite pour les moins de 15 ans.

L'**Igreja de São Domingo**, du XVe siècle, rua Santa Joana Princesa, abrite des retables bleu et or et sa nef supérieure est encadrée de fenêtres ovales. La façade, refaite au XVIIIe siècle en style manuélin-gothique est ornée de quatre épis en forme de flamme.

Après avoir dégusté un ragoût d'anguilles et siroté une bouteille de robuste Bairrada, peut-être pourriez-vous explorer les localités des bords de la lagune. Arrêtez-vous au **Museu do Mar** d'Ilhavo, rua Vasco da Gama (∅ 234/32-17-97), à 5 km d'Aveiro. Ce musée vous donnera une idée de la vie des riverains de la mer. Il abrite des tableaux de paysages marins, des accessoires pour la pêche, du matériel de pêche, des maquettes de bateaux... Il est ouvert du mercredi au samedi de 9 h à 12 h 30, du mardi au dimanche de 14 h à 17 h 30. L'entrée coûte 200 ESC.

En partant d'Ilhavo, poursuivez sur 1,5 km vers le sud jusqu'à **Vista Alegre**, village célèbre pour sa porcelaine. La reine Elizabeth II et le roi Juan Carlos y ont commandé des pièces. Situé sur un bras de l'estuaire d'Aveiro, ce village accueille un marché en plein air tous les 13 du mois, une tradition qui remonte à la fin des années 1600. Le **musée de Vista Alegre**, Fábrica Vista Alegre (∅ **234/32-53-65**), retrace l'histoire de la porcelaine à partir de 1824, année de la création de la fabrique. Il est ouvert du mardi au dimanche de 9 h à 12 h 30 et de 14 h à 16 h 30. L'entrée est gratuite.

ACTIVITÉS DE PLEIN AIR

Dans la zone de Rota da Luz près d'Aveiro, beaucoup d'endroits sont propices à la **planche à voile**, notamment à Ria de Aveiro et à Pateira de Fermentelos. Les longues bandes de sable et les vagues offrent des conditions idéales pour le **surf**. Les meilleures **plages** de Rota da Luz sont Esmoriz, Cortegaça, Furadouro, Torreira, São Jacinto, Barra, Costa-Nova et Vagueira. Toute la zone de l'estuaire est idéale pour faire du **ski nautique** et de nombreux cours d'eau, notamment la Pateira et la Ria, se prêtent à la pratique du **kayac** et de l'**aviron**.

La **pêche** est également une activité particulièrement agréable à Rota da Luz. Les voies navigables abondent en carpes, lamproies, barbeaux, mulets, bars et anguilles. Les rivières Paiva, Arda, Antuà, Caima, Alfusqueiro et Águeda sont les plus riches en truites. L'office de tourisme (voir ci-dessus) pourra vous fournir des informations utiles.

Les cavaliers peuvent se rendre à l'**Escola Equestre de Aveiro**, Quinta Chão Agra, Vilarinho (∅ **234/91-21-08**), à 6 km au nord d'Aveiro sur la N109. Ce centre propose des randonnées équestres dans les marécages des environs d'Aveiro. La randonnée de 2 heures coûte 5 000 ESC par cavalier. Téléphonez pour réserver et pour obtenir de plus amples informations.

Il est aussi plaisant de faire de la **bicyclette**, surtout sur l'itinéraire qui relie Aveiro à Ovar, idéal car il n'y a pas de circulation. On peut louer des vélos à côté de l'office de tourisme sur la rua João Mendonça (∅ **234/42-00-80**).

SHOPPING

Vous trouverez des produits de l'artisanat et les porcelaines sophistiquées fabriquées à Vista Alegre à 6 km au sud. Pour visiter le **magasin de la fabrique de Vista Alegre** (∅ **234/32-53-65**), suivez les panneaux en partant du centre-ville. Des visites gratuites de la fabrique sont organisées du mardi au dimanche de 9 h à 12 h 30 et de 14 h à 16 h 30. Le magasin de la fabrique est ouvert du mardi au dimanche de 9 h à 12 h 30 et de 14 h à 19 h.

Un **magasin de la fabrique de Vista Alegre** se trouve au centre-ville sur la rua Dr. Nascimento Leitão (∅ **234/32-53-65**), en face de l'Imperial Hotel, mais il propose un choix un peu moins vaste que le premier. **Buraco** (∅ **234/31-24-73**) propose également une grande variété de porcelaines et de poteries qui proviennent d'une fabrique des environs. Ses magasins en ville se trouvent dans le Centro Comercial Oita et sur la praça do Mercado.

Grand boulevard qui divise la ville en deux, l'**avenida Dr. Lourenço Peixenho** est une rue très commerçante ; les magasins qui la bordent vendent pratiquement tout ce que l'on peut désirer.

Se loger

Arcada Hotel. Rua Viana do Castelo 4, 3800 Aveiro. ∅ **234/423-001** Fax 234/421-886. 49 chambres. TV Tél. Double 8 350-9 900 ESC ; suite 13 300 ESC. Petit déjeuner compris. CB. Stationnement gratuit.

Entreprise familiale, l'Arcada bénéficie d'un emplacement central enviable avec vue sur la circulation dans le canal qui le borde. En été, on aperçoit de la fenêtre des chambres les pyramides de sel en train de sécher sur les salants. Cet hôtel modernisé a conservé sa façade beige et blanc classique et son toit orné d'épis décorés. L'hôtel occupe les 2e, 3e et 4e étages. Nombre des chambres de taille moyenne, toutes équipées du chauffage central, ont un balcon. Certaines sont décorées dans un style portugais traditionnel, d'autres évoquent le style « international » des années 1950 avec leur mobilier de bois clair. Quelques-unes sont bruyantes. Il y a un bar, mais pas de restaurant

Hotel Afonso V. Rua Dr. Manuel das Neves 65, 3800 Aveiro. ∅ **234/425-191** Fax 234/381-111. 80 chambres. TV CLIM. Minibar Tél. Double 12 600 ESC ; suite 17 000 ESC. Petit déjeuner compris. CB. Parking 400 ESC.

Cet établissement est sans doute le meilleur de la ville. Si vous êtes en voiture, des panneaux, petits mais bien placés, vous guident jusqu'à l'hôtel qui se trouve dans un quartier résidentiel arboré. Sa façade est carrelée de petits *azulejos* bleu-vert. Il a été récemment agrandi et rénové dans un style contemporain. Les chambres de taille moyenne sont impersonnelles, mais meublées confortablement (literie ferme). Vous trouverez sur place un pub anglais et deux restaurants (voir « Se restaurer » ci-dessous).

Hotel Imperial. Rua Dr. Nascimento Leitão, 3800 Aveiro. ∅ **234/422-141** Fax 234/424-148. 103 chambres. TV CLIM. Minibar Tél. Double 12 700 ESC ; suite 16 100 ESC. Petit déjeuner compris. CB. Stationnement gratuit.

Si l'Imperial n'a rien d'exceptionnel, il est moderne et bien organisé. Il est fréquenté par une clientèle locale de jeunes qui se rassemblent au salon pour prendre un verre et regarder la télévision ou dans la lumineuse salle à manger (très appréciée des groupes). Nombre de chambres, petites et sans grand cachet, et tous les salons dominent la lagune d'Aveiro et les jardins du musée d'Aveiro. La terrasse offre une belle vue sur les salants. Toutes les chambres sont dotées du chauffage central individuel. Elles sont équipées de mobilier contemporain souvent encastré et d'un bon couchage.

Hotel João Padeiro. Rua da República 13, Cacia, 3800 Aveiro. ∅ **234/91-13-26** Fax 234/91-27-51. 26 chambres. TV Tél. Double 8 800 ESC ; suite pour deux, 10 500 ESC. Petit déjeuner compris. CB. Stationnement gratuit.

À 7 km d'Aveiro près de l'autoroute, le João Padeiro est un édifice de couleur sienne qui dissimule un élégant hôtel. C'était un café de village tout simple jusqu'à ce que la famille Simões le transforme il y a plus de dix ans. On y pénètre par un hall de réception tapissé de velours et décoré de meubles de famille. Chaque chambre est unique : lit à baldaquin pour la plupart, exubérant papier peint à fleurs, plafond voûté et dessus de lit en crochet. Les repas sont servis dans une salle à manger bleu et blanc meublée de gigantesques buffets portugais et de sièges en cuir que rehaussent les bouquets de fleurs coupées. Parmi les spécialités, goûtez l'omelette aux crustacés, le filet de sole maison, le chevreau mijoté dans une sauce au vin, les anguilles à la poêle ou le curry de homard. La tarte aux noix s'impose au dessert. Un repas coûte entre 1 200 et 6 000 ESC. Le restaurant est ouvert tous les jours de 12 h 30 à 15 h et de 19 h 30 à 22 h (fermé le 25 décembre). **Services** : room service, blanchisserie.

✪ **Paloma Blanca.** Rua Luís Gomes de Carvalho 23, 3800 Aveiro. ∅ **234/38-19-92** Fax 234/38-18-44. 48 chambres. TV Tél. Double 10 650-14 200 ESC. Petit déjeuner compris. CB. Parking 600 ESC.

Le Paloma Blanca occupe une ancienne demeure seigneuriale de style mauresque. Enclose derrière une grille en fer forgé, la cour avant est agrémentée d'arbres, de plantes grimpantes et d'une fontaine carrelée d'*azulejos* blanc et or peints à la main.

La plupart des grandes chambres sont un peu désuètes et la moitié sont climatisées. Les meilleures donnent par-dessus la loggia du 3ᵉ étage sur un grand bassin de poissons rouges. Vous trouverez cette maison bien entretenue (en portugais, c'est une *antiga moradia senhorial*) dans la rue animée du centre-ville qui va vers Porto. Il n'y a pas de restaurant.

Se restaurer

A Cozinha do Rei. Dans l'Hotel Afonso V, rua Dr. Manuel das Neves 66. ∅ **234/42-68-02.** Plats 1 400-2 600 ESC ; plats de fruits de mer 3 000-10 000 ESC. CB. Tlj. 12 h-24 h. *Portugais, international.*

A Cozinha do Rei est installé dans le meilleur hôtel de la ville (voir « Se loger » ci-dessus). Ce restaurant chic propose une cuisine régionale et internationale qui est servie dans une salle moderne baignée de soleil. Si le poisson du jour est toujours réussi, les légumes ont tendance à être fades. Le service est impeccable.

Restaurante Centenário. Largo do Mercado 9-10. ∅ **234/42-27-98.** Plats 1 600-3 200 ESC. CB. Tlj. 9 h-24 h. *Portugais.*

Le Centenário se trouve dans le quartier des halles d'Aveiro. De la porte, on voit le marché couvert en pleine ébullition. Les clients défilent au long comptoir après avoir déchargé les fruits et légumes au petit matin. La salle moderne et haute de plafond regorge de boiseries polies et une grande fenêtre ouvre sur la rue. Le restaurant s'appelle également « A Casa da Sopa do Mar », cette soupe de crustacés étant la spécialité de la maison. Hormis en prendre un bol fumant, vous pouvez déguster du porc ou du veau grillé, de la sole frite ou grillée, de la morue *brasa* et toute une gamme d'autres succulentes spécialités. Ce n'est pas de la haute gastronomie mais la cuisine est bonne et substantielle.

Se loger et se restaurer dans les environs

Pousada da Ria. Bico do Muranzel, 3870 Torreira-Murtosa. ∅ **234/83-83-32** Fax 234/83-83-33. 19 chambres. TV Tél. Double 22 500 ESC. Petit déjeuner compris. CB. Stationnement gratuit.

Cette *pousada* (auberge d'État) se trouve à 29,5 km d'Aveiro en haut d'un promontoire entouré d'eau sur trois côtés. Situé entre la mer et la lagune, cet édifice contemporain doté de balcons au deuxième étage a su tirer le meilleur parti du verre. On y parvient en bac (piétons uniquement) ou en faisant un long détour par Murtosa et Torreira. On ne se lasse pas de suivre le ballet des bateaux des pêcheurs depuis la terrasse. Cet établissement a la faveur des Portugais qui voyagent en famille. Les chambres fonctionnelles sont dotées de meubles encastrés et d'une bonne literie.

Si vous y faites une halte pour vous restaurer, le prix d'un repas s'élève à 3 650 ESC. La spécialité du chef est la *caldeirada a Ria*, un ragoût de poisson relevé. Comme on pourrait s'y attendre, les meilleurs plats font appel aux fruits de mer qui abondent dans les environs. L'endroit est bondé le dimanche quand il fait beau ; sinon c'est un véritable havre de paix.

Pousada de Santo António. Serem, Mourisca de Vouga, 3750 Agueda. ∅ **234/52-32-30** Fax 234/52-31-92. 12 chambres. TV Minibar Tél. Double 16 000-17 500 ESC. Petit déjeuner compris. CB. Stationnement gratuit.

La grande villa Santo António se dresse sur une butte au-dessus du Vouga près de la grande artère qui relie Lisbonne à Porto, à quelque 48 km au nord de Coimbra et 77 km au sud de Porto. Les monts Caramulo et Talhada s'élèvent, menaçants, au loin. Cette *pousada* construite en 1942, l'une des premières du réseau d'État, est construite à l'image des fermes des riches propriétaires de la région. Les prés et la vallée aux environs du fleuve sont luxuriants et leurs couleurs éclatantes se reflètent dans les fenêtres de la salle de séjour et de la salle à manger. L'établissement est décoré comme une accueillante auberge de province. Les lits campagnards et les sols de pierre à motifs créent une atmosphère de confort simple dans ces chambres impeccables mais petites. **Restauration** : le restaurant est ouvert tous les jours de 12 h 30 à 15 h et de 19 h 30 à 22 h. Le soir, choisissez pour commencer une *caldeirada* ou un *caldo verde*. Ensuite, s'il y en a, prenez à tout prix le veau ou le *bacalhau* (morue). Vous conclurez le repas par des fruits de la vallée. Un repas coûte de 2 500 à 4 000 ESC. **Services** : room service, blanchisserie, piscine découverte, courts de tennis.

Vie nocturne

C'est au **Canal de São Roque**, près du Mercado de Peixe dans le centre-ville, que tout se passe. Vous trouverez ici trois entrepôts de sel en pierre du XVIIIᵉ siècle. On les a transformés en bars plaisants qui attirent une clientèle locale d'inconditionnels. Ce sont l'**Eugência Bar** (Ø 234/42-80-82), l'**Estrondo Bar** (Ø 234/38-33-66) et le **Cal Ponente** (Ø 234/38-26-74). Ce dernier est un peu différent : c'est un restaurant de 19 h à 22 h, puis de 22 h 30 à environ 4 h du matin, il sert de salle de concert. Attendez-vous à voir des groupes de samba et de rock, tout sauf du *fado*. Le Cal Ponente est l'un des rares restaurants donnant à la fois sur la lagune et sur les salants millénaires.

Le *fado* fait recette, au moins le samedi soir chez **Centenário**, largo do Mercado 9-10, sur la praça do Mercado (Ø 234/42-27-98 ; voir « Se restaurer » ci-dessus). Le propriétaire, qui est aussi cuisinier les autres jours, chante tous les samedis. Pour danser, essayez la discothèque la plus amusante, **Disco Oito Graus Oeste** (« 8 degrés à l'ouest »), Canal do Paraiso (Ø 234/42-27-98).

8. Caramulo

À 80 km au nord-est de Coimbra, 279 km au nord de Lisbonne

Dans un paysage de mimosas et de montagnes recouvertes d'abondante bruyère, cette minuscule station située entre Aveiro et Viseu est une bonne base d'où rayonner dans la région. À 3 km au nord de la localité, au bout d'un chemin de terre sur la gauche, se trouve une tour de garde qui offre une vue panoramique de la Serra do Caramulo.

Informations pratiques

COMMENT S'Y RENDRE

Caramulo n'est pas desservie par le chemin de fer.

En autobus Au départ de Lisbonne, allez jusqu'à Tondela puis prenez une correspondance pour Caramulo. Vous pouvez aussi prendre un autobus de Lisbonne à Viseu, puis un autre bus pour Caramulo, mais attendez-vous à mettre au moins 5 heures. Vous pouvez encore prendre un train de Lisbonne à Coimbra (voir p. 285), puis un bus jusqu'à Tondela et une correspondance pour Caramulo.

En voiture En partant de Viseu (voir p. 304), empruntez la N2 vers le sud sur 24 km jusqu'à Tondela, tournez ensuite à droite dans la N230 et suivez sur 19 km les panneaux pour Caramulo.

INFORMATIONS TOURISTIQUES

L'office de tourisme de Caramulo se trouve sur l'estrada Principal do Caramulo (∅ 232/86-14-37).

Explorer les environs

De **Caramulinho**, en haut de la montagne (1 075 m), à environ 7 km du village, on bénéficie d'une vue panoramique sur les chaînes de Lapa, Estrela, Lousa et Buçaco, les serras da Gralheira et do Montemura, ainsi que sur les plaines côtières. En partant de Caramulo, empruntez l'avenida Abel de Lacerda vers l'ouest jusqu'à la N230-3, puis faites les 800 mètres restants à pied. Le sommet de **Cabeça da Neve** offre aussi un joli point de vue. On y parvient par une route qui part de la route de Caramulinho.

Le **Museu do Caramulo** (∅ 232/86-12-70) abrite plus de 60 automobiles de collection, notamment une De Dion-Bouton quatre cylindres 1905, une Fiat 1909, une Peugeot 1899, une Oldsmobile 1902, une Rolls-Royce 1911 et une Darracq 1902. Ces véhicules, qui ont été restaurés, sont en parfait état de marche. Quelques cycles anciens, parmi lesquelles un vélo remontant à 1865, et des motocyclettes sont également exposés. Le musée renferme aussi des tableaux et œuvres de toute une variété d'artistes portugais et étrangers tels que Dalí, Picasso et Grão Vasco. L'entrée coûte 800 ESC pour les adultes et 400 ESC pour les enfants. Le musée est ouvert tous les jours de 10 h à 13 h et de 14 h à 18 h.

Se loger et se restaurer

Pousada de São Jerónimo. 3475 Caramulo. ∅ **232/86-12-91** Fax 232/86-16-40. 12 chambres. TV CLIM. Tél. Double 22 500 ESC. Petit déjeuner et stationnement compris. CB. Perchée comme un nid d'aigle, São Jerónimo est tout près de la crête d'une montagne. Cette auberge bien conçue ressemble à un vaste chalet. La réception, les salons et la salle à manger sont tous en enfilade. En hiver, les clients s'installent près de la cheminée surmontée d'une hotte en cuivre. On entre par une grille en bois dans la salle à manger, accueillante avec sa baie vitrée qui donne sur les collines. Des terrasses, vous pourrez admirer les impressionnantes chaînes de la serra da Estrela à 77 km de là. Si vous aimez pêcher, les rivières Agueda et Criz abondent en truites et en *achigas*, un genre de barbeau. Si elles sont petites, les chambres, décorées de meubles anciens et de reproductions d'œuvres portugaises, sont agréables. De larges portes-fenêtres donnent sur des balcons. **Restauration** : installé dans des chaises en bois travaillé dans la salle à manger, on peut déguster la cuisine campagnarde variée qui va du porc à la morue, en passant par le chevreau et les calmars. Si vous venez uniquement vous restaurer, le menu de table d'hôte servi au déjeuner ou au dîner (à la chandelle) s'élève à 4 000 ESC. La cuisine est ouverte tous les jours de 12 h 30 à 15 h et de 19 h 30 à 22 h. **Services** : blanchisserie, baby-sitting, piscine, parc, terrain de jeux.

9. Viseu

À 96 km à l'est d'Aveiro, 91 km au nord-est de Coimbra, 290 km au nord-est de Lisbonne

Capitale de la Beira Alta, Viseu est une ville provinciale animée. Elle renferme également des trésors artistiques, des palais et des églises. Viriathe, chef rebelle lusitanien, en est le héros local. À l'entrée de Viseu se trouve le Cova de Viriato, lieu où le rebelle, mi-Spartacus mi-Robin des Bois, avait installé son camp et fomentait ses complots contre les Romains.

Des artisans parmi les plus doués du Portugal exercent leur art depuis des temps immémoriaux à Viseu et dans ses environs. Les crémaillères grincent et les métiers à tisser bourdonnent tandis que les tisseuses affairées créent les édredons et tapis exceptionnels de Vil de Moinhos. Les artisans de Molelos fabriquent les poteries typiques de la région. Enfin, les femmes aux doigts d'or brodent une dentelle au fuseau aussi aérienne que de la plume.

Informations pratiques

COMMENT S'Y RENDRE

En train La gare la plus proche se trouve à Nelas, à 24 km au sud. Pour toute information, appelez le ∅ 21/888-40-25. Un service d'autobus relie Nelas à Viseu (335 ESC). L'aller simple de Lisbonne à Nelas coûte 1 400 ESC.

En autobus Cinq autobus **Rodoviária** desservent Viseu au départ de Coimbra (durée du trajet : 2 h). Il y a 5 autobus par jour au départ de Lisbonne (durée du trajet : 5 h). Pour toute **information**, appelez le ∅ 239/85-52-70.

En voiture Sur l'autoroute Lisbonne-Porto, prenez la sortie de l'IP-5, la voie expresse moderne qui traverse le Portugal d'est en ouest, puis sortez à Viseu. La ville se trouve à proximité. En venant d'Espagne, entrez au Portugal par le poste de douanes de Vilar Formoso puis continuez jusqu'à Viseu.

INFORMATIONS TOURISTIQUES

L'**office de tourisme de Viseu** se trouve sur l'avenida Gulbenkian (∅ 232/42-09-50).

Explorer la ville

Viseu est une ville intéressante qu'il fait bon visiter au hasard. Flânez dans ce dédale de ruelles entrelacées bordées de maisons cubiques aux toits de tuiles qui se chevauchent. Si vous disposez de peu de temps, allez directement sur le **largo da Sé**, point le plus célèbre de Viseu. C'est là, sur l'une des places les plus harmonieuses du Portugal, que se trouvent les deux plus importants monuments de la ville.

Sé (Cathédrale). Largo da Sé. ∅ 232/422-2984. Entrée libre. Tlj. 9 h-12 h et 14 h-18 h 30. La façade sévère de style Renaissance de la cathédrale rappelle celle d'une forteresse. Ses deux grands clochers en pierre sans ornement, au sommet ceint de balustrades et coiffé de coupoles, se voient de presque partout en ville. Les fenêtres du deuxième étage, deux rectangulaires, une ovale, sont treillissées et entourées de niches symétriques abritant des statues religieuses. Sur la droite, vous verrez le cloître de style Renaissance à deux étages, orné de colonnes classiques et d'arcades carrelées. À l'intérieur de la cathédrale, principalement de style gothique, on peut voir des décorations manuélines et baroques. De simples piliers élancés de style roman bordent la nef. Ils soutiennent la voûte de style manuélin ornée de liernes torsadées se nouant à intervalles réguliers. Les couleurs jouent sur les dorures brillantes et la pierre blonde. Au centre, le chœur roman à voûte en berceau abrite un superbe retable sculpté surmontant le maître-autel. Il tire astucieusement profit du jeu des couleurs – cuivre, bronze et or brun – qui viennent compléter les dorures travaillées. Le plafond se prolonge dans la sacristie.

Museu de Grão Vasco. Largo da Sé. ∅ 232/422-049. Entrée 250 ESC, gratuite pour les moins de 15 ans. Mar.-dim. 10 h-12 h 30 et 14 h-17 h. Contigu à la cathédrale, ce musée porte le nom du peintre du XVIe siècle qui fut également appelé Vasco Fernandes. Il abrite les œuvres majeures de ce grand maître portugais. On notera tout particulièrement *La Pentecôte* qui montre des langues de feu en forme de lance se jetant violemment en direction des saints, parmi lesquels certains sont fervents, d'autres indifférents.

Artisanat

Viseu compte de nombreux magasins d'artisanat. La **rua Direita** est la principale rue commerçante ; vous y trouverez de la poterie, des articles en fer forgé et des sculptures sur bois. La **Casa de Ribiera**, Camera Municipal de Viseu, praça da República (∅ 232/42-35-01), offre le plus vaste choix provenant des meilleurs artisans de la région.

Se loger

Grão Vasco. Rua Gaspar Barreiros, 3500 Viseu. ∅ **232/42-35-11** Fax 232/42-64-44. 110 chambres. TV CLIM. Tél. Double 14 000 ESC ; suite 20 000 ESC. Petit déjeuner compris. CB. Stationnement gratuit.

En plein centre près de la praça da República, le Grão Vasco, d'architecture très ordinaire, est installé au beau milieu de jardins. Les balcons des chambres donnent sur une piscine ovale. La décoration est contemporaine et colorée. Les chambres, généralement grandes, sont ornées de reproductions de meubles traditionnels portugais et comptent toutes une literie ferme. La salle à manger, habillée d'une cheminée seigneuriale en pierre, propose une bonne cuisine portugaise. Si vous venez seulement vous restaurer, vous pourrez déjeuner ou dîner à la carte. En été, vous pouvez prendre votre repas sur la terrasse.

Hotel Avenida. Av. Alberto Sampaio 1, 3500 Viseu. ∅ **232/42-34-32** Fax 232/435-643. www.turism.net/avenida. 29 chambres. Tél. Double 9 800 ESC. Petit déjeuner compris. CB. Stationnement gratuit.

L'Avenida est un petit hôtel intime tout près de Rossio, la grand-place de la ville. Il appartient à l'élégant Mario Abrantes da Motto Veiga qui a su associer sa collection d'antiquités africaines et chinoises à de beaux meubles portugais anciens. Les chambres sont de taille et de styles variés. Par exemple, la 210B est meublée d'un haut lit dans une alcôve et d'une vieille table de réfectoire avec sa chaise. Une chambre voisine renferme un lit en bois traditionnel du Portugal et une commode à dessus en marbre. La cuisine portugaise, copieuse et élaborée avec savoir-faire, est servie dans la grande salle à manger familiale.

Hotel Montebelo. Urbanização Quinta do Bosque, 3510 Viseu. ∅ **232/420-000** Fax 232/415-400. 100 chambres. TV CLIM. Minibar Tél. Double 15 000 ESC ; suite 17 500-50 000 ESC. Petit déjeuner compris. CB. Stationnement gratuit.

Cet hôtel est le meilleur et le plus récent de la ville. Il a acquis son enviable réputation en partie grâce à la prévenance de son personnel multilingue. Il occupe un joli jardin, à moins de 400 m du centre, sur une butte d'où la vue sur la campagne est superbe. Son édifice en L de 4 étages est percé de centaines de grandes fenêtres. Les chambres de taille moyenne, impeccablement entretenues, sont de style traditionnel et confortablement meublées. Le niveau inférieur abrite un club de remise en forme avec jacuzzis, sauna et piscine couverte, ainsi qu'un restaurant et deux bars. Room service de 7 h à 24 h.

✪ **Quinta de São Caetano.** Rua Possa dos Feiticeiras 38, 3500 Viseu. ∅ **232/42-39-84** Fax 232/42-17-61. Mél : bfe0089@mail.telepac.pt. 6 chambres. CLIM. Double 12 000 ESC. Petit déjeuner compris. CB. Stationnement gratuit.

À 800 m du centre de Viseu, voici l'un des établissements les plus réputés de la région. Remontant au XVIIe siècle et abritant une chapelle construite en 1638, il fut longtemps la résidence de la vicomtesse de St. Caetano. Il servit également de cadre au roman *Eugénia e Silvina* de la grande romancière contemporaine Agustina Bessa Luís. Cet hôtel tout empreint de dignité est dirigé par la famille Vieira de Matos. Un mobilier de bois sombre, parfois ancien, décore les pièces aux murs épais. Les chambres de tailles diverses sont meublées traditionnellement et sont équipées d'excellents lits. Habituellement, seul le petit déjeuner est servi, mais il est possible de commander des repas. Vous trouverez sur place de quoi vous distraire entre la table de billard, la piscine, le jardin d'arbres centenaires (notamment un cèdre bleu) et la serre remplie de fleurs. Des randonnées à cheval sont également possibles dans un centre équestre à proximité.

Se restaurer

✪ **Cortiço.** Rua de Augusto Helário. ∅ **232/42-38-53.** Plats 1 000-2 500 ESC. CB. Tlj. 12 h-15 h et 19 h-23 h. Portugais.

Installé en plein cœur du quartier historique, près de la cathédrale et au-dessus du Museo de Grão Vasco, Cortiço est considéré comme l'un des meilleurs restaurants de la région. L'équipe d'excellents cuisiniers reprend des recettes éprouvées en les adaptant au goût du jour. Vous n'avez que l'embarras du choix parmi plusieurs succulentes versions de morue, de la poitrine de canard rôtie, du perdreau mitonné ou rôti et du râble de lapin mijoté à feu doux dans du vin rouge. Le plat de pieuvre, grillée ou poêlée, aux herbes et au citron, est l'un des plus prisés. Et les vins, qui proviennent de tout le Portugal, sont à des prix raisonnables.

Vie nocturne

Si vous êtes en quête d'animation nocturne, sortez de Viseu. Parmi les meilleures discothèques, **Disco Metropolis**, dans la bourgade de Bodiosa (∅ 232/97-25-50), à 5,5 km à l'est de Viseu. En suivant les panneaux indiquant São Pedro do Sousa, un peu plus loin sur la même route, à 24 km à l'est de Viseu, vous tomberez sur **Disco Picados**, dans le hameau de São Pedro de Sousa (∅ 232/72-39-59). Sur l'EN2, à 7 km au nord de Viseu, vous trouverez **The Day After**, Camp Viseu (∅ 232/45-06-45). Ces établissements à l'extérieur de la ville sont fréquentés par les jeunes des exploitations agricoles et des élevages locaux.

12 Porto et ses environs

Capitale du vin qui porte son nom, Porto est aussi la deuxième ville du Portugal. Résidence de la famille royale au XVᵉ siècle, la ville a conservé quelques trésors de son passé glorieux, dont une cathédrale fortifiée, des musées prestigieux et une riche bibliothèque. Ses rues s'ornent des nobles demeures où vivaient les membres de la cour du Portugal qui entraînèrent le pays dans l'épopée des Découvertes.

Au printemps, les fûts de vin de Porto sont acheminés jusqu'aux chais de Vila Nova de Gaia, face à Porto sur la rive opposée du Douro, où ils sont entreposés pour la fermentation et mis à vieillir. Autrefois, le transport du vin était assuré par des *barcos rabelos*, des barques à fond plat, munies d'une voile carrée, d'un long gouvernail et d'une grande perche de poupe dont le jeu permet d'éviter les remous du fleuve. Aujourd'hui, ces embarcations pittoresques ont cédé la place aux trains rapides et aux camions.

Si la ville continue de s'embellir par de grands travaux de rénovation, elle a su garder intact l'enchevêtrement de ruelles médiévales, dont les murs tapissés d'*azulejos* et les balcons fleuris en ferronnerie font le charme. Inscrit au patrimoine mondial de l'Unesco, le vieux quartier du Barredo invite à la flânerie. Les travaux de rénovation sont dirigés par l'architecte Fernando Namora, résident de Porto. Les quartiers de Miragaia et de Ribeira sont également en cours de rénovation.

Outre son architecture, la ville bénéficie d'une riche scène artistique et intellectuelle. Ainsi la Fondation Serralves parraine diverses manifestations culturelles, de nombreuses galeries d'art fleurissent aux abords du fleuve sur les hauteurs du quartier de Miragaia, et il est aussi facile d'écouter de la poésie que du jazz à Porto aujourd'hui.

Les stations balnéaires et les villages de pêcheurs qui bordent la côte allant de Porto jusqu'au sud de la région du Minho restent moins prisés que l'Algarve, mais le tourisme s'y développe rapidement. Les eaux de l'Atlantique y sont pourtant plutôt froides, même en juillet et en août. La côte qui borde Porto mérite qu'on s'y arrête et la ville elle-même est un des hauts lieux du Portugal.

Par le train ou l'autoroute, Porto n'est qu'à trois heures et demie de Lisbonne. Sur place, le réseau régional de transports permet de relier facilement les villes côtières en bus ou en voiture.

À la visite de la ville, de nombreux touristes ajoutent une croisière sur le Douro, un fleuve qui doit sa réputation au vin de Porto.

Les promenades les plus courtes se limitent aux ponts les plus importants de la ville et les croisières d'une ou deux journées mènent jusqu'aux villages de pêcheurs des environs. Les prix des croisières varient de 1 500 ESC pour une promenade de 50 minutes à 14 500 ESC et 35 000 ESC par personne pour une croisière d'une journée ou deux en pension complète. C'est en été et au début de l'automne, à la saison des moissons, que ces croisières sont les plus agréables. Les bateaux circulent toute l'année, mais le service est réduit en hiver.

La compagnie **Endouro**, rua da Reboleira 49, Porto (∅ 22/332-42-36) compte parmi les organisateurs de croisières les plus réputés. L'office du tourisme de Porto (voir la section « Porto pratique », ci-dessous) peut vous fournir des renseignements sur de nombreuses compagnies moins connues.

Explorer la région en voiture

Premier jour À partir de Porto, vous pouvez longer la côte en laissant derrière vous la banlieue industrielle de la ville, notamment les environs du port de Leixões. Le paysage s'égaye considérablement dès **Vila do Conde**, à quelque 27 kilomètres au nord de Porto, à l'embouchure de l'Ave. Si le temps s'y prête, vous pouvez passer quelques heures sur la plage et visiter le **Mosteiro de Santa Clara** sur la rive nord de l'Ave.

En continuant vers le nord pendant 4 kilomètres, vous atteindrez **Póvoa do Varzim**, dont la longue plage est bordée d'hôtels modernes. Vous pouvez vous arrêter pour déjeuner, par exemple au **Belo Horizonte**, rua Tenente Valadim 63 (∅ 252/62-47-87), où les familles portugaises se retrouvent autour d'une cuisine régionale. On y sert surtout du poisson et des fruits de mer à un prix raisonnable. Pour un prix comparable mais dans un décor plus banal, l'**Estrela do Mor**, rua Caetano de Oliveira 144 (∅ 252/68-49-75) sert de grands plats de poisson accompagné de riz. Le restaurant est à une vingtaine de mètres du front de mer.

Si le cœur vous en dit, vous pouvez continuer vers **Ofir** et **Fão**, à 46 kilomètres au nord de Porto. Il est possible de passer la nuit dans l'une de ces deux stations balnéaires qui comptent un grand nombre de restaurants et d'hôtels et sont agrémentées d'une jolie plage. Si vous désirez poursuivre votre périple vers la région du Minho, faire étape dans l'une de ces stations jumelles pour la nuit vous évite de retourner sur vos pas.

Deuxième jour La route nationale N109 au sud de Porto vous mènera à **Espinho**, à environ 17 kilomètres. C'est l'occasion de passer la journée à la plage et de faire des achats dans les boutiques de la station balnéaire. De là, vous regagnerez facilement Porto pour la nuit.

1. Porto

À 320 km au nord de Lisbonne, 300 km au sud de La Corogne (Espagne), 590 km à l'ouest de Madrid (Espagne)

Porto n'a pas seulement donné son nom au vin, mais aussi au pays et à sa langue. Ce nom trouve son origine dans ceux de deux ports romains jadis établis de part et d'autre de l'embouchure du Douro, Portus et Cale. Le Douro, qui tient son nom de la contraction de Rio do Ouro (« rivière d'or »), a toujours été l'artère et le poumon de la ville qui s'accroche comme une vaste toile d'araignée aux parois d'une gorge rocheuse.

Le quartier le plus pittoresque de Porto est sans doute l'Alfândega, dont les ruelles escarpées et les balcons en ferronnerie rappellent l'Alfama de Lisbonne. Mais l'Alfândega possède un charme propre, surtout lorsqu'on se promène au bord du fleuve, dans les rues pavées bordées de bâtisses sans âge.

Clef de voûte économique, Porto a la réputation d'une ville laborieuse depuis la naissance, en ses murs, d'Henri le Navigateur, à la fin du XIVe siècle. Pourtant, il serait injuste de ne retenir d'elle que son image de ville industrielle ayant pour seul attrait ses ponts spectaculaires. Capitale régionale et grande ville universitaire, Porto recèle quelques joyaux artistiques et architecturaux.

Informations pratiques

COMMENT S'Y RENDRE

En avion Porto, bordant le Douro sur ses 5 derniers kilomètres, est au cœur du réseau de communications du nord du Portugal. TAP, la compagnie aérienne portugaise, propose des vols quotidiens toute l'année entre Lisbonne et Porto, **Aeroporto Francisco de Sá Carneiro** (∅ 22/948-21-41). L'adresse du principal bureau de **TAP** à Porto est : praça Mouzinho de Albuquerque 105 (∅ 22/948-22-91).

Le taxi pour le centre-ville coûte de 2 500 à 3 000 ESC. Les bus 56 et 87 relient l'aéroport au centre-ville. Un billet aller simple coûte 150 ESC.

En train Il y a trois gares ferroviaires à Porto. L'**Estação de São Bento**, praça Almeida Garrett (∅ 22/200-10-54), est située en centre-ville, à une rue de la praça da Liberdade, et dessert la vallée du Douro et le Nord, y compris Viana do Castelo et Braga. L'**Estação de Campanhã** (∅ 22/536-41-41) est située plus à l'est, mais reliée à la gare de São Bento par le train. Cette gare dessert le Sud, y compris Lisbonne et les destinations internationales. L'**Estação da Trindade**, rua Alferes Malheiro (∅ 22/200-48-33), ne dessert que la région, y compris la station balnéaire de Póvoa do Varzim et la ville historique de Guimarães (voir chapitre 13).

Cinq trains par jour viennent de Lisbonne ; le voyage dure 4 h 30 et l'aller simple coûte 1 950 ESC. Il y a 12 liaisons quotidiennes avec Viana do Castelo : 2 heures de trajet pour 650 ESC l'aller simple. 12 liaisons quotidiennes également avec Coimbra : 2 h 30 de trajet pour 910 ESC l'aller simple. Il y a 2 trains quotidiens de Madrid à Porto *via* Entroncamento. Le voyage dure 12 heures et l'aller simple coûte 9 100 ESC. Il y a 1 liaison quotidienne avec Paris ; c'est un voyage de 27 heures. L'aller simple coûte 24 000 ESC.

En bus Le voyage en bus depuis Lisbonne dure 5 heures. Il y a 5 liaisons quotidiennes et l'aller simple coûte 1 900 ESC. La **gare routière** est située rua Alexandre Herculano 366 (∅ 22/200-69-54). La compagnie nationale d'autocar est Rodoviária Nacional. Elle assure également 10 liaisons quotidiennes avec Coimbra. Le trajet dure 1 h 30 et l'aller simple coûte 1 200 ESC.

En voiture L'autoroute Lisbonne-Porto permet de relier les deux plus grandes villes du Portugal en 3 heures. En outre, les grands axes qui rayonnent vers le nord du pays partent tous de Porto. La frontière la plus proche avec l'Espagne est à Tuy-Valença do Minho, à quelque 125 km au nord de Porto sur la N13.

INFORMATIONS TOURISTIQUES

L'**office du tourisme de Porto**, situé rua do Clube Fenianos 25 (∅ 22/205-27-40), est l'un des plus efficaces du pays. Il est ouvert de juillet à septembre, du lundi au vendredi de 9 h à 19 h, et de 9 h 30 à 16 h 30 le samedi et le dimanche. Hors saison,

Porto

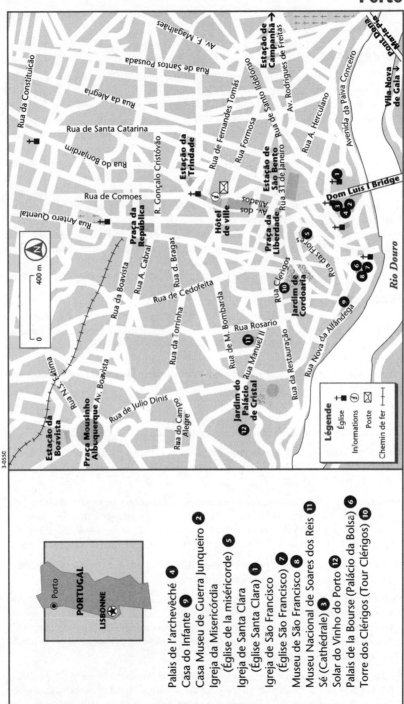

Palais de l'archevêché ④
Casa do Infante ⑨
Casa Museu de Guerra Junqueiro ②
Igreja da Misericórdia
(Église de la miséricorde) ⑤
Igreja de Santa Clara
(Église Santa Clara) ①
Igreja de São Francisco
(Église São Francisco) ⑦
Museu de São Francisco ⑧
Museu Nacional de Soares dos Reis ⑪
Sé (Cathédrale) ③
Solar do Vinho do Porto ⑫
Palais de la Bourse (Palácio da Bolsa) ⑥
Torre dos Clérigos (Tour Clérigos) ⑩

Légende

- ⊹ Église
- ⓘ Informations
- ⊠ Poste
- ┼ Chemin de fer

PORTUGAL
Porto
LISBONNE

3-0550

il est ouvert du lundi au vendredi de 9 h 30 à 17 h 30 et de 9 h 30 à 16 h 30 le samedi et le dimanche.

Se repérer

Quel que soit votre moyen de transport, il n'est pas toujours facile de trouver son chemin dans cette ville intriquée dont les **nombreux ponts** qui enjambent le Douro sont les seuls points de repères. Ainsi, le **Ponte de Dona Maria Pía**, ouvrage en fer réalisé par Gustave Eiffel, relie la rive droite à **Vila Nova de Gaia**, au sud, où vous pouvez visiter les chais de vin de Porto. Le **Ponte de Dom Luís I**, un pont à double tablier à quelques centaines de mètres en aval, a été construit en 1886. C'est le fruit de la collaboration de Teófilo Seyrig, un ingénieur portugais inspiré par Eiffel, et de la société belge Willebrock. Le **Ponte da Arrábida**, conçu par Edgar Cardoso et achevé en 1963, s'élève à 52 m au-dessus du Douro. Cette construction moderne, de conception et d'exécution portugaises, est l'une des plus grandes voûtes en béton armé d'Europe.

L'**avenida dos Aliados**, large *paseo* coupé au milieu par un jardin où les familles se retrouvent pour la promenade du dimanche, forme le cœur de Porto. Au sud, l'avenue débouche **praça General Humberto Delgado**. Au nord, deux rues très commerçantes partent de la **praça da Liberdade** : la **rua Clérigos** et la **rua do 31 de Janeiro**. La rua Clérigos mène à la célèbre **Torre dos Clérigos**, symbole de la grande époque de Porto.

SE DÉPLACER

Porto est quadrillé par un bon réseau de **bus** et de **tramways**. Le billet à l'unité est de 160 ESC. Si vous comptez y séjourner plusieurs jours, il est plus économique d'acheter un *Passe turístico*, un forfait de 4 jours pour 1 600 ESC, en vente dans les bureaux de tabac et les kiosques.

Les taxis circulent 24 h/24 et se prennent à la volée ou à la station. Vous pouvez également appeler un radio taxi au ∅ 22/52-80-61.

Porto pratique

American Express Leur bureau est situé dans les locaux de **Top Tours**, rua Alferes Malheiro 96 (∅ **22/208-27-85**). Il est ouvert du lundi au vendredi de 9 h à 12 h 30 et de 14 h 30 à 18 h 30.

Banques La plupart des banques et des bureaux de change sont ouverts du lundi au vendredi de 8 h 30 à 11 h 45 et de 13 h à 14 h 45. Les deux plus grandes agences sont **Banco Espírito Santo & Comercial de Lisboa**, av. dos Aliados 45 (∅ **22/332-00-31**), et **Banco Pinto & Sotto Mayor**, praça da Liberdade 26 (∅ **22/332-15-56**).

Consulats Le **consulat de France** se trouve rue Eugenio de Castro 352 (∅ **22/208-18-33**), il est ouvert le matin du lundi au vendredi.

Pharmacies Porto compte de nombreuses pharmacies, la plus centrale étant la **Farmácia Central do Porto**, rua do 31 de Janeiro 203 (∅ **2/200-16-84**). En appelant le ∅ **118**, vous obtiendrez l'adresse de la pharmarcie de garde ouverte 24 h /24. Si vous ne parlez pas portugais, vous pouvez demander au personnel de votre hôtel de téléphoner à votre place.

Poste La **poste centrale** est située sur la praça General Humberto Delgado (∅ **22/208-02-51**), près de l'office du tourisme. Elle est ouverte pour l'achat de timbres, ainsi que l'envoi de télécopies et de télégrammes du lundi au vendredi de 9 h à 22 h.

Téléphone Vous pouvez utiliser la poste centrale (voir poste) ou aller au **centre télé-phonique** situé praça da Liberdade 62, ouvert tous les jours de 8 h à 23 h 30, et vous éviterez ainsi les taxes d'hôtels qui peuvent aller jusqu'à 40 %.

Urgences En cas d'urgence, composez le ∅ **112** pour la **police** (ou le 22/208-18-33), le ∅ **22/508-41-21** pour les **pompiers**, le ∅ **22/606-68-72** pour la **Croix-Rouge**. L'**hôpital de Santo António** se trouve rua Prof. Vicente José de Carvalho (∅ **22/200-73-54**).

Explorer la ville

Porto se visite à pied, car c'est en se perdant dans les ruelles des quartiers anciens que l'on découvre de nombreux trésors de l'art baroque. L'office du tourisme recommande de consacrer 3 jours à la visite de Porto, mais nombre de visiteurs se contentent d'une seule journée.

Si votre temps est limité, vous aurez plaisir à visiter les chais de Vila Nova de Gaia, à monter au sommet de la Torre dos Clérigos qui offre une vue magnifique sur la ville et le fleuve, à visiter la Sé (cathédrale) et le Museu Nacional de Soares dos Reis ou encore à flâner dans le vieux quartier de Ribeira. S'il vous reste un peu de temps, vous souhaiterez sans doute voir l'église gothique São Francisco, où se heurtent le dépouillement primitif de l'architecture franciscaine et l'exubérance de la décoration intérieure, fleuron du baroque portugais.

LES PLUS BEAUX SITES

Églises

Sé (Cathédrale). Terreiro da Sé. ∅ **22/205-90-28**. Entrée gratuite pour la Sé ; 200 ESC pour le cloître. Tlj. de 9 h-12 h et 15 h-17 h 30. Bus : 15.

Jusqu'au XVIIIᵉ siècle, la cathédrale a évolué avec la ville et elle porte la trace de nombreux remaniements effectués au cours des époques classiques et baroques. Sa construction date du XIIIᵉ siècle, mais de l'église forteresse originale, il ne reste qu'une partie des tours carrées, la rosace de la façade, la sacristie et la nef. Celle-ci, très imposante, est ornée de fresques aux couleurs un peu passées. Le chœur a été remanié au XVIIᵉ siècle et le maître autel surmonté d'un baldaquin sculpté a été ajouté en 1736 par l'architecte Niccolò Nazoni, maître du baroque portugais né en Italie. La façade nord est également de Nazoni. À ne pas manquer : l'autel, le tabernacle et le retable en argent ciselé de la chapelle du Saint-Sacrement, petite chapelle baroque dans le bras gauche du transept. Ce travail, réalisé par des artistes locaux au XVIIᵉ siècle, est si fin qu'on a l'impression que ces pièces sont animées.

Le cloître gothique attenant a été construit à la fin du XIVᵉ siècle et ses arcades ont été tapissées, dans les années 1730, de panneaux d'*azulejos* représentant des scènes du Cantique des cantiques. Du cloître on accède à la chapelle São Vicente qui date du XVIᵉ siècle.

Igreja de Santa Clara. Largo do 1 de Dezembro. ∅ **22/205-48-37**. Entrée gratuite. Lun.-ven. 9 h 30-11 h 30 et 15 h-18 h ; dim. 9 h 30-12 h 30. Tram 1 et bus 15, 20 ou 35.

Achevée en 1416, l'église Santa Clara fut remaniée à la Renaissance. À l'intérieur, on peut admirer les bois sculptés peints en or, réalisés par des artistes baroques du XVIIᵉ siècle. Les chapelles latérales, baignées de rayons dorés qui pénètrent par des fenêtres à claire-voie, sont entièrement revêtues de saints, d'anges, de chérubins et de motifs baroques. Si par chance le gardien se prend d'amitié pour vous, demandez-lui de vous montrer les salles fermées où vous pourrez voir un diable sculpté sur une stalle du chœur.

Igreja de São Francisco. Praça do Infante Dom Henríque. ∅ **22/200-64-93**. Entrée incluant église et musée 500 ESC. Mars-oct. tlj. 9 h-17 h 30 ; nov.-fév. : fermée le dim. Bus: 23, 49 ou 88.

On accède à l'église gothique São Francisco en montant l'escalier depuis le bord du fleuve. Bâtie entre 1383 et 1410, elle fut largement remaniée aux XVIIe et XVIIIe siècles. Les parois, des voûtes jusqu'au sol, et les colonnes sont couvertes d'une profusion de bois sculptés et dorés représentatifs du baroque portugais, qu'on appelle *talhas douradas*. Les arches gothiques sont en marbre vert et se marient particulièrement bien au gris des piliers et du sol en granit.

La façade est percée d'une impressionnante rosace romane. Le portail carré est flanqué de colonnes supportant une niche richement ornementée d'où se détache avec sobriété la statue blanche du saint patron. Un peu à l'écart, vous apercevrez l'entrée du petit musée religieux de São Francisco (voir ci-dessous).

Musées

Casa Museu de Guerra Junqueiro. Rua de Dom Hugo 32. ∅ **22/205-36-44**. Entrée 150 ESC, gratuite pour les moins de 10 ans. Jeu.-sam. 10 h-12 h et 14 h-17 h. Bus : 15.

Cette maison, construite par Niccolò Nazoni (1691-1773), a également servi de résidence, de 1850 à 1923, au célèbre poète portugais Guerra Junqueiro. La collection privée du poète, composée principalement d'argenterie géorgienne et portugaise, de céramiques portugaises, espagnoles et orientales, et de bois sculptés d'inspiration religieuse, est exposée dans les diverses pièces de sa demeure.

Museu de São Francisco. Rua da Bolsa 44. ∅ **22/200-64-93**. Entrée incluant musée et église 500 ESC, gratuite pour les enfants. Mars-oct. tlj. 9 h-17 h 30 ; Nov.-fév. : fermé le dim. Tram : 1 ; bus : 23, 49, ou 88.

On raconte souvent que plus de 30 000 crânes humains sont enterrés dans les caves du musée de São Francisco. Ce chiffre peut paraître élevé, si l'on oublie de préciser que cet édifice a été bâti au-dessus d'un cimetière public. Aujourd'hui, ces catacombes sont uniques au Portugal. La collection hétéroclite de ce petit musée n'est pas sans rappeler une caverne d'antiquaires. Vous y verrez aussi bien une peinture représentant saint François d'Assise que le premier billet de banque imprimé au Portugal ou une ambulance du XVIIIe siècle. La Sala de Sessões, salle de réunion du tiers ordre, mérite l'attention. À voir : le plafond à cariatides, la table Louis XIV et les chaises Jean V.

Museu Nacional de Soares dos Reis. Rua de Dom Manuel II 56. ∅ **22/399-37-70**. Entrée 350 ESC ; gratuite pour les moins de 10 ans. Mar.-dim. 10 h-12 h et 14 h-18 h. Bus : 3, 6, 20, 35, 37 ou 41.

C'est en 1833 que Pierre IV ordonna la création du musée qui ouvrit ses portes en 1840 sous le nom de Museu Português. Ce n'est qu'un siècle plus tard que le musée devint un musée national dédié à Soares dos Reis (1847-1889), célèbre sculpteur originaire de Porto. Parmi ses chefs-d'œuvre, vous pourrez voir le *Flor Agreste* et le *Desterrado* (le « Banni »), sculpture qui symbolise la *saudade*, la nostalgie propre à l'âme portugaise.

Tous les grands noms de la peinture portugaise du XIXe siècle sont présents. L'école de Porto est particulièrement bien représentée, notamment par les naturalistes Henríque Pousão (1859-1887) et Silva Porto (1850-1893). Le musée possède également une intéressante collection de faïences et de porcelaines orientales, ainsi que de très beaux meubles portugais influencés par l'Inde. La collection de peintures étrangères comprend, entre autres, deux portraits de François Clouet (1522-1572) et des paysages de Jean Pillement (1727-1808).

Fundação de Serralves (museu nacional de Arte moderna). Rua Don Joàn de Castro. ∅ 22/618-00-57. Entrée 800 ESC. Mar.-mer. et ven.-dim. 10 h-19 h ; jeu. 10 h-22 h. Bus : 3, 19, 21, 35 ou 78.

Géré parla Fondation Gulbenkian de Lisbonne, le musée d'Art contemporain est en prise directe sur la création d'aujourd'hui. Situé au cœur d'un parc exceptionnel, le plus vaste de Porto, le musée est bâti à quelques pas d'un palais rose, construit par un riche industriel portugais des années 1930, qui accueille les expositions tempo-raires. Cette construction est l'œuvre de l'architecte local Álvaro Siza, lauréat du prix Pritzker, et l'intérieur Art déco a été réalisé par des artistes français. N'hésitez pas à faire également une promenade dans le parc où vous découvrirez un joli jardin de sculptures et de belles fontaines, ainsi que d'anciennes terrasses cultivées descendant vers le Douro.

AUTRES MONUMENTS OU CURIOSITÉS

Casa do Infante. Rua do Infante Dom Henríque. ∅ 22/205-60-25. Entrée gratuite. Lun.-ven. 9 h-17 h. Tram : 1 ; bus : 1, 15, 57 ou 91.

On raconte que l'infant Henri le Navigateur est né dans cette maison qui date des années 1300 et abrite aujourd'hui le Museu Histórico où sont exposés divers docu-ments, manuscrits et objets relatifs à l'histoire la ville. Dans les années 1800, la mai-son de l'infant servit de bureau des douanes.

Torre dos Clérigos. Rua dos Clérigos. ∅ 22/200-17-29. Entrée de l'église gratuite ; entrée de la tour 200 ESC ; la tour est ouverte jeu.-mar. 10 h-19 h ; l'église est ouverte lun.-sam. 10 h-12 h et 14 h-17 h ; dim. 10 h-13 h. Bus : 15.

Depuis la praça da Liberdade, la rua dos Clérigos vous mènera à la Torre du même nom, construite par l'architecte d'origine italienne Niccolò Nazoni en 1754. Ce monument qui servait de repère aux navires qui s'engageaient dans l'estuaire de Porto est le plus haut bâtiment du nord du Portugal. On grimpe au sommet par un escalier étroit de 225 marches. La vue du haut du clocher embrasse toute la ville et s'étend au-delà des rives encaissées du Douro jusqu'aux toits de Vila Nova de Gaia. L'Igreja dos Clérigos, également construite par Nazoni, est légèrement antérieure à la tour. C'est une construction typique du baroque portugais.

VISITE DES CHAIS DE PORTO

Les chais (caves do vinho do Porto) sont situés en bordure du Douro, sur la rive oppo-sée à Porto, à **Vila Nova de Gaia**. Il est possible de visiter tous les chais, choisissez les marques qui vous inspirent. Les visites s'assortissent souvent de dégustation. Pour vous rendre à Vila Nova de Gaia, prenez le bus 57 ou 91.

Taylor's. Rua do Choupelo. ∅ 22/371-99-99. Du lundi au vendredi de 10 h à 18 h.

Taylor's est l'un des derniers établissements anglais de vin de Porto dirigé par une seule famille. Les visites y sont moins formelles que dans d'autres chais plus modernes. Taylor's est une maison réputée pour ses vintages, des portos millésimés non assemblés provenant d'une seule récolte, et ses *quintas* qui sont également des vins de propriétés non assemblés. Leur plus vieux millésime a quarante ans d'âge. La dégustation s'effectue sur la terrasse d'où l'on a une vue magnifique sur la ville et le fleuve.

Porto Sandeman. Largo Miguel Bombarda 3. ∅ 22/374-05-33. Tous les jours d'avril à octobre de 10 h 30 à 17 h 45 et du lundi au vendredi de novembre à mars de 9 h 30 à 12 h 30 et de 14 h à 17 h.

Le vin de Porto

Le vin le plus célèbre du Portugal est un vin fortifié à l'eau-de-vie de moût qui doit son nom à la ville de Porto. L'origine exacte du vin de Porto est incertaine et les experts sont en désaccord quant à sa date d'apparition. Selon certains, les premiers vins de Porto auraient atteint l'Angleterre par accident dès les années 1600, lorsque sur le chemin du retour, les fils d'un marchand de vins de Liverpool eurent l'idée de fortifier au cognac le vin qu'ils rapportaient de la vallée du Douro. Ils auraient ainsi, sans le savoir, créé le premier porto.

On dit aussi que le porto aurait joué un rôle important dans l'histoire anglaise. Les producteurs locaux aiment à raconter que la révolution américaine n'aurait pas eu lieu si les dirigeants anglais n'avaient pas siroté impunément du vin de Porto devant leurs sujets américains qui, eux, n'avaient rien à boire.

Le vin de Porto est produit dans la moyenne et la haute vallée du Douro, une aire de production qui s'étend sur 240 000 hectares dont quelque 25 000 seulement sont cultivés. La production est sévèrement contrôlée et la légende veut que les meilleures vignes poussent là où rien d'autre ne pousse. L'automne, avec les vendanges, est la meilleure saison pour visiter la région. Chez certains viticulteurs, le raisin est encore foulé aux pieds et les soirées sont rythmées de mélodies ancestrales.

Les portos vintages sont gardés en cave deux ans puis mis à vieillir en bouteille pendant 10 à 20 ans. Ils prennent alors une couleur ambrée. Selon nous, le meilleur vintage est le Ferreira de 20 ans d'âge. Ces dernières années, les viticulteurs ont mis au point un porto blanc qui se boit frais à l'apéritif et plaît beaucoup. Goûtez, par exemple, les portos blancs de Taylor, Cockburn, ou Sandeman.

Les blends, à la différence des vintages ou des *quintas*, ne sont pas nécessairement le produit d'une seule récolte, mais sont obtenus à partir d'un assemblage d'années ou de récoltes différentes. Ils sont gardés en cave plus longtemps et embouteillés dès qu'ils sont prêts à la consommation.

La marque la plus connue, le Porto Sandeman, appartient à la société canadienne Seagram. Installée dans un ancien couvent du XVIᵉ siècle, la maison du Porto Sandeman abrite également un musée du Porto et de la marque Sandeman qui fut établie en 1790 par l'Écossais George Sandeman.

Ferreira. Av. Diogo Leite 70. ✆ **22/375-20-66**. Mi-avr.-mi-oct., lun.-ven. 9 h-12 h et 14 h-17 h et sam. 9 h 30-12 ; Mi-oct.-mi-avr., lun.-ven. 9 h-12 h et 14 h-17 h.

Ferreira, qui fut établi dans les années 1800 par Dona António Adelaide Ferreira, est aujourd'hui l'un des plus grands domaines. À l'apogée de la marque, les vignobles de Dona Ferreira s'étendaient jusqu'à la frontière espagnole, faisant d'elle la femme la plus riche du Portugal. L'histoire raconte qu'en 1861, la célèbre Dona Ferreira, qu'on appelait alors *Ferreirinha* (pour « petite Ferreira »), fut sauvée de la noyade par l'ampleur de ses jupons qui firent office de bouée. Son compagnon, un Anglais connu sous le nom de baron de Forrester, ne portant pas de jupons, a péri noyé dans le Douro.

Caves Porto Cálem. Av. Diogo Leite 26. ✆ **22/374-66-60**. Mai-sept., tlj. 10 h-18 h ; oct.-avr., lun.-sam. 10 h-18 h.

Fondée en 1959 par la famille Cálem, cette marque a été rachetée en 1998 par la Sojevinus Corporation. La visite des chais est moins formelle que chez son voisin

Sandeman. Les caves sont plus modernes que celles des marques plus anciennes, mais le vin est bon aussi.

Caves Ramos Pinto. Av. Ramos Pinto 380. ∅ **22/370-70-00**. Juin-sept., lun.-ven. 10 h-18 h et 10 h-13 h le sam. ; oct.-mai, lun.-ven. 9 h-13 h et 14 h-17 h.

Fondée en 1880 par Adriano Ramos Pinto, la marque est restée dans la même famille jusqu'en 1991, date du rachat par les champagnes Louis Roederer. La visite des chais vous donnera également un aperçu de la vie de l'illustre Adriano Ramos Pinto et de l'histoire du vin de Porto.

Promenade au cœur de Porto

Départ : Terreiro da Sé.

Arrivée : Estação de São Bento.

Durée : 2 h 30

Créneau horaire idéal : tous les jours entre 10 h et 16 h.

Créneau horaire à éviter : du lundi au vendredi entre 8 h et 10 h et entre 16 h et 18 h ; l'heure de pointe rend la visite difficile.

Plongez à pied au cœur de la vieille ville où sont rassemblés la plupart des sites et des monuments intéressants. Les rues sont étroites et c'est un bonheur de s'y perdre. Habitués à accueillir les étrangers, les habitants de Porto se feront un plaisir de vous aider à retrouver votre chemin.

Commencez votre périple par le cœur de la vieille ville, par exemple, sur le :

1. **Terreiro da Sé,** une esplanade qui s'étend à l'ombre de la Sé (cathédrale), une église forteresse, flanquée de deux tours carrées, érigée au xiie siècle et profondément remaniée aux xviie et xviiie siècles. Terreiro da Sé est également bordé sur un côté par un palais épiscopal du xviiie siècle qui abrite aujourd'hui des services administratifs. Remarquez les saillies de granit sombre autour des portes et des fenêtres. L'escalier monumental retient également l'attention. Au centre de l'esplanade, vous verrez un pilori du xixe siècle, reproduisant le style manuélin et une statue de Vimara Peres, guerrier de Léon de Castille qui participa à la reconquête de l'ancien Portucale en 868.

Derrière la cathédrale vous découvrirez la rue la plus charmante du vieux Porto :

2. **Rua de Dom Hugo.** Si vous décidez d'emprunter cette rue étroite, vous passerez devant la chapelle N.-D.-des-Vérités, malheureusement fermée. Toutefois, vous apercevrez à travers la grille un autel baroque portant une statue de la Vierge en son centre. Au n° 32 de la même rue, vous arriverez à la :

3. **Casa Museu de Guerra Junqueiro,** construite par le maître du baroque portugais, Niccolò Nazoni. C'est l'ancienne résidence du poète Guerra Junqueiro (1850-1923) et vous pourrez y voir la collection de l'artiste exposée dans les différentes pièces.

La rua de Dom Hugo contourne la partie est de la Sé et se termine sur un escalier abrupt creusé dans les pans restant des fortifications qui entouraient la ville au Moyen Âge. Ces marches mènent au quartier le plus pittoresque de Porto qui, avant d'être classé par l'Unesco en 1996, tombait en ruine :

4. **Quartier de Ribeira.** Les ruelles resserrées de ce vieux quartier désormais en rénovation ne manquent pas de charme. Vous y découvrirez quelques églises intéressantes, des façades élégantes, et de jolis marchés sous les arcades.

Ici toutes les ruelles mènent au :

5. **Cais da Ribeira,** le quai de Ribeira qui longe le Douro. Depuis que le quartier est à la mode, les *tascas* (tavernes) bon marché et les restaurants de fruits de mer qui sont venus s'installer sous les arcades des vieux immeubles ne désemplissent pas.

⚓ **Pour faire une pause** Vous souhaiterez peut-être vous arrêter déjeuner, prendre un verre de vin ou du moins jeter un coup d'œil à la **Taverna do Bêbodos,** Cais da Ribeira 24 (✆ 22/205-35-65), un établissement ouvert depuis 1876, dont la salle à manger donne sur le fleuve.

6. **Praça da Ribeira,** c'est indiscutablement le cœur du quartier, l'endroit où l'on vient s'installer à une terrasse pour prendre le soleil, rêver au Porto d'autrefois ou raconter d'incroyables histoires. De là, certains souhaiteront peut-être traverser le fleuve pour visiter les chais à Vila Nova de Gaia.

Si vous suivez le fleuve vers le nord, vous arriverez au :

7. **Ponte de Dom Luís I.** Ce pont à double tablier a été construit en 1886 par Teofilo Seyrig, un collaborateur de Gustave Eiffel. Situé au milieu des deux autres ponts qui enjambent le Douro, c'est celui qu'on emprunte pour se rendre à Vila Nova de Gaia.

Revenant sur vos pas jusqu'à praça da Ribeira, prenez la rua de São João, à l'ouest, et montez jusqu'à la :

8. **Feitoria Inglesa,** siège de l'Association des exportateurs de vins de Porto, l'un des édifices les plus célèbres du quartier de Ribeira. Le bâtiment, situé à l'angle de la rua do Infante Dom Henríque et de la rua de São João, a été construit par le consul britannique, John Whitehead, en 1786.

En prenant la rua do Infante Dom Henríque, vous passerez la :

9. **Casa do Infante,** à l'angle de la rua da Alfândega, où serait né l'infant Henri, futur Henri le Navigateur, l'initiateur de l'épopée des Grandes Découvertes. Un peu plus loin la rua do Infante Dom Henríque débouche sur la :

10. **Praça de Infante Dom Henríque,** au centre de laquelle est érigée une statue d'Henri le Navigateur. Sur les étals du grand marché couvert qui se tient sur la place, vous pourrez vous assurer que les tripes, délaissées par les cuisines modernes, restent bien le plat favori des habitants de Porto.

Mais la place de l'infant tient son charme de :

11. **L'Igreja de São Francisco,** une église gothique dont le dépouillement originel contraste vivement avec l'exubérance de la décoration intérieure, fleuron du baroque portugais. Le bâtiment qui abrite le musée religieux attenant appartenait autrefois au monastère franciscain.

En longeant la place après l'église, à l'angle de la rua da Bolsa et de la rua Ferreira Borges, vous verrez le :

12. **Palácio da Bolsa (palais de la Bourse)** qui s'est installé sur le site de l'ancien monastère franciscain, São Francisco. Le bâtiment est surtout connu pour les vitraux et les arabesques de son salon arabe, de forme ovale, qui est un pastiche de l'Alhambra de Grenade.

Au bout de la rua Ferreira Borges, légèrement à droite, vous apercevrez le ravissant largo de São Domingos. La rue qui part de l'autre côté de cette place en direction du nord est la :

13. **Rua das Flores,** une rue charmante, bordée de palais baroques, connue pour la qualité de ses orfèvres et de ses bijoutiers.

De là, vous pouvez rejoindre praça de Almeida Garrett, du nom d'un écrivain portugais, où se trouve :

Promenade dans Porto

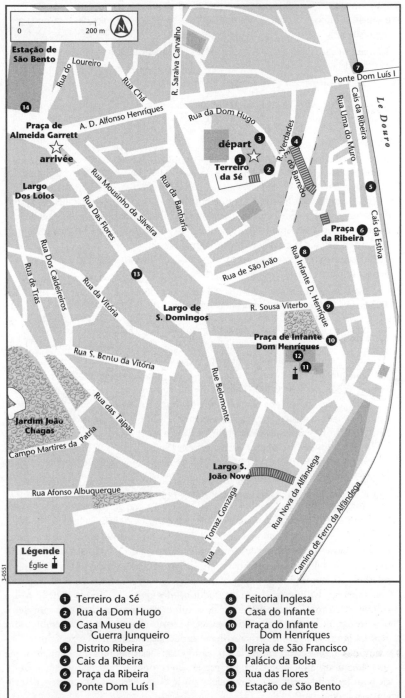

Légende
Église †

1. Terreiro da Sé
2. Rua da Dom Hugo
3. Casa Museu de Guerra Junqueiro
4. Distrito Ribeira
5. Cais da Ribeira
6. Praça da Ribeira
7. Ponte Dom Luís I
8. Feitoria Inglesa
9. Casa do Infante
10. Praça do Infante Dom Henríques
11. Igreja de São Francisco
12. Palácio da Bolsa
13. Rua das Flores
14. Estação de São Bento

14. L'Estação de São Bento, la gare centrale de Porto. Ne manquez pas sa salle des pas perdus tapissée d'*azulejos* représentant des scènes de l'histoire des transports au Portugal.

Se loger

Vous trouverez à Porto un choix intéressant d'hôtels de bonne qualité – les meilleurs au nord de Lisbonne.

PRIX ÉLEVÉS

✪ **Casa do Marechal.** Av. da Boavista 2674 Porto. ∅ **22/610-47-02.** Fax 22/610-32-41. 5 chambres. TV CLIM. Minibar Tél. Double 25 000-30 000 ESC. Petit déjeuner compris. CB. Parking gratuit. Fermé en août.

Situé à proximité du musée d'Art moderne, c'est l'un des hôtels les plus charmants du Portugal. Cette vaste demeure des années 1930 n'a été convertie en hôtel de luxe qu'en 1990 et la décoration des chambres est du meilleur goût, alliant le confort moderne à l'élégance classique. Pas de room service.

Le restaurant sert une cuisine portugaise raffinée et le bar est agréable.
Services : blanchisserie, concierge.

Hotel Dom Henríque. Rua Guedes de Azevedo 179, 4000 Porto. ∅ **22/340-16-16.** Fax 22/340-16-00. www.hotel-dom-henrique.pt. Mél : reserv@hotel-dom-henrique.pt. 114 chambres. TV CLIM. Minibar Tél. Double 21 000-28 000 ESC ; suite 31 000 ESC. Petit déjeuner en salle compris. CB. Parking payant à proximité, 1 300 ESC. Bus : 29 ou 59.

Situé en centre-ville dans une tour de 22 étages et récemment rénové, le Dom Henríque a été principalement conçu pour accueillir les voyageurs d'affaires. Il possède quelques belles suites et les chambres, d'un prix abordable, disposent de tout le confort moderne, vidéo, sèche-cheveux, etc., dans un décor quelque peu vieillot. Deux étages de l'hôtel sont réservés aux non-fumeurs. **Restauration :** le restaurant, situé au rez-de-chaussée, propose une cuisine inventive et fraîche. Il est ouvert de 12 h 30 à 14 h pour le déjeuner et de 19 h 30 à 22 h 30. Il y a également un café au rez-de-chaussée, le Tábula, ouvert tous les jours de 7 h à 15 h et de 19 h à 23 h 30. Le bar Anrrique, au 17e étage, offre une vue magnifique. **Services :** room service, blanchisserie, baby-sitting, concierge.

Hotel Mercure Batalha. Porto Praça da Batalha 116, 4049 Porto. ∅ **22/200-05-71.** Fax 22/200-24-68. 158 chambres. TV CLIM. Tél. Double 18 000-20 000 ESC ; suite 21 000-23 000 ESC. Petit déjeuner compris. CB. Parking payant, 1 500 ESC. Bus : 35, 37 ou 38.

Situé en face du théâtre national, le Batalha a réouvert en 1992 après avoir été entièrement rénové. Très apprécié des acheteurs internationaux de porto, il se trouve à 10 minutes à pied du fleuve et du quartier des affaires. C'est l'un des hôtels les plus pittoresques de la vieille ville, alliant la tradition au confort moderne. Il est d'un très bon rapport qualité prix. Le ton est donné dès que vous entrez dans le hall à colonnes décoré de vieux tableaux et de meubles anciens. Les chambres sont décorées avec goût de meubles traditionnels et de tissus coordonnés. Six chambres sont prévues pour accueillir des visiteurs handicapés. Attention : malgré les efforts d'insonorisation, on entend encore la circulation dans les chambres qui donnent sur la rue. **Restauration :** le restaurant, Burgo, sert une cuisine régionale légèrement adoucie pour les étrangers. Le bar est bondé avant le dîner. **Services :** room service, blanchisserie, concierge.

✪ Infante de Sagres. Praça Filippa de Lancastre 62, 4000 Porto. ∅ **22/339-85-00.** Fax 22/339-85-99. 74 chambres. TV CLIM. Minibar Tél. Double 24 500-28 000 ESC ; suite 50 000 ESC. Petit déjeuner compris. CB. Parking gratuit dans la rue ; garage 1 600 ESC l'heure. Bus : 35, 37 ou 38.

L'Infante de Sagres est l'hôtel le plus traditionnel de Porto. Il a été entièrement rénové en 1991. Situé sur une place monumentale, entre la mairie de Porto et l'avenida dos Aliados, cet édifice, richement ornementé de panneaux sculptés, de vitraux et de ferronnerie, semble dater du XIXᵉ siècle, alors qu'il n'a été construit qu'en 1951 par un riche entrepreneur du textile pour y loger ses meilleurs clients en visite à Porto. Parmi les clients célèbres de l'hôtel, on compte, notamment, la princesse Anne et le prince Philippe d'Angleterre, le président du Portugal et nombre de ses ministres. Il affiche un ratio de 1,3 employé par visiteur et le service est excellent. La cour centrale abrite une magnifique terrasse ombragée. Les chambres sont toutes équipées de salle de bains en marbre. **Restauration :** les repas, du petit déjeuner au dîner, sont servis au Dona Filippa, dans un décor grand style. Il y a également un bar. **Services :** room service, blanchisserie, concierge. Les clients de l'hôtel peuvent bénéficier de facilités pour utiliser les courts de tennis et les piscines des environs, ainsi que pour réserver au centre équestre.

Le Méridien Park Atlantic Porto. Av. da Boavista 1466, 4100 Porto. ∅ **22/607-25-00.** Fax 22/600-20-31. www.portugalvirtual.pt/meridien.porto/. Mél : meridien.porto@mail.telepac.pt. 239 chambres. TV CLIM. Minibar Tél. Double 29 000-32 000 ESC ; suite 65 000 ESC. Petit déjeuner compris. CB. Parking payant 150 ESC l'heure. Bus : 3 ou 78.

Percé par trois rangées verticales de baies vitrées, c'est l'un des hôtels les plus modernes de la ville. Situé à 3 km du centre-ville, cet hôtel qui appartient à Air France est très apprécié des congressistes. Bien qu'il soit dans la même gamme de prix que l'Infante de Sagres, il n'offre pas un service aussi personnalisé. Les chambres sont bien meublées et la chaîne intérieure diffuse des vidéos. Deux étages sont réservés aux non-fumeurs. **Restauration/distractions :** Pour le restaurant, Les Terrasses, voir la rubrique « Se restaurer » ci-dessous. Il y a une discothèque au sous-sol, ouverte du jeudi au samedi de 22 h 30 à 4 h. L'entrée, comprenant une boisson, est de 6 500 ESC et gratuite pour les clients de l'hôtel. **Services :** room service 24 h/24, blanchisserie, baby-sitting, massages, salon de coiffure, *business center.*

Porto Palacio Hotel. Av. da Boavista 1269, 4150 Porto. ∅ **22/608-66-00.** Fax 22/609-14-67. Mél : pto.palaciohotel@mail.telepac.pt. 262 chambres. TV CLIM. Minibar Tél. Lun.-jeu, double 22 500 ESC ; suite à partir de 50 000 ESC. Ven.-dim, double 20 000 ESC ; suite à partir de 50 000 ESC. CB. Parking payant 80 ESC. Tram : 2. Bus : Boavista 78.

Ouvert en grandes pompes en 1986, cette construction de 13 étages alliant la pierre et le verre teinté est l'un des hôtels modernes les plus agréables de Porto. Situé dans le quartier de Boavista, à proximité du quartier des affaires, il s'élève face à son concurrent direct, le Méridien. Les chambres sont assez spacieuses et dotées du confort moderne, sèche-cheveux, vidéos, etc. **Restauration :** le restaurant, Madruga, sert principalement de la cuisine régionale, ainsi que quelques classiques internationaux. Un déjeuner d'affaires est proposé du lundi au vendredi de 12 h 30 à 15 h. Le dîner est servi de 19 h 30 à 23 h. Le Nautilus Bar est un piano-bar ouvert tous les jours de 20 h à 2 h. **Services :** room service, blanchisserie, baby-sitting, salon de beauté et de coiffure, 24 h/24, piscine chauffée, courts de squash, salle de sports.

PRIX MOYENS

Hotel Ipanema Porto. Rua do Campo Alegre 156, 4100 Porto. ∅ **22/606-80-61.** Fax 22/606-33-39. Mél : ipanema.porto@mail.infos.pt. 150 chambres. TV CLIM. Minibar Tél. Double 16 600 ESC ; suite 27 500 ESC. Petit déjeuner compris. CB. Parking gratuit.

L'Ipanema (à ne pas confondre avec le 5 étoiles Ipanema Park Hotel) est l'un des meilleurs 4 étoiles du nord du Portugal. Cette construction moderne, visible depuis l'autoroute de Lisbonne, est très facilement repérable à ses longues rangées de vitres fumées. Prenez la sortie de l'autoroute indiquant Porto et vous le verrez à environ 1,5 km, sur la route pavée qui mène au centre-ville. Les chambres, de dimension moyenne, sont joliment meublées et offrent de belles vues de Porto. **Restauration :** le restaurant Rios est très apprécié pour son « brunch » du dimanche. On y sert principalement une cuisine locale ainsi que quelques plats brésiliens. Un bar tamisé domine l'atrium planté de verdure. **Services :** room service, blanchisserie et valet, concierge.

PETITS PRIX

Albergaria Miradouro. Rua da Alegria 598, 4000 Porto. ∅ **22/537-07-17**. Fax 22/537-02-06. Mél : alb.miradouro@teleweb.pt. 30 chambres. TV CLIM. Minibar Tél. Double 10 000-13 000 ESC. Petit déjeuner compris. CB. Parking gratuit. Bus : 20, 21, 29 ou 59.

Situé dans une tour de 13 étages construite au sommet d'une colline, l'Albergaria Miradouro fait penser à un nid d'aigle. Les chambres ont une très belle vue sur les navires qui emportent le porto vers la haute mer. Toutes ont un petit vestibule, un bureau et un petit salon. Les chambres d'angle sont les plus agréables. L'ambiance est aux années 1950 et les parties communes sont élégantes. Le bar du bas est décoré de céramiques portugaises et japonaises et celui du haut offre une vue panoramique. Le restaurant, Portucale, sert une cuisine internationale.

Castelo de Santa Catarina. Rua de Santa Catarina 1347, 4000 Porto. ∅ **22/509-55-99**. Fax 22/550-66-13. 25 chambres. TV Tél. Double 10 000 ESC ; suite 12 000 ESC. Petit déjeuner compris. CB. Parking gratuit. Bus : 20, 49 ou 53.

Cette ancienne résidence privée s'abrite derrière de hauts murs dans un quartier commerçant à environ 1,5 km du centre-ville. Cette incroyable villa a été construite dans les années 1920 par un haut gradé de l'armée brésilienne de retour dans sa ville natale. Les jardins comprennent plusieurs serres et des terrasses, ainsi qu'une chapelle. Les murs qui entourent la villa sont tapissés de céramiques qui retracent l'histoire du Portugal. Avant d'arriver à votre chambre, vous serez conduit par divers couloirs, grimperez plusieurs escaliers étroits, et passerez devant des salles de bal désuètes éclairées par des chandeliers. Les chambres sont décorées de meubles anciens, souvent en bois de rose sculpté et les salles de bains rappellent l'Art nouveau. Il n'y a pas de restaurant. **Services :** blanchisserie, baby-sitting.

Holiday Inn Garden Court Hotel. Praça da Batalha 127-130, 4000 Porto. ∅ **22/339-23-00**. Fax 22/200-60-09. www.maisturismo.pt/hinngaco.html. Mél : reseruas.higep@grupo-continental.com. 118 chambres. TV, CLIM, Minibar Tél. Double 12 500 ESC. Petit déjeuner compris. Parking payant, 900 ESC. Bus : tout bus en direction de l'Estação de São Bento.

Cet hôtel résolument moderne est situé dans le quartier du Barredo, récemment inscrit au patrimoine mondial par l'Unesco. Les chambres sont fonctionnelles et dotées de tout le confort moderne, certaines d'entre elles sont accessibles aux handicapés. Il existe également des chambres réservées aux non-fumeurs. Le bar attire de nombreux hommes d'affaires. Le room service est limité et il y a un service de blanchisserie. Cet hôtel, bien que géré par Holiday Inn, est membre du groupe Continental.

Hotel Castor. Rua das Doze Casas 17, 4000 Porto. ∅ **22/537-00-14**. Fax 22/536-60-76. 63 chambres. TV CLIM. Minibar Tél. Double 12 400-14 400 ESC. Petit déjeuner compris. CB. Bus : 20.

Cet hôtel aux murs blanchis est situé dans un quartier calme de la ville, à l'abri des touristes. Connu pour l'amabilité de son personnel et ses meubles anciens, le Castor offre tout le confort moderne, et en particulier de bonnes literies ; certaines chambres sont un peu exiguës. **Services** : room service, blanchisserie, baby-sitting.

Residencial Rex. Praça da República 117, 4050 Porto. ∅ **22/200-45-48**. Fax 22/208-38-82. 21 chambres. TV CLIM Tél. Double 8 500 ESC. Petit déjeuner compris. CB. Bus : 7, 71, ou 72.

Habillée de céramiques vert d'eau et d'ornements en ferronnerie, la façade de cet hôtel, inspiré par l'Art nouveau, s'intègre gracieusement dans le plus beau square de Porto. Construit en 1845 par un aristocrate portugais, cet édifice a été converti en pension (*pensão*) en 1925. Un escalier monumental en marbre mène jusqu'au hall dont le plafond est, comme ceux des chambres, orné de moulures. Les meubles sont anciens mais les salles de bains ont été rénovées. Il y a un petit bar dans la salle de télévision au rez-de-chaussée, mais pas de restaurant. Le parc est accessible depuis l'hôtel par de grandes grilles en fer forgé.

Se restaurer

Lorsque Henri le Navigateur faisait abattre le bétail de la vallée du Douro pour nourrir ses hommes qui s'embarquaient dans les légendaires caravelles, il réquisitionnait tous les beaux morceaux, dédaignant les abats intransportables. C'est ainsi que les habitants de Porto durent inventer nombre de recettes pour accommoder les tripes et furent surnommés *tripeiros* (mangeurs de tripes). Les tripes sont encore leur plat favori. Goûtez notamment les *tripas à moda do Porto* (préparées avec des saucisses piquantes et des haricots verts).

PRIX ÉLEVÉS

✪ Aquário Marisqueiro. Rua Rodrigues Sampaio 179. ∅ **22/200-22-31**. Réservation recommandée. Plats à la carte 2 000-5 000 ESC ; menu 2 900 ESC. CB. Lun.-sam. de 12 h à 22 h. Bus : 7, 77 ou 79. *Portugais.*

Ouvert depuis plus de 50 ans, Aquário Marisqueiro est l'un des meilleurs restaurants de fruits de mer de Porto. À quelques pas de la mairie de Porto et de l'hôtel Infante de Sagres, ce restaurant est l'un des deux établissements réunis par une cuisine centrale où le poisson règne en maître incontesté. Vous pourrez y déguster une excellente soupe de *mariscos*, du cabillaud, de la sole et de la truite au jambon, ainsi que de délicieuses praires à la mode espagnole. La spécialité de la maison est l'*açorda* (un plat traditionnel à base de pain et d'eau) de coquillages.

✪ Churrascão do Mar. Rua João Grave 134. ∅ **22/609-63-82**. Réservation nécessaire. Plats 3 500-9 000 ESC. CB. Lun.-sam. 12 h-15 h et 19 h-23 h. Fermé en août. Bus : 3 ou 78. *Brésilien.*

Le restaurant le plus chic de Porto s'abrite dans une *antiga moradia senhorial* (manoir) datant de 1897 et magnifiquement restaurée. La qualité de la cuisine est à la hauteur du décor. En effet, Manuel Rocha, le propriétaire et l'un des meilleurs chefs de Porto, sert une excellente cuisine d'Amérique du Sud et le personnel est à la fois efficace et charmant. Tous les poissons, crustacés et viandes grillés, sont délicieux et servis accompagnés d'épices et de sauces brésiliennes qui soulignent leur saveur, sans la dominer.

Les Terrasses. À l'hôtel Méridien Park Atlantic Porto, av. da Boavista 1466. ∅ **22/600-25-00**. Réservation nécessaire. Plats 2 600-3 100 ESC ; buffet du pêcheur (ven. et sam. soir) 4 200 ESC. CB. Tlj. 7 h-10 h 30, 12 h 30-15 h et 19 h 30-22 h 30. Bus : 3 ou 78. *Portugais.*

Les Terrasses aiment à se présenter comme une brasserie, mais le maître d'hôtel en uniforme et le décor jardin de la salle à manger lui donnent des allures de restaurant très formel. Situé dans le complexe du Méridien, à quelque 5 km du centre-ville, le restaurant dispose d'une jolie terrasse en bois, mais, à cause du bruit de la circulation, il est plus agréable de prendre les repas dans la salle climatisée où les tables sont disposées au creux de petites alcôves. Du dimanche au vendredi, buffet de déjeuner remarquable pour ses excellents saumons et espadons fumés. Les vendredis et samedis soir, le buffet de dîner se distingue par ses plats de crustacés. Le sommelier saura vous conseiller de bons vins portugais à un prix abordable.

✪ **Restaurante Portucale.** À l'hôtel Albergaria Miradouro, rua da Alegria 598. ✆ 22/537-07-17. Réservation nécessaire. Plats 2 000-6 000 ESC. CB. Tlj. 12 h 30-14 h 30 et 19 h 30-23 h. Bus : 20, 21, 29 ou 59. *Portugais et international.*

Situé au dernier étage de l'hôtel Albergaria Miradouro, offrant une vue magnifique sur le fleuve et les toits de Porto, le Portucale est le meilleur restaurant de la ville. La salle a su garder, malgré les baies vitrées, un caractère intime et les tables sont joliment dressées. Le chef allie savamment l'originalité à la tradition et ses spécialités sont, notamment, le *bacalhau ö marinheiro* (morue), le *cabrito ö serrana* (cabri sauce au vin), l'espadon fumé, le sanglier aux praires et à la coriandre, le magret de canard grillé, le loup de mer et les pâtisseries maison. C'est l'endroit idéal pour goûter les tripes de Porto, servies avec des haricots blancs et du riz au four.

PRIX MOYENS

A Brasileira. Rua do Bomjardim 116. ✆ 22/200-71-46. Plats 1 000-2 000 ESC. CB. Lun.-sam. 12 h 30-22 h30. *Portugais, café.*

Situé au-dessus de l'Estação de São Bento, la gare centrale de Porto, au cœur du réseau de transports urbains. Ce café brésilien Art déco est également un restaurant de premier ordre. La soupe de coquillages à la crème est délicieuse. Laissez-vous ensuite tenter par le poulet rôti, la truite grillée ou le foie de veau et terminez par une mousse au chocolat. Les spécialités de la maison sont les *bolinhos de bacalhau* (morue) et le rôti de porcs aux haricots.

Garrafão. Rua António Nobre 53, Leça da Palmeira. ✆ 22/995-17-35. Réservation recommandée. Plats 1 800-2 600 ESC. CB. Lun.-sam. 12 h-17 h et 19 h-24 h. *Portugais, fruits de mer.*

Ce restaurant traditionnel, situé dans la banlieue de Porto, domine la Praia Boa Nova. On y sert une cuisine familiale simple mais de bonne qualité. La cave à vins est bien fournie et vous y trouverez de très bons vins portugais. Les spécialités sont l'omelette aux crevettes, la soupe de crustacés, la sole grillée, le veau et la crème caramel. Les prix des poissons varient suivant la saison.

Restaurante Escondidinho. Rua Passos Manuel 144. ✆ 22/200-10-79. Réservation recommandée. Plats 2 850-3 650 ESC. CB. Lun.-sam. 12 h-15 h et 19 h-22 h. *Portugais.*

Situé à proximité de l'Estação de São Bento, l'Escondidinho (cela signifie « caché » ou « masqué ») est une taverne populaire, très appréciée des marchands de porto et des touristes anglais depuis 75 ans. Les poutres et les boiseries de la salle à manger sont noircies par le temps, la cheminée est immense et les chaises en bois sculpté sont dignes d'un palais épiscopal. Le personnel a conservé la courtoisie d'une autre époque. La salle à manger est intime et agrémentée d'une jolie collection de faïences anciennes. Le chef est connu pour ses intéressantes brochettes de poissons frais grillés : turbot, sole, loup de mer, colin, crustacés. Les sardines grillées au feu de bois sont remarquables, ainsi que les steaks grillés. Les spécialités sont le colin au Madère, le chateaubriand, et le dessert à l'orange.

Restaurante Tripeiro. Rua Passos Manuel 195. ✆ 22/200-58-86. Plats 1 500-2 600 ESC. CB. Lun.-sam. 12 h-15 h et 19 h-22 h 30. Bus : 35. *Portugais.*

Ouvert depuis 1942, ce restaurant qui se distingue par ses murs en stuc et ses plafonds chargés offre une fraîche retraite contre le soleil de midi. Le service est simple et efficace et la cuisine traditionnelle est de bonne qualité. Parmi les spécialités vous pouvez goûter les *tripas ö moda do Porto* accompagnées de *vinho verde* (vin vert), du cabillaud, ou des coquillages. Les prix sont raisonnables, mais attention, les crustacés sont vendus au kilo et certains plats peuvent coûter jusqu'à 6 000 ESC.

PETITS PRIX

Abadia. Rua do Ateneu Comercial do Porto 22. Ø **22/200-87-57**. Plats 950-1 600 ESC. CB. Tlj. 12 h-2 h 30. *Portugais.*

Ce vaste restaurant est situé dans une petite rue ; sa terrasse à l'entrée et sa mezzanine à toit ouvert attirent l'attention. Le personnel est efficace et les portions sont bien servies. Personne ne se souvient de la date de l'ouverture, mais tout le monde affirme que la cuisine n'a pas changé depuis. Le chef est connu pour ses plats de morue, notamment la morue Abadia et Gomes de Sá. Vous y trouverez également un ragoût de tripes de Porto, du rôti de chevreau et du porc frit. Les soupes sont épaisses et délicieuses.

○ **Taverna dos Bêbobos.** Cais de Ribeira 21-25. Ø **22/205-35-65**. Réservation nécessaire. Plats 1 750-3 500 ESC. CB. Mar.-dim. 12 h-15 h et 19 h-23 h 30. Bus : 15. *Portugais.*

La Taverna dos Bêbobos (littéralement « Taverne des Buveurs »), sur les docks, est le plus ancien (fondé en 1876) et le plus petit restaurant de Porto. Les tables du bar au rez-de-chaussée sont encombrées de nombreux bibelots. Un escalier étroit mène à une petite salle à manger intime au plafond mansardé. Les portions sont très copieuses et peuvent se partager. Pour composer un menu typiquement portugais, commencez par un bol de *caldo verde* ou une assiette de sardines grillées ; vous pourrez poursuivre avec une truite au jambon, de la morue à la béchamel ou du porc Alentejana (accompagné d'une sauce aux praires). Vous y trouverez également des poissons grillés et des plats à base de riz.

Shopping

Les marchés de plein air de Porto sont très pittoresques. Il y a un marché aux oiseaux (Cidade do Porto, rua da Madeira, le dimanche de 7 h 30 à 13 h), un marché aux plantes (praça da Liberdade, d'avril à octobre, le dimanche de 8 h à 17 h), un marché aux monnaies et aux médailles (praça Dom João I, le dimanche de 7 h 30 à 13 h). Le marché aux puces se tient praça da Batalha, tous les jours de 9 h à 17 h 30. Les plus beaux étals de fruits, de légumes et de viandes sont rassemblés au mercado de Porto Bolão, où l'on vend également des épices, des fleurs et des ustensiles de cuisine. Il s'étend sur une bonne longueur de la rua de Santa Catarina.

Porto abrite aussi les meilleurs orfèvres et bijoutiers du Portugal. Leurs boutiques s'alignent le long de la rua das Flores. **Pedro A. Baptista**, rua das Flores 235 (Ø 22/200-51-42), présente une collection originale de bijoux anciens et modernes (souvent inspirés de motifs traditionnels), ainsi que des objets de décoration. Vous y verrez notamment des broches filigranées aux motifs intriqués, des bracelets et des petits boîtiers en or ainsi qu'une jolie collection d'argenterie, comprenant notamment des services à thé décorés. Parmi les autres bijoutiers connus, on citera **David Rosas, Lda.**, av. da Boavista 1471 (Ø 22/606-84-64) et **Elysée Joias**, praça Mouzinho de Albuquerque 113 (Ø 22/600-06-63). Vous trouverez des distributeurs de la marque **Rosior Manuel Rosas, Lda** au Centro Comercial da Foz (Ø 22/617-23-76) et au **Centro Comercial Cidade do Porto** (Ø 22/600-15-20). Ils ont également une boutique rua Eugênio de Castro 263 (Ø **22/606-81-34**).

Le saviez-vous ?

- Les habitants de Porto raffolent des tripes (de veau, de mouton ou de chèvre).
- Alphonso Henriques, fondateur du nouveau royaume au XIIe siècle, lui donna le nom de sa terre natale, le comté de Portucale.
- Il paraît que le porto a été inventé pour pallier un problème climatique : la chaleur produisant des raisins trop sucrés, il fallait fortifier le vin à l'alcool pour le conserver.
- Les 200 millions de litres du Porto Sandeman sont entreposés dans un ancien couvent du XVIe siècle.
- Lors du siège qui suivit l'insurrection de Porto contre l'absolutiste Michel Ier en 1832, les habitants affamés durent manger des chats et des chiens.
- Au milieu des années 1700, lors de la *revolta dos borrachos* (« révolte des Ivrognes »), la foule ivre mit le feu aux locaux de la compagnie de vin de Porto qui avait été créée par le marquis de Pombal afin de briser le monopole des négociants anglais. 25 hommes furent pendus.
- Henri le Navigateur (1394), le plus célèbre habitant de Porto, troisième fils du roi Jean II et de la princesse anglaise Philippa de Lancastre, lança le Portugal dans l'épopée des Grandes Découvertes.
- Porto est l'une des premières villes à avoir chassé les Maures lors de la reconquête de la péninsule Ibérique.
- Porto faisait partie de la dote de Teresa, fille de Léon de Castille, lorsqu'elle épousa Henri de Bourgogne, petit-fils du duc Robert Ier de Bourgogne.
- Selon un vieil adage portugais, « Coimbra chante, Braga prie, Lisbonne fanfaronne et Porto travaille ».

Le **Centre régional des arts traditionnels (CRAT)**, rua de Reboleira 33-37 (∅ 22/332-02-01), installé dans une jolie demeure du XVIIIe siècle, rassemble les créations des meilleurs artisans du nord du Portugal. Les boutiques spécialisées dans l'artisanat sont : **Casa do Coração de Jesús**, rua Mouzinho da Silveira 302 (∅ 22/200-32-17), **Casa Lima**, rua de Sá da Bandeira 83 (∅ 22/200-52-32), **Casa Margaridense**, travessa de Cedofeita 20A (∅ 22/200-11-78) et **Boutique Perry Sampaio**, rua do Campo Alegre 713 (∅ 22/600-82-85).

Pour la porcelaine, le plus grand nom du Portugal est certainement **Vista Alegre**, rua Cândido dos Reis 18 (∅ 22/600-91-26). Les prix varient selon la qualité du travail, des matériaux, du nombre de couleurs employées et des dorures.

Pour la maroquinerie, essayez, par exemple, **Haity**, rua de Santa Catarina 247 (∅ 22/205-96-30). **Casa dos Linhos**, rua de Fernandes Tomás 660 (∅ 22/200-00-44) vend du linge de maison et des pièces brodées. **Livraria Lello & Irmão**, rua das Carmelitas 144 (∅ 22/201-80-70) est une librairie particulièrement agréable où vous trouverez des ouvrages en portugais, en français, en espagnol et en anglais. Si vous êtes attirés par les parfums originaux, faites un détour par la **Perfumaria Castilho**, rua de Sá da Bandeira 80 (∅ 22/205-78-55).

Porto abrite désormais une nouvelle génération de galeries d'art consacrées aux peintres et aux sculpteurs locaux. Sur une trentaine d'entre elles, celles qui nous ont semblé les plus intéressantes sont **Galeria Fluxos**, rua do Rosário 125 (∅ 22/201-10-74), **Galeria Labirinto**, rua de Nossa Senhora de Fátima 334 (∅ 22/606-36-65) et **Galeria Atlântica**, rua Galerie de Paris 67-71 (∅ 22/200-08-40).

Si vous vous intéressez au mobilier contemporain, vous trouverez les créations les plus intéressantes à **Sátira Design**, rua Felizardo Lima 39 (∅ 22/610-72-28), et dans les trois boutiques de **Móvel 4**, rua de Camões 19 (∅ 22/208-48-84), rua de Santa Catarina 1002 (∅ 22/202-63-40) et rua Dom Manuel II 196 (∅ 22/609-88-89), la plus grande des trois.

Dans l'ensemble, les boutiques de Porto ne sont pas destinées aux touristes et s'adressent plutôt aux résidents. La plupart sont regroupées dans des centres commerciaux. Les plus élégants et les plus récents d'entre eux sont sans doute le **Centro Comercial Peninsular**, praça do Bom Sucesso, et le **Centro Comercial Via Caterina**, qui est particulièrement charmant. Il est situé dans la partie piétonne de la rue la plus commerçante de la ville, rua de Santa Catarina, à l'angle de la rua Fernandes Tomar. À l'intérieur, les façades des boutiques sont des reproductions des façades les plus typiques des villages du nord du Portugal. Vous y trouverez toutes les grandes marques européennes de vêtements et les créateurs.

Les autres grands centres commerciaux sont moins spectaculaires. On citera notamment le **Centro Comercial da Foz**, rua Eugênio de Castro, situé au bord de la mer et agréable l'été ; le **Centro Comercial Brasília**, au centre de la ville, praça Mouzinho de Albuquerque ; enfin l'immense **Centro Comercial Cidade do Porto**, rua do Bom Sucesso, où vous trouverez également des restaurants, des cinémas et des cafés.

Vie nocturne

Pour commencer la soirée, vous pouvez, par exemple, prendre un verre au **Solar do Vinho do Porto**, rua de Entre Quintas 220 (∅ 22/609-47-49), installé dans un bâtiment ancien avec vue sur le Douro. L'Institut du vin de Porto, où l'on peut déguster différents crus, est chargé par le gouvernement de contrôler la qualité du vin de Porto et d'autoriser les exportations. Il finance également le musée romantique de la Quinta da Maceirinha. Tous les jours du lundi au samedi de 14 h à 24 h, à partir de 200 ESC.

Porto n'est pas un centre aussi important que Lisbonne pour le *fado*, qui n'est pas aussi bien représenté. Le meilleur club de *fado* est sans doute le **Mal Cozinhado** (littéralement « mal cuit »), rua do Outeirinho 13 (∅ 22/208-13-19), où vous pourrez entendre un groupe de cinq chanteurs et musiciens (trois femmes et deux hommes). Ils jouent six heures durant du lundi au samedi à partir de 21 h 30. Le dîner à la carte (servi à partir de 20 h 30) coûte environ 4 500 ESC par personne, mais il est possible de ne prendre que des boissons. L'entrée de 2 000 ESC inclut deux boissons, ensuite les bières sont à 1 000 ESC.

Vous pouvez également décider de faire une promenade dans le quartier commerçant aux alentours de la rua de Santa Catarina et de vous arrêter dans une taverne qui vous paraît attrayante. Si vous aimez danser, essayez la **Discoteca Indústria**, dans le Centro Comercial da Foz, av. do Brasil 843 (∅ 22/617-68-06) ou la discothèque **Anekibobó**, rua Fonte Tarina 36 (∅ 22/332-46-19). Ces deux établissements accueillent une clientèle d'artistes, d'écrivains (et leurs lecteurs), et une foule cosmopolite, les vendredis et samedis de 22 h 30 à 4 h. Si vous préférez passer la soirée au bord du fleuve, la **Discoteca Twins**, rua Passeio Alegre 1000 (∅ 22/618-57-40) possède également un restaurant et des tables de billard.

Via Rápida, rua Manuel Pinto Azevedo (∅ 22/606-85-62), est un bar moderne où la musique est assez douce pour permettre la conversation. **Padaria**, rua Mártires da Liberdade 212-218 (∅ 22/208-83-84) est plus intime, mais quelquefois un peu trop calme. Si vous souhaitez boire un cocktail entre adultes dans un bar sophistiqué, essayez le **Bar Hiva-oa**, rua da Boavista 251 (∅ 22/617-96-63). Les étudiants aimeront à se retrouver dans l'un de ces trois bars : **Bar Meia Cave**, praça da Ribeira 6 (∅ **22/332-32-14**), **Cosa Nostra**, rua São João 76 (∅ **22/208-66-72**) et le **Bar Taberna** 2000, rua Eugênio de Castro 228 (∅ **22/606-63-50**).

Le public gay se retrouve à la **Discoteca Swing**, rua Júlio Dinis 766 (∅ **22/609-00-19**), près de Parque Itália.

Parmi les dizaines de cafés qui bordent les rues de Porto, il est difficile de savoir lequel est le plus beau, le plus pittoresque. Vous aimerez peut-être le **Majestic Café Concerto**, rua de Santa Catarina 112 (∅ **22/200-38-87**), où, dans un décor Art nouveau, on peut entendre un concert de jazz ou de musique de chambre, en sirotant un verre de vin, une bière ou un café.

2. Espinho

À quelque 18 km au sud de Porto, 300 km au nord de Lisbonne

Espinho est station balnéaire populaire de la Costa Verde qui attire de plus en plus de visiteurs. Les boutiques, restaurants et hôtels ne manquent pas et il y a également des terrains de camping dans les bois de pins qui bordent la plage. Les sportifs apprécieront ses courts de tennis, son arène et un parcours de golf (18 trous).

Informations pratiques

COMMENT S'Y RENDRE

En train Depuis Porto, il y a un train toutes les heures environ en journée au départ de l'Estação de São Bento. Le trajet dure une vingtaine de minutes et l'aller simple coûte 200 ESC.

En bus Il y a un bus toutes les heures au départ de Porto : **Garage Atlântico**, rua Alexandre Herculano, près de la praça de Batalha (∅ **22/200-75-44**). Le trajet dure une demi-heure et l'aller simple coûte 250 ESC.

En voiture En sortant de Porto, prenez la route IC-1 vers le sud.

INFORMATIONS TOURISTIQUES

L'office du tourisme d'Espinho est situé Ángulo das Ruas 6 (∅ **22/73-40-911**).

Activités de plein air

La plupart des activités sportives se regroupent autour des **plages**. Il y a en quatre à une courte distance à pied du centre-ville. La plus proche et la plus fréquentée est la **Praia Baia** ; la plus éloignée (qui n'est pourtant qu'à quelque 400 m du centre) et la moins fréquentée est **Praia do Costa Verde**. Entre les deux s'étendent deux plages de sable blond, **Praia Azula** et **Praia Pop**, où il est possible de faire un peu de surf sans danger. Si vous n'aimez vraiment pas les vagues, profitez du vaste centre aquatique de la ville, **Solar Atlântico**, qui jouxte Praia Baia (∅ **22/734-01-52**). Vous y trouverez plusieurs piscines d'eau de mer pour plonger ou pour nager ainsi que de vastes aires pour le repos ou le bronzage. Ouvert de mai à septembre.

Nave Municipal, rua 33 (∅ **22/731-00-59**) regroupe plusieurs courts de tennis, des terrains de football et de volley. Un autre groupement de terrains de jeux s'est installé à l'est de la ville en 1996.

Le **club de golf Oporto** est situé rua do Golf (∅ **22/734-20-08**), à environ 2,5 km au sud d'Espinho.

La région de Porto

Braga

0 ——— 13 Km

①② Fão
Ofir

COSTA

N14

Guimarães

Fate

N206

N13

VERDE

N101

Vila Nova de
Famalicão

N13

③
Vila do Conde

Santo Tirso

E01

N105

Lousada

Paredes

Matosinhos ④

Valongo

N15

Penafiel

PORTO ⑤

N106

Vila Nova de Gaia ⑥

Gondomar

Rio Tamega

D O U R O

N108

Praia da Granja

Carvalhos

Espinho ⑦

N222

Sobrado de Paiva

Raiva

N1

N321

Océan

Atlantique

N109

Arouca

L I T O R A L

Ovar

São João de Madeira

Praia do Furadouro

E01

3-0552

Région de Porto

Espinho **⑦**

Fão **②**

PORTUGAL

Matosinhos **④**

Ofir **①**

LISBONNE
★

Porto **⑤**

Vila do Conde **③**

Vila Nova de Gaia **⑥**

Shopping

Les objets les intéressants de l'artisanat local sont sans doute les maquettes en bois sculpté peint de couleurs vives représentant les bateaux de pêche portugais, les poupées en bois sculpté ou en argile habillées de costumes régionaux, et la vannerie. De beaux spécimens de l'artisanat local sont généralement vendus chez **Casa Ramos**, rua 23 (∅ **22/734-00-24**). Certaines boutiques ne sont ouvertes qu'en saison, notamment celles qui vendent principalement des protections solaires et des cartes postales. La rue la plus commerçante de la ville est **rua 19**.

Si par chance vous visitez Espinho un lundi, vous tomberez sur le plus grand marché découvert de la région, connu sous le nom de **Feira de Espinho**. Tous les lundis de 7 h à 20 h, le marché s'installe sur toute la longueur de la rua 24 : sur les étals, des fruits, des légumes, des viandes et des volailles, mais aussi tout le bric-à-brac qu'on trouve dans les marchés aux puces.

Se loger et se restaurer

Hotel Praiagolfe. Rua 6, 4500 Espinho. ∅ **22/733-10-00**. Fax 22/733-10-01. Mél : pgolfe@mail.telepac.pt. 139 chambres. TV CLIM. Tél. Double 17 000-21 000 ESC ; suite 26 000 ESC. Petit déjeuner (continental ou buffet) compris et parking. CB.

Les capacités d'hébergement d'Espinho se distinguent ni par leur charme ni par leur originalité. Le meilleur hôtel est probablement le **Praiagolfe**, qui a été complètement rénové et offre tout le confort moderne. Les chambres sont de taille moyenne et ont été, pour la plupart redécorées en 1996. L'hôtel a vue sur la mer et est situé à quelques pas de la gare ferroviaire. Ses deux restaurants servent de la cuisine régionale et proposent des menus pour le déjeuner et le dîner, à partir 2 950 ESC. L'hôtel est équipé d'une piscine couverte, d'un court de squash et d'une salle de sports. Les courts de tennis de la ville et le golf sont à proximité. L'hôtel est généralement plein en été et il est impératif de réserver.

Se loger et se restaurer dans les environs

Hotel Solverde/Granja. Estrada Nacional 109, 4405 Valadares. ∅ **22/731-31-62**. Fax 22/731-32-00. www.soleverde.pt. Mél : hotel.soleverde@mail.telepac.pt. 174 chambres. TV CLIM. Minibar Tél. Double 24 000-30 000 ESC ; suite 50 000-70 000 ESC. Petit déjeuner continental et parking compris. CB.

Ouvert depuis 1989, le Solverde/Granja est l'un des hôtels les plus luxueux du nord du pays. Il est situé sur la plage de Granja, à une bonne quinzaine de kilomètres au sud de Porto, à environ 1,5 km au nord d'Espinho, et à quelque 30 km de l'aéroport de Porto. Ses tarifs, pour un 5 étoiles, sont parmi les moins élevés du pays et les chambres et les salles de bains sont spacieuses et élégantes. Vous y trouverez également un grill et un restaurant, un café, plusieurs bars, une discothèque, une salle de sports, plusieurs piscines d'eau salée (dont une couverte), des courts de tennis ainsi qu'un héliport.

Vie nocturne

Vous pouvez, si vous le souhaitez, tenter votre chance au **Casino Solverde**, rua 19 no. 85, 4500 Espinho (∅ **22/733-55-00**), qui dispose de tables de roulette, de banque, de baccarat, et de machines à sous ainsi que d'un restaurant et d'une discothèque. Ouvert toute l'année. Entrée gratuite pour le bingo et les machines à sous ; il faut présenter une pièce d'identité (un passeport, par exemple) pour accéder aux tables de jeux. La discothèque propose un spectacle de cabaret. Le dîner-spectacle coûte 5 000 ESC, boissons non comprises ; le spectacle seul 2 500 ESC, une boisson comprise. Le casino est ouvert tous les jours de 15 h à 3 h.

Il n'y a pas à proprement parler de « boîte de nuit » à Espinho, mais vous y trouverez 8 ou 9 bars où il arrive souvent que l'on se mette à danser sur une samba aussi bien que sur un tube international. Ces bars sont regroupés sur le front de mer, à la lisière sud du quartier historique. Choisissez l'ambiance qui vous tente. Nos préférés sont **Bombar**, rua 2, **Foradores**, rua 62 et le **Bar Mix**, rua 21.

3. Vila do Conde

À 27 km au nord de Porto, 341 km au nord de Lisbonne, 42 km au sud de Viana do Castelo et de Póvoa do Varzim

Nichée à l'embouchure de l'Ave, la petite ville de Vila do Conde séduit les vacanciers par ses plages et ses criques à l'abri des remparts de la forteresse. Aux piles de bois de construction amassées sur les quais, on devine que la **construction navale** demeure l'industrie traditionnelle et que l'on construit encore quelques bateaux de pêche en bois qui sont utilisés par les pêcheurs locaux et pour la pêche au cabillaud à Terre-Neuve.

Les dentellières de la ville sont aussi connues pour la qualité de leur ouvrage que pour leur fête, celle des *rendilheiras*, qui commence le 14 juin et se termine le 24 durant la nuit de la Saint-Jean. Les *mordomas* (artisanes), parées de bijoux et de chaînes en or, se joignent aux dentellières pour défiler dans les ruelles de cette ville du XVIe siècle. Vila do Conde est également célèbre pour ses pâtisseries, dont certaines sont faites à partir des recettes d'un couvent et qui donnent à la cuisine locale ses spécialités les plus originales.

Informations pratiques

COMMENT S'Y RENDRE

En train Depuis Porto, plusieurs trains par jour partent vers le nord de l'Estação da Trindade. Ils arrivent en centre-ville.

En bus Depuis Porto, 3 ou 4 bus par jour partent de l'**Autoviação do Minho**, praça Filippa de Lancastre (∅ 22/200-61-21). Le trajet dure environ une demi-heure.

En voiture Depuis Porto, prenez l'IC-1 vers le nord.

INFORMATIONS TOURISTIQUES

L'**office du tourisme** de Vila do Conde est situé rua do 25 de Abril 103 (∅ 252/24-84-73).

Sites et curiosités

PLAGES

Les deux plages de sable fin de cette petite station balnéaire, **Praia do Forno** et **Praia da Senhora da Guia**, sont moins fréquentées que les plages de l'Algarve ou des environs de Lisbonne. À trois minutes à pied du centre-ville, elles ne sont pas envahies de vendeurs de crèmes solaires et autres babioles et préservent un caractère d'intimité.

ÉGLISES

La façade monumentale de l'**Igreja de Santa Clara**, l'église-forteresse de l'ancien couvent Santa-Clara (∅ 252/63-10-16) surplombe la ville et se dresse sur la rive nord de l'Ave. L'église date de la fondation au XIVe siècle, mais le cloître a été construit au début du XVIIIᵉ, en même temps que l'aqueduc de 999 arches qui apportait au couvent l'eau d'une source proche de Póvoa do Varzim. Une partie de l'ancienne conduite est encore visible. Le couvent de Santa-Clara (aujourd'hui une maison de rééducation) abrite encore, dans les salles à l'étage, les œuvres et les reliques collectionnées par les religieuses pendant des siècles.

Cette église allie simplicité et ornementation, gothique et roman. Ainsi les plafonds à caissons de bois et les stalles richement décorées semblent venir renforcer l'austérité de l'autel. La chapelle manuéline attenante abrite les tombeaux des fondateurs du couvent, sculptés à la Renaissance : un lion est couché aux pieds de Dom Afonso Sanche, et la silhouette d'une nonne franciscaine veille sur l'effigie de Dona Teresa Martins, sa femme. Vous verrez également les tombeaux de deux de leurs enfants. Le couvent est ouvert tous les jours de 8 h 30 à 12 h et de 14 h à 17 h. Entrée gratuite.

Dressée au cœur de la ville, à côté du marché, l'église paroissiale, **Igreja Matriz** (∅ 252/63-13-27), datée du XVIᵉ siècle, retient également l'attention. Sur la praça Vasco da Gama, la place fleurie qui s'ouvre face à l'église, vous verrez, devant l'hôtel de ville, un beau pilori, construit dans les années 1500, dont l'ornementation porte la marque des trouvailles du style manuélin.

DENTELLE

Les visites sont gratuites au **Museu Escola de Rendas**, musée et école de dentelle situés rua de São Bento (∅ 252/24-84-70). Vila do Conde garde jalousement ses deux grandes traditions : la dentelle et les pâtisseries. Cette école s'applique à préserver les traditions des dentellières portugaises et c'est l'une des plus grandes écoles de métiers du pays. Certains élèves arrivent à l'âge de 4 ans et ont ainsi terminé leur formation dès l'âge de 15 ans. Les plus belles pièces fabriquées sur place sont en vente dans la boutique de l'école. Non loin de là, au **Centro de Artesanato**, avenida Dr. João Canavarro (∅ 252/64-67-53), vous trouverez également de nombreux ouvrages en dentelle. La dentelle de la région est blanche et composée sur des motifs traditionnels qui datent de plusieurs siècles. Toutefois, certaines expériences avec du fil de couleur pastel ont été tentées ces dernières années. Le Museu Escola de Rendas est ouvert du lundi au vendredi de 10 h à 12 h et de 14 h à 19 h.

SUCRERIES ET PÂTISSERIES

Aux XVIIIᵉ et XIXᵉ siècles, les nonnes de Vila do Conde se rendirent célèbres par leurs recettes de pâtisseries qui, pour leurs détracteurs, étaient la marque de leur besoin d'amour et d'affection. Ces pâtisseries sont aujourd'hui vendues dans la plupart des cafés et des pâtisseries de la ville. Parmi leurs recettes les plus célèbres, on retiendra le *papo de anjo* (ventre de l'ange), le *doce de feijão* (gâteau de farine de haricot), les *jesuitas* à base d'œufs, de farine et beaucoup de sucre, très à la mode aujourd'hui. L'une des pâtisseries sympathiques de la ville est la **Pastelaria Santa Clara**, rua do 5 de Outubro (pas de téléphone).

Se loger

Estalagem do Brasão. Av. Dr. João Canavarro, 4480 Vila do Conde. ∅ **252/64-20-16**. Fax 252/64-20-28. 30 chambres. TV CLIM. Minibar Tél. Double 9 700-14 200 ESC ; suite 14 400-17 900 ESC. Petit déjeuner (buffet) et parking compris. CB.

L'Estalagem do Brasão, au cœur du bourg, a le charme d'une *pousada* et les chambres sont confortables. Si vous y séjournez plus de 3 nuits consécutives en haute saison, vous bénéficierez d'une remise de 1 500 ESC par jour.

Le bar fait également discothèque.

Se restaurer

Pioneiro. Av. Manuel Barros. ∅ **22/63-29-12**. Réservation nécessaire. Plats 1 800-2 000 ESC. CB. Mar.-dim. 12 h-15 h et 19 h-22 h. Fermé du 15-30 sept. *Portugais, régional.*

C'est un très bon restaurant de front de mer où l'on peut savourer une cuisine régionale et des fruits de mer en regardant l'océan, le tout pour un prix raisonnable. Attention, les fruits de mer sont vendus au poids, au prix du marché. Le chef prépare également un excellent chevreau rôti et une recette régionale de tripes.

4. Ofir et Fão

À 46 km au nord de Porto, 363,5 km au nord de Lisbonne, 35 km à l'ouest de Braga

En sortant de la forêt de pins d'Ofir, la vue s'ouvre sur une langue bande de sable et de dunes en contrebas. Ofir est considérée comme l'une des meilleures stations balnéaires entre Porto et Viana do Castelo et la plage est magnifique à toute époque de l'année. Selon une légende, les roches blanches qui la ferment se sont formées après qu'on eut retrouvé les fougueux chevaux du roi Salomon noyés sur la plage.
Si les hôtels d'Ofir offrent tout le confort, la boutique la plus proche est à Fão, à un peu plus de 2 km à l'intérieur des terres, sur l'estuaire du Cávado. Ce village pittoresque, coincé entre les montagnes et la rivière, semble bien loin de l'animation d'Ofir. Les *sargaceiros* (« cueilleurs de sargasses »), vêtus de tuniques en futaine, ratissent le rivage pour ramener les algues qui sont principalement utilisées comme engrais. Pour le déjeuner, si cela vous tente, n'hésitez pas à goûter les sardines grillées en vente sur les quais.

Informations pratiques

COMMENT S'Y RENDRE

En train Il n'y a aucune liaison directe pour Fão ou Ofir. Il faut prendre un train pour Póvoa do Varzim, à 14 km au sud, et continuer en bus.

En bus Depuis Porto, 3 ou 4 bus par jour partent de l'**Autoviação do Minho**, Praceto Regulo Maguana (∅ 253/200-61-21). Le trajet dure à peine plus d'une heure.

En voiture À Póvoa do Varzim, prendre la N30 vers le nord.

INFORMATIONS TOURISTIQUES

L'**office du tourisme** le plus proche est celui d'Esposende, avenida Arantes de Oliveira, Esposende (∅ 253/96-13-54), sur la rive du Cávado opposée à Ofir et Fão.

Se loger et se restaurer

Estalagem Parque do Rio. Apdo. 1, Ofir, 4740 Esposende. ∅ **253/98-15-21**. Fax 253/98-15-24. www.parquedorio.pt. 36 chambres. TV CLIM. Tél. Double ou suite 8 600-14 850 ESC. Petit déjeuner continental compris. CB. Restaurant fermé nov.-mars. Parking gratuit.

C'est le premier hôtel moderne en bordure du Cávado. Situé dans une pinède à 5 minutes de la plus grande plage, il possède aussi 2 piscines. Les chambres sont petites mais élégantes et dotées de balcons individuels. Cet hôtel conçu pour des séjours de plusieurs jours propose de nombreuses occupations. Le restaurant dispose d'une belle salle à manger et sert de la cuisine régionale de 12 h à 15 h et de 20 h à 21 h 30. Le menu est à 2 650 ESC par personne.

Hôtel Ofir. Av. Raul de Sousa Martins, Ofir, 4740 Esposende. ∅ **253/989-800**. Fax 253/981-871. 200 chambres. TV CLIM. Tél. Double 15 000 ESC ; suite 24 000 ESC. Petit déjeuner (buffet) compris. CB. Parking gratuit.

Cet hôtel n'a rien à envier à ceux des plus grandes stations balnéaires de l'Algarve. Il se divise en trois parties. La partie centrale, la plus ancienne, regroupe les chambres qui sont toutes élégamment meublées de reproductions de meubles régionaux. Les deux ailes adjacentes sont de facture moderne. Tout est orienté vers le front de mer et l'activité principale est sans conteste le bronzage. Le restaurant sert de la cuisine portugaise. Il y a un menu à 3 000 ESC, mais vous pouvez également manger à la carte. L'hôtel est une station balnéaire à lui tout seul, avec diverses piscines, de multiples terrains de jeux, des courts de tennis, et un bowling. Il y a également un club de golf à proximité. **Services** : room service, blanchisserie, baby-sitting.

Les régions du Minho et du Trás-os-Montes

Le Minho, au nord-ouest du Portugal, commence à quelque 40 kilomètres au nord de Porto et remonte jusqu'à la frontière espagnole. Les Portugais du Minho et les Espagnols de Galice parlent le même dialecte : ce sont des descendants des Celtes et ils se ressemblent étonnamment. Les riches terres verdoyantes des vallées du Minho, de l'Ave, du Cávado et du Lima sont séparées par des plateaux de granit qui ont pourvu à la construction des citadelles et des églises de Braga et de Guimarães ainsi que des plus petites fermes et maisons de village. Sur ces terres où chaque lopin est exploité, on s'étonne de trouver encore d'épaisses forêts de châtaigniers et de cèdres. Dans cette région, il est facile d'aller de village en hameau, de *pousada* en *pousada* au gré du vent et de vos fantaisies. Les villes les plus connues de la région – Viana do Castelo, Guimarães et Braga – ne sont au fond que des bourgs de province où passent encore des charrettes tirées par une paire de bœufs bruns, tachetés, pareils à ceux qui sont représentés dans l'artisanat local, les célèbres céramiques et les poteries du Minho et surtout de celles de Viana do Castelo. Les *festas* religieuses attirent encore les foules qui défilent dans les rues en costumes traditionnels, les femmes portant des jupes en laine et des tabliers brodés de motifs floraux et géométriques, leur corsage retenu par des broches filigranées. Le Minho est le berceau de la nation, c'est de là qu'est parti Alphonso Henriques, le premier roi portugais, pour reconquérir le Sud sur les Maures. Les châteaux forts qui longent la frontière racontent l'histoire des relations houleuses avec l'Espagne et de nombreuses forteresses, surveillant la mer au loin, dominent encore les villages côtiers.

Pour visiter la région du Minho, il est mieux d'atterrir à Porto (voir chapitre 12). La voiture est le meilleur moyen de visiter le nord du Portugal, surtout si vous avez peu de temps. Les sites les plus importants sont également accessibles en bus ou en train.

À l'opposé, l'extrême nord-est du Portugal – le Trás-os-Montes, l'« Au-delà-des-monts » – est une région pauvre et aride qui part du sud de l'Alto Douro, à Lamego, et s'étend vers le nord-est jusqu'à l'Espagne. Les villes importantes du Trás-os-Montes sont Bragança et Vila Real. La campagne alterne pics rocheux et vallées profondes qui s'enfoncent dans les hauts plateaux arides des Serra do Marão et Serra do Gerês. Les villages aux maisons de granit ou de schiste argileux se nichent dans les vallées, où les terres irriguées de nombreux cours d'eaux sont plus fertiles. La vallée du Tămega est célèbre, depuis l'époque romaine, pour ses sources thermales. Cette terre, riche d'histoire et de tradition, vous entraînera de châteaux médiévaux en dolmens, de piloris effrayants en églises magnifiques.

Le Trás-os-Montes est accessible en train depuis Porto. Il y a une liaison avec Régua, une gare proche de Lamego, porte d'entrée de ce qu'on appelle le *Pais do Vinho*, où sont cultivées les vignes qui ont fait la réputation mondiale de Porto. De là vous pouvez redescendre le long du fleuve jusqu'à Lamego, dans la province de Beira Alta.

Explorer la région en voiture

Premier jour Vous pouvez par exemple explorer les sites de **Guimarães**, à 48 km au nord-est de Porto et passer la nuit sur place dans l'une des deux *pousadas*.

Deuxième jour Vous pouvez vous diriger vers Braga en prenant d'abord la N101 ; à 8 km de Guimarães, tournez à droite au panneau indiquant Caldas das Taipas. Cette route vous mènera aux ruines de la **Citania de Briteiros**, citadelle vraisemblablement celtique qui daterait de 300 av. J.-C. et aurait été la dernière place forte celte à résister à l'invasion romaine. Les murs et les caves de quelque 150 habitations ont été excavés et le plan de la ville est encore lisible.

De là, vous pouvez retourner jusqu'à la N101 et la prendre jusqu'à **Braga**, à 14,5 km au nord, où après avoir visité la ville, vous pourrez passer la nuit.

Troisième jour En partant de Braga, prenez la N103 vers l'ouest jusqu'à la petite ville de **Barcelos**, célèbre pour son marché. Vous trouverez également des produits artisanaux de qualité au Centro Artesanato. En quittant Barcelos, reprenez la N103 vers le nord-ouest, jusqu'à **Viana do Castelo**, où vous pourrez passer la nuit.

Quatrième jour À partir de Viana do Castelo, vous pouvez rayonner et explorer le nord de la région du Minho. La N13 remonte la côte vers le nord. La route traverse plusieurs petits villages, qui ont souvent de belles plages, et quelques petites stations balnéaires comme **Vila Praia de Âncora** et **Moledo**. La petite ville de **Caminha**, sur les rives du Minho, marque la frontière avec l'Espagne, l'ennemi d'autrefois.

À **Vila Nova de Cerveira**, à 7,5 km en amont du fleuve, vous souhaiterez peut-être vous arrêter déjeuner à la **Pousada Dom Diniz**, praça da Liberdade, 4920 Vila Nova de Cerveira (℘ 251/70-81-20), installée dans plusieurs bâtiments du château médiéval près de la rivière, le Minho. L'histoire de cette auberge remonte à 1321, date à laquelle Denis Ier lui accorda sa charte. On y sert un déjeuner ou un dîner régional pour 3 650 ESC. Les chambres sont installées dans les remparts et on y accède par une massive porte en arc brisé. Les chambres doubles sont à 16 500 ESC.

Ensuite, vous pouvez continuer vers le nord, jusqu'à **Valença do Minho**, à 14,5 km, important poste frontière avec l'Espagne. Le mur d'enceinte de cette ancienne place forte au système défensif inspiré par Vauban est quasiment intact. De là, vous pouvez continuer vers le nord sur la N101 pendant 16 km, jusqu'à **Monção**, une ancienne place forte du XIIIe siècle qui domine le Douro.

Au sud de Monção, la N101 descend vers la vallée de la rivière, la Vez, jusqu'à **Arcos de Valdevez**, à quelque 35 km de là. Cette charmante petite ville au bord de l'eau incite à une courte promenade, avant de reprendre la route jusqu'au **Lima**, l'une des

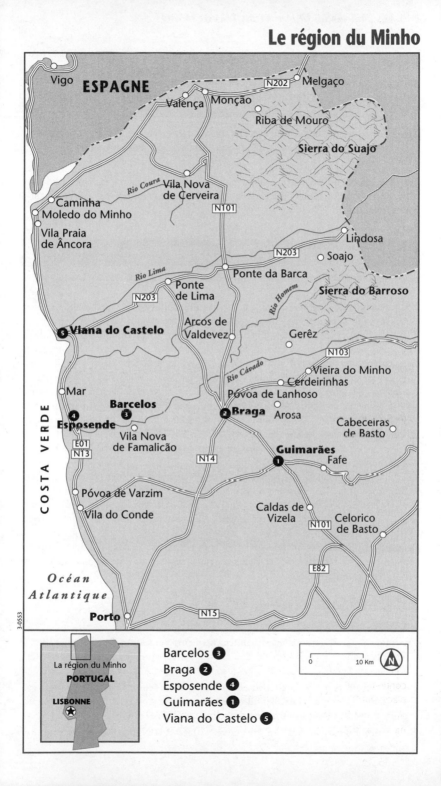

Le région du Minho

Vigo

ESPAGNE

N202 Melgaço

Valença Monção

Riba de Mouro

Sierra do Suajo

Rio Coura

Caminha
Moledo do Minho

Vila Nova
de Cerveira

N101

Vila Praia
de Âncora

Lindosa

N203 Soajo

Rio Lima

Ponte da Barca

Ponte
de Lima

Sierra do Barroso

N203

Arcos de
Valdevez

Rio Homem

5 **Viana do Castelo**

Gerêz

N103

Rio Cávado

Vieira do Minho

Mar

Cerdeirinhas

Póvoa de Lanhoso

Barcelos
3

2 **Braga**

Arosa

Cabeceiras
de Basto

4
Esposende

COSTA VERDE

Vila Nova
de Famalicão

E01
N13

N14

Guimarães
1

Fafe

Póvoa de Varzim

Vila do Conde

Caldas de
Vizela

Celorico
de Basto

N101

E82

*Océan
Atlantique*

Porto

N15

3-0553

La région du Minho

PORTUGAL

LISBONNE

Barcelos **3**

Braga **2**

Esposende **4**

Guimarães **1**

Viana do Castelo **5**

0   10 Km   N

plus jolies rivières du Portugal, à moins de 5 km au sud. Continuez ensuite sur la N203 en direction du sud pendant 18 km environ, jusqu'à Ponte da Barça, où vous verrez un pont du XVIe siècle, et **Ponte de Lima**. Si vous souhaitez passer votre dernière nuit dans la région à Viana do Castelo, c'est à 22,5 km à l'ouest de Ponte de Lima.

Si vous avez 2 jours de plus, vous pouvez visiter le Trás-os-Montes.

Cinquième jour Sortez de Porto vers l'est, par l'autoroute A4 en direction d'Amarante. De là, continuez vers l'est sur la N15, jusqu'à Vila Real, où vous souhaiterez peut-être passer la nuit.

Sixième jour Vous pouvez passer la matinée à Bragança, dans l'extrême nord-est du pays. Prenez la route E82 en direction du nord-est. Vous pourrez passer la nuit à Guimarães.

1. Guimarães

À 54 km au nord-est de Porto, 69 km au sud-ouest de Viana do Castelo, 364 km au nord de Lisbonne.

Nichée au pied de *serras*, Guimarães a conservé des allures de ville médiévale. Première capitale et littéralement berceau du pays, c'est ici que naquit, vraisemblablement en 1109, Alphonso Henriques, fils d'Henri de Bourgogne et de l'infante Thérèse, fille de Léon de Castille, qui avait apporté dans sa dot le comté de Portucale dont les terres s'étendaient alors entre le Minho et le Douro, Porto inclus. Henri de Bourgogne mourut deux ans après la naissance de son fils et Thérèse assura la régence. Ayant pris pour amant un comte de Galice, elle se vit reprocher de resserrer les liens avec l'Espagne, son pays natal, et perdit rapidement la confiance de ses sujets. Son propre fils, Alphonso Henriques, très tôt révolté contre la régence, finit par destituer Thérèse en 1128. Victorieux à la bataille d'Ourique contre les Maures en 1139, il se proclama roi du Portugal en 1140, avant de briser ses liens avec Léon et la Castille. L'Espagne reconnut le nouveau royaume 1143.

Guimarães est également la ville natale de Gil Vicente (1470?-1536?), auteur de farces et de comédies, père du théâtre portugais. Après avoir exercé la profession d'orfèvre, le Molière portugais se fit connaître comme l'auteur dramatique le plus admiré des cours de Jean II et de Manuel Ier. Il est également connu pour avoir fondé un genre nouveau de théâtre religieux.

Aujourd'hui Guimarães est une petite ville au commerce florissant. Elle est surtout réputée pour ses tanneries, ses coutelleries, et ses filatures de cotons, mais aussi pour ses orfèvres et autres artisans.

Informations pratiques

COMMENT S'Y RENDRE

En train Il y a 15 liaisons quotidiennes entre Porto et Guimarães. Le trajet dure 2 heures et l'aller simple coûte 500 ESC. Pour vous procurer les horaires, appelez le T 251/41-23-51.

En bus Plusieurs bus par jour assurent la liaison entre Guimarães et Braga (voir section 2 de ce chapitre). Le trajet dure 1 heure et l'aller simple de Braga à Guimarães coûte 365 ESC. Pour **information**, appelez le ∅ 253/41-26-46.

En voiture En partant de Porto, prenez la N105-2 et la N105 en direction du nord-ouest.

INFORMATIONS TOURISTIQUES

L'office du tourisme de Guimarães est situé av. da Resistência ao Fascismo 83 (∅ 253/51-51-23).

Sites et monuments

EXPLORER LA VILLE

La **rua de Santa Maria** vous ferait remonter le temps jusqu'au Moyen Âge, s'il n'y avait ces accents de musique pop échappés parfois de quelque vénérable bâtisse. À part ça, rien n'a changé. Les façades vont des plus simples aux plus richement écussonnées et les balcons en ferronnerie se cachent sous des masses de fleurs ou de linge.

La rue se termine sur un joli square, le **largo da Oliveira**, qui forme un bel ensemble médiéval. L'oratoire gothique, face à l'église, composé de quatre arches en ogive, marquerait l'endroit exact où Wamba a planté son bâton avant d'accepter le titre de roi des Goths. La légende dit qu'il avait soumis son acceptation du titre à la condition de voir son bâton prendre racine. Sitôt planté, il se couvrit de feuilles et Wamba devint roi.

C'est au **château de Guimarães**, rua Dona Teresa de Noronha, qu'est né Alphonso Henriques. Les tours crénelées de ce château construit au Xᵉ siècle semblent encore monter la garde sur le magnifique territoire qui s'étend à leur pied. Pour obtenir de plus amples informations, prenez contact avec le personnel du Paço dos Duques (∅ 253/41-22-73). Dans le parc, à l'ombre du château, sur dresse l'église romane de **São Miguel de Castelo** (XIIᵉ siècle), où Alphonso Henriques a été baptisé. Les heures d'ouverture de l'église sont irrégulières ; le château est ouvert du mardi au dimanche de 9 h à 19 h. L'entrée est gratuite, mais l'accès au donjon est payant.

Paço dos Duques de Bragança. Av. do Conde Dom Henrîque. ∅ **253/41-22-73**. Entrée 400 ESC, gratuite pour les moins de 15 ans. Tlj. 9 h-19 h.

Le palais des ducs de Bragance est visible depuis le château. Ce palais construit au XVᵉ siècle a été lourdement restauré, au point d'alarmer les puristes. La visite guidée est toutefois intéressante. Les grandes salles sont richement décorées. Outre un portrait de Catherine de Bragance, vous y verrez de belles porcelaines orientales et des tapisseries provenant des grands ateliers européens. La chapelle abrite les trônes du duc et de la duchesse de Bragance. À la sortie du parc, vous verrez une statue d'Alphonso Henriques, en armure et le sabre à la main.

Igreja de São Francisco. Largo de São Francisco. ∅ **253/51-25-07**. Entrée gratuite. Mar.-dim 9 h-12 h et 15 h-16 h 30.

Lorsqu'on passe le portail gothique de l'église de São Francisco, on est saisi par la richesse de la décoration intérieure et les murs tapissés d'*azulejos*. Dans le transept, à droite de l'autel, vous découvrirez une maquette représentant minutieusement l'intérieur de la salle à manger d'un cardinal. Sur l'autel de l'une des chapelles, vous verrez également une magnifique représentation de la Vierge des douleurs.

Museu de Alberto Sampaio. Rua Alfredo Guimarães. ∅ **253/41-24-65**. Entrée 250 ESC, gratuite pour les moins de 15 ans. Mar.-dim., sauf jours fériés, 10 h-12 h 30 et 14 h-17 h 30.

Le musée Alberto Sampaio est installé dans l'ancien couvent da Oliveira et dans son cloître roman. Le clou de sa collection est la tunique matelassée qui aurait été portée par Jean Iᵉʳ lors de la bataille d'Aljubarrota, qui permit d'écarter les prétentions espagnoles sur le Portugal. Le musée possède également une magnifique collection d'orfèvrerie, des céramiques et quelques très belles sculptures médiévales. Vous y verrez aussi une très belle fresque représentant Salomé, et les revêtements en bois sculptés du chœur d'une chapelle baroque.

Shopping

Dans le quartier historique, empruntez la magnifique **rua de Santa Maria**, où vous trouverez des boutiques de souvenirs et d'artisanat, notamment de bois sculpté, de dentelle, de céramique et de linge de maison brodé. La rue la plus commerçante de la ville est la **rua Gil Vicente**, mais ses magasins s'adressent plutôt à la population locale. L'**Artesanato de Guimarães**, rua Paio Galvão (∅ 253/51-52-50) est une boutique d'artisanat parrainée par la ville où est exposé (et vendu) le travail des artisans de la région.

Se loger

Fundador Hotel. Av. Dom Afonso Henrîques 740, 4800 Guimarães. ∅ **253/51-37-81** Fax 253/51-37-86. 63 chambres. TV CLIM. Minibar Tél. Double 13 000 ESC. Petit déjeuner compris. CB. Parking gratuit.

Cet hôtel est la seule tour moderne de la ville. Les chambres sont petites, confortables et fonctionnelles, mais elles n'ont pas le charme de celles des *pousadas*. Le service est impeccable et le bar sur le toit sert des en-cas.

Pousada de Nossa Santa Maria da Oliveira. Rua de Santa Maria, 4800 Guimarães. ∅ **253/51-41-57** Fax 253/51-42-04. 16 chambres. TV CLIM. Tél. Double 24 600 ESC ; suite 30 500 ESC. Petit déjeuner compris. CB. Parking gratuit.

L'atmosphère y est plus calme et plus chaleureuse qu'à l'autre *pousada* de la ville, Santa Marinha da Costa, qui est plus grande. Cet établissement est installé dans un ensemble de maisons du XVIᵉ siècle qui ont pour la plupart gardé leur caractère originel. La ruelle qui mène à l'auberge est si étroite que vous devrez laisser votre voiture sur le parking (gratuit) à environ 300 m. Les chambres de façades sont assez spacieuses, mais celles de l'arrière sont plus petites. Elles sont décorées de tissus et de tapis locaux ; les plafonds sont en bois. La salle à manger, réchauffée par une belle cheminée, donne sur une jolie placette. **Restauration** : le restaurant sert une cuisine régionale, tous les jours de 12 h 30 à 15 h 30 et de 19 h 30 à 22 h. Les spécialités sont le bœuf à la *pousada*, la fondue pour deux ou le bœuf et le veau flambés. **Services** : room service, blanchisserie, baby-sitting.

✪ Pousada de Santa Marinha da Costa. Costa, 4800 Guimarães. ∅ **253/51-44-53** Fax 253/51-44-59. 51 chambres. TV CLIM. Minibar Tél. Double 31 000 ESC ; suite 51 000 ESC. Petit déjeuner compris. CB. Parking gratuit.

Cette *pousada*, dont les fondations datent du XIIᵉ siècle, est l'une des plus impressionnantes du Portugal. Cet ancien couvent a été fondé en 1154 par Thérèse, la mère d'Alphonso Henriques, mais sa façade a été remaniée au XVIIIᵉ siècle. On a en outre ajouté des fontaines et remodelé l'intérieur. On dit encore la messe le dimanche dans la chapelle manuéline qui occupe une partie du bâtiment. La propriété est située à un peu plus de 2 km au nord du centre-ville, sur la N101-2, au bout d'une petite route tortueuse. C'est bien indiqué. Prenez le temps de visiter les salles supérieures et les jardins. L'une des plus belles pièces est un vaste salon meublé, mais peut-être préférerez-vous l'une des salles où l'on entend couler les fontaines. Les chambres sont plaisantes et allient l'ancien et le moderne. Celles qui sont situées dans l'aile moderne disposent de la climatisation. L'hôtel accueille de nombreuses conférences. Restauration : les trois restaurants servent une cuisine quelconque. Ouverts de 12 h 30 à 15 h et de 19 h 30 à 22 h. Un bar est installé en contrebas dans l'antichambre de la salle à manger voûtée. Services : room service, blanchisserie.

Se restaurer

La plupart des visiteurs prennent leurs repas dans l'une des deux *pousadas* décrites ci-dessus. Le restaurant de la Pousada de Nossa Santa Maria da Oliveira sert une cuisine régionale plus intéressante et de meilleure qualité.

El Rei. Praça de São Tiago 20. ∅ **253/41-90-96.** Plats 1 150-2 500 ESC ; menu touristique 2 450 ESC. CB. Lun.-sam. 12 h-15 h et 19 h-23 h. *Régional, Minho.*

Bien situé, au cœur du quartier médiéval, ce petit restaurant donne sur l'arrière de l'ancienne mairie et sur la Pousada de Nossa Santa Maria da Oliveira. La clientèle est essentiellement locale et on y sert de bons poissons et des viandes en sauce, du porc et de la morue. Le service est efficace, mais quelquefois un peu rapide.

Mirapenha. Estrada de Fafe. ∅ **253/51-65-32.** Plats 1 200-1 800 ESC. Pas de carte de crédit. Tlj. 12 h-14 h et 19 h-21 h. *Portugais.*

Ce restaurant typique à un peu moins d'un kilomètre du centre-ville propose une excellente cuisine locale. Ses spécialités sont notamment la *bacalhau* (morue) à l'huile d'olive et aux légumes, et le *bife* (steak) parfumé à l'ail et braisé au vin rouge.

Vie nocturne

Le centre-ville regorge de tavernes pittoresques, notamment le long de la **rua Gil Vicente** et de la **rua de Santa Maria**. Si vous voulez danser aux rythmes les plus endiablés du nord du Portugal, il vous faudra conduire environ 5 km vers l'est, pour vous rendre au **Penha Club** (∅ 253/51-44-60), de l'autre côté de la montagne qui surplombe la ville. Il n'y a pas d'adresse précise, mais la discothèque est bien indiquée depuis le centre-ville. Vous pouvez également essayer le **Seculo XIX**, localidade da Universidade (∅ 253/41-88-99), sur le modèle d'une taverne ancienne, où l'on entend de la très bonne musique et la **Discoteca Tras-Tras**, rua Gil Vicente (∅ 253/41-69-85), qui attire une clientèle plus jeune.

2. Braga

À 54 km au nord de Porto, et 368 km au nord de Lisbonne

Partout où vous poserez les yeux à Braga, vous verrez une église, un palais, un jardin ou une fontaine. Les rues de cette ville, fondée par les Romains sous le nom de Bracara Augusta, ont résonné sous les pas de tous les conquérants, Suèves, Wisigoths et Maures. Ville pieuse depuis toujours, longtemps gouvernée par des archevêques, c'est elle qui aurait vu les Wisigoths renoncer à leurs hérésies. Si elle reste attachée à ses traditions, Braga n'en est pas moins une ville moderne où le commerce prospère à l'ombre de la cathédrale. On y fabrique notamment des matériaux de construction, des savons, des ustensiles ménagers et des articles en cuir. Braga compte aujourd'hui 65 000 habitants qui se bousculent dans ses rues animées et pour lesquels la municipalité construit des quartiers entiers d'appartements. La circulation en voiture y est particulièrement difficile. La vie nocturne de Braga est animée par les étudiants de l'université du Minho, au point de rivaliser avec Lisbonne. Mais Braga est surtout une capitale religieuse et vous y verrez les plus belles processions de la Semaine sainte (*Semana Santa*). C'est aussi l'une des villes les plus conservatrices du Portugal. C'est d'ici que fut lancé en 1926 le coup d'État à l'origine de la longue dictature de Salazar.

Informations pratiques

COMMENT S'Y RENDRE

En train La **gare** est située sur le largo da Estação (∅ 253/27-85-52). Il y a 13 liaisons quotidiennes avec Porto. Le trajet dure 1 h 30 et l'aller simple coûte 520 ESC. Il y a 12 liaisons quotidiennes avec Coimbra. Le trajet dure 4 heures et l'aller simple coûte 1 150 ESC. 11 trains par jour assurent la liaison avec Viana do Castelo. Le trajet dure 2 heures et l'aller simple coûte 490 ESC.

En bus La **gare routière**, Central de Camionagem (∅ 253/61-60-80), est située à quelques rues au nord du centre-ville. Il y a 1 bus toutes les demi-heures en provenance de Porto ; le trajet dure 1 h 30 et l'aller simple coûte 900 ESC. Il y a 6 bus par jour en provenance de Guimarães ; le trajet dure 1 heure et l'aller simple coûte 520 ESC. Il y a 4 liaisons quotidiennes avec Lisbonne ; le trajet dure 8 h 30 et l'aller simple coûte 2 200 ESC.

En voiture Depuis Guimarães (voir la section précédente), prenez la N101 en direction du nord-ouest.

INFORMATIONS TOURISTIQUES

L'office du tourisme de Braga est situé av. da Liberdade 1 (∅ 253/26-25-50).

Visites et activités

EXPLORER LA VILLE

Sé (Cathédrale). Sé Primaz. ∅ 253/26-33-17. Entrée gratuite à la cathédrale ; 300 ESC pour le musée et le trésor ; gratuit pour les moins de 10 ans. Tlj. 8 h 30-18 h 30.

La ville s'est construite autour de sa cathédrale, fondée au début du XIIe siècle par Henri de Bourgogne et l'infante Thérèse. Même si Thérèse fut exilée de Braga suite à sa liaison avec un comte espagnol, son corps repose près de celui de son époux, Henri, et on peut voir leur mausolée dans la chapelle des Rois.

La Sé a connu de nombreux remaniements au cours des siècles. La façade nord, avec son arche romane flanquée de deux arches gothiques de plus petites dimensions, paraît austère. Les clochers de chaque côté de la façade sont comme coiffés de squelettes de coupoles. Ils encadrent une niche ornementée qui abrite une statue de la Vierge et de l'Enfant plus grande que nature. Dans l'abside, sous un baldaquin sculpté, vous verrez la Vierge allaitant l'Enfant. Cette œuvre gothique exprime plus de retenue et de piété que le style manuélin dont elle est inspirée.

Dès que vos yeux seront habitués à l'obscurité qui règne à l'intérieur, vous serez saisi par la richesse de la décoration. Remarquez, par exemple, les orgues dorés du XVIIIe siècle et les fonts baptismaux. Dans la Capela da Glória construite en 1330, vous verrez le tombeau de l'archevêque Dom Gonçalo Pereira.

Vous pouvez également visiter le **Trésor de la cathédrale** et le **Muséu da Sé Catedral**, où sont exposées les œuvres les plus précieuses de Braga : des vêtements brodés du XVIe au XVIIIe siècle, une statue de la Vierge du XVIe siècle et un calice manuélin. L'ostensoir en argent et en or, paré de diamants, appartenait à Dom Gaspar de Bragança. Vous pourrez en outre voir une pietà dans le cloître, reconstruit au XVIIIe siècle.

Museu dos Biscainhos. Rua dos Biscainhos. ∅ 253/61-11-49. Entrée 400 ESC, gratuite pour les moins de 15 ans. Mar.-dim. 10 h-12 h 15 et 14 h-17 h 30, sauf jours fériés.

Le musée est installé dans le Palácio dos Biscainhos, construit au XVIIIe siècle pour une famille noble. Le tracé des jardins est resté identique. Les murs du palais sont tapissés de céramiques, les plafonds sont richement ornementés, les pièces sont ornées de beaux spécimens du mobilier indo-portugais. Le musée possède également une jolie collection d'argenterie et de porcelaine.

✪ Bom Jesús do Monte. Sur la N103 à environ 5 km au sud-est de Braga. ✆ 253/67-66-36. Entrée gratuite. Tlj. 8 h-20 h.

Pour monter au sanctuaire de Bom Jesús do Monte, vous pouvez grimper l'escalier monumental, prendre le funiculaire (100 ESC), ou monter en voiture une route bordée d'arbres. L'escalier baroque à double rampe en granit date du XVIIIᵉ siècle. On raconte que les pèlerins le montaient souvent à genoux. Moins élaboré que l'escalier des Remédios à Lamego, l'escalier de Bom Jesús n'en est pas moins impressionnant. Les paliers sont agrémentés de petites chapelles, de jardins, de grottes, de sculptures et de fontaines.

CAMPING ET RANDONNÉES À PONEY

Le **Parque Nacional da Peneda-Gerês**, qui doit son nom aux deux serras qui l'encadrent, s'étend à cheval sur le Minho et le Trás-os-Montes. Ouvert en 1971, ce parc, traversé du nord au sud par le Lima, est l'un des plus beaux sites de randonnée du Portugal. On peut déplorer le manque d'infrastructure et l'absence de cartes détaillées, mais des randonnées à pied et à poney, avec bivouac, sont organisées. Vous pouvez obtenir des renseignements en appelant l'**administration du parc**, ✆ 253/20-34-80. Parmi les organisateurs de randonnée les plus réputés, nous citerons **Avic Tours**, rua Gabriel Pereira de Castro, Braga (✆ 253/27-03-02).

SHOPPING

C'est à l'**office du tourisme** (voir « Informations pratiques », ci-dessus) que vous trouverez le meilleur choix d'artisanat du nord du Portugal : le linge de maison et les damassés, les poteries, les céramiques, et les objets en bois sculpté.

Si cela vous intéresse, dans le village de Sanpaio Merelim, à environ 4 km de la ville en direction de Prado, il est possible de visiter des manufactures de lin où l'on fabrique du linge de maison de qualité exceptionnelle, notamment celles d'**Edgar Duarte Abreu**, Sanpaio Merelim (✆ 253/62-11-92).

Se loger

Hotel João XXI. Av. João XXI 849, 4700 Braga. ✆ 253/61-66-30 Fax 253/61-66-31. 28 chambres. TV, Tél. Double 7 500-10 000 ESC. Petit déjeuner compris. CB. Quelques places de parking gratuites réservées dans la rue.

Ce bon hôtel de moyenne gamme est installé sur une avenue ombragée qui mène à Bom Jesús do Monte, juste en face du meilleur hôtel de Braga. Les chambres sont de taille moyenne et si le décor est chaleureux, l'accent est mis sur l'efficacité. Le décor des chambres est moderne mais la salle de réception est de style Louis XVI. Le mobilier et la cheminée font de cette pièce un espace de convivialité. Le restaurant, situé au 6ᵉ étage, sert le petit déjeuner et le dîner.

Hotel Turismo de Braga. Praçeta João XXI, av. da Liberdade, 4700 Braga. ✆ 253/61-22-00 Fax 253/61-22-11. 128 chambres. TV, CLIM. Tél. Double 14 000 ESC ; suite 20 000 ESC. Petit déjeuner compris. CB. Parking 800 ESC.

C'est le meilleur hôtel d'une ville qui ne brille pas par ses hôtels. Face à un jardin fleuri, près d'une arcade qui abrite quelques cafés, le Turismo de Braga est installé dans un immeuble de 11 étages construit dans les années 1950, qui respire le confort. Il occupe deux étages. Les chambres sont de taille moyenne et toutes dotées d'un balcon qui ouvre malheureusement sur la rue. Les murs des chambres sont tapissés de céramiques bleu et blanc jusqu'à mi-hauteur, les meubles sont assez quelconques mais néanmoins confortables. Vous trouverez également une piscine sur le toit et un snack bar au 8ᵉ étage. L'immeuble se dresse malheureusement à un carrefour très fréquenté de l'un des quartiers de Braga les plus peuplés. Il y a un bar et un restaurant aux murs tapissés de panneaux de bois.

À Bom Jesús do Monte

✪ **Castelo do Bom Jesús.** Bom Jesús do Monte, 4710 Braga. ∅ 253/67-65-66 Fax 253/67-76-91. www.castello.bom.jesus.com. Mél : charmhotels@mail.telepac.pt. 13 chambres. TV CLIM. Tél. Double 12 000-16 800 ESC ; suite 30 000 ESC. Petit déjeuner compris. CB. Parking gratuit.

Ce manoir du XVIIIᵉ siècle transformé en hôtel de luxe est bien sûr le meilleur choix. La vue domine Braga, qui se dessine aux confins du parc privé soigneusement entretenu, agrémenté d'un vaste lac parsemé d'îles. Le bâtiment se dresse au milieu d'une exubérante flore tropicale et les chambres, individuellement décorées en style d'époque, sont ornées de riches draperies. La suite nuptiale avait été choisie pour sa maîtresse par le roi Charles. À quelques pas de là, une cave régionale organise des soirées de dégustation de vins. Le petit déjeuner est servi dans la salle à manger ovale, décorée de fresques. Il est possible, en prévenant à l'avance, de se faire servir à dîner ou à déjeuner. L'hôtel possède une piscine et peut vous faciliter la location de barques ou de chevaux ainsi que l'accès à des courts de tennis.

Hotel do Parque. Bom Jesús, Tenões, 4710 Braga. ∅ 253/67-65-48 Fax 253/67-66-79. 49 chambres. TV CLIM. Minibar Tél. Double 16 500 ESC ; suite 24 000 ESC. Petit déjeuner compris. CB. Parking gratuit.

Cette villa construite au tournant du siècle est devenue un hôtel confortable aux chambres toutefois un peu petites. Le décor est classique et les lieux sont bien tenus. Le restaurant sert à dîner une cuisine du Minho et de France. Il y a un bar ainsi qu'un agréable salon avec une cheminée.

À l'est de Braga

Casa de Requeixo. Frades, 4830 Póvoa de Lanhoso. T 253/63-11-12 Fax 253/63-64-99. 103 chambres. Double 10 000 ESC. Petit déjeuner continental compris. Pas de cartes de crédit. Parking gratuit. Sur la N103 qui va de Braga à Chaves, c'est à la borne marquant « 16 km » qui se trouve dans le village de Frades. Vous pouvez également prendre un bus à Braga, en direction de Vendas Novas ou de Chaves.

Frades, près de Póvoa de Lanhoso, à une vingtaine de kilomètres à l'est de Braga, est sans doute l'un des villages les plus charmants de la région. L'hôtel Casa de Requeixo est installé dans une élégante et vaste demeure seigneuriale construite au cours des XVIᵉ et XVIIᵉ siècle. Les chambres sont joliment meublées et disposent toutes d'un salon, d'une salle à manger et d'une cuisine. Cette *quinta*, alliant le charme de l'ancien au confort moderne, est bien située et permet de rayonner dans la région du Minho ou dans le parc national de Peneda-Gerês. Si vous ne souhaitez pas faire la cuisine, vous pouvez dîner au Restaurante Victor ou au Restaurante Gaucho qui servent tous deux de la cuisine portugaise et des vins de la région. L'hôtel sert le café et les digestifs.

Se restaurer

O **Alexandre.** Campo das Hortas 10. ∅ 253/61-40-03. Réservation recommandée. Plats 1 800-2 600 ESC. CB. Tlj. 12 h-15 h 30 et 19 h-23 h. *Portugais.*

Depuis les années 1970, ce petit restaurant attire une clientèle variée allant du maire de la ville aux dignitaires religieux. Au déjeuner, les tables sont occupées par les hommes d'affaires. Les repas sont accompagnés de vins régionaux. Il y a une carte, mais surtout d'excellents plats du jour. Les portions sont copieuses. Parmi les spécialités, nous avons retenu le *cabrito* (cabri) rôti en saison au mois de juin et le *bacalhau* (morue), en saison toute l'année et préparé suivant une infinité de recettes.

O Inácio. Campo das Hortas 4. ✆ **253/61-32-35.** Réservation recommandée. Plats 2 000-3 200 ESC. CB. Mer.-lun. 12 h-15 h 30 et 19 h-22 h 30. Fermé en septembre. *Cuisine régionale portugaise.*

Installé dans un vieil édifice en pierres, O Inácio est le restaurant le plus populaire de la ville depuis les années 1930. Ses murs inégaux et ses vieilles poutres des années 1700 se dressent à l'extérieur des portes de la ville, Arco da Porta Nova. La cave est excellente et on y sert sans doute la meilleure cuisine de Braga. En hiver, un bon feu de cheminée réchauffe ce décor rustique, où sont exposés de vieux jougs et des poteries régionales. La liste des spécialités du jour comprend souvent le *bacalhau à Inácio* (morue), les *papas de sarrabulho* (ragoût régional qui n'est servi que l'hiver), le *bife na cacarola* (rôti de bœuf) et plus rarement du cabri rôti. On y sert également de bons plats de poissons et un dessert inattendu : une omelette soufflée au rhum.

Vie nocturne

Il n'y a pas de discothèque à Braga, mais quelques bars agréables où se retrouvent les jeunes de la ville. Tous voisins, ils occupent l'angle de l'avenida Central et de la praça da República : le **Bar Barbieri** (✆ **253/61-43-81**), le **Café Vianna** (✆ **253/26-23-36**), et le **Café Astoria** (✆ **253/27-39-44**). Ils servent aussi bien du café que des boissons alcoolisées et leurs murs abritent les bavardages de la population locale.

3. Barcelos

À 22,5 km à l'ouest de Braga, 365 km au nord de Lisbonne

Barcelos s'est construite au bord du fleuve, sur un plateau bordé de collines verdoyantes. S'il n'y a rien de particulier à y voir, c'est une ville où il fait bon flâner, longtemps après la fermeture du marché animé qui se tient sur le Campo da República.

Informations pratiques

COMMENT S'Y RENDRE

En train La gare est située avenida Alcaides de Faria (✆ **253/81-12-43**). Il y a 13 liaisons quotidiennes avec Braga. Le trajet dure 1 h 15 et l'aller simple coûte 170 ESC. 15 trains par jour relient Viana do Castelo, un trajet de 1 heure.

En bus La gare routière est située avenida Dr. Sidónio Pais (✆ **253/81-43-10**). Il y a 10 liaisons par jour avec Braga. Le trajet dure une demi-heure et coûte 295 ESC.

En voiture Depuis Braga, prendre la N103 vers l'ouest.

INFORMATIONS TOURISTIQUES

L'**office du tourisme** de Barcelos se trouve Torre da Porta Nova (✆ **253/81-18-82**).

Visite de la ville

Si possible, essayez de visiter Barcelos un jeudi. C'est le jour où le **marché** (de 8 h à 16 h) occupe tout le campo da República, une immense place de près de 450 m² avec une fontaine au centre. L'artisanat local est bien représenté et on y trouve des tapis, des oreillers en plumes, des chandeliers, des ouvrages au crochet, des poteries et bien sûr, des coqs de Barcelos peints à la main, un symbole qui incarne aujourd'hui tout le pays.

Le culte du **coq de Barcelos** vient d'une légende selon laquelle un pèlerin qui allait être injustement exécuté pour vol a affirmé que si le coq rôti que l'on apporterait à la table des juges se mettait à chanter, cela prouverait qu'il n'était pas coupable. Confirmant la bonne foi du pèlerin, l'animal a fait entendre un vaillant cocorico et le pèlerin a retrouvé sa liberté.

Les plus beaux bâtiments de Barcelos sont regroupés autour de l'immense place centrale bordée d'arbres qu'on appelle le *campo*, où se tient la *feira*. La façade XVIIIe siècle de l'**Igreja de Nossa Senhora do Terço** ressemble plus à un palais qu'à l'église d'un couvent de bénédictines. Sa façade majestueuse est percée de niches abritant des statues et surmontée d'un crucifix. Le revêtement d'*azulejos* autour de l'autel baroque est d'une qualité exceptionnelle. On y voit une représentation émouvante de la Cène et des scènes de moines à leurs occupations. L'immeuble du XVIIe siècle, d'allure un peu austère, qui se cache derrière une grille est l'**Hospital da Misericórdia**.

La silhouette octogonale de l'**Igreja do Bom Jesús da Cruz** est plus originale. La balustrade supérieure tout ornementée et le treillage de la fenêtre ronde adoucissent l'austérité des murs. L'intérieur est une magnificence de cristal, de marbre et de dorures. Les horaires d'ouverture ne sont pas fixes, mais l'église est, en règle générale, ouverte tous les jours entre 9 h et 16 h.

Dominant les eaux agitées du Cávado, se dressent les ruines du **Paço dos Condes**, le palais des Comtes, qui date du XVIe siècle. Le site du palais, ainsi que la ville de Barcelos, avait été légué à Nuno Álvares par Jean Ier en reconnaissance de sa bravoure lors de la bataille d'Aljubarrota (1385).

Sur la façade, on peut voir une reconstitution du palais dans toute sa splendeur. Une courte promenade dans les ruines du palais qui abritent maintenant un petit musée archéologique en plein air vous mènera à une jolie fontaine en céramique du XVIIIe siècle. Le **Museu Arqueológico** (pas de téléphone) est ouvert tous les jours de 10 h à 12 h et de 14 h à 18 h. Entrée gratuite. À voir également le **Museu Regional de Cerâmica** (∅ 253/82-47-41) installé dans une salle voûtée du sous-sol, qui retrace l'histoire de la céramique (ne manquez pas le bœuf rouge sang aux cornes en forme de lyre). L'entrée se trouve sur la rua Conego Joaquim Gaiolas. Ouvert du mardi au dimanche de 9 h à 12 h 30 et de 14 h 30 à 17 h 30. Entrée : 270 ESC.

L'ombre de la haute cheminée du palais traverse le vieux pilori qui se dresse au centre de la cour et semble même dépasser le clocher de l'**Igreja Matriz** (église paroissiale), construite face au fleuve. Cette église gothique a subi de nombreux remaniements. L'intérieur est une tapissé d'*azulejos* d'une belle facture et l'autel, à l'époque baroque, s'est chargé de chérubins, de raisins, de feuilles d'or et d'oiseaux.

ARTISANAT

Le ✪ **Centro do Artesanato de Barcelos**, Torre de Porta Nova (∅ 253/81-18-82), regroupe les travaux des meilleurs artisans du nord du Portugal et les vend au meilleur prix. Sa vieille tour sans âge s'élève juste en face de l'église São da Cruz. N'hésitez pas à monter à l'étage. La collection de céramiques des héritiers de Rosa Ramalho justifierait à elle seule qu'on se rende à Barcelos. Rosa Ramalho est une figure importante de la céramique portugaise moderne. Certaines de ses créations témoignent de l'influence de Picasso, d'autres créent un univers fantastique – tout de vert sombre ou de brun – où, par exemple, les nonnes ont des têtes de loups. Vous y verrez également une belle collection de coqs de Barcelos, avec d'intéressantes variations autour du motif traditionnel. L'artisanat local produit également des chandeliers en céramique noire, des bols en poterie pour le *caldo verde*, des oreillers tricotés, des tapis à rayures de couleurs vives faits main et des couvre-lits tissés à la main.

D'autres boutiques d'artisanat et de souvenirs sont rassemblées autour du **largo do Dom António Barroso**.

Se loger

Quinta de Santa Combra. Lugar de Crujães, 4750 Varzea (Barcelos). *Ø* et fax **253/83-45-40**. 6 chambres. TV Tél. Double 10 500 ESC. Petit déjeuner compris. AE uniquement. Parking gratuit.

Dans une aussi petite ville, c'est un bonheur de pouvoir loger dans cette résidence seigneuriale du XVIIIe siècle. À moins de 5 km de Barcelos sur la route de Famalicão, c'est le meilleur « *bed-and-breakfast* » de la région. La *quinta* a conservé un aspect rustique, mais très élégant. Les hauts lits en bois sont calés le long de murs en pierre, sur des sols en carrelage. Au cœur du Minho, cette auberge permet d'imaginer la vie dans les grands domaines d'autrefois. Le manoir a été converti en auberge en 1993.

Se restaurer

Dom António. Rua Dom António Barroso 87. *Ø* **253/81-22-85**. Plats 650-2 500 ESC ; menu touristique 1 500 ESC. CB. Tlj. 9 h-24 h. *Portugais.*

Ce restaurant très populaire a ouvert au milieu des années 1980 dans une maison de ville au cœur du quartier historique. Dans un décor rustique, on vous servira de bonnes soupes campagnardes, ou du *bacalhau Dom António* (la spécialité de la maison, à base de morue, d'oignons et de pommes de terre), du riz aux fruits de mer, du saumon grillé, des steaks, ou de bonnes côtes de porc.

Pensão Bagoeira. Av. Sidónio Pais 495. *Ø* **253/81-12-36**. Réservation nécessaire pour le déjeuner du jeudi midi. Plats 950-2 450 ESC. CB. Tlj. 8 h 30-22 h 30. *Portugais.*

C'est le restaurant le pittoresque et le plus charmant de la ville. Il propose une cuisine locale traditionnelle dans un décor patiné rehaussé de fleurs fraîches et de chandeliers en ferronnerie. Parmi les spécialités, essayez la *feijoada*, plat typique du nord du Portugal à base de haricots et de bœuf, la soupe de légumes frais, le poulet au riz ou encore le ragoût de porc au sang, un plat très apprécié dans la région. Le chef grille également le poisson à la perfection.

Vie nocturne

La vie nocturne de Barcelos se distingue par son calme, mais vous pouvez toutefois prendre un verre au **Café Conciliu**, rua dos Duques de Bragança (*Ø* **253/81-19-75**).

4. Esposende

À environ 20 km au sud de Viana do Castelo, 48 km au nord de Porto, 367 km au nord de Lisbonne

Les dunes et les pinèdes de la station balnéaires d'Esposende sont balayées par la brise de l'Atlantique, tandis que les vaches paissent tranquillement dans les prairies qui bordent le village de pêcheurs qui s'est considérablement développé. Une nouvelle route longe maintenant le front de mer, mais il arrive qu'on y croise encore une charrette tirée par des bœufs. Une large plage de sable fin s'étend sur les deux rives de l'estuaire du Cávado sans cesse parcouru par une flottille de pêcheurs. De récentes fouilles archéologiques ont révélé les ruines d'une ville et d'une nécropole romaines, mais Esposende ne semble pas en avoir pris acte.

Informations pratiques

COMMENT S'Y RENDRE

Le service de train reliant Porto à Esposende va être interrompu prochainement.

En bus Le trajet entre Porto et Esposende dure environ 1 heure et l'aller simple coûte 630 ESC. Pour vous procurer les **horaires**, appelez le ⌀ 253/96-23-69.

En voiture Depuis Porto, prenez l'IC-1 en direction du nord.

INFORMATIONS TOURISTIQUES

L'office du tourisme d'Esposende est situé avenida Arantes de Oliveira (⌀ 253/970-00-00).

Se loger

Estalagem Zende. Estrada Nacional 13, 4740 Esposende. ⌀ 253/96-46-64 Fax 253/96-50-18. 25 chambres. TV CLIM. Tél. Double 6 500-13 000 ESC ; suite 18 000-22 000 ESC. Petit déjeuner compris. CB. Parking gratuit.

Classé parmi les établissements de luxe par le gouvernement, l'Estalagem Zende est situé sur la route principale qui mène à Viana do Castelo, à la sortie d'Esposende. Seul un tiers des chambres, certes bien tenues, sont équipées de minibar. Les meubles ne sont pas neufs, mais n'en sont pas moins confortables et les lits sont bons. **Restauration** : l'hôtel dispose d'un bar à cocktails et d'un restaurant où l'on peut déguster la meilleure cuisine d'Esposende (voir « Se restaurer », ci-dessous). En hiver, la salle est réchauffée par un bon feu de cheminée. **Services** : room service, blanchisserie, solarium.

Hotel Suave Mar. Av. Eng. Arantes e Oliveira, 4740 Esposende. ⌀ 253/96-54-45 Fax 253/96-52-49. 79 chambres. TV CLIM. Tél. Double 8 500-16 000 ESC ; suite junior 12 000-21 000 ESC ; suite 15 000-25 000 ESC. Petit déjeuner compris. CB. Parking gratuit.

Le Suave Mar, hôtel semi-moderne construit au bord du fleuve, attire une clientèle qui ne veut pas payer le prix demandé par les établissements de luxe d'Ofir et Fão (voir chapitre 12). Les chambres, de taille moyenne, sont confortables. La cuisine se distingue parmi les meilleures de la station. Le restaurant, ouvert aux non-résidents, propose une cuisine portugaise et brésilienne, en souvenir des vingt ans que les propriétaires ont passé au Brésil. Les repas sont servis tous les jours de 12 h 30 à 15 h et de 19 h 30 à 22 h.

Se restaurer

Si vous voulez très bien dîner, essayez les restaurants de l'un des hôtels recommandés.

Restaurant Martins. C'est le restaurant de l'hôtel Estalagem Zende, Estrada Nacional 13. ⌀ 253/96-46-64. Plats 1 300-2 200 ESC. CB. Tlj. 12 h-15 h et 19 h-22 h 30. *Portugais.*

Situé au cœur d'Esposende, ce vaste restaurant animé est apprécié pour ses fruits de mer, servis légèrement grillés et parfumés aux herbes et à l'ail. Parmi les autres spécialités, vous trouverez le cabri rôti, le riz aux fruits de mer, plusieurs plats à base de morue et des filets de soles grillés. Les prix sont raisonnables, les produits sont frais et les clients ne manquent pas.

5. Viana do Castelo

À 73 km au nord de Porto, 388 km au nord de Lisbonne, 25 km au nord d'Esposende

Viana do Castelo, nichée au bord de l'estuaire du Lima et au pied d'une série de collines arrondies, compte parmi les villes les plus pittoresques du nord du Portugal. Les roues en bois des charrettes à bœufs résonnent encore sur les pavés de la ville et vous serez peut-être tenté par les bateliers qui proposent des promenades sur le fleuve. Après des années de déclin, la ville se relève et affiche une nouvelle prospérité due, aujourd'hui encore, à la pêche en haute mer et à la construction navale, mais aussi à l'essor du tourisme et au développement de l'artisanat, notamment la céramique et la poterie. Pour le panorama, n'hésitez pas à monter sur le Monte de Santa Luzia, par le funiculaire ou par la route tortueuse. Au sommet, on embrasse toute la ville du regard, ainsi que le pont construit par Alexandre-Gustave Eiffel qui enjambe le Lima. Viana do Castelo se distingue par la qualité de son artisanat et de ses poteries que vous trouverez, par exemple, lors du marché du vendredi. Si vous passez par là aux alentours du 20 août, lors de la Festa de Nossa Senhora de Agonia (fête annuelle de N.-D. d'Agonia), vous pourrez admirer le costume traditionnel local, la couleur des vêtements des femmes et la profusion de colliers et de pendentifs en forme de crucifix.

Informations pratiques

COMMENT S'Y RENDRE

En train La gare est située avenida dos Combatentes da Grande Guerra (℘ 258/82-13-15 pour information). 8 trains par jour arrivent de Porto. Le trajet dure 2 h 30 et l'aller simple coûte 800 ESC.

En bus La gare routière, Central de Camionagem (℘ 258/82-50-47), est la sortie est de la ville. Il arrive un bus toutes les heures de Porto. Le trajet dure 2 h 30 et l'aller simple coûte 950 ESC. Il y a 4 liaisons quotidiennes avec Lisbonne. C'est un voyage de 6 heures et l'aller simple coûte 2 450 ESC. Il y a 8 liaisons quotidiennes avec Braga. Le trajet dure 1 h 30 et l'aller simple coûte 620 ESC.

En voiture En venant de Porto d'Esposende, continuez vers le nord sur la IC-1.

INFORMATIONS TOURISTIQUES

L'office du tourisme de Viana do Castelo est situé rua do Hospital Velho (℘ 258/82-26-20).

Visite de la ville

Au centre, la **praça da República** est l'une des plus belles places du Portugal. Parmi les monuments le plus intéressants de ce bel ensemble Renaissance, remarquez la **fontaine Chafariz**, aux vasques superposées. La silhouette massive de l'**Igreja da Misericórdia**, édifice de trois étages rebâti dans le goût baroque, retient également l'attention. L'exubérance des balcons des étages supérieurs provoque un contraste marquant avec les cinq arches romanes de la base et les quatre piliers à cariatides. À voir à l'intérieur, des *azulejos* datant de 1714, un autel monumental en bois sculpté, et le plafond peint. L'église est attenante à un ancien hospice, l'**Hospital da Misericórdia**.

L'autre édifice marquant de la place est le **Paço do Concelho**, l'ancien hôtel de ville bâti en 1502, avec une façade ouverte par de larges et basses arcades surmontées de créneaux et portant les armoiries royales.

La vue du haut des remparts du **Castelo de São Tiago da Berra** embrasse toute la ville. On atteint ce castelo par la rua General Luîs do Rego. Sa construction fut ordonnée en 1589 par Philippe Iᵉʳ d'Espagne et c'est depuis cette date que l'on a ajouté « do Castelo » au nom du village de « Viana ». Ouvert du mardi au dimanche de 9 h à 12 h 30 et de 14 h à 17 h 30. Pour plus d'informations, appelez le ✆ 258/82-02-70. Pour une vue encore plus saisissante, prenez le funiculaire ou l'ascenseur pour la **Basilica of Santa Luzia** (✆ 258/82-31-73), un édifice moderne surmonté d'une coupole néobyzantine. Prenez l'escalier qui grimpe au sommet de la coupole, pour admirer un panorama qui englobe toute la Costa Verde. Santa Luzia, estrada de Santa Luzia, est ouverte tous les jours de 8 h à 19 h. L'accès à la coupole est payant : 120 ESC. Le funiculaire circule tous les jours de 10 h à 19 h, un toutes les demi-heures. Le billet coûte 120 ESC.

ARTISANAT

L'artisanat que l'on trouve ici est d'une facture plus rustique que ce qui est vendu dans la région de Lisbonne. Outre les céramiques et les bois sculptés que l'on trouve un peu partout, vous verrez ici des motifs de broderie très originaux. Les rues les plus commerçantes sont la **rua Manuel Espergueira** et la **rua da Bandeira**.

Pour le linge et les broderies, essayez **Casa Sandra**, largo João Tomás da Costa (✆ 258/82-21-55). Le plus vaste et le plus ancien magasin de la ville est **Casa Fontinha**, largo João Tomás da Costa (✆ 258/82-22-31). **A Tenda**, rua do Hospital Velho (✆ 258/82-28-13) est plus petit et beaucoup plus fouillis. Parmi d'autres boutiques faisant commerce d'artisanat local, on citera **Arte Regional**, avenida dos Combatentes da Grande Guerra (✆ 258/82-90-45) ; **O Traje**, rua Aurora do Lima (✆ 258/82-54-46) ; et **Arte Minho**, rua de São Pedro 21-23 (✆ 258/82-10-52).

Se loger

Hotel do Parque. Praça da Galiza, 4900 Viana do Castelo. ✆ **258/82-86-05** Fax 258/82-86-12. 124 chambres. TV CLIM. Tél. Double 18 500-25 000 ESC ; suite 35 000 ESC. Petit déjeuner compris. CB. Parking gratuit.

Situé à l'orée de la ville, au pied du pont qui enjambe le Lima, cet hôtel 4 étoiles est le meilleur de la ville. C'est une petite station balnéaire à lui tout seul, avec ses 2 piscines (une pour les enfants) et son jardin d'hiver. Les chambres sont dotées de balcons et meublées dans un style plutôt contemporain.

Hotel Viana Sol. Largo Vasco da Gama, 4900 Viana do Castelo. ✆ **258/82-89-95** Fax 258/82-89-97. 66 chambres. TV Tél. Double 13 500 ESC. Petit déjeuner compris. CB. Quelques places de parking réservées dans la rue.

Derrière une imposante façade de stuc et de granit, cet hôtel est bien conçu et a l'avantage d'être situé à trois rues au sud de la praça da República. Contrastant avec l'extérieur un peu austère, ses salons revêtus de marbre blanc sont éclairés par un atrium qui s'ouvre sur trois étages, permettant à la lumière de se refléter dans de nombreux miroirs. Le bar est installé près d'une fontaine en forme de pagode. Les chambres sont plutôt petites et n'ont pas de vue. Pas de restaurant, mais il y en a de nombreux dans le voisinage immédiat. **Services** : piscine, salle de sports, courts de tennis et de squash.

✪ **Pousada do Monte de Santa Luzia.** Monte de Santa Luzia, 4900 Viana do Castelo. ✆ **258/82-88-89** Fax 258/82-88-92. www.pousadas.pt. Mél : enatur@mail.telepac.pt. 48 chambres. TV CLIM. Minibar Tél. Double 19 500 ESC ; suite 25 000-38 000 ESC, petit déjeuner compris. CB. Parking gratuit.

À quelque 6 km du centre, la Pousada Santa Luzia, appartenant au réseau géré par l'État, est installée sur un flanc de colline verdoyant, dominant la ville congestionnée. Elle se situe juste derrière la coupole illuminée de la Basilica de Santa Luzia. Construit en 1895, ce bâtiment orné de détails néoclassiques et de balcons de granit ressemble à un palais, surtout quand il est éclairé. Dressé au bout d'une petite route tortueuse qui traverse le bois, il offre une vue magnifique sur la ville et le fleuve. Les chambres sont spacieuses et certaines salles de bains sont équipées de jacuzzis. Les salons et les parties communes ont été complètement rénovés dans les années 1990 dans un style Art déco. Le bar et le restaurant sont agréables et la cuisine est excellente. Les repas sont servis tous les jours de 12 h 30 à 15 h et de 19 h 30 à 22 h. **Services** : piscine découverte dans l'un des jardins.

Residencial Viana Mar. Av. dos Combatentes da Grande Guerra 215, 4900 Viana do Castelo. Ø et fax **258/82-89-62**. 36 chambres, 16 avec salle de bains. TV Tél. Double sans salle de bains 5 000 ESC ; avec salle de bains 7 000 ESC. Petit déjeuner compris. CB. Parking gratuit.

Le Viana Mar est situé sur la rue la plus commerçante de la ville. La sévérité de sa façade de granite est adoucie par des auvents de couleurs vives. Il y a un bar en contrebas, derrière la réception. Les chambres sont petites et équipées du confort minimum. Quelques chambres sont situées dans des bâtiments annexes sans intérêt. Il n'y a pas de restaurant.

Se loger dans les environs

Les amateurs d'auberges de charme préféreront sans doute loger dans les anciennes *quintas* aux environs de Viana do Castelo. Ces anciens manoirs transformés en hôtels permettent d'imaginer la vie de l'aristocratie portugaise d'autrefois. Vous pouvez réserver par l'intermédiaire du **Turismo de Habitação**, praça da República, 4990 Ponte de Lima (Ø **258/74-28-27** ; fax 258/74-14-44). Le paiement s'effectue par chèque directement envoyé au propriétaire et 50 % du prix est dû à la réservation. Il faut rester au minimum 2 nuits et réserver au moins 3 jours avant d'arriver. Vous trouverez aux alentours de Viana do Castelo les *quintas* les plus richement ornementées du Portugal. En voici quelques-unes, à titre d'exemple.

Casa de Rodas. 4950 Monção. Ø **251/65-21-05**. 10 chambres. Double 14 000 ESC. Petit déjeuner compris. Pas de carte de crédit. Parking gratuit.

Cette *quinta* avec son toit de tuiles rouges et ses murs en stuc est de facture classique. Nichée entre une zone boisée et une ferme qui produit du raisin pour Saint-Jacques-de-Compostelle, elle est située à environ 1 km de Monção, connu pour ses *termas* (thermes) recommandés pour les rhumatismes et les maladies respiratoires. Monção est à quelque 70 km au nord-est de Viana do Castelo. La maison a été construite au XVIᵉ siècle, détruite par un incendie en 1658 lorsque le Portugal se battait pour son indépendance puis rebâtie peu de temps après. Les chambres sont toutes de taille et de forme différentes. Elles sont bien tenues et décorées de mobilier traditionnel. Il y a une piscine dans le parc. De cette *quinta* à proximité de la frontière, vous pouvez aller passer la journée en Espagne, à Vigo ou à Saint-Jacques-de-Compostelle, ou encore à la plage qui n'est qu'à une demi-heure en voiture.

Convento Val de Pereiras. Lugar Val de Pereiras, 4990 Arcozelo, Ponte de Lima. Ø **258/74-21-61** Fax 258/74-20-47. 9 chambres. Tél. Double 13 500 ESC ; suite 18 000 ESC. Petit déjeuner compris. Pas de cartes de crédit. Parking gratuit.

Les 18 hectares sur lesquels est bâti cet hôtel sont connus depuis le Moyen Âge pour leurs eaux de source. Selon la légende, elles auraient été bénies par saint François d'Assise qui aurait accompli plusieurs miracles sur ce site alors qu'il se rendait en pèlerinage à Saint-Jacques-de-Compostelle. Les bâtiments en pierre, construits en 1316, ont d'abord abrité un monastère. Quelque 200 ans plus tard, les moines ont cédé leur place à un couvent de franciscaines pendant 300 ans. En 1890, tous les bâtiments à l'exception d'une tour ont été détruits et un nouveau monastère a été bâti dans le style de l'architecture du Minho, mais sur le tracé de l'ancien manoir. L'hôtel est situé à environ 1,5 km de Ponte de Lima, de l'autre côté du Douro. Il est équipé d'une vaste piscine, de 2 courts de tennis, et est entouré de vignes qui produisent du *vinho verde*. Les chambres sont spacieuses et confortables. Vous pouvez louer des chevaux dans une ferme voisine pour 1 800 ESC l'heure.

Se restaurer

A Ceia. Rua do Raio 331. ✆ 258/26-39-32. Réservation recommandée le week-end. Plats 900-2 300 ESC. CB. Mar.-dim. 12 h-15 h et 19 h-22 h. *Portugais.*

C'est un restaurant au style élégamment rustique très apprécié et situé au cœur de la ville. On y pénètre par un bar spacieux où il est tentant de passer un moment avec les habitués qui prennent tranquillement un verre de vin. On y sert de copieuses portions d'une cuisine traditionnelle aux recettes éprouvées par le temps. Les habitants de la région aiment à s'y retrouver pour de grands repas de famille. Les spécialités sont, entre autres, le ragoût de bœuf aux haricots, les tripes, le rôti de porc aux palourdes, le cabri rôti, les plats de veau et de bœuf, et le fameux *caldo verde*.

Alambique. Rua Manuel Espergueira 86. ✆ 258/841-364. Plats 850-1 600 ESC ; menu touristique 1 800 ESC. CB. Mer.-lun. 12 h-15 h et 19 h-22 h. *Minho.*

On pénètre dans ce pittoresque restaurant portugais en traversant une vaste cuve à vin. On y sert les spécialités qui ont fait connaître les chefs du nord du Portugal comme, par exemple, la morue Antiga Viana, le *churrasco de porco* (porc), le *cabrito* (cabri), les tripes à la mode de Porto et les lamproies (sortes d'anguilles) à la bordelaise. Le chef se distingue particulièrement par sa *feijoada a transmontana*. Parmi les soupes, nous citerons la *sopa a alentejana* et la *sopa do mar*.

Os 3 Potes. Beco dos Fornos 7-9. ✆ 258/82-52-50. Réservation recommandée l'été. Plats 1 800-3 000 ESC. CB. Mar.-dim. 12 h-13 h et 19 h 30- 22 h 30. En partant de la praça da República, prendre la rua de Sacadura Cabral. *Portugais.*

Os 3 Potes, à quelques pas de la praça da República, était une boulangerie à l'origine. C'est devenu l'un des bons restaurants régionaux de Viana do Castelo où pendant l'été, tous les vendredis et samedis soir, on peut assister à un spectacle de danses folkloriques. Vous pouvez demander à votre hôtel de réserver pour vous. On y sert bien sûr l'incontournable *caldo verde*, suivi de morue façon 3 Potes, de lamproies, ou de fondue bourguignonne. Le restaurant n'est pas facile à trouver, mais sa cuisine récompensera vos efforts.

Túnel. Rua dos Manjovos 9 (près de l'av. dos Combatentes da Grande Guerra). ✆ 258/82-21-88. Plats 950-1 800 ESC ; menu touristique à 1 800 ESC. Pas de cartes de crédit. Tlj. 11 h 30-14 h et 19 h-22 h. Fermé 20 oct.-30 nov. *Portugais, régional.*

On y sert une bonne cuisine régionale dans l'ensemble, mais la qualité est inégale. Les cailles et le cabri y sont particulièrement bien préparés, mais il n'y en a pas toujours. Les poissons frais sont très bons, ainsi que les soupes de légumes frais. La salle à manger est à l'étage. On y accède en traversant le café au rez-de-chaussée.

Viana's. Rua Frei Bartolomeu Martas. ✆ 258/82-47-97. Réservation recommandée. Plats 1 200-2 000 ESC. CB. Mer.-lun. 12 h 30-15 h et 19 h 30-22 h. *Portugais.*

Ouvert depuis 1991, ce restaurant a acquis une bonne réputation grâce à un service sympathique, de copieuses portions et une cuisine parfumée. Le restaurant est situé

Un village hors des sentiers battus

Ponte de Lima, en amont du fleuve, à quelque 210 km de Viana do Castelo, rassemble tout ce que l'on rêve de découvrir au Portugal. Le village qui s'étire paresseusement sur les rives du Lima tient son nom de son magnifique pont, édifié par les Romains, dont il reste quelques arches d'époque. On y découvrira également des remparts, des tours massives et nombre de portes fortifiées aux détours des ruelles tortueuses.

La cité romaine du nom de *Forum Limicorum* s'était établie sur un site celte qui occupait une position permettant de contrôler le commerce sur le fleuve et d'assurer sa défense. Ainsi la ville était entourée d'épais remparts qui lui ont permis de protéger le pont stratégique, dont une partie est encore utilisée. Du fait de modifications dans le cours du fleuve, on lui ajouta une extension renforcée en 1355. Le mur d'enceinte construit par les Romains a été partiellement détruit, mais on peut se promener au sommet des pans qui ont été épargnés. La place du village est ornée d'une fontaine du XVIIIe siècle et bordée de maisons de la même époque. Face au vieux pont, on distingue les ruines des remparts du Moyen Âge et d'un donjon solitaire qui abrite la **Biblioteca Pública Municipal**, fondée au début du XVIIIe siècle. Ses archives sont riches en documents d'époque. Les deux églises qui se dressent à angle droit l'une de l'autre, **São Francisco** et **São António**, ne sont plus en service mais abritent un musée où l'on peut voir, entre autres choses, d'intéressants bois sculptés. Vous verrez, par exemple, à São Francisco une représentation particulièrement étonnante de saint Georges à cheval sur une selle posée sur un tréteau. Le musée est ouvert du mercredi au lundi de 10 h à 12 h et de 14 h à 17 h 30.

Le **marché** de Ponte de Lima se tient un lundi sur deux. Il est célèbre dans tout le pays. Les marchands sont vêtus de costumes traditionnels. Au nord du pont, c'est le marché au bétail. Le petit sachet qui est fixé entre les cornes des bêtes contient de la potion magique qui, dit-on, les protège du mauvais œil. Sous le pont sont regroupés divers vendeurs d'en-cas à consommer sur place comme, par exemple, des sardines grillées accompagnées d'un verre de *vinho verde*. Le long du fleuve sont installés les artisans, y compris les ébénistes et les orfèvres.

Au cours de ces dernières années, Ponte de Lima a transformé pour l'hébergement une soixantaine d'anciennes propriétés, allant des simples fermes aux manoirs. Loger dans l'une de ces demeures est une raison suffisante pour visiter ce village. Vous pouvez obtenir des renseignements auprès du **Turismo de Habitação**, 4990 Ponte de Lima (✆ **258/74-16-72** ; fax 258/74-14-44).

Parmi les propriétés étonnantes, nous citerons le **Paço de Calheiros**, Calheiros, 4990 Ponte de Lima (✆ **258/94-71-64** ; fax 258/94-72-94). Construit au sommet d'une colline qui domine le village, c'est le *solar* (manoir) le plus connu de Ponte. Il compte 9 chambres doubles, de 15 500 à 18 500 ESC ; 5 suites dans les anciennes étables, de 30 350 à 32 000 ESC. On peut vous préparer, sur commande, un somptueux dîner. Les jardins sont magnifiques et le domaine possède une piscine.

Vous pouvez aussi dîner à l'**Encanada**, praça Municipal (✆ **258/94-11-89**), où l'on sert une excellente cuisine régionale, dans une salle ouvrant sur le fleuve d'où l'on a une vue panoramique sur la région. Parmi les spécialités, nous avons retenu le porc frit, les beignets de poisson, l'anguille au riz (l'hiver). Les repas sont servis du vendredi au mercredi de 12 h à 15 h et de 19 h à 22 h. Plats à partir de 2 000 ESC.

à proximité de la mer et possède une salle à manger ancienne. Outre d'excellents plats de morue, vous trouverez également des plats de poissons pêchés localement et des viandes grillées ou braisées.

Vie nocturne

Les bars et les cafés où prendre un verre le soir ne manquent pas. Il y a également 2 discothèques : le **Cybar**, Praia do Cabedelo (✆ **258/33-28-52**), à environ 3 km à l'est de la ville, et sa voisine, le **Foz Café**, Praia do Cabedelo (✆ **258/33-28-52**), un peu moins fréquentée. À environ 1,6 km au nord de la ville (en suivant les panneaux indiquant Valença) vous trouverez le **Disco-Bar Teatros**, rua de Monserrate (✆ **258/82-12-00**).

6. Vila Real

À 400 km au nord-est de Lisbonne, et à 119 km à l'est de Porto

Cette ville importante du Trás-os-Montes est bâtie sur un plateau au pied de la Serra do Marão. Des ponts enjambent les ravins pour relier les diverses parties de la ville. D'une terrasse au-dessus de la ville, sur l'ancien site du château, on voit les gorges des rivières Corgo et Cabril, qui se rejoignent à ce niveau. On monte à cette terrasse en ligne droite depuis le cimetière. La route passe également le long de maisons qui semblent suspendues au-dessus de la gorge du Corgo. Il faut compter 2 heures pour visiter le quartier historique de Vila Real, surtout si vous voulez prendre le temps de boire un porto à l'apéritif. La plupart des sites et des monuments sont regroupés le long de l'avenida Carvalho Araújo.

Vila Real est une bonne base pour explorer les environs, particulièrement le Parque Nacional do Alvão, au nord-ouest, où l'on peut voir de belles chutes d'eaux, des vallées fleuries et des gorges. L'office du tourisme vous fournira des cartes et une liste de lieux à visiter. Pour vous rendre au parc national, prenez l'IP-4 vers l'ouest pendant 9,5 km, puis la N304 en direction de Mondim de Bastro et Campeã. Cette route vous permettra de découvrir les plus belles parties du Trás-os-Montes – une fois que vous aurez laissé derrière vous la banlieue moderne de Vila Real.

Informations pratiques

COMMENT S'Y RENDRE

En train Vila Real est mal desservie par le train. Depuis Porto, il faut changer à Régua et le trajet est plus long que par le bus. Il y a 5 liaisons par jour avec Porto *via* Régua. Le trajet dure 4 h 30 et l'aller simple coûte 980 ESC. Pour plus d'**information**, appelez le ✆ **259/32-21-93**.

En bus Le trajet en bus depuis Porto ne dure que 2 heures. Il y a 3 liaisons quotidiennes et l'aller simple coûte 900 ESC. 4 bus par jour assurent la liaison avec Lisbonne. Le trajet dure 7 h 30 et l'aller simple coûte 2 420 ESC. Pour plus d'**information** et pour les horaires, appelez le ✆ **259/32-32-34**.

En voiture Depuis Porto, continuez vers l'est sur l'A4, en direction d'Amarante. De là vous continuerez vers l'est sur la N15 jusqu'à Vila Real.

INFORMATIONS TOURISTIQUES

L'**office du tourisme** est situé av. Carvalho Araújo 94 (✆ **259/32-28-19**).

Visites et activités

VISITE DE LA VILLE

La « Ville royale » doit son nom aux nombreuses demeures seigneuriales des XVIe et XVIIIe siècles qui jalonnent ses rues. La plupart des monuments sont regroupés autour de l'avenida Carvalho Araújo, mais l'enchevêtrement des rues du centre invite à une agréable promenade au gré des ruelles et des découvertes.

La **Cathédrale (Sé) São Domingos** se dresse sur la place principale de l'avenida Carvalho Araújo. Elle n'est ouverte que pour les messes, dites tous les jours à 7 h 30 et à 18 h. Cette église construite à l'époque gothique abrite un autel baroque en bois doré sculpté.

La ravissante **Capela Nova**, qu'on appelle parfois Capel dos Clérigos, est le plus bel édifice baroque de Vila Real. Elle pourrait être l'œuvre du maître du baroque, Niccolò Nazoni. Remarquez, entre autres, le travail de la façade. La chapelle n'est pas loin de la cathédrale, à deux rues en direction de l'est, entre la rua Direita et la rua 31 de Janeiro. Tous les jours de 10 h à 12 h et de 14 h à 18 h. Entrée gratuite.

En continuant vers le nord, on arrive à l'**Igreja São Pedro**, largo de São Pedro, qui donne sur l'avenue principale. Sa construction date de 1528, mais elle a subi de nombreux remaniements. L'intérieur alterne les bois dorés sculptés et les *azulejos*. Le plafond est fait de magnifiques caissons en bois doré et peint. Tous les jours de 8 h à 20 h. Entrée gratuite.

L'**hôtel de ville**, ou la Camera municipal, avenida Carvalho Araújo (℘ 259/30-81-00), retient l'attention. Son escalier de pierre de style Renaissance a été construit au début du XIXe siècle. Ne manquez pas le pilori qui se dresse devant le bâtiment. Du lundi au vendredi de 9 h à 17 h 30. Entrée gratuite.

Bien que la maison ne soit pas ouverte au public, la façade de la **Casa de Diogo Cão**, avenida Carvalho Araújo 19, mérite d'être vue. C'est là que serait né au XVe siècle le navigateur portugais qui découvrit le fleuve Congo en 1482. La façade a été reconstruite au XVIe siècle. On sait peu de chose sur Cão, si ce n'est qu'il aurait rencontré le roi Manicongo du Congo et l'aurait converti au christianisme. Mais il n'y a aucune trace de ses exploits car, de peur que les rapports sur les Découvertes ne parviennent aux Castillans, le roi Jean II les conservait au secret dans la Torre de Tombo à Lisbonne, qui a été complètement détruite lors du tremblement de terre de 1755.

La plus grande curiosité dans les environs de Vila Real (à 1,5 km au sud-est) est sans aucun doute le manoir de Mateus où est produit le célèbre Mateus rosé consommé dans tout le pays. Prendre la N322 en direction de Sabrosa.

✪ **Solar de Mateus**, construit dans la première moitié du XVIIIe siècle, offre un exemple parfait de palais baroque. Sa façade qui se reflète dans un bassin est représentée sur toutes les étiquettes de vins Mateus. Elle est ornée de balustres et de corniches couronnées de statues. Ce manoir a été célébré par les poètes comme la demeure la plus fantastique du Portugal et mérite absolument une visite. Un balustre ornemental en pierre surplombe la cour principale et les coquilles et les corniches sont d'une facture exceptionnelle. L'architecte reste inconnu, mais certains experts affirment que, comme la Capela Nova (voir ci-dessus), le manoir est l'œuvre de Niccolò Nazoni. Le manoir et ses jardins sont ouverts aux visiteurs. À l'intérieur, vous verrez des draperies de soie, des plafonds en bois, des portraits, des habits de cérémonie et une petite collection d'objets d'art variés : des vases en porcelaine de Sèvres et une édition de 1817 du classique portugais, *Les Lusiades*, imprimée à Paris. Les jardins comptent parmi les plus beaux d'Europe, ne manquez pas l'allée de thuyas qui forme comme un tunnel obscur de verdure. De mars à septembre, le site est ouvert tous les jours de 9 h à 19 h. Hors saison, il est ouvert tous les jours de 10 h à 13 h et de 14 h à 17 h. La visite guidée de l'ensemble coûte 1 000 ESC par personne ; 600 ESC pour les jardins uniquement.

SHOPPING

Si vous avez la chance de passer à Vila Real les 28 ou 29 juin, lors de la Saint-Pierre, vous aurez l'occasion d'acheter les plus belles poteries noires fabriquées dans la région. Ces poteries sont également vendues toute l'année dans plusieurs boutiques du quartier historique. Vous pouvez également profiter de votre visite au Solar de Mateus (voir ci-dessus), pour acheter du vin.

Se loger

Albergaria Cabanelas. Rua Dom Pedro de Castro, 5000 Vila Real. ∅ **259/32-31-53** Fax 259/32-30-28. 29 chambres. TV CLIM. Minibar Tél. Double 7 500-9 000 ESC. Petit déjeuner compris. CB. Parking gratuit.

Cet hôtel a ouvert il y a une vingtaine d'années, il est bien situé, en centre-ville, face au marché. Même s'il est bien tenu, les chambres sont petites et ordinaires. Le seul repas servi est le petit déjeuner, mais on peut prendre un en-cas au café de l'hôtel. Il y a de nombreux restaurants à proximité. **Services :** room service du petit déjeuner à 23 h, blanchisserie, concierge.

Hotel Miracorgo. Av. 1 de Maio 78, 5000 Vila Real. ∅ **259/32-50-01** Fax 259/32-50-06. 166 chambres. TV CLIM. Minibar Tél. Double 11 500 ESC ; suite 15 800 ESC. Petit déjeuner compris. CB. Parking gratuit.

Situé dans la partie commerçante de la ville, cet hôtel, très apprécié des hommes d'affaires, est un bon choix, malgré son atmosphère impersonnelle. L'hôtel est installé dans 2 bâtiments, l'un de 5 étages et l'autre de 12. Il a ouvert il y a une vingtaine d'années et a été complètement rénové au milieu des années 1990. L'aspect aseptisé des lieux se laisse oublier devant la vue spectaculaire que l'on a des chambres qui donnent sur une jolie vallée. **Restauration/distractions :** le restaurant sert une cuisine du Trás-os-Montes, et quelques classiques, à base d'excellents produits. Le Miracorgo dispose également d'un pub, d'une discothèque et de 2 bars. **Services :** blanchisserie, concierge, piscine couverte.

Se restaurer

O Aldeão. Rua Dom Pedro de Castro 70. ∅ **259/247-94**. Réservation recommandée. Plats 1 000-5 000 ESC. CB. Lun.-sam. 8 h-15 h et 19 h-2 h. *Trás-os-Montes*.

Au cœur de la ville historique, ce petit restaurant local a une bonne clientèle d'habitués qu'il conserve par ses prix abordables et une cuisine régionale savoureuse. Si vous ne devez prendre qu'un seul repas à Vila Real, arrêtez-vous ici pour goûtez, notamment, la *feijoada branca á transmontana*, les tripes, ou le steak grillé maison servi avec de nombreuses garnitures.

O Espadeiro. Av. Almeida Lucena. ∅ **259/32-23-02**. Réservation recommandée. Plats 2 000-4 000 ESC. CB. Jeu.-mar. 9 h-23 h. Fermé en septembre. *Trás-os-Montes*.

C'est l'un des très bons restaurants de Vila Real. La salle à manger, moderne mais décorée de meubles rustiques, est située à l'étage et ouvre sur une terrasse bien ensoleillée et un bar avec vue panoramique. Le chef propose une excellente cuisine régionale dont il est légitimement fier. Parmi les spécialités qui font la réputation de l'établissement, nous citerons la truite fourrée au jambon de pays, le riz aux fruits de mer, la *feijoada* locale, le jambon cuit au four, les tripes ou le cabri. L'hiver, la salle à manger est réchauffée d'un feu de cheminée. Le restaurant tient son nom d'un brave guerrier *transmontano*, Lourenço Viegas.

7. Bragança

À 140 km au nord-est de Vila Real, à 521 km au nord-est de Lisbonne

La ville médiévale de Bragança est le fief de la dynastie de Bragance qui régna sur le Portugal de 1640 jusqu'à ce que la monarchie soit renversée en 1910. Les héritiers de la couronne du Portugal portaient donc le titre de duc de Bragance. Située au sommet d'une colline, abritée derrière un mur d'enceinte fortifiée, Bragança est la cité médiévale la mieux préservée du Portugal. Bâtie à 600 m au-dessus du niveau de la mer, au sommet d'une haute colline de la Serra da Nogueira, la cité médiévale domine le développement moderne de la ville qui s'étend vers le nord-est.

Informations pratiques

COMMENT S'Y RENDRE

En train Il n'y a pas de train direct. La gare la plus proche est à Mirandela, d'où vous pouvez prendre un bus pour Bragança. Pour de plus amples **informations** et les horaires, appelez le ∅ **21/888-40-25**.

En bus La compagnie Rodonorte (∅ 273/30-01-83) assure 5 liaisons quotidiennes avec Porto *via* Mirandela. Le trajet dure 5 heures et l'aller simple coûte 1 440 ESC. La même compagnie assure 3 liaisons par jour avec Lisbonne. Le trajet dure 8 heures et l'aller simple coûte 2 680 ESC.

En voiture Depuis Vila Real, continuez sur l'E82 en direction du nord-est.

INFORMATIONS TOURISTIQUES

L'**office du tourisme** est situé avenida Cidade de Zamora (∅ 273/38-12-73).

Visites et activités

VISITE DE LA VILLE

Bragança s'étend à la lisière du parc naturel de Montesinho, qui est l'un des plus sauvages d'Europe. Le rude climat y a taillé un paysage d'une étonnante beauté. L'épaisse forêt sert de refuge à de nombreux animaux sauvages, loups, sangliers, renards et on voit quelquefois passer le vol majestueux d'un aigle royal. Au printemps, la vallée se couvre d'une multitude de fleurs blanches qui viennent remplacer la neige. Attention, il fait une chaleur torride en été et l'hiver, la région est balayée par de puissants vents glacés. La ville haute qui s'abrite derrière ses remparts s'est développée autour de son château construit au sommet de la colline. Remarquez sur la petite place ombragée, près de l'entrée de la citadelle, le **pilori gothique,** dont le fût traverse un sanglier en pierres qui daterait de l'âge du fer et aurait servi dans des rites païens.

A **Cidadela** (appelée parfois O Castelo), construite au XIIe siècle, fut rebâtie par Jean Ier au XIVe siècle. Elle connut ses plus beaux jours sous l'égide des ducs de Bragance, rois du Portugal de 1640 à 1910. La ville haute était également un centre important du commerce de la soie dans les années 1400, grâce, en partie, à une communauté prospère de marchands juifs – elle fut décimée durant l'Inquisition. L'énorme donjon carré, la Torre de Menagem, abrite aujourd'hui un **museu militar** (∅ 273/32-23-78) où sont exposées des armures du Moyen Âge, des armes allant jusqu'à la Première Guerre mondiale et des objets d'art africain rapportés d'Angola, notamment, par les soldats portugais. Tous les jours de 9 h à 12 h et de 14 h à 17 h. Entrée : 250 ESC, gratuite pour les moins de 10 ans.

Derrière le château, vous apercevrez la **Torre da Princesa** dans laquelle le quatrième duc de Bragance fit emprisonner sa femme, Dona Leonor, sous prétexte de cacher sa beauté à la vue d'autres hommes. Lorsqu'il transporta sa cour à Lisbonne, il la fit assassiner.

Toujours dans la ville médiévale, le **Domus Municipalis**, l'hôtel de ville – construit sur une citerne – date du XIIe siècle. C'est l'un des plus anciens monuments civils romans encore debout au Portugal. La salle intérieure, formée de petites arcades en plein cintre, est assez sombre. Ouvert du vendredi au mercredi de 10 h à 12 h et de 14 h à 17 h. Entrée gratuite.

Le dernier monument de la ville haute est l'**Igreja da Santa Maria** (∅ 273/32-23-78), datant du XVIe siècle. Remarquez le plafond peint des voûtes en berceau, qui a été réalisé au XVIIIe siècle et représente l'Assomption, ainsi que le portail baroque à colonnes torses cannelées. Du vendredi au mercredi de 9 h à 12 h 30 et de 14 h à 17 h.

S'il vous reste du temps, vous pouvez ensuite visiter la ville classique, la ville basse, dont l'artère principale est bordée de terrasses de cafés.

Le **Museu do Abade de Baçal**, rua do Consilheiro Abilio Beca 27 (∅ 273/33-15-95), occupe l'ancien palais épiscopal. Sa collection hétéroclite a été constituée par un prêtre local, un original du nom de Francisco Manuel Alves (1865-1947) qui rassemblait aussi bien les représentations préhistoriques de cochons que les pierres tombales, les céramiques, les costumes folkloriques, les vieilles pièces de monnaie, les peintures régionales ou les fragments archéologiques – tout ce qui attirait son regard. Du mardi au dimanche de 10 h à 17 h. Entrée : 200 ESC.

Située sur une place qui forme le cœur animé de la ville, l'extérieur de la **Cathédrale**, **Sé**, largo da Sé (∅ 273/30-01-40), déçoit comparé aux autres cathédrales du Portugal. Cette ancienne église São João da Baptista date du XVIe siècle, mais a subi de nombreuses transformations, visibles notamment dans sa décoration intérieure baroque. Tous les jours de 9 h à 18 h. Entrée gratuite.

Après avoir visité Bragança, munissez-vous d'un plan à l'office du tourisme (voir ci-dessus) et partez en direction du ❂ **Parque Natural de Montesinho**. Ce parc magnifique s'étend sur les hauts plateaux et les montagnes au nord de Bragança. Ses épaisses forêts abritent, entre autres, des loups, des renards et des sangliers. Les petits villages médiévaux qui se trouvent dans les limites du parc semblent vivre au même rythme qu'il y a un siècle, en dépit de quelques avancées de la modernité. De nombreux rites antérieurs à l'époque chrétienne se seraient perpétués dans ces montagnes jusqu'à la Seconde Guerre mondiale. Ce domaine couvre une vaste superficie jusqu'à la frontière espagnole au nord. Plus de 9 000 personnes y habitent, réparties en une centaine de villages. C'est l'un des plus beaux domaines de randonnée du Portugal. Nombre des pistes datent de l'époque de l'empire des Wisigoths. Vous y verrez une faune rare. Les pistes ne sont pas balisées mais l'office du tourisme vous fournira des cartes détaillées et de bons conseils.

SHOPPING

La plupart des boutiques sont regroupées autour du **largo da Sé** (appelé quelquefois Praça da Sé), devant la cathédrale. On y vend des objets en cuivre et en cuir fabriqués dans la région, ainsi que des tissus et des céramiques. Il y a également d'autres boutiques de souvenirs dans l'enceinte de la forteresse.

Se loger

Classis. Av. João da Cruz 102, 5300 Bragança. ∅ **273/33-16-31** Fax 273/234-58. 20 chambres. TV CLIM. Minibar Tél. Double 7 500-9 000 ESC. Petit déjeuner compris. CB. Quelques places de parking réservées dans la rue.

Les chambres ne sont pas aussi belles que dans la *pousada*, mais celle-ci, très appréciée des touristes espagnols, affiche souvent complet l'été. Elles sont néanmoins confortables et de bonne taille. L'hôtel est situé à proximité des gares routière et ferroviaire. L'hôtel ne sert que le petit déjeuner, mais il y a de nombreux restaurants aux alentours. **Services** : room service limité, blanchisserie, concierge.

○ **Pousada de São Bartolomeu.** Estrada de Turismo, 5300 Bragança. ∅ **273/331-493** Fax 273/323-453. www.pousadas.pt. 28 chambres. TV CLIM. Minibar Tél. Double 16 300-24 600 ESC. Petit déjeuner compris. CB. Parking gratuit.

Construite en 1959 et modernisée depuis, cette auberge située sur les hauteurs de la Serra da Nogueira offre une vue panoramique sur le château de Bragança. Les chambres sont spacieuses et ont été refaites en 1996. Elles sont bien tenues et dotées de balcons. Cette *pousada* est une halte idéale pour les visiteurs venant d'Espagne, notamment du poste frontière d'Alcanices-Quintanilha, qui n'est qu'à une demi-heure en voiture. La vue sur la vieille ville de Bragança illuminée la nuit est époustouflante. Les salons sont très agréables, surtout celui où brûle un bon feu de cheminée. On y sert une bonne cuisine régionale. **Services** : room service, blanchisserie, piscine (en été).

Residencia Santa Isabel. Rua Alexandre Herculano 67, 5300 Bragança. ∅ **273/33-14-27** Fax 273/32-69-37. 14 chambres. TV, Tél. Double 7 500 ESC. Petit déjeuner compris. Pas de cartes de crédit.

Cet hôtel offre le meilleur rapport qualité prix de la ville. Il est situé dans le quartier commerçant du centre-ville. Si les chambres sont plutôt petites, elles sont propres et simplement meublées. Le personnel ne parle que portugais. Le petit déjeuner est le seul repas servi à l'hôtel, mais il y a de nombreux restaurants à proximité. Le bar et la salle de petit déjeuner se trouvent au sous-sol. Il y a un salon de télévision près de la réception.

Se restaurer

La Em Casa. Rua Marquês de Pombal 7. ∅ **273/32-21-11**. Réservation nécessaire. Plats 1 500-2 500 ESC. CB. Tlj. de 12 h à 15 h et de 19 h à 23 h 30. *Trás-os-Montes.*

La salle à manger tapissée de panneaux de bois donne un air rustique à ce restaurant pourtant moderne. C'est une bonne table qui attire une clientèle d'habitués par la qualité de ses produits. Parmi les spécialités, nous citerons le gigot d'agneau, particulièrement goûteux, le veau grillé servi avec des pommes de terre et une sauce au vinaigre et à l'ail. Vous trouverez également des calmars frits et des fruits de mer. Il y a quelquefois des spectacles de *fado*.

○ **Solar Bragançano.** Praça da Sé (largo da Sé). ∅ **273/32-38-75**. Réservation recommandée. Plats 2 500 -4 000 ESC, menu 1 680 ESC. CB. Tlj. 11 h-15 h et 18 h-23 h. *Trás-os-Montes.*

Installée dans une maison vieille de plus de trois siècles donnant sur la place principale de la ville, ce restaurant est le plus prisé de la région. On y sert une excellente cuisine régionale dans une atmosphère des plus sympathiques. L'escalier tapissé de céramiques mène à une salle à manger pittoresque aux plafonds peints, décorée de tapis régionaux et de chandeliers. Si le temps le permet, vous pouvez également dîner dans un petit jardin intérieur. Les spécialités du chef Antonio Vesiderio sont, entre autres, le faisan aux châtaignes (en saison) ou le lièvre au riz (en saison), les saucisses de gibier et le cabri de Montesinho rôti. On y trouve aussi de très bons fromages de chèvres, très appréciés des habitués.

14 Madère

L'île de Madère (Madeira), à plus de 850 km au sud-ouest du Portugal, est en réalité le sommet montagneux d'une masse volcanique. Ses aiguilles et ses précipices de roches basaltiques noires plongent à pic dans l'océan. Les eaux sont ici si profondes qu'une baleine s'approche parfois de la côte. Le sommet de l'île est au centre de Madère : c'est le Pico Ruivo, souvent enneigé, qui culmine à 1 861 m au-dessus du niveau de la mer. Vue de là-haut, la surface de l'île n'est qu'une suite de crêtes rocheuses et de gorges qui descendent vers l'océan. Lorsqu'on se tient sur le Cabo Girão, la deuxième falaise la plus haute du monde (à 580 m au-dessus du niveau de la mer), on se souvient des mots du poète portugais, Luís Vaz de Camões, à propos de cette île « qui se dresse au bout du monde ».

Madère est un archipel doté d'un gouvernement régional autonome qui s'étend sur quelque 57 km de long et 22 km de large. Il n'y a aucune plage sur plus de 150 km de côtes. Dans ce sol volcanique poussent des plantes et des fleurs dont les couleurs rappellent les toiles de Gauguin. La profusion de jacarandas, de bougainvillées, d'orchidées, de géraniums, de poinsettias, de frangipaniers, entre autres fleurs magiques, fait de l'île un véritable jardin botanique ; c'est aussi un merveilleux verger où poussent des avocats, des mangues, des bananes, des myrtilles, des plantes aromatiques... Les parfums de vanille et de fenouil sauvage mêlés à l'odeur de la mer pénètrent les moindres crevasses de cette terre rocheuse.

C'est en 1419 que João Gonçalves Zarco et Tristão Vaz Teixeira, capitaines de l'infant Henri le Navigateur, ont découvert l'île de Madère alors qu'ils partaient explorer la côte de l'Afrique à quelque 565 km de là. L'île fut baptisée Madeira (« bois ») en raison des épaisses forêts vierges qui la recouvraient. On a rapidement mis le feu à toute l'île afin de la défricher pour y installer des colonies. On raconte que le brasier a mis sept ans à s'éteindre, jusqu'à ce que toutes les forêts, à l'exclusion d'une petite partie au nord, soient réduites en cendres. Les pentes de Madère sont aujourd'hui si richement cultivées qu'il est difficile d'imaginer que l'incendie a bien eu lieu. Les vergers et les vignes sont abrités derrière des champs de cannes à sucre et les terrasses s'approchent si près du bord de la falaise qu'on se demande comment les paysans s'y tiennent en équilibre. Les terres sont irriguées par un système complexe

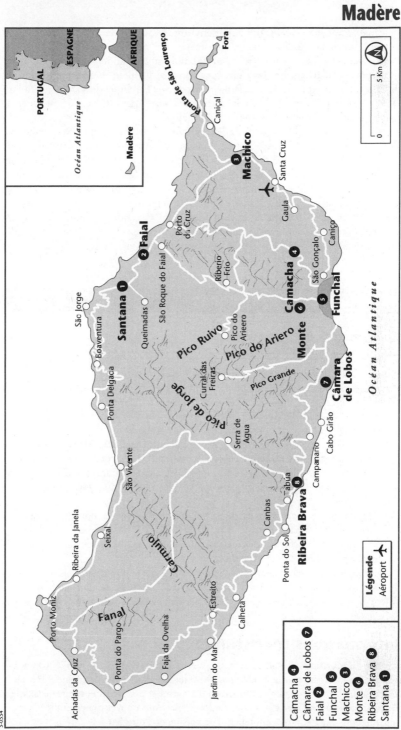

Madère

PORTUGAL

ESPAGNE

AFRIQUE

Océan Atlantique

Madère

Légende
Aéroport ✈

0   5 Km

Camacha ❹
Câmara de Lobos ❼
Faial ❷
Funchal ❺
Machico ❸
Monte ❻
Ribeira Brava ❽
Santana ❶

Ponta de São Lourenço

Fora

Canical

Machico ❸

Santa Cruz

Gaula

Caniço

São Gonçalo

Camacha ❹

Funchal ❺

Monte ❻

Ribeiro Frio

Porto d. Cruz

Faial ❷

São Roque do Faial

Santana ❶

São Jorge

Boaventura

Ponta Delgada

Queimadas

Pico Ruivo

Pico do Arieiro

Pico do Ariero

Curral das Freitas

Pico Grande

Câmara de Lobos ❼

Cabo Girão

Campanário

Câmara de Lobos

Pico de Jorge

Serra de Agua

São Vicente

Ribeira da Janela

Seixal

Carmulo

Canhas

Ponta do Sol

Ribeira Brava ❽

Tabúa

Fanal

Porto Moniz

Achadas da Cruz

Ponta do Pargo

Faja da Ovelha

Jardim do Mar

Calheta

Estreito

Océan Atlantique

3-0554

de canaux, appelés *levadas*. Il y aurait environ 2 150 km de *levadas*, dont 40 km en souterrain. Les *levadas* ont été construites en pierres par des esclaves et des bagnards et elles mesurent entre 10 et 40 cm de largeur et de profondeur. Ce système permet d'acheminer les eaux des sources d'altitude. À quelque 40 km au nord-est, Porto Santo est la deuxième île habitée de l'archipel de Madère. Si, à l'inverse de Madère, le sol de Porto Santo est un désert quasi lunaire, l'île est dotée de belles plages et plusieurs hôtels s'y sont installés.

Certains préfèrent consacrer tout leur séjour à Madère et ne pas s'arrêter au Portugal. Si vous souhaitez ajouter Madère à votre visite du Portugal ou de Lisbonne, il faut compter un séjour de 3 jours minimum. Madère fait partie des destinations très populaires et les quelques avions qui la desservent n'auront peut-être pas de places disponibles au dernier moment. Pensez à réserver à l'avance. Certains bateaux de croisière font escale à Madère, mais il n'y a pas de lignes de passagers reliant le continent. Le seul moyen de s'y rendre est donc l'avion. De nombreux vols charters assurent la liaison entre Funchal et les grandes capitales européennes. TAP Air Portugal assure également une liaison régulière entre Lisbonne et Funchal (voir ci-dessous).

1. Informations pratiques

Comment s'y rendre

Le vol TAP depuis Lisbonne dure 90 minutes. L'avion s'arrête à l'aéroport de Madère puis continue sur Porto Santo. Il y a 6 vols par jour. Il est parfois possible de faire inclure votre billet Lisbonne-Madère-Lisbonne dans votre billet initial si vous avez un billet sans réduction.

En outre, TAP assure des vols directs entre Paris et Funchal le samedi et le dimanche. Par ailleurs, il y a 4 vols quotidiens Londres-Funchal. Le voyage dure 4 heures.

À Madère, les vols atterrissent à l'**Aeroporto de Santa Catarina** (∅ 291/52-49-41), à l'est de Funchal, à Santa Cruz. Il faut environ 35 minutes en voiture pour rejoindre le centre. Vous pouvez confirmer votre vol de retour directement au bureau TAP de Funchal, situé av. das Comunidades Madeirenses 8-10 (T 291/23-92-90). Ouvert tous les jours de 9 h à 18 h.

Si cela ne vous gêne pas de passer par Londres, **British Airways**, dont les bureaux sur place sont situés rua São Francisco 8 (∅ 291/52-48-64), assure plusieurs vols directs par semaine entre Funchal et Londres. Pour plus d'information, appelez au ∅ 0345/22-111 en Angleterre ou ∅ 825 825 400 à Paris.

De nombreux **taxis** attendent à l'aéroport et desservent toute l'île. Si vous allez à Funchal, vous pouvez également prendre un **bus** à l'aéroport. À Funchal, le bus pour l'aéroport part de l'avenida do Mar. Le service dans les deux directions est assuré tous les jours entre 7 h et 23 h.

Informations touristiques

L'**office du tourisme** de Madère est situé av. Arriaga 18 (∅ 291/22-90-57), à Funchal. Ouvert du lundi au vendredi de 9 h à 20 h ; le samedi et le dimanche de 9 h à 18 h. Le personnel, qui parle anglais, distribue des cartes et des plans, et pourra également vous faire quelques suggestions pour explorer l'île. Vous pouvez également obtenir des informations sur les ferries qui relient l'île voisine de Porto Santo.

✪ Les coups de cœur de Frommer's à Madère

Descente en luge. La descente en *carro de cesto* est l'une des activités les plus populaires de Madère. Il s'agit de se laisser glisser à toute allure sur les pavés dans une sorte de luge en osier depuis les hauteurs de Monte jusqu'à Funchal. Deux hommes courent sur le côté pour contrôler la descente qui dure 20 minutes.

Une escapade sur les plages dorées de Porto Santo. Il n'y a pas de plages à Madère, mais rien ne vous empêche d'aller passer la journée dans cette autre île oubliée de l'Atlantique, dont les longues plages dorées étaient autrefois fréquentées par les pirates.

Une matinée au Mercado dos Lavradores (marchés des travailleurs). Allez-y de bonne heure – entre 7 h et 8 h au plus tard – pour voir le marché s'animer. Les vendeurs de fleurs, les pêcheurs, les fermiers des environs et les chalands créent un tourbillon de couleurs et de parfums locaux à ne pas manquer. Vous y verrez aussi la plupart des poissons, du thon aux anguilles, qui vous seront servis dans les restaurants. Tous les jours du lundi au samedi.

La chasse à l'artisanat. Ce que vous verrez dans les boutiques de Funchal ne représente qu'une petite partie de l'artisanat de Madère : le rotin, la broderie, les travaux d'aiguille et la tannerie. En cherchant vous trouverez des choses originales comme, par exemple, des chaussures faites à la main. Les prix sont parfois élevés et il faut savoir marchander.

La dégustation des vins locaux. Entrez dans n'importe quelle *taverna* de l'île et vous découvrirez toute une gamme de vins locaux fortifiés à l'eau-de-vie de raisin. Le Sercial est le plus sec. Il y a aussi le Verdelho, un peu plus doux, le Boal, un vin de dessert qui se marie particulièrement bien avec le fromage, et le Malvoisie, très sucré et très parfumé, servi avec le dessert.

Vue d'ensemble

La capitale de Madère, **Funchal**, 100 000 habitants, constitue véritablement le cœur de l'île et le centre du réseau routier qui relie les villages de l'île. Lorsque Zarco est arrivé dans l'île en 1419, saisi par l'odeur du fenouil sauvage, il baptisa la ville Funchal, de *funcho* qui signifie « fenouil » en portugais. On peut voir encore sur les collines du sud de la ville, parcourues de petites rues tortueuses, les domaines les plus exotiques d'Europe, notamment l'ancienne résidence Zarco et la Quinta das Cruzes.

L'**avenida do Mar**, souvent encombrée, longe le bord de mer d'est en ouest. Une avenue plus au nord, l'**avenida Arriaga** est la rue principale de Funchal. La cathédrale (Sé) se dresse à l'est de cette avenue qui débouche à l'autre extrémité sur un large rond-point dont le centre est orné d'une fontaine. L'avenida Arriaga, qui rassemble la plupart des hôtels, se prolonge ensuite vers l'ouest et prend le nom d'**avenida do Infante**. Vers l'est, elle se prolonge par la **rua do Aljube**. L'**avenida Zarco** est une autre artère importante de Funchal puisqu'elle relie le front de mer, au sud, avec le centre de la vieille ville au nord.

Si vous avez le temps, aventurez-vous à pied le long des sentiers de Madère. Des murets de pierres sèches guideront vos pas le long des ravins escarpés et à travers les prairies fleuries. Ces sentiers parcourent toute l'île, des collines de la région viticole d'Estreito de Câmara de Lobos au centre de l'industrie de l'osier à Camacha. Il est également possible de se joindre à des circuits organisés ou de se déplacer en bus. En voiture, il faut avoir le cœur bien accroché sur les petites routes à lacets qui traversent l'île de part en part.

En sortant de Funchal vers l'ouest, on traverse des bananeraies qu'on croit voir plonger dans l'océan. Les maisons au bord de la route sont si petites qu'elles ressemblent à des maisons de poupées. Devant leur seuil, quelques femmes lavent leur linge sur des pierres. À moins de 10 km, vous arriverez au charmant village côtier de **Câmara de Lobos** (« chambre des loups »), qui s'accroche à la falaise au milieu des dattiers et que Winston Churchill aimait à peindre.

La route qui part au nord de ce village traverse des vignobles jusqu'à **Estreito de Câmara de Lobos**, au cœur de la région viticole de Madère. Le long de la route, vous verrez les hommes en tunique brune travailler dans les terrasses en ruban et des femmes, assises sur des marches de pierres moussues, occupées à broder.

Au sommet d'une colline plantée de pins et d'eucalyptus, vous atteindrez la falaise de **Cabo Girão** qui domine l'océan. C'est la deuxième falaise la plus haute du monde et la vue s'étend au loin sur l'Atlantique au-delà des roches safran de l'île. De là, vous jouirez également d'une vue d'ensemble des terrasses, dont la plus petite a la taille d'un tapis. (Si vous vous étonnez des cheveux blonds des habitants de Madère, sachez que les premiers colons étaient flamands.)

Pour retourner à Funchal, éloignez-vous de la route côtière après São Martinho pour vous diriger vers le belvédère du **Pico dos Parcelos**. C'est l'un des sites paradisiaques de l'île. La vue embrasse aussi bien l'océan que les montagnes, les orangeraies et les bananeraies, les pentes fleuries de bougainvillées et de poinsettias, sans oublier la capitale. Les cris des oiseaux et le bêlement des chèvres portent sur des kilomètres.

En sortant de Funchal vers le nord, la route se dirige vers le centre de l'île. Après Santo António, vous atteindrez **Curral das Freiras**, un petit village niché autour d'un vieux monastère au pied d'un volcan éteint. Ce site dont le nom signifie « corral de sœurs » était à l'origine un couvent dont la situation retirée protégeait les nonnes des appétits des pirates et des marins.

Toujours vers le nord de l'île, mais en empruntant une autre route, vous rejoindrez **Santana**, un village pierreux qui rappelle les Alpes, où se succèdent torrents et vertes pâtures parsemées de fleurs sauvages. Les maisons du village aux ruelles pavées sont toutes fleuries et rappellent les paysages de montagne des calendriers de la poste.

Au sud-ouest du village, à près de 1 000 m d'altitude, se dresse le refuge de **Queimadas**. De là part la randonnée de 3 heures qui mène au sommet du **Pico Ruivo**, le point culminant de l'île.

La route qui part au sud-est de Santana mène à **Faial**, un hameau coloré de toutes petites masures. La route descend ensuite un fond d'un ravin par une série de virages serrés. Les terrasses qui la dominent sont des pâtures pour les vaches.

Le village historique de **Machico** se trouve à l'est de l'île, à environ 28 km de Funchal (non loin de l'aéroport). Son **Igreja do Senhor dos Milagres** date du milieu du XVe siècle. La légende veut que cette église ait été bâtie sur la tombe d'un couple d'amants anglais maudits, Robert Machim et Anna d'Arfet. La vue du village depuis le belvédère de **Camoé Pequeno** est particulièrement belle. Non loin de là, il y a une grotte de 9 km de long, la plus profonde de l'île.

Au retour de Machico, vous pouvez, par exemple, faire un détour par **Camacha**, à l'intérieur des terres. Ce village, perché parmi les fleurs et les vergers, est le centre de l'industrie de l'osier. Vous pouvez y faire des achats, ou regardez les artisans travailler.

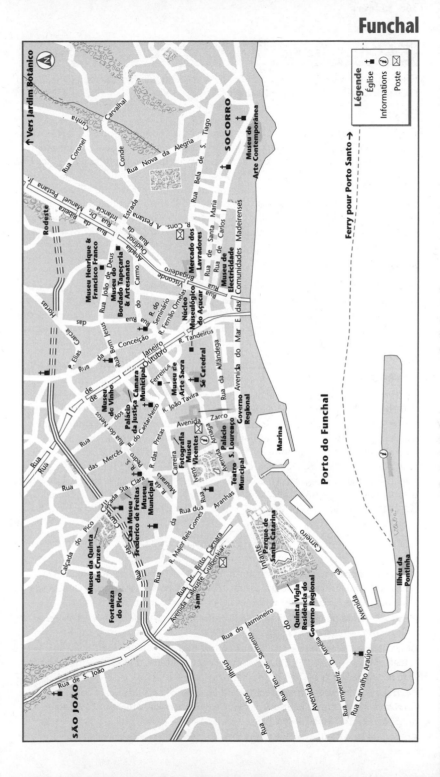

Funchal

Légende
Église
Informations
Poste

↑Vers Jardim Botânico

SÃO JOÃO

SOCORRO

Museu de Arte Contemporânea

Ferry pour Porto Santo →

Carvalhal

Cunha

Conde

Rua Coronel

Rua Nova da Alegria

Rua Bela de S. Tiago

Rua de Santa Maria

R. Cons. A. Pestana

Estrada da Pestana

Rua Dr. Manuel Pestana Jr.

Rodeste

Rua da Ribeira de Janeiro

Andala do Outinol

Rua da Infância

Carmo

Rua do Seminário

Rua João de Deus

Museu Henrique & Francisco Franco

Museu do Bordado Tapeçaria & Artesanato

Núcleo Museológico do Açúcar

Mercado dos Lavradores

Museu de Electricidade Comunidades Madeirenses

Rua de Carlos

Viscondede do Brigadeiro

R. Fernão Ornelas

R. Tandeiros

Sé Catedral

Museu de Arte Sacra

Conceição

Rua Bom Jesus

R. Elias

das Garcia

das Horas

Museu do Vinho

Palácio da Justiça

Câmara Municipal

R. do Castanheiro

Ferreiros

Rua da Alfândega

Avenida do Mar E das

R. João Tavira

Zarco

Avenida Arriaga

Fotografia Museu Vicentes

Palácio S. Lourenço

Teatro Municipal

Governo Regional

Rua dos Netos

Rua das Mercês

Rua da Carreira

R. das Pretas

R. da Mouraria

Ivens

Rua dos Aranhas

Marina

Porto do Funchal

Casa Museu Frederico de Freitas

Museu Municipal

Calçada Sta. Clara

Museu da Quinta das Cruzes

Fortaleza do Pico

Calçada do Pico

Rua Major Reis Gomes

Rua Dr. Brito Câmara

Rua Carneiro

Infante

Parque de Santa Catarina

Avenida Calouste Gulbenkian

Sam

Quinta Vigia Residência do Governo Regional

Rua do Jasmineiro

Rua Ten. Cor. Sarmento

Ilhéus

do

Rua Imperatriz D. Amélia

Rua Carvalho Araújo

Avenida

Ilhéu da Pontinha

Rua de S. João

2. Se déplacer

Si les distances sont courtes à Madère, il ne faut pas oublier que les routes à lacets de l'île rendent la circulation lente et difficile.

En bus

C'est le moyen le plus économique de se déplacer (à condition de ne pas être pressé). Vous pouvez organiser vos excursions en bus pour à peu près le tiers du prix proposé par les compagnies de circuits organisés. Le service de bus quadrille toute l'île. Un billet en ville coûte 250 ESC ; pour les autres destinations le billet peut monter jusqu'à 700 ESC. Il n'y a parfois qu'une seule liaison par jour avec les villages les plus reculés. La plupart des bus partent du vaste parc qui se trouve à l'est du front de mer de Funchal, près de l'avenida do Mar. Les bus pour Camacha ou Camiço partent d'une petite place à l'est de la rua da Alfândega, une rue parallèle à l'avenida do Mar, à proximité du marché.

En taxi

Le prix d'un taxi à la journée est de 15 000 ESC environ. Mettez-vous toujours d'accord sur le prix avant de partir. Les taxis acceptent de prendre 3 ou 4 passagers qui peuvent partager le coût. Ils ont en général de bonnes voitures qui vous mèneront en sécurité à destination. Si vous êtes dans Funchal et que vous voulez un taxi pour regagner votre hôtel dans les environs, vous trouverez une file de taxis devant l'office du tourisme, le long de l'avenida Arriaga.

En voiture

Les routes de Madère sont particulièrement étroites et pleines de virages en épingle à cheveux. À moins que vous ne vous sentiez particulièrement à l'aise sur les petites routes de montagne, nous ne saurions vous recommander de louer une voiture à Madère. Si vous le souhaitez néanmoins, votre hôtel peut s'en occuper.

Avis a une agence à l'Aeroporto de Santa Catarina à Santa Cruz (✆ 291/52-43-92), et à Funchal, largo António Nobre 164 (✆ **291/76-45-46**). Hertz a une agence à Funchal, estrada Monumental 284 (✆ 291/76-44-10). **Budget Rent-a-Car** a un comptoir à l'aéroport (✆ **291/52-46-61**) et à Funchal, estrada Monumental 239 (✆ **291/76-65-18**).

Madère pratique

American Express Leur représentant à Madère est l'agence de **Top Tours Travel Agency**, située rua Brigadero Coseiro (✆ **291/74-26-28**), à Funchal. Ouverte du lundi au vendredi de 9 h 30 à 13 h et de 14 h 30 à 18 h 30.

Bagages Il n'y a pas de consigne en dehors des bons offices de votre hôtel. Adressez-vous à la réception ou au concierge.

Blanchisserie/Nettoyage à sec Vous pouvez essayer la Lavandaria Donini, rua das Pretas (✆ **291/22-44-06**), à Funchal. Le service prend 1 ou 2 jours. Ouverte du lundi au vendredi de 9 h à 19 h.

Coiffeurs De nombreux hôtels disposent d'un salon de coiffure et d'un barbier. Sinon vous pouvez essayer le salon mixte, **Correia**, avenida Arriaga 30, 2e étage D (✆ **291/23-16-33**), à Funchal.

Consulats Le **consulat de France** (✆ **291/20-07-50**) est situé à Funchal.

Hôpital Le plus grand hôpital de l'île est l'**Hospital Distrital do Funchal**, Cruz de Carvalho (∅ 291/70-56-00).

Horaires d'ouverture Les **boutiques** sont en général ouvertes du lundi au vendredi de 9 h à 13 h et de 15 h à 19 h, le samedi de 9 h à 13 h et fermées le dimanche. Les bureaux municipaux sont ouverts du lundi au vendredi de 9 h à 12 h 30 et de 14 h à 17 h 30.

Journaux/Magazines Vous trouverez une bonne sélection de presse internationale dans l'île.

Météo Composez le ∅ **291/22-15-86**.

Objets trouvés vous pouvez vous adresser au **commissariat central**, rua João de Deus à Funchal (∅ **291/22-20-22**).

Pharmacies Elles sont ouvertes du lundi au samedi de 10 h à 13 h et de 15 h à 19 h. Les coordonnées des pharmacies de garde sont indiquées sur la porte de chaque pharmacie. La **Farmácia Honorato** est située dans le centre de Funchal, rua da Carreira 62 (∅ **291/20-38-80**). Composez le ∅ **118** pour connaître le nom et l'adresse de la pharmacie de garde.

Police Composez le ∅ **291/22-20-22**.

Poste Si vous devez retirer du courrier envoyé **poste restante**, il sera au **bureau de poste Zarco**, avenida Zarco, 9000 Funchal (∅ **291/23-21-31**), près de l'office du tourisme. Vous aurez besoin de votre passeport. Il est également possible d'y faire vos appels internationaux, d'envoyer des télégrammes, des télécopies et des télex. Le bureau de poste est ouvert du lundi au vendredi de 8 h 30 à 20 h et le samedi de 9 h à 12 h 30. Les autres bureaux de postes offrant les mêmes services sont : **Calouste Gulbenkian**, avenida Calouste Gulbenkian (du lundi au vendredi de 9 h à 12 h 30 et de 14 h 30 à 18 h 30), près du monument de l'infant Dom Henríque ; **Monumental**, estrada Monumental, près du centre nautique du Lido (du lundi au vendredi de 9 h à 19 h) ; et **Mercado**, rua do Arcipreste, près du marché municipal (du lundi au vendredi de 9 h à 18 h 30). Les panneaux marqués Correios indiquent le bureau de poste le plus proche.

Téléphone Le code téléphonique du Portugal est le **351**, celui de Madère est le **091**.

Urgences Pour les **urgences médicales**, appelez le ∅ **115**, pour la **police** le ∅ **291/22-20-22** , pour la **Croix-Rouge** le ∅ **291/74-11-15**, et pour les **urgences hospitalières** le ∅ **291/74-40-78**.

3. Se loger

Il n'y a pas si longtemps c'était l'été, à l'époque où toutes les côtes européennes sont bondées, qu'il fallait venir à Madère, car c'était la saison basse. Aujourd'hui, Madère accueille des visiteurs toute l'année et c'est difficile, même en plein été, de trouver une place d'avion au pied levé. Le mois d'août n'est pourtant pas à recommander à cause du *capacete*, nuage de brume qui enveloppe l'île. N'oubliez pas que Madère est une île africaine, il y fait très chaud. En été, à moins de se retirer dans les montagnes où il fait plus frais, il est quasiment indispensable d'avoir l'air conditionné.

Les hôtels de Madère comptent parmi les beaux hôtels d'Europe, allant des établissements de luxe aux charmantes *quintas* (auberge de campagne), moins chères. La plupart des hôtels de luxe avec piscine sont répartis à la périphérie de Funchal. Il existe bien sûr quelques hôtels agréables dans le centre, pour ceux qui veulent se déplacer à pied. La circulation automobile est dense dans Funchal, et les hôtels du centre ont tendance à être bruyants. En revanche, ils ont l'avantage d'être à deux pas des sympathiques restaurants de Funchal.

Se loger à Funchal

PRIX TRÈS ÉLEVÉS

Cliff Bay Resort Hotel. Estrada Monumental 147, 9000 Funchal, Madeira. ∅ **291/70-77-00.** Fax 291/76-25-25. www.cliffbay.com. Mél : info@cliffbay.com. 201 chambres. TV CLIM. Minibar Tél. Double 33 000-69 000 ESC ; suite à partir de 82 000 ESC. CB. Parking gratuit.

C'est l'un des meilleurs de l'île. Il n'est surpassé que pas le Reid's Palace. Cet hôtel de 9 étages est magnifiquement situé sur un promontoire escarpé qui domine des rochers battus par les vagues, dans une ancienne bananeraie à environ 1,5 km à l'ouest du centre-ville. Il accueille de nombreux groupes. Les chambres sont spacieuses et confortables ; seule une douzaine d'entre elles ont vue sur la mer. Les salles de bains sont en marbre et bien équipées, notamment de peignoirs et de sèche-cheveux. **Restauration** : ses restaurants, le Rose Garden, Il Gallo d'Oro et le Blue Lagoon, comptent parmi les meilleurs de la ville. Là encore, ils ne sont surpassés que par ceux du Reid's. On y sert de la cuisine portugaise et européenne. Il y a également 3 bars. **Services** : room service 24 h/24, blanchisserie, concierge, 2 piscines (couverte et découverte), salle de sports, sauna, salles de jeux, programmes d'activités pour les enfants, salon de beauté, massages. L'hôtel peut vous faciliter l'accès à un parcours de golf.

Hotel Savoy. Av. do Infante, 9006 Funchal, Madeira. ∅ **291/22-20-31** Fax 291/22-31-03. www.madinfo.pthotelsavoy. Mél : savoy@mail.telephc.pt. 350 chambres. TV CLIM. Minibar Tél. Double 65 000 ESC ; suite à partir de 85 000 ESC. Petit déjeuner compris. CB. Parking gratuit. Bus : 1, 2, 3, 4, 13 ou 35.

Le Savoy compte parmi les grands 5 étoiles de Madère et du Portugal. Cet hôtel connu pour son luxe a été fondé par un hôtelier formé en Suisse au début du XXᵉ siècle et s'est rapidement développé. Il est situé à la périphérie de Funchal et donne sur la baie et l'océan. C'est un lieu où l'on goûte la douceur de vivre de Madère.

Les chambres ont chacune un balcon et les plus chères sont celles qui donnent sur la mer. Les salles de bains sont bien équipées, y compris de peignoirs et de sèche-cheveux, mais petites. Depuis la création de l'hôtel, chaque génération a apporté ses modifications et modernisations. **Restauration** : vous avez le choix entre le restaurant Le Copulla et le café Librerie. Il est également possible de déjeuner au bord de la piscine. Pour un dîner élégant, il y a également le Fleur-de-Lys, un grill avec vue panoramique (voir p. 376). 2 bars.

Agréments : room service, blanchisserie, baby-sitting, 2 piscines d'eau de mer (1 chauffée), courts de tennis, salle de sports, minigolf, boutiques, salons de coiffure pour hommes et pour femmes.

✪ **Reid's Palace.** Estrada Monumental 139, 9000 Funchal, Madeira. ∅ **291/71-71-71.** Fax 291/71-71-77. www.orient-expresshotels.com. 184 chambres. TV CLIM. Minibar Tél. Double standard 58 000-75 000 ESC, double senior 68 000-90 000 ESC, double de luxe 74 000-95 000 ESC, suite junior 102 000-144 000 ESC, suite senior 139 000-195 000 ESC, suite exécutive 161 000-216 000 ESC, suite présidentielle 191 000-320 000 ESC. Petit déjeuner compris. CB. Parking gratuit. Bus : 5 ou 6.

C'est l'hôtel légendaire de Funchal. Il a été fondé en 1891 par le jeune William Reid, un Écossais, et il fait aujourd'hui partie du groupe Orient-Express. Il est situé sur la côte, à la périphérie de Funchal, sur 5 hectares de jardins en terrasses qui dévalent jusqu'à la mer. L'hôtel s'est constitué une large clientèle britannique qui apprécie particulièrement ses allées de promenade, bordées d'hortensias, de géraniums, de gardénias, de bananiers, de fougères et de yuccas blancs. Les salons arborent des couleurs marines et des imprimés tropicaux. Les chambres sont élégamment meublées d'antiquités ou de reproductions de bonne facture. Les salons et les bureaux privatifs sont spacieux. Les salles de bains sont en marbre et luxueusement équipées – peignoirs et sèche-cheveux dans chacune. **Restauration** : au Tea Terrace, qui a une vue panoramique, on sert le thé de l'après-midi. Le Garden Restaurant, qui surplombe les piscines, et le buffet au bord de la piscine servent le petit déjeuner. La salle à manger sert des repas anglais. Le restaurant gastronomique, Les Faunes, est au 6e étage, côté jardin (voir p. 374). Le restaurant Villa Cliff, moins formel, sert une cuisine portugaise. **Services** : room service 24 h/24, blanchisserie, cirage des chaussures, salon de coiffure, 3 piscines d'eau de mer, parc, courts de tennis.

PRIX ÉLEVÉS

Casino Park Hotel. Rua Imperatriz Dona Amélia, 9000 Funchal, Madeira. ℘ **291/23-31-11.** Fax 291/23-20-76. www.pestana.com. Mél : g.pestana@mail.telepac.pt. 334 chambres. TV CLIM. Minibar Tél. Double 22 000-62 000 ESC ; suite 32 000-75 000 ESC. Petit déjeuner (buffet) compris. CB. Parking gratuit. Bus : 2, 12 ou 16.

Le Casino Park est à 7 minutes à pied du centre-ville, niché au creux d'un jardin subtropical qui domine le port. Le bâtiment principal de 5 étages en béton gris, conçu par Oscar Niemeyer – l'un des architectes de Brasília, au Brésil – suit une ondulation souple. L'ensemble est constitué de l'hôtel, d'un centre de conférences et d'un casino. Les chambres sont de taille petite à moyenne, mais elles sont dotées de balcons qui donnent sur le port et sur la ville, et décorées avec goût. La plupart ont des lits jumeaux. L'accès au coffre de l'hôtel est payant. Il y a 2 salons confortables à chaque étage. **Restauration** : la vue de la salle de restaurant embrasse le port et Funchal. Le Grill a une excellente carte des vins. Il y a un café près de la piscine. **Services** : room service 24 h/24, blanchisserie, baby-sitting, boutiques, courts de tennis, piscines (1 pour les enfants), saunas, billards, club de sports. L'hôtel peut vous faciliter l'accès à des excursions de pêches, de voile ou de golf.

Eden Mar. Rua do Gorgulho 2, 9000 Funchal, Madeira. ℘ **291/76-22-21.** Fax 291/76-19-66. www.edenmar.com. Mél : edenmar@mail.telepac.pt. 146 chambres. TV CLIM. Tél. Double 22 000-35 000 ESC. Lit supplémentaire 8 500 ESC. CB. Parking gratuit.

Rénové en 1998, cet hôtel vieux d'une dizaine d'années s'élève au-dessus du centre nautique du Lido. Même s'il accueille de nombreux groupes en voyages organisés, principalement des Anglais, cet hôtel est également apprécié des familles, car ses chambres sont équipées de kitchenettes. Les chambres sont assez spacieuses et ont vue sur la mer. Elles sont décorées d'imprimés fleuris et les salles de bains en céramique sont parfaites. **Restauration** : le restaurant sert de la cuisine portugaise et quelques classiques. Il y a un bar à l'intérieur et un autre près de la piscine. **Services** : room service (petit déjeuner uniquement), blanchisserie, concierge, piscine extérieure avec petit bassin pour les enfants ; piscine couverte chauffée, club de sports, sauna, solarium, bibliothèque et salons de cartes.

Madeira Carlton Hotel. Largo António Nobre, 9007 Funchal, Madeira. ℘ **291/23-10-31.** Fax 291/22-33-77. www.pestana.com. Mél : mch@pestana.org. 369 chambres. TV CLIM. Minibar Tél. Double 27 000-38 000 ESC ; suite 52 000 ESC. Petit déjeuner compris. CB. Parking gratuit.

Le Madeira Carlton Hotel est installé dans un immeuble luxueux de 18 étages près du casino, avec accès direct à la mer. Il est situé sur un promontoire qui domine la baie de Funchal, dans le quartier huppé de Vale-Verde, à côté du Reid's Palace. Les chambres sont spacieuses, dotées de balcons et meublées en style régional. La partie qui donne sur la mer est exposée au sud. Ainsi, les chambres qui donnent sur la mer et les piscines reçoivent le soleil toute la journée. Les salles de bains sont un peu exiguës, mais bien équipées, notamment de sèche-cheveux. **Restauration/distractions :** les 3 restaurants de l'hôtel servent une excellente cuisine, même aux groupes de voyages organisés. L'Atlantico, ouvert du jeudi au samedi soir, propose un dîner-spectacle pour 7 300 ESC par personne. L'Os Arcos propose un menu régional et international, et le Taverna Grill sert des plats succulents. Le bar-pub sert des boissons, mais aussi des pâtes et des pizzas. La discothèque, O Farol, est accessible les vendredis et samedis soir. **Services :** room service 24 h/24, blanchisserie, concierge, 3 piscines, court de tennis, club de sports, salles de jeux, solarium, sauna.

❂ **Madeira Palácio.** Estrada Monumental 265, 9000 Funchal, Madeira. ∅ **291/70-27-02.** Fax 291/70-27-03. www.madinfo.pt/hotel/m.palacio/. Mél : mpalacio@mail.telepac.pt. 253 chambres. TV CLIM. Minibar Tél. Double 31 000-39 000 ESC ; suite 54 000 ESC. Petit déjeuner compris. CB. Parking gratuit. Bus : 5 ou 6.

Le Madeira Palácio est un hôtel moderne luxueux situé sur la route côtière qui mène à Câmara de Lobos, à un peu plus de 3 km du centre de Funchal. Il est perché sur une falaise qui domine la mer avec vue sur la falaise la plus célèbre de Madère, le Cabo Girão, qui se détache au loin. Le bâtiment forme une étoile à 3 branches. Les chambres donnant sur la montagne sont moins prisées que celles donnant sur la mer. Les chambres sont confortables, plutôt spacieuses et dotées de balcons. Les salles de bains sont vastes, équipées de sèche-cheveux et même du téléphone. Les salons et les chambres sont décorés avec des boiseries, des matériaux et des tissus locaux. **Restauration :** le restaurant principal est le Cristóvão Colombo, qui propose un menu local et international. Le restaurant Terrace sert une cuisine régionale, alors que le restaurant haut de gamme sert une cuisine européenne. Il y a également un piano-bar et snack-bar extérieur. **Services :** room service 24 h/24, blanchisserie, baby-sitting, piscine chauffée, courts de tennis, boutiques, salon de coiffure et sauna, tables de ping-pong. Possibilité de pratiquer des sports nautiques.

❂ **Quinta da Bela Vista.** Caminho do Avista Navios 4, 9000 Funchal, Madeira. ∅ **291/76-41-44.** Fax 291/76-50-90. Mél : qbvista@mail.telepac.pt. 67 chambres. TV CLIM. Tél. Double 23 600-30 500 ESC ; suite à partir de 50 000 ESC. Petit déjeuner compris. CB. Parking gratuit.

Une ancienne villa privée construite en 1840 constitue la partie principale de cet hôtel, situé sur les collines qui dominent Funchal. Son propriétaire, un chirurgien local, y a ajouté, par la suite, deux bâtiments annexes de style colonial portugais, pour en faire un. hôtel 5 étoiles. Dans la partie centrale, il y a 4 suites, la bibliothèque et le restaurant principal. Les annexes sont entourées de jardins et leurs chambres sont confortables. Les chambres sont un peu plus grandes dans l'annexe la plus récente (1991). Elles sont meublées d'excellentes reproductions en ébène de meubles anciens et de quelques antiquités. Les salles de bains sont bien équipées. **Restauration :** le Casa Mãe est un restaurant formel, au service impeccable, installé dans la villa d'origine. L'Avistas Navios est plus décontracté et donne sur un beau panorama. On y sert une cuisine régionale et internationale. Il y a un bar agréable près de la piscine et un bar dans chaque restaurant. **Services :** room service, blanchisserie et valet, concierge, baby-sitting, navette gratuite avec Funchal 5 fois par jour, courts de tennis, sauna, jacuzzi, club de sports, piscine extérieure chauffée, parc.

Se loger en famille

Girassol (*voir page 373*) Situé à la périphérie de Funchal, cet hôtel est très apprécié des familles car ses prix sont raisonnables et une piscine est réservée aux enfants. La plupart des chambres doubles sont en réalité des suites.

Hotel Santa Isabel (*voir page 373*) Voisin du Savoy, c'est un satellite de l'hôtel de luxe. Ses résidents profitent de ses équipements, sans en payer ses prix. Il y a 50 % de réduction pour les enfants entre 2 et 11 ans qui partagent la chambre de leurs parents.

Quinta da Penha de França (*voir page 374*) Ce large manoir ne manque pas de charme et les enfants apprécient son snack-bar, les jardins et la piscine.

PRIX MOYENS

Girassol. Estrada Monumental 256, 9000 Funchal, Madeira. ✆ **291/76-40-51**. Fax 291/76-54-41. 133 chambres. TV Tél. Double 18 000-22 000 ESC ; suite 30 000 ESC. Petit déjeuner compris. CB. Parking gratuit. Bus : 1, 3, 5 ou 6.

Le Girassol offre des chambres impeccables à des prix raisonnables. Il est situé à la périphérie de Funchal, en surplomb du Tourist Club, par lequel les résidents peuvent accéder à la mer pour un prix modique. La plupart des chambres doubles sont en réalité des suites, qui consistent en une chambre, une salle de bains, un petit salon et une véranda. Chaque chambre possède une terrasse ou un balcon avec vue sur la mer, sur les montagnes ou le jardin. L'hôtel réserve une de ses piscines aux enfants. **Restauration :** le restaurant sert une cuisine régionale dans une salle à manger qui donne sur la mer. On joue de la musique au dîner. **Services :** room service, concierge, solarium au 12e étage, un bar, un salon et un salon de coiffure au rez-de-chaussée.

Hotel do Carmo. Travessa do Rego 10, 9000 Funchal, Madeira. ✆ **291/22-90-01**. Fax 291/22-39-19. 80 chambres. TV Minibar Tél. Double 14 000 ESC ; triple 18 400 ESC. Petit déjeuner compris. CB. Parking 1 000 ESC. Bus : 1, 2, 4, 5, 6, 8, 9, ou 10.

Le Carmo est situé au centre de Funchal, à 5 minutes à pied de la cathédrale. Les chambres sont modernes et la plupart ont des balcons qui donnent sur la rue. Le prix des chambres avec ou sans balcon est le même. Il y a une piscine en forme de L sur le toit terrasse d'où l'on a une jolie vue sur le port. Cet hôtel, fondé par la famille Fernandes, a été conçu pour une clientèle aux goûts plus modestes qui se plaît en centre-ville. Les chambres sont simples et meublées en style contemporain. L'ensemble est confortable. La salle à manger est vaste et le salon ouvre sur un patio et sur le bar. **Services :** room service 24 h/24, blanchisserie, baby-sitting, sauna, solarium.

Hotel Santa Isabel. Av. do Infante, 9006 Funchal, Madeira. ✆ **291/22-31-11**. Fax 291/22-79-59. 69 chambres. TV Minibar Tél. Double 16 000-19 500 ESC ; suite 19 500-39 000 ESC. Moitié prix pour les 2-11 ans dans la chambre des parents. Petit déjeuner compris. CB. Parking gratuit. Bus : 2, 4, 6, 12 ou 16.

À côté du Savoy et sous la même direction, ce petit hôtel accueillant tient sa réputation de la qualité du service et du confort. Situé dans le quartier des hôtels de luxe, il est équipé d'une petite piscine sur le toit et d'un solarium, d'un snack-bar, d'un bar à cocktails et d'un confortable salon dominant les jardins. Il y a deux catégories de chambres. Les plus chères donnent sur la mer et les autres sur la montagne ou sur les jardins. Ainsi certaines suites valent le même prix qu'une chambre double. Elles sont souvent réservées longtemps à l'avance. Les chambres au charme très britannique sont d'une excentricité désuète. Les harmonies de couleurs sont monochromes et les meubles, installés en grandes pompes en 1961 à l'ouverture de l'hôtel, sont de facture scandinave moderne. Cet hôtel un peu démodé est très apprécié des visiteurs anglais des Midlands. Ses résidents ont accès à tous les agréments du Savoy voisin, y compris ses piscines et ses restaurants, ce qui présente un avantage non négligeable.

✪ **Quinta da Penha de França.** Rua da Penha de França 2, 9000 Funchal, Madeira. ∅ **291/22-90-87.** Fax 291/22-92-61. 76 chambres. TV Minibar Tél. Double 14 000-17 900 ESC ; suite 18 000-21 000 ESC. Petit déjeuner compris. CB. Parking gratuit. Bus : 2, 12 ou 16.

Cet élégant manoir transformé en auberge s'est agrandi d'une annexe qui abrite 33 chambres avec balcon sur la mer et une terrasse. Situé à proximité du Savoy, le manoir se dresse sur une saillie qui surplombe le port. Face à une ancienne chapelle, il est à une courte promenade du centre. Les quatre étages de la façade de l'*antiga casa* sont percés de petites fenêtres sur l'océan, encadrées de volets vert sombre qui tranchent sur les murs d'un blanc éclatant. Les chambres de la partie principale évoquent une autre époque, notamment par leur hauteur de plafond, l'épaisseur des murs, leurs fenêtres à battants et leurs vieux meubles, qui comprennent quelques antiquités familiales. Cela donne l'illusion de loger dans une vieille demeure de famille pleine de vieilleries. Le bâtiment annexe a été terminé fin 1999 et mêle le contemporain à l'artisanat local, notamment au travail du bois. Le restaurant situé dans l'annexe est ouvert tous les jours pour le déjeuner et le restaurant situé dans le manoir est ouvert tous les jours pour le déjeuner et le dîner jusqu'à 22 h 30. La piscine se trouve sur la terrasse de façade, agrémentée de chaises longues.

Quinta do Sol. Rua Dr. Pita 6, 9000 Funchal, Madeira. ∅ 291/76-41-51. Fax 291/76-62-87. www.madinfo.pt/hotel/quintasol. Mél : qsol@mailmadinfo.pt. 151 chambres. TV CLIM. Tél. Double 14 900-23 500 ESC ; suite 30 000-40 000 ESC. Petit déjeuner compris. CB. Parking gratuit. Bus : 2, 12 ou 16.

Classée 4 étoiles, la Quinta do Sol compte parmi les meilleures de sa catégorie à Madère. Dans un décor agréable, les chambres, baignées de soleil, sont meublées en style contemporain, certaines avec balcon donnant sur la mer, et une trentaine d'entre elles équipées de minibar. Les chambres sans balcon ont le double avantage d'être moins chères et plus vastes. L'hôtel dispose de nombreux agréments tels que piscine, toit terrasse, salons. Le bar-restaurant, Charola, sert une cuisine portugaise et européenne.

PETITS PRIX

Albergaria Catedral. Rua do Aljube 13, 9000 Funchal, Madeira. ∅ 291/23-00-91. Fax 291/23-19-80. 25 chambres. TV Tél. Double 6 600-7 800 ESC. Petit déjeuner compris. CB. Bus : 1, 2, 4, 5, 6, 8, 9 ou 10.

C'est un bon choix si votre budget est limité et si vous préférez loger en centre-ville. Ne jugez pas l'établissement à son entrée un peu sombre face à la cathédrale. À l'étage, vous arriverez dans une aire de réception moderne et les chambres sont intimes et confortables. Les chambres sur l'arrière de ce bâtiment de 6 étages n'ont pas de vue, mais sont beaucoup plus calmes. Parmi les chambres de façade, 8 sont dotées d'un balcon qui ouvre sur le grondement de la rue. Les chambres les plus ensoleillées et les plus agréables occupent les deux derniers étages. L'hôtel n'a rien de luxueux et l'ameublement est très simple.

Estrelícia. Caminho Velho da Ajuda, 9000 Funchal, Madeira. ∅ 291/76-51-31. Fax 291/76-10-44. Mél : opio54@mail.telepac.pt. 148 chambres. TV Minibar Tél. Double 13 600 ESC. CB. Parking gratuit.

À 5 minutes en voiture du centre-ville, cet établissement, ouvert il y a une vingtaine d'années, a été complètement rénové durant l'été 1999 et il est plus agréable que jamais. Installé dans les derniers étages d'un gratte-ciel au sommet d'une colline dans le quartier des hôtels, il offre des chambres d'un très bon rapport qualité prix qui compensent sa localisation sans charme. Les chambres sont de taille moyenne, bien meublées, et ont vue sur la mer. Une navette gratuite assure la liaison avec le centre de Funchal. L'hôtel est également équipé d'une discothèque, d'une piscine d'eau de mer, de 2 bars et d'un restaurant qui sert une cuisine portugaise et européenne.

Hotel Madeira. Rua Ivens 21, 9009 Funchal, Madeira. ✆ 291/23-00-71. Fax 291/22-90-71. 53 chambres. TV Tél. Double 12 300 ESC ; suite 14 000 ESC. Petit déjeuner compris. CB. Quelques places de parking réservées dans la rue.

Ce bâtiment de 5 étages est situé derrière le parc, dans un coin tranquille du centre de Funchal. La piscine et le solarium sur le toit offrent une vue incomparable sur la ville, les montagnes et la mer. Il y a également un bar et un snack-bar. Les chambres, petites et moyennes, sont disposées autour d'un atrium planté de verdure. Certaines chambres ont des balcons, toutes sont équipées de pare-soleil et 10 d'entre elles de la climatisation. Les meubles sont confortables à défaut d'être neufs et les matelas sont bons. Le petit déjeuner est le seul repas servi à l'hôtel et le room service n'est assuré que jusqu'à 18 h.

Hotel Windsor. Rua das Hortas 4C, 9000 Funchal, Madeira. ✆ 291/23-30-81. Fax 291/23-30-80. 67 chambres. TV Minibar Tél. Double 12 000 ESC. Petit déjeuner compris. Pas de cartes de crédit. Bus : 1, 12 ou 16.

Cet hôtel 4 étoiles, ouvert en grandes pompes en 1987, se distingue par son style. Il est installé dans deux bâtiments reliés par un passage surélevé qui domine une cour intérieure baignée de soleil. Le hall en marbre est envahi par les plantes, décoré de meubles en rotin et d'accessoires Art déco. Du fait de sa situation en centre-ville, peu de chambres ont des vues intéressantes. Les chambres, de taille moyenne, sont confortables et meublées avec goût. Le café-bar de l'hôtel est décoré à l'image des clubs de la grande époque du jazz. Le garage gratuit est un atout considérable dans un quartier aussi central. La piscine sur le toit terrasse, assortie d'un bar, est très populaire et souvent bondée. Le restaurant, le Windsor, sert une cuisine de Madère, dont la spécialité est l'espadon. Un menu est servi au déjeuner et au dîner.

Se loger aux environs

PRIX ÉLEVÉS

Estalagem Casa Velha do Palheiro. Palheiro Golf, Sao Conçalo, 9050 Funchal, Madeira. ✆ 291/794-901. Fax 291/794-925. www.casa-velha.com. Mél : casa.velha@mail.eunet.pt. 25 chambres. TV Tél. Double 32 000-60 000 ESC. Petit déjeuner compris. CB. Parking gratuit.

Cet hôtel incomparable, construit en 1804, était à l'origine un pavillon de chasse du premier comte de Carvalhal. Restauré en 1996, c'est devenu le plus beau 5 étoiles de Madère dans la catégorie des hôtels de campagne. Situé à une quinzaine de minutes en voiture du centre de Funchal. Sa clientèle de golfeurs apprécie le parcours à proximité. Les chambres varient en taille, mais sont toutes confortablement meublées d'ancien et équipées de salles de bains modernes. **Restauration :** le restaurant, qui fait également bar, sert une cuisine portugaise de qualité. Il y a aussi un autre bar, très élégant. **Services :** room service (jusqu'à minuit), blanchisserie, concierge, piscine, court de tennis.

PRIX MOYENS

Quintinha São João. Rua da Levada de São João, 9000 Funchal, Madeira. ✆ **291/74-09-20.**
Fax 291/74-09-28. Mél : quintinhasj@mail.telepac.pt. 41 chambres. TV CLIM. Minibar Tél.
Double 10 750-16 750 ; suite à partir de 17 000 ESC. Petit déjeuner compris. Demi-pension
4 000 ESC. CB. Parking gratuit.

Construite dans les années 1900, cette *quinta* est l'une des mieux préservées de la
région de Funchal. Cette élégante résidence privée d'une architecture classique, bâtie
au milieu d'arbres centenaires, a été aménagée en une agréable auberge familiale. Les
chambres sont assez spacieuses, équipées de lits jumeaux et joliment décorées de
couvre-lits en broderie de Madère et d'antiquités. Les salles de bains sont bien équipées. Le restaurant, A Morgadinha, est installé dans un bâtiment restauré adjacent
au bâtiment principal et sert des spécialités régionales ainsi que des plats de Goa
(Inde). La terrasse du bar, le Vasco da Gama, ouvre sur la baie de Funchal. L'hôtel
possède également une piscine découverte au 2ᵉ étage et un court de tennis.

4. Se restaurer

Il est bien sûr possible et plus facile de dîner à son hôtel, mais si l'envie vous prend de
goûter la cuisine locale, nous avons sélectionné quelques établissements, tous dans
Funchal, en commençant par les restaurants d'hôtels.

Se restaurer à Funchal

PRIX ÉLEVÉS

Chez Oscar / Restaurante Panorámico. Au Casino Park Hotel, av. do Infante. ✆ **291/23-
31-11.** Réservation nécessaire. Plats 2 150-6 000 ESC. Menu au Panorámico 7 800 ESC. CB.
Chez Oscar mar.-sam. 19 h 30-23 h. Panorámico dim.-jeu. 19 h 30-21 h 30. Bus : 2, 12 ou
16. *International.*

Installé dans une salle moderne aux reflets bronze qui ouvre sur une terrasse fleurie,
Chez Oscar est le plus petit et le plus intime des restaurants du Casino Park Hotel.
L'éclairage tamisé, les chandelles et le personnel en uniforme ajoutent à l'atmosphère
prestigieuse du lieu. Le Panorámico est plus grand et le service y est moins personnalisé. Il y a un spectacle de cabaret le dimanche soir. Ces deux restaurants mettent
l'accent sur la fraîcheur et la qualité des ingrédients. Chez Oscar, les spécialités les
plus appréciées sont les plats flambés à la table. La cuisine y est plus exotique et plus
originale qu'au Panorámico – comme par exemple, l'espadon grillé accompagné de
potiron sauté et d'une sauce tomate parfumée au basilic. Les cartes de ces deux restaurants comprennent, entre autres, le porc *piccata*, un mixed-grill de poissons
locaux, du gigot d'agneau à la fleur de thym, des crustacés dans une sauce safranée
et le chateaubriand.

✪ **Fleur-de-Lys.** À l'hôtel Savoy, av. do Infante. ✆ **291/22-20-31.** Réservation nécessaire.
Plats 2 500-4 500 ESC. CB. Tlj. 19 h à 23 h. Bus : 2, 12 ou 16. *Français.*

Outre la qualité de sa cuisine, ce restaurant peut se targuer d'un décor magnifique
fait de reproductions de meubles anciens et de tapis orientaux, et d'une vue panoramique sur les lumières de Funchal. La cuisine ouverte permet de voir ce qui se prépare sur le grill. Il est indispensable de réserver car même en l'ayant fait, on attend
quelquefois sa table. Les spécialités sont, entre autres, la langouste aux champignons,
les crevettes dans une sauce au pastis, le steak sauce au poivre et les médaillons de
veau au calvados.

Se restaurer en famille

Casa da Carochinha (coccinelle) *(voir page 378)* Situé face aux jardins centenaires, ce restaurant est très apprécié par les familles anglaises qui y retrouvent le roast beef et le Yorkshire pudding.

O Patio Jardim Tropicale *(voir page 379)* La carte de ce restaurant, confortablement niché dans une cour intérieure au cœur de Funchal, affiche toujours un plat qui tente les enfants comme, par exemple, un poulet rôti bien moelleux.

○ **Les Faunes.** Au Reid's Palace, estrada Monumental 139. ⌀ **291/76-30-01**. Réservation nécessaire. Cravate et veste obligatoires pour les hommes. Plats 2 900-4 200 ESC. CB. Tlj. 19 h 30-22 h 30. Fermé mai-oct. Bus : 5 ou 6. *Français.*

Dîner au Faunes est une expérience unique. Le restaurant doit son nom aux lithographies de Picasso qui décorent les murs. Un pianiste accompagne le dîner. L'hiver, les clients, fidèles à la tradition britannique, s'habillent pour dîner, les hommes portant le smoking. Le chef propose une haute cuisine française et portugaise. Il fume lui-même ses poissons. Parmi les plats les plus appréciés, nous citerons la *caldeirada* (ragoût de poissons), la langouste (grillée ou pochée) et l'espadon à la banane, qui fait la fierté du chef. Pour les desserts, il y a un chariot de pâtisseries ou des soufflés aux fruits de la passion ou aux fraises, par exemple.

○ **Quinta Palmeira.** Av. do Infante 5. ⌀ 291/22-18-14. Réservation nécessaire. Plats 2 000-5 000 ESC. CB. Tlj. 11 h 30-24 h. *Portugais, européen.*

Cet élégant restaurant occupe une belle résidence de campagne qui date de 1735. Près de l'hôtel Savoy, la qualité de sa cuisine satisfait les palais les plus exigeants. Son propriétaire, Manuel Jose da Sousa, insiste sur la qualité de ses produits et le talent de ses chefs. Les spécialités comprennent, entre autres, un filet de bœuf grillé servi sur des toasts au roquefort et accompagné de vin de Madère, des crevettes au curry, de l'espadon ou du saumon sauté avec une sauce au beurre et au citron, des plats de viandes accompagnés de bananes ou de fruits de la passion ; et pour finir la glace maison à l'avocat.

Restaurant Caravela. Av. do Mar 15, 3ᵉ étage. ⌀ 91/22-84-64. Plats 2 600-8 000 ESC. CB. Tlj. 12 h-15 h et 18 h 30-23 h. Bus : 2 ou 12. *Portugais, européen.*

Ce restaurant sur le front de mer offre une vue incomparable sur l'activité du port. On y dîne sur une terrasse vitrée avec cheminée ou dans une salle intérieure. On y sert une bonne cuisine régionale : poissons de Caravela et *espetada*, un plat régional fait de brochettes de viande parfumée à l'ail et aux herbes (à commander spécialement). Le thé, servi entre 14 h et 17 h, est accompagné d'un buffet de petits sandwichs scandinaves.

PRIX MOYENS

Casa dos Reis. Rua Imperatriz Dom Amélia 101. ⌀ 291/22-51-82. Réservation nécessaire. Plats 1 200-3 800 ESC. CB. Tlj. 19 h-22 h 30. Bus : 5 ou 6. *Franco-portugais.*

Situé dans un quartier attrayant en contrebas du Madeira Carlton Hotel, le Casa dos Reis recrée l'atmosphère d'un club privé avec ses larges fauteuils polis par le temps et ses chandeliers de cuivre. Évitez le snack au premier étage et installez-vous dans la salle à manger où, parmi les spécialités du chef, vous pourrez goûter la soupe de poissons, le sabre grillé, le carré d'agneau aux fines herbes, la fricassée de poissons aux crevettes et le chateaubriand. C'est une cuisine traditionnelle qui fait la part belle aux ingrédients locaux et a su convaincre les habitants de l'île.

Casa Madeirense. Estrada Monumental 153. ∅ **291/76-67-00**. Réservation recommandée. Plats 2 000-5 000 ESC. CB. Lun.sam. 13 h-15 h et 18 h 30-22 h 30. Fermé en août. *Portugais, européen.*

Installé dans une ancienne résidence privée, ce restaurant est apprécié des résidents du Reid's Palace voisin. Le propriétaire, Filipe Gouveia, se montre particulièrement chaleureux envers ceux qui apprécient son élégant décor local fait d'*azulejos* et de fresques murales. Le bar évoque les chaumières du village de Santana. La carte fait honneur aux poissons et aux crustacés et parmi les spécialités, nous citerons la *cataplana de marisco* (ragoût de crustacés) et le thon, grillé à la perfection.

Petits prix

Casa da Carochinha (coccinelle). Rua de São Francisco 2A. ∅ **291/22-36-95**. Réservation recommandée pour le dîner. Plats 950-1 900 ESC. CB. Mar.-sam. 12 h-15 h et 18 h-22 h. Thé servi mar.-sam. 15 h-17 h. Bus : 2, 12 ou 16. *Madère, anglais.*

Le restaurant la Casa da Carochinha, situé face aux Jardins centenaires, est le restaurant préféré des visiteurs britanniques car c'est le seul restaurant de Madère où le chef cuisine sans ail. Les spécialités sont, entre autres, le coq au vin, le bœuf Stroganoff, le roast beef accompagné de Yorkshire pudding et le canard à l'orange. La cuisine est de bonne qualité mais sans grande imagination. En général, le personnel place un petit drapeau de votre pays au centre de la nappe blanche en dentelle de Nottingham.

Dos Combatentes. Rua Ivens 1. ∅ **291/22-13-88**. Plats 900-1 500 ESC. CB. Lun.-sam. 11 h 45-15 h et 18 h 30-22 h 30. Bus : 2, 12 ou 16. *Madère.*

Le Dos Combatentes propose une bonne cuisine régionale, très appréciée des professionnels locaux. Situé au sommet des jardins municipaux, ce restaurant sert, entre autres, du civet de lapin, des calmars en sauce, de l'espadon aux bananes. Les soupes sont bonnes et les plats sont accompagnés de 2 garnitures et d'une salade. Les desserts sont classiques, crème caramel, mousse au chocolat, fruits. Le personnel est efficace mais ne parle que portugais.

O Celeiro. Rua dos Aranhas 22. ∅ **291/23-06-22**. Réservation recommandée. Plats 1 400-3 500 ESC. CB. Lun.-sam. 12 h-14 h 30 et tlj. 18 h-22 h 30. *Madère.*

Ce restaurant d'allure rustique sert la cuisine régionale la plus authentique de la capitale. Le décor est celui des fermes de l'île et les chefs sont connus pour leur goût du terroir. O Celeiro s'est constitué une clientèle locale grâce à ses prix raisonnables et ses portions copieuses. Vous y trouverez parmi les classiques de Madère l'espadon aux bananes, le thon mariné dans une sauce au vin et à l'ail et servi avec des champignons frais, la *cataplana de marisco*, un ragoût de crustacés toujours différent et l'*espetada*, les brochettes de viande de bœuf.

O Espadarte. Estrada da Boa Nova 5. ∅ **291/22-80-65**. Réservation recommandée pour le dîner. Plats de 1 200-1 800 ESC. CB. Mar.-dim. 12 h-15 h et 18 h-22 h 30. Bus : 2 ou 12. *Madère et européen.*

O Espadarte est un restaurant sans prétention, situé dans un immeuble moderne coincé entre la route escarpée et les montagnes, à environ 1,5 km de Funchal en direction de l'aéroport. Le dîner est servi sur de longues tables en bois. Les spécialités incluent l'espadon grillé, les brochettes de bœuf, les côtelettes de porc et l'espadon fumé maison. Les portions sont copieuses et la cuisine locale est savoureuse. Les soirées où sont présentés des spectacles de folklore local ou de *fado* attirent des flots de touristes.

O Patio Jardim Tropicale. Av. Zarco 21. ∅ **291/22-73-76**. Plats 950-1 600 ESC. CB. Lun.-sam. 12 h-15 h et 19 h-22 h. Bus : 2, 12 ou 16. *Portugais.*

Situé au cœur de la ville, O Patio Jardim Tropicale occupe la cour intérieure d'un ensemble de bâtiments commerciaux et son entrée, située à côté du kiosque à journaux, n'est pas facile à repérer. Le restaurant, d'un excellent rapport qualité prix, offre un abri agréable contre le bruit de la rue, et est très apprécié des commerçants du quartier. Les portions sont copieuses et parmi les plats du jour, il y a bien sûr la pêche du jour, le poulet rôti et la morue aux oignons, les calmars ou le steak de thon pommes de terre, suivis, par exemple, d'un ananas flambé. Les repas sont servis sur des tables en bois. Ce n'est pas la cuisine la plus légère de Madère, mais on y trouve de bons plats d'hiver.

Pizzaria Xaramba. Rua Portão São Tiago 11. ∅ **291/22-97-85**. Les réservations ne sont pas acceptées. Plats 850-1 900 ESC. Pas de cartes de crédit. Tlj. 18 h-4 h. *Pizzas et pâtes.*

Ce restaurant, parmi les moins chers de Funchal, s'est constitué une solide clientèle parmi les jeunes de l'île. Les pizzas y sont excellentes, ainsi que les pâtes. En outre, il reste ouvert bien après que tous les autres restaurants de la ville ont fermé leurs portes. Les pizzas sont faites sous vos yeux, mais peut-être préférerez-vous un plat de lasagnes.

Se restaurer dans les environs

❸ **A Seta.** Estrada do Livramento 80, Monte. ∅ **291/74-36-43**. Réservation recommandée. Plats 1 400-1 800 ESC. CB. Jeu.-mar. 12 h-15 h et 18 h-23 h. *Madère.*

A Seta (« la flèche ») se distingue par son excellente cuisine régionale. Situé à mi-parcours entre Funchal et Monte, à 4 km de chacune des deux villes, ce restaurant de montagne est très fréquenté par les groupes de voyages organisés. On y sert, sur des tables en pin, de bons repas à un prix très abordable. Le décor est rustique, les meubles sont en bois sombres et les murs décorés de pommes de pin. La salle à manger intérieure donne sur une cuisine ouverte équipée d'un four et d'un brasero à charbon de bois.

On vous apporte d'abord un panier de pain bis tout chaud, sortant du four, et de longues brochettes de viande grillée au feu de bois circulent au-dessus des tables. Les trois spécialités sont l'*espetada*, à base de bœuf, de poulet et de morue grillée, assaisonnée à l'huile d'olive, à l'ail et au laurier. Les pommes de terre sont excellentes. N'hésitez pas à demander la sauce pimentée.

Aquário. Seixal, Porto Moniz. ∅ **291/85-43-96**. Plats 1 300-2 500 ESC. CB. Tlj. 12 h-22 h. *Madère.*

Aquário est un restaurant de poissons sur le front de mer, trop souvent négligé par les touristes. On y sert les meilleurs poissons de l'île. La cuisine est simple, mais d'une qualité presque équivalente à celle des meilleurs hôtels. Commencez, par exemple, par commander une corbeille de pain maison et un pichet de vin local. Poursuivez par la pêche du jour grillée accompagnée de trois légumes. Les soupes paysannes sont goûteuses et les portions copieuses.

5. Découvrir Madère

Principaux sites

Funchal est agrémentée d'une jolie place de l'hôtel de ville, **praça do Município**, qui fait jouer l'ombre et la lumière sur son dallage de pierres de lave noires et blanches en forme de demi-lune. Les fenêtres et les portes des façades blanchies qui l'encadrent sont décorées de pierres noires et les bâtiments sont coiffés de tuiles ocre. La place est fermée au sud par un ancien archevêché qui a été converti en musée d'art religieux. La Câmara Municipal (hôtel de ville), ancien palais du comte de Carvalhal construit au XVIIIe siècle, se dresse à l'est de la place, sa haute tour dominant les toits environnants.

Sé (Cathédrale). Rua do Aljube. ∅ 291/22-81-55. Entrée gratuite, mais donation suggérée. Lun.-sam. 7 h à 13 h et 16 h-19 h, dim. 8 h-20 h 30.

Construite au XVe siècle, c'est l'église la plus curieuse de Funchal. L'édifice d'allure rustique est ornementé d'un plafond de cèdre aux motifs maures, d'arches gothiques, de vitraux et d'autels baroques. La cathédrale se dresse au carrefour de quatre rues animées, dont la rua do Aljube, dans la partie historique de la ville. Les horaires d'ouverture de la cathédrale peuvent varier en fonction des activités religieuses.

Museu da Quinta das Cruzes. Calçada do Pico 1. ∅ 291/74-13-82. Entrée 300 ESC. Mar.-sam. 10 h-12 h 30 et 14 h 30-17 h 30 ; dim. 10 h-13 h.

Ce musée est installé dans l'ancienne résidence de João Gonçalves Zarco, qui a découvert Madère. Il est entouré d'un parc qui abrite une intéressante collection d'orchidées. Le musée possède de belles pièces de mobilier anglais et une belle collection de porcelaines de Chine, rapportées par des expatriés anglais au XVIIIe siècle. Il y a également de très beaux meubles indo-portugais, de très beaux coffres du XVIIIe siècle, typiques de Madère, fabriqués à partir de *caixas de açúcar* (caisses de sucre), et une belle collection d'argenterie portugaise ancienne.

Museu Municipal do Funchal. Rua da Mouraria 31. ∅ 291/22-97-61. Entrée 270 ESC, gratuite pour les moins de 12 ans. Mar.-ven. 10 h-18 h ; sam.-dim. 12 h-18 h.

Le **musée municipal** présente la faune aquatique et terrestre de l'archipel. Parmi les espèces marines, il y a des murènes, des raies, des rascasses, des concombres de mer, des poissons globes et des espèces rares de tortues. Vous y verrez également de beaux spécimens d'oiseaux de Madère au plumage coloré. On y accède en taxi ou en voiture, les bus ne sont pas autorisés.

Museu de Arte Sacra. Rua do Bispo 21. ∅ 291/22-89-00. Entrée 450 ESC. Mar.-sam. 10 h-12 h 30 et 14 h 30-18 h ; dim. 10 h-13 h.

Ce **musée d'art sacré** occupe l'ancienne résidence de l'évêque, au cœur de la ville. Sa collection provient des églises disparues de l'île. Il possède notamment une belle série de peintures des écoles flamandes et portugaises des XVe et XVIe siècles, commandées par les riches marchands de sucre de l'île. Le plus bel exemple de ces peintures sur bois est sans doute *L'Adoration des Rois mages*, de 1518. Cette œuvre avait été commandée par un riche marchand qui l'a payée en sucre, comme cela se faisait beaucoup à l'époque. Vous y verrez en outre un intéressant triptyque représentant saint Philippe et saint Jean, une peinture magnifique, la *Descente de croix*, des pièces en ivoire sculptées, de la vaisselle en or et en argent ainsi que des ornements en bois doré.

Jardim Botânico. Caminho do Meio. ∅ 291/200-20-85. Entrée 300 ESC, moins de 14 ans 100 ESC. Tlj. 9 h-17 h 30. Bus : 29, 30 ou 31.

Situé sur la route de Camacha, à environ 4 km de Funchal, le **jardin botanique** est l'un des plus beaux du Portugal et offre de très belles vues sur la baie de Funchal et sur le port. Fondé par le gouvernement en 1960 sur le domaine d'une ancienne plantation, la Quinta do Bom Sucesso, le jardin regroupe toutes les variétés d'arbres et de plantes de l'île ainsi que plusieurs variétés subtropicales importées d'Afrique et d'Amérique du Sud comme les anthuriums ou les oiseaux de paradis. Une bruyère, découverte près de Curral das Freiras, aurait plus de 10 millions d'années.

Explorer les environs

Tout de suite à l'est de Funchal, la ✪ **Quinta do Palheiro Ferreiro** dispose d'un beau domaine de promenade. La résidence est une propriété privée qui appartient à la famille de viticulteurs, Blandy, à laquelle appartenait également le Reid's Palace. Le domaine qui s'étend sur une quinzaine d'hectares abrite plus de 3 000 variétés de plantes, dont des camélias, en fleur de la fin décembre au début du printemps. Vous y verrez également plusieurs variétés de fleurs rares importées d'Afrique et des arbres exotiques. Le domaine est ouvert du lundi au vendredi de 9 h 30 à 12 h 30. Entrée 1 000 ESC. Il faut obtenir une autorisation pour pique-niquer. Depuis Funchal, prendre le bus 36 ou, en voiture, prendre la route N101 en direction de l'aéroport pendant 5 km environ, puis prendre à gauche sur la N102 et suivre les panneaux indiquant Camacha jusqu'à l'embranchement de la *quinta* qui est indiqué.

✪ **L'Eira do Serrado**, à environ 13 km au nord-ouest de Funchal sur le Pico de Barcelos, compte parmi les très beaux belvédères de l'île. Cette terrasse panoramique, à un peu plus de 1 000 m d'altitude, offre une vue impressionnante sur le cratère en dent de scie du plus beau volcan de Madère. La vue plonge à l'intérieur dans les profondeurs du cratère ou s'étend le long des terrasses jusqu'au village de Curral das Freiras (voir ci-dessous). La marche d'une demi-heure qui fait le tour du Pico do Serrado jusqu'au belvédère permet d'admirer l'un des paysages les plus stupéfiants du pays. Sortir de Funchal par la Rua Dr. João Brito Camara, qui va jusqu'à la nouvelle route sur laquelle le Pico dos Barcelos est indiqué.

Lorsque vous quittez Pico dos Barcelos, prenez la N107, qui mène à l'étonnant village de **Curral das Freiras**, à 6,5 km environ au nord d'Eira do Serrado (c'est indiqué). Le nom du village signifie « corral de sœurs ». En effet, les religieuses du Convento de Santa-Clara avaient choisi cette retraite pour être à l'abri des pirates. Le village aux maisons blanchies, accessible par deux tunnels creusés dans la montagne, est niché au pied d'un cercle de volcans éteints. Après avoir visité la petite église sur la place, vous souhaiterez peut-être vous arrêter au café du village avant de reprendre la route. Il faut compter 2 heures pour faire le circuit de 35 km jusqu'à Eira do Serrado et Curral das Freiras.

Vin, marchés et festivals

LE VIN DE MADÈRE

Funchal est le centre de la **production viticole de Madère**. Des vignes ont été plantées dans cette région depuis le XVe siècle. C'est Henri le Navigateur qui a introduit les vignes et la canne à sucre dans ces collines. À Funchal, le moût de raisin blanc ou noir est utilisé pour faire du Boal, du Sercial ou du Malvoisie. Il se distingue par son parfum doux-amer prononcé et les femmes l'utilisaient autrefois pour parfumer leurs mouchoirs. Le raisin est encore foulé aux pieds et le moût est transporté dans des gourdes en peau à travers le terrain accidenté par les *borracheiros*. Il est pasteurisé au moment du mélange.

Madeira Wine Company, av. Arriaga 28 (✆ 291/74-01-00), est une véritable œnothèque, située près de l'office du tourisme. Fier de ses traditions, ce marchand propose des dégustations de ses différents crus, c'est-à-dire de tous les millésimes produits sur l'île au cours des 35 dernières années. Situé dans un ancien couvent, datant de 1790, ce magasin est décoré de fresques murales représentant le foulage aux pieds et les vendanges qui s'effectuent selon des traditions centenaires. Les tables et les chaises sont fabriquées avec d'anciens fûts. Entrée gratuite. Du lundi au vendredi de 9 h à 19 h ; le samedi de 9 h à 13 h. Départs des visites guidées à 10 h 30 et à 15 h 30 ; tarif 500 ESC.

On raconte que lorsque Napoléon a fait escale à Madère en route pour Sainte-Hélène en 1815, on lui avait offert des bouteilles de l'année, mais qu'il est mort avant d'avoir pu les goûter.

MARCHÉS

Le **Mercado dos Lavradores**, situé Avenida Zarco et Hospital Velho, est ouvert du lundi au samedi de 7 h à 20 h. L'activité bat son plein le matin. Les marchandes de fleurs sont vêtues de costumes traditionnels de Madère, corsage serré, jupes rayées et bottes de cuir. Outre l'artisanat local, vous y trouverez une abondance de fruits et de légumes.

Dans les **bazars**, on vend en général des tapisseries, des vins, de la dentelle et des broderies (sur organdi ou sur lin) de Madère, des bottes en peau de chèvre et de la vannerie de Camacha. Sur les étals du **Marché municipal**, installé sur la praça do Comércio le samedi, les fruits et les légumes rivalisent de couleurs.

FÊTES

Les fêtes de fin d'année constituent la période la plus excitante pour visiter Funchal (c'est également la plus haute saison). Du 30 décembre au 1er janvier, la baie est illuminée de feux d'artifice qui projettent un éclairage fantastique sur les montagnes alentour. Les bateaux de croisières illuminés jettent l'ancre dans le port à la grande joie de leurs passagers qui s'amusent jusqu'à l'aube.

Circuits organisés

Si vous préférez ne pas affronter seuls les routes à lacets de Madère, vous pouvez vous joindre à l'un des circuits organisés autour de l'île et de la baie. Vous pouvez demander à ce que l'on passe vous prendre à votre hôtel ou partir de l'office du tourisme. Si votre hôtel est à l'extérieur de Funchal, vous devrez payer une surcharge. Pour de plus amples informations, renseignez-vous auprès de l'office du tourisme (voir « Informations pratiques » au début du chapitre) ou auprès de **Inter-Visa Tours**, av. Arriaga 30, 3e étage (∅ 291/22-83-44), à Funchal.

Le circuit le plus populaire est celui qui fait le **tour de l'île en une journée**. Il passe par tous les sites accessibles de l'île, y compris sa pointe nord-ouest, Porto Moniz, et le ravissant port de Câmara de Lobos, à quelques kilomètres à l'ouest de Funchal. Il y a un circuit par jour, la journée complète coûte 8 000 ESC par personne, déjeuner compris.

Les autres circuits populaires sont : le **circuit d'une demi-journée qui comprend un volcan et une descente en luge** pour 4 500 ESC par personne ; 2 départs par semaine, en général le lundi et le vendredi. Le mercredi matin, une **visite des ateliers des vanneries de Camacha** est organisée pour 4 500 ESC. On y fabrique des milliers d'ouvrages en osier – allant du plus simple panier au salon complet – qui sont vendus sur place. Le vendredi soir, vous pouvez assister à **dîner assorti d'un spectacle de *fado* et de folklore local**, organisé pour 6 000 ESC.

6. Sports et activités de plein air

La douceur du climat invite aux activités de plein air qui consistent principalement en de longues promenades à travers Funchal et sur les sentiers qui parcourent la campagne. Les visiteurs anglais de l'époque victorienne se faisaient promener à travers l'île sur des hamacs suspendus entre deux longues perches tenues par de solides porteurs. Aujourd'hui, les visiteurs aiment parcourir l'avenida do Mar, dans des charrettes tirées par des bœufs qui se louent près du quai.

PÊCHE EN HAUTE MER

C'est l'un des sports populaires de Madère. Les prises les plus courantes sont le thon, le marlin, l'espadon et diverses espèces de requins. La location de bateau est d'un prix abordable. Renseignez-vous auprès de l'office du tourisme (voir « Informations pratiques », au début du chapitre) pour les tarifs.

GOLF

Les 2 parcours de 18 trous qui se trouvent sur l'île sont ouverts au public et habitués à servir une clientèle étrangère. Le plus facile et le plus connu est le **Campo de Golfe de Madeira**, situé dans le hameau de Santo da Serra ($\varnothing$ 291/55-23-45), sur la côte nord-est de l'île à quelque 24 km de Funchal. Le tarif est de 6 000 ESC pour 18 trous. Le **Golf de Palheiro** est installé sur un terrain plus rocailleux qui plaît moins aux golfeurs, dans le hameau de Sítio do Balançal São Gonçalo, 9050 Funchal ($\varnothing$ 291/79-21-16), à environ 4,5 km au nord de Funchal. Les tarifs vont de 9 900 ESC à 11 700 ESC pour 18 trous. Vous pouvez louer des clubs et des chariots, et des caddies locaux peuvent vous accompagner. Les deux clubs disposent de club house, avec bar et restaurant, et sont abondamment plantés de mimosas, de pins et d'eucalyptus.

NATATION

Il n'y a pas de plage à Madère, mais le **centre nautique du Lido** (Complexo Balnear do Lido), rua do Gorgulho ($\varnothing$ 291/76-22-17), possède une piscine olympique et un vaste bassin pour les enfants. Il est ouvert tous les jours, de 8 h 30 à 19 h en été, et de 9 h à 18 h hors saison. L'entrée est de 250 ESC, gratuite pour les moins de 10 ans accompagnés d'un adulte et de 110 ESC pour les autres enfants. Après 15 h, les visiteurs qui ne veulent accéder qu'au solarium peuvent acheter un billet à tarif réduit pour 110 ESC. La location de chaises longues et de parasols coûte 280 ESC. Le centre est équipé d'un café, d'un restaurant, d'un marchand de glaces, de plusieurs bars et d'un centre de sports aquatiques. Pour vous y rendre, sortir de Funchal par l'estrada Monumental, puis tourner dans la rua do Gorgulho (c'est indiqué). Bus 6.

✪ DESCENTES EN LUGE

Ces vastes luges en osier sur patins de bois étaient à l'origine le moyen de transport utilisé par les habitants de Monte de 1849 à 1942. La descente de Monte à Funchal s'étend sur environ 3 km de pavés usés et glissants. Deux guides coiffés de chapeaux de paille dirigent la luge par un jeu de cordages. Certains d'entre vous souhaiteront peut-être se donner du courage avec un verre de vin de Madère avant d'attaquer la descente qui dure une vingtaine de minutes. À Terreiro da Luta, à plus de 870 m d'altitude, vous profiterez d'une vue panoramique sur Funchal. Vous y verrez également des monuments dédiés à Zarco et à N.-D. de la Paix.

Avant de descendre, prenez-le temps de visiter l'**église Nossa Senhora do Monte**, qui abrite le tombeau du dernier des Habsbourg, l'empereur Charles, décédé d'une pneumonie à Madère en 1922. D'un belvédère voisin, vous aurez une vue sur tout Funchal.

Il est possible de se rendre à Monte (6 km au nord-est) en taxi ou par les bus 20 ou 21, reconnaissables à leur peinture jaune vif. Ils partent de Funchal toutes les 30 minutes. La descente en toboggan de Monte (du point le plus haut) à Funchal coûte 2 600 ESC par passager. Pour de plus amples informations, renseignez-vous après de **Carreiros dos Montes** ($\varnothing$ 291/78-39-19).

SPORTS NAUTIQUES

Plusieurs grands hôtels, notamment l'**Hôtel Savoy** et le **Reid's Palace** (voir « Se loger », p. 370) proposent à leurs résidents et aux non-résidents des sports nautiques. Ils peuvent organiser des séances de ski nautique et louer des planches à voile, des dériveurs ou des voiliers. Si vous souhaitez faire de la plongée sous-marine ou avec tuba, adressez-vous au **Madeira Carlton Hotel**, largo António Nobre (∅ **291/23-95-00**).

7. Shopping à Funchal

L'artisanat local est assez cher, mais les collectionneurs s'intéresseront sans doute aux ouvrages brodés. Vérifiez que ce que vous achetez porte bien le label en fer qui atteste que l'objet a été fabriqué sur l'île et non importé.

À la fabrique, **Patricio & Gouveia**, rua do Visconde de Anadia 33 (∅ **291/22-29-28**), vous verrez les employés dessiner les motifs à broder et vérifier la qualité des travaux. Les broderies sont faites à domicile. **Bordados de Madeira**, rua do Visconde de Anadia 44 (∅ **291/22-31-41**), regroupe une impressionnante sélection d'ouvrages brodés.

Les tapisseries et les travaux d'aiguille ont été introduits à Madère par une famille allemande au début du XXe siècle. C'est devenu une tradition locale. Si cela vous intéresse, vous pouvez visiter la fabrique de tapisseries et de tapisseries à l'aiguille, **Kiekeben Tapestries**, rua da Carreira 194 (∅ **291/22-20-73**), ou sa boutique, Bazar Maria Kiekeben, av. do Infante 2 (même numéro de téléphone).

Camacha Wickerworks. Av. Arriaga. ∅ **291/92-21-14**.

C'est la vitrine de l'industrie de l'osier qui a rendu Madère célèbre depuis longtemps. La plupart des articles – des girafes aux sofas – ont été fabriqués dans le village de Camacha, à une dizaine de kilomètres de Funchal. La boutique organise l'expédition des articles trop volumineux pour être emportés.

✪ **Casa do Turista.** Rua do Conselheiro José Silvestre Ribeiro 2. ∅ **291/22-49-07**.

Située près du front de mer, cette boutique rassemble le plus bel artisanat de Madère. On y pratique une politique de prix fermes et le marchandage, en vigueur dans les autres bazars, n'est pas de mise ici. La « Maison du touriste » occupe une *quinta*, autrefois habitée par une riche famille locale. Ses pièces élégantes offrent un cadre idéal pour exposer ces objets faits à la main. Sur le patio, où coule une fontaine entourée de plantes subtropicales, un village miniature a été reconstitué et plusieurs pièces ont été meublées dans le style local. On y vend du linge de maison brodé à la main (les lins et les cotons sont souvent importés de Suisse ou d'Irlande), des tapisseries, des objets en osier, des poteries et des céramiques portugaises ainsi que du vin, des fruits et des fleurs de Madère. Vous y trouverez une multitudes de travaux de broderies dont le prix semble déterminé par le nombre de points d'aiguille.

Casa Oliveira. Rua da Alfândega 11. ∅ **291/22-93-40**.

La boutique comprend également un atelier de broderie où l'on fabrique de tout, des déshabillés les plus délicats aux nappes brodées les plus communes.

Lino et Araujo Ltd. Rua das Murcas 15. ∅ **291/22-07-36**.

Cette boutique où l'on vend surtout des articles brodés et du tricot est très fréquentée par la communauté étrangère qui réside à Madère.

Madeira Superbia. Rua do Carmo 27. ∅ **291/22-40-23**.

Connue surtout pour ses articles brodés, cette boutique est également spécialisée dans les tapisseries.

8. Vie nocturne

Les restaurants **O Espadarte** et **A Seta** sont des tavernas (tavernes) où l'on peut goûter les vins de l'île. Voir section 4, « Se restaurer ».

Le **Complexe du Casino Park Hotel**, avenida do Infante, Funchal (∅ 291/23-31-11), est le centre nocturne le plus facile à repérer lorsqu'on est à Madère pour la première fois. Il comprend tout d'abord un casino, le seul de l'île, qui a des tables de roulette, de banque française, de craps, de black-jack, ainsi que des machines à sous. Pour entrer, il faut présenter une pièce d'identité avec photo et s'acquitter de la taxe de 500 ESC. Le casino est ouvert du dimanche au jeudi de 20 h à 3 h ; le vendredi et le samedi de 16 h à 4 h. À quelques pas de là, le **Copacabana** est une discothèque qui s'anime après 23 h. Ouverte du mercredi au samedi. Entrée comprenant une boisson 1 000 ESC. Le dimanche soir à 21 h, l'hôtel propose un **spectacle de cabaret** dans le style de Las Vegas. Pour pouvoir assister au spectacle, le montant minimal de consommation au bar doit atteindre 2 500 ESC par personne ; le dîner-spectacle avec 2 boissons comprises coûte 7 800 ESC. Vous trouverez également sur place plusieurs bars, des kiosques et des boutiques.

Hormis le complexe du casino, les possibilités sont limitées, même si la plupart des hôtels présentent des dîners-spectacles. Funchal n'est pas la ville idéale pour écouter du *fado*. Vous pouvez néanmoins assister à un spectacle de *fado* chez **Marcelino Pão y Vinho**, travessa da Torre 22A (∅ 291/23-08-34), tous les soirs de 21 h 30 à 2 h. Non loin de là, **Arsênios**, rua de Santa Maria 169 (∅ 291/22-40-07) propose du *fado* et de la musique brésilienne. Dîner à partir de 3 800 ESC, tous les jours de 18 h à 24 h.

Au **Teatro Municipal Baltazar Diaz**, avenida Arriaga (∅ 291/23-35-69), au centre de Funchal, on donne des pièces de théâtre (en portugais uniquement) et quelques concerts classiques. L'office du tourisme a les programmes et les billets s'achètent au guichet.

Funchal compte peu de boîtes de nuit. **Vespas**, avenida Sá Carneiro 7 (∅ 291/23-48-00), près des quais, attire une clientèle jeune dans un décor d'entrepôt. Vous trouverez à **O Farol**, largo António Nobre (∅ 291/23-95-00), dans le Madeira Carlton Hotel, une atmosphère plus calme et plus douillette. Cette discothèque spacieuse passe des succès internationaux des années 1970 à 1980.

Le **Prince Albert**, rua da Imperatriz Dona Amélia (∅ 291/23-57-93), est un véritable *pub* victorien, avec des murs tapissés de velours rasé et des banquettes sombres, situé à proximité de l'hôtel Savoy. On y sert des alcools anglais et de grands *mugs* de bière sur un long bar incurvé ou à de petites tables éclairées par des lampes édouardiennes aux abat-jour frangés. Tous les jours de 12 h à 23 h.

9. Découvrir l'île

Les charmes de Madère vont bien au-delà de Funchal, qui reste un bon point de départ pour partir à la découverte des montagnes et de la côte luxuriante.

L'ouest de Madère

Si votre temps est limité, concentrez votre visite sur la partie occidentale de l'île qui séduit par ses falaises au-dessus de l'océan et ses impressionnantes chutes d'eau. Vous pouvez, par exemple, commencer votre périple en quittant Funchal par la route côtière, la N101. Continuez ainsi vers l'ouest pendant une petite vingtaine de kilomètres jusqu'au village de Câmara de Lobos, que Sir Winston Churchill aimait tant peindre.

CÂMARA DE LOBOS

Le village de la « chambre des loups » se dessine après une succession de terrasses plantées de bananeraies. Ce petit village de pêcheurs aux façades blanchies et aux toits de tuiles rouges s'est construit autour d'un port protégé par une falaise et une petite plage de rochers. Le matin entre 7 h et 8 h, les pêcheurs ramènent leur pêche de la nuit et créent l'animation. Il n'y a rien d'autre à faire ici que de flâner le long du port ou, à l'instar de Churchill, peindre en amateur les paysages magnifiques qui se donnent à voir.

Les œnologues auront sans doute plaisir à visiter l'établissement vinicole, **Henriques & Henriques Vinhos**, situé Sitio de Belém (∅ **291/94-15-51**), au cœur du village. Ouvert du lundi au vendredi de 9 h à 13 h et de 14 h à 17 h 30. Entrée gratuite. Vous pouvez visiter l'établissement et y acheter du vin.

Si vous souhaitez vous arrêter déjeuner à Câmara de Lobos, essayez **Santo Antonio** (∅ **291/94-54-39**), à quelque 5 km de là dans le petit village d'Estreito. Le restaurant est situé près de l'église du village et son chef, propose principalement des grillades, y compris du poulet doré, cuites au feu de bois. Sa spécialité est l'*espetada*, des brochettes de bœuf délicatement parfumées, le plat le plus typique de Madère. Le décor est très simple et les tables sont recouvertes de nappes en papier, mais cela n'ôte rien à la qualité des sauces et du pain croustillant. Santo Antonio est ouvert tous les jours de 12 h à 24 h. Plats de 1 000 ESC à 2 000 ESC. CB. Inutile de réserver.

Si vous n'avez pas le courage de monter jusqu'à Estreito, vous pouvez déjeuner au **Coral Bar**, Largo da Republica 3 (∅ **291/94-24-69**), près de la cathédrale de Câmara de Lobos. Le propriétaire Augustinho Ramos achète la meilleure pêche du jour pour honorer sa cuisine. Le plat typique de la côte ouest de Madère est la *caldeirada* (un ragoût de poissons). Les spécialités comptent aussi l'espadon parfaitement grillé et recouvert de jambon et de fromage, et les crevettes. Les tables qui sont installées sur le toit terrasse ont une très belle vue sur le port et sur les falaises du Cabo Girão qui se dessinent dans le lointain. Ouvert tous les jours de 12 h à 23 h, mieux vaut réserver. Plats de 1 500 ESC à 2 500 ESC. CB.

Le **Cabo Girão**, dont la silhouette se profile dès Câmara de Lobos, est situé à 16 km à l'ouest. On y accède par la R214. Cette falaise qui se dresse à 580 m au-dessus du niveau de la mer est la deuxième plus haute falaise du monde. La vue sur l'océan est à couper le souffle. Les terrasses que l'on voit accrochées à la falaise doivent être cultivées à la main car elles sont trop petites pour une machine ou même un animal.

En continuant vers l'ouest sur la route côtière, vous arriverez à **Ribeira Brava**, un village situé à 14,5 km à l'ouest de Cabo Girão et à quelque 48 km à l'ouest de Funchal. Ribeira Brava signifie « large rivière », un nom qui rappelle que le petit village s'est construit à l'embouchure de la rivière en 1440. La promenade sur l'avenue ombragée qui longe la mer est particulièrement agréable et mène au **Forte de São Bento**, une forteresse du XVIIᵉ siècle dont il ne reste qu'une seule tour. Le *Forte* protégeait autrefois le village des pirates venus des côtes africaines. Une petite église du XVIᵉ siècle se dresse au centre du village.

En quittant Ribeira Brava, prenez la N104 vers le nord, en direction de l'intérieur des terres et Serra de Agua.

SERRA DE AGUA

Le village de Serra de Agua est bâti à la sortie d'un véritable canyon, à 6,5 km au nord de Ribeira Brava. C'est l'un des meilleurs points de départ pour découvrir les terres luxuriantes de l'intérieur de Madère et on y trouve l'une des meilleures *pousadas* (auberges d'État) de l'île. Les nombreuses cascades, les bruyères, les bambous, les saules pleureurs et les champs où mûrissent d'abondantes récoltes campent le village, souvent masqué sous la brume, dans l'un des sites naturels les plus riants de l'île.

Pour vous loger et vous restaurer, vous pouvez essayer la **Pousada dos Vinháticos**, Estrada de São Vicente Serra de Agua, 9350 Ribeira Brava ($\emptyset$ 291/95-23-44 ; fax 291/95-25-40), située près d'un col, au sommet de la route tortueuse qui mène à São Vicente. L'auberge, ouverte depuis 1940, occupe un solide bâtiment en pierres, agrémenté d'une terrasse en briques. La taverne propose une bonne cuisine campagnarde. et le menu dépend souvent de la pêche du jour. Goûtez, par exemple, l'*espetada* (à base d'espadon, cette fois), ou la langue de bœuf à la sauce madère, le tout arrosé de vins régionaux. Plats de 1 500 ESC à 2 000 ESC ; tous les jours de 12 h à 18 h et de 19 h à 22 h. Les 20 chambres sont d'une propreté immaculée et meublées en style portugais moderne. Toutes sont équipées de salle de bains et dotées d'une belle vue. Double 12 000 ESC, petit déjeuner compris. CB. Parking gratuit.

Après Serra de Agua, la route monte jusqu'au **Caminho de Encumeada** (col d'Encumeada) à 6,5 km au nord de Serra de Agua. Ce col situé à 1000 m d'altitude est l'un des grands centres de randonnées. La vue du belvédère s'étend sur toute l'île. La route qui part au nord-ouest de Boca de Encumeada, mène au village de São Vicente, à 14,5 km au nord-ouest d'Encumeada et à 56 km au nord-ouest de Funchal.

SÃO VICENTE

C'est le village le plus connu de la côte nord. São Vicente s'est construit là où la rivière se jette dans l'océan. Pure merveille d'architecture, la route taillée dans la falaise qui y mène donne une idée des sites époustouflants vers lesquels on s'achemine. Deux voitures ne peuvent pas se croiser sur la route, et il faut quelquefois faire marche arrière afin de laisser passer un bus qui vient en sens inverse. Construite dans les années 1950, cette route surnommée la « route de l'or » débouche sur de magnifiques cascades et longe d'improbables champs de vignes accrochés aux pentes abruptes.

Dans un coin aussi reculé, il n'est pas désagréable de trouver une bonne auberge comme, par exemple l'**Estalagem do Mar**, Juncos, Fajã da Areia, 9240 São Vicente ($\emptyset$ 291/84-01-01 ; fax 291/84-99-19). La cuisine y est excellente et nombreux sont ceux qui s'arrêtent pour dîner d'espadon préparé suivant une infinité de recettes, de loup, de côtes de veau grillées à la perfection ou de filet de bœuf servi avec une sauce aux champignons et à la crème. Plats de 2 500 ESC à 4 000 ESC, menu à 3 000 ESC. Tous les jours de 12 h à 15 h et de 19 h à 21 h 30. CB. Réservation recommandée. L'auberge occupe un bâtiment de trois étages construit au début des années 1990 et rénové en 1998. Les 91 chambres de cet hôtel rustique sont simplement meublées et donnent sur l'océan. Elles sont équipées de la télévision et du téléphone. Les salles de bains sont modernes et recouvertes de céramiques. Services : piscines couverte et découverte, salle de tennis, jacuzzi, sauna, salles de gym et de jeux, room service réduit. Double 11 000 ESC ; suite 16 000 ESC. Petit déjeuner compris. Parking gratuit.

En quittant São Vicente, vous pouvez, par exemple, continuez sur la N101 vers l'ouest jusqu'à Porto Moniz, à 16 km de là. C'est l'un des villages les plus reculés de Madère.

PORTO MONIZ

Cette portion de la route en lacets, taillée dans une falaise qui plonge à pic dans l'océan, est de loin la plus difficile. Elle descend jusqu'à Porto Moniz, un village de pêcheurs construit autour d'une petite anse abritée par une péninsule qui s'élance vers un îlot, Ilhéu Mole. C'est le seul mouillage protégé de la côte nord de Madère. Les projections de lave ont creusé des piscines naturelles d'eau chaude dans les environs. En dehors du charmant village de Porto Moniz et de la beauté du lieu, il n'y a pas de site particulier à visiter. Après une promenade dans les rues pavécs du village, bordées de petites maisons de pêcheurs, vous apprécierez sans doute une pause au Residencial Orca (voir ci-dessous).

En quittant Porto Moniz, prenez la N101 vers le sud-ouest, la route à lacets vous ramènera à Funchal *via* Ribeira Brava et Câmara de Lobos.

Au **Residencial Orca**, Vila do Porto Moniz, Porto Moniz 9270 (✆ **291/85-00-00** ; fax 291/85-11-19), une auberge rustique construite en 1988, on vous servira la meilleure cuisine des environs. L'auberge aux murs de stuc blanc et aux plafonds de bois dispose également de 12 petites chambres, simples mais confortables, dont les prix vont de 7 000 ESC à 8 000 ESC, petit déjeuner compris. Les chambres avec vue sur la mer sont les plus chères, mais le panorama en vaut la peine. Chaque chambre est équipée de la télévision et du téléphone. Parking gratuit. La cuisine y est remarquable et la carte est composée de spécialités régionales comme, par exemple, l'espadon servi avec une sauce à la crème et aux champignons, le filet de bœuf aux dattes, le steak de thon pané à la farine de maïs, et servi avec des choux et des pommes de terre. Plats de 1 000 ESC à 3 000 ESC. Ouvert tous les jours de 12 h à 17 h et de 19 h à 21 h 30. CB. Réservation recommandée.

Santana et le centre de Madère

Pour compléter votre vision de Madère, vous souhaiterez probablement traverser le cœur de l'île, en partant vers le nord à la sortie de Funchal. La route mène à quelques sites inoubliables comme le Pico do Arieiro et Santana. Cette région de Madère est très appréciée des randonneurs.

Pico do Arieiro

Ce village situé à 35 km au nord de Funchal révèle plus que tout autre l'origine volcanique de l'île. Lorsque le pic qui s'élève à quelque 1 800 m d'altitude n'est pas encapuchonné de nuages, la vue s'étend sur un panorama des plus impressionnants. Pico do Arieiro est le troisième plus haut sommet de l'île. Pour vous y rendre, sortez de Funchal par la rua 31 de Janeiro, puis prenez la N103 qui grimpe en direction de Monte. Lorsque vous passerez le col à Poiso, à une dizaine de kilomètres au nord de Monte, prenez à gauche et suivez les panneaux jusqu'à Pico do Arieiro.

Arrêtez-vous d'abord au ✪ *miradouro*, le belvédère de Pico do Arieiro. Ensuite, vous souhaiterez peut-être descendre dans le cratère jusqu'à Curral das Freiras en passant par le Pico das Torrinhas, le Pico das Torres et le Pico Ruivo. Le Pico Ruivo (1 861 m d'altitude) est le point culminant de l'île. Vers le nord-est, on devine la célèbre Penha d'Aguia (roche de l'Aigle), la Ponta de São Lourenço, et la Ribeira da Metade.

Au Pico do Arieiro se trouve également l'une des *pousadas* (auberges d'État) agréables de l'île : la **Pousada do Arieiro** (P.O. Box 478, Funchal), 9230 Santana (✆ **291/23-01-10** ; fax 291/22-86-11). Cette auberge de 25 chambres, construite en 1989 et rénovée en 1998, est une escale agréable tant pour le gîte que pour le couvert. Les chambres sont de taille moyenne, bien aménagées et équipées de la télévision et du téléphone. Double 16 000 ESC ; en demi-pension 22 000 ESC. La vue qui s'offre depuis la salle à manger rustique serait une raison suffisante pour s'arrêter ici, mais la cuisine ne dépare pas. On y sert de la morue dans une sauce crémeuse à l'oignon et à l'ail, du carré d'agneau au miel et au romarin, accompagné de patates douces, des steaks flambés à la table, ou du thon mariné sauté. Plats de 1 500 ESC à 3 200 ESC. Tous les jours de 12 h à 15 h et de 19 h à 22 h 30. CB.

RIBEIRO FRIO

Si au col de Poiso (voir ci-dessus), vous ne prenez pas à gauche en direction du Pico do Areiro, mais à droite, vous arriverez à Ribeiro Frio, un ravissant village à 11 km au nord de Poiso. Ribeiro Frio , situé dans le parc de la forêt de Madère, est niché au creux de pics accidentés, dominant des vallées perdues qui recèlent de magnifiques chutes d'eau. Les pentes sont irriguées par la Levada do Furado (canal d'irrigation).

L'une des plus belles promenades du Portugal commence à 40 minutes à l'ouest de Ribeiro Frio. De là suivez les indications pour le ✪ **Balcões**. Vous atteindrez le belvédère ou « balcon » en longeant la Levada do Furado sur des sentiers taillés dans les roches basaltiques. La terrasse panoramique ouvre sur des vues époustouflantes du Pico do Arieiro, du Pico das Torres, et du Pico Ruivo.

Si l'air de la montagne vous a creusé l'appétit, vous pouvez vous restaurer, par exemple au **Victor's Bar**, sur la N103 (✆ 291/57-58-98), un petit restaurant de montagne aux allures de chalet connu pour son thé de l'après-midi et sa cuisine régionale. Les truites de l'élevage local sont préparées suivant d'excellentes recettes ou tout simplement grillées. Parmi les spécialités locales, vous trouverez également du sauté d'agneau ou de l'espadon aux bananes. Plats de 1 500 ESC à 3 000 ESC. Tous les jours de 9 h à 19 h, réservations recommandées. CB.

Sortez de Ribeiro Frio en prenant la N101 vers le nord en direction de la côte. Dans le village de Faial, vous verrez des panneaux indiquant le village de Santana, à l'ouest.

SANTANA

À 17,6 km au nord-ouest de Ribeiro Frio et à 40 km au nord de Funchal, Santana est le village le plus célèbre de Madère et sans doute le plus joli. Il se distingue par ses maisons en forme de A, appelées *palheiros*. Coiffées d'un toit de chaume qui descend très bas, ces maisons peintes de couleurs vives sont de loin les plus photographiées de l'île. Situé sur un plateau côtier, Santana se dresse à une altitude de 742 m.

Il est possible de loger et de se restaurer dans l'établissement le plus populaire de la côte nord, la **Quinta da Furão**, Achado do Gramacho, 9230 Santana (✆ 291/57-01-00 ; fax 291/57-35-60). Cette auberge de 43 chambres est située au milieu des vignes, sur une falaise d'où l'on a une vue panoramique sur l'océan. La plupart des visiteurs se contentent de faire une halte d'un repas pour goûter une cuisine qui a la réputation d'être la meilleure de la côte nord. Dans une salle à manger rustique, on vous servira des spécialités de Madère et européennes comme, par exemple, le traditionnel espadon aux bananes, le steak grillé au beurre d'ail, le filet de bœuf en croûte sauce roquefort, et de l'excellent fromage de chèvre de la région. Plats de 3 000 ESC à 6 000 ESC. Tous les jours de 12 h à 15 h et de 19 h à 21 h 30. Il est également agréable d'y passer la nuit. Les chambres sont vastes et meublées en style régional. Certaines ont une très belle vue sur la mer, d'autres donnent sur les montagnes. Toutes sont équipées du téléphone et de la télévision. Services : piscine, salle de gym, jacuzzi, et pub. Doubles en demi-pension de 17 000 ESC à 28 500 ESC, petit déjeuner compris. Parking gratuit. CB.

10. L'île de Porto Santo

À quelque 38 km au nord-est de Madère

Porto Santo, deuxième île importante de l'archipel de Madère, est une terre aride qui présente un contraste étonnant avec l'île principale si verdoyante. Longue de 11 km et large de 6 km, l'île est bordée au sud par une plage de sable fin longue de 9 km. Les sommets de Porto Santo sont loin de pouvoir rivaliser avec ceux de Madère et le point culminant de l'île, le **Pico do Facho**, ne s'élève qu'à 516 m au-dessus du niveau de la mer. João Gonçalves Zarco et Tristão Vaz Teixiera, qui ont également découvert Madère, ont débarqué à Porto Santo en 1418, alors qu'ils cherchaient à se protéger d'une tempête qui les avait déroutés. Ils baptisèrent l'île Porto Santo (Port-Saint) pour exprimer leur gratitude d'être encore en vie. Ce n'est qu'en 1419 qu'ils ont repris la mer et ont accosté l'île de Madère. L'infant Henri le Navigateur confia le gouvernement de Madère à Teixiera et à Zarco, mais il plaça Porto Santo sous l'autorité de Bartolomeu Perestrello. Au cours de son premier séjour, Perestrello avait laissé une lapine pleine sur l'île, afin de pourvoir à la nourriture de la future colonie. Mais les lapins se reproduirent à une telle vitesse, consommant jusqu'au moindre brin d'herbe, qu'ils en devinrent une catastrophe naturelle.

Christophe Colomb, qui avait épousé Felippa Monis, fille de Perestrello et d'Isabel Moniz de Madère, a visité l'île avant de se rendre à Funchal pour préparer sa prochaine expédition. Il aurait séjourné dans une petite maison au fond d'une allée derrière la petite église blanche de Vila Baleira, qu'on appelle également Porto Santo.

L'île est très sèche en été, ce qui ravit les vacanciers et désole les cultivateurs. L'hiver, on y cultive des céréales, des tomates, des figues, des melons et surtout des raisins avec lesquels on fait un vin sucré. On voit encore quelques surprenants moulins à vent au sommet des collines.

L'eau de Porto Santo est réputée pour ses qualités thérapeutiques et on la consomme sur place bien sûr, mais aussi à Madère et au Portugal. C'est l'industrie la plus importante de l'île, avec les conserveries de poisson et un four à chaux.

Informations pratiques

COMMENT S'Y RENDRE

En avion Le vol de Madère jusqu'au petit aéroport de Campo de Cima à Porto Santo ne dure que 15 minutes. (La vue est époustouflante.) En juillet et en août, au moment où les amateurs de plages débarquent en masse, il faut penser à réserver longtemps à l'avance. Le billet coûte en général 7 677 ESC l'aller simple et 15 354 ESC l'aller-retour. En saison, il y a jusqu'à 8 vols par jour. Pour obtenir des informations et réserver, appelez le ⌀ **291/98-21-46** ou le 291/52-40-11.

En bateau Un service régulier de ferry relie Madère à Porto Santo. Le *Lobo Marinho* part tous les jours du port de Funchal. Le billet coûte 9 500 ESC l'aller-retour pour la journée et 7 900 ESC si vous restez plus d'une nuit sur l'île.

Du samedi au jeudi, le ferry part de Madère à 8 h et arrive à Porto Santo à 10 h 30. Le vendredi, le ferry part de Madère à 18 h. Les horaires au départ de Porto Santo sont variables et n'oubliez pas de vous renseigner sur les horaires de retour. Les billets sont en vente à l'agence de Lobo Marinho, rua da Praia, Funchal (⌀ 291/21-03-00), Du lundi au vendredi de 9 h à 12 h 30 et de 14 h 30 à 18 h. Le week-end, les billets sont en vente dans toutes les agences de voyage de Funchal.

INFORMATIONS TOURISTIQUES

L'**office du tourisme** est situé Avenida Vieira de Castro (⌀ **291/98-23-61**) à Vila Baleira, la capitale de l'île.

SE DÉPLACER

On se déplace généralement à pied et en **taxi** (⌀ **291/98-23-34**) pour les excursions. Il est possible de louer une voiture chez **Mainho**, à l'hôtel Praia Dourada, Rua D. Estevão d'Alencastre (⌀ **291/98-24-03**).

Découvrir l'île

Nombreux sont ceux qui ne viennent à Porto Santo que pour la plage dorée qui borde le sud de l'île. C'est idéal pour se baigner dans les eaux claires ou pour faire de longues promenades. Toutefois, si vous parvenez à vous arracher à la plage ne serait ce qu'une journée, vous trouverez quelques sites à visiter dans **Vila Baleira**, une ville paisible aux maisons de stuc blanchies.

Vila Baleira que les locaux appellent tout simplement « Vila » se situe au beau milieu de la longue plage de 9 km qui borde le sud de l'île. La place centrale plantée de palmiers, largo de Pelourinho, est le centre de la vie sur l'île et vous souhaiterez peut-être faire une pause au café de la place. À droite de l'église qui ferme la place sur un côté, un panneau indique la **Casa de Cristovão Colombo** au fond de la Travessa de Sacristia (∅ 291/93-84-05). L'explorateur y aurait séjourné en compagnie de son épouse, Felippa Moniz. Dans un bâtiment annexe, sont exposées des cartes et des gravures représentant les principaux événements de sa vie. Du lundi au vendredi de 9 h 30 à 17 h 30 ; le samedi de 9 h 30 à 12 h. Entrée gratuite.

Si vous prenez ensuite la rua Infante Dom Henrique en quittant le Largo do Pelourinho, vous arriverez à un **parc** fleuri, où se dresse une statue dédiée à Colomb, et entouré par la plage.

Il y a également plusieurs sites intéressants à voir sur l'île, notamment le **Pico do Castelo**, situé sur une petite route difficile au nord de Vila Baleira. De là, la vue englobe toute l'île et l'océan. C'est un bel endroit pour un pique-nique. Vous pouvez pour cela faire des provisions dans les petits magasins de Vila Baleira. Le « castelo » était un château fort qui avait pour mission de protéger Vila Baleira des attaques de pirates venant des côtes africaines. Il n'en reste que 4 canons. Les pierres restantes ont été utilisées comme matériaux de construction par les habitants de l'île. Le gouvernement de l'île s'est efforcé de planter des pins pour conserver l'humidité, mais ils ne dépassent jamais 3 m et ne bouchent pas la vue. De Pico do Castelo, des panneaux indiquent la route pour **Pico do Facho**, le point culminant de l'île.

À la pointe sud-ouest de l'île, **Ponta da Calheta** est une autre destination plaisante. La route qui y mène sort de Vila Baleira vers l'ouest. La vue donne sur la petite île de Baixo, séparée de la terre par un bras de mer semé de brisants. Pas de plage de sable ici, mais des roches basaltiques noires. L'endroit n'est pas propice à la baignade, il faudra vous contenter d'une photo.

Tout de suite au nord, le **Pico dos Flores** est l'un des autres beaux points de vue de Porto Santo. On y accède par un chemin de terre cabossé. Ces falaises offrent également une vue sur l'îlot de Baixo, à gauche. Le petit îlot qu'on aperçoit sur la droite est Ferro.

Toujours dans la partie sud-ouest de l'île, **La Pedreira**, sur les pentes du Pico de Ana Ferreira, est une étonnante formation de roches basaltiques évoquant des orgues pointées vers le ciel.

Se loger

Porto Santo. Campo Baixo, 9400 Porto Santo. ∅ **291/98-23-81**. Fax 291/98-26-11. 94 chambres. TV CLIM. Tél. Double 18 600-24 800 ESC. Petit déjeuner compris. CB. Parking gratuit.

Sur la plage, à un quart d'heure à pied du centre-ville, c'est l'un des hôtels phares de l'île. Depuis son ouverture en 1979, il a largement contribué à faire de Porto Santo une destination touristique. Cet hôtel 4 étoiles, rénové en 1996, est situé à 1,5 km de Vila Baleira à Suloeste. Il occupe un bâtiment de deux étages de style contemporain, entouré d'un jardin avec piscine. Les chambres de taille moyenne et bien meublées ont une vue imprenable sur la plage et l'océan. Si vous prévoyez d'y séjourner au mois d'août, pensez à réserver longtemps à l'avance. Il y a un bar dans le restaurant qui sert une cuisine régionale et internationale et un autre bar sur la plage. En été le buffet de dîner du mercredi attire les foules. Il coûte 4 200 ESC par personne. **Services :** room service jusqu'à minuit, blanchisserie, concierge, courts de tennis.

Praia Dourada. Rua D. Estevão d'Alencastre, 9400 Porto Santo. ∅ et fax **291/98-23-15.** Mél : torrepraia@mail.telepac.pt. 100 chambres. TV Tél. Double 11 800-13 500 ESC. Petit déjeuner compris. CB. Parking gratuit dans la rue.

C'est le deuxième grand hôtel de Vila Baleira. Il a ouvert en 1980 et a été rénové en 1998. Les chambres de ce bâtiment de 3 étages sont assez anonymes, mais néanmoins claires et confortablement meublées. Nombre d'entre elles ont des balcons. L'hôtel est à 5 minutes à pied de la plage et attire une clientèle de Madère l'été. Il dispose d'une piscine d'eau de mer et d'un bar très fréquenté par les hommes d'affaires et les marchands du Portugal. Il n'y a pas de restaurant. Service de blanchisserie.

Residential Central. Rua Abel Magno Vasconcelos. ∅ **291/98-22-26.** Fax 291/98-34-60. 42 chambres. Double 6 000-9 900 ESC ; suite 7 500-13 200 ESC. Petit déjeuner compris. Pas de cartes de crédit. Quelques places de parking réservées dans la rue.

Construit il y a une quarantaine d'années, c'était autrefois le seul hôtel correct de Porto Santo. Même si les établissements plus récents le surpassent en confort, cela reste un établissement agréable et bien tenu. En 1993, l'auberge qui est située en centre-ville s'est agrandie passant de 12 à 42 chambres. L'ensemble peut paraître un peu vétuste, mais l'accueil est chaleureux et les chambres sont confortables, même si elles ne disposent pas de la climatisation. De nombreuses chambres ont vue sur la mer, au-delà de la ville. L'été, l'ambiance y est plutôt familiale, hors saison, l'hôtel est fréquenté par des voyageurs d'affaires. L'hôtel dispose d'une terrasse ensoleillée, d'un jardin et d'un bar. Il n'y a pas de restaurant.

❂ **Torre Praia Suite Hotel.** Rua Goulart Medeiros, 9400 Porto Santo. ∅ **291/98-52-92.** Fax 291/98-24-87. Mél : torrepraia@mail.telepac.pt. 65 chambres. TV CLIM. Minibar Tél. Double 17 000 ESC-20 000 ESC ; triple 25 000-29 000 ESC ; suite 25 500-32 000 ESC. Petit déjeuner compris. CB. Parking gratuit.

Situé à la périphérie de Vila Baleira et doté d'une plage privée, c'est le meilleur hôtel de l'île. Ouvert depuis l'été 1993 et classé 4 étoiles, l'hôtel occupe un bâtiment de 3 étages. Les chambres, dont la plupart ont vue sur l'océan, sont plutôt vastes, bien meublées et équipées de salles de bains modernes (avec sèche-cheveux). Toutes disposent en outre d'un coffre. Le nom de l'hôtel est trompeur car il ne possède que 3 suites. Son restaurant construit autour d'une ancienne tour de garde compte parmi les meilleurs de l'île. On y sert de la cuisine portugaise, notamment des steaks de thon frais et de l'espadon pané. Il y a un bar au sommet de l'hôtel d'où l'on a une très belle vue, un bar face à l'océan et un bar près de la piscine. L'hôtel met également à la disposition de ses clients un club de sports, un sauna, et des salles de jeux.

Se restaurer

La plupart des visiteurs dînent à leur hôtel, dont les restaurants sont également ouverts aux non-résidents (voir ci-dessus). Il y a également de bons petits restaurants de poissons à Porto Santo.

A Gazela. Campo de Cima. ∅ **291/98-44-25.** Réservation recommandée. Plats 1 100-2 000 ESC. CB. Tlj. 12 h-15 h et 19 h-23 h. *Portugais, madère.*

Ce restaurant moderne près de l'aéroport de Campo de Cima Airport ne paie pas de mine, mais les habitants de l'île apprécient la saveur de sa cuisine régionale et ses petits prix. Les insulaires s'y retrouvent en toute occasion, mariages, anniversaires et réunions de famille. Renseignez-vous sur la pêche du jour, ou essayez l'*espetada* (brochettes de bœuf grillées), la spécialité de Madère, le thon grillé aux oignons sautés, ou encore la longe de bœuf à la Gazela (avec du jambon et du fromage). Le restaurant est situé à environ 1,5 km du centre-ville, à 10 minutes à pied environ de l'Hôtel Porto Santo.

Baiana. Rua Dr. Nuno S. Texeira. ⌀ **291/98-46-49**. Réservation recommandée. Plats 1 250-2 500 ESC. CB. Tlj. de 10 h-24 h. *Portugais.*

Près de l'hôtel de ville au centre de Vila Baleira, cet établissement est aussi populaire chez les insulaires que chez les visiteurs. Lorsque le temps le permet, les habitués s'installent à une table en terrasse pour prendre un verre ou des sandwichs. On y sert également de bons repas régionaux dans deux salles à manger rustiques. Parmi les spécialités de la maison, nous citerons le filet de bœuf préparé à la table et accompagné de plusieurs sauces, l'*espetada* qui, cette fois, est à base de calmars et de crevettes au lieu de bœuf, le porc mariné dans une sauce au vin et à l'ail.

Estrela do Norte. Sitio da Camacha. ⌀ **291/98-34-00**. Réservation recommandée. Plats 1 200-1 800 ESC. CB. Tlj. 11 h-23 h. Fermé 15 jan.-15 fév. *Madère.*

Ce restaurant populaire est situé dans un cadre rustique sur la face nord de l'île, à environ 5 minutes en taxi de Vila Baleira et à 1,6 km de l'aéroport. Les poissons et les coquillages dominent la carte. Renseignez-vous sur la pêche du jour. Les autres spécialités incluent le porc mariné dans une sauce au vin et à l'ail et l'*espetada* (brochettes de bœuf grillées), la fierté du chef, servie avec des pommes de terre et de la salade.

Teodorico. Sera de Fora. ⌀ **291/98-22-57**. Réservation recommandée. Plats 1 500-2 000 ESC. Pas de cartes de crédit. Tlj. 19 h-24 h. *Madère.*

Ce charmant restaurant occupe une ancienne ferme et a bâti sa réputation sur un seul plat : l'*espetada* (brochettes de bœuf grillées), qui y est particulièrement tendre et parfumée, et est servie accompagnée de pommes de terre, de salade et parfois d'un autre légume frais. Les insulaires l'accompagnent d'un vin rouge sec qui est fabriqué sur l'île et d'un pain paysan local, le *pão de caco*. Le restaurant est situé dans les collines, à environ 2,5 km au nord-est de Vila Baleira. Lorsque le temps le permet, on dîne dehors (sur des chaises faites de souches). Par temps froid, rejoignez les habitués à une petite table à l'intérieur ; la salle est réchauffée par un feu de cheminée.

Le guide Frommer's des bonnes adresses du Web

Conçu pour vous aider à tirer le meilleur parti d'Internet, ce chapitre vous propose dans une première partie une liste d'adresses utiles pour l'organisation de votre voyage ; elle n'est évidemment pas exhaustive, mais les sites présentés constituent un bon point de départ. La seconde partie présente les meilleurs guides en ligne sur le Portugal. Hébergement, journaux et magazines, principales organisations et attractions touristiques, déplacements dans la ville... le Web met à votre disposition un très large catalogue d'informations.

1. Les meilleurs sites Web pour préparer son voyage

Les agences de voyage en ligne sont très visitées. Les plus importantes offrent tout un éventail précieux d'outils : même si vous n'y faites pas vos réservations, vous pouvez y vérifier les horaires d'avion, la disponibilité des chambres d'hôtel ou les tarifs de location de véhicules.

Si les agences en ligne ont fait bien des progrès, elles ne proposent pas toujours les prix les plus bas. Contrairement aux agences de voyage classiques, elles ne vous signaleront pas les économies possibles en voyageant la veille ou le lendemain du jour souhaité. En revanche, si vous visez des vols à prix cassés, vous trouverez peut-être en ligne des prix qu'une agence de voyages ne prendrait pas le temps de chercher car les commissions versées par les compagnies aériennes ont baissé. Sur le Web, c'est *vous* l'agent de voyages qui décidez d'y passer le temps nécessaire.

Les sites de réservation de billets ne sont pas les seuls endroits où l'on peut acheter des billets d'avion en ligne. Les grandes compagnies aériennes ont leur propre site ; elles incitent souvent à l'achat en ligne par des cadeaux, *miles* supplémentaires ou réductions valables uniquement sur le Web. Elles se sont ainsi approprié une grande partie du marché de la vente de billets en ligne.

Voici les sites des grandes compagnies aériennes qui desservent le Portugal. On y trouve les horaires des vols et on peut y réserver ses billets. La plupart de ces sites offrent un service qui vous informe par e-mail des offres spéciales week-end.

Air France : www.airfrance.fr

TAP Air Portugal : www.tap-airportugal.pt

Iberia : www.iberia.com.

Portugalia Airlines : www.pga.pt (vols entre Bordeaux, Marseille, Nice, Toulouse et Lisbonne)

SATA : www.sata.pt (en anglais) La compagnie SATA assure le trafic inter-îles ainsi qu'avec le continent.

Pourquoi réserver en ligne ?

Si vous préférez laisser à d'autres le soin d'organiser votre voyage, il vous suffit de contacter une bonne agence de voyages. Mais si vous souhaitez tout savoir sur les options disponibles, le Web est un bon point de départ, surtout pour les vols très bon marché.

L'achat de billets en ligne se justifie surtout pour les offres de dernière minute, comme les réductions spéciales week-end ou autres tarifs spéciaux valables uniquement sur ce type d'achats. Vous bénéficiez également des incitations offertes pour l'achat en ligne, c'est-à-dire de remises ou de *miles* supplémentaires.

Réserver son billet d'avion en ligne ne convient pas à ceux dont l'itinéraire est compliqué. Si vous avez besoin d'un suivi – un changement d'itinéraire, par exemple –, passez par une agence de voyages. En effet, si certaines agences en ligne ont un service téléphonique, la plupart sont avant tout des « self-services ».

Principaux sites pour acheter des billets

✪ **Any Way voyages. www.anyway.fr** *(en français)*

En bref : vols internationaux et intérieurs, hôtels, location de voitures et bonnes affaires de dernière minute.

Le site de cette célèbre agence, qui fête ses 10 ans en l'an 2000, est facile d'utilisation et donne la possibilité de comparer les prix de différentes compagnies aériennes pour des destinations dans le monde entier. D'après eux, un million de tarifs négociés sur vols réguliers et charters y sont proposés. Une possibilité d'*Open Jaw* (retour depuis une ville différente de celle d'arrivée) vous est proposée sur la majorité des destinations.

Aucune inscription n'est nécessaire pour accéder aux services du site. Inscrivez la destination de votre choix, ainsi que la date et l'heure auxquelles vous désirez partir pour qu'une liste conséquente d'avions, d'horaires et de prix s'affiche à l'écran.

Vous ne parlez pas anglais ?

Nombre de sites intéressants pour les voyageurs sont en langue anglaise. Une partie des sites proposés ici est donc en anglais. Pour ceux qui ne pratiquent pas cette langue, nous vous conseillons de profiter du site de Free Translation (**www.freetranslation.com**), service gratuit de traduction de textes ou de pages Web. Entrez sur le site, cochez la traduction que vous désirez (de l'anglais au français mais pas depuis le portugais) et inscrivez l'adresse du site auquel vous désirez accéder. La traduction est immédiate.

Lorsque votre choix est fait, Any Way propose plusieurs services (assistance rapatriement, assurance en cas de perte ou de vol des bagages, modalités de remise des billets) ; enfin, le détail de votre réservation vous est précisé en intégralité. Pour régler par carte de crédit, vous pouvez opter pour le mode sécurisé – https, que nous vous recommandons fortement – ou pour le mode normal. Vous recevrez un e-mail de confirmation 24 h après votre achat, et vos billets une semaine avant votre départ.

ebookers. www.ebookers.com/fr *(en français)*

Ce site propose des vols internationaux et des réservations de voyages sur mesure. Il dresse également des listes de vols soldés et des offres sur les croisières et les forfaits vacances. L'inscription est obligatoire mais gratuite. Pour connaître le tarif le plus avantageux, tapez les dates et les heures de votre itinéraire et voyez ce qui vous est proposé. Les informations sont en général très complètes. Ici aussi, vous pouvez acheter des billets aux enchères.

✪ Expedia. www.expedia.com *(en anglais)*

En bref : vols internationaux, location de véhicules, réservation de chambres d'hôtel, informations de dernière minute, articles sur des destinations touristiques, commentaires de spécialistes du voyage, bonnes affaires sur les croisières et les voyages organisés ou à forfait. Inscription obligatoire (et gratuite) pour effectuer des réservations.

Une fois inscrit, vous pouvez commencer vos recherches de billets en utilisant la case *Roundtrip Fare Finder* (recherche de tarif aller-retour) sur la page d'accueil, ce qui accélère la démarche. Quand vous avez choisi un vol, achetez immédiatement votre billet en ligne ou conservez la réservation jusqu'au lendemain minuit. Cela vous donne le temps de chercher un tarif plus intéressant : en effet, le système informatique d'Expedia n'incluant pas toutes les compagnies aériennes, il n'est pas impossible que vous obteniez un prix plus avantageux auprès d'une agence.

Accéder aux informations sur les destinations touristiques du World Guide (guide mondial) d'Expedia implique de « traverser » de nombreuses pages pour arriver finalement à des informations assez succinctes. Mais ce défaut est quelque peu compensé par des liens utiles vers d'autres services de Microsoft Network, comme les guides Sidewalk, véritables mines d'informations sur les loisirs et les restaurants.

Nouvelles Frontières. www.nouvelles-frontieres.fr *(en français)*

Le grand voyagiste français a particulièrement soigné son site. La présentation est très réussie et surtout, vous trouverez des billets d'avion à des prix intéressants. Vous pouvez également, après une première inscription gratuite, participer aux enchères qui ont lieu tous les mardis. Vous pouvez surenchérir par tranche minimale de 20 F. Au final, la réduction des billets est de 75 % maximum par rapport au prix de la brochure. Les personnes ayant fait les meilleures offres sont contactées par e-mail ou par téléphone.

✪ Travelprice. www.travelprice.com *(en français)*

C'est l'un des meilleurs sites français. Dès la première page, vous trouverez la liste des promotions de dernière minute. Choisissez les villes de départ et d'arrivée, les dates et les horaires, le nombre de voyageurs, puis commencez votre recherche. Le temps de traiter votre demande, la sélection des vols avec places disponibles s'affiche, vous proposant les billets les plus proches de vos conditions. Pour chaque proposition, des renseignements sur la nature du vol ou les horaires, les conditions d'utilisation et le prix pour un adulte sont mentionnés. Vous pouvez alors faire votre choix (billets et mode de livraison) et réserver. Vous pouvez payer en ligne ou envoyer un chèque. À noter également, la possibilité à tout moment d'acheter des voyages aux enchères.

Sécurité ——

Sur le Web, nombre de gens s'informent mais peu réservent, en partie par peur de communiquer le numéro de leur carte bancaire. Si la sécurisation des sites par des logiciels de cryptage justifie de moins en moins cette inquiétude, il est parfaitement possible de trouver un vol en ligne puis d'effectuer sa réservation par téléphone ou de contacter son agence de voyages. Pour vous assurer que le site est sécurisé, vérifiez la présence de l'icône d'une clé (Netscape) ou d'un cadenas (Internet Explorer) dans la partie inférieure de la fenêtre de votre navigateur.

Bonnes affaires de dernière minute et autres réductions

Que détestent les compagnies aériennes plus que tout ? Des places vides. Grâce à Internet, elles sont désormais en mesure de proposer des affaires de dernière minute afin de remplir au maximum leurs appareils. La plupart de ces offres sont annoncées le mardi ou le mercredi et s'appliquent au week-end suivant ; certaines d'entre elles peuvent être réservées des semaines, voire des mois à l'avance. Vous pouvez vous adresser aux sites des compagnies aériennes afin de recevoir chaque semaine des informations concernant les offres spéciales (voir ci-dessus les sites Web des compagnies aériennes) ou à des sites comme Promovac (ci-dessous), qui fournissent des listes de bonnes affaires en matière de vols. Vous pouvez vous faciliter la tâche encore davantage en visitant un site capable de regrouper toutes les bonnes affaires et de vous les envoyer chaque semaine par courrier électronique (voir ci-dessous). Les affaires de dernière minute ne constituent pas les seuls atouts de l'achat en ligne : d'autres sites vous aident à trouver des tarifs intéressants, plus longtemps à l'avance.

Dégriftour. www.degriftour.fr *(en français)*

Ce site est idéal pour un voyage improvisé car il propose notamment des remises sur les billets invendus, de 1 à 15 jours avant le départ.

Inter-Rés@. www.inter-resa.com/fr *(en français)*

Centrale de réservation de véhicules, vols et hébergement, Inter-Rés@ a une politique assez particulière en ce qui concerne l'achat en ligne des billets d'avion. Elle vous propose de rechercher de votre côté le billet d'avion le moins cher et de le lui soumettre en remplissant un formulaire très précis. Si elle trouve un billet d'avion d'un coût inférieur de 5 % à celui que vous aviez proposé, la vente est réputée ferme et définitive : vous recevez une réponse par e-mail. De nombreuses promotions. L'achat se fait en ligne.

Promovac. www.promovac.com *(en français)*

Le site Promovac offre des milliers de voyages à prix dégriffés. La recherche se fait par pays et par budget. Pour recevoir les promotions par e-mail, inscrivez-vous à la *newsletter*. Avec le système Air Promo 1, vous êtes connecté en direct sur le système de réservations de 70 compagnies aériennes. Le système Air Promo 2 propose plus de 1 000 destinations à prix imbattables. Vols charters ou lignes régulières, ce site sélectionne les tarifs parmi les plus bas du marché. Vous choisissez votre destination et vos dates : la réponse est donnée un ou deux jours plus tard. Le paiement, sécurisé, se fait en ligne. Ce site propose également un service de réservation de logements (villa ou appartement), en France comme à l'étranger.

USIT Connections. www.connections.be *(en français)*

Pour connaître les promotions de dernière minute, les vols secs, les différentes assurances, où trouver un job à l'étranger, ce site peut représenter une première approche. Visitez-le pour préparer votre voyage et pour vous renseigner sur les possibilités de séjour au Portugal. Pour obtenir le site en français, il vous suffit de cliquer sur la touche « Version française ». Si vous souhaitez vous tenir au courant de toutes les promotions, inscrivez-vous sur la *Maillist* pour recevoir les informations par e-mail.

Microsoft Expedia. www.expedia.com *(en anglais)*

La meilleure partie de ce site polyvalent sur le voyage est le « Fare Tracker » (« le traqueur des meilleurs prix »). Vous remplissez un formulaire en ligne pour signifier que vous êtes intéressé par un vol bon marché au départ d'une ville que vous indiquez et chaque semaine, vous recevez les meilleurs tarifs sur un maximum de trois destinations. La fenêtre « Travel Agent » (« agence de voyages ») vous guide pour négocier les meilleurs tarifs sur les hôtels et les locations de voiture et, grâce aux liens avec les hôtels et les compagnies aériennes, vous pouvez tout réserver en ligne. Avant votre départ, cliquez sur la rubrique « Expedia » pour recevoir des cartes et des informations actualisées, et même des bulletins météo ou les taux de change.

✪ Travelocity. www.travelocity.com *(en anglais)*

C'est l'un des meilleurs sites de voyage, surtout pour trouver les billets d'avion les moins chers. En plus de « Personal Fare Watcher » (« observateur des tarifs personnalisés »), qui vous envoie par e-mail les meilleurs tarifs pour cinq destinations maximum, Travelocity cherche les trois meilleurs tarifs sur n'importe quelle destination pour n'importe quelle date et quelle heure. Vous pouvez réserver un vol et, si vous avez besoin de louer une voiture ou de prendre une chambre d'hôtel, Travelocity vous trouvera la meilleure affaire grâce au système de réservation par ordinateur SABRE (une autre base de données d'agences de voyages). Cliquez sur « Last Minute Deals » (« les affaires de dernière minute »).

The Trip. www.thetrip.com *(en anglais)*

Ce site est destiné aux voyages d'affaires, mais les vacanciers peuvent l'utiliser aussi. Le moteur de recherche de tarifs de ce site vous envoie chaque semaine les meilleurs tarifs de ville à ville pour 10 destinations. The Trip utilise l'Internet Travel Network, une autre base de données d'agences de voyages renommées, pour réserver vos hôtels et vos restaurants.

LES PROGRAMMES E-SAVERS

Plusieurs compagnies aériennes offrent un service gratuit d'e-mail connu sous le nom de e-Savers, par l'intermédiaire desquels elles vous envoient les meilleurs tarifs sur la base des vols réguliers. Voici comment cela fonctionne : une fois par semaine (souvent le mercredi) ou lorsqu'une promotion est lancée, les souscripteurs reçoivent la liste des vols en promotion vers (ou en provenance de) diverses destinations, internationales ou non. Mais attention : ces tarifs ne sont valables que si vous partez le samedi qui suit (parfois le vendredi soir) et que vous rentrez le lundi ou le mardi suivants. Ce service est donc surtout réservé à tous ceux qui aiment partir sur un coup de tête pour une courte escapade. Les tarifs étant très bon marché, cela vaut la peine de jeter un coup d'œil. Si vous avez des préférences pour certaines compagnies aériennes, enregistrez-vous avec elles d'abord. Une liste partielle des compagnies aériennes et de leur adresse Internet a été donnée au début de ce chapitre, où vous pourrez non seulement vous inscrire sur les listes d'envoi d'e-mails, mais aussi réserver directement un billet d'avion.

Trouver un hébergement

All Hotels on the Web. www.all-hotels.com *(en anglais)*

Ce site contient des dizaines de milliers d'adresses à travers le monde. Mais n'oubliez pas qu'il s'agit d'une sorte de catalogue (chaque hôtel ayant versé une petite somme pour y figurer). Pour le Portugal, choisissez la ville qui vous intéresse ; une liste d'hôtels par ordre de prix vous sera alors proposée.

Any Way voyages. www.anyway.fr *(en français)*

Ce site propose des réservations de chambres d'hôtels en ligne. Vous avez, par exemple, le choix entre une cinquantaine d'hôtels portugais et vous bénéficiez des prix pré-négociés par Any Way. Après avoir payé en ligne, il vous sera remis une facture à présenter à votre arrivée à l'hôtel. Malheureusement, le site ne montre pas de photos des hôtels qu'il propose.

InnSite. www.innsite.com *(en anglais)*

Vous pouvez identifier une auberge, voir les photos des chambres, tout savoir sur leurs tarifs et leur disponibilité, puis, éventuellement, envoyer un courrier électronique au directeur afin d'obtenir davantage de renseignements. Ce répertoire est important, mais il ne démarche pas ses clients pour autant. Par conséquent, seuls les établissements s'étant adressés eux-mêmes à InnSite y figurent. Les descriptions sont rédigées directement par les directeurs ou gérants, et certaines entrées incluent un lien vers le site Web de l'établissement en question.

✪ Travelprice. www.travelprice.com *(en français)*

Ce site est idéal pour vos réservations d'hôtels et de voitures au Portugal. Il propose des adresses par ville et l'on peut réserver en ligne. C'est aussi une bonne manière de comparer les prix et de voir la disponibilité des chambres dans toute la ville. Le site donne des renseignements sur chaque hôtel proposé (description, activités, photos, cartes de crédit acceptées ou non, avis et commentaires). Pour ce service, Travelprice est en fait partenaire de **Worldres**, une centrale de réservation mondiale qui négocie le prix des chambres à grande échelle.

TravelWeb. www.travelweb.com *(en anglais)*

Avec une liste de plus de 16 000 hôtels à travers le monde, TravelWeb se concentre sur les grandes chaînes. Dans la grande majorité des cas, il est possible de réserver en ligne. Mis à jour chaque lundi, le service « Click-It Weekends » de TravelWeb offre chaque week-end des prix spéciaux dans de nombreux hôtels. La possibilité de voir des photos de l'établissement qui vous intéresse, de ses chambres et de son cadre est un petit « plus » à ne pas négliger.

Boîte à outils du voyageur

MÉTÉO

CNN. www.cnn.com/weather *(en anglais)*

Prévisions météo pour des pays et des villes du monde entier, dont, bien sûr, le Portugal.

Météo Média. www.meteomedia.com *(en français)*

Ville par ville, la météo dans le monde entier.

SE REPÉRER

MapQuest. www.mapquest.com *(en anglais)*

MapQuest permet de zoomer sur la destination de votre choix à partir d'une carte, d'établir précisément un trajet en voiture entre deux localités et de localiser restaurants, hôtels et autres attractions sur les plans.

INFORMATIONS PRATIQUES

Iagora. www.iagora.com *(en français)*

Des tonnes d'informations pratiques pour tous ceux qui partent ou sont déjà loin de chez eux. Et un convertisseur qui donne le change pour 164 monnaies.

MasterCard. www.mastercard.com/atm *(en anglais)* et **Visa.** www.visa.com/pd/atm *(en anglais)*

Localisez les distributeurs des réseaux Cirrus et Plus dans des centaines de villes du monde. Ce site procure les plans de certains lieux et indique les distributeurs situés dans les aéroports. MasterCard fournit une liste de distributeurs sur les cinq continents (il y en a un à la station McMurdo dans l'Antarctique !).

Une astuce : vous obtiendrez souvent un meilleur taux de change en utilisant un distributeur qu'en changeant des chèques de voyage dans une banque.

✪ **Net Café Guide.** www.netcafeguide.com *(en anglais)*

Grâce à ce site, vous pouvez localiser des cybercafés dans plusieurs villes. Pendant votre séjour au Portugal, vous pourrez ainsi, pour un prix modique, recevoir et envoyer des courriers électroniques et vous connecter au World Wide Web.

✪ **Travelprice.** www.travelprice.com *(en français)*

Travelprice, encore lui, fournit quantité de services pratiques pour le voyageur : change et devise, informations sur le pays, questions de santé, météo, agendas divers, brèves, webcams...

Travlang. www.travlang.com/languages *(en anglais et en français)*

Ce site américain propose, pour les soixante langues les plus parlées dans le monde, un lexique avec les expressions les plus couramment utilisées par les voyageurs. Lorsque vous arrivez à la page d'introduction, la première chose à faire est de sélectionner la langue (français) que vous parlez puis la langue que vous désirez apprendre (*português*, portugais). Le site propose un choix de thèmes (mots élémentaires, orientation, voyage, horaires et dates). Chacune des listes répertorie les mots les plus utiles pour un voyageur et l'aide audio vous permet de vous familiariser avec la prononciation.

PERSONNES À MOBILITÉ RÉDUITE

Tourisme-Portugal. www.autonomia.org/wal/region/tourisme/Portugal *(en français)*

Le site de la région Wallonie en Belgique. Factuel, il fournit les adresses des organismes compétents au Portugal et quelques renseignements sur les infrastructures hôtelières équipées pour recevoir les personnes à mobilité réduite. Il ne propose malheureusement pas de liens vers ces établissements.

2. Les meilleurs sites Web sur le Portugal

Pour une première approche

Ambassade du Portugal à Paris. www.embaixada-portugal-fr.org *(en français)*

Le site de l'ambassade du Portugal à Paris fournit des informations générales pour découvrir le Portugal et sa politique extérieure. La rubrique Tourisme vous permettra une première approche du patrimoine naturel, du patrimoine artistique et architectural, des coutumes et de la gastronomie de ce pays. Vous trouverez également sur ce site un catalogue d'images et des liens sur des sites officiels (site du Premier ministre, site du ministre des Affaires étrangères).

Ambassade de France au Portugal. www.ambafrance-pt.org *(en français)*

Le site de l'ambassade de France au Portugal peut être utile à consulter car, au-delà d'informations sur la politique extérieure de la France et d'informations à destination des Français expatriés au Portugal, vous pouvez trouver des infos utiles pendant votre voyage : une revue quotidienne de la presse portugaise et le programme des manifestations culturelles de l'Institut franco-portugais.

Welcome to Portugal. www.portugal.org *(en anglais)*

C'est une source d'informations générales sur le pays et son économie. Il est géré par l'ICEP, un organisme gouvernemental de promotion de l'économie et du tourisme.

Informations pratiques

Consulat général de France à Lisbonne. www.consulfrance-lisbonne.org *(en français)*

Le site du Consulat général de France à Lisbonne fournit quelques informations très utiles telles que la liste des médecins francophones de la ville, l'adresse des hôpitaux et les numéros d'urgence.

Consulat général de France à Porto. www.consulfrance-porto.org *(en français)*

Le site du Consulat général de France à Porto. Voir site précédent.

Informations touristiques

Azureva. www.azureva.com/portugal *(en français)*

Azureva.com a été créé en mars 2000 par des photographes et des journalistes passionnés de voyages et d'Internet. Le but de ce portail est de faciliter les recherches pour préparer votre séjour et de vous fournir une sélection d'adresses et de reportages en images. Vous trouverez également sur ce site beaucoup de liens vers d'autres sites classés par rubriques (hôtels, locations, musées, webcam sur les plages...) avec à chaque fois l'indication de la langue du site. Des informations pratiques, des informations culturelles, un magazine mis à jour régulièrement, des liens... ce site est le site à consulter en priorité.

Portuscallus. www.chez.com/portuscallus *(en français)*

Un site qui propose une visite guidée de certains lieux avec une panoplie de photos, d'adresses et l'histoire du pays. L'auteur des pages de ce site est natif du Portugal et vous propose donc une découverte avec les « yeux du cœur » des principales régions de son pays à grand renfort de photos. Les informations pratiques ne sont toutefois pas oubliées, avec une halte prolongée à Lisbonne (les adresses d'hôtels, les musées et les monuments mais aussi les bons plans de la nuit).

Mar-sol. www.mar-sol.com *(en français)*

Mar-sol est un spécialiste des voyages à destination du Portugal. Le site est complet avec des nombreuses rubriques : le Portugal, région par région, les hébergements classés par région ou par catégorie, des propositions de circuits et des informations pratiques.

Portugal InSite. www.portugalinsite.pt *(en anglais)*

Ce site récent, géré par l'ICEP (un organisme gouvernemental de promotion de l'économie et du tourisme), référence essentiellement des données sur l'hôtellerie ou la location saisonnière, la gastronomie, le sport. Il est très facile de s'y retrouver et les liens proposés couvrent assez bien l'ensemble des régions du Portugal.

www.uminho.pt/~esteves/turismo/Portugal-ing *(en anglais)*

Ce site personnel fournit plein d'informations et de liens vers tous les acteurs du tourisme, région par région. L'accès se fait en cliquant sur la carte. Mais s'il est régulièrement actualisé, toutes les régions ne bénéficient peut-être pas de la même attention.

Ministère de la Culture. www.min-cultura.pt *(en portugais et en anglais)*

Le site officiel du ministère de la Culture est très graphique et dispose de renseignements forts utiles sur toutes les activités culturelles au Portugal dans le domaine du cinéma, de la danse, du théâtre et de la peinture. Il permet d'établir un lien vers l'Institut portugais des musées qui gère les plus beaux musées du pays.

Portugal Gay. www.portugalgay.pt *(en portugais)*

Le site portugais d'informations pour la communauté homosexuelle. En plus de nombreuses informations communautaires, il propose des adresses pour les sorties, ainsi que des adresses culturelles et pratiques dans tout le Portugal. Essentiellement destiné aux Portugais, il propose une version assez complète en anglais et très limitée en français.

Mairie de Lisbonne. www.cm-lisboa.pt/turismo *(disponible en français)*

Le site de la municipalité offre le calendrier des principales manifestations à Lisbonne, des idées de promenades, des adresses de bars et de boîtes de nuits classés en fonction des thèmes et de leur localisation, ainsi que des liens pour organiser vos déplacements dans et hors de la ville.

Portal Açores. www.portalacores.com *(en portugais)*

Le portail dédié à la communauté des internautes des Açores. En portugais, il donne cependant de nombreux liens en anglais.

Madeira Island. www.madeira-island.com *(en anglais)*

Ce site passe en revue toute l'île de Madère, depuis l'hôtellerie jusqu'à la location de voitures en passant par le vin de Madère et les offices religieux.

Hébergement

Pousadas de Portugal. www.pousadas.pt *(en anglais)*

Tous les détails indispensables sur les fameuses *pousadas*, auberges gérées par l'État et disséminées dans tout le pays. La réservation en ligne est bien entendu possible.

Location d'appartements et de maisons au Portugal. www.Portugal-villa.com *(en français)*

Le site d'une agence de location de villas couvrant la région de Lisbonne, Porto, l'Algarve, ainsi que quelques golfs. Le choix n'est pas très large, mais les maisons sont toutes présentées en photo ou sur plan ; les tarifs immédiatement consultables vous permettront de faire des comparaisons avantageuses. La page « location automobile » affiche tous les tarifs et conditions, ce que d'autres sites ne font pas.

Transports

Chemins de fer portugais. www.cp.pt *(en anglais et en portugais)*

C'est le site officiel des chemins de fer portugais. Il peut être très utile pour ceux désirant se déplacer pour un coût modeste ou éviter les embouteillages entre Lisbonne, Cascais et Estoril, les deux cités balnéaires proches de la capitale.

Europcar. www.europcar.com *(en anglais)*

Il est inutile de passer par le site français, il bascule directement sur celui-ci.

Avis. www.avis.com *(en anglais)*

Journaux et magazines

The News Weekly. www.the-news.net *(en anglais)*

L'hebdomadaire anglophone du Portugal, il paraît tous les week-ends et couvre toute l'actualité portugaise. Des pages dédiées aux grandes régions touristiques vous permettront d'y glaner des informations factuelles. Il ne dispose que d'un choix limité de liens.

Quelques attractions

www.ciberacores.pt/azores-sportfishing/andromeda *(en anglais)*

Pour ceux désirant s'adonner à la pêche au gros sur l'île de Faial, ce site propose une location à la journée d'un bateau servi par un équipage très expérimenté.

Whale Watch Azores. www.whalewatchazores.com *(en anglais)*

Site au graphisme agréable, il propose des sorties en mer pour observer les cétacés dans l'un de leurs derniers refuges. Le chant des baleines en accompagne la visite.

Vini Portugal. www.viniportugal.com *(en français)*

Un site très complet pour tout savoir sur les vins portugais et commander en ligne.

Index

Açores, Les, 9, 23
Albufeira, 227
 - comment s'y rendre, 228
 - hébergement, 229
 - restaurants, 233
 - vie nocturne, 234
Alcobaça, 189
Alcool, douanes, 46
Alentejo, 11, 22, 254
Alfama, l'(Lisbonne), 68, 94
Alferce, 224
Algarve, l', 7, 11, 22, 34, 202
Aljustrel, 199
Almancil, 240
 - comment s'y rendre, 240
 - hébergement, 242
 - restaurants, 18, 243
Alvares Cabral, Pedro, 106
Alvares Pereira, Nuno, 106, 197, 348
Alvor, 216
Ambassades, 39
Amélie, reine, 13, 15, 102, 106, 157, 164, 296
American Express, 50, 59
Antigo Mercado de Escravos (Lagos), 210
Antiquités (principaux sites)
 - Alcobaça, 189
 - Borba, 261
 - Bragança, 359
 - Cascais, 142
 - Coimbra, 285
 - Lisbonne, 62, 95
 - Sintra, 154
Antoine de Padoue, saint, 98, 99, 286
Alphonse de Albuquerque, 106, 169
Alphonse Ier (Aponse Henriques), 11, 12 14, 24, 64, 97, 180, 182, 189, 288, 328
Alphonse III, 24, 64, 243, 252
Alphonse IV, 24, 288

Alphonse V, 182
Aquário Vasco da Gama (Lisbonne), 110
Aqueduto das Aguas Livres (Lisbonne), 103
Arco de Almedina (Coimbra), 286
Argent, 49
Arrábida, Serra da (chaîne montagneuse d'), 12, 174
Arraiolos, tapis d', 108, 120, 124, 159, 269. *Voir aussi Tapis.*
Art ancien, musée national d'(Lisbonne), 13, 104
Art classique, musée d'(Évora), 270
Art moderne, centre d'(Lisbonne), 106
Art moderne, musée national d'(Fundação de Serralves, Porto), 317
Artisanat, 19, 98. *Voir aussi sous les différents métiers d'artisanat*
 - Alcobaça, 191
 - Aveiro, 302
 - Azeitão, 115
 - Barcelos, 348
 - Beja, 274
 - Bragança, 360
 - Elvas, 266
 - Espinho, 332
 - Estoril, 136
 - Estremoz, 263
 - Évora, 270
 - Faro, 245
 - Figueira da Foz, 284
 - Guimarães, 342
 - Lagos, 211
 - Leiria, 282
 - Lisbonne, 118
 - Loulé, 205, 247
 - Madère, 384
 - Monchique, 224
 - Nazaré, 10, 194
 - Porto, 327

- Sesimbra, 171
- Setúbal, 177
- Sintra, 159
- Viana do Castelo, 352
- Viseu, 308
Assurance médicale, 46
Atlantis, 9
Auto-stop, 54
Aveiro, 300
- comment s'y rendre, 300
- hébergement, 302
- restaurants, 304
- vie nocturne, 305
Azeitão, 168
Azulejos. *Voir Céramiques*

Baby-sitting. *Voir Gardes d'enfants*
Bairro Alto (Lisbonne), 68, 105
- hébergement, 81
- restaurants, 90
Baixa (Lisbonne), 68, 118
- visite à pied, 111
Balcoes, le (Madère), 389
Barcelos, 347
- comment s'y rendre, 347
- hébergement, 349
- restaurants, 349
Barcelos, coq de, 348
Basilique de Santa Luzia
(Viana do Castelo), 352
Batalha, 196
- monastère de Batalha
(Santa Maria da Vitória), 196
Beiras, les, 11, 22, 278
Beja, 273
- comment y aller, 273
- hébergement, 274
- restaurants, 275
- vie nocturne, 276
Beja, château de, 274
Belém (Lisbonne), 68, 99
Berlenga, île de, 9, 190
Biblioteca Geral da Universidade
(Coimbra), 287
Biblioteca Pública Municipal
(Ponte de Lima), 355
Bibliothèque Joanine (Université
de Coimbra), 287
Bijoux, 19
- Coimbra, 290
- Lagos, 211
- Lisbonne, 118
- Porto, 327
Billets d'avion, 40

Boca do Inferno (« Bouche de
l'Enfer »), 143
Bom Jesús do Monte (Braga), 345
Borba, 259
Braga, 343
- comment s'y rendre, 344
- hébergement, 345
- restaurants, 346
Bragança, 359
- comment s'y rendre, 359
- hébergement, 360
- restaurants, 361
Bragance, dynastie de, 26
Broderie, 19
- Braga, 345
- Cascais, 144
- Coimbra, 290
- Guimarães, 342
- Lagos, 211
- Lisbonne, 98, 118, 120
- Madère, 384
- Obidos, 184
- Porto, 327
- Setúbal, 177
- Sintra, 159
- Viana do Castelo, 352
- Vila do Conde, 334
- Viseu, 308
Buarcos, 284
Buçaco, 13, 15, 295
- Palace Hotel de Buçaco, 13,
15, 296
Bucelas, 32
Bureaux de change, 50, 59
Bus, 44, 54
Byron, Lord
(George Gordon), 154, 158

Cabo de São Vicente, 206
Cabo Girão (Madère), 386
Cafés (Lisbonne), 128
Calèches, 156, 252
Calouste Gulbenkian, musée
(Lisbonne), 13, 104
Calouste Gulbenkian, planétarium
(Lisbonne), 109
Camacha, 367
Câmara de Lobos (Madère), 367,
386
Camoes, Luís Vaz de, 106, 286,
362
Camping, 56
Candide, 64
Canoë, en Aveiro, 302

Index

Capel dos Clérigos
(Vila Real), 357
Capela de Nossa Senhora
da Conceição (Tomar), 258
Capela do Rosário (Faro), 244
Capela dos Ossos (Faro), 244
Capela Nova (Vila Real), 357
Caramulinho, 306
Caramulo, 305
Carcavelos, 32
Carnaval, 35, 170
Cartes de crédits, 50
Cartes et plans, 54
Casa de Cristovão Colombo
(Porto Santo), 391
Casa de Diogo Cão
(Vila Real), 357
Casa do Infante (Porto), 317, 321
Casa do Paço
(Figueira da Foz), 283
Casa Museu de Guerra Junqueiro
(Porto), 316, 319
Cascais, 142
- comment s'y rendre, 142
- hébergement, 144
- restaurants, 146
- vie nocturne, 149
Casinos
- Espinho, 332
- Figueira Da Foz, 285
- Madère, 385
- Praia da Rocha, 219, 226
- Solverde, 332
- Vilamoura, 240
Castelo da Rainha Santa Isabel
(Estremoz), 262
Castelo de Beja, 274
Castelo de Bode, barrage, 256
Castelo de Leiria, 281
Castelo de Palmela, 180
Castelo de São João
(Portimão), 215
Castelo de São Jorge
(Lisbonne), 12, 97
Castelo de São Tiago da Berra
(Viana do Castelo), 352
Castelo de Tavira, 249
Castelo dos Mouros (Sintra), 13,
158, 226
Castelo de la praça da República
(Elvas), 266
Castro Marim (Vila Real de Santo
António), 251
Cathédrales. Voir Sé

Celtes, 10, 22, 180, 294, 355
Cemitério dos Ingleses
(Lisbonne), 103
Centre culturel de Belém, 104
Centre d'Art moderne
(Lisbonne), 106
Céramiques, faïence, 19
- Alcobaça, 191
- Azeitão, 169
- Barcelos, 348
- Beja, 274
- Borba, 261
- Braga, 345
- Cascais, 144
- Coimbra, 290
- Elvas, 266
- Estremoz, 263
- Évora, 270
- Faro, 245
- Figueira da Foz, 284
- Guimarães, 342
- Lagos, 211
- Lisbonne, 118
- Monchique, 224
- Obidos, 184
- Porto, 327
- Queluz, 13, 153
- Sintra, 159
- Tomar, 259
- Viana do Castelo, 352
- Vila Real, 358
- Vila Real de Santo
António, 250
- Viseu, 308
Cetóbriga, 174
Chafariz, fontaine renaissance
(Viana do Castelo), 351
Chapelle du souvenir
(Nazaré), 194
Chapelle de Notre-Dame-des-
Vérités (Porto), 319
Chapelle de saint Laurent
(Obidos), 180, 182
Chapelle de São Vincente
(Porto), 315
Chapelle des Apparitions
(Fátima), 198
Chapelle des Os, Capela d'Ossos
(Faro), 244
Chapelle du Clergé
(Vila Real), 357
Chapelle du
Saint-Sacrement (Porto), 315

Index

Chapelle São Miguel (université de Coimbra), 286
Charles Ier, 25, 27, 66, 102, 106, 157, 164, 295
Château de Bragança, 359
Château de Guimarães, 341
Château de la reine sainte Isabelle (Estremoz), 262
Château de Sesimbra, 171
Château de Silves, 224
Château des Maures (Sintra), 13, 158, 226
Châteaux. *Voir aussi Castelo*
  - coups de cœur, 12
Chèques de voyage, 50
Chiado (Lisbonne), 68, 118
  - musée do Chiado (Lisbonne), 108
  - restaurants, 92
Cidadela (Bragança), 359
Cimetière anglais (Lisbonne), 103
Citania de Briteiros, 339
Clérigos, tour et église des (Porto), 317
Climat, 34
Coimbra (région), 22, 278
Coimbra (ville), 10, 285
  - comment s'y rendre, 285
  - hébergement, 290
  - restaurants, 292
  - vie nocturne, 293
Colares, 32, 151
Colete Encarnado (nord de Lisbonne), 36
Compagnies aériennes, 41
Conimbriga, 294
Construction navale, 108, 208, 330
Consulats, 59
Convento de Cristo (Tomar), 14, 257
Convento de Jesús (Aveiro), 301
Convento de Jesús (Setúbal), 174
Convento de Mafra, 14
Convento de Nossa Senhora da Assunção (Faro), 245
Convento de Santa Clara-a-Nova (Coimbra), 289
Convento de Santa Clara-a-Velha (Coimbra), 288
Convento de Santa Cruz dos Capuchos (Sintra), 158
Cook, Sir Francis, 158
Costa do Sol, 11, 21, 133

Costa Verde, 11, 328
Costume, musée national du (Lisbonne), 103
Courrier, 60
Couvent de Santa Clara (Coimbra), 288
Couvent de Santa Clara (Vila do Conde), 330
Couvent du Christ (Tomar), 14, 257
Couvents. *Voir aussi Convento*
  - coups de cœur, 14
Cristal d'Atlantis, 119, 121
Cristal, 121
Cristo Rei, monument du, 168
Cruz Alta, 296
Cuisine, 30
Cúria, 299
Curral das Freiras, 367, 381

Da Gama, Vasco, 25, 26
Dão, vin de, 18, 32
Denis Ier, roi (le « roi paysan », 24, 25
Dentelle, 19
  - Guimarães, 342
  - Madère, 384
  - Monchique, 224
  - Obidos, 184
  - Sintra, 159
  - Vila do Conde, 334
  - Viseu, 308
Distributeurs automatiques de billets, 50
Dona Filipa (Vale de Lobo), 11, 241
Douanes, 46
Douro (fleuve), 22
Drogue, législation sur la, 59

Eau potable, 59
Église da Graça (Évora), 269
Église Nossa Senhora da Assunção (Cascais), 143
Église Nossa Senhora da Conso-lação (Elvas), 266
Église Nossa Senhora da Oliveira (Guimarães), 341
Église Nossa Senhora do Monte (Madère), 383
Église Nossa Senhora dos Mártires (Estremoz), 262
Église Santa Clara (Porto), 315
Église Santa Engrácia (Lisbonne),

106, 117
Église Santa Maria
   (Estremoz), 262
Église Santo António (Lagos), 209
Église São António (Ponte de
   Lima), 355
Église São Francisco (Évora), 269
Église São Francisco
   (Guimarães), 341
Église São Francisco (Ponte de
   Lima), 355
Église São Francisco (Porto), 316
Église São Jão Evangelista
   (Évora), 270
Église São Pedro (Ericeira), 164
Église São Sebastião (Beja), 274
Églises et Cathédrales. *Voir Sé et
   Igreja*
Eira do Serrado (Madère), 381
Électricité, 59
Elevador Santa Justa, 96, 114, 117
Elvas, 264
   - comment s'y rendre, 264
   - hébergement, 266
   - restaurants, 267
   - vie nocturne, 267
Équitation, 9, 58
   - Almancil, 242
   - Aveiro, 302
   - Cascais, 143
   - Coimbra, 289
   - Obidos, 184
   - Setúbal, 176
Ericeira, 163
Ermitage de São Sebastião
   (Ericeira), 164
Escudos (monnaie), 49
Espinho, 330
   - comment s'y rendre, 330
   - hébergement, 332
   - restaurants, 332
   - vie nocturne, 332
Esposende, 349
Estói, 250
Estoril, 135
   - comment s'y rendre, 135
   - hébergement, 136
   - restaurants, 140
   - vie nocturne, 141
Estoril, casino d', 141
Estrada de Alvor, 225
Estrêla, parc national de la Serra
   da, 296
Estrémadure, 181

Estremoz, 260
   - comment s'y rendre, 262
   - hébergement, 263
   - restaurants, 264
   - vie nocturne, 264
Estufa Fria (Lisbonne), 103
Étudiants, 49
Euro, 50
Évora, 267
   - comment s'y rendre, 268
   - hébergement, 270
   - restaurants, 272
   - vie nocturne, 272

Fado, musique, 127
   - Aveiro, 305
   - Cascais, 149
   - Coimbra, 293
   - Estremoz, 264
   - Évora, 273
   - Lisbonne, 126
   - Madère, 385
   - Porto, 329
Fão, 335
Faro, 243
   - hébergement, 245
   - restaurants, 9, 246
   - vie nocturne, 247
Fátima, 197
Feira da Ladra (Lisbonne), 123
Feira de São João (Évora), 268
Feira do Mare (Sesimbra), 170
Feira Nacional da Agricultura
   (Santarém), 36
Ferdinand (le Grand), 24
Ferdinand Ier, 26
Fernandes, Vasco, 307
Ferragudo, 216
Festa de São Gonçalo e São
   Cristovão (près de Porto), 35
Festas da Senhora da Agonia Viana
   do Castelo, 37
Festas das Cruzes (Barcelos), 35
Festas do São Pedro (Mintijo), 36
Festas dos Santos Populares (Lis-
   bonne), 36
Festas em Honra do Senhor Jesús
   das Chagas (Sesimbra), 170
Festival de la fin de l'année
   (Madère), 382
Festival de musique et de danse
   populaires (Algarve), 37
Festivals, 35
Fête de la Saint-Jean (Porto), 36

Fête de la Saint-Jean (Vila do Conde), 333
Fête de Notre-Dame-del-Monte (Madère), 36
Fêtes des saints populaires (Sesimbra), 170
Fielding, Henry, 103, 117
Figueira da Foz, 283
- comment s'y rendre, 283
- hébergement, 284
- restaurants, 284
- vie nocturne, 285
Folklore. *Voir Artisanat*
Football, 57, 117
Formalités d'entrée, 46
Forte de São Bento (Madère), 386
Forte de São João Batista (île de Berlenga), 190
Forteresse de saint Théodose (São Teodosio), 171
Forteresse de Santa Catarina (Portimão), 216
Funchal (Madère), 364-385. *Voir aussi Madère*
Fundação Calouste Gulbenkian (Lisbonne), 104
Fundação de Serralves (Porto), 317
Fundação Ricardo Espírito Santo (Lisbonne), 108
Fuseaux horaires, 59

Galeries d'art, 122, 328
Gardes d'enfants, 59, 71
Golf, 57
- Albufeira, 228
- Cascais, 143
- Espinho, 330
- Estoril, 136
- Lagos, 210
- Lisbonne, 115, 176
- Madère, 375, 383
- Obidos, 184
- Péninsule de Tróia, 176
- Portimão, 216
- Quinta do Lago (Almancil), 241
- Sintra, 159
- Vale do Lobo (Almancil), 241
- Vilamoura, 236
Grande Casino Peninsular, 285
Gravures sur bois
- Albufeira, 229
- Beja, 274

- Braga, 345
- Espinho, 332
- Estremoz, 263
- Figueira da Foz, 284
- Guimarães, 342
- Lisbonne, 120
- Monchique, 224
- Obidos, 184
- Ponte de Lima, 355
- Portimão, 218
- Porto, 327-329
- Setúbal, 177
- Viana do Castelo, 352
- Viseu, 308
Guimarães, 340
Guincho, 149
Gulbenkian, musée (Lisbonne), 104

Handicapés, voyageurs, 48
Hébergement. *Voir aussi Pousadas et par ville*
- conseils pratiques, 55
- coups de cœur, 15, 16
- escapades de charme, 12
Henri le Navigateur, infant, 26, 106
Histoire, 23
Homosexuels (voyageurs), 49
- Costa da Caparica, 173
- Estoril, 135
- Lisbonne, 128-129, 131
- Porto, 330
Hôpital da Misericórdia (Barcelos), 348
Horaires, 59
Hôtels. *Voir Hébergement et Pousadas*

Igreja da Misericórdia (Tavira), 249
Igreja da Misericórdia (Viana do Castelo), 351
Igreja da Santa Maria (Bragança), 360
Igreja da São Vicente de Fora (Lisbonne), 106
Igreja de Nossa Senhora da Assunção (Cascais), 143
Igreja de Nossa Senhora de Consolação (Elvas), 266
Igreja de Nossa Senhora de Graça (Évora), 269

Igreja de Nossa Senhora do Terco (Barcelos), 348
Igreja de Nossa Senhora dos Mártires (Estremoz), 262
Igreja de Santa Clara (Porto), 315
Igreja de Santa Clara (Vila do Conde), 333
Igreja de Santa Engrácia (Lisbonne), 106, 117
Igreja de Santa Maria (Estremoz), 262
Igreja de Santa Maria (Obidos), 182
Igreja de Santo António (Lagos), 209
Igreja de São Domingo (Aveiro), 301
Igreja de São Francisco (Faro), 245
Igreja de São Francisco (Guimarães), 341
Igreja de São Francisco (Porto), 316
Igreja de São João Baptista (Tomar), 258
Igreja de São João Evangelista (Évora), 270
Igreja de São Miguel de Castelo (Guimarães), 341
Igreja de São Pedro (Leiria), 281
Igreja de São Roque (Lisbonne), 108
Igreja de São Tiago (Vila Real de Santo António), 251
Igreja do Bom Jesús da Cruz (Barcelos), 348
Igreja do Senhor dos Milagres (Machico), 366
Igreja e Mosteiro da Santa Cruz (Coimbra), 288
Igreja Matriz (Barcelos), 348
Igreja Matriz (Vila do Conde), 334
Igreja Real de São Francisco (Évora), 269
Igreja São Pedro (Vila Real), 357
Ilhavo, 301
Inês de Castro, 288, 290
Internet, sites utiles, 395
Isabelle, sainte, 281, 288

Jardim Botânico (Lisbonne), 103
Jardim Botânico (Madère), 380
Jardin zoologique (Lisbonne), 109

Jean Ier (Jean d'Aviz), 26, 157, 180, 196, 341, 348, 359
Jean II, 26, 117, 301, 340, 357
Jean III (le Pieux), 26, 108, 269
Jean IV, 26, 270
Jean V, 109, 270
Jean VI, 27
Jeanne, infante sainte, 301
Jerónimos, monastère des (Belém), 14, 100
Jésuites, 27, 64, 109, 269
Jeux. Voir Casinos
Josefa de Obidos, 184
Joseph Ier, 27, 104, 108, 111
Jours fériés, 35
Jules César, 25, 268, 273

Lagos, 208
 - comment s'y rendre, 209
 - hébergement, 211
 - restaurants, 213
 - vie nocturne, 214
Langue, 60
Leiria, 280
Lettres portugaises, 273
Librairies, 38-39, 123, 328
Lisbonne, 62-132
 - Alcântara, restaurants, 94
 - Alfama, 68, 96
 - artisanat, 118
 - Bairro Alto, 68, 105
 - Baixa, 68, 111
 - Belém, 68, 96
 - Cacilhas, 68
 - cafés, 128
 - Campo Grande, hébergement, 82
 - Chiado, 68, 11
 - concerts, 126
 - discothèques, 126
 - églises, 106
 - enfants, 75, 85, 109
 - fado, 127
 - festivals, 35
 - Graça, 82, 93
 - hébergement, 72
 - histoire, 62
 - homosexuels, 131
 - hôpitaux, 71
 - itinéraires, 95
 - loisirs de plein air, 115
 - office du tourisme, 65
 - quartiers, 68
 - restaurants, 82

- se déplacer en voiture, 70
- se repérer, 66
- sécurité, 72
- shopping, 118
- spectacles, 125
- sports, 115, 116
- taxis, 70
- transports, 69
- vie nocturne, 125
- visites, 96-115
- visites guidées, 114
Loulé, 247
Lusiades, Les (Camoes), 100, 154
Luso, 297

Machado de Castro, 98, 224
- musée (Coimbra), 14, 288
Machico, 366
Madère, 362-393
- bureaux de poste, 369
- carro de cesto, descente en luge, 365, 383
- comment s'y rendre, 364
- consulats, 368
- enfants, 373, 377
- excursions, 385
- hébergement, 369
- loisirs, 382
- marchés, 381
- médecins, 369
- office du tourisme, 364
- pharmacies, 368
- restaurants, 376
- s'y rendre en voiture, 364
- shopping, 384
- transports, 364,368
- urgences, 369
- vie nocturne, 385
- vue d'ensemble, 365
Madère, vin de, 381
Mafra, palais de, 164
Magazines, 60
Maison aux jets d'eau (Conimbriga), 294
Maison de Cantaber (Conimbriga), 294
Maisons de campagne, 56
Manuel Ier (le Grand), 26, 108
Manuel II, 102, 106
Manuélin (art), 28
Marchés aux puces, 106, 123, 327

Marchés. *Voir aussi Marchés aux puces*
- Lisbonne, 123
- Madère, 382
Mardi gras (Sesimbra), 170
Marie Ire, reine, 102
Maroquinerie, 19
- Braga, 345
- Bragança, 360
- Figueira da Foz, 284
- Lagos, 211
- Lisbonne, 122
- Madère, 382
- Obidos, 184
- Portimão, 218
- Porto, 327
- Setúbal, 177
Marvão, 261
Mercado dos Lavradores (Madère), 365, 382
Minde, 190
Minho (région), 337
Miranda, Carmen, 29
Misericórdia (Ericeira), 164
Monastères. *Voir aussi Mosteiro*
- coups de cœur, 14
Monastère cistercien Santa Maria (Alcobaça), 181, 189
Monastère Santa Maria (Alcobaça), 14, 189
Monastère Santa Maria da Vitória (Batalha), 14, 196
Monchique, 224
Monnaie, 49
Monsaraz, 261
Monte Estoril, 138
Monte Gordo, 252
Montesinho (parc naturel), 360
Moringues (cruches), 263
Mosteiro de Santa Clara, 311
Mosteiro de Santa Maria (Alcobaça), 14, 189
Mosteiro de Santa Maria da Vitória (Batalha), 14, 196
Mosteiro dos Jerónimos (Belém), 9, 100
Musée. *Voir aussi Museu*
- coups de cœur, 13
Musée d'Art ancien (Évora), 270
Musée d'Art religieux São Francisco (Porto), 316
Musée d'Art sacré (Braga), 344
Musée d'Art sacré (Madère), 380

Musée des Arts décoratifs (Lisbonne), 108
Musée de la Marine (Lisbonne), 13, 102
Musée militaire de Buçaco, 295
Musée municipal (Faro), 245
Musée municipal (Lagos), 209
Musée municipal (Madère), 380
Musée national d'Art ancien (Lisbonne), 13, 104
Musée national d'Art moderne (Porto), 317
Musée national du costume (Lisbonne), 103
Musée national militaire (Lisbonne), 108
Musée national Soares dos Reis (Porto), 316
Musée rural (Estremoz), 262
Museu Arqueologia (Silves), 227
Museu Arqueológico (Barcelos), 348
Museu da Fundação Calouste Gulbenkian (Lisbonne), 13, 104
Museu da Guerra Peninsular (Buçaco), 295
Museu da Quinta das Cruzes (Madère), 380
Museu da Sé catedral (Braga), 344
Museu da Setúbal, 176
Museu de Alberto Sampaio (Guimarães), 341
Museu de Arte Popular (Lisbonne), 102
Museu de Arte Sacra (Madère), 380
Museu de Aveiro, 301
Museu de Évora, 270
Museu de Grão Vasco (Viseu), 307
Museu de Manuel Cabanas (Vila Real de Santo António), 251
Museu de Marinha (Lisbonne), 13, 102
Museu de São Francisco (Porto), 316
Museu de São Roque (Lisbonne), 108
Museu do Abade de Baçal (Bragança), 360
Museu do Caramulo, 306
Museu do Chiado (Lisbone), 108
Museu do Conde de Castro Guimarães (Cascais), 143

Museu do Mar (Cascais), 143
Museu do Mar (Ilhavo), 301
Museu dos Biscainhos (Braga), 344
Museu Escola de Rendas (Vila do Conde), 334
Museu Ethnografico Regional (Faro), 245
Museu Luso-Hebraico (Tomar), 258
Museu Machado de Castro (Coimbra), 14, 288
Museu Maritimo (Faro), 245
Museu Militar (Bragança), 359
Museu Monográfico (Conimbriga), 294
Museu Municipal (Faro), 245
Museu Municipal do Funchal (Madère), 380
Museu Municipal Dr José Formosinho (Lagos), 209
Museu Nacional de Arte Antiga (Lisbonne), 13, 104
Museu Nacional de Arte Moderna (Porto), 317
Museu Nacional de Soares dos Reis (Porto), 316
Museu Nacional dos Coches (Lisbonne), 13, 102
Museu Nacional Militar (Lisbonne), 108
Museu Rainha Dona Leonor (Beja), 273
Museu Regional de Cerâmica (Barcelos), 348
Museu Rural da Casa do Povo de Santa Maria de Estremoz, 262

Natation. Voir Plages
Nazaré, 10, 192
Nossa Senhora do Cabo (Sesimbra), 171
Nossa Senhora do Pópulo (Caldas da Rainha), 189

Obidos, 10, 12, 182-188
- comment s'y rendre, 182
- hébergement, 185
- restaurants, 187
- vie nocturne, 188
Oceanario de Lisboa, 109
Office du tourisme du Portugal, 37
Ofir, 335

414

Oiseaux, observation d', 58
Olhão, 248

Paço do Concelho (Viana do
    Castelo), 351
Paço dos Duques de Bragança
    (Guimarães), 341
Padrão dos Descobrimentos
    (Lisbonne), 100
Palácio da Bolsa (Porto), 320
Palacio da Pena (Sintra), 157
Palácio de Monserrate
    (Sintra), 158
Palácio do Visconde de Estói, 250
Palácio Foz (Lisbonne), 114
Palácio nacional de Mafra, 14, 164
Palácio nacional de Pena
    (Sintra), 13, 157
Palácio nacional de Queluz
    (près de Lisbonne), 13, 153
Palácio nacional de Sintra, 157
Palais. *Voir aussi Palacio et Paço*
    - coups de cœur, 12
Palais Biscainhos (Braga), 344
Palais de la Bourse (Porto), 320
Palais des Bragance (Barcelos), 348
Palais des ducs de Bragance (paço
    dos Duques) (Guimarães), 341
Palmela, 179
Paniers
    - Albufeira, 229
    - Coimbra, 290
    - Espinho, 332
    - Lisbonne, 118
    - Loulé, 247
    - Madère, 384
    - Monchique, 224
Panteão nacional (Lisbonne), 106
Pâques, 35
Parcs aquatiques, 58, 228
Parque da Pena (Sintra), 157
Parque nacional da
    Peneda-Gerês, 345
Parque natural das Serras de Aire e
    Candieiros, 190
Parque natural de
    Montesinho, 360
Passeport, 46
Pèlerinages à Fátima, 35, 198
Peninsula de Tróia, 176
Personnes âgées, 48
Pessoa, Fernando, 112
Pharmacies, 60

Philippa de Lancaster, 26, 157,
    196
Pico do Arieiro (Madère), 388
Pico do Castelo, 391
Pico Ruivo (Madère), 366
Pierre III, 153
Pierre IV, empereur du Brésil, 153,
    316
Pierre le Cruel, 26
Plages, 11
    - Albufeira, 228
    - Algarve, 204
    - Costa da Caparica, 173
    - Ericeira, 163
    - Espinho, 330
    - Estoril, 135
    - Estrémadure, région d', 181,
        185
    - Faro, 245
    - Figueira da Foz, 283
    - Guincho, 149
    - Lagos, 208
    - Lisbonne, 115
    - Obidos, 185
    - Portimão, 214
    - Portinho da Arrábida, 174
    - Porto, environs de, 311
    - Porto Santo, 389
    - Praia de Leirosa, 278
    - Rota da Luz, 302
    - Sagres, 207
    - São Pedro de Moel, 281
    - Setúbal, 176
    - Tavira, 249
    - Vila do Conde, 333
Planetário Calouste Gulbenkian
    (Lisbonne), 109
Plongée sous-marine autonome
    - île de Berlenga, 190
    - Lagos, 210
    - Madère, 384
Pombal, marquis de (Sebastião
    José de Carvalho e Mello), 26,
    64, 67, 269
Poneys, randonnées en, 345
Ponta da Calheta, 391
Ponta da Piedade, 208
Ponte de Lima, 355
Porcelaine
    - Coimbra, 290
    - Fátima, 199
    - Figueira da Foz, 284
    - Lisbonne, 124
    - Portimão, 218

Porches, 225
Portimão, 214-225
- comment s'y rendre, 214
- hébergement, 218
- restaurants, 222
- vie nocturne, 225
Portinho da Arrábida, 174
Porto (région), 330-336
Porto (ville), 311
- bureaux de change, 314
- comment s'y rendre, 312
- gares ferroviaires, 312
- hébergement, 322
- office du tourisme, 312
- restaurants, 325
- Ribeira, 319
- shopping, 327
- transports, 314
- vie nocturne, 329
- visite à pied, 319
Porto Moniz (Madère), 387
Porto Santo, 389
- comment s'y rendre, 390
- hébergement, 391
- restaurants, 392
- transports, 390
Porto, vin de, 9, 18, 32, 125, 310, 317, 318, 328
Portugal dos Pequenitos (Coimbra), 289
Poste, 60, 71
Poterie, 19, 337
- Albufeira, 229
- Alcobaça, 191
- Aveiro, 302
- Barcelos, 348
- Beja, 274
- Braga, 345
- Caldas da Rainha, 186
- Guimarães, 342
- Lagos, 211
- Lisbonne, 118
- Loulé, 247
- Madère, 384
- Portimão, 218
- Setúbal, 177
- Tomar, 259
- Viana do Castelo, 352
- Vila Real, 358
- Viseu, 308
Pourboires, 60
Pousada da Rainha Santa Isabel (Estremoz), 16, 262
Pousada da Ria (Aveiro), 304

Pousada de Nossa Santa Maria da Oliveira (Guimarães), 342
Pousada de Santa Cristina (Coimbra), 294
Pousada de Santa Luzia (Elvas), 16, 264
Pousada de Santa Maria (Marvão), 256
Pousada de Santa Marinha da Costa (Guimarães), 342
Pousada de Santiago (Santiago do Cacém), 202
Pousada de Santo António (Aveiro), 304
Pousada de São Bartolomeu (Bragança), 361
Pousada de São Brás, 248
Pousada de São Filipe (Setúbal), 16, 178
Pousada de São Jerónimo (Caramulo), 306
Pousada de São Pedro, 259
Pousada do Arieiro (Madère), 388
Pousada do Castelo (Obidos), 16, 183
Pousada do Castelo de Palmela, 180
Pousada do Convento de São Francisco (Beja), 274
Pousada do Infante (Sagres), 205
Pousada do Mestre Afonso Domingues (Batalha), 197
Pousada do Monte de Santa Luzia (Viana do Castelo), 352
Pousada Dom Diniz (Vila Nova de Cerveira), 339
Pousada Dona Maria I (Queluz), 153
Pousada dos Lóios (Évora), 16, 270
Pousada dos Vinháticos (Madère), 387
Pousadas, 8, 16, 55, 403
- coups de cœur, 16
- réservations, 55
Praia da Falésia, 232
Praia da Galé, 233
Praia da Rocha, 219
Praia do Guincho, 150
Praia do Sol, 164
Praia dos Três Irmãos, 221
Presse, 60

Quarteira, 235
- comment s'y rendre, 235
- hébergement, 237
- restaurants, 239
- vie nocturne, 239
Queima das Fitas (Coimbra), 293
Queimadas, 367
Queluz, 152
Queluz (palais de), 153
Quiaios, lacs, 284
Quinta (parc) des Laranjeiras
(Lisbonne), 109
Quinta das Lágrimas
(Coimbra), 289
Quinta de Regaleioa (Sintra), 159
Quinta do Palheiro Ferreiro
(Madère), 381
Quintas (maison de campagne,
ferme, domaine rural), 56
- Azeitão, 169
- Colares, 151
- Madère, 372, 374, 377, 381
- Obidos, 186
- Palmela, 180
- Sintra, 159
- Viana do Castelo, 353

Radio, 61
Randonnées, 7, 8, 58
Régions (en bref), 21
Réservations de chambres, 55
Restaurants. Voir aussi par ville
- coups de cœur, 17
Ribatejo, 22, 254
Ribeira Brava (Madère), 386
Ribeira Nova, 103
Ribeiro Frio (Madère), 389
Rodrigues, Amália, 127
Romaria da Nossa Senhora de
Nazaré, 37
Rotin
- Lagos, 211
- Lisbonne, 118
- Madère, 384
- Monchique, 224
- Portimão, 218

Sagres, 206
- hébergement, 207
- restaurants, 208
- vie nocturne, 208
Santa Justa, elevador, 96, 114, 117
Santa Maria, église
(Bragança), 360

Santa Maria, monastère
(Alcobaça), 189
Santana (Madère), 389
Santé, 46
Santo Amaro, église (Beja), 273
Santo António de Lisboa
(Lisbonne), 99
Santuário da Nossa Senhora do
Cabo (Sesimbra), 171
São Brás de Alportel, 248
São Jorge, castelo (Lisbonne), 12,
97
São Pedro de Moel, 281
São Pedro, église (Vila Real), 357
São Roque, église (Lisbonne), 108
São Roque, musée
(Lisbonne), 108
São Vicente (Madère), 387
Sardine, fête de la (Portimão), 215
Sé (cathédrale)
- Braga, 344
- Bragança, 360
- Elvas, 265
- Évora, 269
- Faro, 244
- Lisbonne, 98
- Madère, 379
- Porto, 315
- Sé Nova (Coimbra), 286
- Sé Velha (Coimbra), 286
- Silves, 227
- Viseu, 307
Serpa, 261
Serra da Arrábida, 12
Serra de Agua (Madère), 386
Serra da Estrêla, parc
national, 296
Serre froide, La (Parque Eduardo
VII, Lisbonne), 103
Sesimbra, 170
- comment s'y rendre, 170
- hébergement, 172
- restaurants, 172
- vie nocturne, 173
Setúbal, 175
- comment s'y rendre, 175
- hébergement, 177
- restaurants, 178
- vie nocturne, 179
Severa, Maria, 127

Shopping. *Voir aussi Arraiolos, tapis d' ; Paniers ; Tapis ; Broderie ; Marchés aux puces ; Artisanat ; Bijoux ; Maroquinerie ; Porcelaine ; Poterie ; Céramiques ; Rotin ; Sculpture sur bois ; et sous les différentes destinations.*
- coups de cœur, 19
Silves, 226
Sines, 204
Sintra, 10, 12, 98, 154
- comment s'y rendre, 156
- hébergement, 160
- restaurants, 162
- vie nocturne, 163
Sintra, festival de, 156
Sintra, palais national, 157
Ski nautique
- Aveiro, 302
- Faro, 245
- Madère, 384
- Portimão, 218
Ski, 296
Solar de Mateus (Vila Real), 357
Southey, Robert, 166
Stations thermales, 8
- Caldas de Monchique, 224
- Castelo de Vide, 256
- Cúria, 299
- Luso, 297
- Vimeiro, 184

Tapis, 19, 184. *Voir aussi Arraiolos, tapis d'*
Tauromachie, 57,116
Tavira, 249
Taxes, 60
Téléphone, 60
Télévision, 61
Températures, moyenne des, 34
Templiers, 257
Templo de Diana (Évora), 268
Thérèse, reine, 24
Tomar, 10, 257
Torre da Princesa (Bragança), 360
Torre de Belém, 99
Torre dos Clérigos (Porto), 317

Trains, 45, 54
Trás-os-Montes, 10, 23
Tremblement de terre de 1755, 64, 117

Universidade de Évora, 269
Université de Coimbra, 286
Urgences, 61

Vasco da Gama, aquarium (Lisbonne), 109
Velha Universidade (Coimbra), 286
Venta de Rosa (Sagres), 206
Vêtements, 123. *Voir aussi Shopping*
Viana do Castelo, 10, 351
- comment s'y rendre, 351
- hébergement, 352
- restaurants, 354
- vie nocturne, 356
Vicente, Gil, 112, 267, 340
Vieux marché aux esclaves (Lagos), 210
Vila Baleira. *Voir Porto Santo*
Vila do Conde, 333
Vila Franca de Xira, 265
Vila Nova de Milfontes, 276
Vila Real de Santo António, 250
Vila Real, 356
Vilamoura, 235
Vin, 18, 32, 125, 151, 318, *voir aussi Porto*
Viseu, 306
- hébergement, 308
- restaurants, 309
- vie nocturne, 309
Viseu, cathédrale de, 307
Vista Alegre, 302
Voile, 58
Voiture, 53
Voltaire, 64
Voyages organisés, 44

Zoo Marin et parc aquatique (Albufeira), 228

Notes

Notes

Notes

Notes

422

Notes

Notes

Notes

Notes

Notes

Notes

428

Notes

Notes

Achevé d'imprimer en janvier 2001
par Normandie Roto SA — 61250 Lonrai
N° d'imprimeur 00–3288 — Dépôt légal : janvier 2001

Voyagez

432 pages
129 F

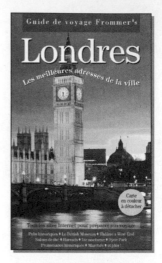

432 pages
129 F

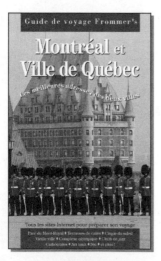

336 pages
129 F

304 pages
129 F

Frommer's

320 pages
129 F

496 pages
149 F

592 pages
159 F

À paraître **Frommer's**

Israël
Irlande
Turquie
Italie
Espagne

Retrouvez les Éditions First sur Internet

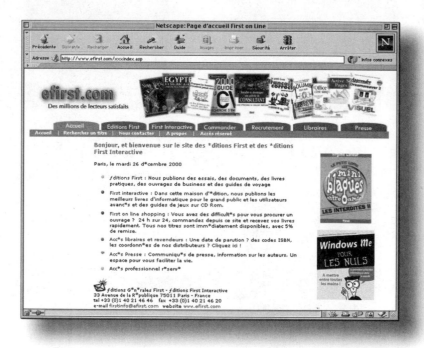